KB151841

PIO **BERTANI**
MASSIMO **GAGLIANI**
FABIO **GORNI**

Calogero **Bugea**
Filippo **Cardinali**
Enrico **Cassai**
Arnaldo **Castellucci**
Francesca **Cerutti**
Roberto **Fornara**

Paolo **Generali**
Massimo **Giovarruscio**
Davide **Guglielmi**
Marco **Martignoni**
Tiziano **Testori**
Riccardo **Tonini**

재근관치료

치수기원 치근단 병소의 치료

대표 역자 **김의성**
송민주 | **김선일** | **이채환**

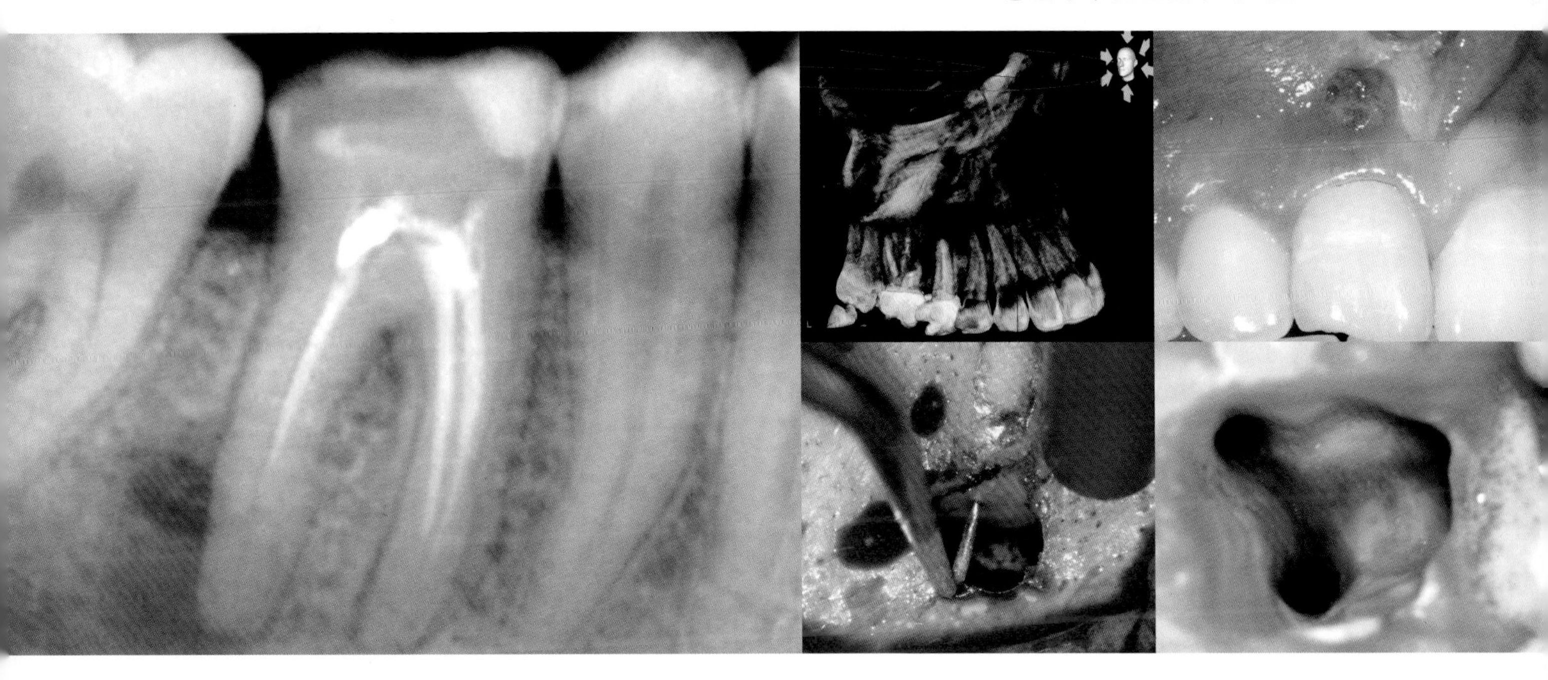

재근관치료
Retreatments

첫째판 1쇄 인쇄 | 2022년 01월 20일
첫째판 1쇄 발행 | 2022년 02월 10일

옮 긴 이 김의성, 김선일, 송민주, 이채환
발 행 인 장주연
출 판 기 획 한수인
책 임 편 집 이경은
표지디자인 양란희
편집디자인 유현숙
발 행 처 군자출판사
등록 제4-139호(1991.6.24)
(10881) 파주출판단지 경기도 파주시 회동길 338(서패동 474-1)
전화 (031)943-1888 팩스 (031)955-9545
www.koonja.co.kr

This edition of ***RETREATMENTS Solutions for Periapical Diseases of Endodontic Origin*** is published by arrangement with EDRA

ISBN 979-11-5955-777-4
정가 150,000원

재근관치료

치수기원 치근단 병소의 치료

Chief translator

김의성 DDS, MSD, PhD.

연세대학교 치과대학 학사, 석사 및 박사

연세대학교 치과대학병원 보존과 및
University of Pennsylvania 근관치료학과 수련

대한치과근관치료학회 회장 역임

현) 연세대학교 치과대학 학장, 보존과 교수
대한민국의학한림원 정회원
한국치과대학치의학전문대학원 협회 이사장
미국 University of Pennsylvania 겸임교수

Translators

송민주 DDS, MSD, PhD.

연세대학교 치과대학 학사

연세대학교 치과보존학 석사 및 박사

연세대학교 치과대학병원 보존과 수련

치과보존과 전문의 및 인정의

연세대학교 강남세브란스 치과병원 보존과 임상조교수

UCLA 치과대학 Visiting Assistant Project Scientist

현) 단국대학교 치과대학병원 보존과 조교수 및 임상과장

김선일 DDS, MSD, PhD.

연세대학교 치과대학 학사

연세대학교 치과보존학 석사 및 박사

연세대학교 치과대학병원 보존과 수련

치과보존과 전문의

UCLA 치과대학 Visiting Scholar

현) 연세대학교 치과대학 보존과학교실 부교수

이채환 DDS, MS.

연세대학교 치과대학 학사

UCLA (University of California, Los Angeles) Oral Biology 석사

UCLA Endodontics residency program 수련

UCLA Endodontics clinical instructor

치과보존과 전문의

Editors

piobertani@piobertani.com

Pio Bertani

Surgeon, Specialist in Dentistry.
Adjunct Professor of Conservative Dentistry at the University of Modena and Reggio Emilia from 2003 to 2008.
Teacher of the Postgraduate Course in Conservative Dentistry in 2004 to 2005 at the University of Modena and Reggio Emilia.
Teacher of Advanced Training Course in Prosthetics from 2009 to 2013 at the University of Bologna.
Adjunct Professor of Endodontics at the University of Parma. Active Member of the Italian Academy of Aesthetic Dentistry. Active Member of the Italian Society of Endodontics (SIE), of which he is the Past President.
Active Member of the European Society of Endodontics. Co-author of the book "Illustrated Manual of Endodontics" (Masson, 2003) and of the "Manual of Endodontics" (Edra, 2013).

massimo.gagliani@unimi.it

Massimo Gagliani

He graduated in Medicine and dedicated himself to Dentistry, in particular Conservative Dentistry and Endodontics, as part of the degree course in Dentistry and Dental Prosthetics at the University of Milan. Associate Professor of Dentistry Diseases since 2000 at the University of Milan. He practices at the "Giorgio Vogel" Dental Practice in Milan.
He is the author of numerous scientific publications in national and international journals, including *International Endodontic Journal*, *Journal of Endodontics*, and *Giornale Italiano di Endodonzia*.
He is the Editorial Coordinator of the EDRA Group for Dentistry, former Editor-in-Chief of *Giornale Italiano di Endodonzia*, and Founding Partner of the Digital Dental Academy (www.digitaldentalacademy.it).

fabiogorni@dentalservicesanzio.it

Fabio Gorni

He graduated in Dentistry and Dental Prosthetics from the University of Milan in 1984. Former Adjunct Professor in Endodontics at the University of Milan, Ospedale San Paolo. Adjunct Professor holder of teaching in Perioral Aesthetics of the Degree Course in Dentistry and Dental Prosthetics, Università Vita-Salute San Raffaele, Milan.
Active Member of the Italian Society of Endodontics (SIE) and the Italian Academy of Microscopic Dentistry, Specialist Member of the European Society of Endodontology, and Member of the American Association of Endodontists. Speaker in Italy and abroad in numerous courses and congresses, author of several publications in national and international journals. In collaboration with C.J. Ruddle, he published a video-series entitled "The Endodontic Game," distributed in Europe, USA, Canada, Australia, and Asia. Co-founder of StyleItaliano Endodontics.

Authors

Calogero Bugea

Degree in Dentistry and Specialization in Oral Surgery at "G. d'Annunzio" University of Chieti-Pescara. Active Member of the International Piezoelectric Surgery Academy (IPA). Member of StyleItaliano Endodontics. Active Member of the Italian Society of Endodontics (SIE). Author of national and international publications on Implantology and Endodontics.

Filippo Cardinali

He graduated in Dentistry and Dental Prosthetics from the University of Ancona in 1992. Active Member of the Italian Society of Endodontics. Certified Member of the European Society of Endodontology. Specialist Member of the American Association of Endodontists. Gold Member of StyleItaliano Endodontics. Speaker at courses and congresses in Italy and abroad. He practices his profession dedicating himself above all to Endodontics and Conservative Dentistry and is the author of publications on the subject in specialist national and international journals.

Enrico Cassai

He graduated with honors in Dentistry and Dental Prosthetics from the University of Ferrara in 1999. Active Member of the Italian Society of Endodontics and of the Italian Academy of Microscopic Dentistry. Associate Member of the American Association of Endodontists and of the European Society of Endodontology. Member of the SIE Cultural Commission from 2017 to 2019. Speaker at courses and congresses in Italy and abroad. Author of numerous publications in national and international journals.

Arnaldo Castellucci

Past President of the Italian Society of Endodontics and the International Federation of Endodontic Associations. Active Member of the American Association of Endodontists. Active Member of the European Society of Endodontology. Editor-in-Chief of *Giornale Italiano di Endodonzia* and *L'Informatore Endodontico*. Author of "Endodonzia" (Ed. Martina, Bologna) and "Microendodonzia Chirurgica" (Edra, Milan, in print). Founder and President of Centro per l'Insegnamento della Microendodonzia. International speaker.

Francesca Cerutti

She graduated from the University of Brescia (2007), where she also obtained her PhD (2013). Adjunct Professor at the University of Milan. Member of the Italian Society of Endodontics (SIE) and Silver Member of StyleItaliano Endodontics. Editorial Coordinator of *Giornale Italiano di Endodonzia* (2008-2011). Reviewer for international journals and author of articles and texts on restorative dentistry and Endodontics. Speaker on topics regarding Conservative Dentistry and Endodontics.

Roberto Fornara

He graduated with honors in Dentistry and Dental Prosthetics in 1995 from the University of Pavia. Since 2003, Active Partner of the Italian Society of Endodontics (SIE) and current Chairman-Elect of the SIE. Since 2010, Certified Member of the European Society of Endodontics (ESE). Active Member of the Digital Dental Society (DDS). Member of the Editorial Committee of *Giornale Italiano di Endodonzia*. Author of scientific articles in national and international journals. Speaker at national and international congresses and lecturer in theoretical and practical courses.

Paolo Generali

He graduated with honors in Medicine and Surgery and specialized in Dentistry. Full Member of Amici di Brugg, Active Member of the Italian Society of Endodontics (SIE). Member of the ANDI. Author of texts, articles, and reports at Congresses in Italy and abroad. Lecturer in Conservative Dentistry at CLSOPD, former lecturer in postgraduate and master courses. Lecturer at the 2nd Level Master's Degree in Endodontics and Restorative Dentistry at the University of Siena.

Massimo Giovarruscio

He graduated with honors from the "Tor Vergata" University of Rome in 1995. Active Member of the Italian Society of Endodontics and the Italian Academy of Microscopic Dentistry.
Member of the European Society of Endodontology and the British Endodontic Society. Visiting Professor in 2005 at New York University (Dir. Prof. Paul Rosenberg). Since 2010, Specialist Clinical Teacher at the King's College London Institute and Guy's Hospital in London.
Author of clinical works in *Giornale Italiano di Endodonzia*. Speaker at national and international congresses.

Davide Guglielmi

He graduated with honors from the University of Insubria in Varese in 2010. Master's degree in Periodontology and Postgraduate degree in Oral Surgery. Member of the Italian Society of Periodontology and Implantology (SIdP) and Italian Society of Endodontics (SIE) and Silver Member of Styleitaliano Endodontics. Collaborator at the Department of Periodontology (Dir. Prof. M. de Sanctis) of Ospedale Vita-Salute San Raffaele and of Prof. F. Gorni. Winner of the Giorgio Lavagnoli SIE Award in 2018.

Marco Martignoni

He graduated with honors from the University of Chieti in 1988. Chairman of the European Society of Endodontology Congress for ESE-Rome 2011.
Past President of the Italian Society of Endodontics. Professor at Steinbeis Transfer Institute Hochschule Berlin. Visiting Professor at the International Master in Endodontics and Restorative Dentistry, University of Siena. Founder of the Italian Academy of Microscopic Dentistry and Honorary Member of the French Endodontics Society. Speaker at national and international level.

Tiziano Testori

He graduated in Medicine and Surgery in 1981, specializing in Dentistry in 1984 and Orthodontics in 1986 at the University of Milan. Head of the Department of Implantology and Oral Rehabilitation Dental Clinic (Dir. Prof. Francetti), IRCCS Istituto Ortopedico Galeazzi, University of Milan. Adjunct Clinical Associate Professor, Dept. of Periodontics and Oral Medicine, University of Michigan, School of Dentistry. Author of 123 scientific articles indexed on PubMed.

Riccardo Tonini

D.D.S., M.Sc, he graduated from the University of Brescia in 2004. In 2007, he obtained a Master's Degree in Endodontics from the University of Verona. Since 2010, he has been an Active Member of the Italian Society of Endodontics (SIE) and the Italian Society of Microscopic Dentistry.
Member of StyleItaliano Endodontics.
He runs private practice, committed to Endodontics, in Brescia.

Co-authors

Zaher Al-Taqi

He graduated in Dentistry from the Syrian Private University (SPU), College of Dentistry in Syria. Post-graduate degree in Endodontics from Damascus University, College of Dentistry, Syria and member of the the Syrian Board of Endodontics within the Syrian commission for health specialists. He is a member of the editorial board of *International Dental and Medical Journal of Advanced Research*. He lectures internationally in the clinical approach to microscopic endodontics. He conducts international private courses and modules on Modern Endodontics. Gold member of StyleItaliano Endodontics. His private practice in Riyadh, Saudi Arabia is committed to microscopic endodontic treatment.

Ahmed Alwaidh

He graduated with a BDS from the University of Baghdad in 2008. Specialized in microscopic endodontics. In 2017, he enrolled in the MSc in Endodontics at King's College London. He has conducted many courses in microscopic endodontics. He's also a KOL at Fanta Dental, Scientific Advisor at Teimdent, Finland and Silver member of StyleItaliano Endodontics. CEO and owner of BurJuman Dental Polyclinic, in Najaf, Iraq (private sector). His practice is committed to microscopic endodontics and aesthetic dentistry.

Mostafa Anwar

BDS, DHHM, MDSc, PhD Researcher. He is Fellow Assistant Lecturer of Endodontics at The British University in Egypt (BUE) and Certified Healthcare & Hospital Management Specialist at the American University in Cairo (AUC). Member of the Editorial Board of *EC Dental Science Journal* and Silver Member of StyleItaliano Endodontics. Endodontics Specialist at the Whity Dental Center. His private practice is committed to microscopic endodontic treatment.

Khalid Jamal Attar

He graduated from the Faculty of Dentistry of University of Basrah in 2010. He worked in the first specialist center in the province of Basrah. He has about 9 years'experience in the field of root fillings. Member of the Iraqi Endodontic Society and certified Silver member of StyleItaliano Endodontics since 2018. His private practice is committed to microscopic endodontic and restorative treatment.

Errico Bucci

He graduated in Medicine from the University of L'Aquila, Italy in 1984. He specialized in dentistry in 1987 and orthodontics in 1991 at the University of Milan, Italy. He has always dedicated himself to the practice of orthodontics and to the recovery and preservation of severely compromised teeth. Member of the following scientific societies: the Italian Society of Endodontics (SIE), the Italian Society of Orthodontics (SIDO).

Federico Ceroni

He graduated from the University of Milan, Italy in 2013.
He has always dedicated himself to the practice of minimally-invasive aesthetic dentistry and to the recovery and preservation of severely compromised teeth. He has spoken at national and international conferences on conservative dentistry and endodontics. He is the co-author of several publications. Member of the following scientific societies: the Italian Society of Endodontics (SIE), the Italian Academy of Conservative dentistry (AIC), Silver member of StyleItaliano Endodontics and Shade Guide.

Gilberto Debelian

He received his DMD degree from the University of Sao Paulo, Brazil in 1987. He specialized in Endodontics at the University of Pennsylvania, USA in 1991. Clinical instructor and Associate professor at the endodontic program at the University of Oslo (UIO), Norway 1991-2010. Adjunct visiting professor at the post-graduate program in endodontics,

Zaher Al-Taqi | Ahmed Alwaidh | Mostafa Anwar | Khalid Jamal Attar | Errico Bucci | Federico Ceroni | Gilberto Debelian

University of North Carolina in Chapel Hill 2006-2015. Adjunct visiting professor at the post-graduate program in endodontics at the University of Pennsylvania.
He runs a private practice committed to endodontics and he is the director of the advanced endodontic microscopy center – ENDO INN in Oslo, Norway.
He has authored 7 chapters in books on Endodontics, one book on Endodontics and written more than 80 scientific and clinical papers.

Matteo Deflorian

He graduated with honours in Dentistry and Dental Prosthetics from University of Milan in 2007. Tutor at the Department of Implantology and Oral Rehabilitation (Head Prof. T. Testori), University of Milan, Department of Biomedical, Surgical and Dental Sciences, IRCCS Istituto Ortopedico Galeazzi, Servizio di Odontostomatologia (Dir. Prof. L. Francetti). I&J's Scientific Co-Director. Active Member of the Italian Academy of Osseointegration (IAO).

Massimo Del Fabbro

Degree in Biological Sciences, PhD in Human Physiology, Associate professor at University of Milan, Department of Biomedical, Surgical, Dental Sciences. Coordinator of research activities of the Dental Clinic, IRCCS Istituto Ortopedico Galeazzi, Milan. Director of the Oral Health Research Centre from 2011 to 2016. Coordinator of the PhD in Dentistry from 2015 to 2018. Over 300 indexed articles.

Alexandru Gliga

He graduated from "Carol Davila" University of Medicine Bucharest in 2013 with a Bachelor's Degree in Dentistry and MSc Endodontics Programme at King's College London with distinction. Member of the European Society of Endodontology since 2017 and Silver member of StyleItaliano Endodontics since 2018. Member of the British Endodontic Society since 2020. In 2015 he was elected councillor and advisor of Bucharest College of Dentists. Lecturer in national and international conferences and private theoretical and practical courses on Endodontology.
His private practice has been committed to endodontics and restorations since 2010.

Mark Habib

He graduated in Dentistry with honors from the Saint Joseph University of Beirut, where he also obtained a Master's in Endodontics and a Master's in Biomaterials for the oral cavity. Clinical Assistant at the endodontics department in the School of dentistry and Senior Lecturer at the Endodontic University Diploma program at the Saint Joseph University. Member of the European Society of Endodontology and of the Italian Society of Endodontics (SIE). Silver member of StyleItaliano Endodontics. Speaker at conferences and workshops in Lebanon and abroad. His private practice at Beirut Endodontic Clinic is committed to Endodontics.

Konstantinos Kalogeropoulos

He graduated from Athens Dental School in 2005. He did his three-year post graduate studies at the same University and received a Master of Science in Endodontics.
He has run a private practice committed to Endodontics in Athens, Greece, since 2008. He lectures both nationally and internationally. His clinical cases have been published in endodontic journals and text books around the world. He is a Silver member of StyleItaliano Endodontics.

Marc K. Kaloustian

He graduated in Dental Surgery at the Saint Joseph University, Lebanon, where he also obtained a Master's in Endodontics and Master's in Biomaterials. He is senior lecturer in the Endodontic department of the Saint Joseph University Dental School, Lebanon. Active member iof the board of the Lebanese Society of Endodontology,

Matteo Deflorian | Massimo Del Fabbro | Alexandru Gliga | Mark Habib | Konstantinos Kalogeropoulos | Marc K. Kaloustian

Silver member of StyleItaliano Endodontics. He commits his private practice to Endodontics. He is an international lecturer in various aspects of endodontic and has published several scientific publications in indexed journals.

Waleed Kurdi

He graduated with honours in Oral and Dental Medicine B.D.S (2009) and obtained a Master's in Endodontics M.D.S (2013) from Cairo University. Endodontist and owner of the BW Dental Clinics since 2013. Clinician, researcher and lecturer in the development of strategies and guidance on root canal treatment and dental hygiene. Lecturer and course director of the Endo-Dam team. Silver member of StyleItaliano Endodontics.

Marco Maraldi

DDS, he graduated with honors in Dentistry and Dental Prosthesis from the University of Milan in 1997. Teacher of the practical-theoretical course "Esthetic rehabilitation of anterior teeth with porcelain veneers", and has his own private practice besides being an endodontics and prosthodontics consultant. Ordinary member of the Italian Society of Endodontics (SIE) and of the Italian Academy of Conservative Dentistry (AIC).

João Meirinhos

DDS, MsC (Endodontics). Integrated Master's in Dental Medicine from Instituto Superior de Ciências da Saúde do Norte (2014); Endodontics and Rehabilitation at RPCEndo 2014; Endodontics Specialty Program at the University of Lisbon. Teacher of Basic and Advanced Endodontics at RPCEndo. Author and co-author of scientific articles published in national and international journals. Speaker at national and international conferences and author of several presentations and posters on Endodontics. Member of the Portuguese Society of Endodontology (PSE), of the European Society of Endodontology (ESE) and of StyleItaliano Endodontics. His practice is committed to Endodontics.

Ivan Mirovic

He graduated from from University of Belgrade, School of Dentistry, Serbia, in 2008 (DDS, Master of Science). In 2009, he completed his one-year general practice residency. From 2009 he completed advanced training in endodontics attending the continuing education in endodontics courses by leading international experts in the field, as well as national and international congresses. Since 2012 he has committed his professional career to endodontics. In 2018 he was promoted to Silver member of StyleItaliano Endodontics. Dr. Mirovic runs a private practice committed to endodontics in Belgrado, Serbia.

Dennis Quintero Santos

He graduated from the Latin University of Costa Rica. National and international speaker. Constant participation in continuing education events. Active member of the international group StyleItaliano Endodontics.

Renzo Raffaelli

He graduated in Medicine from the University of Pavia in 1981 and specialized in Dentistry and Prosthodontics in 1985. He specialized in Endodontics and in Implantology at the University of Verona. He taught the course in Ergonomics - Degree in Dental Hygene - at the University of Verona. Active Member of the Italian Society of Endodontics (SIE) and of the Italian Academy of Microdentistry (AIOM). He runs a private practice in Rovereto (Italy). He has been a speaker at various courses and conferences in Italy. He authored a chapter on urgencies in endodontics in "Manual of Endodontics" by SIE.

Waleed Kurdi | Marco Maraldi | João Meirinhos | Ivan Mirovic | Dennis Quintero Santos | Renzo Raffaelli | Gabriele Ragucci

Gabriele Ragucci

He graduated in Dentistry at the Universidad Europea de Valencia and obtained the Diploma in Conservative Aesthetic Dentistry at the Universidad Pubblica de Valencia. He is an ordinary under 32 member of the Italian Society of Endodontics (SIE), as well as junior member of the Italian Academy of Conservative and Restorative Dentistry. He runs private practice at Studio Burdick-Ragucci in Milan, and Studio Allegri Verona, Italy.

Riccardo Scaini

He graduated in Dentistry and Dental Prosthetics from University of Milan, where he also specialized in Dental Surgery. Tutor at the Department of Implantology and Oral Rehabilitation (Head Prof. T. Testori), University of Milan, Department of Biomedical, Surgical and Dental Sciences, IRCCS Istituto Ortopedico Galeazzi, Servizio di Odontostomatologia (Head Prof. L. Francetti). I&J's Scientific Co-Director. Active Member of the Italian Academy of Osseointegration (IAO).

Fitim Shabani

He graduated as a dental technician in Tetovo, North Macedonia.
He graduated in Medicine and Dentistry from the University of Prishtina, Kosovo in 2011. Lecturer in Switzerland and abroad. Private practice in Switzerland since 2012. His main areas of interest are endodontology, restoration, prosthetics and surgery.

Marino Sutedjo

He graduated with a DDS from Trisakti University (Jakarta-Indonesia) course in 2003. Postgraduate in Conservative Dentistry and Endodontics.
He is currently a KOL and a speaker and instructor in Endodontics both nationally and internationally. In 2016, he became the first Asian dentist to join StyleItaliano Endodontic and is now a certified Gold member. He runs a private practice in Surabaya-Indonesia.

Silvio Taschieri

Assistant Professor at University of Milan, Department of Biomedical, Surgical and Dental Sciences, Dental Clinic of IRCCS Istituto Ortopedico Galeazzi, Milan. Associate Professor at the Sechenov State University in Moscow. Reviewer of the Restorative Expert Panel, Cochrane Oral Health Group, University of Manchester. Associate Editor Section of Implantology of *Journal of Investigative and Clinical Dentistry*. Author of more than 200 international publications.

Yoshitsugu Terauchi

He earned his DDS in 1993 and completed his residency at Tokyo Medical & Dental University in 1995, where he also received his PhD from the Department of Endodontics. He has published several articles in national and international peer-reviewed journals.
He also has authored several chapters in textbooks including the 11th ed. of "Pathways of the Pulp" and "Endodontics: the 6th edition of Principles and Practice". He has lectured nationally and internationally and has appeared twice on National TV for modern endodontics. He is a part-time lecturer at Tokyo Medical & Dental University and has run a private practice committed to endodontics in Tokyo since 1998.

Mohamad Zaafrany

Certified speaker for DentSply Sirona Endodontics. He is KOL for Zumax Medical CO. He is also Official DSD team member and director of the Endodontic Program MEDLINK DTC. His practice is committed to microendodontics.
He is a Gold member of Styleitaliano Endodontics.

Riccardo Scaini | Fitim Shabani | Marino Sutedjo | Silvio Taschieri | Yoshitsugu Terauchi | Mohamad Zaafrany

목차

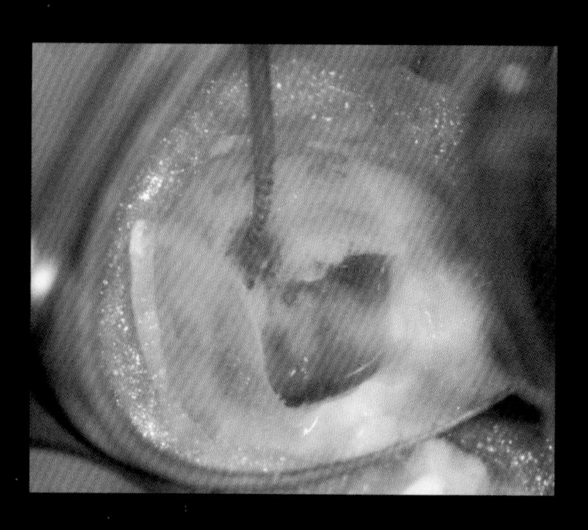

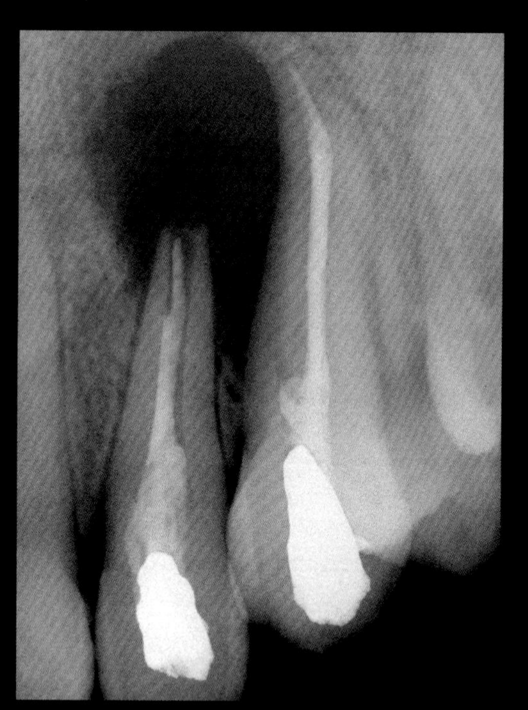

감사의 글

아래의 분들에게 감사의 인사를 전합니다.
Dr. Anna maria pirovano께는 17p부터 189p 까지의 사진 자료들에 대해, Dr. Luciano giardino께는 44p의 조직학적 사진 자료에 대해, Dr. nicola perrini께는 45p의 조직학적 사진 자료에 대해, Prof. Eugenio brambilla께는 근관 미생물학 부분의 6p, 46p, 그리고 47p의 전자 현미경 사진 자료들에 대해, Dr. Mario badino께는 2장에 대한 조언들에 대해, Prof. Marco scarpelli께는 214p와 215p의 박스 자료들에 대해,

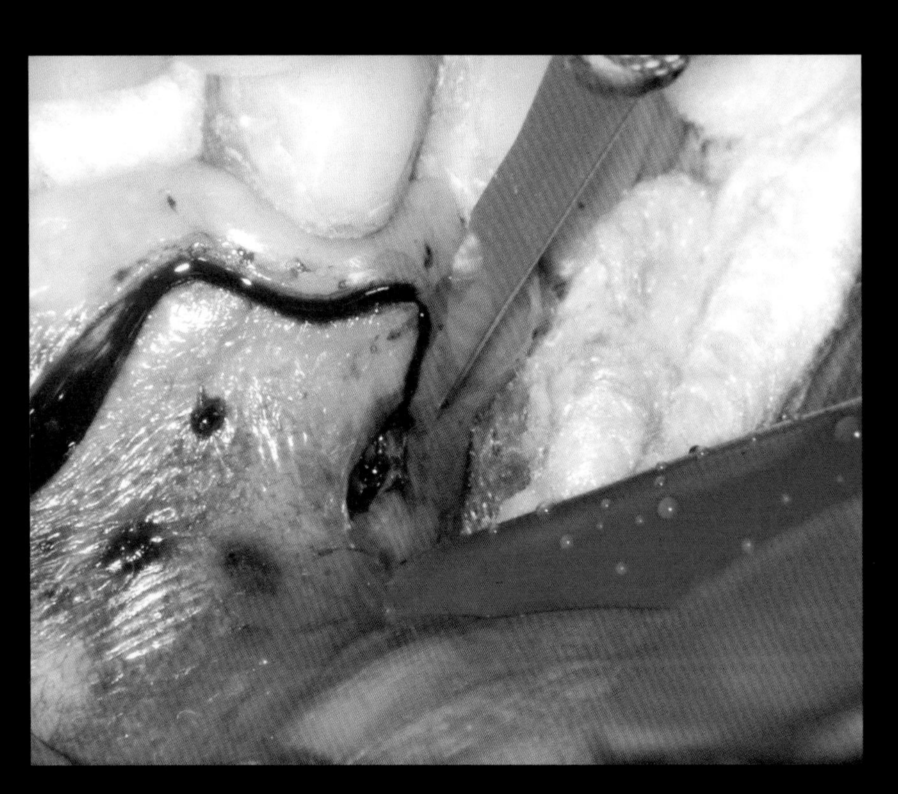

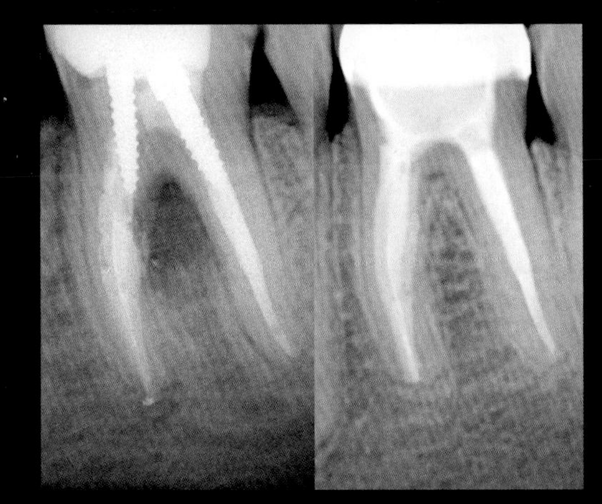

Dr. Marco femai와 Dr. Sara berri께는 78p의 증례에 대해, Dr. Francesca carrara께는 257p (4.4a,b)의 그림에 대해, Dr. Federico bertom께는 284p, 289p 그리고 306p의 SEM 사진 자료들에 대해, Dr. Alessandra abband giulia palandrani께는 324p와 325p의 사진 자료들에 대해 감사드립니다. 또한 Dr. Maurizio Porcino, Dr. Roberto Placella, Dr. Vittoria, Eleonora Mazza, Dr. Roberto Luongo, Dr. Vanessa Villani, Dr. Ketty Bugea, Dr. Nicola Basile, Ms. Caterina De Giorgi, and Dr. Jordi P. Manauta. 에게도 감사의 말을 전합니다.

서문

근관치료를 하였어도 해소되지 않거나 낫지 않는 치아주위조직 병소의 일종인 치수기원 염증성 치근단 병변은 우리 주위에서 매우 흔한 질환이므로 이러한 병소의 치료방법에 대해 교과서적 저술이 필요하다고 여겨신다.

비록 전 세계적으로 균일한 역학 자료(epidemio-logical)가 있지는 않지만, 근관치료를 하였음에도 방사선 사진에서 염증성 반응을 보이는 증례의 비율은 무시할 수 없을 정도로 많다. 더군다나 현재 치근단 병변을 가지고 있거나 과거에 가지고 있었던 환자들이 수백만에 이른다는 것을 고려할 때 이러한 병소가 있는 치아의 저작기능의 회복을 위해 효과적으로 치료하는 것이 중요하다.

이러한 결과를 얻기 위해서 임상가는 반드시 구강 전체의 전반적인 건강 상태뿐만 아니라 각각의 치아에 대한 검진이 필요하며 이 과정을 통해 진단과 환자의 동의를 얻는 치료방법이 정해져야 한다.

재치료 여부를 결정하는 데 있어서 가장 중요한 것은 임상요소(clinical parameters)를 분석하는 것이다. 증상의 복잡한 특성으로 인하여 해당 치아뿐만이 아니라 그 주변조직에 대한 검사와 분석 등 더 철저한 검사가 필요하다. 오늘날 재근관치료를 선택함에 있어 근관내 오염물질을 제거하는 기술의

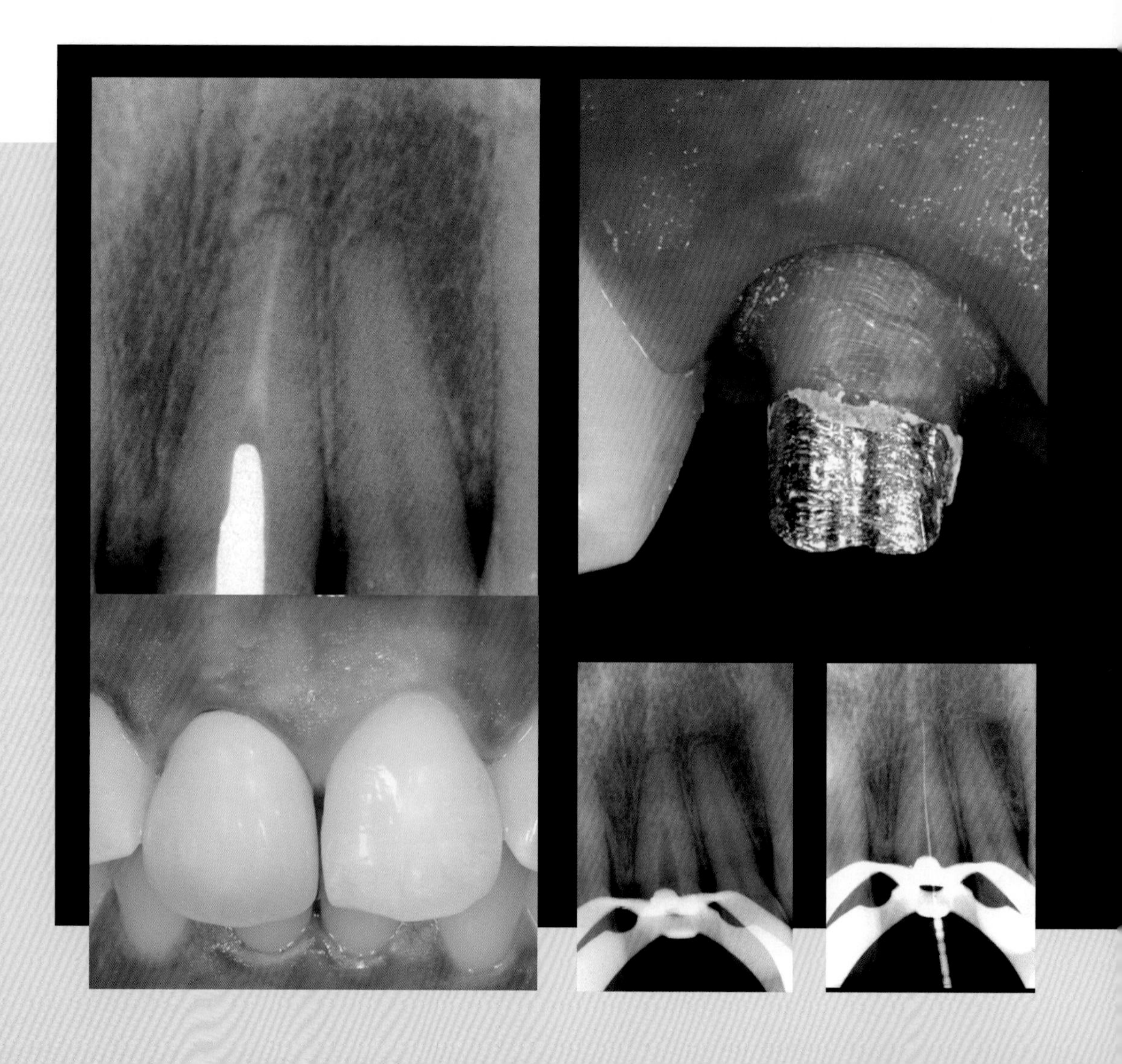

발전과 근관내를 충전할 수 있는 재료의 개발이 중요한 역할을 하며, 또한 환자 자신의 치아보존에 대한 의지와 필요성도 치료방법 선택에 있어서 중요한 요소로 작용한다.

평균수명의 증가로 인하여 여러 약을 복용해야 하는 노년층에서는 약물 복용으로 인한 부작용들뿐만 아니라 여러 전신질환을 가진 상태에서 이러한 치수 기원의 치근단 병변을 보이는 경우도 흔해지고 있다.

이러한 노년층의 증가는 환자의 전신적 건강 상태를 고려함과 동시에 치아와 치수조직의 보존을 최우선으로 해야 하는 치과의사의 윤리적 관점에 있어 관심의 대상이다. 숙련되지 않은 술자가 결과에 대한 자신이 없다는 이유로 재근관치료를 시행하지 않는 것은 윤리적 관점에서 바람직하지 못하다.

바로 이 점이 이번 저술의 목적이다. 임상가들에게 근거에 기반한 진단 과정을 제시하고 재근관치료 술식을 소개하며, 이 술식을 행할 때 차별화되는 요소들을 명확하게 제시하여 차분하면서도 숙련된 치료 기술로 환자의 전반적인 구강건강을 구현하는 데 도움이 되고자 하는 것이다.

편집인

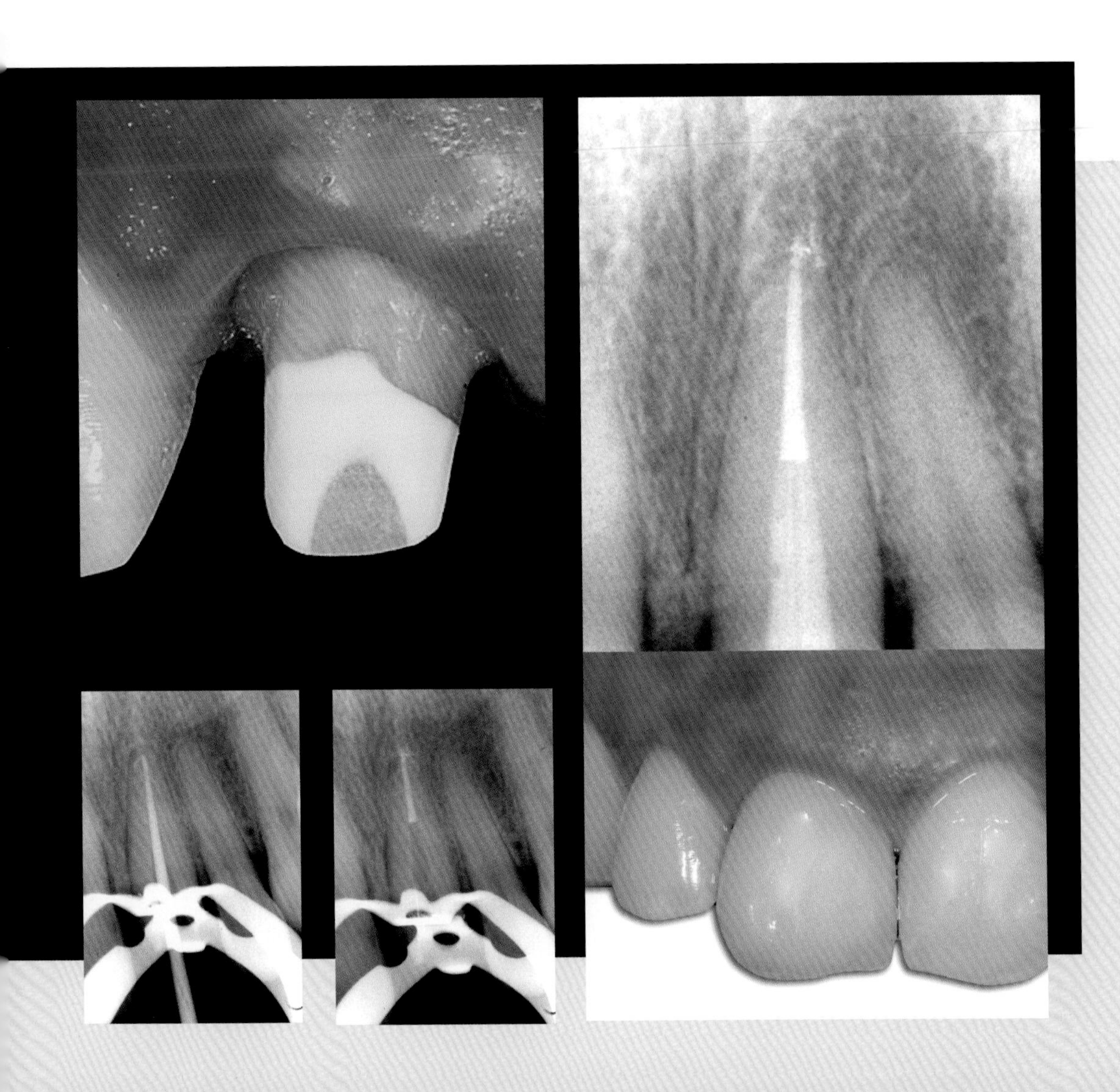

근관치료가 실패했을 경우의 10가지 질문

다음 열 가지의 질문은 저자들이 답하고자 하는 질문 중 기본적인 것으로 절대적으로 옳은 답은 없지만 각각의 답은 근거가 될 수 있는 논문들에 근거하고 있다. 유효한 치료 결과를 얻기 위해서는 임상의 개개인이 각각의 내용을 잘 이해하고 조심스러우면서도 꼼꼼하게 그 술식을 스스로에게 적용하는 노력이 필수적으로 따라야 한다.

1

근관치료가 효과적이지 않은 경우는 언제인가?

2

방사선 사진상에서 근관치료의 실패를 어떻게 확인할 수 있는가?

3

재근관치료는 항상 필요한가?(임플란트와 치근단 수술이 필요한 경우의 비교)

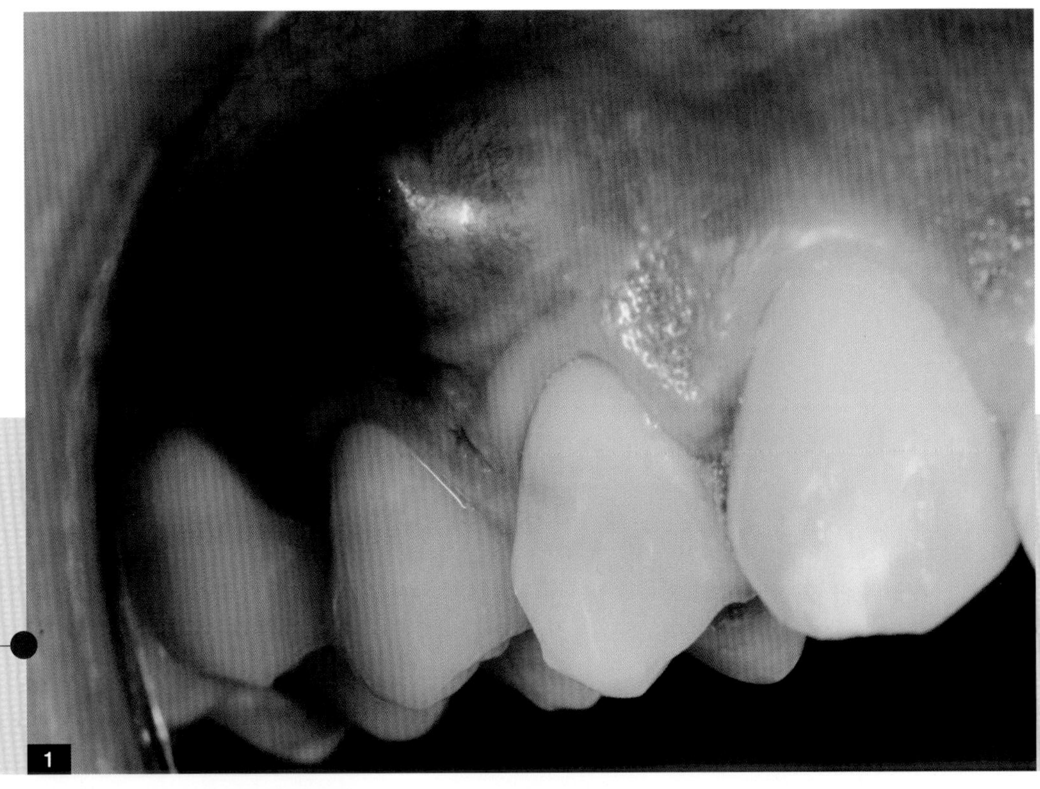

Fig. 1: 통증이 있는 부종은 치수기원의 치근단 병변이 가지는 흔한 임상증상 중 하나이다.

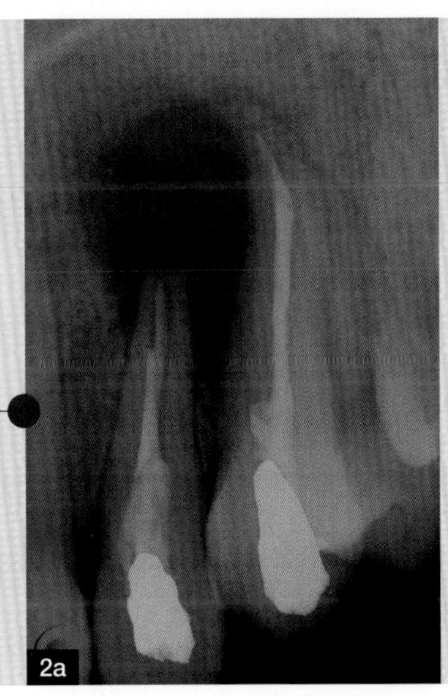

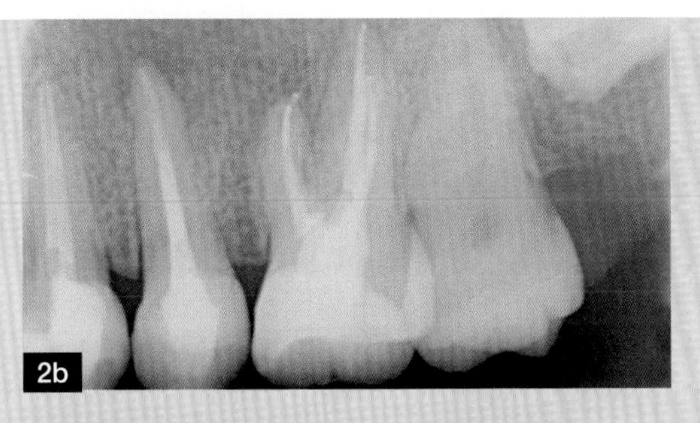

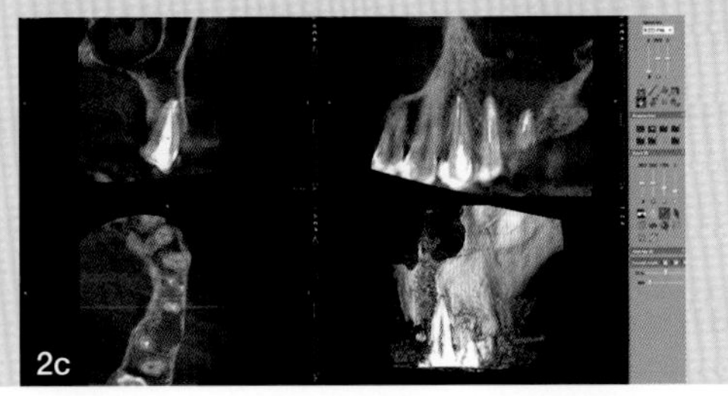

Fig. 2a: 방사선투과상의 병소. 치수 감염의 전형적인 증례. 이 경우 진단이 매우 간단 분명하다.

Fig. 2b: 병소는 때때로 명확하지 않아서 병소의 정확한 범위를 이차원적 방사선 검사 방법으로는 파악하기 어려울 때가 있다.

Fig. 2c: 이러한 경우 CBCT를 이용하면 골파괴정도와 범위를 명확히 알 수 있게 된다.

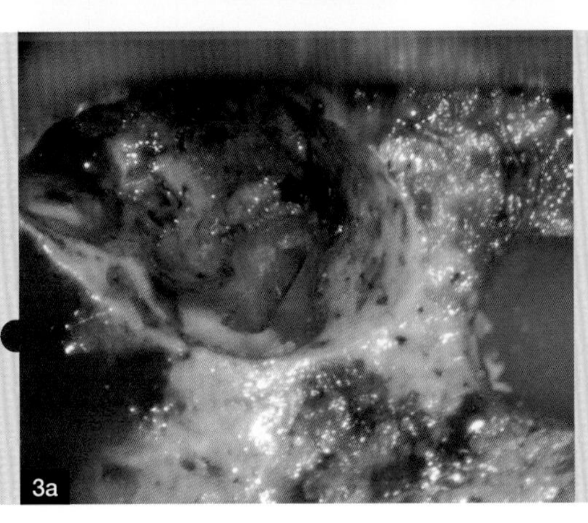

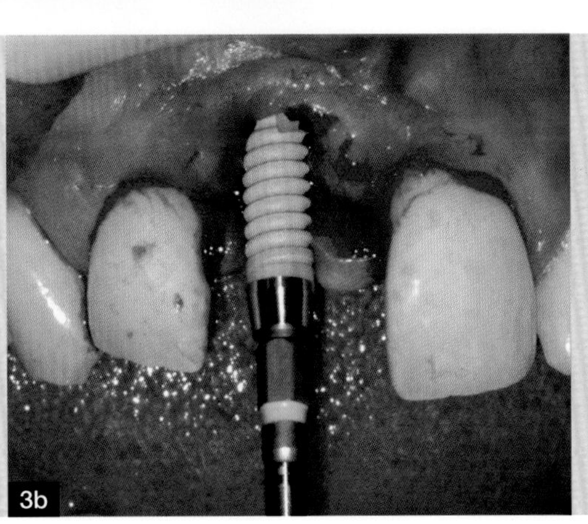

Fig. 3a: 적절한 방법과 재료로 시행되는 치근단 수술은 일반적인 재근관치료의 효과적인 대안이 될 수 있다.

Fig. 3b: 임플란트 식립을 고려한다면 식립에 필요한 골조직이 손상되지 않아야 하므로 적절한 시기를 찾는 것이 중요하다.

4

재근관치료 시 가장 좋은 근관내 세척 방법은 무엇인가?

5

재근관치료에서 가장 좋은 충전 방법은 무엇인가?

6

치수 기원의 치근단 병소가 치유되고 있는지 언제 알 수 있는가?

7

치관부 수복물은 항상 제거해야 하는가?

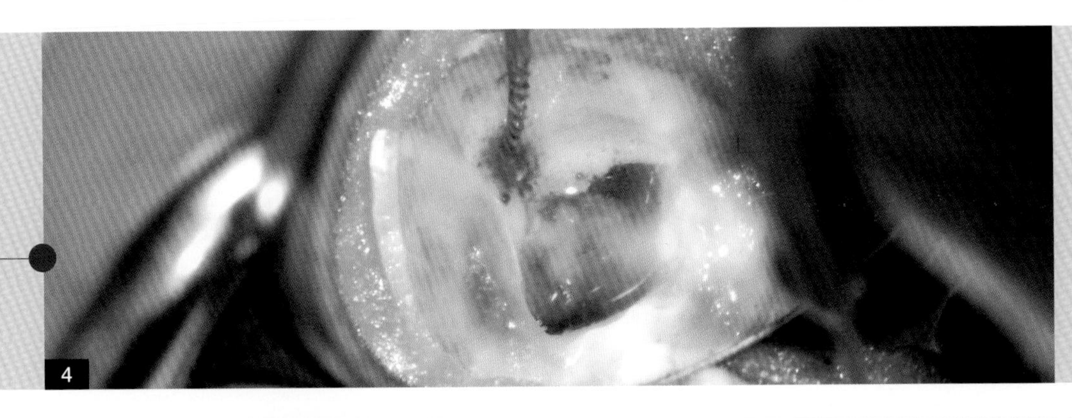

Fig. 4: 효과적인 근관내 소독을 위해서는 바람직한 근관내 세척기구와 술식이 필요하다.

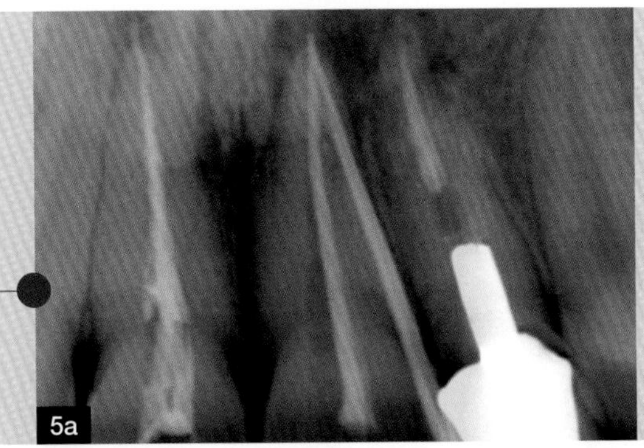

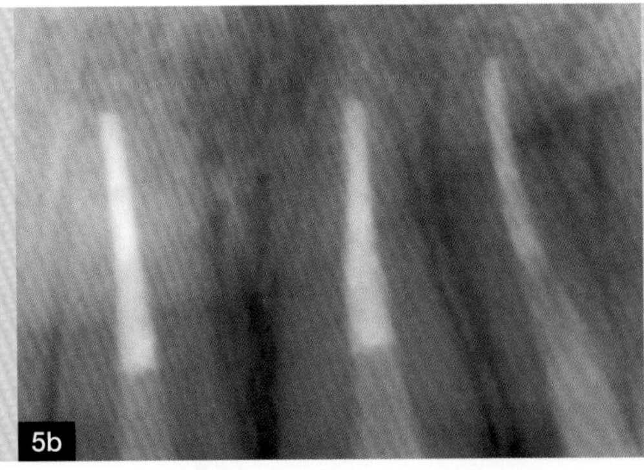

Fig. 5a-b: 단기적, 장기적으로 좋은 치료를 얻기 위해서 임상의는 여러 가지 다양한 근관충전 방법에 대해 숙지하고 있어야 한다.

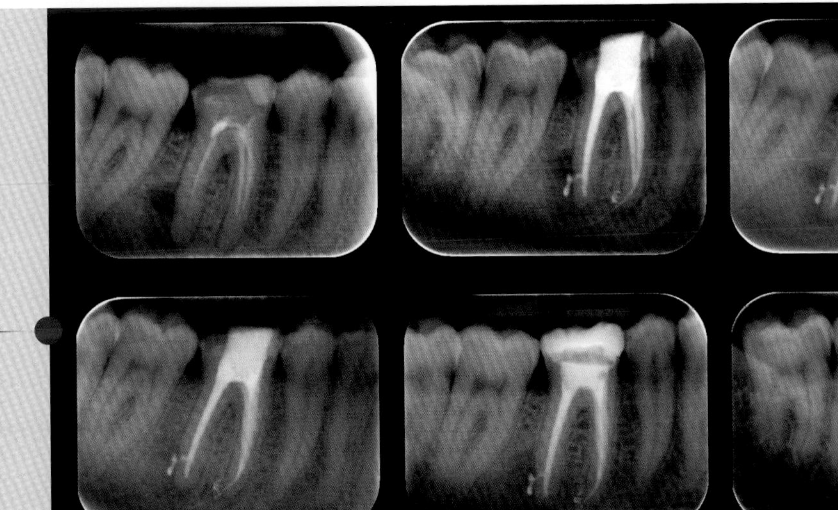

Fig. 6: 치수 기원의 치근단 병변이 치유되는 데 필요한 시간은 다양하므로 중장기적인 관찰 기간이 필수적이다.

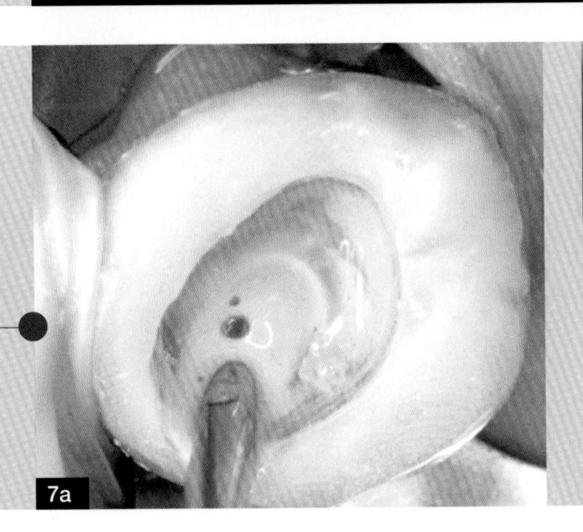

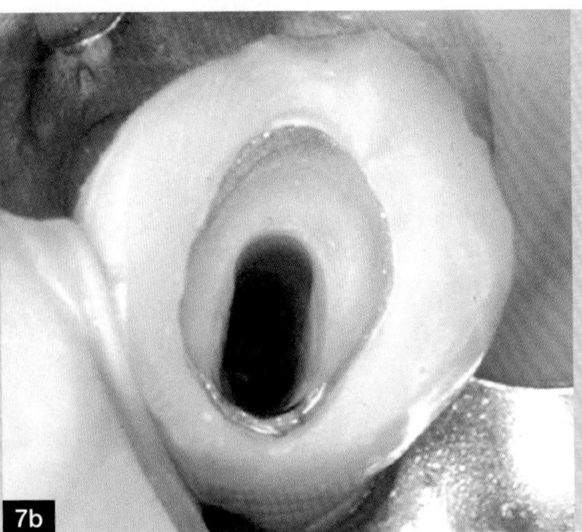

Fig. 7a-b: 치료 후 초기에는 그 치아의 수복물을 보존하는 것이 치료 효과의 유무를 파악하는 데 도움이 될 수 있다.

8

근관내 물질을 제거하는 데 어떤 방법이 사용될 수 있는가?

9

재근관치료를 한번에 또는 나누어 하는 것 중 어느 것이 좋은가?

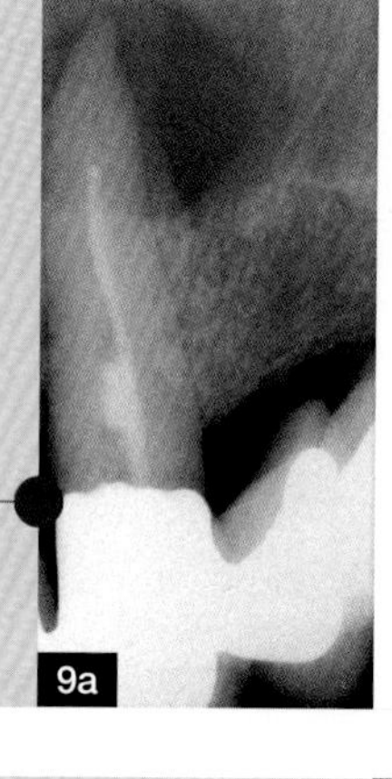
9a

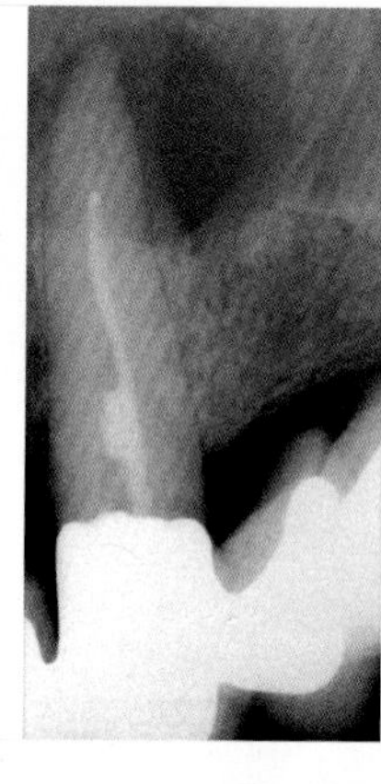

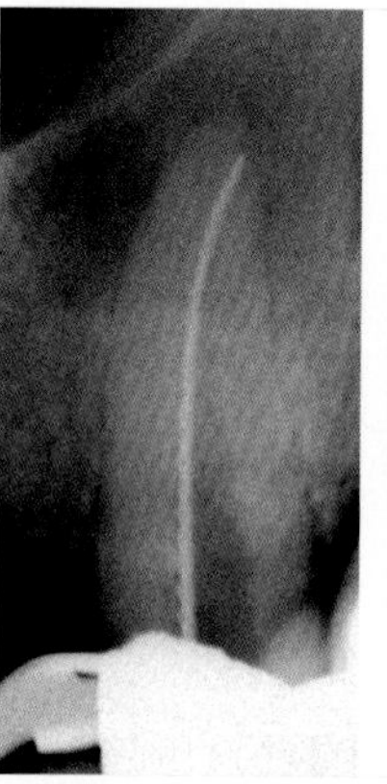

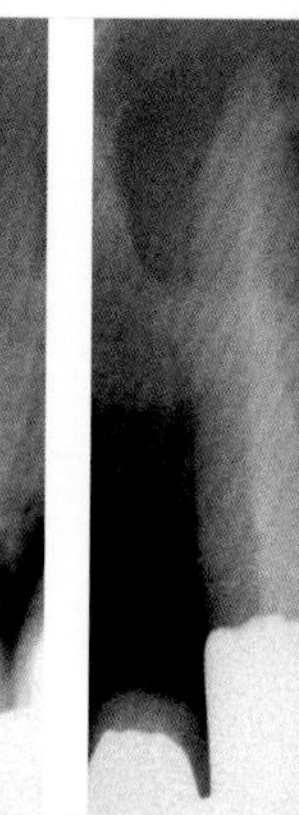

10

근관치료를 한 치아에는 어떤 수복물이 좋은가?

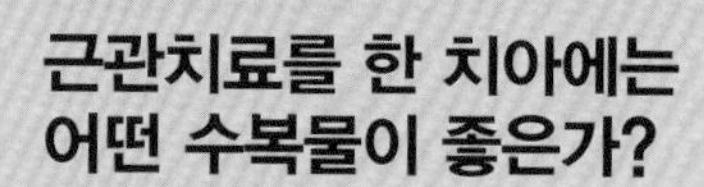

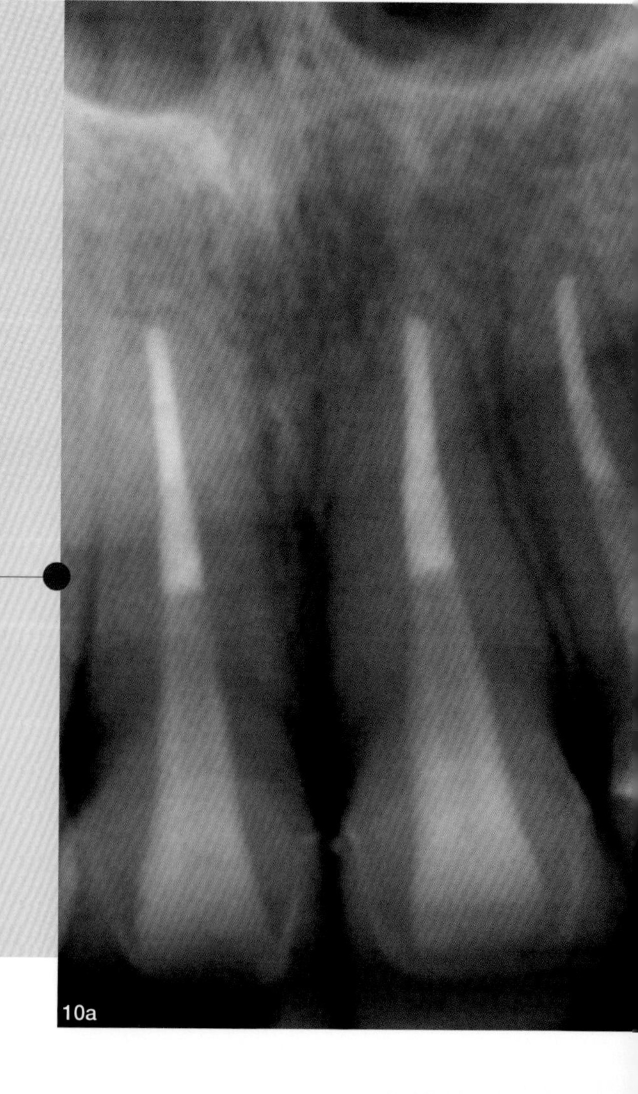
10a

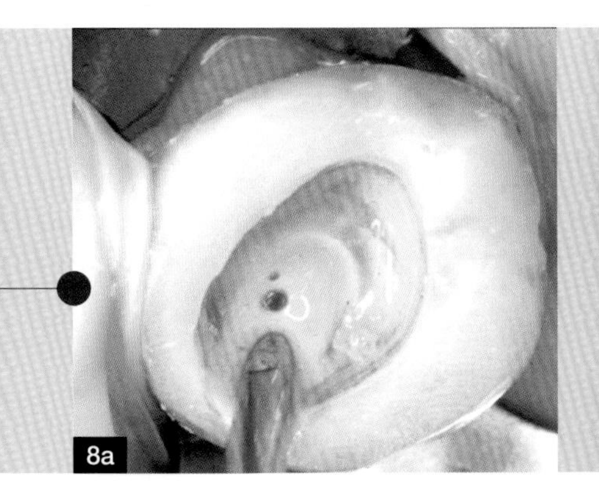

Fig. 8a-c: 근관내를 깨끗이 비우는 것은 근관내 소독을 위한 가장 중요한 과정이며 이는 기구와 세척액을 이용하여 구현될 수 있다.

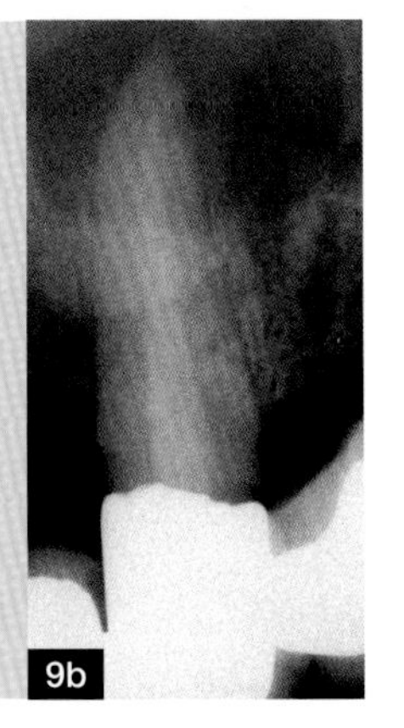

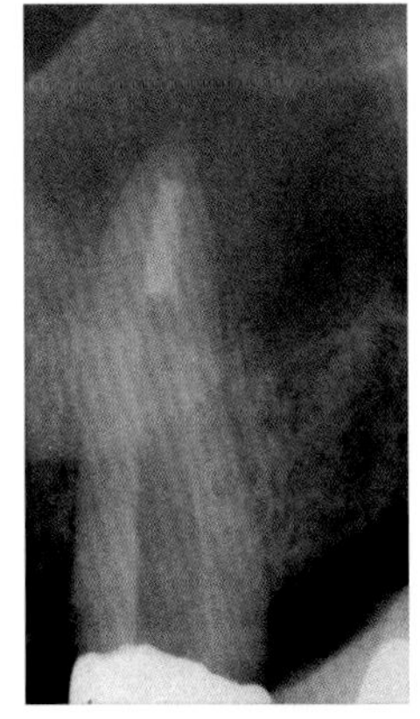

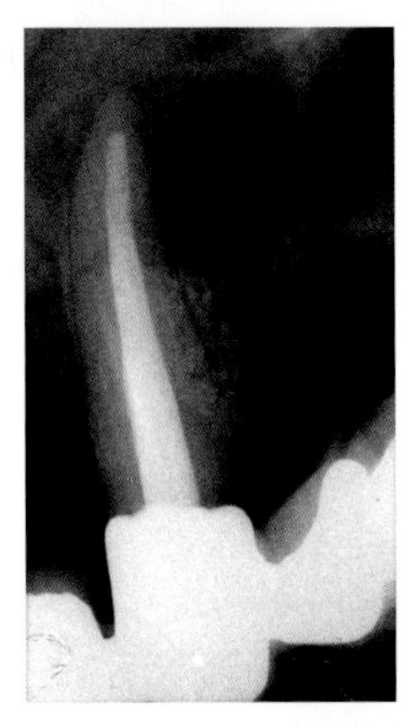

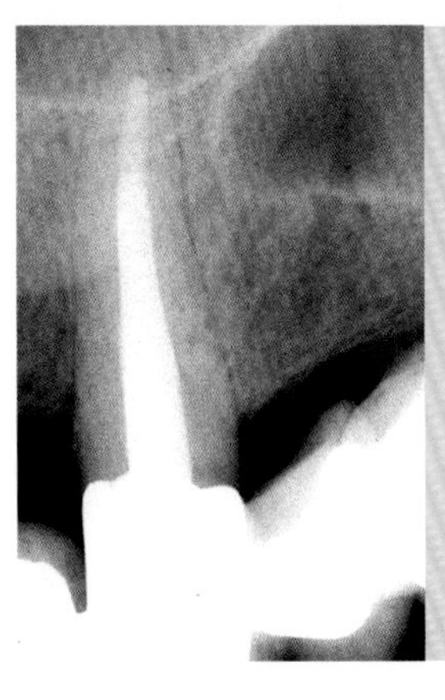

Fig. 9a-b: 병소 범위가 넓거나 복잡한 경우에는 근관내 첩약이 필요하다.

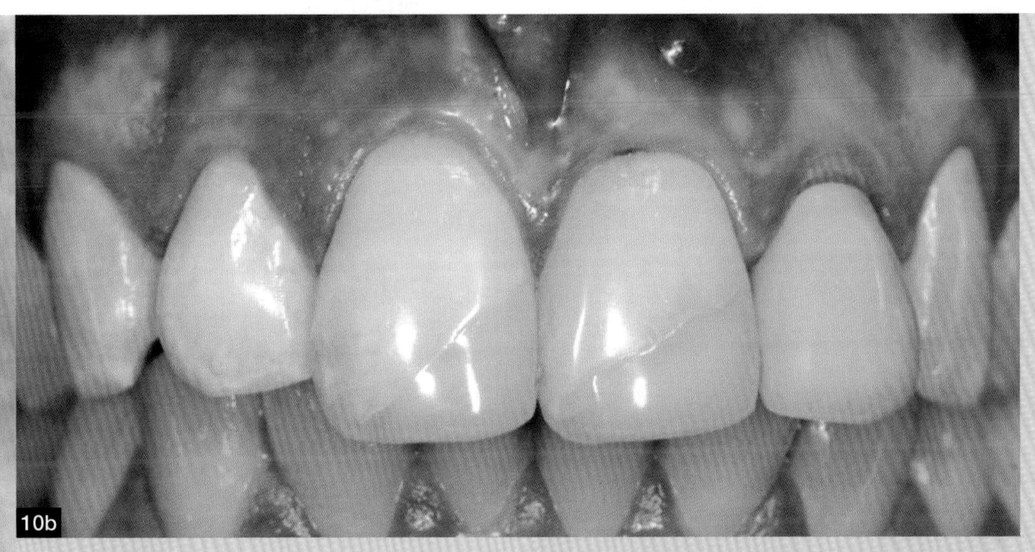

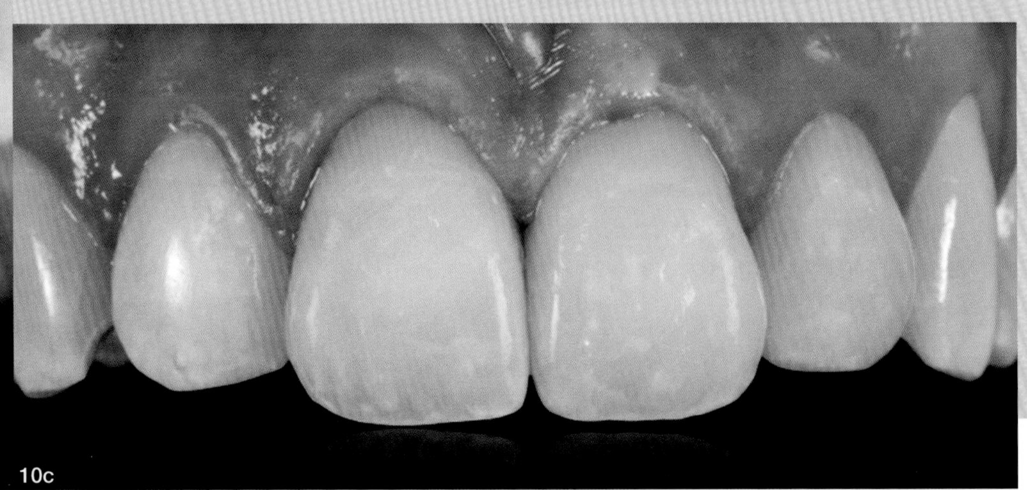

Fig. 10a-c: 근관치료를 한 치아의 수복물은 기능적, 심미적이어야 한다.

재근관치료: 임상 과정

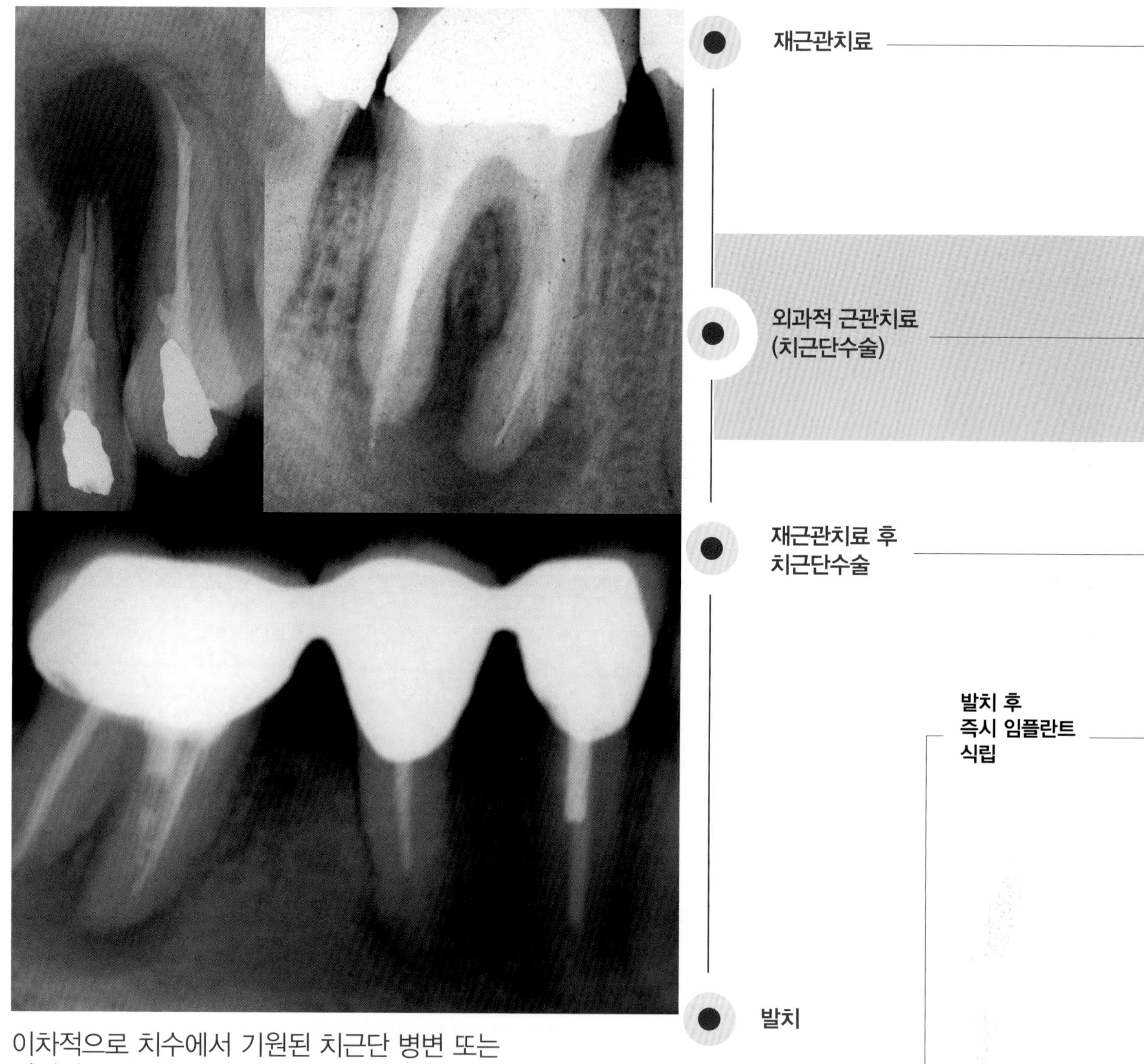

이차적으로 치수에서 기원된 치근단 병변 또는 이전의 근관치료로도 해소되지 않은 병소

이러한 병소를 치료하고자 할 때, 근관치료학적인 면뿐만 아니라 치주학, 보존 및 보철학적 관점에서 숙련된 전문의들이 관여하여 치료 방법을 결정하게 된다.

각 증례들은 전체적인 관점에서 환자의 구강 건강을 위한 확실한 결과를 얻기 위해 수술현미경 등과 같은 보편적이지 않은 장비를 사용하기도 한다.

치유

보철치료의 옵션

재근관 치료 전

재근관 치료 후

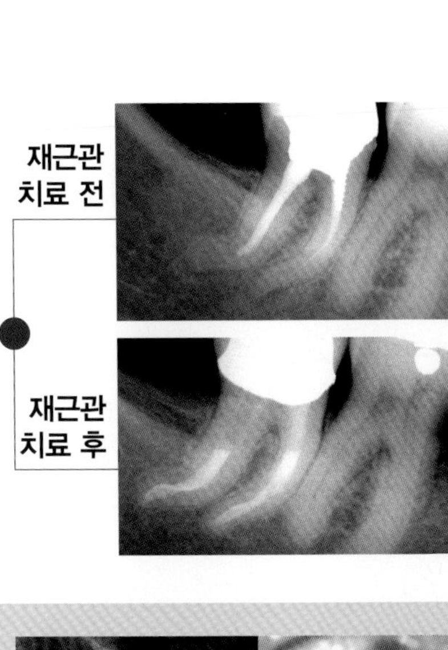

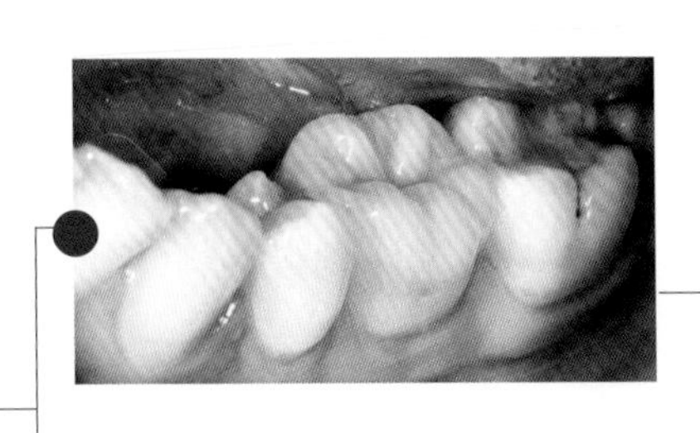

근관치료 후 임시 수복

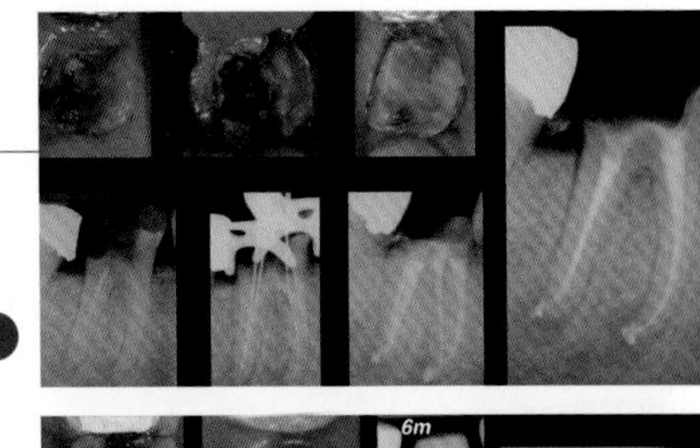

근관치료 후 최종 수복

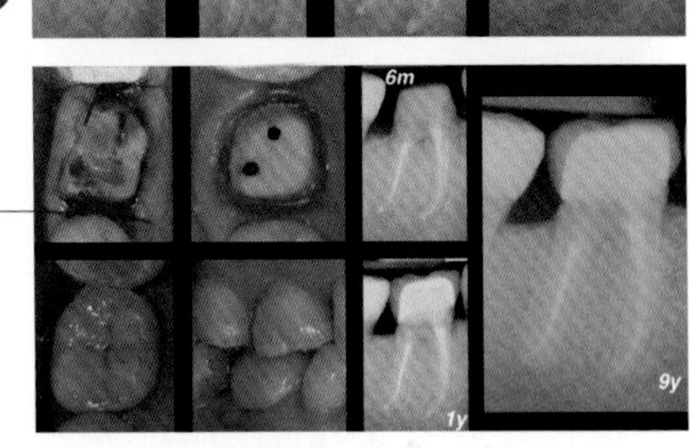

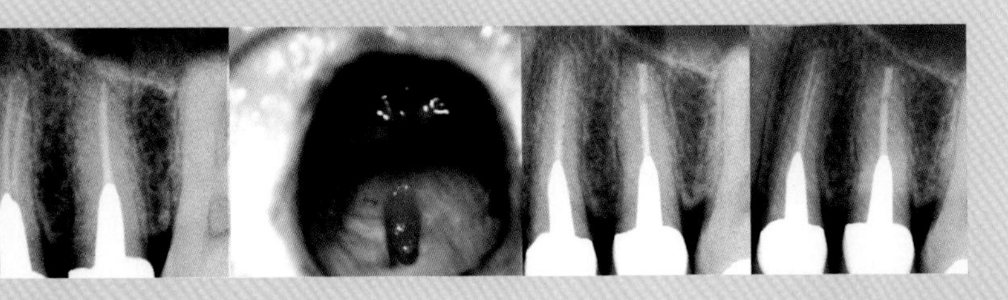

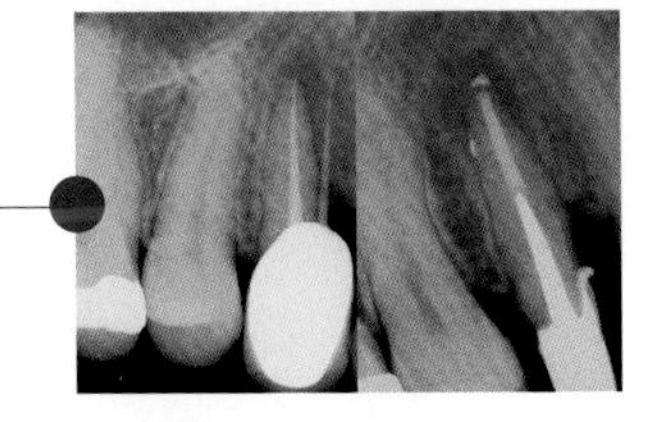

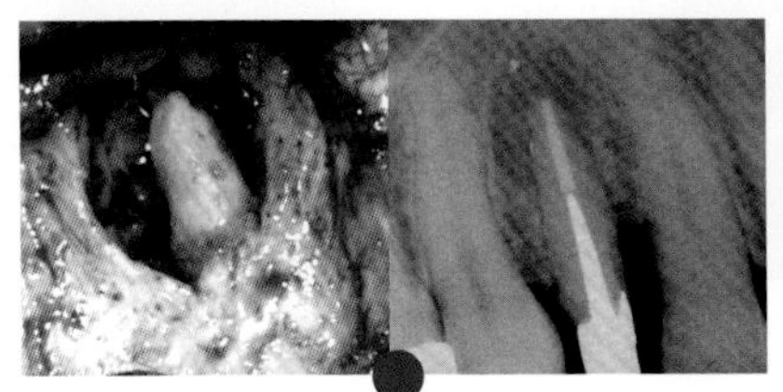

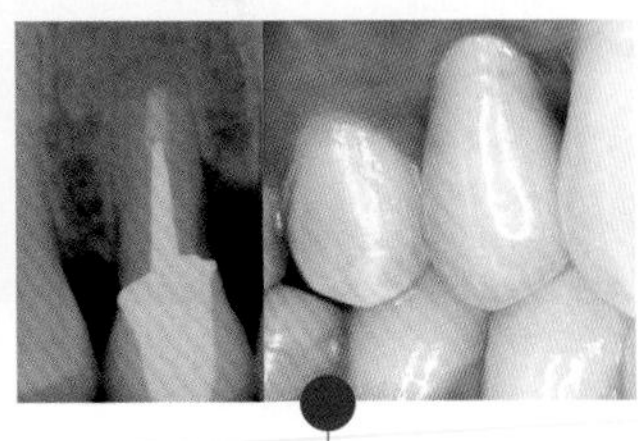

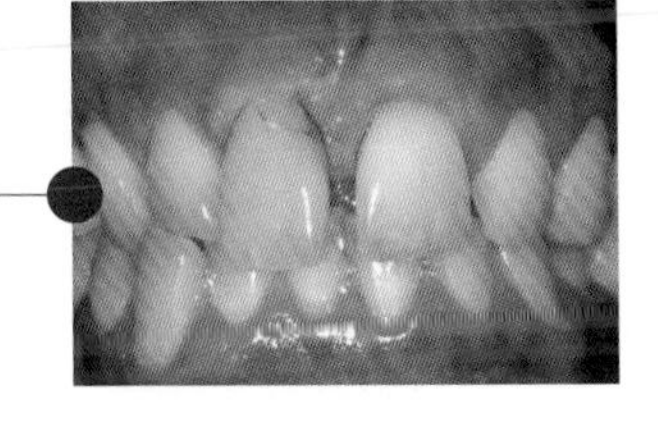

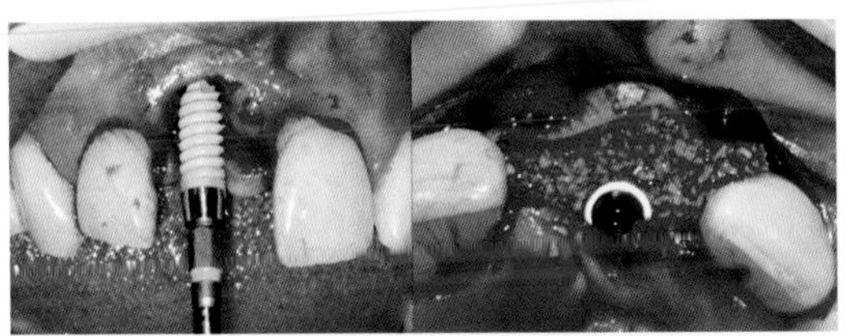

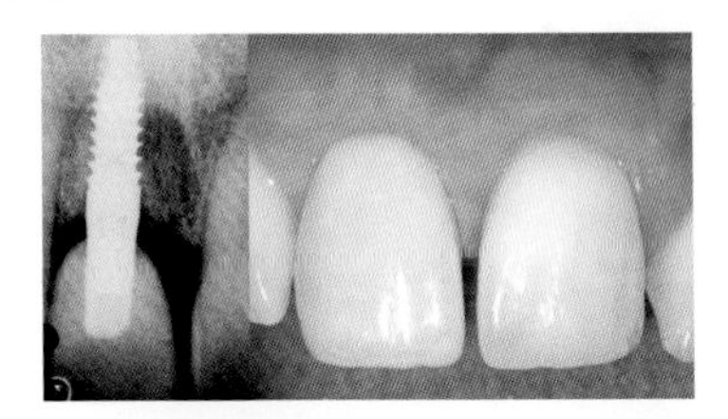

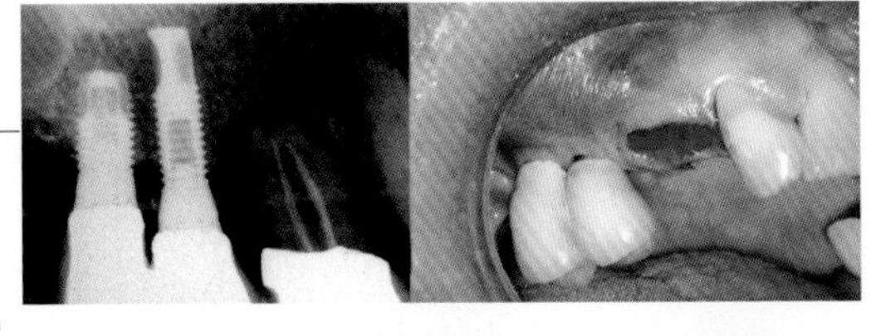

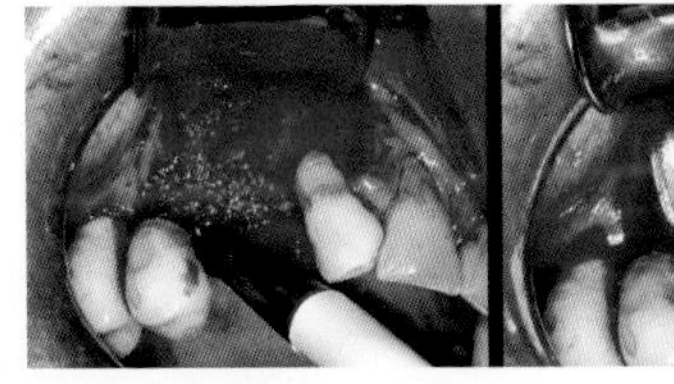

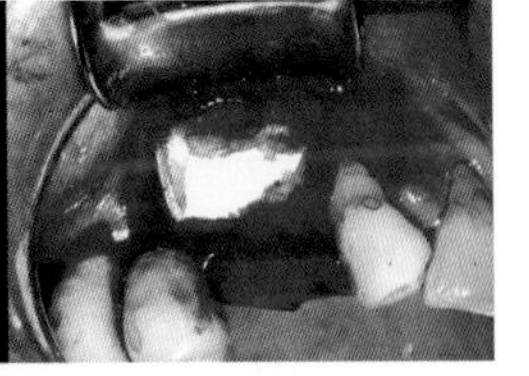

치조골 재생

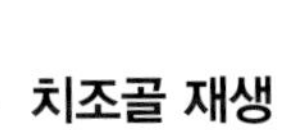

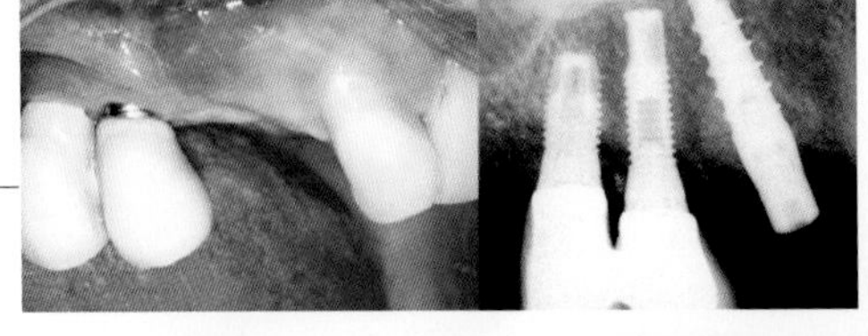

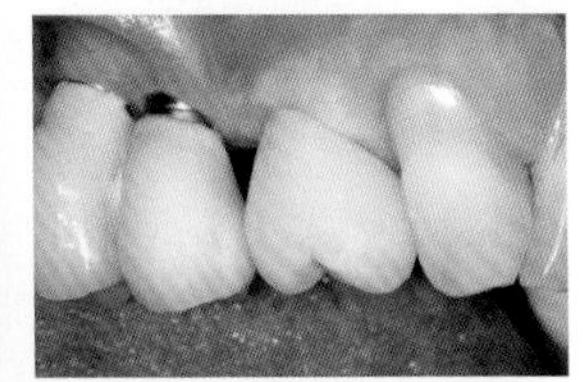

임플란트 식립

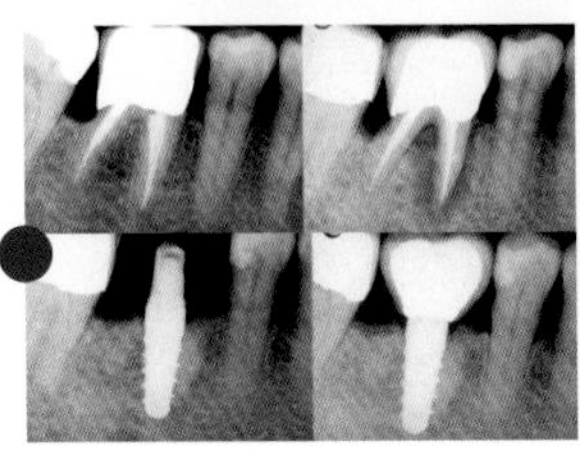

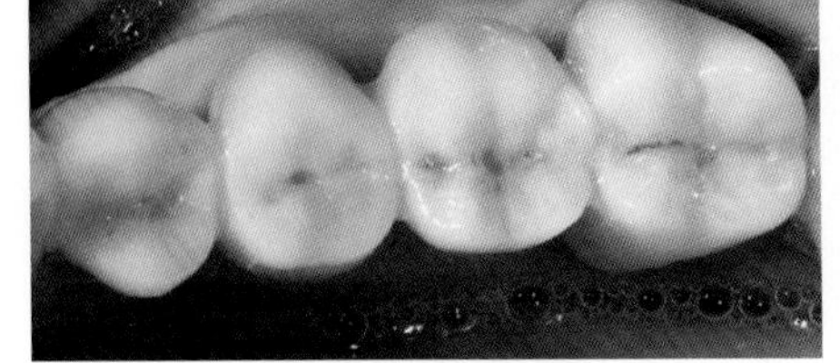

고정성 보철치료

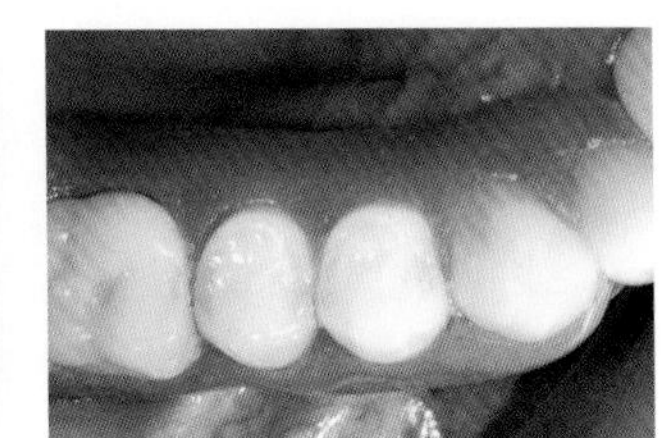

가철성 보철치료

치수기원의 치근단 병소에 대한 철저한 역학적 검토, 특히 사회적 의미에 대해서 생각해 본다.

이차적으로는 **근관치료의 실패**를 초래할 수 있는 병원균과 병리학적 기전을 알아본다.

Longitudinal studies를 통해 예후에 바람직한 요소와 바람직하지 않은 요소를 확인함으로서 정확한 **진단과 치료술식**을 확립한다.

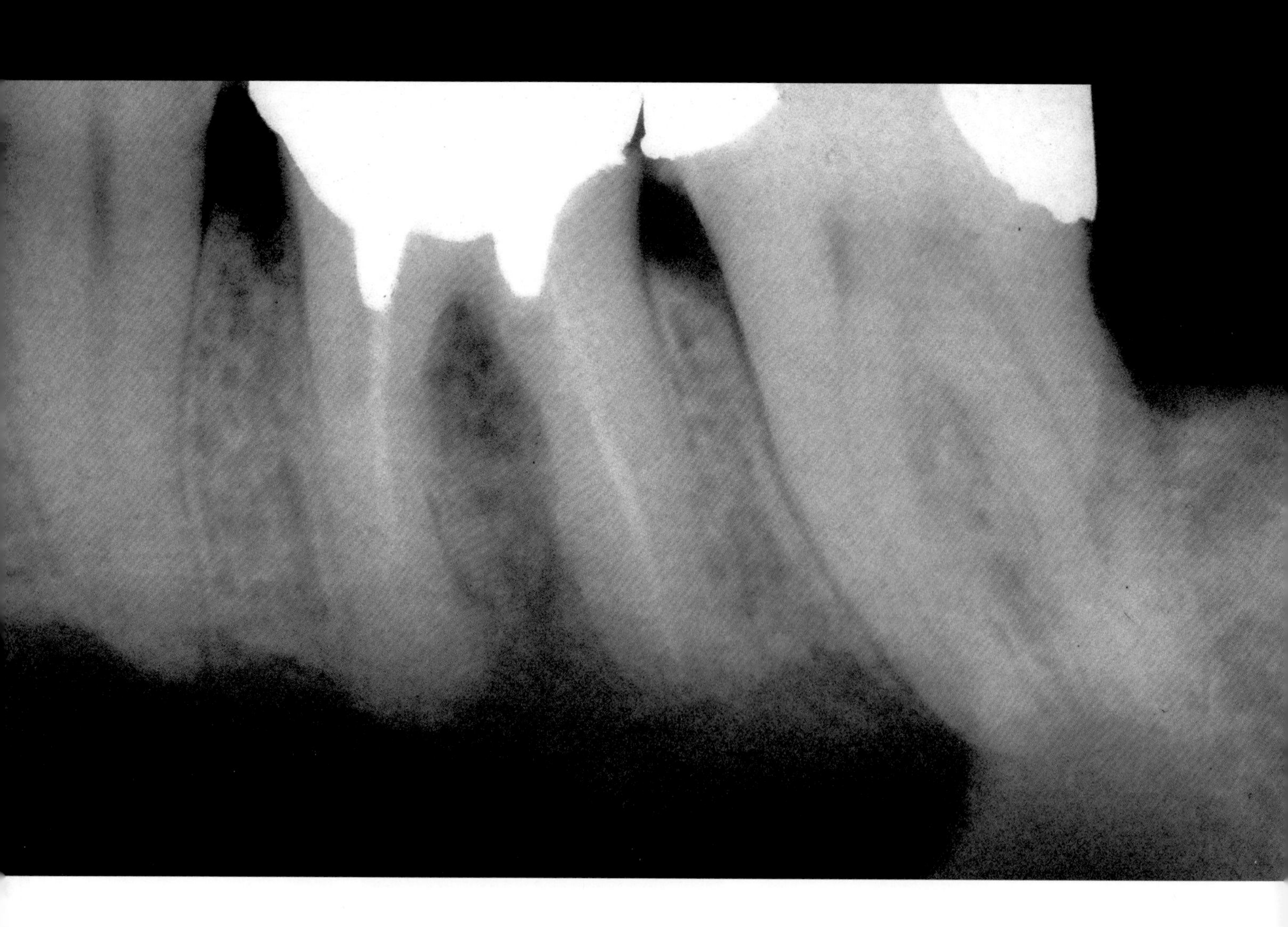

Massimo Gagliani, Fabio Gorni,
Marco Martignoni

01

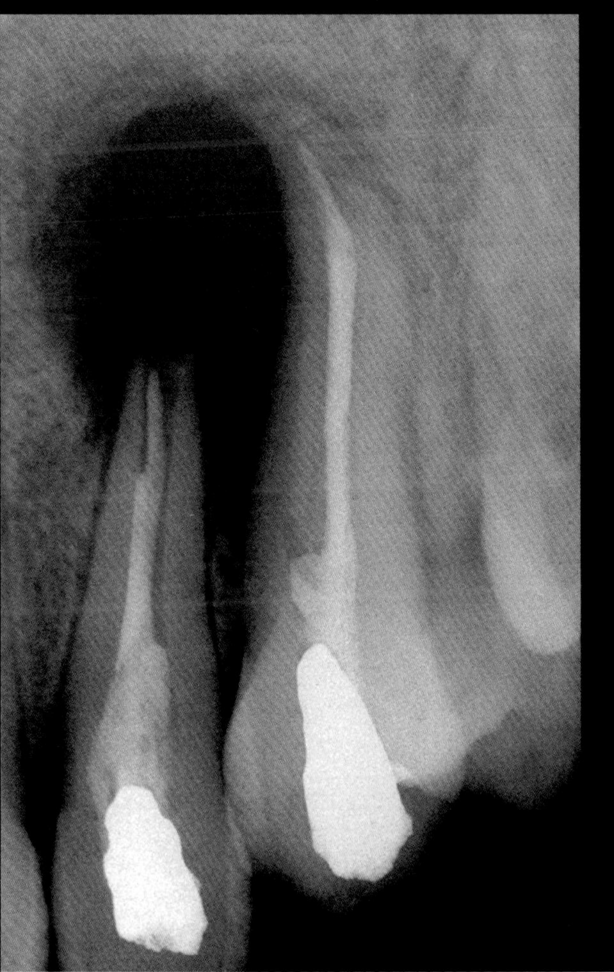

근관치료의 실패

역학적, 임상적 분석

근관치료 실패의 일반적 고려사항

근관치료와 같은 치과치료의 명확한 성공과 실패가 논의될 수 있다는 것은 매우 긍정적이다. 그러나 연구방법이 점점 더 세분화되고 있고 또한 사용되는 평가요소들도 계속 변화함에 따라 성공과 실패의 경계를 설정하기가 점점 어려워지고 있다. 가장 기본적이면서 중요한 것은 주요 국제 근관치료학계의 기준을 잘 살펴보고 따르는 것이라 여겨진다.

이러한 점에 있어 많은 치의학계에서 관련 있는 임상 상황들의 예시를 위해 많이 노력해 주셨고, 이 장의 마지막 부분에서 다루고 있다. 치수기원의 치근단병소는 방사선 사진으로 판별될 수 있다. **Fig. 1.1**은 그러한 전형적인 증례들을 보여주고 있다. 때로는 방사선 사진 소견과 임상증상들이 일치하지 않는 경우도 종종 있어서 임상가들로 하여금 정확한 진단을 내리기 어렵게 하거나 더 나아가서는 잘못된 예후 판단으로 바람직한 치료방법을 결정하지 못하게 하는 경우가 생긴다.

이 장에서는 근관치료 후에도 치수기원의 염증성

Fig. 1.1-1.8: 다음 방사선 사진들은 근관치료 실패에 의한 치수기원의 치근단 병변의 증례들이다.

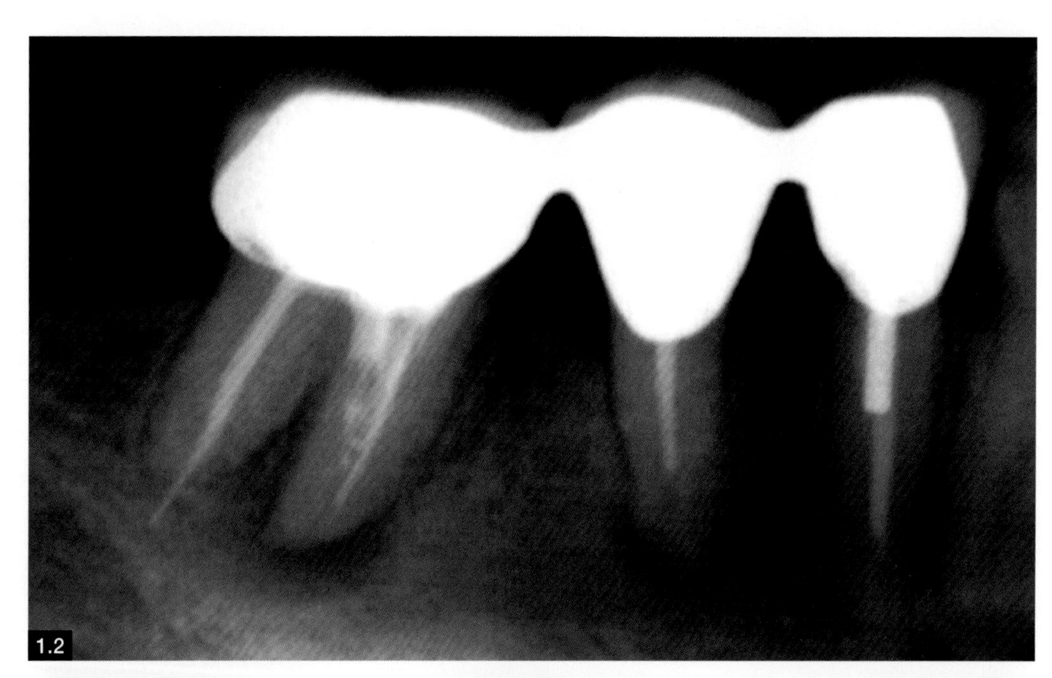

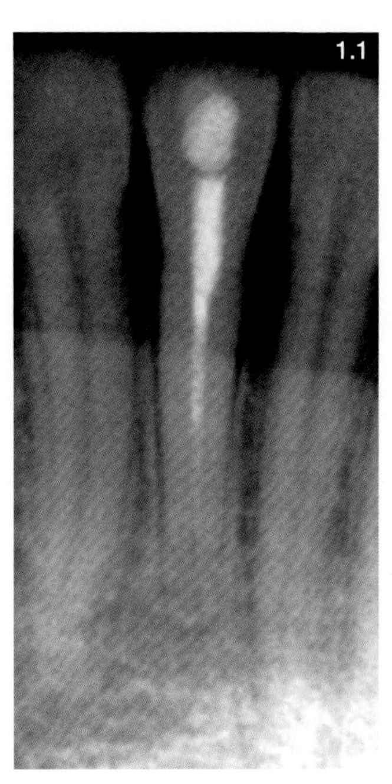

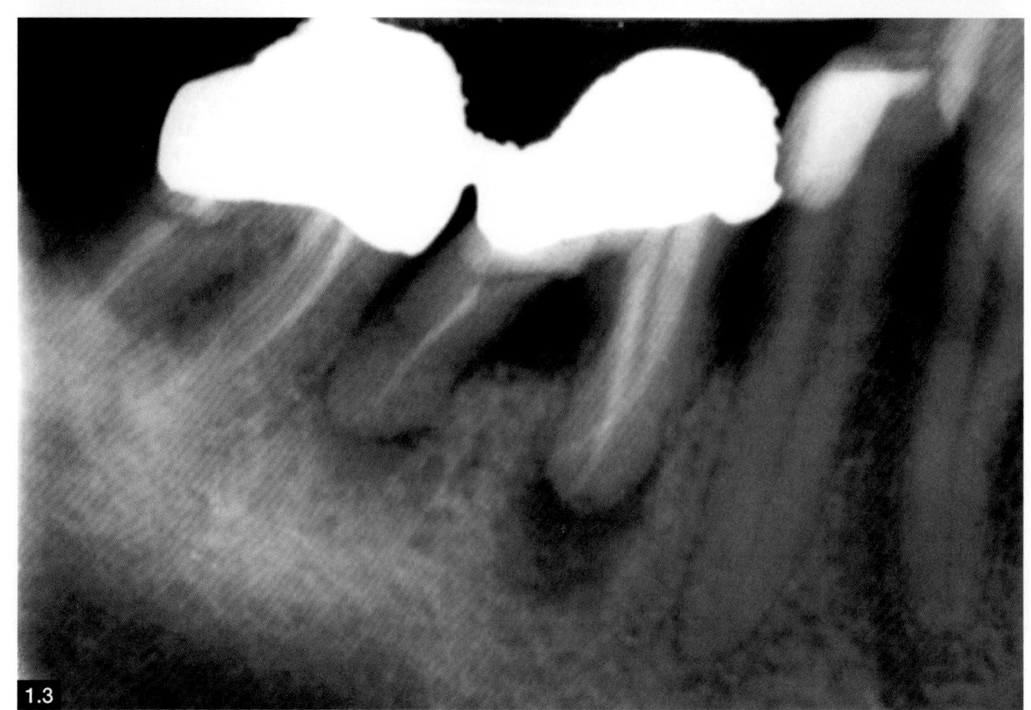

치근단 병소를 보이는 증례들에 대해 검토해보고자 한다(**Fig. 1.9-1.12**).

특히 치료 자체의 옳고 그름만을 판단하여, 주위지 지지조직의 병리학적인 면이나 치료 후 병소와 연관된 미생물학적인 면, 그리고 나아가 근관치료로 해결되지 않는 병변 등에 대한 소모적인 고려를 피할 수 있게 했다.[2, 3]

치수기원의 치근단병변에는 원인요소의 하나라고 여겨지는 근관 내외의 세균들이 관여하고 있으며(**Fig. 1.13-1.14**), 또한 근관 내에 존재하는 미생물과 연관된 요소들이 지속되는 병소에 이차적으로 기여하고 있다. 일반적으로 근관내 치료가 선행되기 때문에 "치료 후 병소(post-treatment disease)"라는 용어를 사용함이 이해에 도움이 되리라 생각된다.

흔하게 관찰되는 양상은 근관이 과충전이나 저충전되어 있는 경우 혹은 근관내 충전이 충분히 치밀하지 않은 경우에 치근단 주위에 방사선 투과상이 보인다. 때로는 **Fig. 1.6**에서와 같이 기구의 근관내 파절 등으로 인하여 치근단까지의 완전한 치료과정이 이루어지지 못하게 된 경우에도 방사선 투과상이 보인다.

근관내 물질은 만성 치근단 염증반응에 의해 생성되게 된다. 따라서, 어떤 특정 술식이 우리가 얻고자

▶ *continue to page 6*

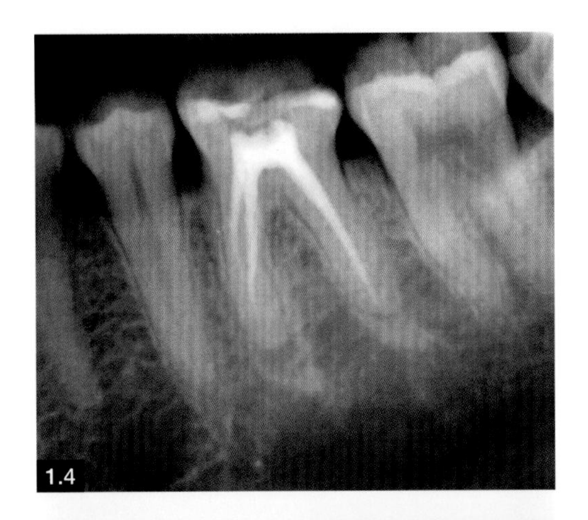
1.4

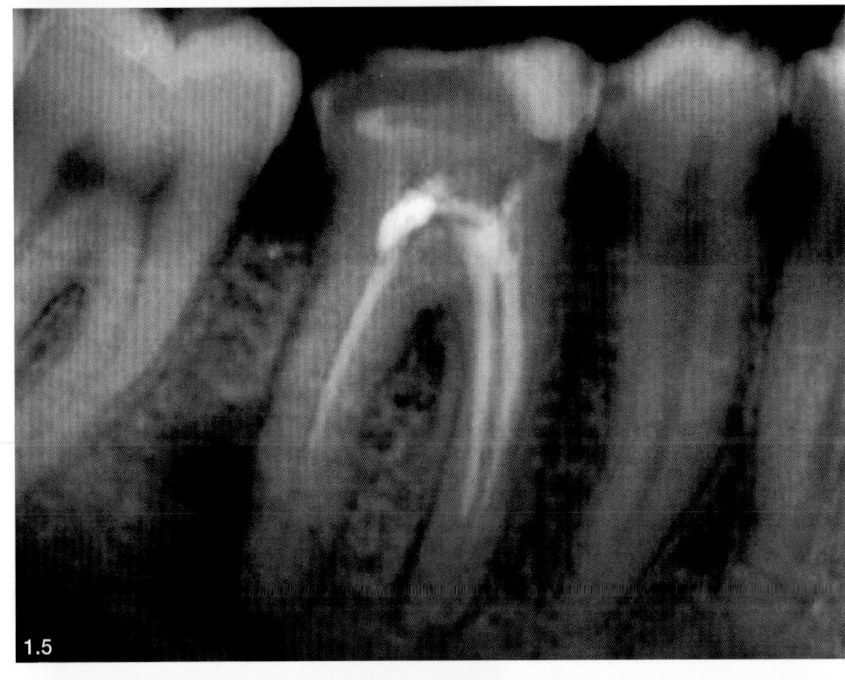
1.5

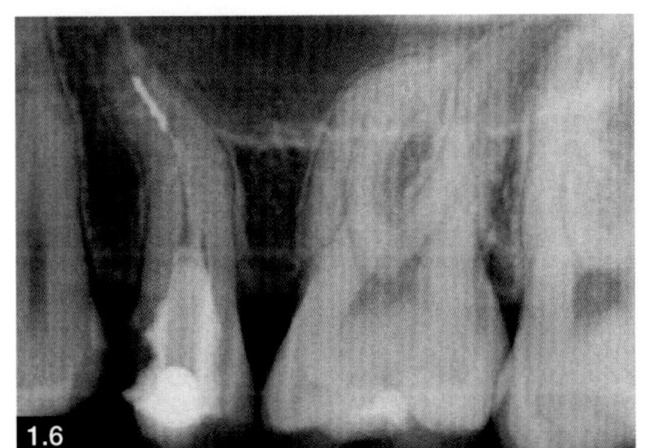
1.6

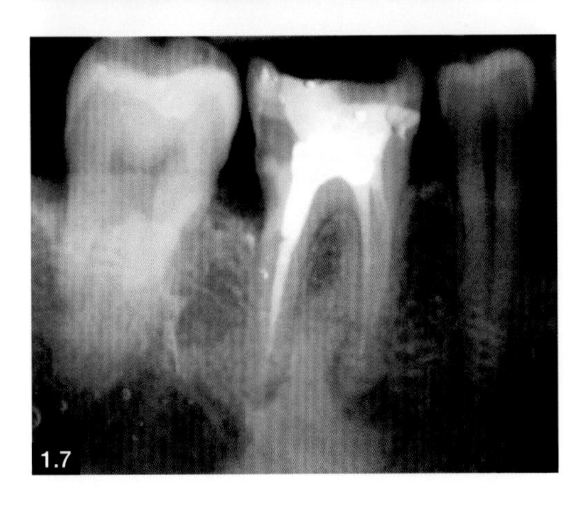
1.7

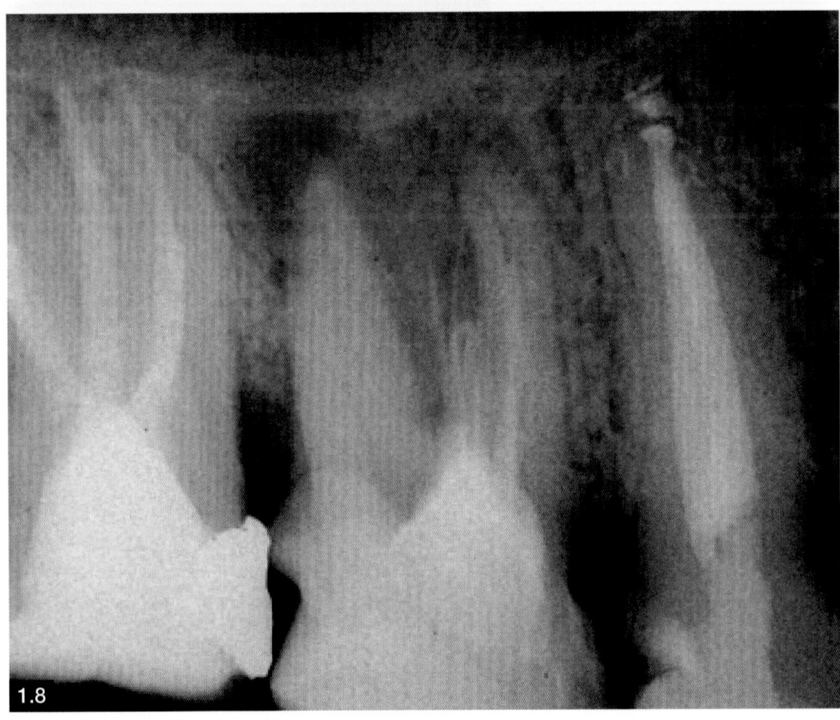
1.8

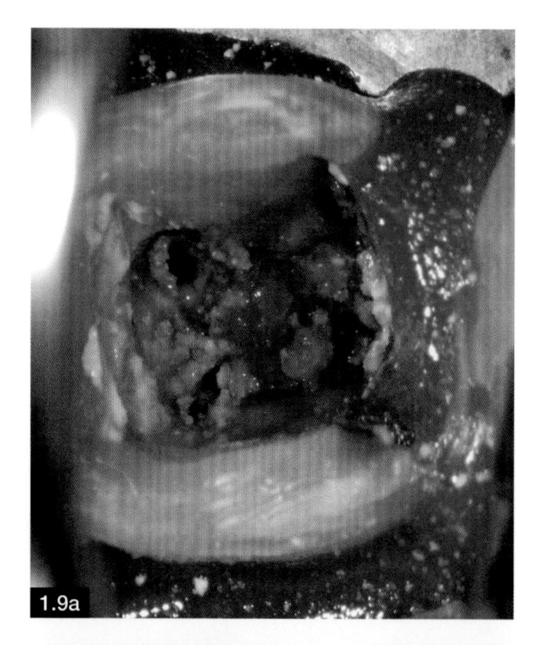

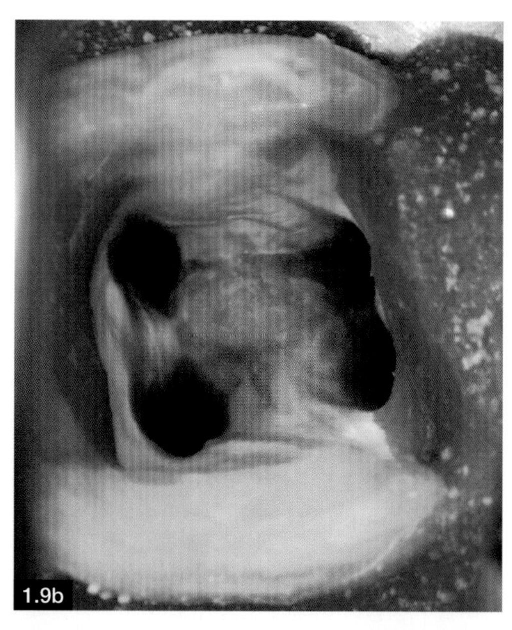

Fig. 1.9-1.12: 치수강 개방이 부족한 경우 시야가 제한적이게 된다. 그로 인해 치관부 우식이 모두 제거되지 않아 세균이 잔존하게 되거나, 근관을 모두 찾지 못하게 되어 지속적인 치근단 병소를 유발할 수 있다.

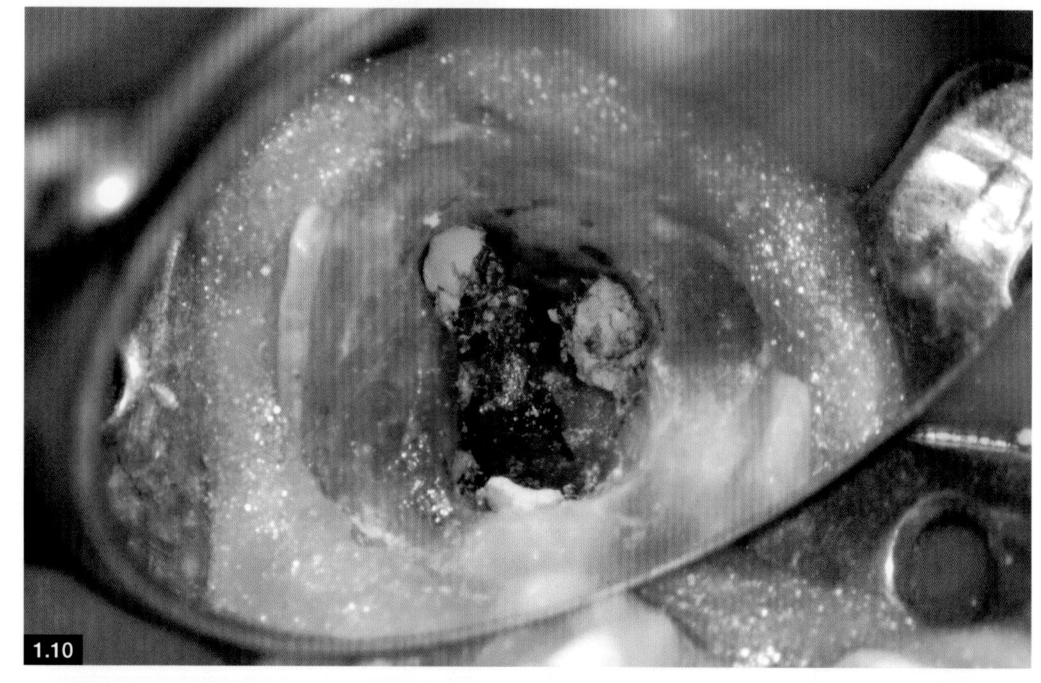

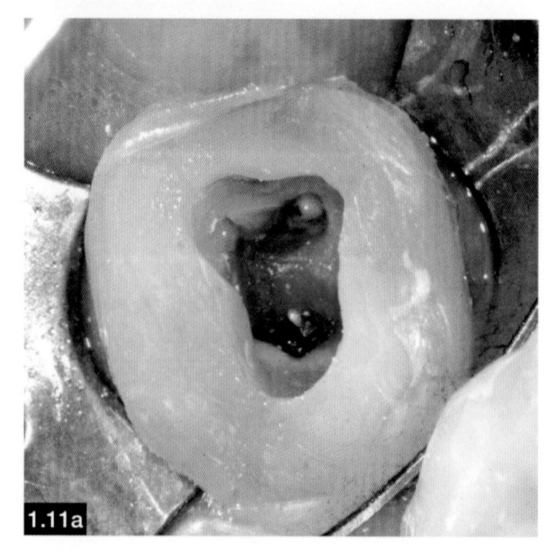

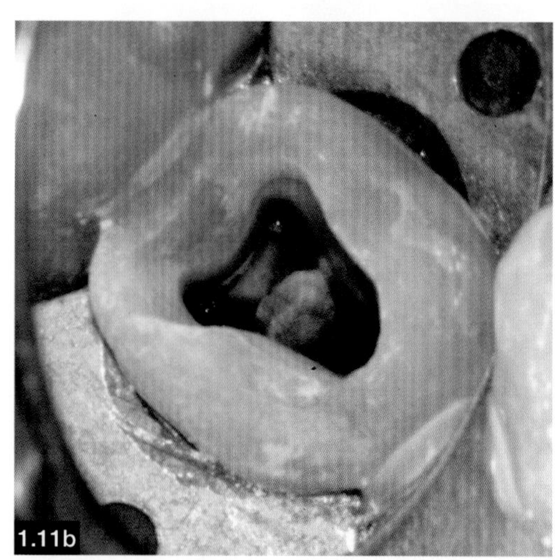

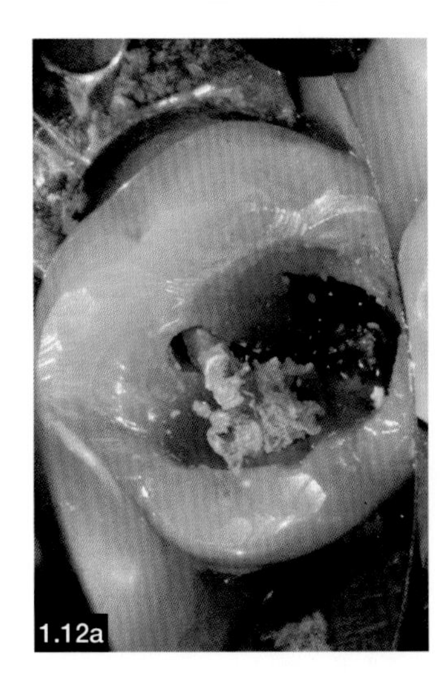
1.12a

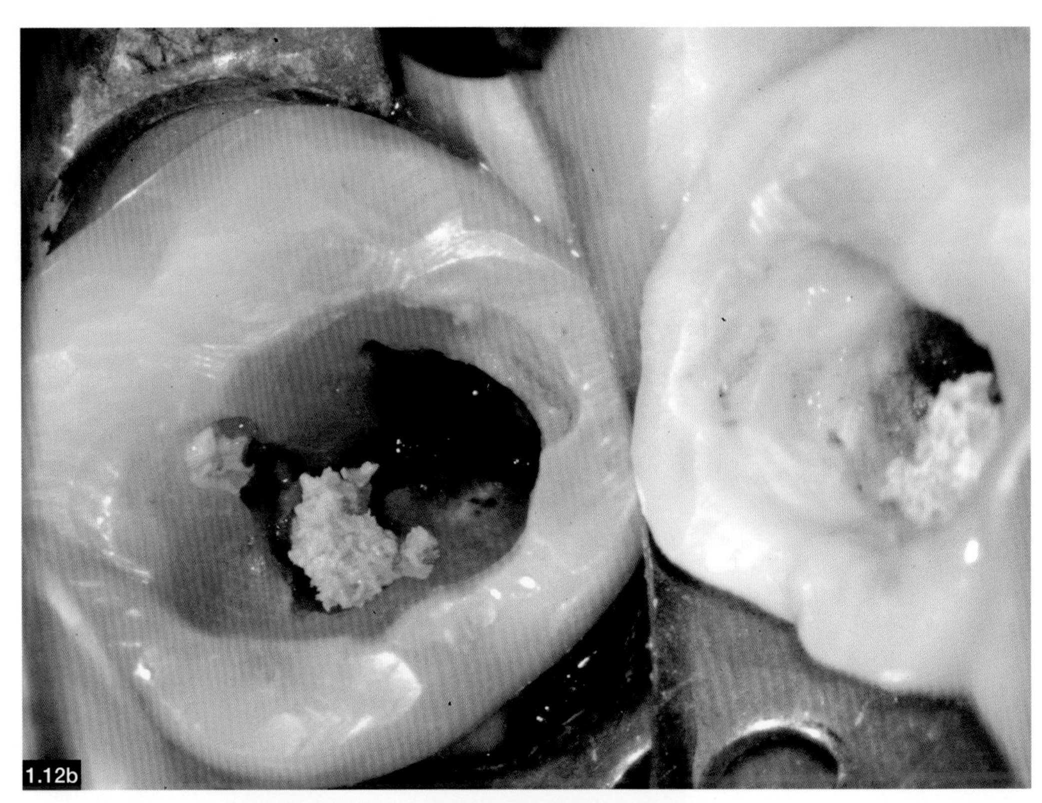
1.12b

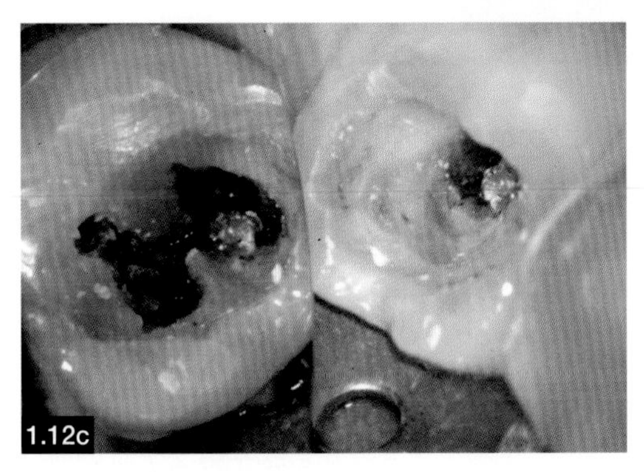
1.12c

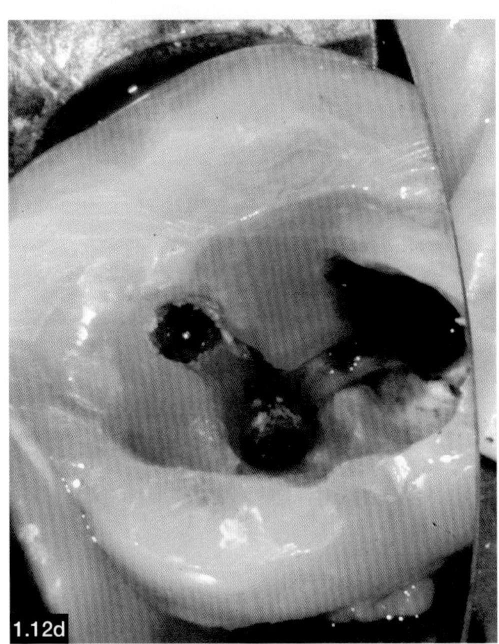
1.12d

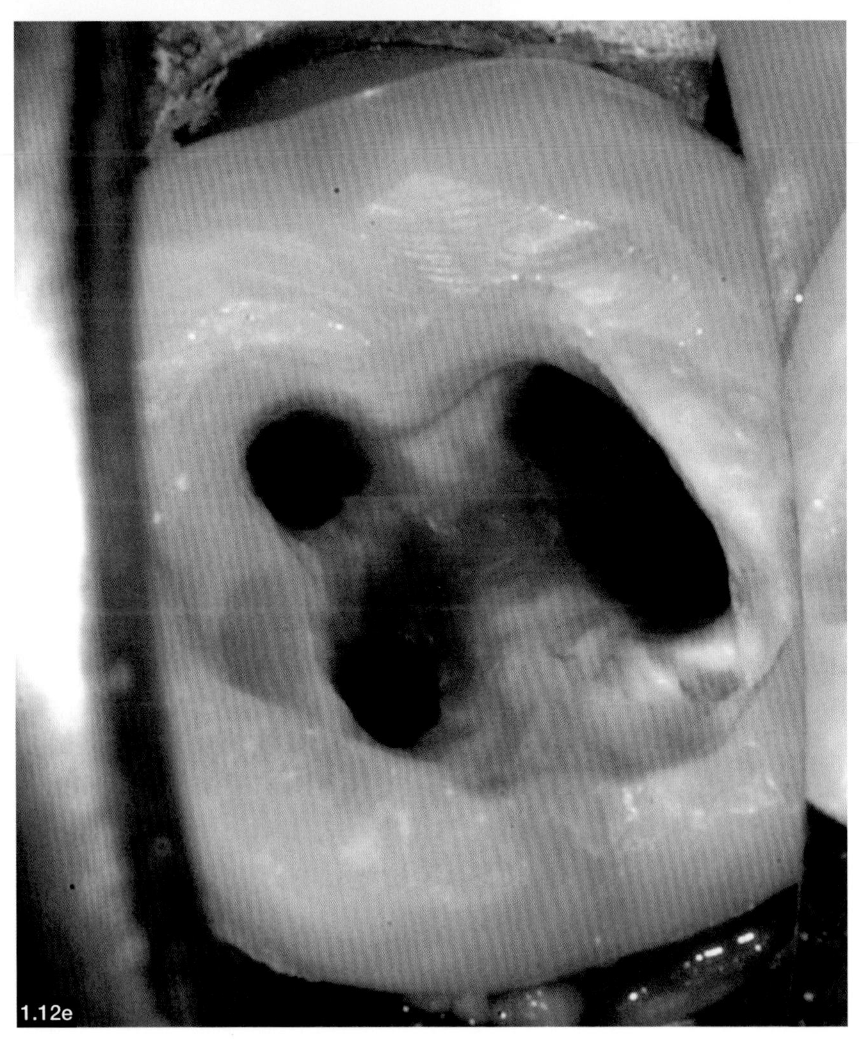
1.12e

Fig. 1.13: 아직 biofilm으로 응집되지는 않았지만 세균이 증식하고 있는 근관 내부

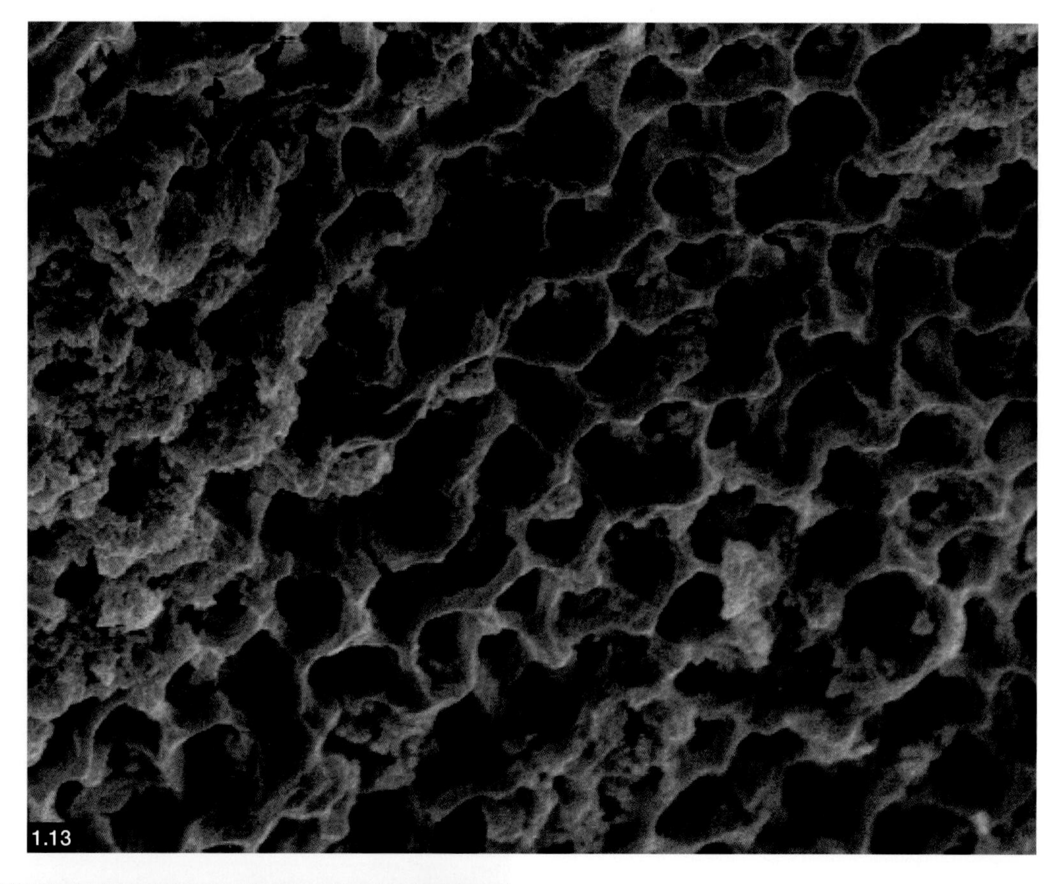

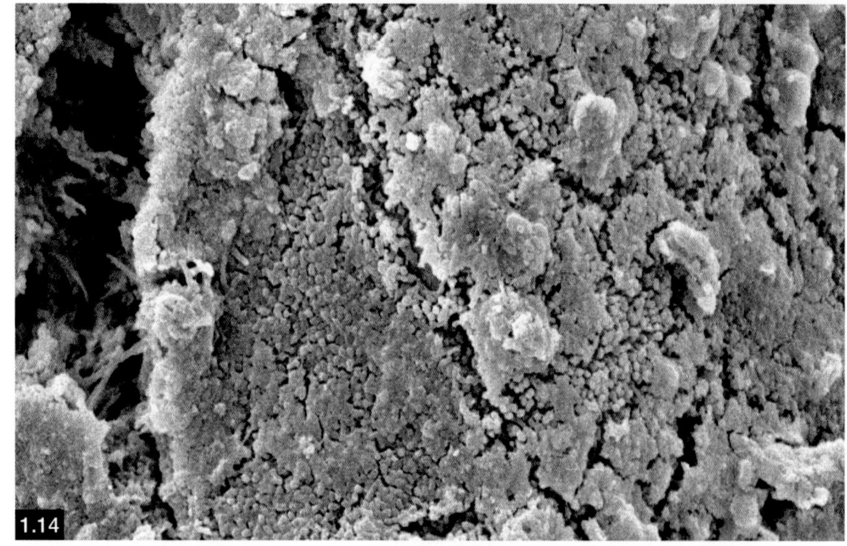

Fig. 1.14: 근관 내부벽에 상존하고 있는 bacterial biofilm과 dentin mud

하는 효과를 이루지 못하게 한다고 단정 지어 말할 수는 없다**(Fig. 1.15-1.18)**. 따라서, 임상적 증상의 유무와 관계없이, 방사선 사진상에서 확인되는 치근단 병소는 원인요소(pathogenic noxa)를 완전히 제거하지 못한 임상의의 실패한 술식에서 비롯된다. 미생물학적인 관점에서 보면 실패의 원인은 간단하면서도 동시에 복잡하다.

Kakehashi 등에 의한 연구에 의하면[8, 9] 대부분의 치근단 치주염은 절대적으로 세균에 의한 것이라고 밝혀져 있다. 세균이 존재하지 않을 경우에는 치수조직이 소멸되는 치근단에서의 반응은 일어나지 않는다.

이러한 연구결과는 Sjogrens[10], Sundqvist[11-13], Moller[14], Nair[15, 16] 등이 시행한 후속 연구에 의해서도 확실히 입증되었다. 가장 최근에는, Siqueira[17], Ricucci[20, 21] 등이 이러한 결과에 중요한 공헌을 하였다. 몇몇의 증례에서는 단순히 근관 내에 세균이 존재한다는 것만으로는 치근단 병소가 생기지 않았는데, 이는 기존의 술식으로는 치료가 어려운 치근단 분지내의 세균 증식이 치근단 조직의 만성 염증을 일으키는 여러 기여인자 중 하나일 뿐임을 보여준다.

미생물학적인 요소가 선행되어야 함이 분명해졌다면 이러한 세균들이 일차적 치료단계에 이미 존재하고 있었는지, 아니면 적절치 못한 치료술식의 결과로 세균이 생겼는지, 혹은 세균과 함께 바이러스나 이스트 같은 또 다른 원인요소들이 있었는지 생각해 보아야 한다.

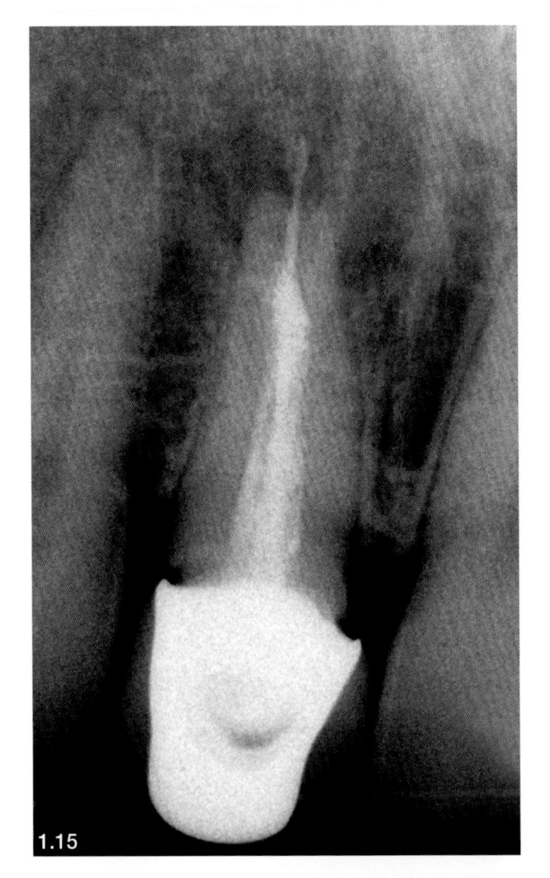

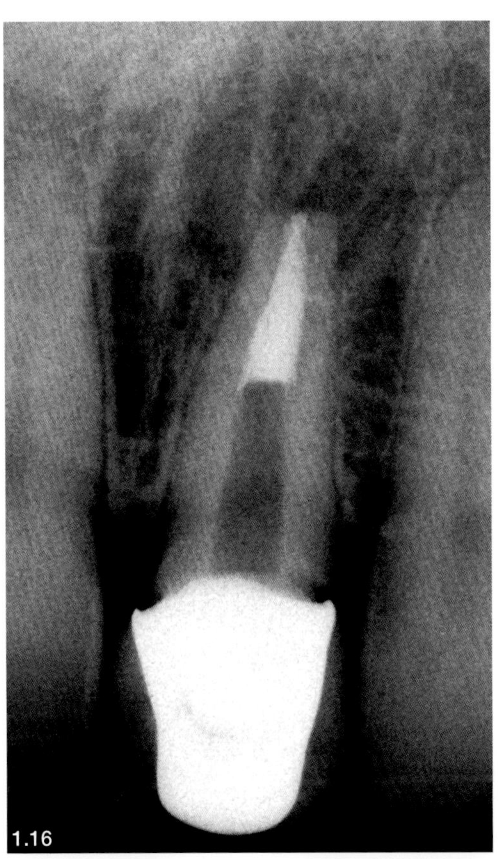

Fig. 1.15: 치근단공이 적절하게 충전되지 않아 발생된 치근단 병소의 전형적인 형태

Fig. 1.16: 재근관치료 후의 근관성형과 충전 모습. **Fig. 1.15**와의 차이를 확인할 수 있다.

Fig. 1.17: 상악 소구치에서 방사선 투과상으로 나타나는 치근단 병소

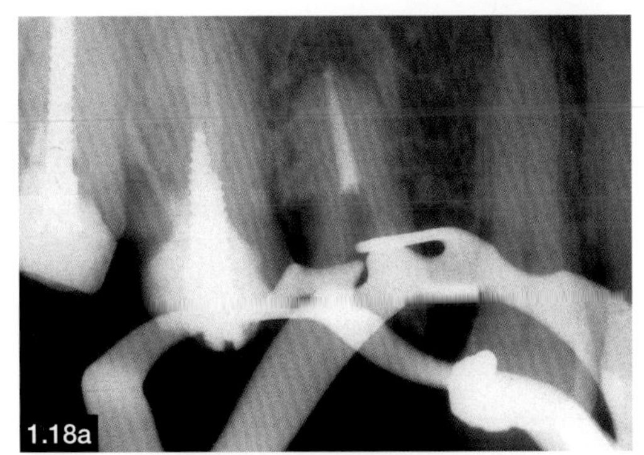

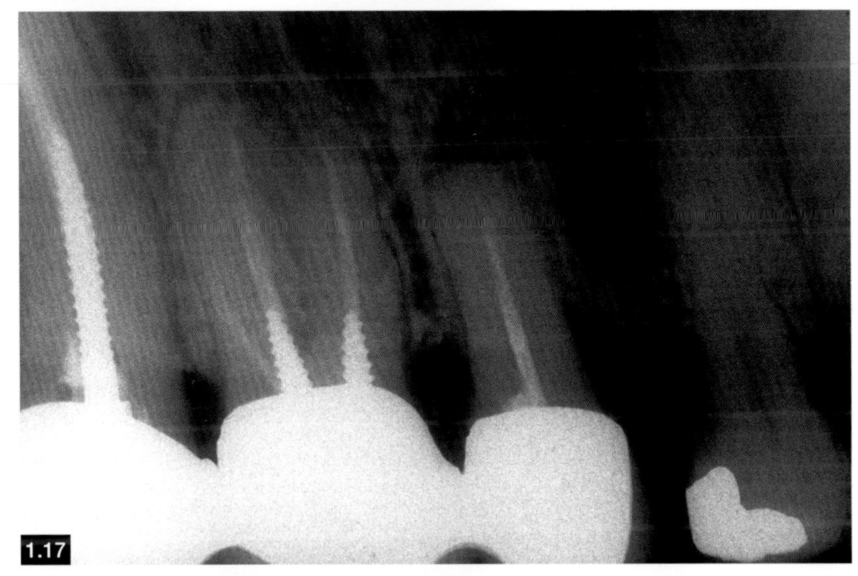

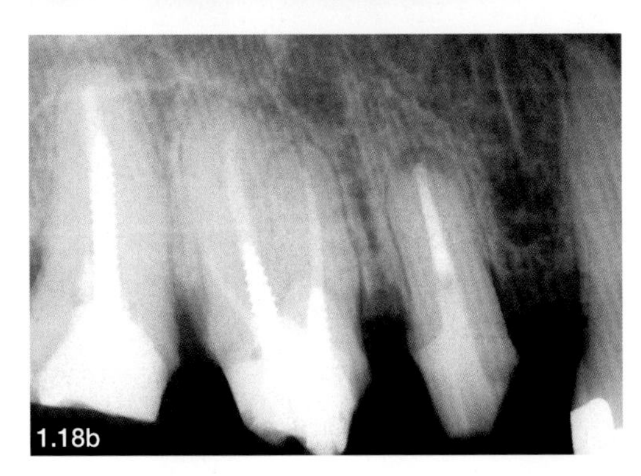

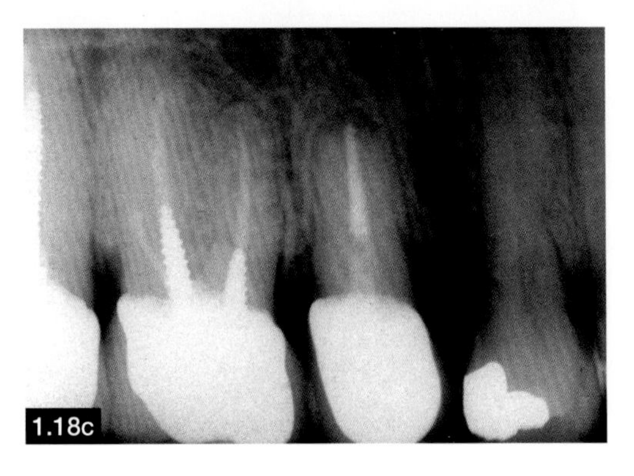

Fig. 1.18a-c: 재치료 후의 예후 평가. 임상적으로 만족할 만한 결과를 얻었지만 방사선학적인 만족할 만한 결과는 10여 년 후에야 확인할 수 있었다.

또한 기존에 사용해 오고 있던 충전재에 의한 이물반응이 일어날 수 있음도 기억해야 한다. 최근의 체계적 문헌고찰(A)에 의하면 근관이장재(sealer)가 치근단공을 넘어간 경우, 넘어가지 않은 경우에 비해 32%나 더 높게 치유되지 않는 소견을 보였다. Mello(B) 등이 시행한 유사한 연구에서도 비록 연구 대상 증례들이 그리 좋은 경우는 아니였다 하더라도 비슷한 결과를 얻을 수 있었다.

초기 치료단계에서 세균이 많이 남아있었다면 만족할만한 근관치료의 결과를 얻기 어렵다는 것은 두말할 나위가 없다.[27-29] 비록 어떠한 술식으로도 완벽하게 세균을 제거하기 어렵지만, 임상의가 근관 내 세균을 제거함에 있어 미숙한 경우 근관치료 실패의 가장 근본적인 원인이 될 수 있음은 분명하다. 근관치료의 실패 시 술자가 재근관치료 시의 위험요소나 장점 등을 고려한 후, 재근관치료의 여부를 결정하게 된다. 대표적인 예로서 **Fig. 1.19-1.24**를 들 수 있다.

환자는 하악 우측 구치부의 저작기능 회복을 위한 보철물 제작의 필요성으로 전원되었다. 철저한 검진 과정에서 하악 우측 최후방 구치에서 저작 시 중등도의 통증이 있었고, 방사선 사진에서는 치주인대의 미약한 확장이 관찰된다.

제안된 치료술식은 해당 치아를 재근관치료하고 보철물로 하악 구치부의 기능을 복원하는 것이다. 임상적 방사선학적 사진은 재근관치료의 단계를 보여주고 있고, #45 치아에도 치료가 시행되었으며 3~18년의 경과를 보여주고 있다. 뒤의 증례에서도, 이와 유사하게 20년간의 성공 경과를 보여주는 증례들이 있다.

Fig. 1.19: 하악 우측 제2대구치의 근심 치근단 부위 치주인대가 조금 확장되어 있는 것이 관찰된다.

Fig. 1.20: 이전의 치료보다 개선된 근관장 측정을 보여주고 있다.

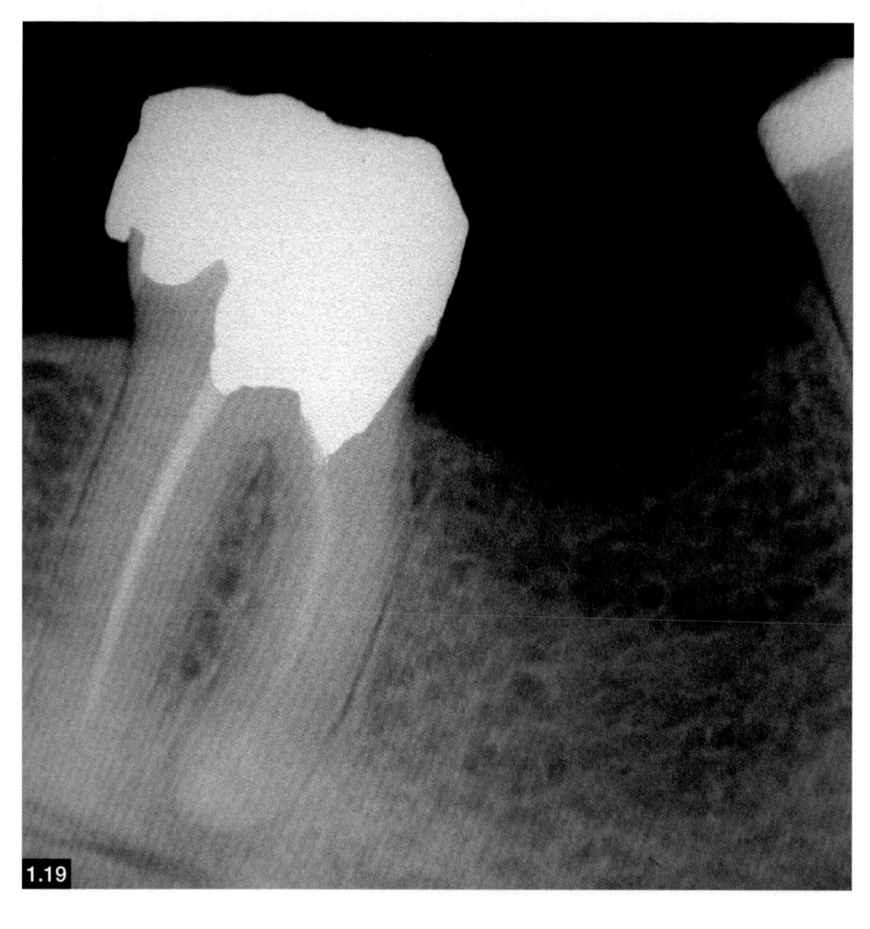

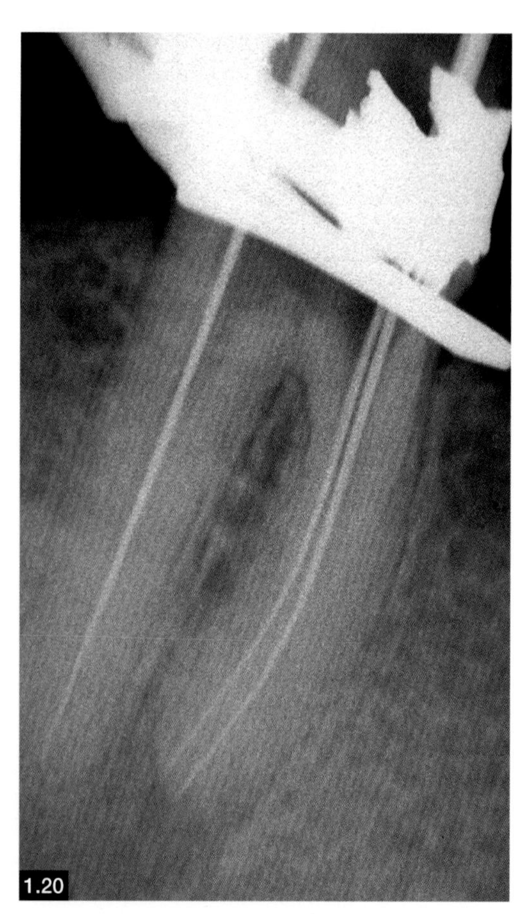

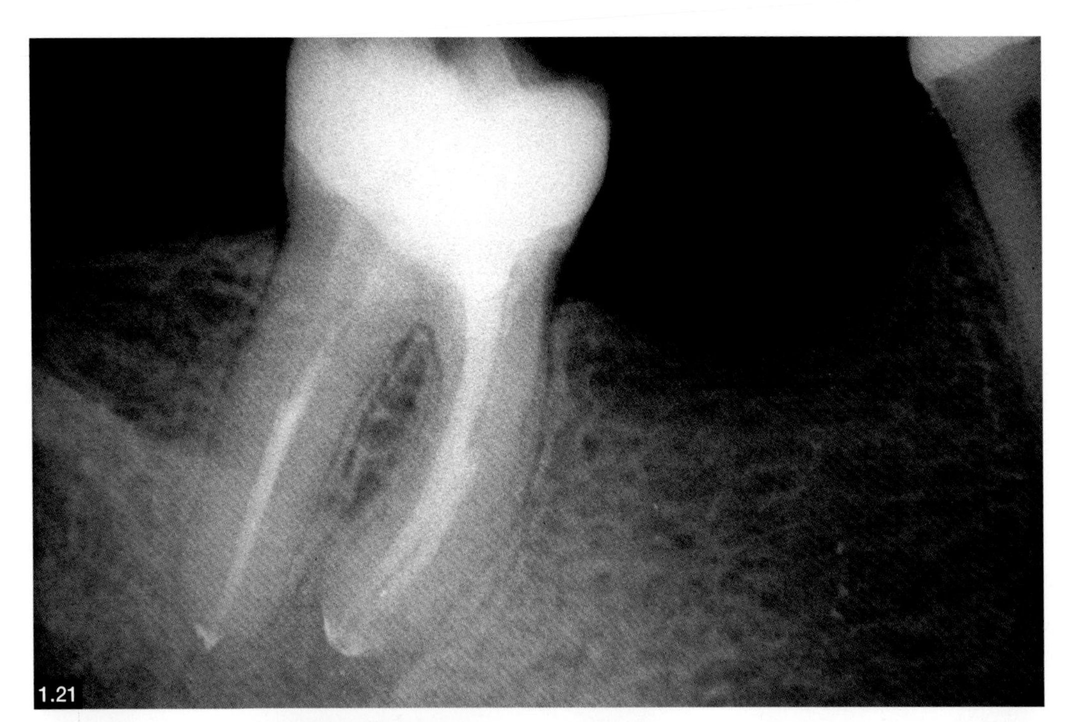

Fig. 1.21: 치수강을 composite으로 수복하고 임시보철물의 임상적 기능적 평가를 시행했다.

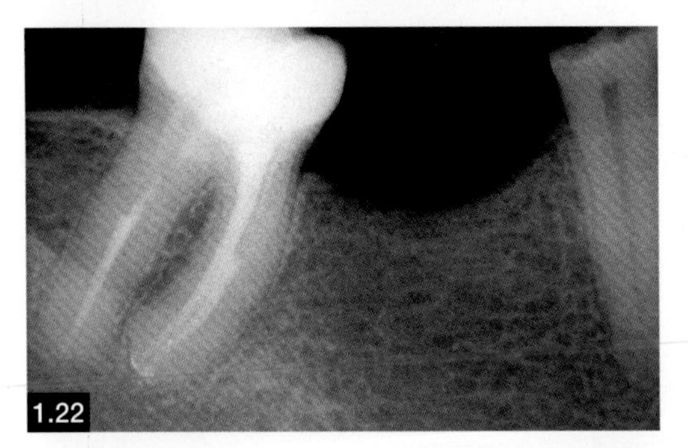

Fig. 1.22: 재치료 후 1년 경과 방사선 사진. 영구 보철물 장착이 가능해 보인다.

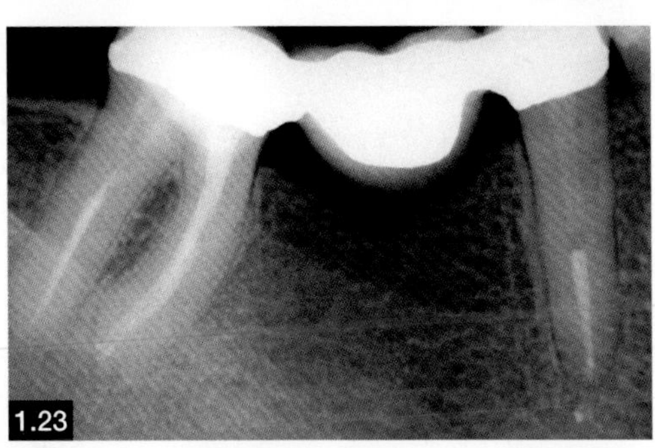

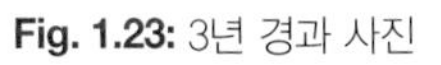

Fig. 1.23: 3년 경과 사진

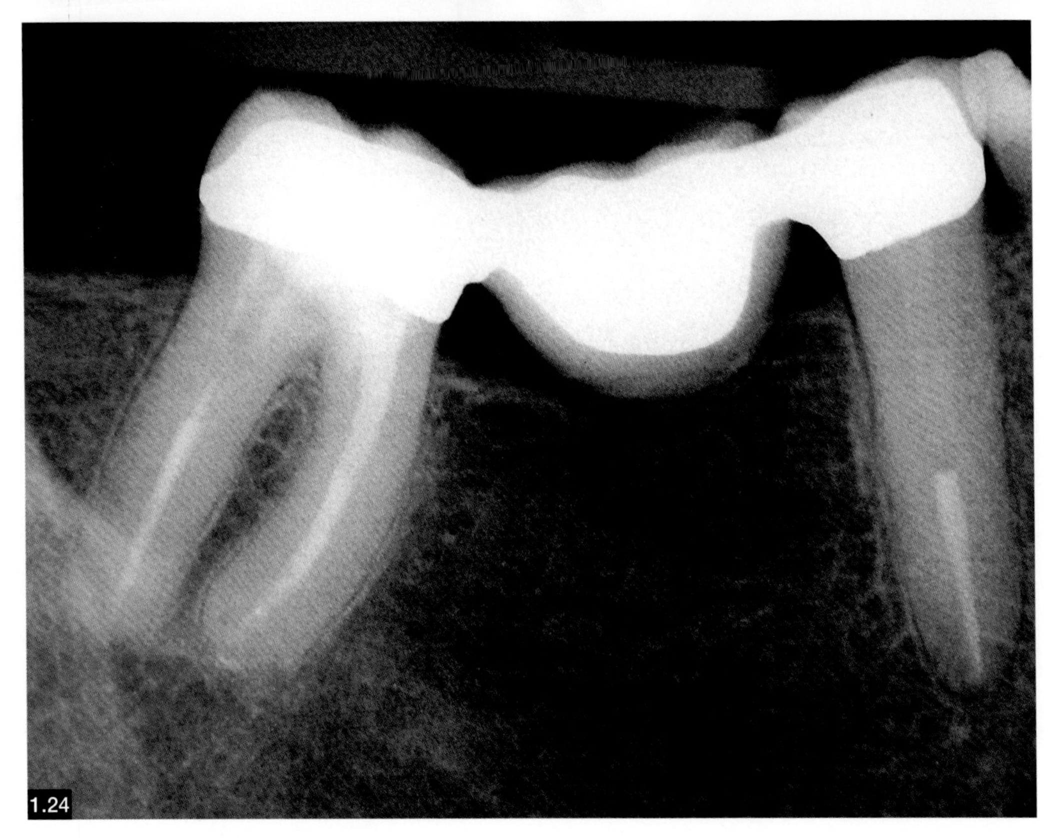

Fig. 1.24: 18년 경과 사진

CASE REPORT 1

근관치료 후 18년이 경과되어 심한 치근흡수가 일어난 증례

해당 치아는 이미 여러 차례 수복치료가 선행되어 처음에는 예후에 대한 예측이 어려워 보였다. 타액 등으로 인한 근관내의 지속적인 오염이 치근단 병소를 유발하였고 치근흡수 및 원심근관까지 병소가 확장되어 있는 양상을 보이고 있다.

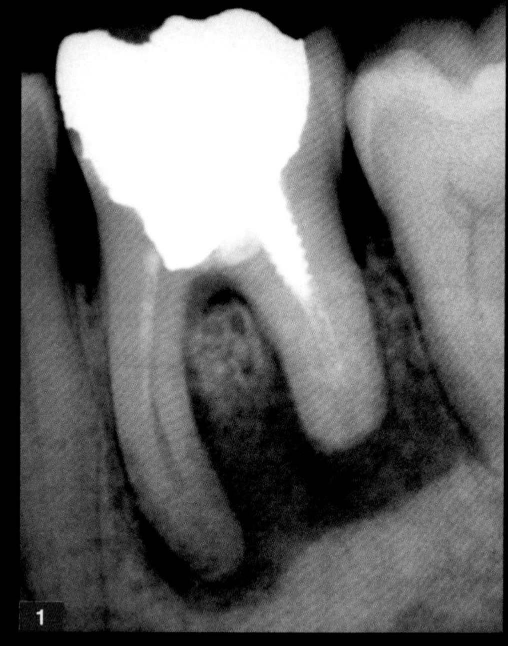

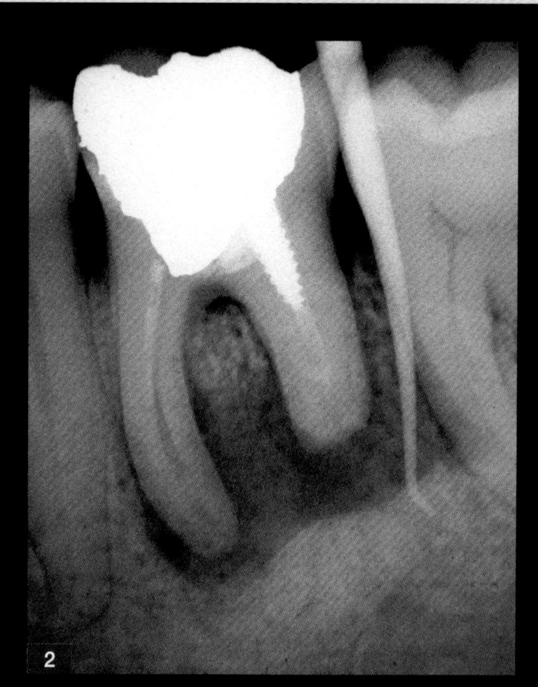

Figure 1: 방사선 사진상에서 하악 구치 원심치근의 심한 흡수를 동반한 넓은 범위의 치근단 주위 병소가 관찰된다. 근심관은 근관형성 및 성형이 이루어지지 않은 것으로 보이고, 원심관도 일부는 근관내 기구조작이 되지 않은 것으로 여겨진다.

Figure 2: 구강내에서 관찰되는 누공에 GP cone을 이용하여 치근단 병소와 누공의 연결 경로를 방사선 사진 촬영을 통해 확인할 수 있다.

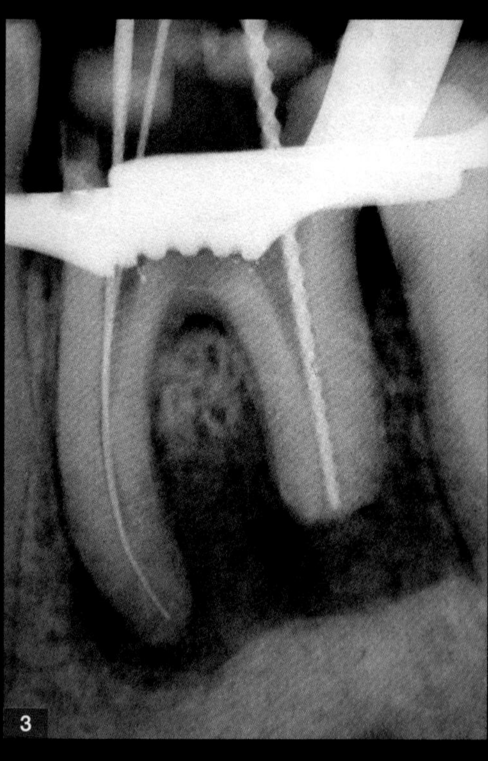

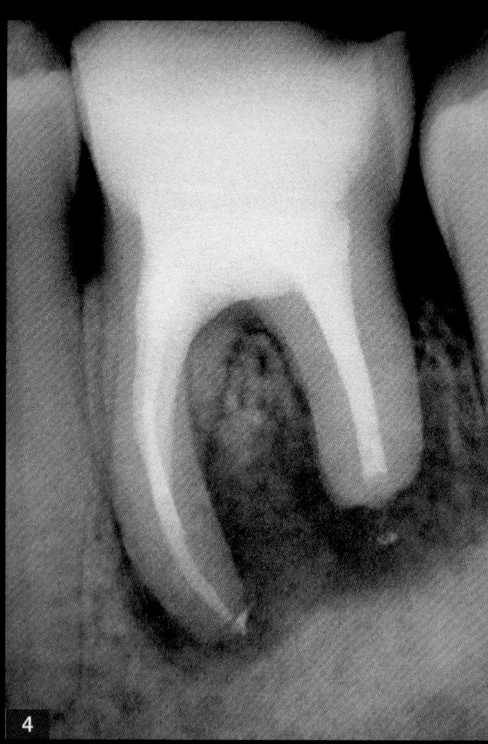

Figure 3: 기존의 충전물이 제거되고 나면 근관장을 다시 측정한다.

Figure 4: 재근관치료가 마무리되었고, 잔존치질의 약화로 인하여 직접 치관부 수복을 시행하였다.

초진 시에는 주위 지지조직의 붕괴를 의미하는 병적 치주낭 깊이나 치아 동요도는 관찰되지 않았다. 이러한 임상소견으로 술자는 재근관치료를 시행하기로 하였으며, 재치료가 진행되는 동안 술자는 치근단의 만성적 염증 상태에 대해 늘 주시하였다. 다행히도 치료 후 별다른 임상증상이 없었고 술자는 만족할만한 치료결과를 얻을 수 있었다.

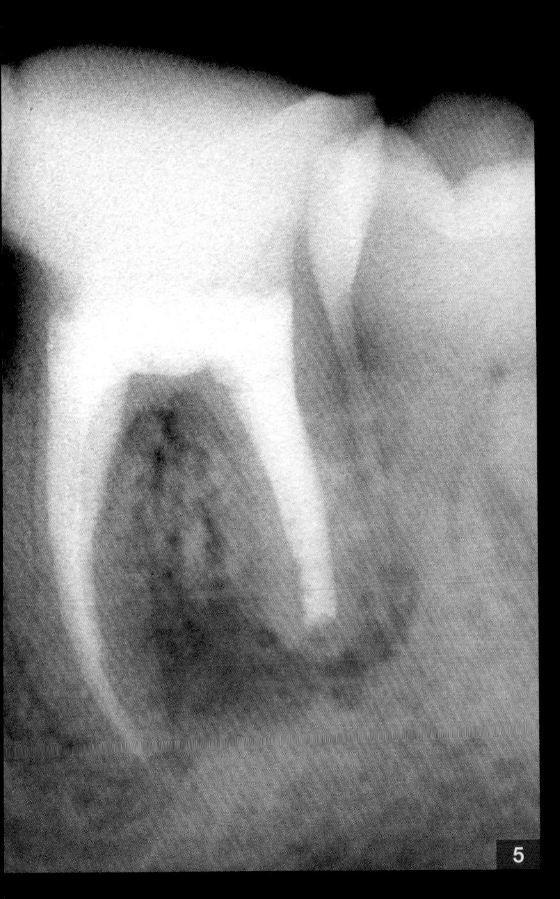

Figure 5: 1년 경과 방사선 사진상에서 방사선 투과상이 매우 감소된 것을 확인할 수 있으나 아직 완전히 해소되지는 않았다.

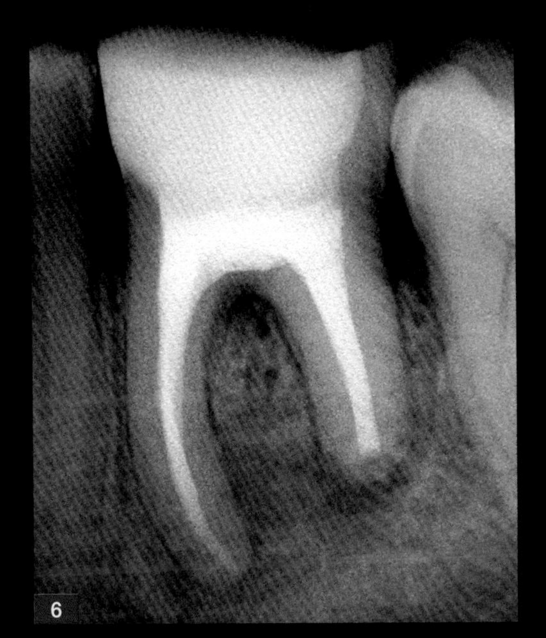

Figure 6: 3년 경과 후 방사선 사진

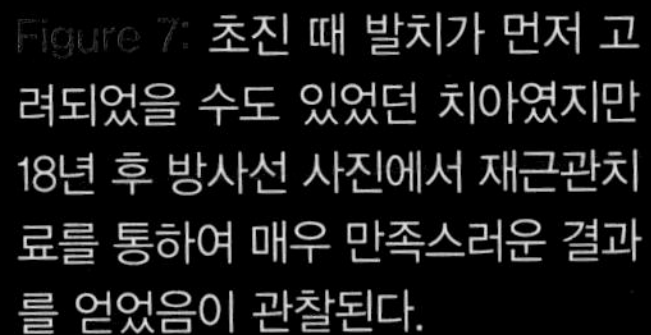

Figure 7: 초진 때 발치가 먼저 고려되었을 수도 있었던 치아였지만 18년 후 방사선 사진에서 재근관치료를 통하여 매우 만족스러운 결과를 얻었음이 관찰된다.

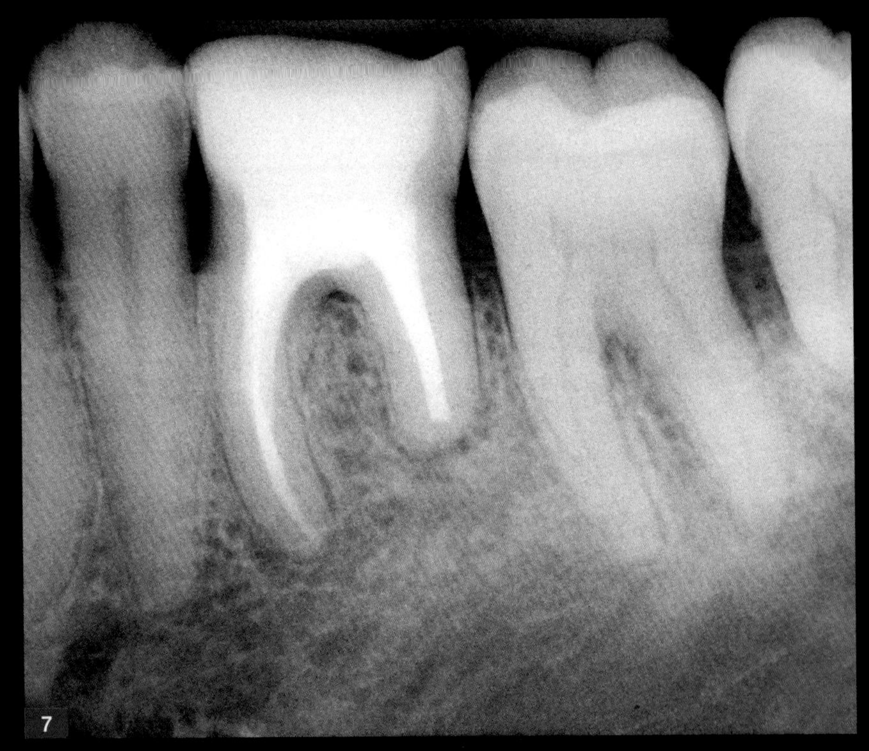

CASE
REPORT 2

다양한 해부학적 특징을 보이는 하악 구치부

다음 두 증례는 임상적으로는 비슷한 양상을 보이지만 하악 구치의 해부학적 특성들을 고려한다면 매우 다른 양상을 보일 수 있다. 해부학적인 변이사항은 치근단 병소 유발에 매우 중요한 역할을 하며 또한 근관계에 대한 평가에 있어 오판을 불러올 수도 있다.

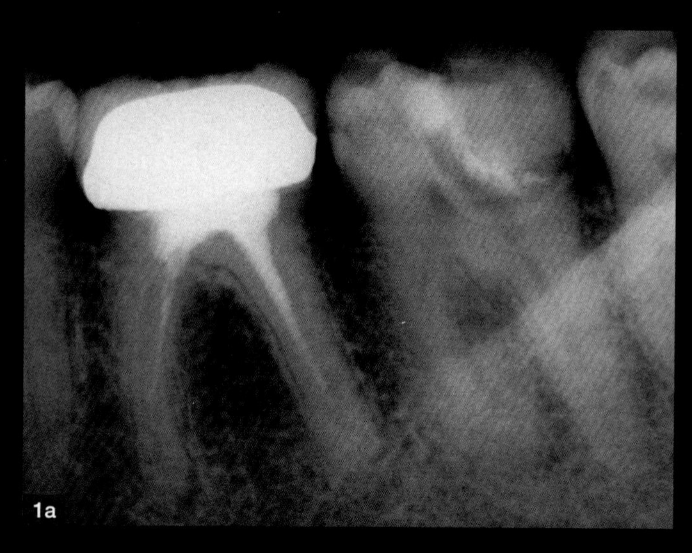

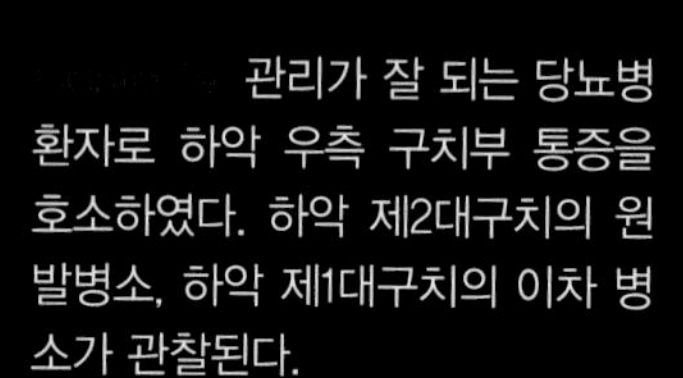

관리가 잘 되는 당뇨병 환자로 하악 우측 구치부 통증을 호소하였다. 하악 제2대구치의 원발병소, 하악 제1대구치의 이차 병소가 관찰된다.

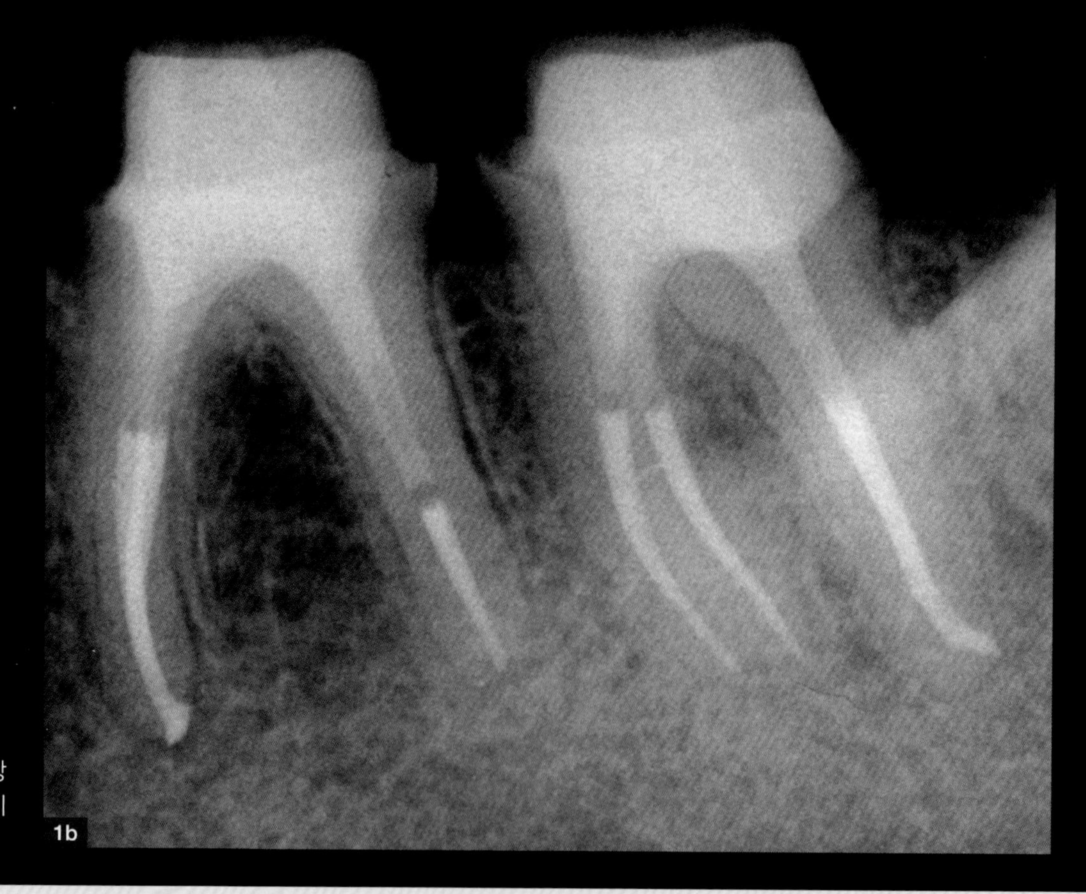

치료 후 10여 년 경과 방사선 사진이며 아직 임시수복물이 사용되고 있다.

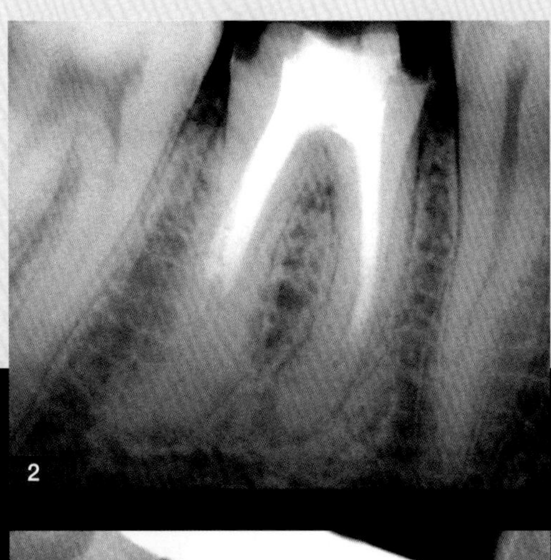

Figure 2: 하악 구치부 치근단 병소. 근관충전이 충분한 길이로 되지 않았음을 알 수 있다.

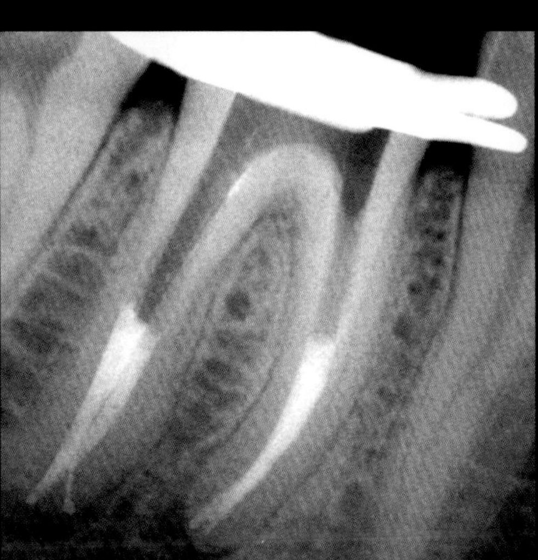

Figure 3: 치수강 개방과 적절한 근관성형을 통해 전체 근관계를 잘 충전할 수 있게 되고 접착 술식을 병행하여 치관 부위 수복도 가능하게 되었다.

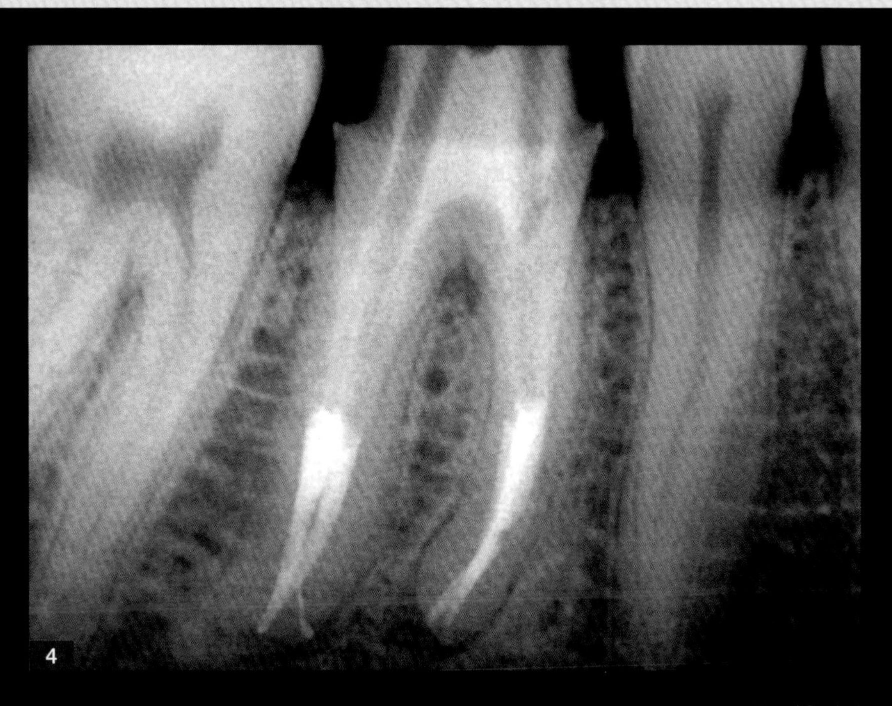

Fiber post를 이용하여 최종수복을 했다.

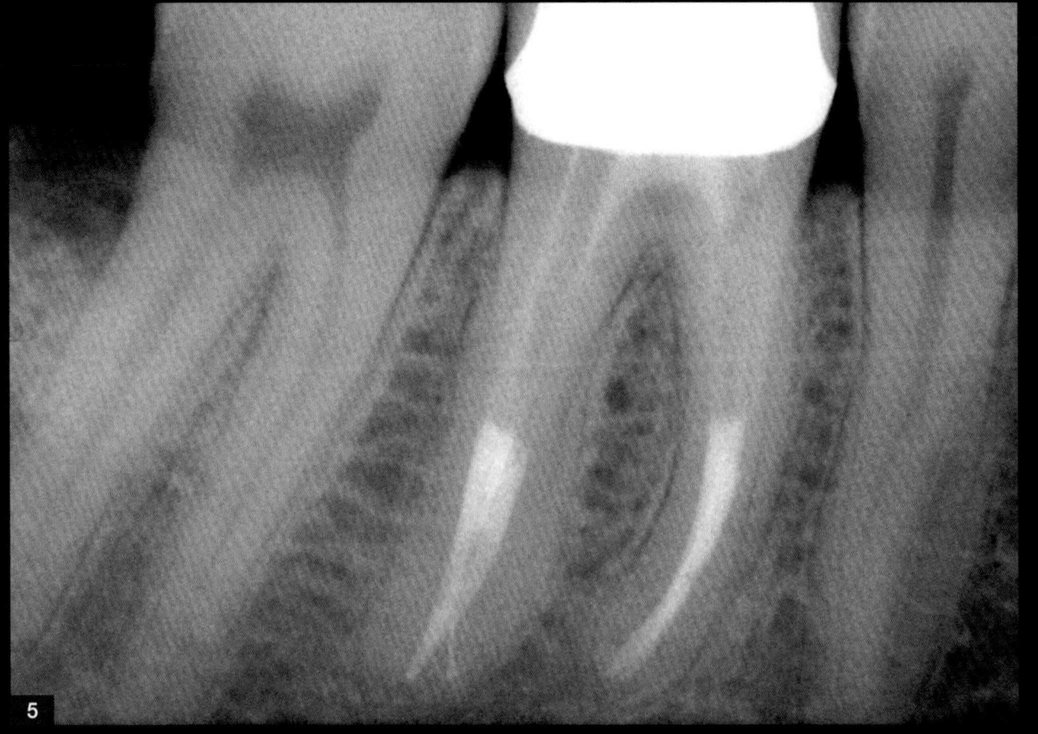

치료 후 10년 경과된 사진으로 치근단 부위 골조직도 완전히 회복되었으며 수복물 상태도 매우 양호함을 알 수 있다.

역학적 관점에서의 치근단 병소

상악골에서 치수기원의 만성 염증성 병소는 무시할 수 없는 정도로 나타나는데 최근 연구에 의하면 인구의 10% 정도가 적어도 하나의 치아가 치수기원의 만성 염증을 보이고 있다고 한다.[30] 치근단 병소에 대한 역학적 데이터는 나라마다 어떠한 구강보건 체계를 가지고 있느냐에 따라 매우 높게 나티나기도하고 낮게 나타나기도 한다(**Table 1.1**).

이탈리아에서는 이에 관한 연구들이 거의 없기는 하나 지난 10여 년 동안 행해온 연구결과가 **Box 1.1**에 요약되어 있다.

많은 연구들이 주로 파노라마 사진 관찰에 기초하여 이루어져 왔으나(**Fig. 1.25-1.26**) 몇몇 다른 학자들은 CBCT 등과 같은 다른 영상을 이용하였는데[31] 이는 다음 장에서 설명하기로 한다(**Fig. 1.27-1.30**).

CBCT 기술은 치수기원의 치근단 병소를 훨씬 더 명확히 보여주기 때문에 최근 이러한 연구에 많이 이용되고 있다. 그 결과는 다음과 같다. Paes da Silva 등은[32] 300 증례를 검사하여 부적절한 근관치료에 의한 치근단 병소의 유병률이 35% 정도 됨을 보고하였다.

Van der Veken 등은[33] CBCT를 이용한 증례분석으로 가장 광범위한 연구를 시행하였다(631). 이 연구에서는 약 6%의 치근단 병소를 보여주었는데 이는 인근 국가에서 행해진 유사한 연구와 비슷한 결

Table 1.1 **EPIDEMIOLOGICAL DATA ON THE PREVALENCE OF PERIAPICAL DISEASES IN VARIOUS POPULATIONS WORLDWIDE**

	Year	Imaging technique employed	Patients	Teeth analyzed	Treated teeth present and examined	% apical periodontitis out of all teeth	% of treated teeth out of all examined teeth	% of correctly treated teeth with periapical lesions	% of incorrectly treated teeth with periapical lesions	Country
Jimenez-Pinzon et al.	2004	OPT*	180	4453		4.2	2.1		64.5	Spain
Kabak et al.	2005	OPT	1423	8632		12			45	Belarus
Siqueira et al.	2005	OPT		2051	2051		100	18	71	Brazil
Tercas et al.	2006	OPT	200	5008	553	5.9	11		42.5	Brazil
Estrela et al.	2008	OPT		1372	1372		100	12.1	71.7	Brazil
Frisk et al.	2008	OPT	490				23	36	24.5	Sweden
Georgopoulou et al.	2008	OPT						39.2	67.6	Greece
Tavares et al.	2009	OPT		1035	1035		100	19	93.5	France
Peters L.B. et al.	2010	OPT	178	4594		7	4.8	24.1	55.8	Netherlands
Kim S.	2010	OPT			896	22.8			29.3	Korea
Santos et al.	2010	OPT			291		100	11	19	Brazil
Al-Omari et al.	2011	OPT	294	7390	4655	11.6	5.7		87	Jordan
Chala et al.	2011	OPT				63.79			39.5	Morocco
Kamberi et al.	2011	OPT	193	4131	95	12.3	2.3		46.3	Kosovo
Lopez-Lopez et al.	2012	OPT	397			34	59	23	42	Spain
Kalender et al.	2013	Periapical OPT and Rx	1006	24730	7986	7.01	9.4		62	Cyprus
Jersa et al.	2013	OPT	312	7065		7	18		78	Lithuania
Berlinck et al.	2015	Rx periapicali	1126	25292		7			16.7	Brazil
Huumonen et al.	2017	OPT	5335	120635	32571	4.42	5.3		15.3	Finland
Kielbassa et al.	2017	OPT	1000	22586	2504	6.4	11.1		42.6	Austria

*OPT: orthopantomographic radiogram.

Box 1.1 이탈리아에서 치수기원의 만성염증병소의 유병률

이탈리아에서는 유병률 연구가 많이 행해지지는 않았다(Table 1.2). Generali 등은 6.6%에서 치근단 치주염을 보이고 있다고 보고하였고 원인요소 중 10.8%는 근관치료에 의한 것으로 나타났다. 이 중 45.8%는 치근단 병소로 나타났다. 이전에 근관치료를 시행하지 않았던 치아보다 시행한 치아에서 치근단 치주염이 더 높은 빈도를 보였으며, 근관충전 상태와 치근단 치주염 사이의 긴밀한 상관관계는 찾아볼 수 없었다. 같은 해에 Cotti 등이 318명의 환자들을 분석한 연구에서는 연구한 치아의 7.9%에서 치근단 병소가 발견되었고, 그 중 50% 이상은 근관치료를 이전에 시행했던 경우였다. Covello 등이 파노라마 사진을 이용해 분석한 214명의 증례에서도 근관치료를 행한 경우의 거의 절반 정도에서 방사선 사진에서 치근단 염증소견을 관찰함으로써 유사한 결과를 보고하였다. 가장 최근에는 Fini 등이 2014년 Milan에서 비슷한 결과를 보고하였으며, Dolci 등은 비슷한 방법을 이용하여 선행 연구보다 더 의미있는 결과를 보여주고 있다.

Table 1.2 ITALIAN EPIDEMIOLOGICAL DATA

	Year	Imaging technique employed	Patients	Teeth examined	Treated teeth present and examined	% of apical periodontitis out of all teeth	% of treated teeth out of all the teeth analyzed	% of teeth correctly treated with periapical lesions	% of incorrectly treated teeth with periapical lesions	Country
Generali et al.	2007	OPT*	214	4707	226	6.6	10.8	29.3	71.7	Italy
Cotti et al.	2007	OPT	318	7287	293	7.8	4.1	50.8	62.3	Italy
Covello et al.	2010	OPT	384	9423	1081	8.3	11.4	-	41.6	Italy
Fini et al.	2014	OPT	108	1284	318	9.4	24.8	19	47	Italy
Dolci et al.	2016	Periapical Rx	312	8101	534	1.3	6.6	-	17	

*OPT: orthopantomographic radiogram.

과이다. 전체 근관치료된 증례 중 절반 이상의 예에서 근관충전이 적절하지 못했으며 이는 최근 연구 결과와도 일치하였다(Table 1.3).

가장 중요한 소견은 근관치료가 행해진 치아에서 나타나는 치근단 주위 병소 유병률인데, 이와 같이 거의 절반의 경우에 문제점이 있다는 것은 세계적으로 볼 때 대부분의 치과의사들이 정확한 치료지침 및 단계를 지키지 못하고 있다는 것을 의미한다고 말할 수 있다. 요약하자면, 치료 후에도 치수기원 질환이나 또는 치수기원의 치근단 병변을 유발하는 지속적인 원인요소가 있다는 것은 이러한 병소의 유병률을 낮추기 힘듦을 의미하며, 비율로 본다면 실제로 환자당 이환된 치아의 수는 적지만 인구 전체를 생각한다면 그 수는 수백만 명에 이를 것이다.

Pak[34]등은 이러한 방향으로 좀 더 철저한 연구를 시행하였다. 이들은 몇몇의 지역 연구결과를 함께 분석하여 약 5%에서 치수기원의 치근단 병변이 일어난다고 보고하였다.

전체의 10%에 해당하는 3만여 개의 비수술적 근관치료가 시행된 치아 중 36%는 근관치료와 연관된 것으로 여겨지는 치근단 병소를 보이고 있었고, 이 연구에 포함된 거의 모든 환자는 성공적이지 못한 근관치료와 연관된 치근단 병소를 가지고 있었다. 더욱이 염려스러운 점은 다른 저자들이 언급한 바와 같이 비교적 치과진료 수준이 높은 곳에서도 이러한 병변이 없어지는 대신 오히려 지속적으로 관찰되는 당황스러운 상황이 발생한다는 것이다.

Fig. 1.25: 여러 치아에서 치근단 병소를 보이는 환자의 파노라마 사진. 각각의 병소의 정도를 판단하기는 어렵다.

Fig. 1.26: 위의 증례보다는 좀 더 명확히 관찰되는 치근단 병소. 좌측 상악 견치의 과충전된 양상이 관찰된다.

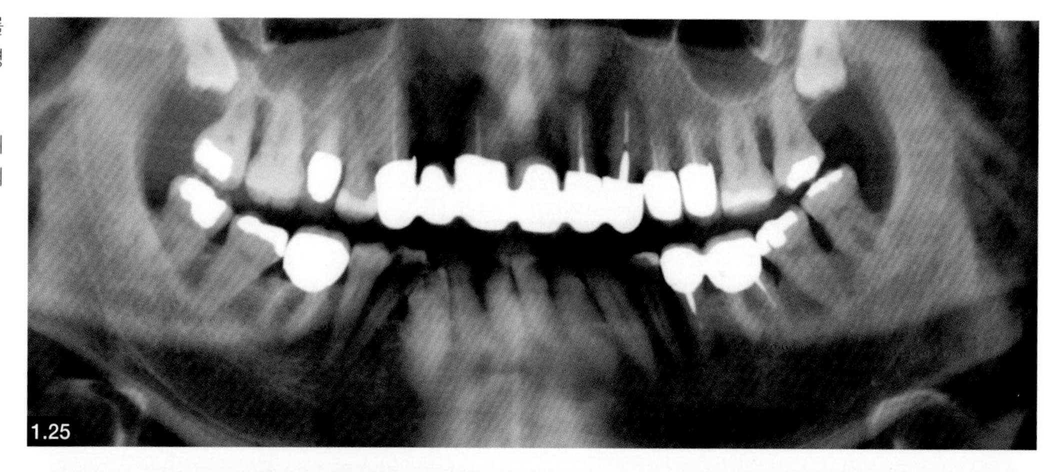
1.25

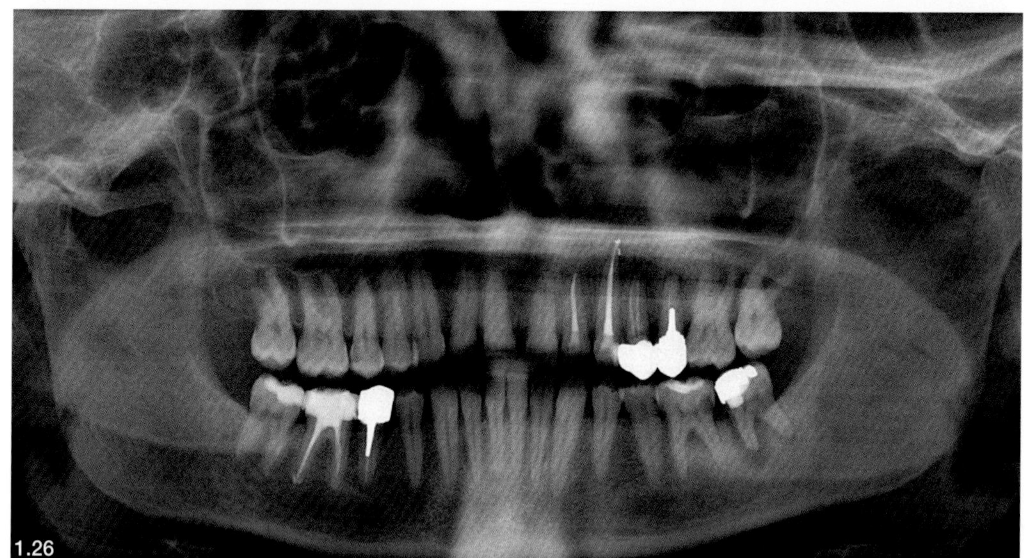
1.26

Fig. 1.27: 상악 우측 제1대구치의 근심 치근의 방사선 투과상과 제1소구치의 의심병소가 관찰된다.

Fig. 1.28: CBCT 영상은 치근단 병소의 정확한 영상을 얻게 해준다.

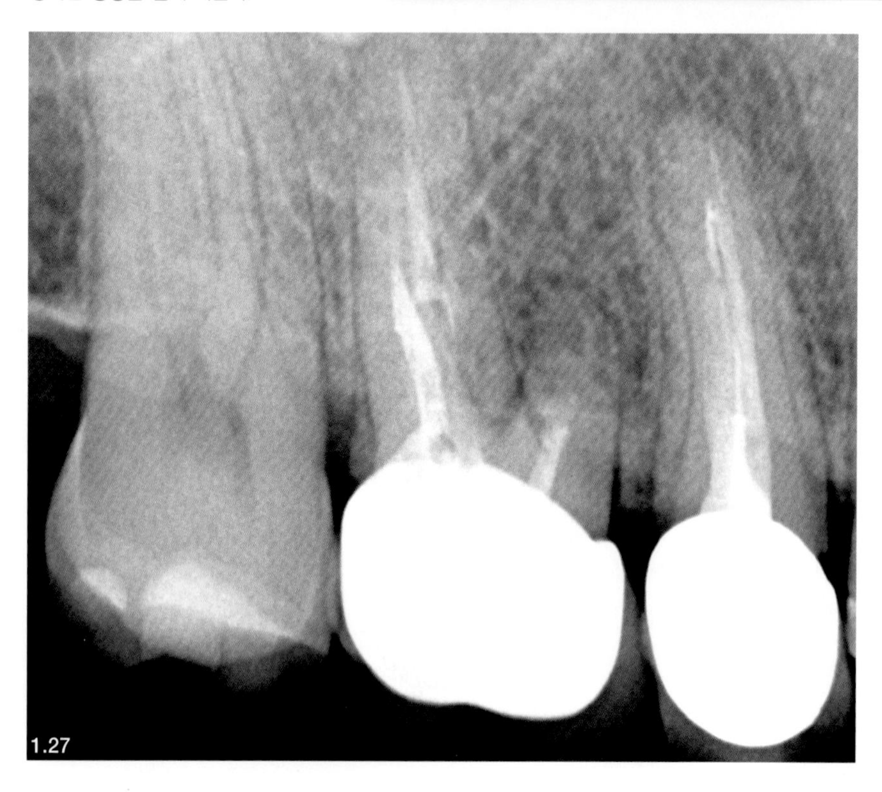
1.27

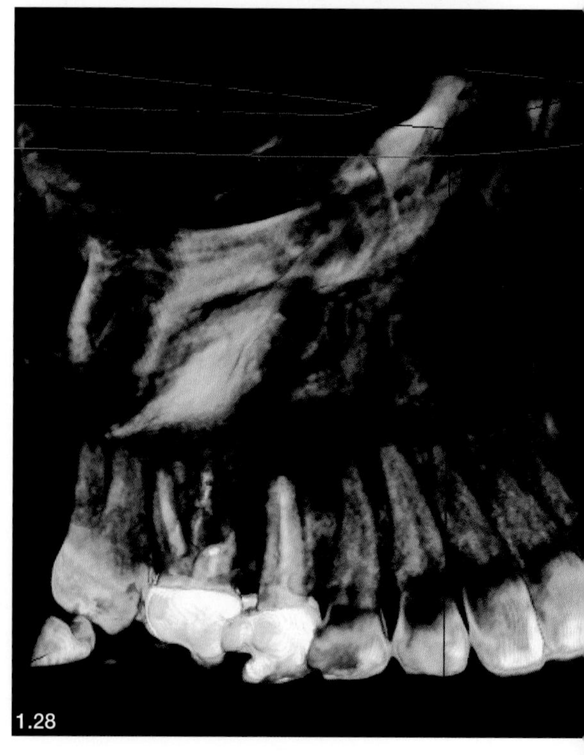
1.28

Table 1.3 **EPIDEMIOLOGICAL DATA COLLECTED BY CONE-BEAM COMPUTERIZED TOMOGRAPHY (CBCT)**

	Year	Imaging technique used for analysis	Patients	Teeth examined	Treated teeth present and examined	% of apical periodontitis out of all teeth	% of treated teeth out of all analyzed teeth	% of teeth correctly treated teeth with periapical lesions	% of incorrectly treated teeth with periapical lesions	Country
Paes da Silva et al.	2013	CBCT	300	5585	-	7	8.9	-	35.4	Brazil
Dutta et al.	2014	CBCT	245	3595	-	5.8	4.8	-	47.4	UK
Lemagner et al.	2015	CBCT	100	2368	431	8.6	8.6	-	40.8	France
Karabucak et al.*	2016	CBCT	1397	1137	1137	59.5	-	-	82.8	-
Van der Veken et al.	2017	CBCT	804	11117	1357	5.9	12.2	22.8	46.6	Belgium

* The Authors examine only the teeth affected by periapical disease and check for the presence of unidentified canals (consequently, untreated): among the teeth with lesion, those with unidentified canals-not treated were found to be 23.04%.

Paes da Silva Ramos Fernandes LM et al. *Prevalence of apical periodontitis detected in cone beam CT images of a Brazilian subpopulation*. Dentomaxillofac Radiol. 2013;42(1): 80179163.

Dutta A et al. *Prevalence of periradicular periodontitis in a Scottish subpopulation found on CBCT images*.Int Endod J. 2014 Sep;47(9):854-63.

Lemagner F et al. *Prevalence of Apical Bone Defects and Evaluation of Associated Factors Detected with Cone-beam Computed Tomographic Images*. J Endod. 2015 Jul;41(7):1043-7.

Karabucak B et al. *Prevalence of Apical Periodontitis in Endodontically Treated Premolars and Molars with Untreated Canal: A Cone-beam Computed Tomography Study*. J Endod. 2016 Apr;42(4):538-41.

Van der Veken D et al. *Prevalence of apical periodontitis and root filled teeth in a Belgian subpopulation found on CBCT images*. Int Endod J. 2017;50(4):317-29.

Burklein S, Schafer E, Johren HP, Donnermeyer D. Quality of root canal fillings and prevalence of apical radiolucencies in a German population: a CBCT analysis. Clin Oral Investig 2019 (on-line pre-press).

20여 년 전에 근관치료를 한 환자들과 최근에 근관치료를 한 환자들을 비교한 연구에서도, 치료방법과 치료의 질, 그리고 치수기원 치근단 병소의 발병률에 차이가 없음을 알 수 있었는데 이는 기술적인 면에서 치료방법이 변했다 하더라도 최상의 치료결과를 얻기 위해서는 임상술자의 숙련된 경험과 치료능력이 가장 중요한 변수임을 깨닫게 해 준다. 임상적으로도 방사선학적으로도 만족할 만한 치료결과를 얻는 것에 이전의 치료술식인가 최근의 치료술식인가는 중요하지 않다. Kirkevang[38] 등이 덴마크 환자들로 이루어진 두 집단을 이용하여 각각 다른 시기에 행해진 근관치료를 비교연구한 결과

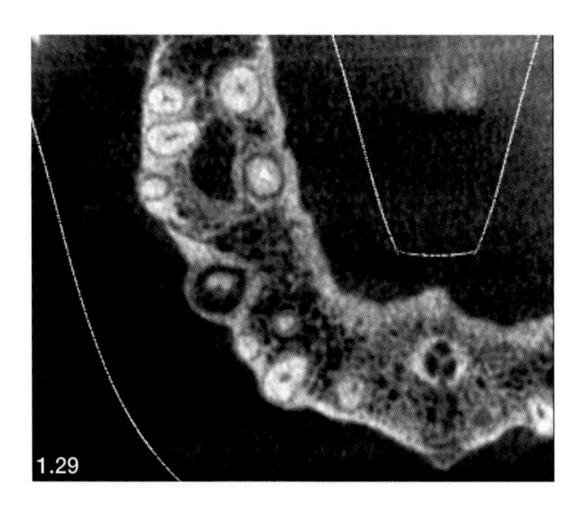

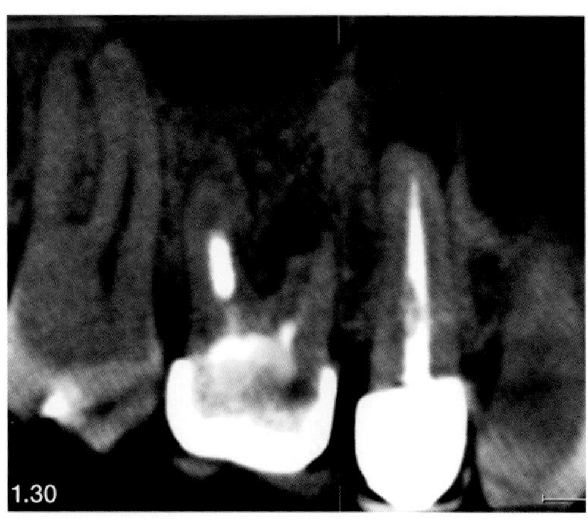

Fig. 1.29: 두 병소를 가장 잘 보여주는 axial image

Fig. 1.30: Sectional lateral view가 병소의 범위를 잘 보여주고 있다(이 증례는 2장에서 다시 한번 언급될 예정).

Box 1.2 치수기원의 치근단 병변의 유병률

치수기원의 치근단 병소의 발생은 평균 10% 이하로 그 중요성이 낮다고 할 수 있으나, 이환된 환자의 수를 생각하면 그 중요성은 매우 커진다. 실제 전체 인구의 60% 이상은 치과치료를 받고 있다.

치료 술식의 차이와 관계없이 치근단 병소의 비슷한 유병률을 보였다. 저자들은 이에 근거하여 새로운 임상 술식이 매우 괄목할 만한 치료결과의 향상을 가져오는 것은 아니라고 결론 내렸다.

20여 년간의 덴마크 환자 집단을 비교 검토한 다른 연구에서도 이와 비슷한 결과를 확인할 수 있었다.[37] 독일 환자들의 최근 연구에서도, 20여 년 동안 제한된 발전을 관찰할 수는 있었지만 새로운 치료방법이 근관치료의 성공률을 크게 높이는 획기적인 술식이라는 확신을 주기에는 충분하지 않았다(D). 따라서 치수기원의 치근단 염증병변 유병률은 감소되지 않고 있으며 새로운 치료술식이 임상적으로 의미 있음을 증명하지 못하고 있고, 근관계의 biofilm 내에 있는 세균의 완벽한 제거는 여전히 어렵다.

EVOLUTION

근관치료의 성공이라는 관점에서 새로운 테크닉은 확실한 이점을 제공하지는 않는다.

치근단 병변과 전신질환과의 관계

앞 단락에서도 다루었듯이 치근단 병변으로 인해 근관치료를 하게 되는 치아의 비율은 그리 높지 않다. 그러나 환자당 유병률이라는 관점에서 본다면 실제로는 수백만 명이 고생하고 있는 것이다. 이러한 점과 더불어 치근단 병변은 국소적인 요인뿐만 아니라 잠재적으로 전신적 요인이 있을 수 있다는 점 때문에 연구자들이 관심을 가져왔다. 이에 전신질환과 만성 치근단 염증성 병변 간의 잠재적 연관성에 대해 몇몇의 연구가 시도되었다.[39, 40] [41, 42] 연령이 증가됨[43–45]에 따라 jaw bone의 상태가 다른 신체 조직에도 영향을 끼칠 거라는 추측도 가능해 보인다.[46] 65세 이상 인구에 대한 연구의 체계적 문헌고찰에서[43] 근관치료한 경우와 치근단 병소의 유병률이 높게 관찰되었고**(Fig. 1.31)** 근관치료된 치아는 치근단 염증에 의한 영향이 적다는 것을 감안하면 고령이 재근관치료의 성공률에 영향을 주지는 않는 것으로 여겨진다.

다시 말하면, 젊은 층이나 고령층에서 모두 근관내 세균이 제거되기만 한다면 치유력은 같다는 것이다. 사실 여러 연구에서 예후와 나이는 연관이 없음이 확인되었다.[47, 48] 따라서 환자 상태에 대한 적절한 검진이 시행된다면 치수기원의 치근단 병소는 모든 연령층에 있어서 모두 치료될 수 있다고 말할 수 있다. 진단과 치료계획 평가에 대한 것은 이 장의 후반부에서 다루도록 하겠다. 전신질환과 치근단 질환의 상관관계에서 보면 치수기원의 치근단 병소와 연관이 있는 전신질환(generic nature)이 다수 있다.

예를 들면 인슐린성 당뇨가 있는 환자들은 치근단 질환을 가질 경우가 많다(E–F–G)**(Fig. 1.32)**.[49, 50] 다른 한편으로는 고혈압은 치근단 질환에 큰 연관이 없다.[51]

류마티스 관절염과 같은 다른 만성질환들은 치수기원 치근단 질환과 특이한 연관성은 보이고 있지 않다.[39, 52] 물론 심혈관 질환이나 다른 질환들이 근관치료 성공률에 좋지 않은 영향을 주는 것으로 생각되지만**(Table 1.4)** 그렇다고 하여 발치 같은 공격적인 치료 결정을 내리는 데 있어서 결정적 고려사항이 되는 것은 아니다.

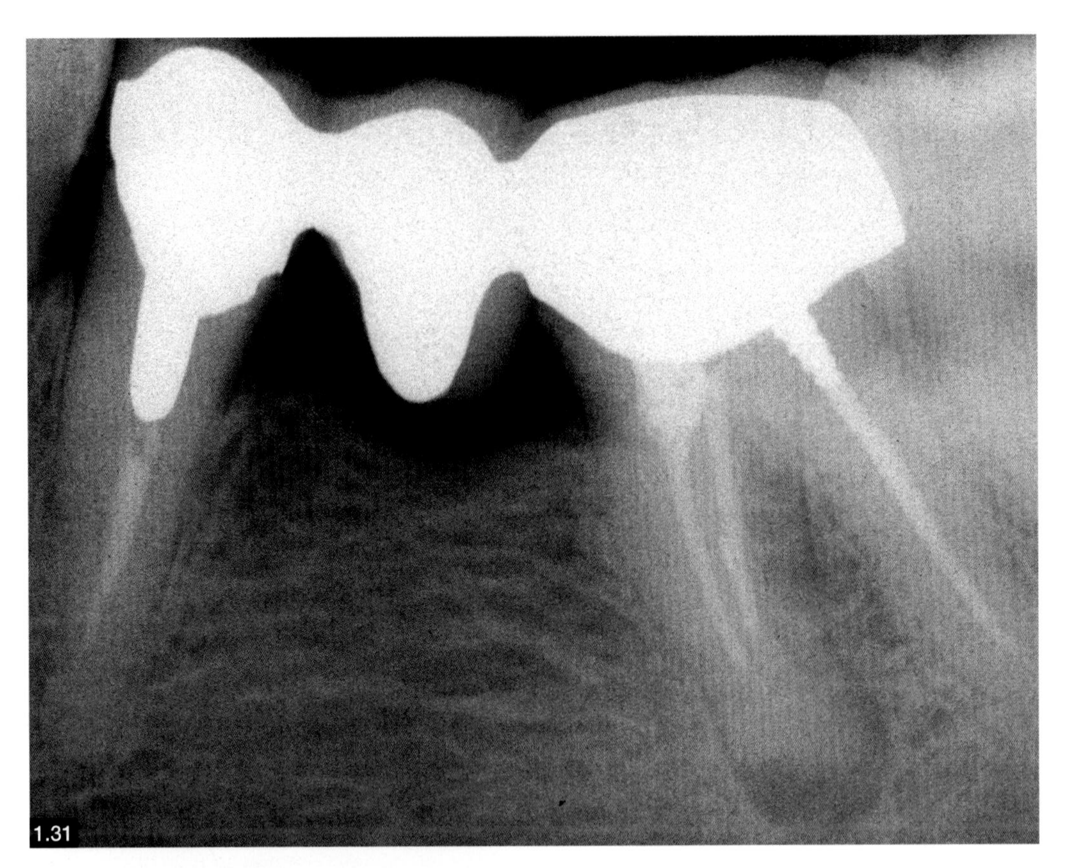

Fig. 1.31: 80세 이상인 환자의 치료과정. 병소는 임상적으로는 증상이 없었다. 일반적으로 환자는 병소의 경과 추적을 위해 매년 방사선 사진을 촬영하는 것이 좋다.

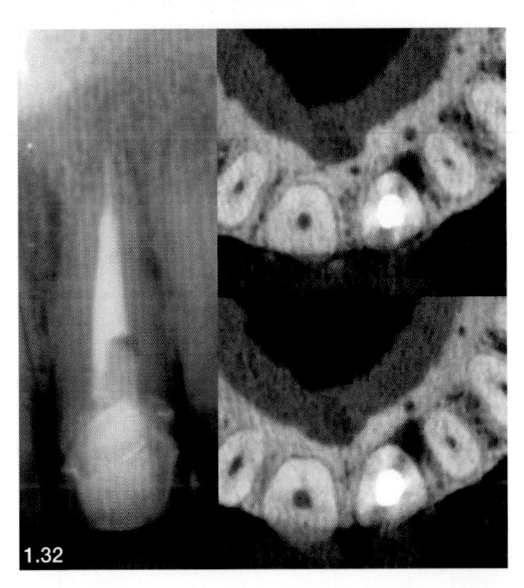

Fig. 1.32: 소아당뇨 환자로 상악 좌측 중절치에 미세한 증상을 호소하였다. 방사선 사진에서 치근단 병소가 재발한 것으로 여겨졌으나 CBCT에서는 파절이 관찰된다. 환자의 전신질환 상태로 인해 치료가 불가능했다.

Table 1.4 **MEDICAL AND SYSTEMIC FACTORS CONDITIONING THE SUCCESS OF ENDODONTIC TREATMENT**

• Nutritional deficiencies	• Hormonal imbalances
• Diabetes	• Autoimmune diseases
• Kidney disease	• Opportunistic infections
• Blood disorders	• Steroid therapy

심혈관계 질환과 치근단 병변의 상관관계

심혈관계 질환과 치수기원 치근단 염증은 철저한 평가가 필요하다. Virtanen 등이[53] 시행한 최근 연구에 의하면 심혈관 질환과 치근단 병변은 연관이 있고, 근관치료의 성공과 연관이 있다는 것이 알려졌다. 따라서 이러한 결과는 성인 환자의 치료에 있어서 고려되어야 한다.

심혈관 질환

심혈관 질환과 치수기원 치근단 병소의 관계는 이전 임상연구에 의해 그 연관성이 밝혀졌다.

이러한 주제와 관련된 논문의 체계적인 문헌 고찰에서[54] 치수기원의 치근단 병소와 심혈관 질환이 동시에 일어날 수 있음도 알 수 있었다. 여러 연구들을 검토해 본 결과 저자들은 약 70% 조금 넘는 경우에서 약한 정도의 상관관계를 볼 수 있었다. 이러한 소견은 Cotti 등이[55] 단지 심혈관계뿐만 아니라 다른 면도 고려한 다른 여러 차례의 연구에서도 나타났다. Pasqualini[56] 등은 특히 심혈관 질환과 상실된 치아 개수 혹은 치근단 염증 병변이 있는 치아 개수 사이에 높은 상관관계가 있음을 강조했다. 따라서 치아에 염증성 소견이 보이는 경우에는 국소적 요인뿐만 아니라 전신적인 영향까지 고려해야 한다(Fig. 1.33a-d). 이러한 상관관계는 우리가 단지 치과의사로서뿐만 아니라 환자의 전신건강을 책임지는 의료인으로서의 의무를 잊지 않아야 함을 의미한다.

약물치료와 재근관치료

비치과성 질환뿐만 아니라 약물치료 또한 치수기원 치근단 병변이 해소되지 않는데 결정적인 역할을 하는데 이는 약물이 골대사를 어느 정도 방해하기 때문이다.

더군다나 전신질환이 있는 고령층 환자들을 치료해야 할 경우에는 임상가로서는, 치료 시간이 짧지도 않고 쉽지도 않기 때문에 항상 신중해야 한다. 이제 일반적으로 관심을 가져야 할 몇몇 약물에 대해 알아보고자 한다.

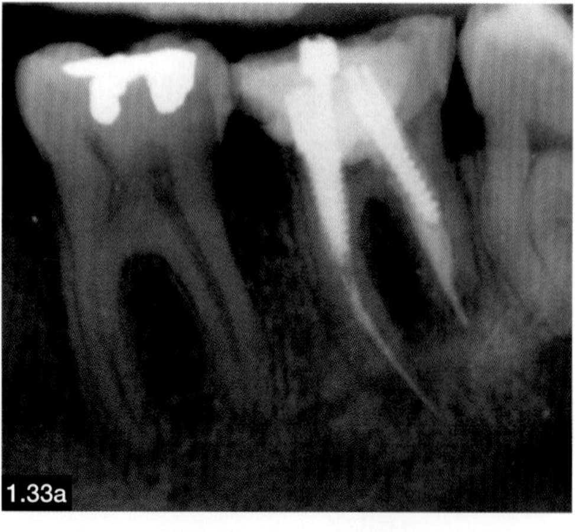

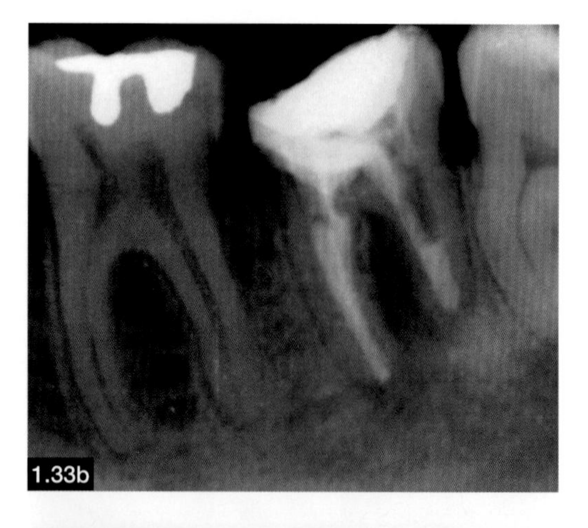

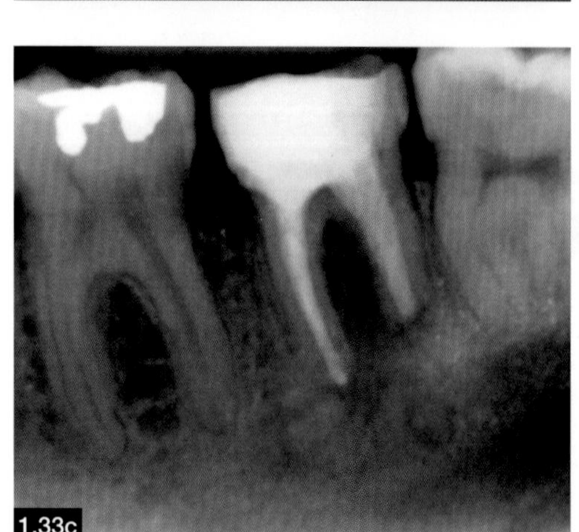

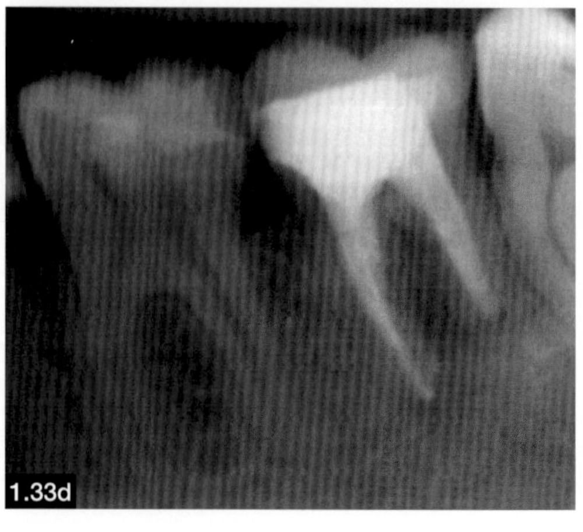

Fig. 1.33a-d: 심혈관 질환이 있는 환자가 하악 우측 제2대구치의 통증으로 내원하였다. 방사선 사진**(a)**에서 완벽하지는 않은 근관치료 상태와 치근단 병소가 보였다. 기존 충전물을 제거하고 다시 충전했다**(b–c)**. 5년 경과 사진에서는 치근단 병소가 완벽히 해소된 것을 볼 수 있다**(d)**.

Table 1.5 **EXAMPLES OF COMMERCIALLY AVAILABLE BISPHOSPHONATES**

Active substance	Trade name	Nitrogen content	Route of administration	Relative potency	Common use
Alendronate	Fosamax®	Yes	Oral	700	Osteoporosis
Clodronate	Bonefos® Clasteon®	No	Oral	10	Hypercalcemia secondary to neoplastic diseases
Ethylated	Didronel®	No	Oral and IV	1	Paget's disease
Ibandronate	Boniva®	Yes	Oral and IV	4000	Osteoporosis
Pamidronate	Aredia®	Yes	Oral and IV	325	Cancer
Risedronato	Actonel®	Yes	Ora	2000	Osteoporosis
Tiludronate	Skelid®	No	Oral	10	Hypercalcemia secondary to neoplastic diseases
Zoledronate	Zometa®	Yes	IV	700	Cancer
Zoledronate	Reclast®	Yes	IV (once/year)	700	Osteoporosis

Source: AAE POSITION STATEMENT – Endodontic Implications of Bisphosphonate-Associated Osteonecrosis of the Jaws. https://www.aae.org/specialty/wpcontent/uploads/sites/2/2017/07/bisphosonatesstatement.pdf

1. Bisphosphonate 치료 중인 환자에게 근관치료를 해야 하는 경우
2. 예방적 항생제 투여가 필요한 환자의 경우
3. 근관치료 전에 진통제 투여가 필요한 경우와 재근관치료 시의 마취제

특히 고령층 환자들을 치료하는 데 있어서 과학적 근거에 기반한 기본 규칙들이 제공될 것이다. 항생제 사용 또한 재근관치료 후 치근단 염증병변을 악화시킬 수 있다. Segura-Egea 등은[57] 항생제는 최소한의 용량으로 필요한 경우에만 사용해야 한다고 강조하였다. 따라서 항생제 이용은 환자의 전신상태, 현재 복용 중인 약물 그리고 약물 간 상호작용 등을 고려하여 신중하게 결정해야 한다.

Bisphosphonates와 재근관치료

Bisphosphonates 치료를 받고 있거나 받은 적이 있는 환자들이 급격히 많아지고 있다. 최근에 bisphosphonates는 유방암, 전립선암, 골수암, 골내암 등의 치료 등에 다양하게 이용되고 있다.[58] Bisphosphonates는 경구용과 주사용으로 구분되어 있으며 용량이나 치료기간 등은 투여방법에 따라 다르게 정해진다. **Table 1.5**와 **Table 1.6**은 bisphosphonates의 사용 예를 보여주고 있다.

Bisphosphonates는 Ruggiero와 Marx 등이[58-61] 처음 보고했듯이 악골내 ostenecrosis를 유발하는 것으로 여겨진다. 다른 연구들에 의하면[62, 63] 악골내 osteonecrosis가 상악에 비해 하악에 빈번하게 나타나며 bisphosphonates를 고용량으로 오래 복용한 것과 연관이 있어 보인다.

이처럼 약물의 용량과 복용 기간들은 다발성 골수종, 전립선암과 유방암의 전이병소, 또한 백혈병, 림프종, Paget disease 그리고 심한 골다공증과도 연관이 있다. Osteonecrosis의 유병률은 매우 심한 경우에서도 2%를 넘지 않고, 양호한 경우에는 만명 중 1명이 안된다고는 하나 bisphosphonates을 정맥

BISPHOSPHONATES
주사방법으로 고용량 투여받는 환자의 임상 상황에서 유의하여야 한다.

Table 1.6 **PATIENTS RECEIVING TREATMENT WITH BISPHOSPHONATES: DEGREE OF RISK FOR RELEVANT ENDODONTIC PROCEDURES**

Patients at risk		
High	**Medium**	**Low**
Prolonged intravenous therapies for neoplasms (multiple myeloma, prostate or breast cancer, lymphomas, leukemia) or Paget's disease	Intensive care for the treatment of osteoporosis lasting more than three years, both intravenously and intraorally	Oral therapies for the treatment of osteoporosis

Source: AAE POSITION STATEMENT – Endodontic Implications of Bisphosphonate-Associated Osteonecrosis of the Jaws. https://www.aae.org/specialty/wpcontent/uploads/sites/2/2017/07/bisphosonatesstatement.pdf

주사하는 경우가 흔하므로 악골내 osteonecrosis가 발생하는 데 이러한 병력은 주요한 요인이 될 수 있다.

상악의 osteonecrosis는 고용량의 주사제 bisphosphonate를 투여받고 있는 면역력이 떨어진 환자들에게서 발치와 같은 외상성 처치와 연관되어 흔하게 나타나는데 그동안 이러한 면이 고려되지 않거나 간과되어 왔다. 근관학계에서는 Moinzadeh 등이[64] 근관치료 후 osteonecrosis가 유발될 수 있는 가능성을 보고하였다. 이는 러버댐 장착 과정에서 클램프를 고정할 때 주위 치주조직에 병소가 생기거나, 근관성형이나 세척 과정에서 치근단공을 넘어가는 행위로 감염원이 치근단 밖으로 밀려나간 경우 발생 가능성이 있다고 여겨지며, 혈관수축제가 포함되지 않은 마취제 이용이 권장되고 있다. 예를 들어, 암으로 bisphosphonates 치료를 받고 있거나 받은 적이 있는 환자에게는 osteonecrosis가 생길 수 있음을 반드시 주의 깊게 알려주어야 한다(**Table 1.6**). 그외 다른 경우에는 부작용을 예방하기 위한 일반적인 주의사항이면 된다. 예방적 항생제 투여에 관해서는 아직까지 일치된 의견이 없다. 예방적 항생제 투여 시 세균의 항생제 저항 문제가 크지 않다는 것을 고려한다면 근관치료 시, 특히 치근단 부위 병소가 상당히 진행된 경우에 있어서는 예방적 항생제 투여가 권장된다(**Table 1.7**).

위의 저자들은[64] 특히 심지어 발치가 이상적인 경우라도 근관치료를 하고 근관충전을 하는 것을 권장하고 있다. 이런 접근방식은 발치를 했을 경우보다 osteonecrosis의 발생 위험을 낮출 수 있다. 치근단수술에서는 또 다른 고려사항이 요구된다.

위험성이 있다 하더라도 제한적인 환자에 있어서 필요하다면 항생제 예방투여 후 기존의 치료과정을 행할 수 있다. 그러나 이 경우에도 위험도가 높거나 중간 정도인 경우, 그리고 환자가 강력히 원하는 경우에, 앞에서 언급한 바와 같이 치근단 수술 대신 철저히 통제된 근관치료를 행해야 한다.[65] 여러 술자들이 보고한 바와 같이 발치는 골내 osteonecrosis의 가장 주된 원인요소의 하나이므로 반드시 피해야 한다. 어떤 경우에서든 점막의 열개(mucous dehiscence)가 없는 판막(flap)을 형성하는 치근단 수술이 발치보다 선호된다.

예방적 항생제 투여

재근관치료는 광범위하든 국소적이든 외과적 술식이므로 세균을 치근단쪽으로 옮길 수 있고 그 결과 세균이 혈행에 들어갈 수 있으므로 항생제 예방투여는 항상 고려되어야 한다. 항생제 예방 투여가 꼭 필요한 환자들 분류는 다음과 같다(**Box 1.3**).

항생제 예방투여가 재근관치료의 성공률을 향상시키는 데 효과적임을 증명하려 하였으나 비효과적이지 않다는 정도만 증명이 되었다. 이는 재근관치료의 성공은 일련의 치료 과정의 결과이지 치근단 공을 넘어간 세균이 재근관치료의 성공에 결정적인 영향을 미치지는 않기 때문이다.[68]

치료 후 감염이 심해진 경우(치료된 증례의 6–7%를 넘지 않는) 항생제 치료가 고려될 수 있으며 그런 경우라 하더라도 중등도 혹은 약한 통증만이 있을 시 거의 절반의 경우에 있어서는 사용할 필요가 없다(6장 참조). 이런 치료는 전체 증례의 6%를 넘지 않는다는 것을 강조하고 있는데 재치료 전후의 항생제 치료에 대해서는 6장을 참고하기를 바란다.

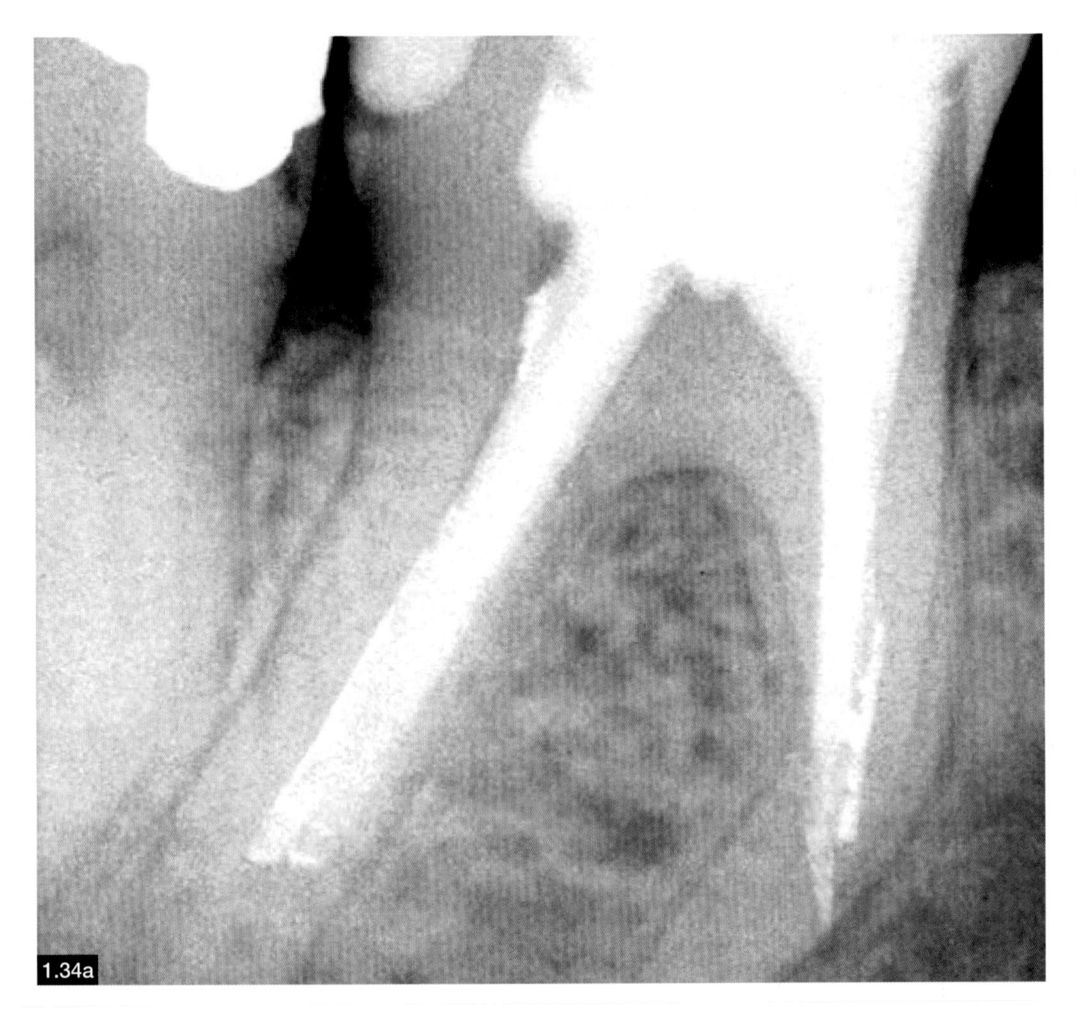

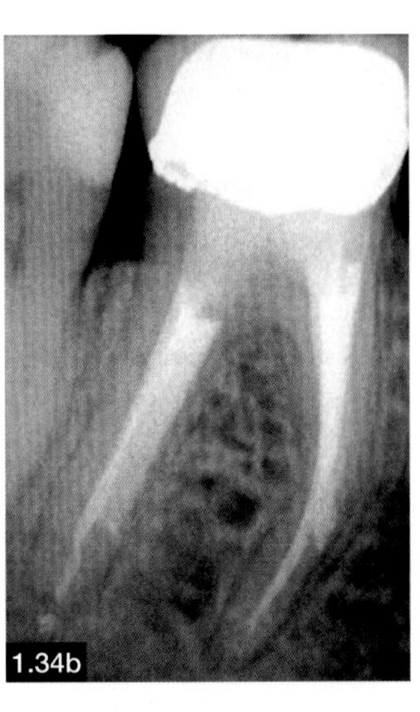

Fig. 1.34a-b: 치근단 1/3 부위의 여러 가지 문제로 부적절한 치료 상태를 보여주는 하악 구치부를 재충전하였다. 치근단 조직의 반응이 치료의 성공을 보여주고 있다.

Box 1.3 ANTIBIOTIC PROPHYLAXIS

The European Society of Endodontology (ESE) “Position statement”: “the use of antibiotics in endodontics with regard to the use of antibiotic prophylaxis”

출혈이 동반되는 치과 진료로 인해 세균성 심내막염(bacterial endocarditis)이 발생될 가능성이 있는 모든 환자에게 항생제 예방투여가 반드시 고려되어야 한다.

다음과 같은 환자를 포함한다.

- **선천성 심장병**
- **인공심장판막 환자**
- **세균성 심내막염 병력을 가진 환자**

침습적인 치과치료의 정의는 아직 내려지지 않았지만, 이러한 범주에는 치은을 침범하는 임상적 술식과 치수기원의 치근단 병변을 해결하는 수술적 술식이 포함될 것이다. 다음의 예들은 치조점막의 천공을 유발하는 조건들이다. 예를 들어 이 분류는 좌골이나 무릎관절 대체물을 이용한 정형외과수술을 한 환자들도 포함된다. 항생제 예방처치법은 암을 치료하기 위해 bisphosphonate 치료와 방사선 치료를 한 환자들에게도 적용되어야 한다(bisphosphonates와 재근관치료 문단 참조).

환자의 유형	적응증
면역기능부전증 (leukemia, HIV/AIDS, irreversible renal dysfunction, dialysis, uncontrollable diabetes, chemotherapy, treatment with corticosteroids or immunosuppressive drugs post-transplantation, genetic defects)	치근단 수술이나 근관치료 시에 절대적으로 고려되어야 한다. a) 환자의 전신건강 b) 추가 감염의 위험 c) 다른 약물과의 교차반응 혹은 부작용의 위험
세균성 심내막염 발생 고위험군 (patients with congenital heart defects, heart valves, heart defects and a history of past endocarditis)	근관치료와 치근단 수술
고관절 혹은 슬관절 의족 환자	치료받은 지 3개월 이내일 경우 근관치료 및 치근단 수술
특히 상악골에 고용량의 방사선 치료를 받은 환자	근관치료와 치근단 수술
고용량 bisphosphonate를 주사투여한 환자	치근단 수술

Montefusco V, Gay F, Spina F, et al. (2008) *Antibiotic prophylaxis before dental procedures may reduce the incidence of osteonecrosis of the jaw in patients with multiple myeloma treated with bisphosphonates*. Leukemia and Lymphoma 49, 2156-2162.

European Society of Endodontology developed by: Segura-Egea JJ, Gould K, , Hakan-Sen B, Jonasson P, Cotti E, Mazzoni A, Sunay H, Tjäderhane L, Dummer PMH.

European Society of Endodontology position statement: the use of antibiotics in endodontics. International Endodontic Journal, 51, 20-25, 2018.

* Segura-Egea JJ, Gould K, Hakan-Sen B et al. (2017) *Antibiotics in Endodontics:* a review. International Endodontic Journal 50, 1169-1184.

Sollecito TP, Abt E, Lockhart PB, et al. (2015) *The use of prophylactic antibiotics prior to dental procedures in patients with prosthetic joints: evidence-based clinical practice guideline for dental practitioners–a report of the American Dental Association Council on Scientific Affairs*. Journal of the American Dental Association 146, 11-16.e8.

Table 1.7 **RECOMMENDED ANTIBIOTIC PROPHYLAXIS REGIME IN ENDODONTICS***

Patient group	Antibiotic	Route of administration	Dosage		Time before the procedure
			Adults	Children	
Standard general prophylaxis	Amoxicillin	Oral	2 g	50 mg kg^{-1}	1 h
Unable to take oral medications	Ampicillin	IV or IM	2 g	50 mg kg^{-1}	Within 30 min
Allergic to penicillins	Clindamycin Cefalexin or cefadroxil Azithromycin or clarithromycin	Oral Oral Oral	600 mg 2 g 500 mg	20 mg kg^{-1} 50 mg kg^{-1} 15 mg kg^{-1}	1 h 1 h 1 h
Allergic to penicillins/amoxicillins/ampicillin and unable to take oral medications	Clindamycin Cefazolin	IV IV	600 mg 1 g	20 mg kg^{-1} 25 mg kg^{-1}	Within 30 min Within 30 min

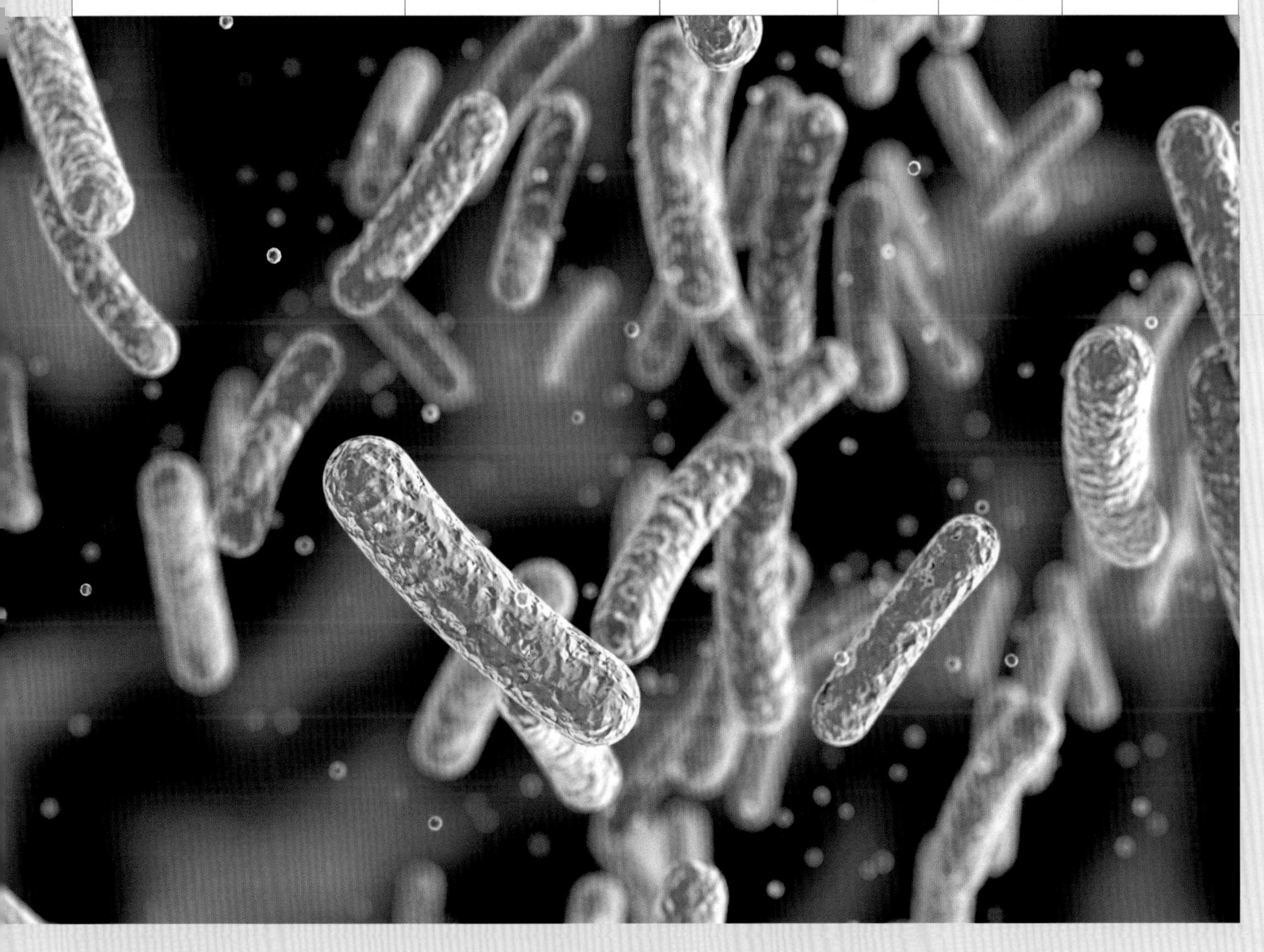

Box 1.4 ASSESSMENT OF CANAL TREATMENT OUTCOMES ACCORDING TO THE EUROPEAN SOCIETY OF ENDODONTOLOGY (ESE)

근관치료는 적어도 1년 후에 평가해야 하고 필요하다면 더 오래 추적할 수 있다. 다음의 결과들은 바람직한 결과를 보여주는 예들이다. 통증이나 부종이 없고 그 외 다른 임상증상이 없으며 누공이 없고 기능소실이 없어야 하며 치근단 방사선 사진에서 치근주위 치주인대강의 정상 소견을 보이는 경우이다. 그러나 방사선 사진에서 크기가 그대로이거나 다소 작아지기는 하였더라도 여전히 방사선 투과상이 보인다면 근관치료 결과가 불확실한 결과를 보이게 된다. 이런 경우 적어도 4년간 추적관찰이 필요한 것으로 여겨진다. 4년 후에도 그대로 투과성 소견이 보인다면 재근관치료나 치근단 수술 등이 고려되어야 된다.

다음과 같은 조건일 때 근관치료 결과가 바람직하지 않은 것으로 간주한다.

1. 치아가 감염의 임상적 증상을 보이는 경우
2. 근관치료 후 방사선 투과성 병소가 보이거나 이전 병변의 크기가 더 커진 경우
3. 병소 크기가 그대로이거나 4년이 경과하는 동안 조금 작아진 경우
4. 치근흡수가 관찰되는 경우, 이런 경우 다른 치료가 행해져야 한다.

Source: European Society of Endodontology. Quality guidelines for endodontic treatment: consensus report of the European Society of Endodontology. International Endodontic Journal, 2006;39,921-930.

근관치료 전 진통제 처방과 마취

재근관치료 시에는 실제로는 근관내에 치수조직이 없기 때문에 마취가 필요하지 않으나, 재근관치료 자체가 시간이 걸리는 복잡한 치료과정이므로 환자가 평온히 긴장을 풀고 있는 것이 중요하다. 특히 여성 환자들에게 이 과정은 불안을 초래하기도 한다.[70] Cho 등이[71] 보고한 바에 의하면 특히나 불안해 하는 환자들에게 표면마취제를 도포하는 것은 articaine 침윤마취 시 통증을 감소시키는 데 효과가 있다.[72]

치근단 수술이 필요한 경우에는 tramadol (50 mg)을 치은점막하 주사하는 것으로 충분할 수도 있다.[73] 또한 이 약물은 많은 경우에 약물의 상승작용으로 마취 효과를 증가시킨다. 결론적으로 치수조직이 없음에도 마취제를 이용하는 것이 유용하다고 할 수 있다. 통증이 있는 환자들에게는 특정한 진통제 혹은 마취제가 권장된다.

성공과 실패: 임상적 방사선학적 판단요소

이제 이 장의 핵심 주제이다. 바로 어떻게 정확히 근관치료의 성공과 실패를 판단하고 재치료의 필요 여부를 평가하느냐 하는 것이다. 이 장의 앞부분에서 우리는 일반적 요소들을 언급하였다. 다음 장에서는 만성 치근단 염증 혹은 치유되지 않는 염증을 유발하는 임상적 요소들을 검토하려 한다.

성공과 실패를 결정하는 것에 있어서는 cut-off 방식이 이용되어야 한다. 좀 더 명확히 구분하고 정의해야 하는 애매한 증례들이 매우 많다는 것을 고려한다면 어중간한 구분이 있어서는 안 될 것이다. 성공과 실패에 대한 명확한 정의를 내리는 것이 이 문제를 해결하는 핵심적인 접근 방식이다.

어떤 저자들은 방사선학적 측면을 최소화하기도 하고 다른 학자들은 임상적 측면을 강조하기도 하였다. 이 두 가지 요소를 조화하면 다음의 네 가지로 분류할 수 있게 된다. 임상적으로도 방사선학적으로도 성공한 경우에서부터 두 가지 모두 실패한 경우 그리고 두 가지 요소 중 어느 한 가지가 성공적이지 않은 두 경우 등으로 분류가 가능해진다.

치아의 기능유지가 평가의 중요 요소로 제안되기도 했지만, 임상적 증상이 없는 치아가 근관치료 후 완전히 치유된 치아라는 것에 대해 모든 학자들이 동의하지는 않는다.[2, 4] 이러한 의문점을 해결하기 위해서는 유럽 근관치료학회와(ESE)**(Box 1.4)** 미국 근관치료학회의 가이드라인(AAE)**(Box 1.5)**을 따르는 것이 유일한 해결책으로 보인다.

Box 1.5 ASSESSMENT OF TREATMENT OUTCOME ACCORDING TO THE AMERICAN ASSOCIATION OF ENDODONTISTS (AAE)

Box 1.4의 내용은 AAE 웹사이트에서도 열람 가능한 여러 자세한 문서들로 확인할 수 있는데, 이는 임상적 방사선학적 고려사항을 포함하며 ESE와 크게 다르지 않다.
이는 올바른 치료를 위한 격리와 근관계의 소독, 치근단 2 mm 이내의 정확한 충전, 그리고 적절한 수복을 포함한다. 좀 더 자세한 내용은 아래의 링크에서 확인할 수 있다.

https://www.aae.org/specialty/wpcontent/uploads/sites/2/2018/04/TreatmentStandards_Whitepaper.pdf
https://www.aae.org/specialty/wpcontent/uploads/sites/2/2017/06/2014treatmentoptionsguidefinalweb.pdf

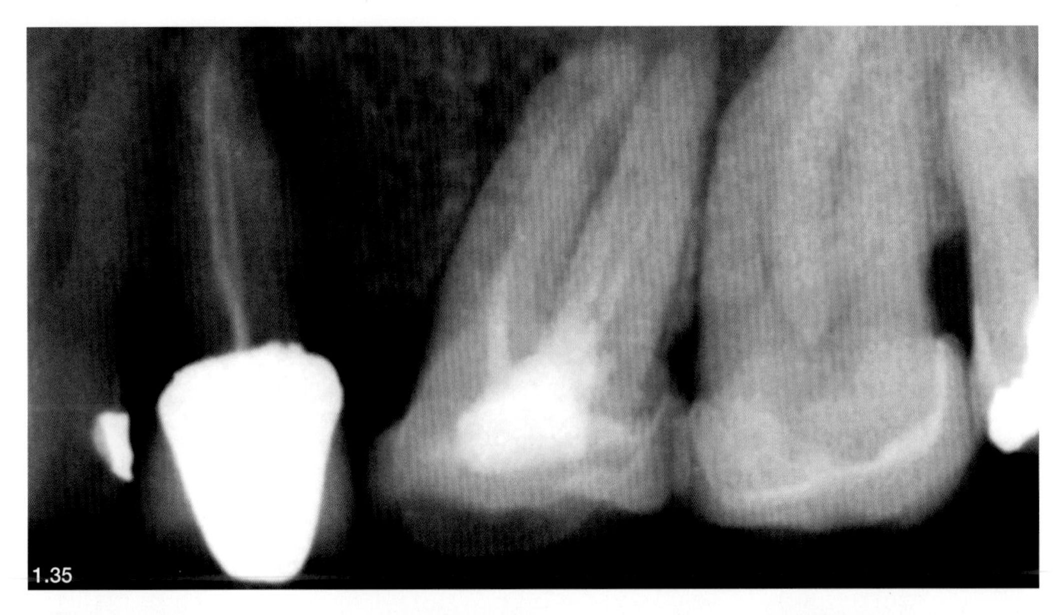

Fig. 1.35: 근관치료가 되어 있고 보철물이 있는 상악 소구치와 대구치는 치근단 병소와 함께 근관치료가 부적절해 보인다.

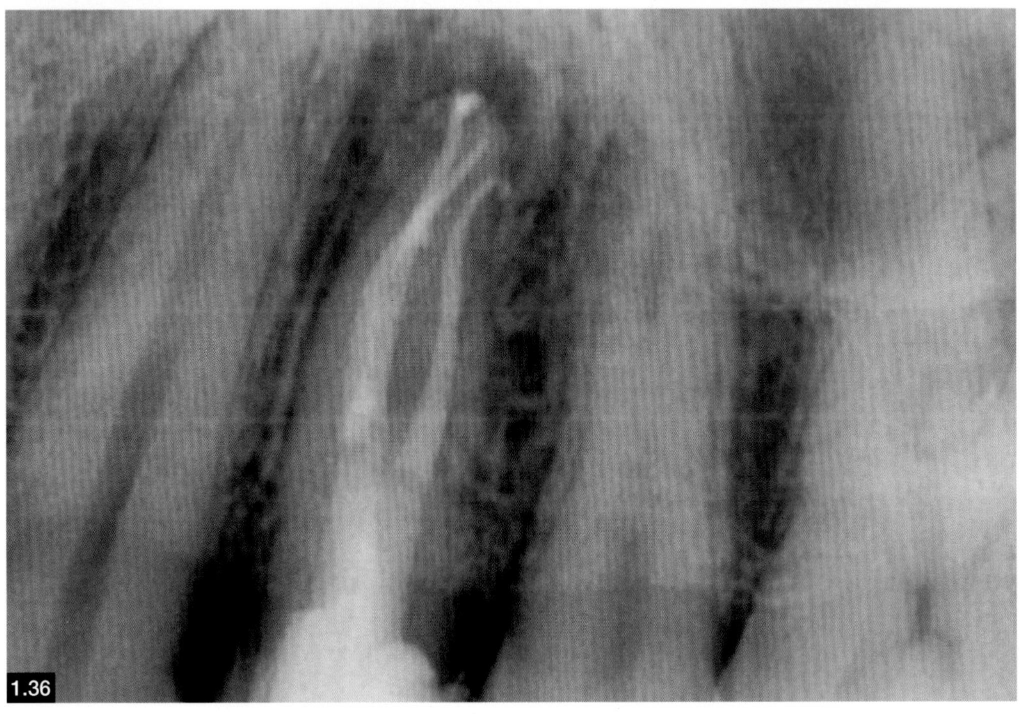

Fig. 1.36: 근관이 3개인 비전형적 해부학적 구조를 가진 상악 소구치의 근관들이 정확히 성형 및 충전되었다. 치근단 주위의 치조백선과 치주인대강이 치료의 성공을 보여주고 있다.

권위있는 세계 유수의 근관학회의 기준을 요약하고 다른 연구에 적용하는 것이 질환의 유무를 명확히 구별하는 데 도움이 될 수 있을까? 올바르지 않은 근관치료를 받은 환자를 만났을 때, 임상가는 정확한 판단을 위한 모든 정보를 얻을 수 있을까? 그렇지 않아 보인다. 실제로는 술자의 숙련도에 따라 치료 방법의 결정에 차이가 난다는 많은 연구적 근거들이 있다.

임상적으로도 분명히 재치료가 필요함을 알 수 있는 경우에는, 저작이 불가능하거나, 부종과 같은 급성 발현이 있는 경우이다. 근관치료가 행해진 치아에서 이차우식, 파절이 있거나 방사선 사진상 치근단 병소의 증상이 있는 경우에도 치아수복의 첫단계로 재근관치료를 하게 된다.

다음 단계는 환자와 함께 여러 치료 옵션과 이에 따른 가능한 합병증에 대한 대화로 이어진다. 모든 것이 잘 고려되고 이야기된다면 오해로 인해 치료에 동의하지 않는 경우는 없을 것이다.

환자 치료에 대한 가이드라인을 엄격하고 또 광범위하게 적용하고 치료계획 결정에 관여하는 모든 국소적인 요소를 고려한다면 적어도 발치를 피할 수 있는 재근관치료나 치근단 수술법을 결정하는 데 도움이 될 것이다.

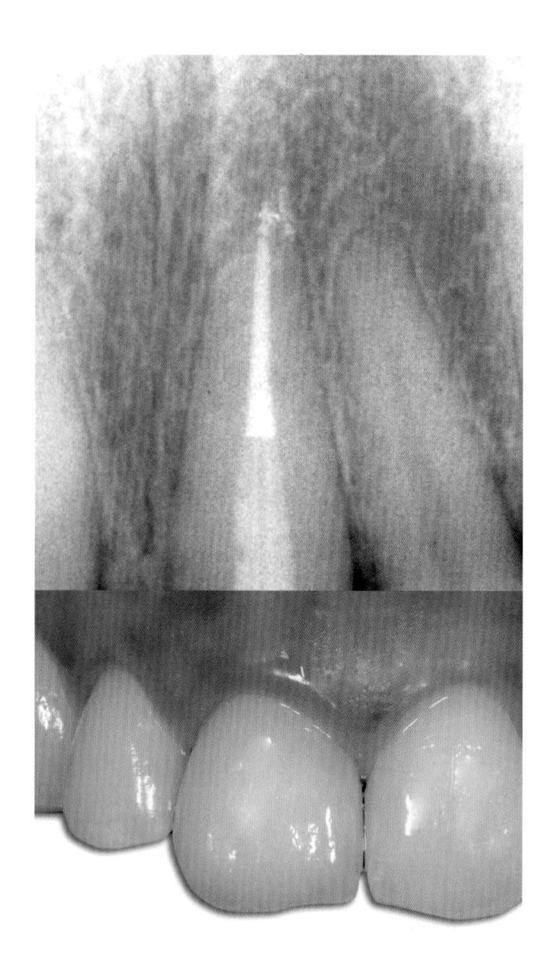

Box 1.6 CLINICAL AND RADIOLOGICAL NORMALITY

NORMAL FRAMEWORK TO CLINICS

Absence of:

- Spontaneous pain
- Pain caused by chewing or percussion
- Mobility
- Redness or swelling in the adherent mucosa
- Localized periradicular periodontalfistulas orprobes

Dental structure without dyschromia or of the normal tooth-restoration whole, in a mucous context also free from suspicious chromaticisms.

NORMAL FRAMEWORK TO RADIOLOGICAL

- Uniform periradicular margin
- Periodontal ligament space not exceeding one millimeter
- Hard foil circumscribing and clearly delimits the periodontal space
- Absence of:
  - Root resorption
  - Radiotransparent areas periradicular in contiguity with the roots themselves

Box 1.7 **WHAT TO LOOK FOR ON AN X-RAY**

Coronal

1. Coronal seal
2. Reconstruction material

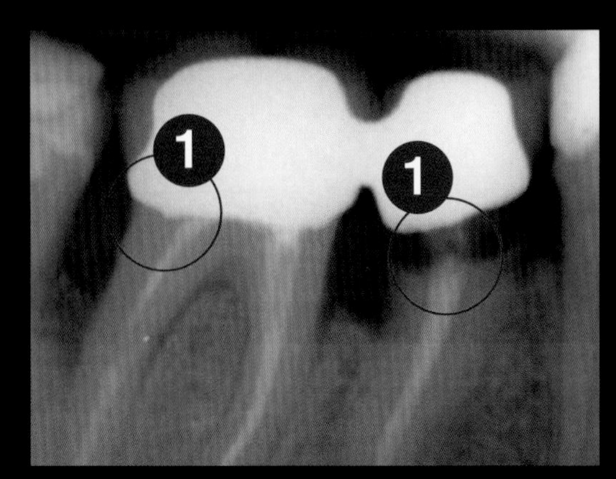

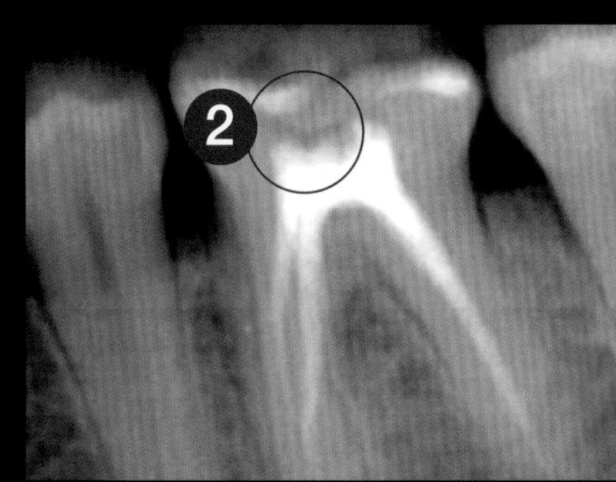

Radicular

Presence of obstacles inside the canal

3. Tools
4. Blocks
5. Pins
6. Voids
7. Trunk–taper
8. Length of the filling

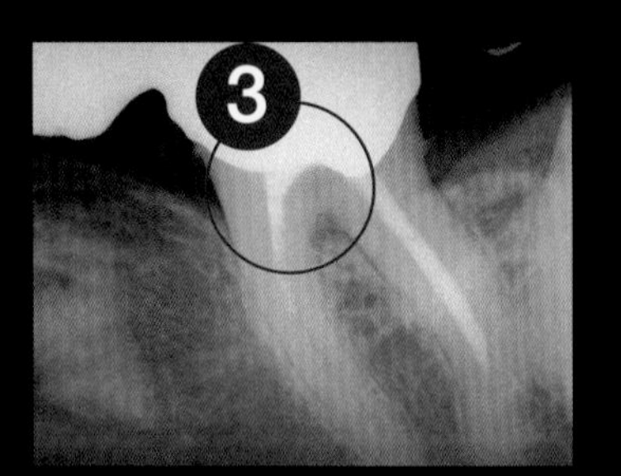

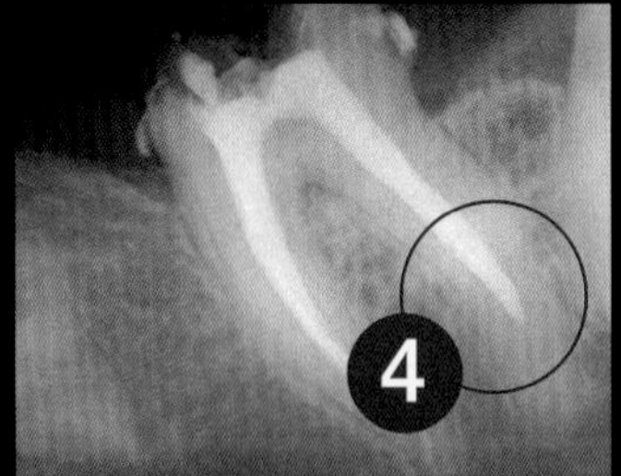

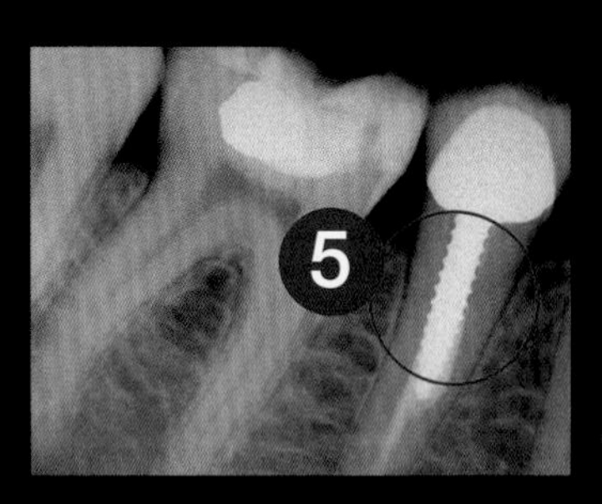

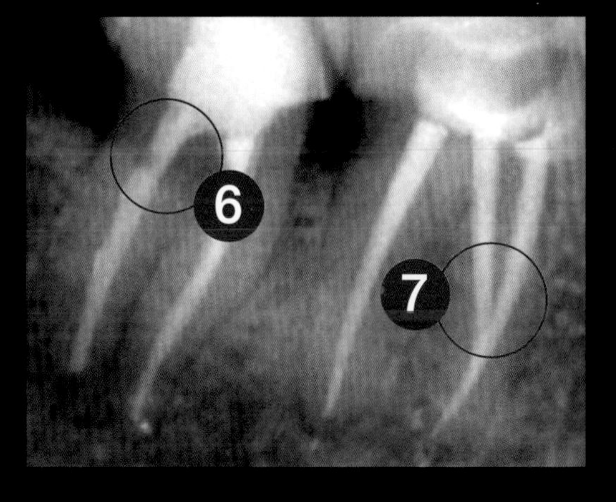

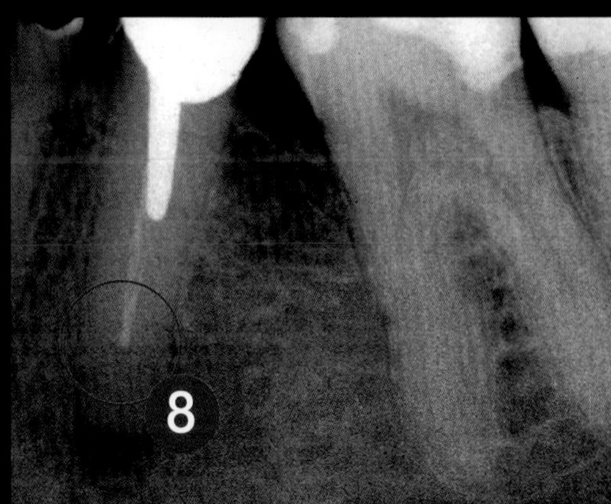

Periradicular

9 Extension along the root of the radiolucent area

9 Amplitude of the radiotransparent area

10 Overfill

11 Appearance of the periradicular ligament

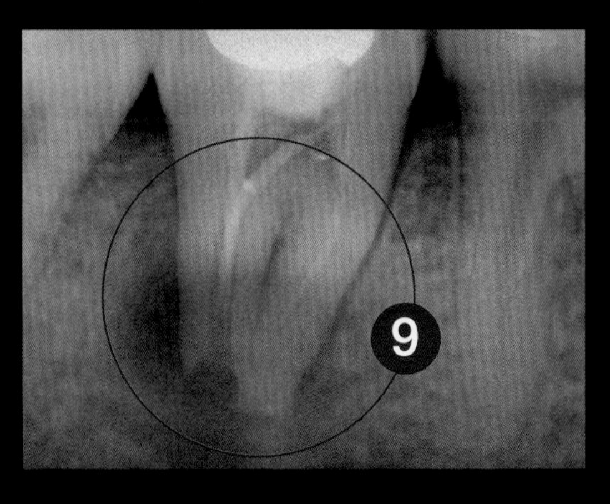

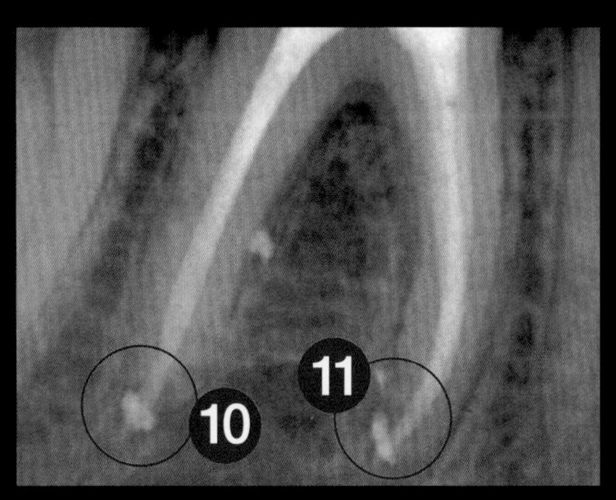

CASE
REPORT 3

재근관치료를 하였으나 치근단 병소가 의심되는 증례

치근단 방사선 사진만으로 병소에 대한 충분한 정보를 얻기가 어려운 경우에는 3차원적인 영상자료를 통해 병소의 병리학적 상태에 대한 정보를 얻을 수 있다. 특히 상악동 병소가 동반되어 보이는 만성 치근단 병변에서는 3차원 영상 검사가 필수적이다.

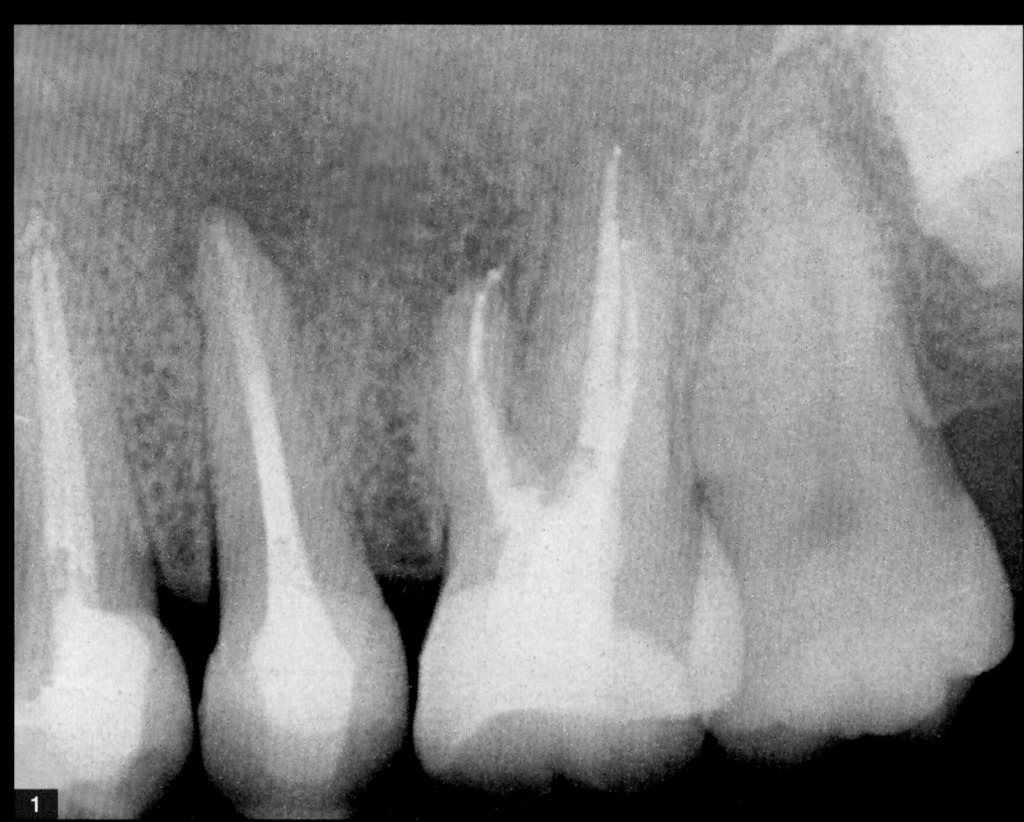

Figure 1: 기존의 치근단 방사선 사진을 보면 다소 과충전되어 보이기는 하나 근관치료의 상태는 양호한 것으로 여겨지며 치근단 주위의 큰 병소는 확인되지 않는다.

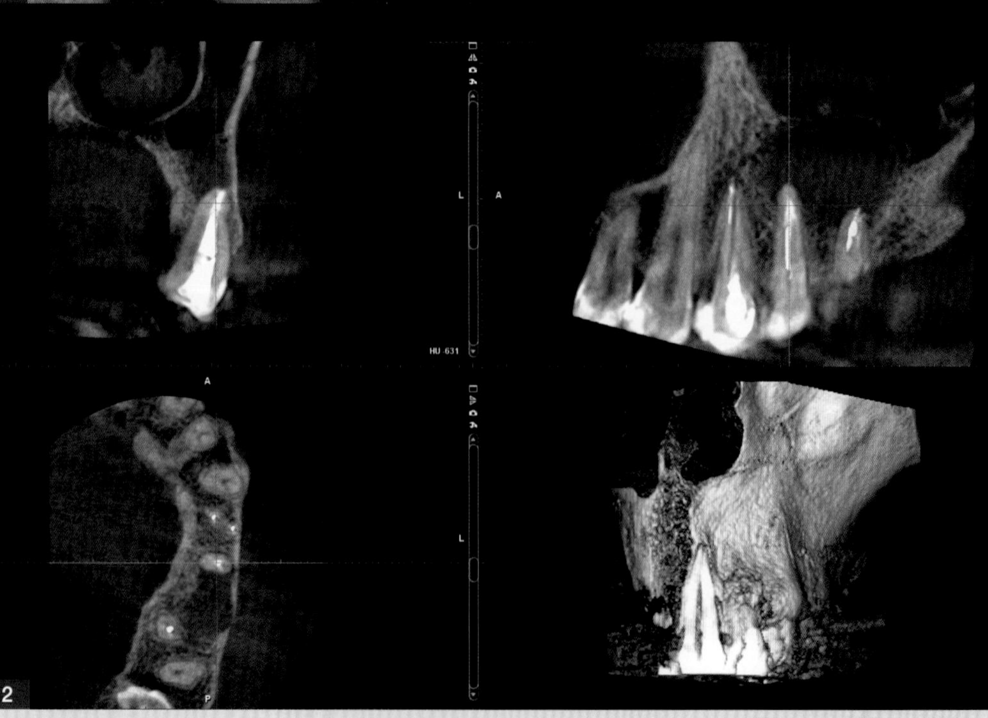

Figure 2: CBCT상에서는 소구치와 대구치를 포함하며 상악동저까지 연장되어 있는 매우 넓은 병소를 확인할 수 있다.

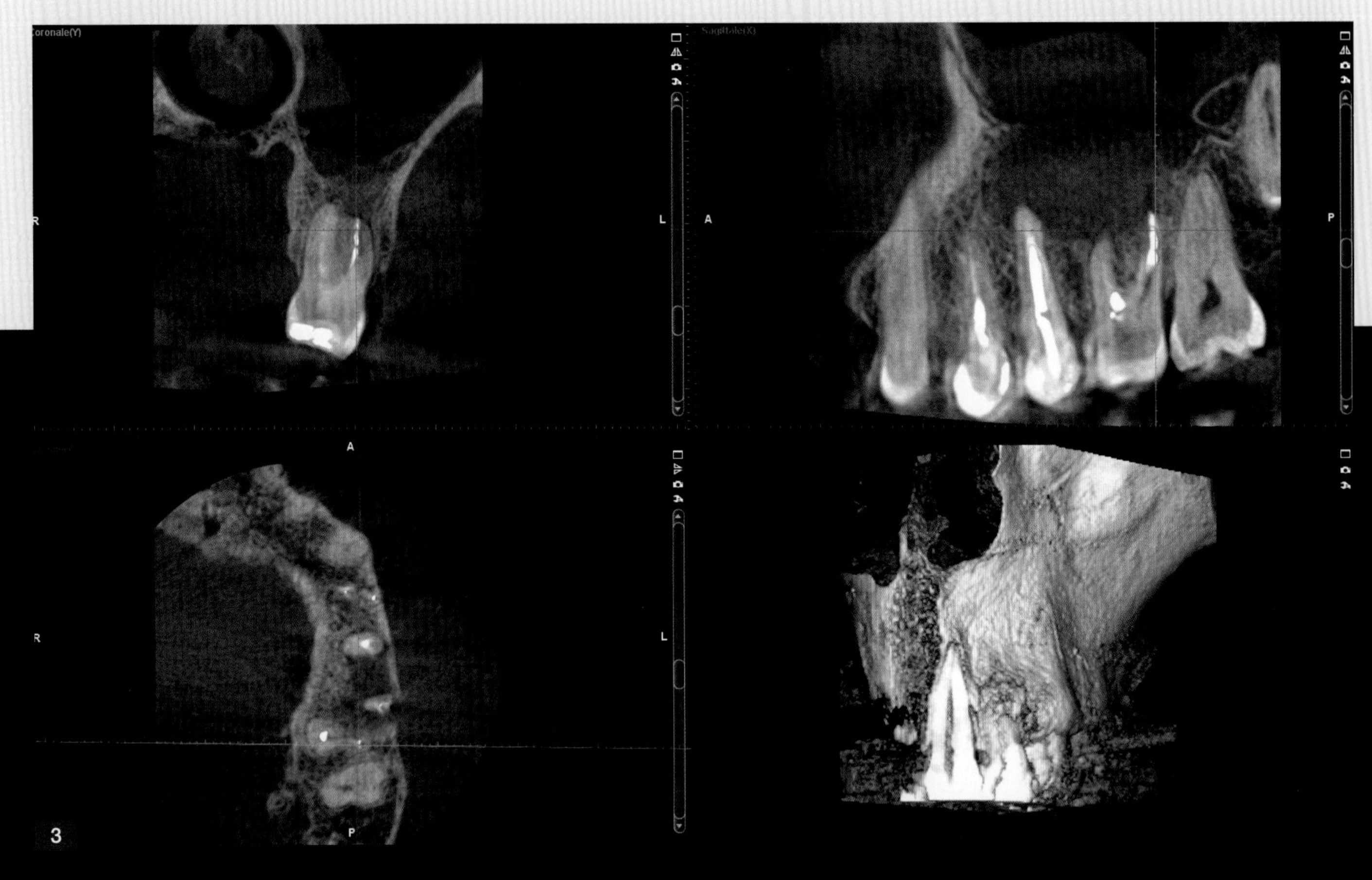

Figure 3: 같은 병소를 촬영 각도를 달리하여 본 영상.

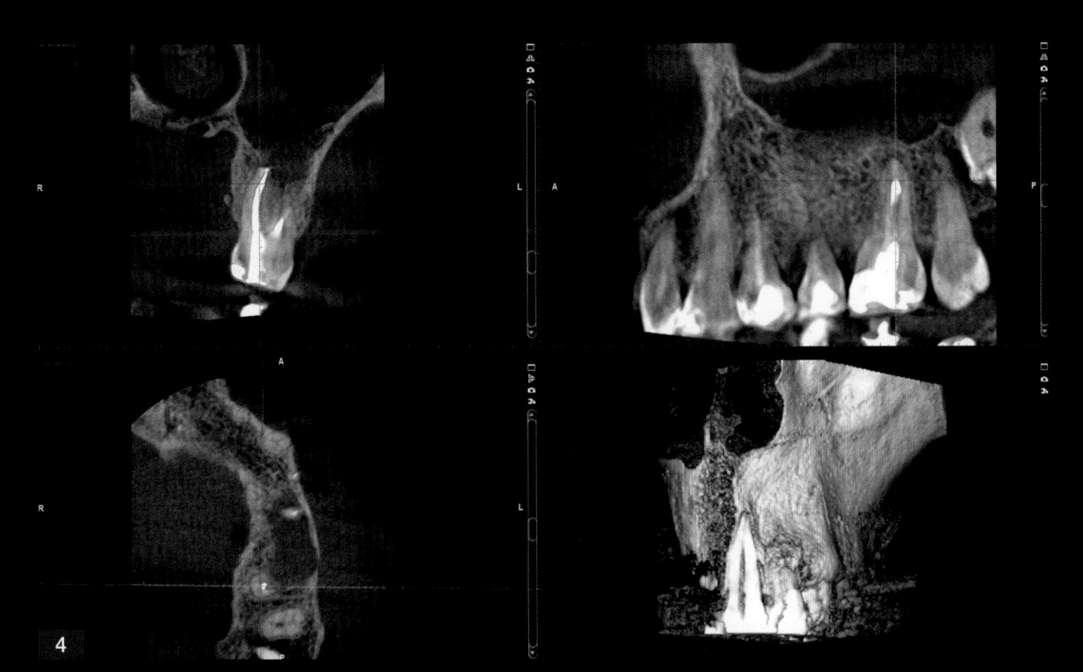

Figure 4: 이 영상은 환자가 심한 통증을 호소할 만한 정도의 광범위한 상악동 침범 병소를 보여주고 있으며 근관 내 양호한 충전상태를 볼 때, 또 다른 근관외 감염(extra-radicular infection, 다음 장 참조)으로 유추해 볼 수 있다.

CASE
REPORT 4

보철물 제작이 동반된 소구치: 근관치료, 교정치료, 보철치료가 함께 행해진 증례

상악 소구치에서 방사선학적으로 분명한 침범 양상이 보인다(Fig. 1). 보철물 제작 시 치근의 길이가 짧아지게 되어 근관치료 후 post가 필요할 것으로 여겨진다.

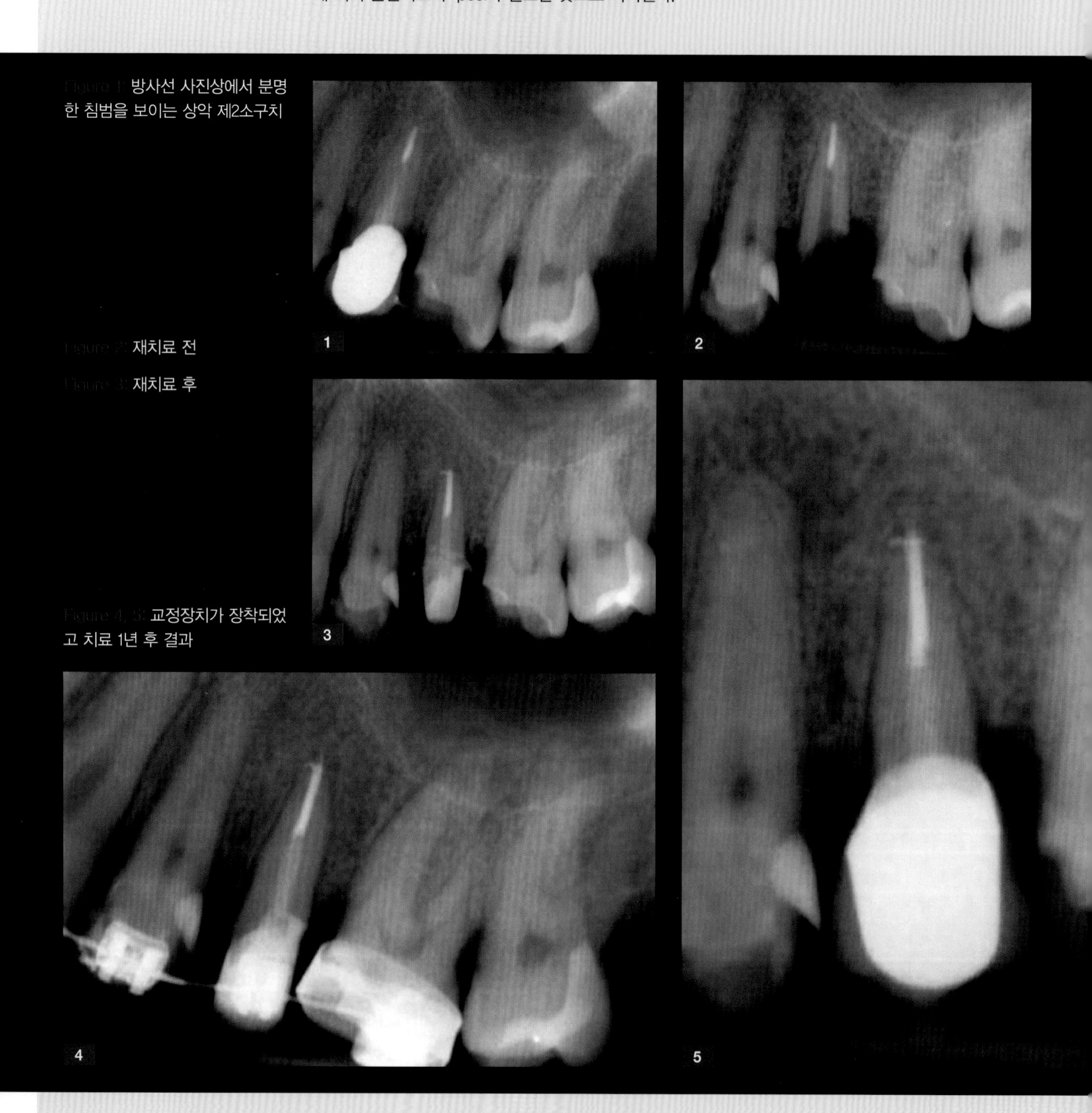

Figure 1: 방사선 사진상에서 분명한 침범을 보이는 상악 제2소구치

Figure 2: 재치료 전

Figure 3: 재치료 후

Figure 4, 5: 교정장치가 장착되었고 치료 1년 후 결과

치료계획 수립 시 주위 지지조직의 양이 줄어들고 치근 길이가 짧아질 것으로 보여 재근관치료와 치근 정출 술식이 필요할 것으로 여겨졌다(Fig. 2-5). 이 증례에서처럼 치관부 수복이 필요하고 치근단 병소가 관찰될 때에는 비록 증상이 없더라도 재근관치료가 고려되어야 한다(Fig. 6-7).

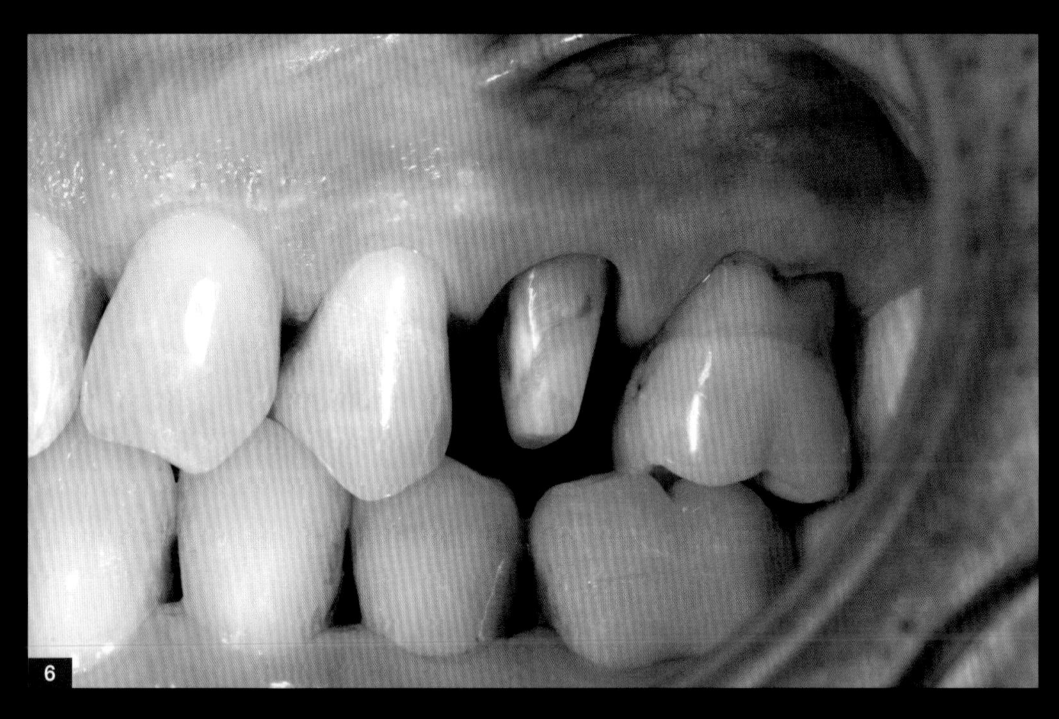

Figure 6. 보철물 영구 접착 전의 지대치 모습. 치주조직의 건강한 상태에 주목하자.

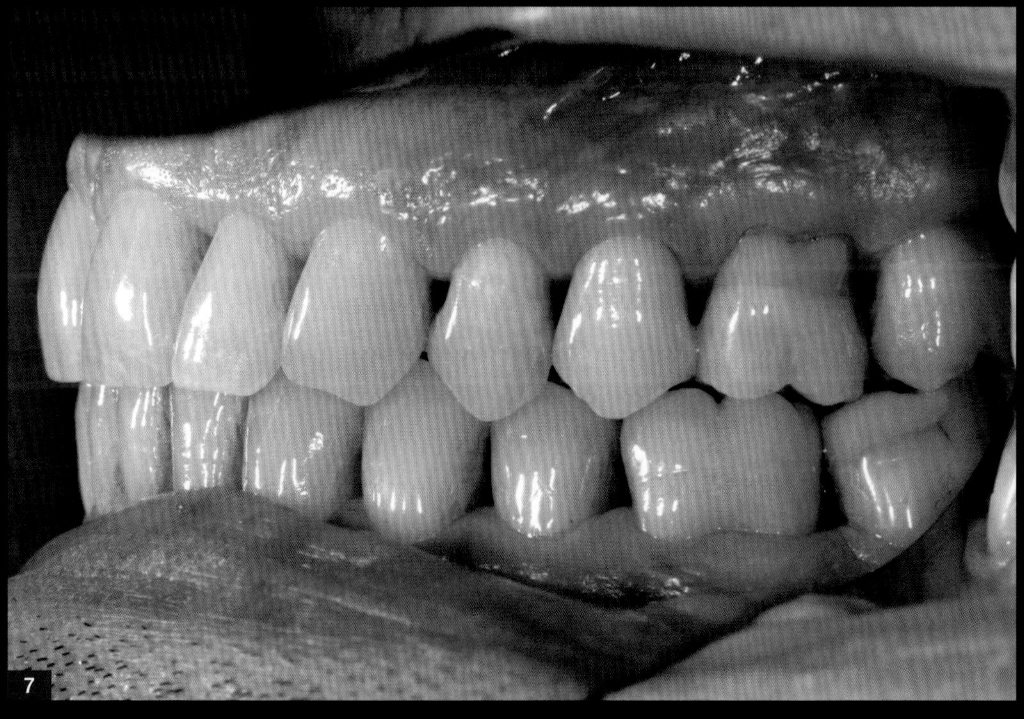

Figure 7. 1년 후의 임상 소견으로 주위 치아와 지지조직이 모두 건강하다.

방사선 사진과 CBCT 영상에 의한 치근단 병소의 분류

학자들은 근관치료 후 방사선 사진을 분석해서 주위 지지조직에 발생된 손상 정도나 병리학적 소견을 숫자(numerical indices)로 분류하고자 하였다. 치아의 치주상태를 분류하는 기본체계인 periapical index와 Elyas 등이(**Box 1.9**) 제안한 분류법이 여기에 해당된다. 전자의 방법은(PA) 역사적으로 가장 많이 사용되어온 방법이고 후자는(Elyas) 재치료 시 주위조직의 영향을 고려하고 보정하기 위해 이용하였다. CBCT (**Box 1.10**)를 이용하여 제안된 분류체계는 조금 다르다. 즉 방사선학적으로 좀 더 자세한 정보를 얻을 수 있으면 새로운 분류 방법을 제안할 수 있다. 여기서 최근 이러한 주제를 다룬 논문 세 편을 소개하고자 한다.

Box 1.8 **PERIAPICAL INDEX SCORE (PAI)**

Ørstavik 등에 의해 개발된 periapical index (PAI). 근관치료 후 염증 반응에 의한 치근단 주위조직의 상태를 2차원의 방사선 사진으로 분류하였다. 학계에서는 간략한 설명과 함께 아래 그림들을 근관치료 후 결과뿐 아니라 치료 전 상태를 분류하는 데에도 사용해왔다.

Ørstavik D, Kerekes K, Eriksen HM. The periapical index: a scoring system for radiographic assessment of apical periodontitis. *Endodontics & Dental Traumatology 1986;2:20-34.*

1

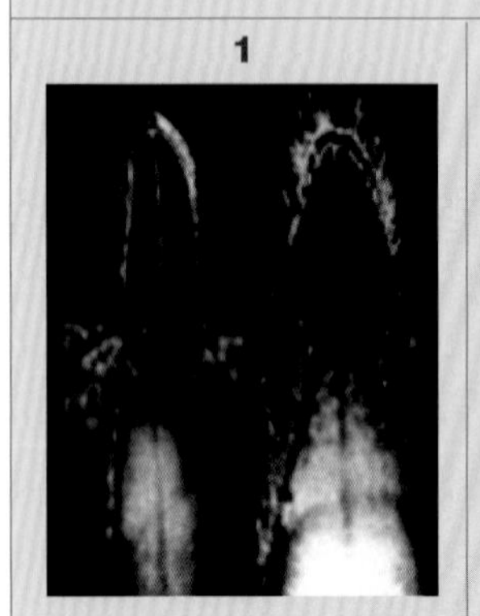

정상 상태에서 보이는 치근단 및 치주조직의 모습으로 치주인대강은 치조백선으로 둘러싸여 있다.

2

치주인대강 내에서 제한적인 방사선 투과상이 관찰되면서 골조직에 미미한 변화가 나타난다.

3

방사선 투과상과 함께 골조직의 변화가 보인다.

4

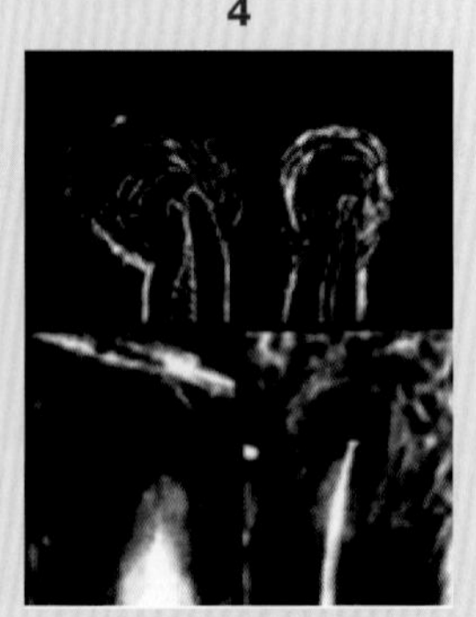

경계가 명확하게 관찰되는 방사선 투과상은 분명한 치주질환을 의미한다.

5

투과상으로 관찰되는 심한 치주염을 보인다.

임상적으로 조건 1, 2의 상태는 주로 정상 경우를 나타낸다. 이러한 경우는 건강한 상태로 분류된다.

임상연구에서 조건 3 이상의 상태를 보이는 증례들은 비정상적인 것으로 간주되며, 병적 상태이거나(주로 추적 초기), 추적 도중이라면 치료 후 바람직한 결과를 얻지 못한 것으로 간주된다.

Box 1.9 X-RAY STUDY: IDENTIFICATION OF THE TEETH AND RATING OF TREATMENT ADEQUACY

근관치료의 성공 여부를 판단하는 데 있어서 방사선 사진 검사는 매우 중요하다. 임상가가 방사선 사진에서 무엇을 보아야 하고 또 관찰된 소견이 어떤 의미를 가지고 있는지 정확히 아는 것은 쉬운 과정은 아니다. 따라서 치료 평가를 하는 과정에서 각각의 요소들을 평가할 때 단계별로 점검 순서를 정하고 또한 점수화하여 분석하는 것이 필요하다. 바로 이 점이 Elyas 등이 고안한 지표의 목적이며 아래에 기술된 바와 같이 각각 요소에 해당 사항이 있으면 1, 없으면 0의 점수를 부여하여 평가하게 된다. 누적 점수는 치료의 질을 나타나게 되는데 예를 들면 점수가 높을수록 치료의 질이 떨어짐을 의미하게 된다.

각각의 평가요소들은 다음과 같다.

1. Shaping errors

- wrong access
- steps or hourglass morphologies
- perforations or erosion of the root wall
- root canal blocking
- fractured instruments
- undetected root canals

2. Filling errors

- morphological discontinuity and poor–conicity
- presence of voids
- presence of bubbles
- filling limit, short (if more than 2 mm from the radiological apex) or long (if clearly oversized)

비록 매우 자세한 분류 및 설명을 함에 제한이 있었지만, 이러한 분류 평가 방법은 치료 평가에 기준점을 제시할 수 있다. 치료의 질이 저하된 것으로 평가되면 재치료가 필요함을 의미한다. 또한 근관치료가 잘 되어 있는 치아에 치수기원 치근단 병변이 있는 경우에도 치근단 수술 등과 같은 다른 치료 술식이 필요함을 의미한다.

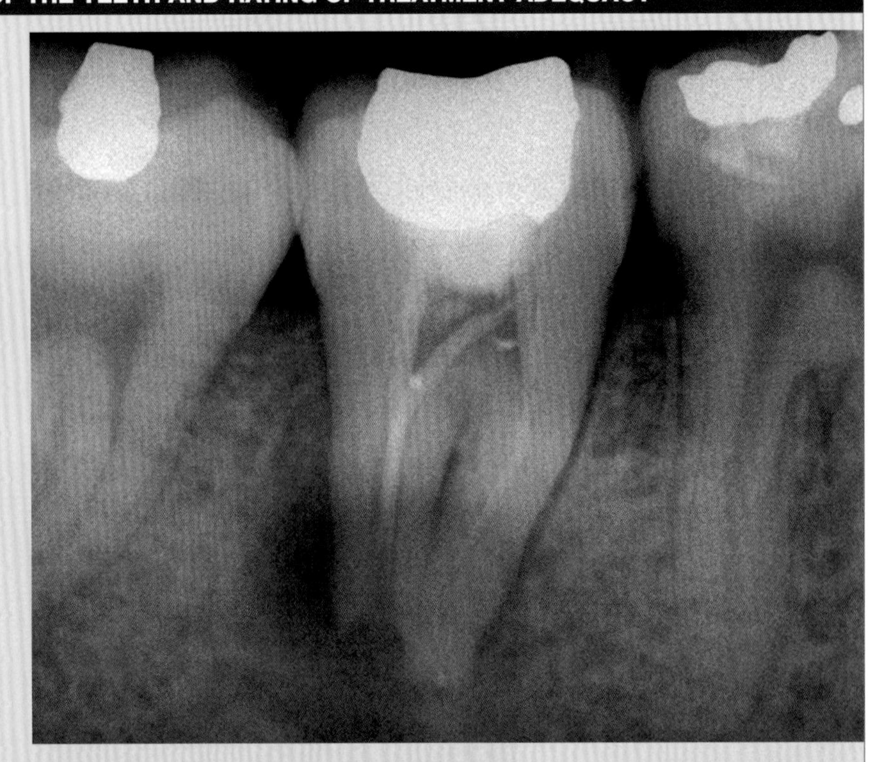

위에서 설명한 기준에 의하면 이 증례는 성형 단계 실패 요인에서 4점, 충전 단계 실패 요인에서 4점으로 10점 총점에서 8점을 보이고 있다.

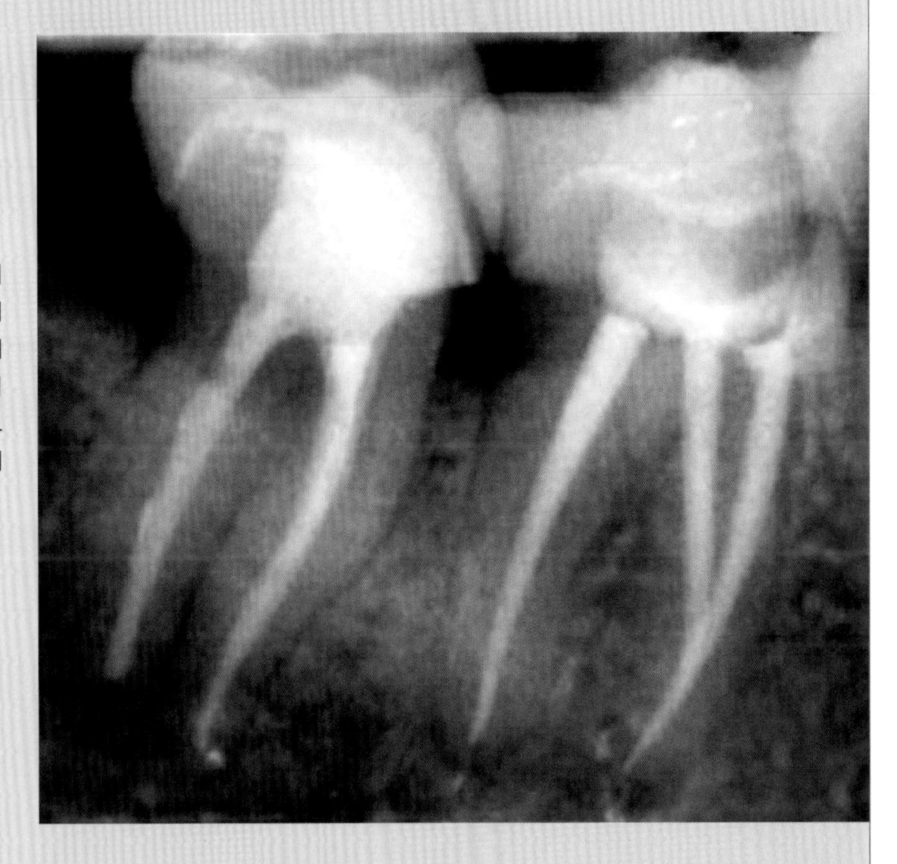

방사선 사진만으로 첫 단계(shaping error) 실패 요인 해당 사항에 대한 점수는 없지만 원심근관에서 관찰되는 void는 임상적 유의성은 없다 하더라도 1점이 적용될 수 있다. 전체 평가 점수가 10점 총점에서 1점이 나왔다면 치료가 적절히 행해졌음을 의미한다.

Eliyas et al. Technical skills in Endodontics. International Endodontic Journal 2017;50;652-66.

Box 1.10 **CBCT-BASED ANALYSIS**

방사선 사진 기술의 발전(digital subtraction)과 특히 근관치료에 대한 CBCT 이용이 도입되면서 병소 부위의 초기 상태와 치료의 성공 실패 평가에도 CBCT를 이용한 index의 개발이 필요해지고 있다**(Table 1.8)**. 치료 전후의 CBCT를 이용한 평가를 통해 Daries[99] 등은 치근단에서 보이는 병적 방사선 투과상에 대한 CBCT의 진단적 우수성을 강조하기도 하였다. 2차원적 방사선 사진만으로는 치근단 병소의 분류가 힘들었던 증례들을 CBCT를 이용하여 보다 명확히 성공과 실패 여부를 분류할 수 있었다. 다음은 대표적인 두 증례이다.

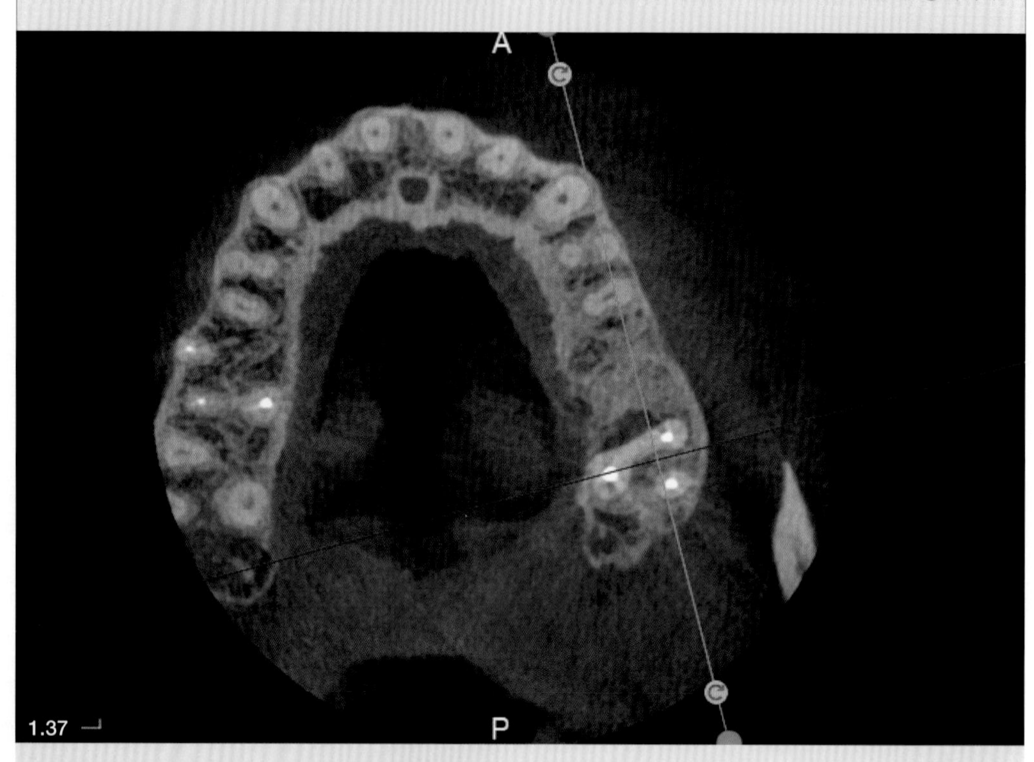

Fig. 1.37: 근관치료를 한 치아에 나타나는 치근단 병소의 정확한 진단을 위해서는 CBCT 영상이 반드시 필요하다.

Table 1.8 **CBCT-BASED IMAGING SYSTEMS**

Score	Estrela et al.[1]	Torabinejad et al. (Eri Score)[2]
	Periapical radiotransparency	**Periapical radiotransparency**
0	Absent	Absent
1	0.5-1 mm	< 0.5 mm
2	1-2 mm	0.5-1.0 mm
3	2-4 mm	1.0-1.5 mm
4	4-8 mm	1.5-2.0 mm
5	> 8 mm	2.0-2.5 mm
6		> 2.5 mm
E	Expansion of the periapical cortical bone	
D	Destruction of the periapical cortical bone	

[1] Index to classify periapical diseases identified by CBCT. C. Estrela et al., A New Periapical Index Based on Cone-Beam Computed Tomography. J Endod 2008;34:1325-1331.

[2] ERI (Endodontic Radiolucency Index) for CBCT analysis. M.Torabinejad et al., Incidence and Size of Periapical Radiolucencies Using Cone-beam Computed Tomography in Teeth without Apparent Intraoral Radiographic Lesions: A New Periapical Index with a Clinical Recommendation. J Endod 2018;44:389-394.

CASE REPORT 5

3D 영상으로 해결된 방사선학적 의문 병소

효과적인 재근관치료에도 불구하고 상악 구치부에 미미하지만 지속적인 증상이 계속되었다. 다수의 진단 기술을 이용하여 바람직한 진단을 내릴 수 있었다.

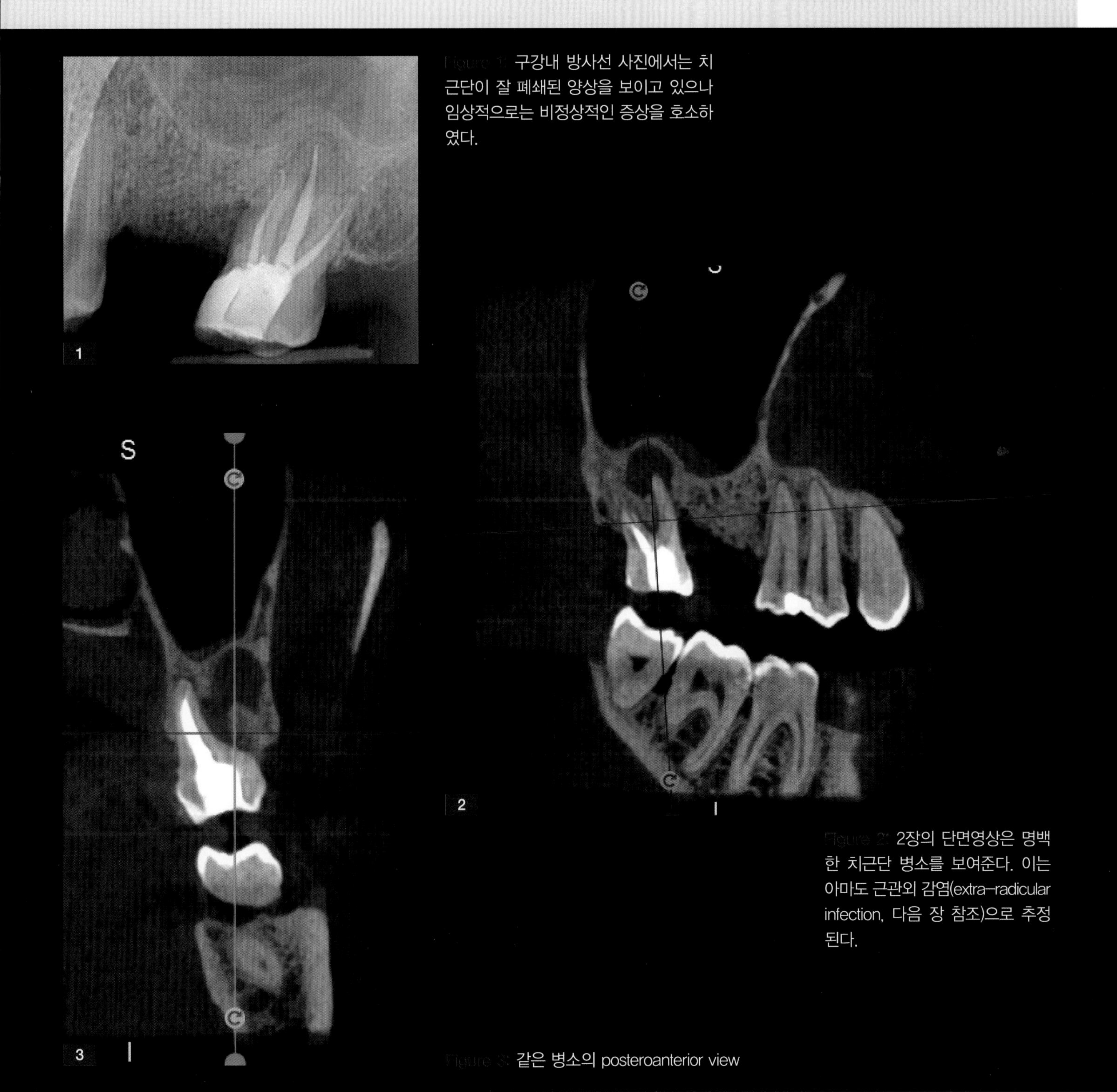

Figure 1: 구강내 방사선 사진에서는 치근단이 잘 폐쇄된 양상을 보이고 있으나 임상적으로는 비정상적인 증상을 호소하였다.

Figure 2: 2장의 단면영상은 명백한 치근단 병소를 보여준다. 이는 아마도 근관외 감염(extra-radicular infection, 다음 장 참조)으로 추정된다.

Figure 3: 같은 병소의 posteroanterior view

CASE REPORT 6

측절치에 천공이 동반된 심한 치근단 병소

환자는 26세 여성으로 외상으로 인하여 상악 우측 측절치에 근관치료를 받았다. 치료 2년 후 동일 치아에 작은 누공이 발견되었다.

Figure 1 상악 우측 측절치의 누공

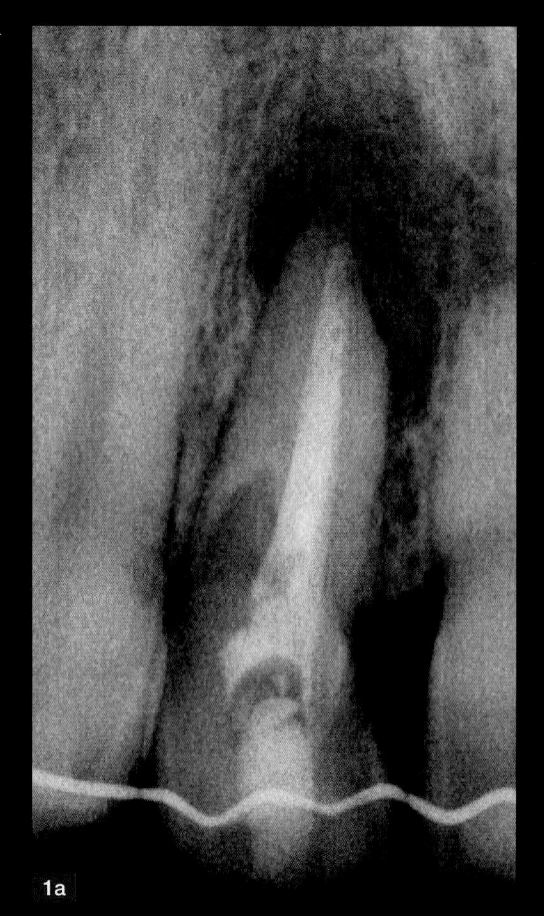

1a

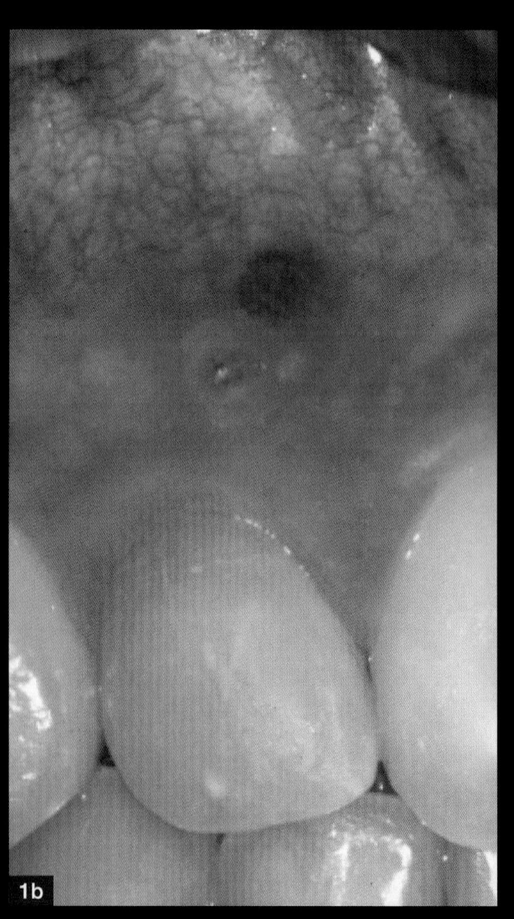

1b

Figure 2 방사선 사진에서 근관치료의 상태는 비교적 양호하였으나 매우 넓은 범위의 이차적인 치근단 병소가 관찰되었다.

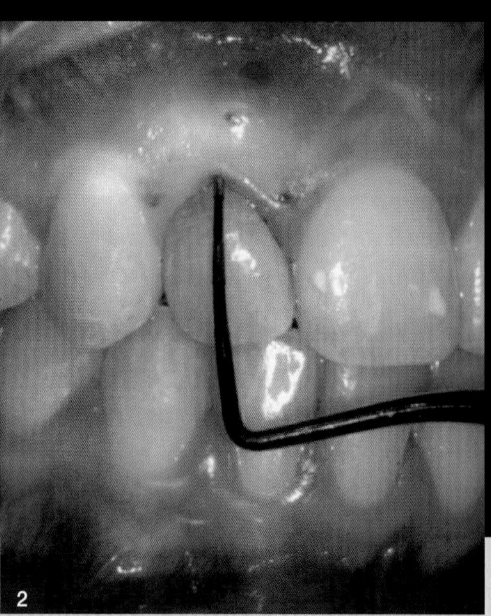

2

이러한 경우는 특히 환자가 어린 나이인 경우에 치주조직 손상에 의한 병소로 생각하기 쉽기 때문에 진단과 치료에 있어서 술자의 주의가 두 배로 요구된다.

Figure 3a: CBCT 영상을 보면 이 병소는 예상과는 달리 치아의 중심 1/3 부위의 천공과 함께 천공 부위로 충전재가 과충전된 것을 볼 수 있다.

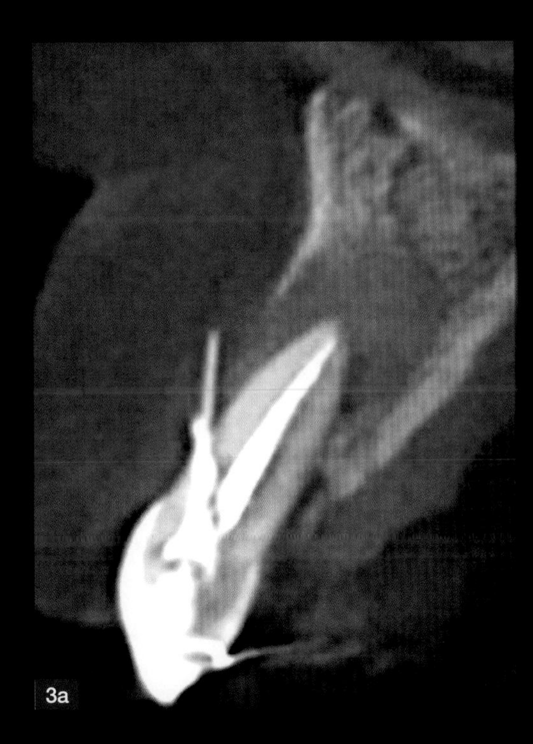

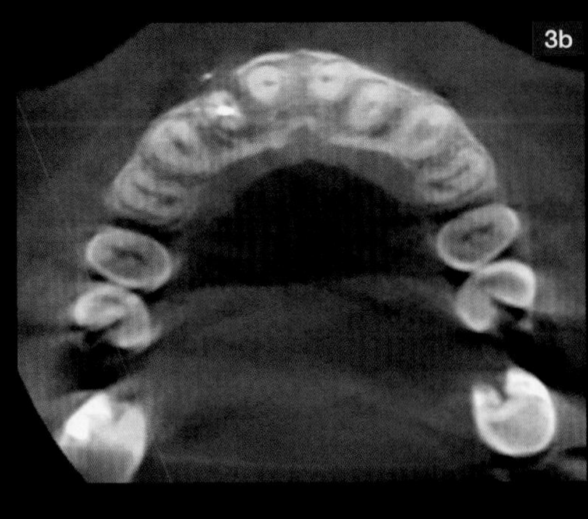

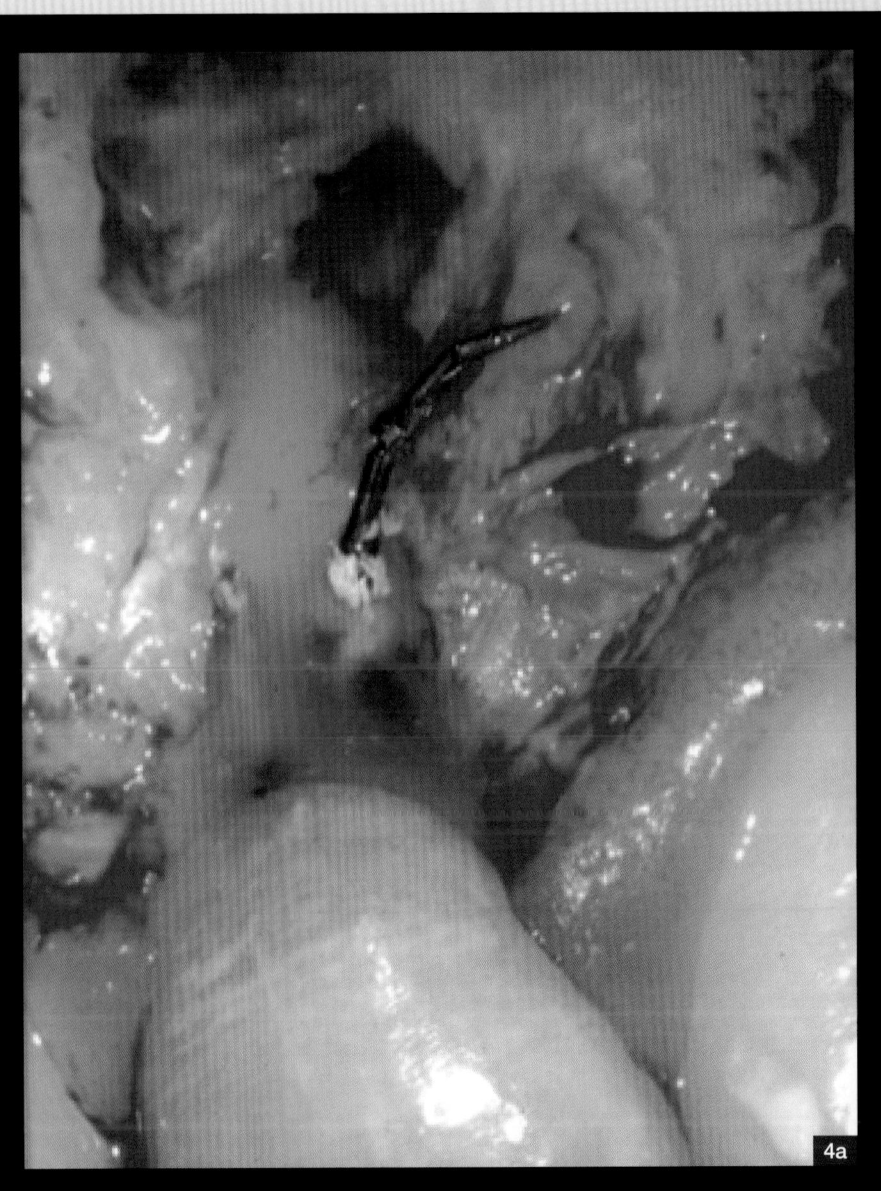

Figure 3b: CBCT의 occlusal view에서는 상악 우측 측절치의 협측 피질골(cortical bone) 소실이 확인되나 그 외의 다른 손상 부위는 없다.

Figure 4a: 임상적으로 관찰된 병소를 보여주는 사진

Fig. 4b: 치료의 첫 과정은 천공 부위의 빠져나온 충전재를 제거하고 천공 부위를 조금 더 넓히는 것이다.

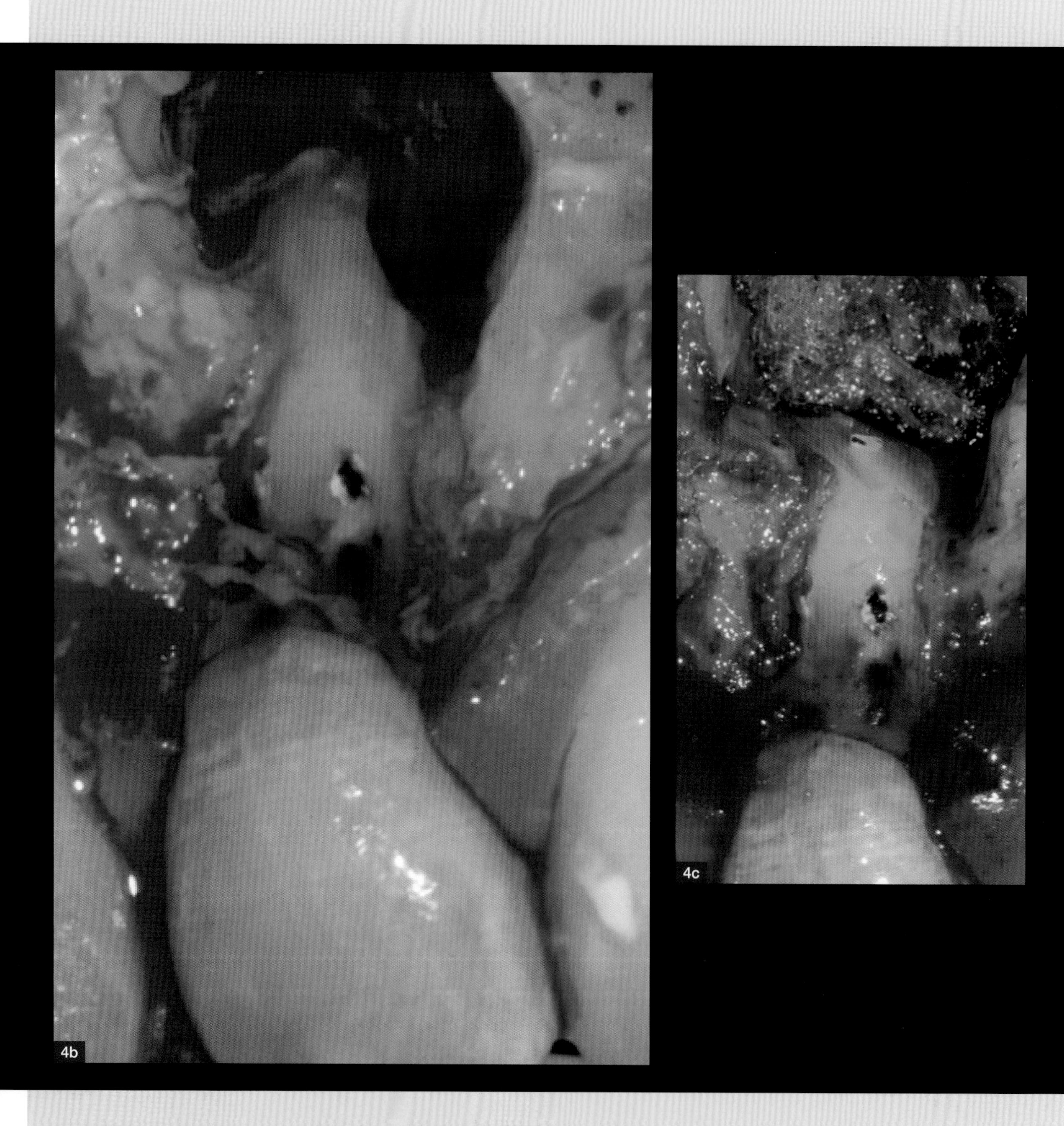

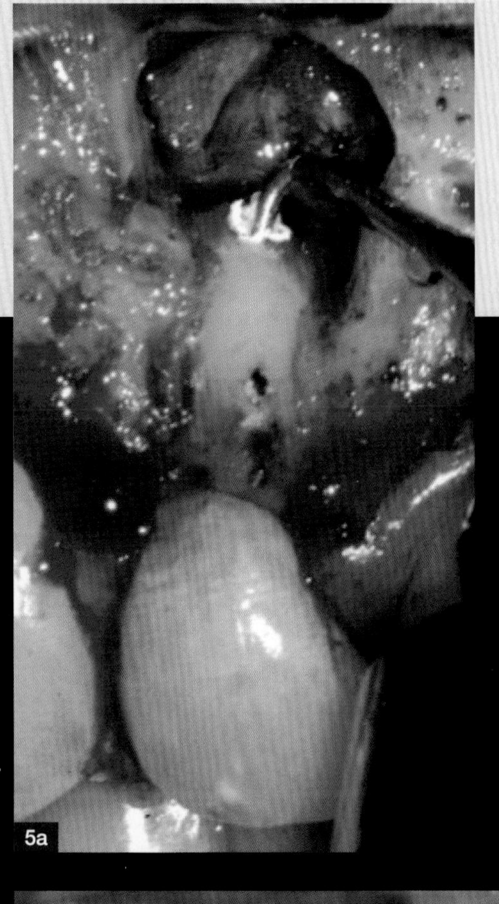

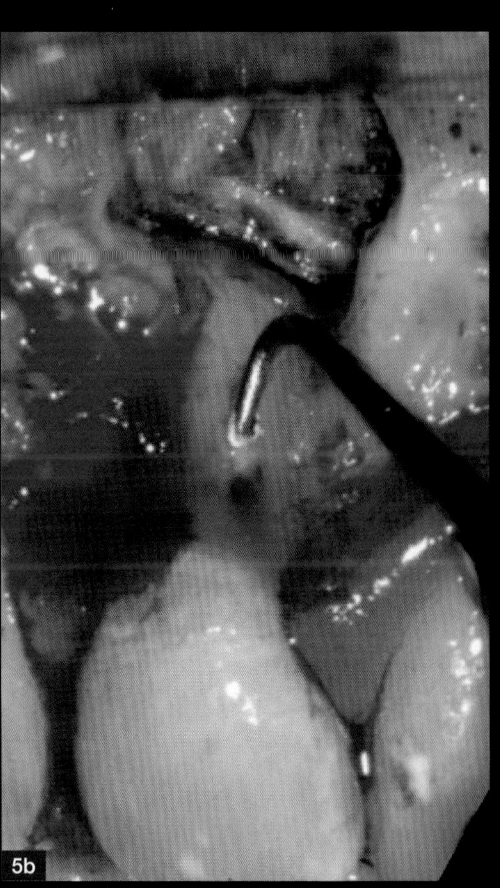

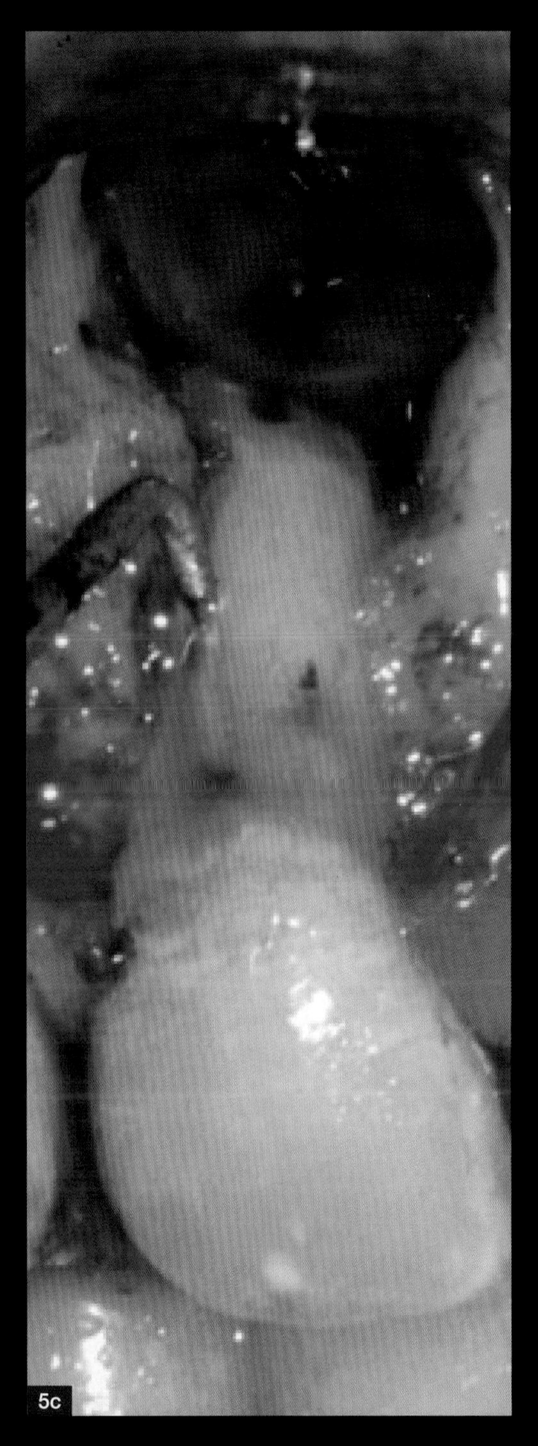

Figure 5a-c: 치근단 부위의 역충전을 위한 치근단 수술과 천공 부위 충전을 위한 외과적 치주술식을 시행했다.

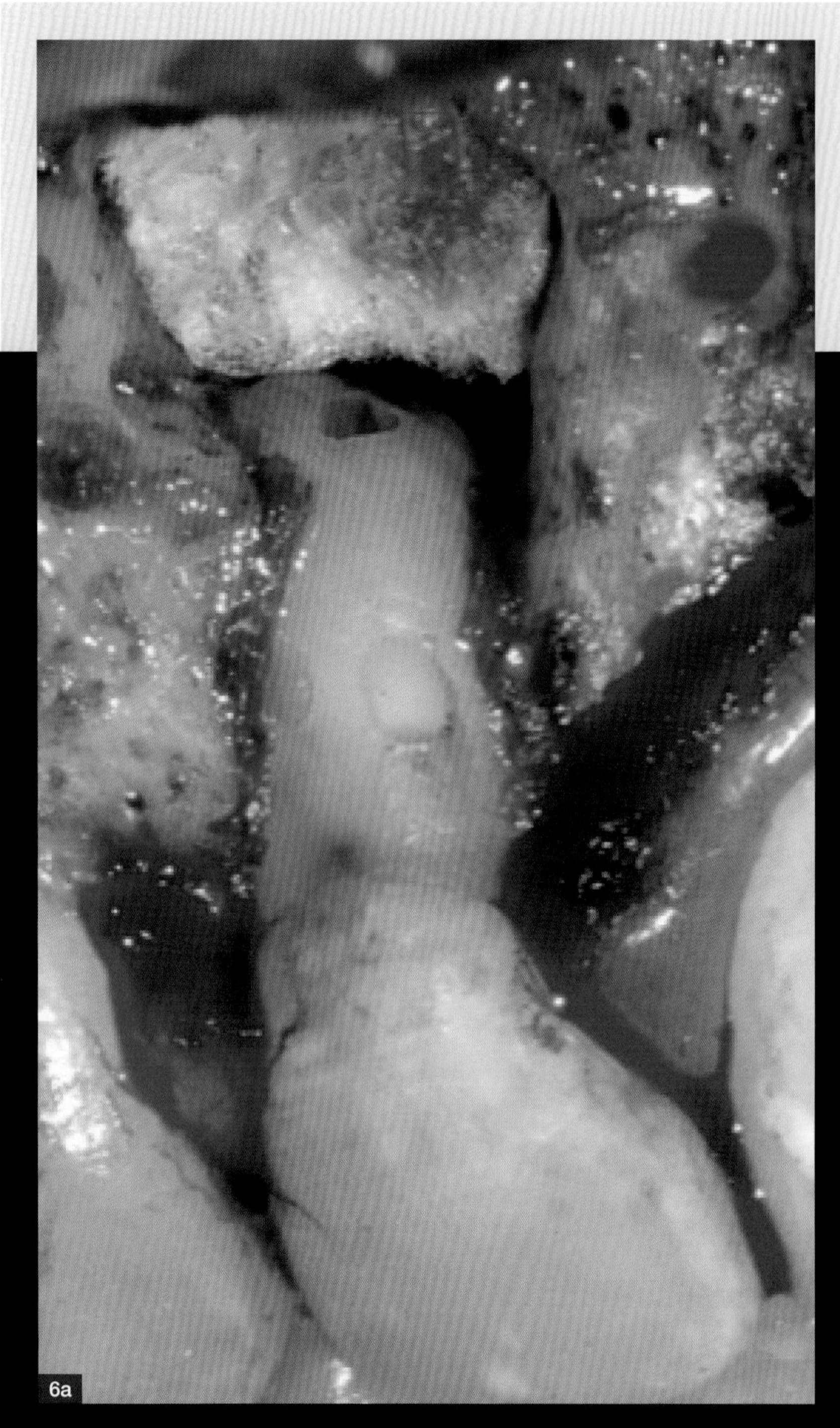

Figure 6a–b: 천공 부위는 생체적 합성 재료를 이용하여 충전했고 치근단 부위는 역충전을 시행했다.

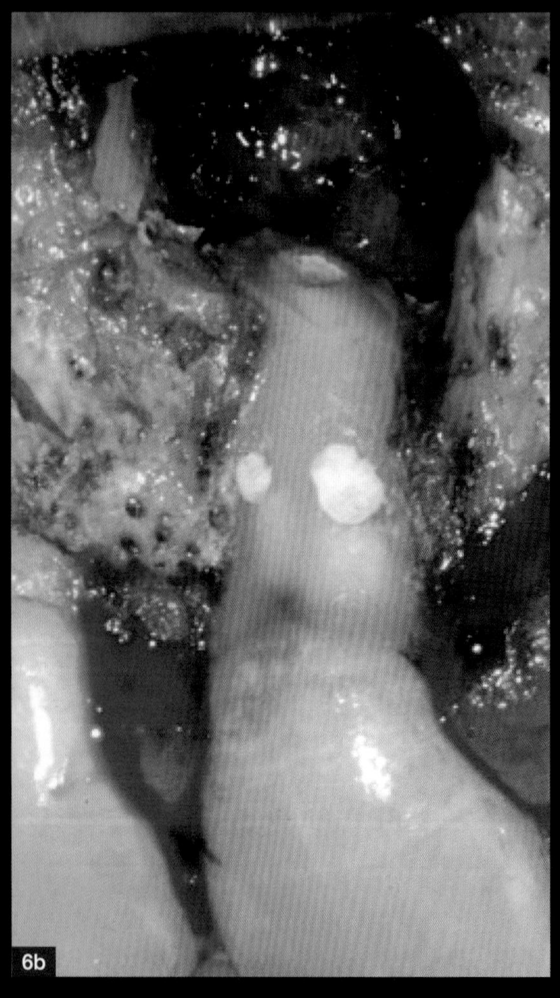

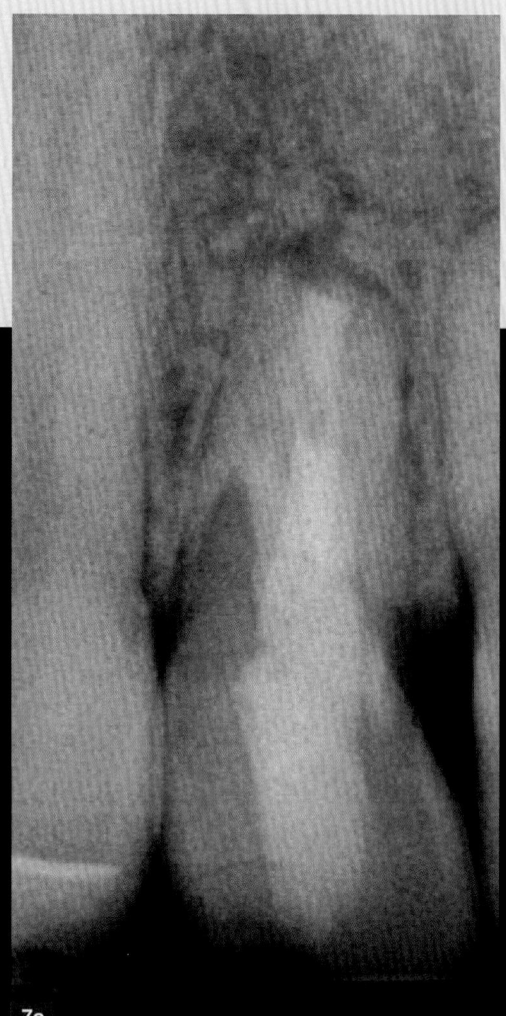

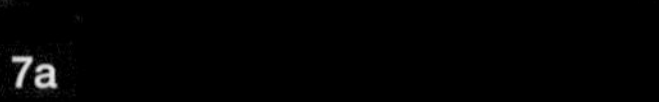

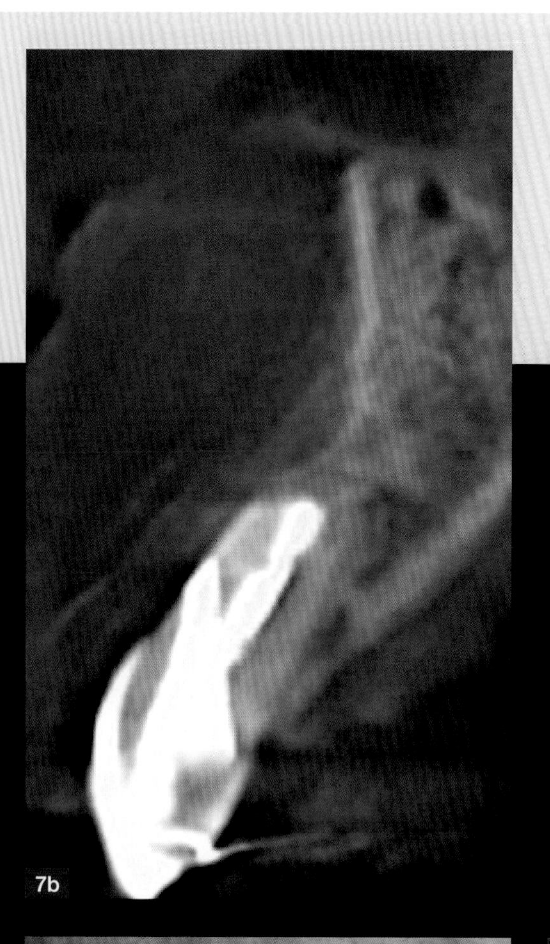

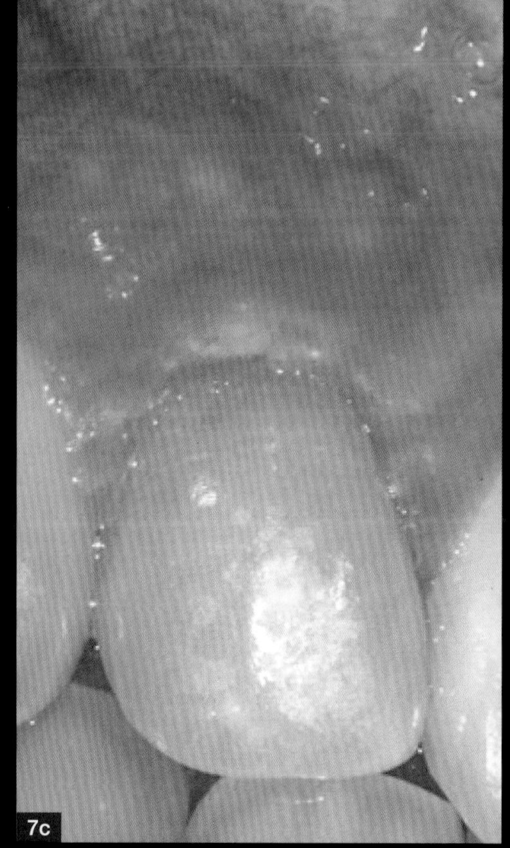

Figure 7a–c: 2차원 치근단 방사선 사진과 3차원 영상으로 치료가 성공적으로 마무리되었는지 확인했다. 치아의 변색은 남아 있으나 심미적인 문제는 이후에 해결이 가능하다.

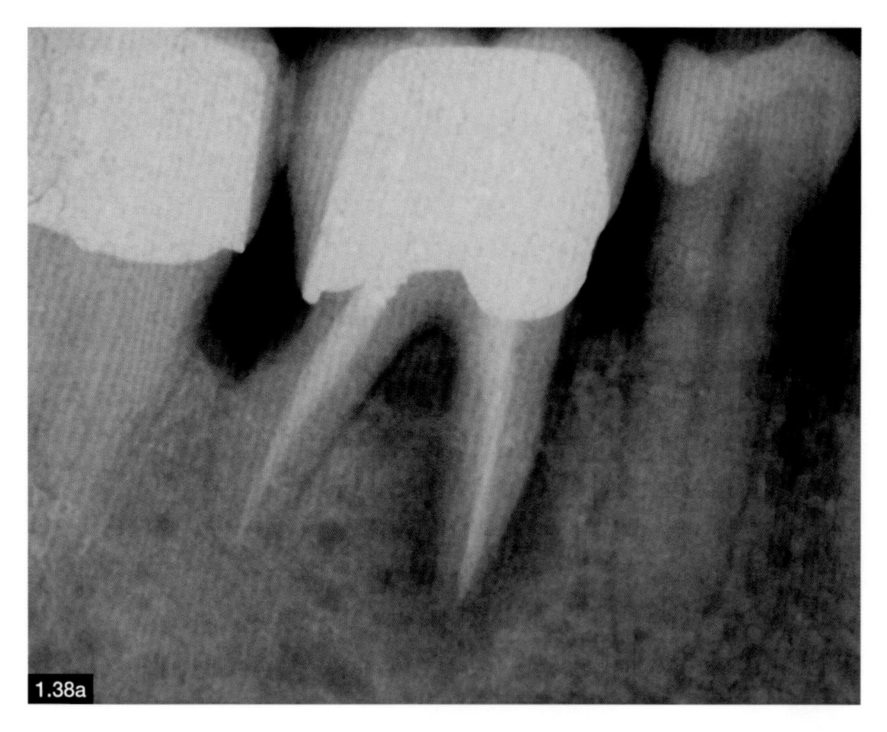

Fig. 1.38a: 하악 구치 근심치근의 손상과 함께 갑자기 나타난 치근단 병소

실패: 결정인자는?

치근단 병소의 원인 4가지

1. 근관내 감염(intraradicular infections) **(Fig. 1.38a-d)**
2. 근관외 감염(extraradicular infections) **(Fig. 1.39)**
3. 이물반응(foreign bodyreactions) **(Fig. 1.40)**
4. 콜레스테롤 결정을 포함한 낭종 (cyst with cholesterol crystals) **(Fig. 1.41)**

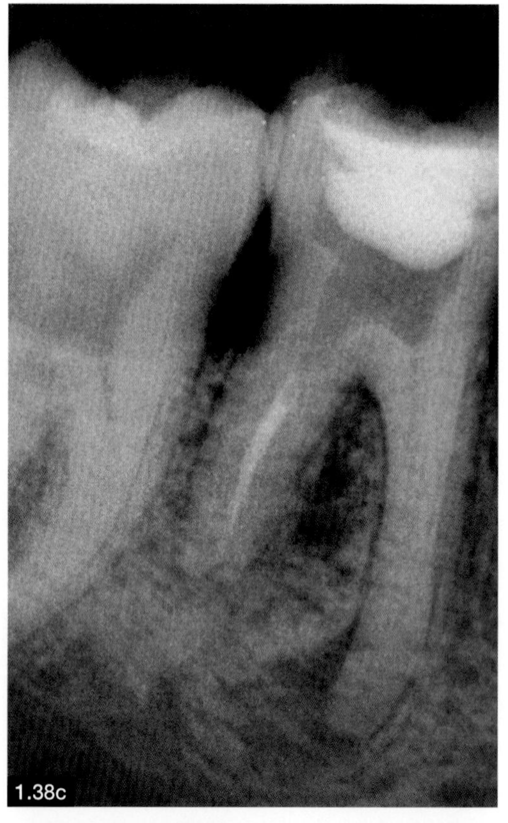

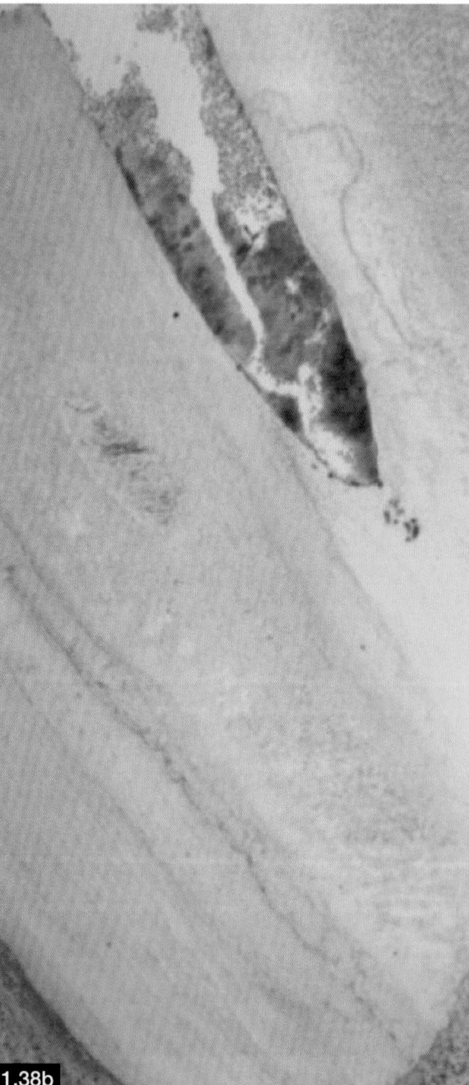
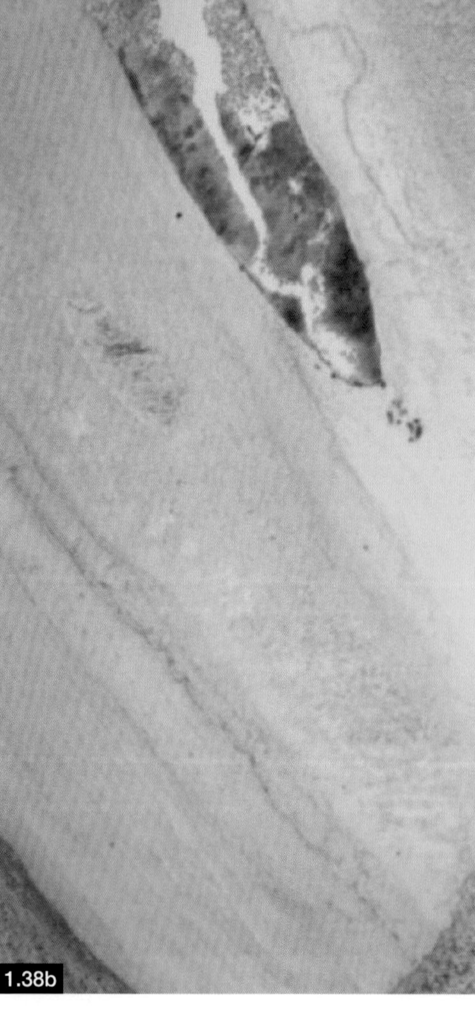

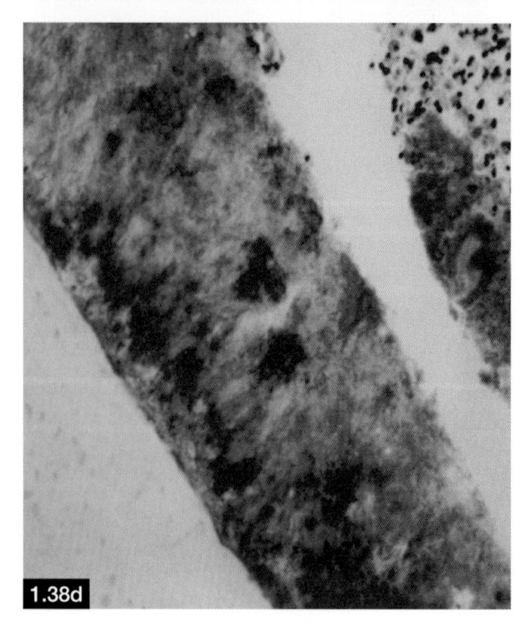

Fig. 1.38b-d: 근관내 세균이 biofilm 형태로 응집되어 있다.

Fig. 1.38c: 부분적으로 시행된 근관치료와 불완전하게 수복된 하악 구치는 필연적으로 근관치료의 실패를 가져온다.

이물반응(foreign body reaction)과 낭종(cyst with cholesterolctystals)은 드물게 나타나며 쉽게 알 수 있다는 점을 감안하면, 술자는 처음 두 가지 경우(intra & extra radicular)와 같이 세균에 더 주의를 기울여야 한다. 미생물학적 관점에서 본다면, 근관 내 세균의 증식은 biofilm의 미생물에서 기인한 것이다**(Box 1.11)**. 이 세균들은 외부로부터 보호하는 물질(extracellular matrix)로 둘러싸여 있으므로 감염을 제거하는 방법에 강력하게 저항할 수 있다. 이러한 특성으로 인해 상아질과 같이 관상구조에 콜라겐 섬유가 깊이 침투되어 있는 조직에서 감염을 제거하는 것은 매우 어렵다.

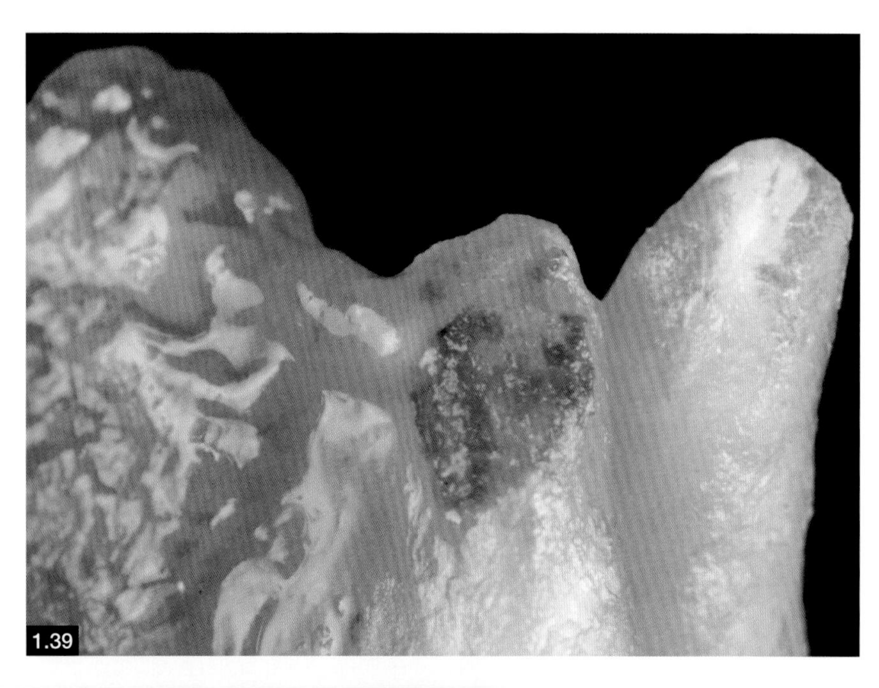

Fig. 1.39: 근관외 감염으로 인한 치근단 주위 석회화

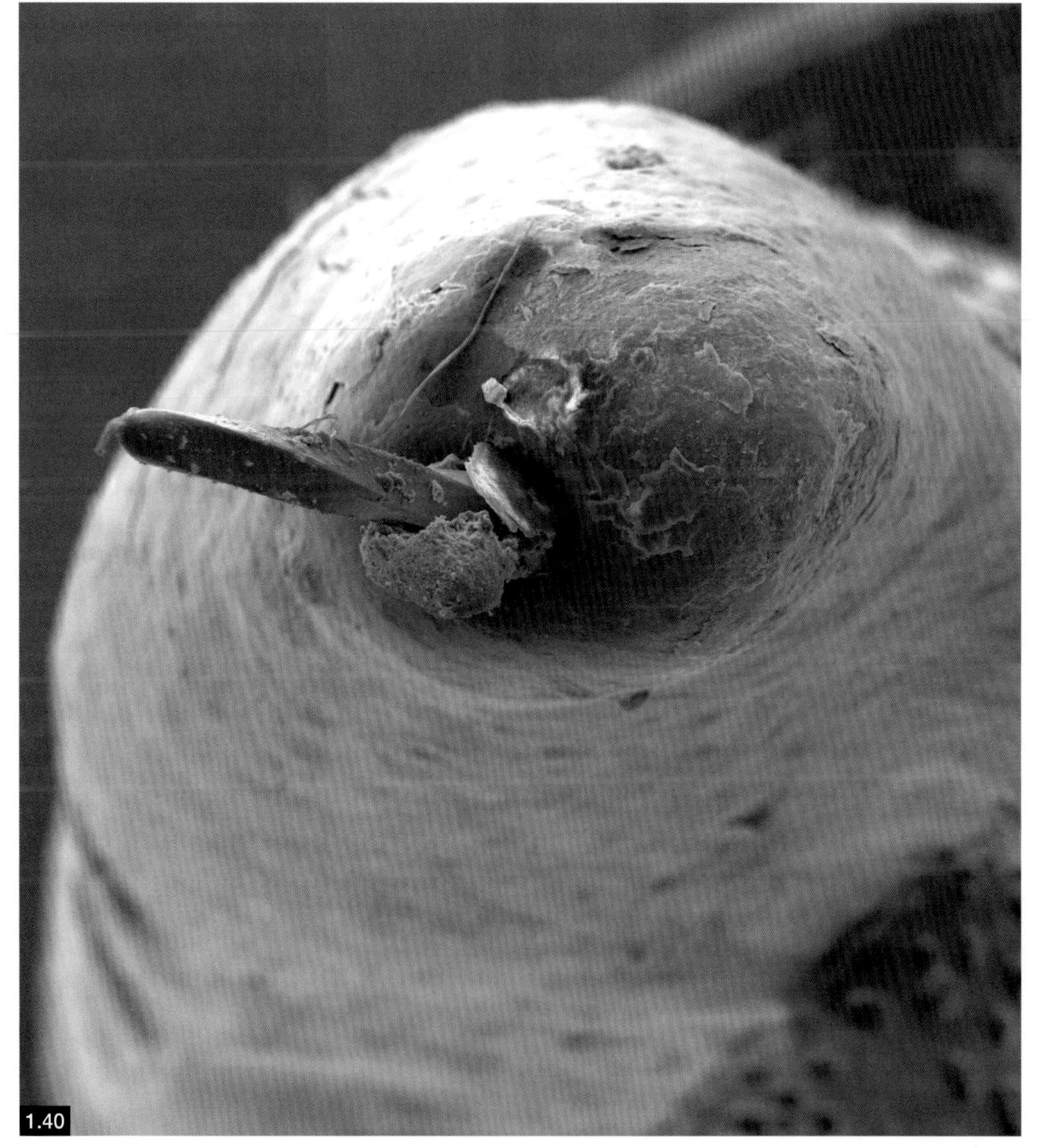

Fig. 1.40: 치근단공을 넘어가는 기구 조작으로 인해 이물육아종(foreign body granuloma)이 발생하고 이는 치아의 상실로도 이어진다.

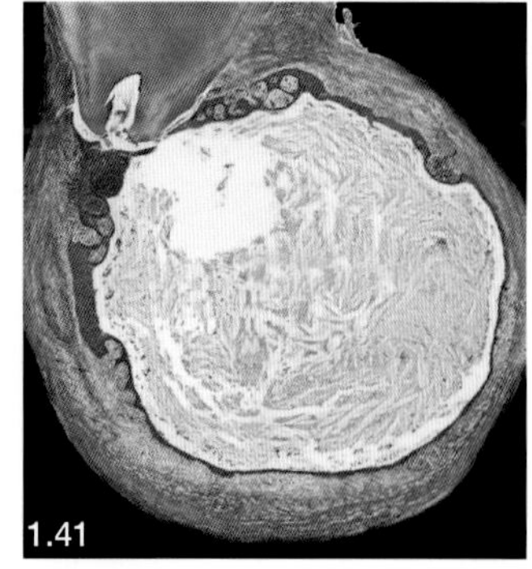

Fig. 1.41: Cholesterol crysral cyst의 전형적인 소견

Box 1.11 **ENDODONTIC MICROBIOLOGY**

치근단 질환의 결정 인자: 박테리아

임상적 관점에서 볼 때 이 과정에 많은 박테리아 종이 관련되어 있기 때문에 근관 미생물학에 관한 너무 많은 자료를 포함하는 것은 부적절해 보인다.[83]

일부 연구[84]에서 근관의 세균 집락을 제거, 제한 및 제어하기 위해서는 세균총의 특정 구성과 구조적 측면을 철저히 분석해야 함을 밝혀냈다.[85]

널리 알려진 바와 같이, 특정 박테리아 종은 장기간의 영양 결핍 상태를 견딜 수 있고 이전에 치료받은 근관과 같이 불리한 환경에서 서식할 수 있는 능력을 가지고 있어서 질병을 일으키는 주된 역할을 한다.

이러한 세균들은 응집해서 바이오필름을 형성하고, 바이오필름은 근관 세척을 통해서 제거하기 매우 어렵다**(Fig. 1.42a-e)**.

근관에서 박테리아를 완전히 제거하고 재감염을 방지하는 완벽한 밀폐를 얻는 것은 불가능하다.

마찬가지로, 많은 임상 상황에서 완벽하고 내구성 있는 치관부 밀폐를 얻는 것은 불가능하다.

치근단 질환과 관련된 박테리아 종(대부분 그람 양성)은 산소가 거의 없는 환경에서 자랄 수 있다.[87]

다양한 연구에 따르면 이스트는 빈번하게 관찰되지만[88, 89], 바이러스는 거의 관찰되지 않는다.

이전에 치료받은 치아가 재감염된 경우 박테리아는 주로 그람 양성이고, 그람 음성 박테리아는 소수이다.[90]

*Peptostreptococcus*와 *Streptococcus*가 주로 관찰된다. *Porphyromonas*는 치료가 실패한 근관에서 발견된다. *Enterococcus faecali, S. sanguis, S. salivarius, P. endodontalis*와 *A. odontolyticus* 및 *Peptostreptococcus*는 이전 근관치료 여부와 관계 없이 존재한다.

추가 연구가 필요하지만, *Enterococcus faecalis*는 이전에 근관치료받은 치아의 내부에서 가장 흔하게 관찰되는 박테리아 종[91]이고 치근단 주위 통증을 유발한다고 알려져 있다.

이 박테리아는 영양분이 결핍된 상태에 저항할 수 있는 고유한 능력과 상아 세관 깊숙이 군집을 이루는 능력이 있기 때문에 근관 소독을 위해 사용하는 세척제에 저항할 수 있다.

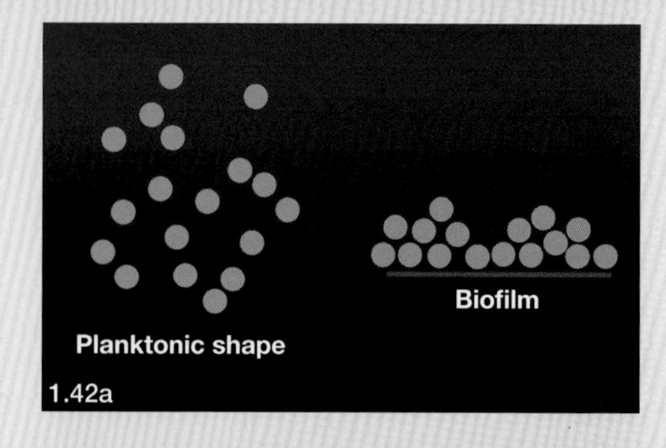

1.42a

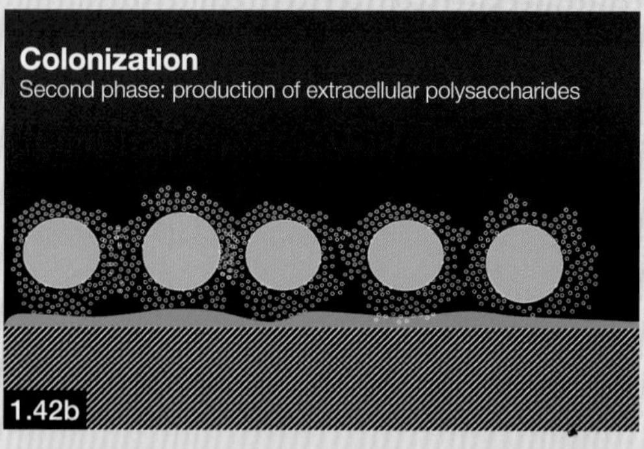

1.42b

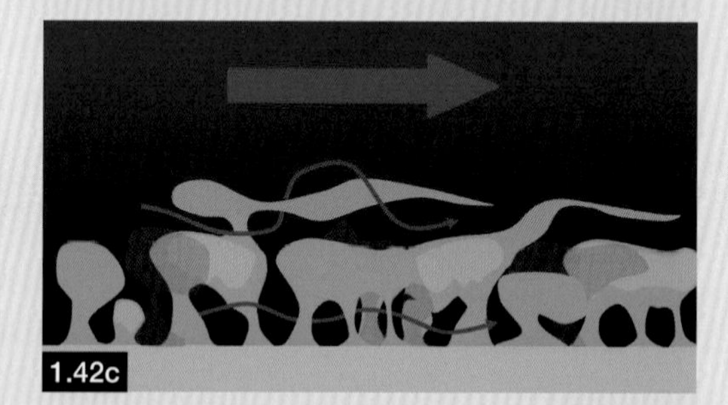
1.42c

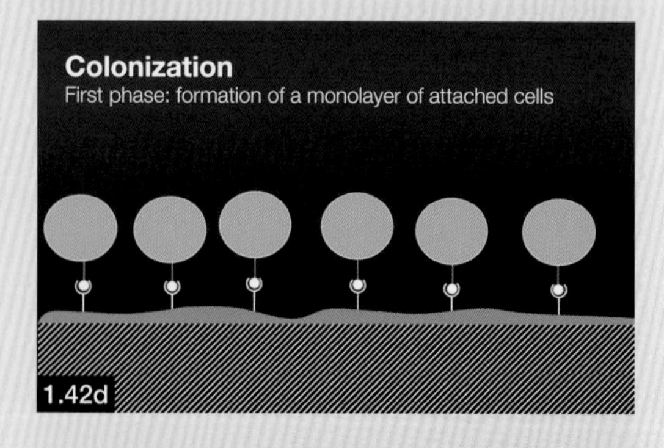

1.42d

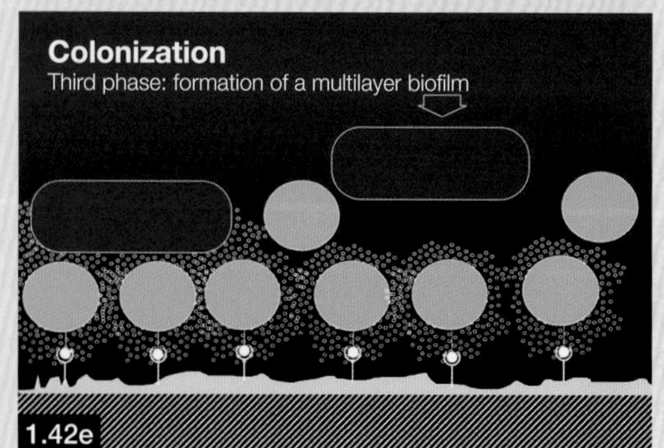

1.42e

치근단 질환에서 바이러스와 이스트의 역할은 아직 명확하지 않지만, 치근단 병소를 치료한 치아 내부의 *Candida albicans*의 존재는 여러 연구에서 제안한 바와 같이 *E. faecalis*와 질병 발생의 공동 인자로 받아들여진다.

그러나 이러한 발견은 아직 명확하지 않다. 다른 증례에 의하면, herpes와 cytomegalo viruses가 근관치료의 실패에 따른 급성 치근단 질환의 발병에 관여하는 것으로 추정된다.

그러나 병인 기전에서 바이러스와 이스트의 역할은 불분명하다. 치성 기원의 감염이 이차적인 치근단 질환을 일으킨다는 점은 일반적으로 받아들여지지만, 그 세부 기전은 아직 명확하게 밝혀 않았다.

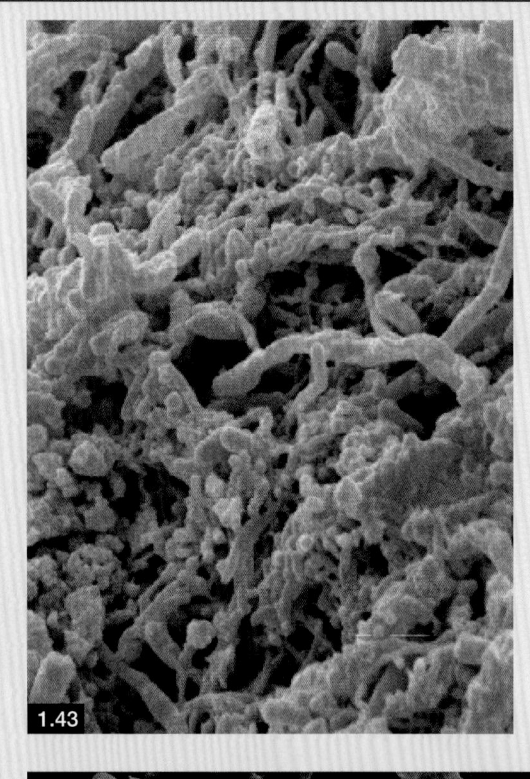

Fig. 1.43: 근관 내의 박테리아 바이오필름(1800x)

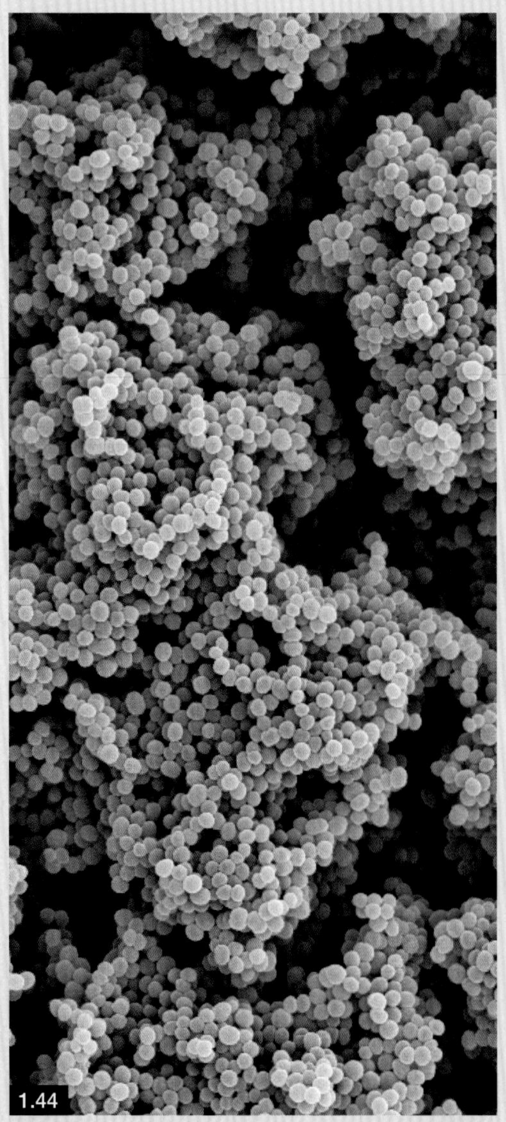

Fig. 1.44: 괴사된 근관 내의 *E. faecalis* 바이오필름(2000x).

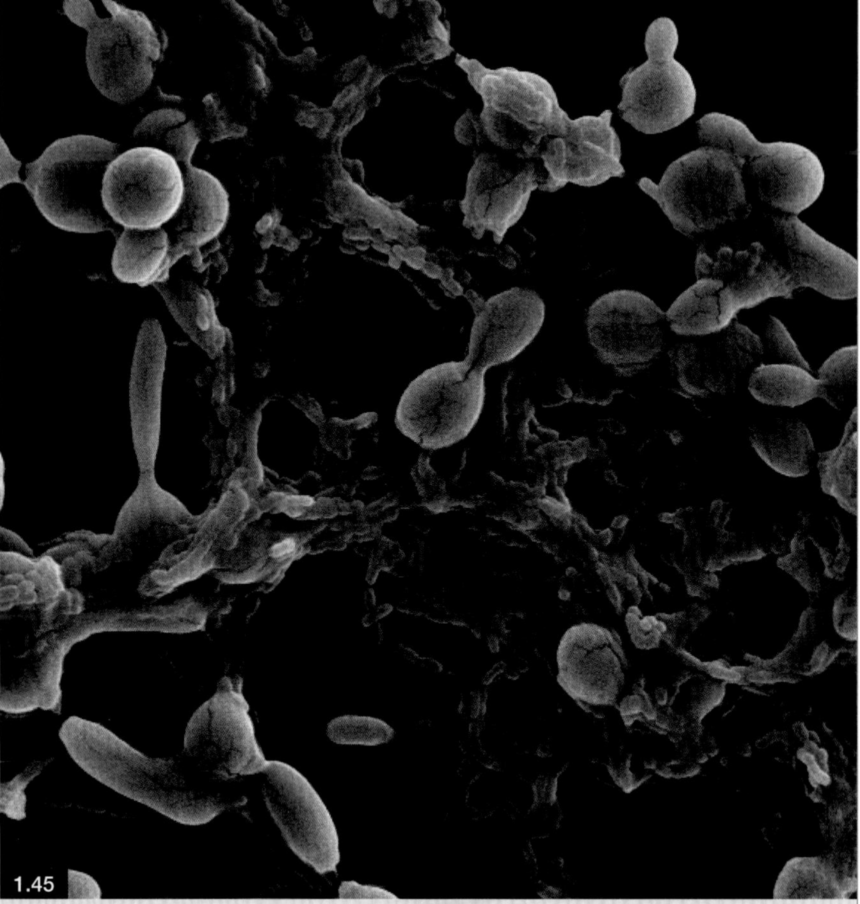

Fig. 1.45: *C. albicans*와 *Enterococcus faecalis*의 공동응집(2000x).

치근 밖 주위 조직 감염

Ricucci et al.[7, 20]의 연구에 의해 잘 알려진 바와 같이 치근 밖 주위 조직 감염은 다른 병소와 별도로 생각해야 한다. 치근 밖 주위 조직의 감염을 예측하는 것은 가정일 뿐이지만,[92] 관련된 다양한 임상 및 방사선학적 징후가 있다. 화농성 누공의 존재는 이러한 요소 중 하나이고, 이는 치근첨 표면에 군집한 박테리아와 매우 빈번하게 연관되어 있다.[21] 이러한 유형의 감염에서 가장 일반적으로 분리되는 미생물들은 *Actinomyces israelii*와 *P. propionicum*이다. 이러한 미생물들은 치근 표면에 부착된 뒤 서로 응집해서 잘 조직된 바이오필름을 형성하여, 면역 반응에 의해 잘 제거되지 않는다.

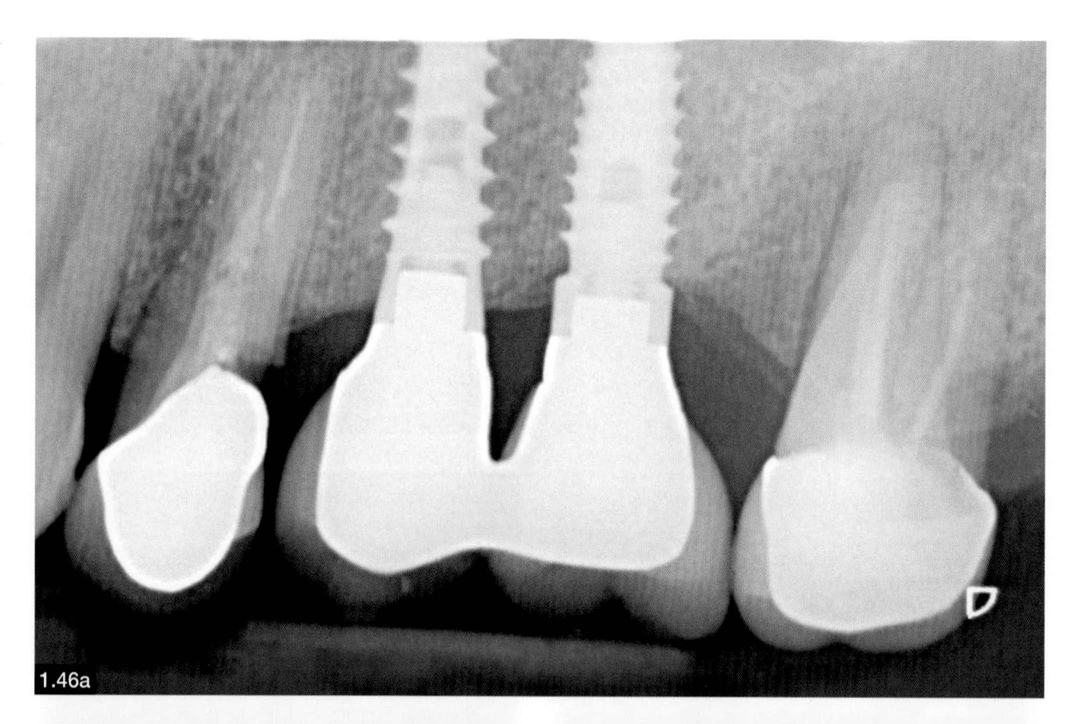

Fig. 1.46a: 방사선 사진에서 근심 근관의 명확한 확장을 제외하면 괜찮아 보이지만, 환자는 저작 시 상악 제2대구치의 지속적인 통증을 호소하였다. 치주 평가를 통해 발치하였다.

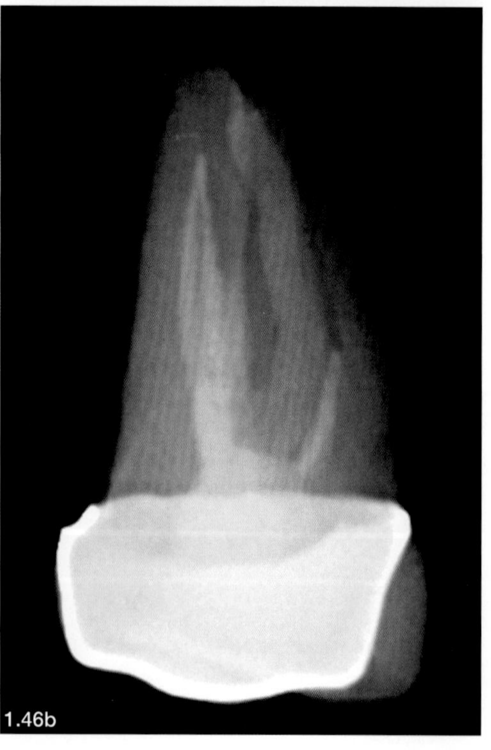

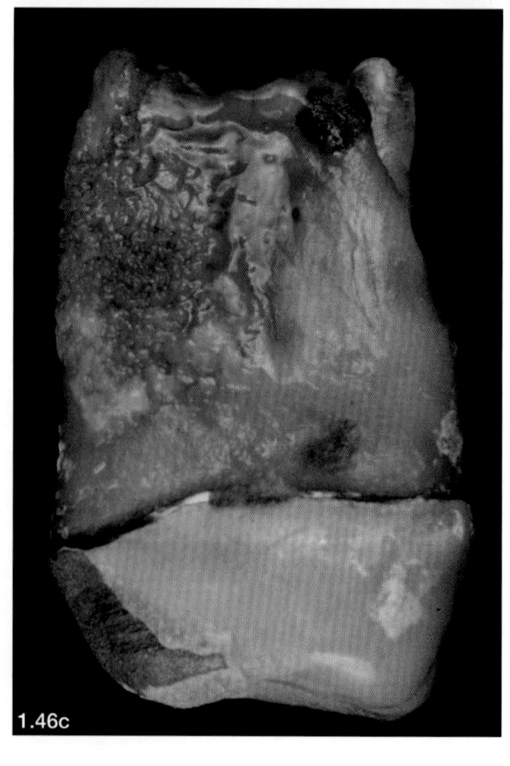

Fig. 1.46b: X-ray상에서 불충분한 근관 충전이 관찰된다.

Fig. 1.46c: 치근 표면 전반에 걸쳐 명백한 치석의 침착이 관찰되고 이는 임상적 결정이 옳았음을 뒷받침한다.

재치료의 예후

재치료의 성공 가능성은 치아와 관련된 다양한 초기 상태와 정량화하기 어려운 수많은 요인에 의해 결정된다.

Farzaneh et al.[93]과 De Chevigny et al.[94]이 보고한 바와 같이, 치근단 조직의 상태, 근관 충전의 정도, 그리고 천공과 같은 근관의 해부학적 변형의 존재가 재치료의 성공과 실패에 결정적인 영향을 미친다.

Ng et al.[95-97]**(Table 1.9)**이 발표한 훌륭한 체계적 문헌 고찰에 의하면, 엄격하지 않은 기준으로 판단한 재치료의 성공률은 80% 이상이다. 성공률에 영향을 미치는 인자는 다음과 같다.

- 2D X-ray에서 볼 수 있는 치근단 방사선 투과상의 존재 혹은 부재
- 이 부위의 크기는 염증이 있는 치근단 병변의 크기와 일치한다.
- 치근단 한계(apical limit)에 국한되었는지 여부와 관계없는 근관 충전의 범위

이러한 요인들 중에서 부적절한 치관부 밀폐가 근관치료의 실패와 관련성이 높은 요소 중 하나인 것으로 밝혀졌다. 반대로, 다음 인자들은 치아 생존에 유리한 요소로 나타났다.

- 치료 후 크라운을 통한 수복
- 치료된 치아의 근심과 원심 치관부 치질의 존재
- 고정성 혹은 가철성 보철물의 부재
- 치아의 유형, 대구치가 실패 위험이 가장 높다.

이러한 결과는 77.8%의 성공률을 보고한 Torabinejad et al.[98]의 결과와 일치한다. 더 최근에 Davies et al.[99]는 근관 기원의 염증성 치근단 주위 병변을 정확하게 식별할 수 있는 CBCT를 이용하여 재치료의 성공률을 조사하였다. 그 결과, 통상적인 치근단 X-ray로 분석한 1년 성공률은 약 93%였지만 CBCT를 사용하여 분석한 경우 77%로 감소하였다.

He et al.[75]은 보다 현대적인 기술을 사용하여 재치료를 할 때 성공률이 상당히 증가할 수 있음을 보고하였으나, 이는 부분적으로 기존의 많은 역학 연구와 상반된 결과이다.

그러나, 이 연구는 무시할 수 없는 많은 사실들을 밝혀냈기 때문에 재치료의 성공률과 관련된 추가 연구가 필요하다는 점을 시사한다.

저자들은 다소 느슨한 기준으로 최종 결과를 판단하였고, 치료 2년 후 완전한 치유(complete healing)는 75%를 넘지 않았다. 이러한 발견은 재치료 시 예상되는 성공률을 현실적으로 평가하기 어렵다는 것을 보여준다.

2000년대 초, Gorni와 Gagliani[100]는 400개 이상의 재치료 받은 치아들을 조사하여 성공률은 약 68%로 보고하였다**(Box 1.12)**. 최근 연구들은 치료 전 치아의 상태가 예후에 미치는 영향을 강조하고 있고, 이는 임상과 방사선 두 가지 범주로 나눌 수 있다. 방사선 상태과 관련하여 Kirkevang et al.[74]는 이전에 정의된 방사선 점수 체계인 PAI **(Box 1.8)**를 사용해서 초기 점수와 5년 결과의 연관 관계를 조사하였다.

Table 1.9 **PROGNOSIS FOR ENDODONTICALLY TREATED TEETH**

Survival (years)	Percentage	95% confidence interval
2-3	86%	75-98
4-5	93%	92-94
8-10	87%	82-92

Box 1.12 **근관계의 다양한 해부학적 변이를 가진 치아의 재치료 성공 분석**

425명의 환자에서 250개 이상의 대구치, 100개의 소구치 및 91개의 전치가 재치료를 받았다. 재치료의 유형에 따라 크게 두 가지 범주로 분류되었다.

A. 이전 치료에서 근관의 해부학적 구조가 유지된 치아

B. 이전 치료로 근관의 해부학적 구조가 변형된 치아

그룹 A.
이전 치료에서 근관의 형태가 유지된 치아

이 그룹(예시는 첫 번째 증례 참고)은 다음 범주를 포함한다.

A.1 치근단 석회화 혹은 폐쇄

A.2 근관치료 기구의 파절

A.3 충전의 길이와 부피가 불충분한 근관

A.1

치근단 석회화와 폐쇄는 동전의 양면일 가능성이 높다. 실제로 이들은 방사선학적 치근단 사진의 치근첨에서 근관이 보이지 않는 두 종류의 근관 형태를 대변한다. 이것은 근관 내부의 치수에 의한 근관 폐쇄와 치근 백악질의 증식에 의한 것일 수 있다. 둘 다 독성이 경미한 박테리아 감염에 대한 반응의 징후이고, 자기 제한적인 방어 반응을 유발한다. 이러한 경우, 치근단 주위 염증 반응을 유발하는 미생물이 존재하는 근관계를 소독하고 밀폐하면 좋은 결과를 기대할 수 있다.

A.2

근관치료를 시작했지만 기구가 부러져서 치료를 중단해야 하는 파절된 근관치료 기구와 관련된 것은 흥미로운 주제이다. 결과적으로, 기구의 파절은 치료 초기 단계에서 종종 일어나므로 치아의 해부학적 구조는 거의 변하지 않는다. 초음파 팁과 특수한 excavators (3장 참고)와 같은 정교한 기구들을 사용하면 부러진 기구를 근관에서 제거할 수 있고, 근관은 적절한 형태로 성형될 수 있다.

A.3

충전의 길이와 부피가 부적절한 근관은 매우 흔하고 이러한 치아는 근관 기원의 치근단 질환이 쉽게 생기기 때문에 의뢰되는 환자의 대부분을 차지한다. 이러한 경우 근관의 성형이 충분히 이뤄지지 않았기 때문에 대부분 근관의 크기와 형태는 변하지 않는다. 전체 근관계를 포함하지 않는 기구 조작으로 알려진 sub-instrumentation은 Peters[37]에 의해 언급된 최근에 제안된 기구 조작 방법이다. 이러한 치아에서 치료되지 않은 상악 대구치 근심 치근의 MB2와 하악 대구치 근심 치근의 MM 근관이 종종 관찰된다. 하악 전치의 설측 근관도 간과하면 안 된다.

그룹 B.
이전 치료로 근관의 구조가 변형된 치아

이 두 번째 그룹(예시는 두 번째 증례 참고)의 예는 다음과 같다.

B.1 외부 또는 내부의 치근첨 transport

B.2 Drilling and/or Stripping

B.3 치근 내흡수

B.1

근관의 transport는 근관치료 실패의 주된 원인 중 하나이다. Transport는 만곡의 바깥쪽 또는 안쪽의 변위를 의미한다. 이는 종종 부적절한 치수강 개방과 근관의 치관부 1/3의 불충분한 삭제로 인해 발생하며 치근단 부위에서 근관의 원래 형태를 따라가지 못하는 기구의 작용을 야기한다. 유연한 기구도 치근단 부위의 만곡을 적절하게 따라가기 어렵고, 기구는 구조적으로 만곡의 바깥쪽으로 펴지려는 경향이 있어서 치근첨 부위에서 근관의 바깥쪽을 삭제한다. 이는 소위 "모래시계 형태"의 생성으로 연결되며, 비효율적인 기계적 세정을 야기하고 근관 만곡의 안쪽 부분에 잔사를 남기며 어떤 충전 기술로도 효과적으로 밀봉할 수 없는 최종 형태를 만든다. 더욱이, 이러한 유형의 근관 성형은 치근단 조직에 해를 끼친다.

B.2

Drilling과 Stripping은 잘못된 근관 성형으로 인하여 원치 않는 치수-치주 개통을 야기하는 의원성 사고이다. 천공은 근관의 해부학적 구조에 명확한 변화를 일으키고, 7장에서 설명된 바와 같이, 근관 내 다양한 위치에 발생할 수 있다.

B.3

치근단 치근 흡수는 심한 치근단 질환이 있는 치아에서 흔히 발견된다(Case Report 8, 54 페이지). 또 다른 증례에서 만성 치수 질환으로 인해 근관이 불규칙하게 확대되어 근관 중앙에 공간이 생겼다(2장, Case Report 8).

이와 같이 분류한 뒤, 모든 증례는 비외과적 근관치료를 받았다. 결과는 **Table 1.10**에 요약되어 있다. 근관의 형태가 변하지 않고 방사선학적 검사에서 치근단 병변이 없는 치아에서 가장 좋은 결과를 보였다. 일반적으로, 근관 형태가 보존된 치아에서 최상의 결과를 얻었으며 A군에서 90%에 가까운 성공률을 보였고 B군에 속한 치아에서 얻은 결과와 유의미한 성공률의 차이를 보였다.

Gorni F & Gagliani The Outcome of Endodontic Retreatment: A 2-yr Follow-up: Journal of Endodontics 2004;30(1):1-4

Table 1.10 **CASE STUDY PROPOSED BY GORNI AND GAGLIANI**

	Controlled patients	Mean age	Males	Females	Teeth included in the study	Duration of follow-up	
	425	40.5 (11.6)	211	214	452	24 months	
		No. of teeth	**Healed**	**Recovering**	**Failures**	**Success rate**	**Failure rate**
Teeth with preserved root canal morphology	Undamaged	83	76	0	7	91.6	8.4
	Damaged	167	136	4	27	83.8	16.2
Teeth with unrestored root canal morphology	Undamaged	32	27	0	5	84.4	15.6
	Damaged	170	56	12	102	40	60

Source: Gorni e Gagliani, 2004.

CASE
REPORT 7

근관 형태가 보존된 치아의 재치료

재치료를 받고 있는 하악 대구치의 근관은 거의 정상적인 해부학적 구조를 유지하고 있다. 근심과 원심 치근에서 기구가 부러진 뒤 임상가는 환자를 전문의에게 의뢰했다.

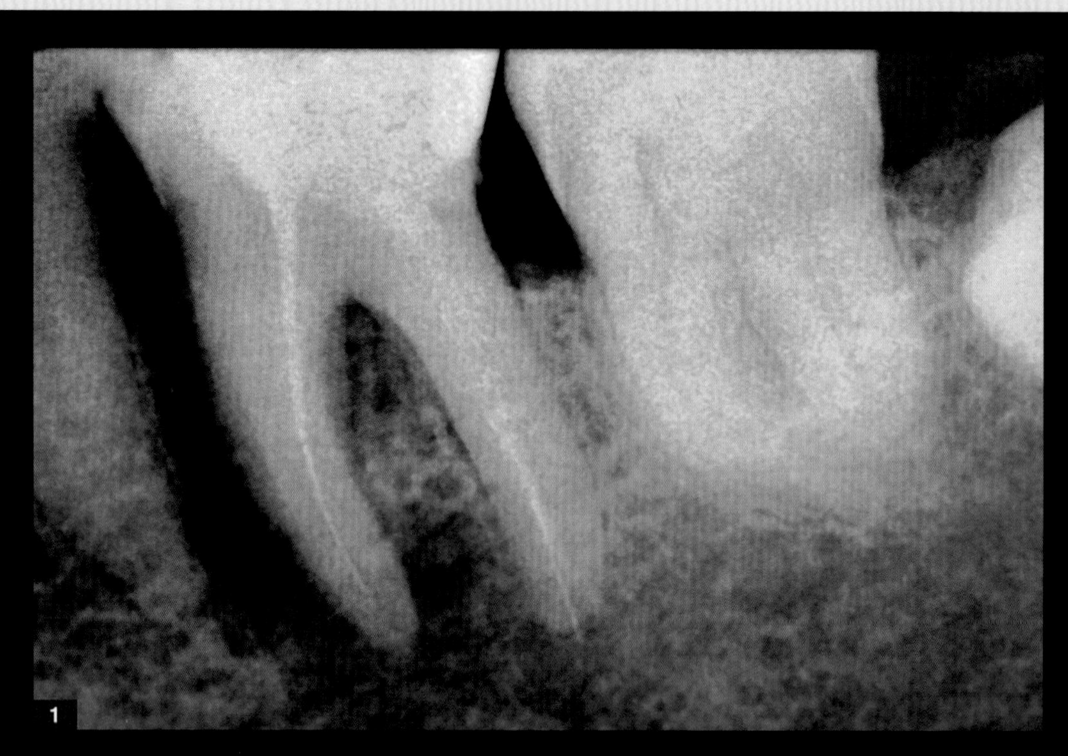

Figure 1 초기 상황

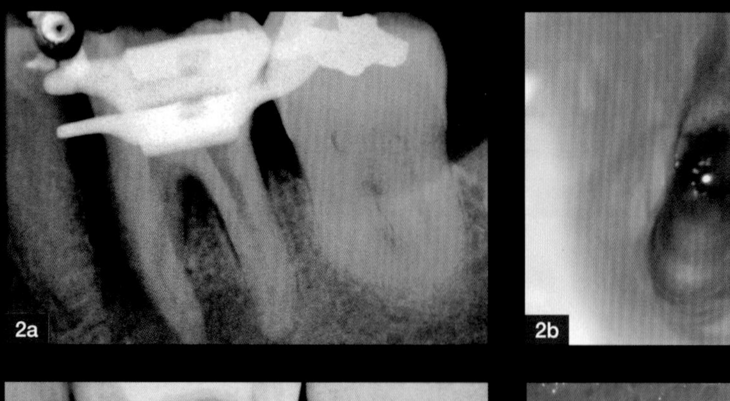

Figure 2a–b 초음파 팁과 수술용 현미경을 사용하여 기구를 제거하였다.

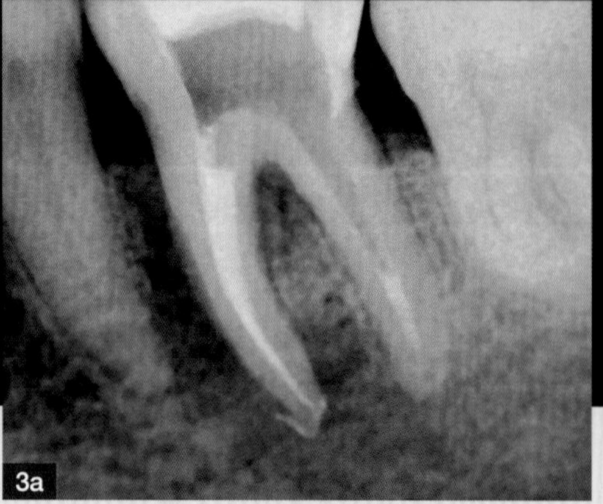

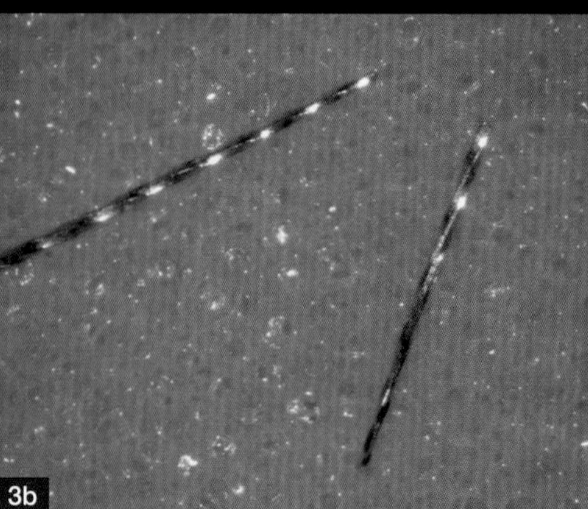

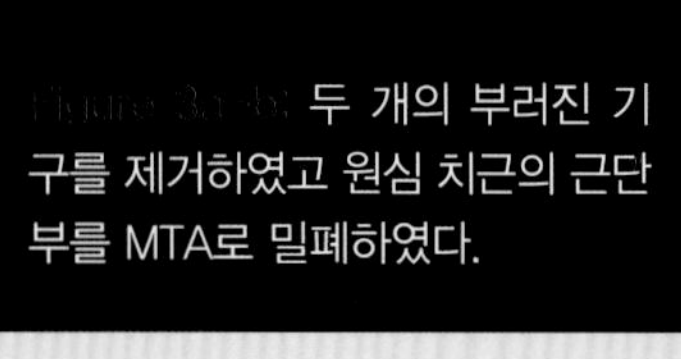

Figure 3a–b 두 개의 부러진 기구를 제거하였고 원심 치근의 근단부를 MTA로 밀폐하였다.

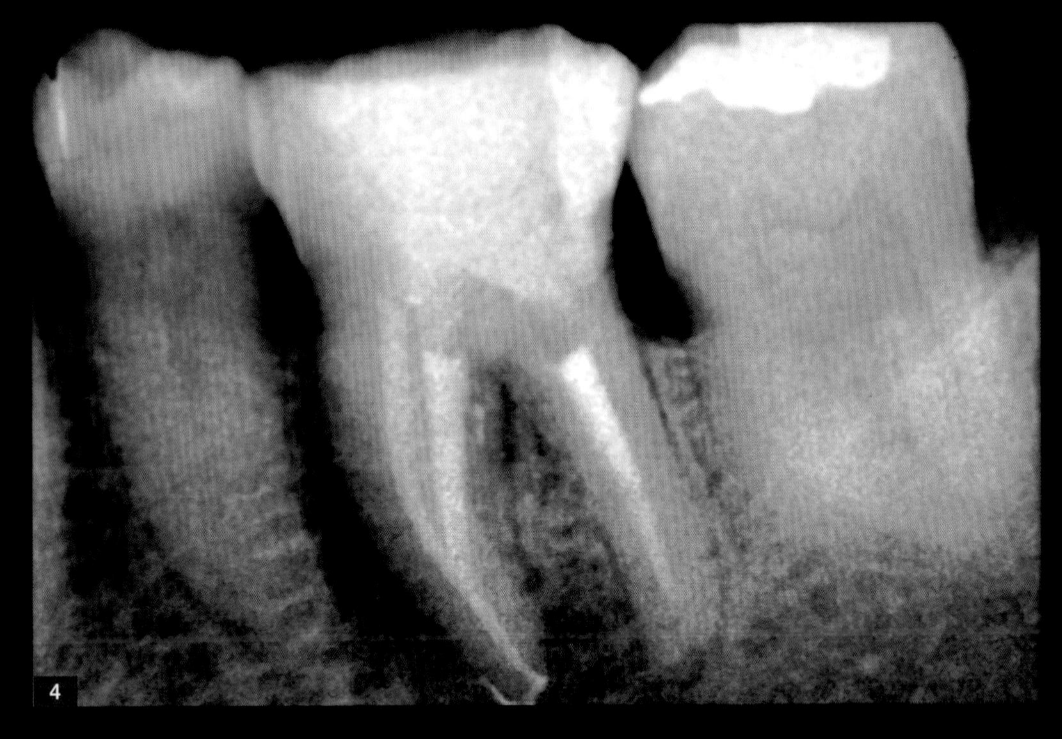

Figure 4. 치료가 완료된 사진

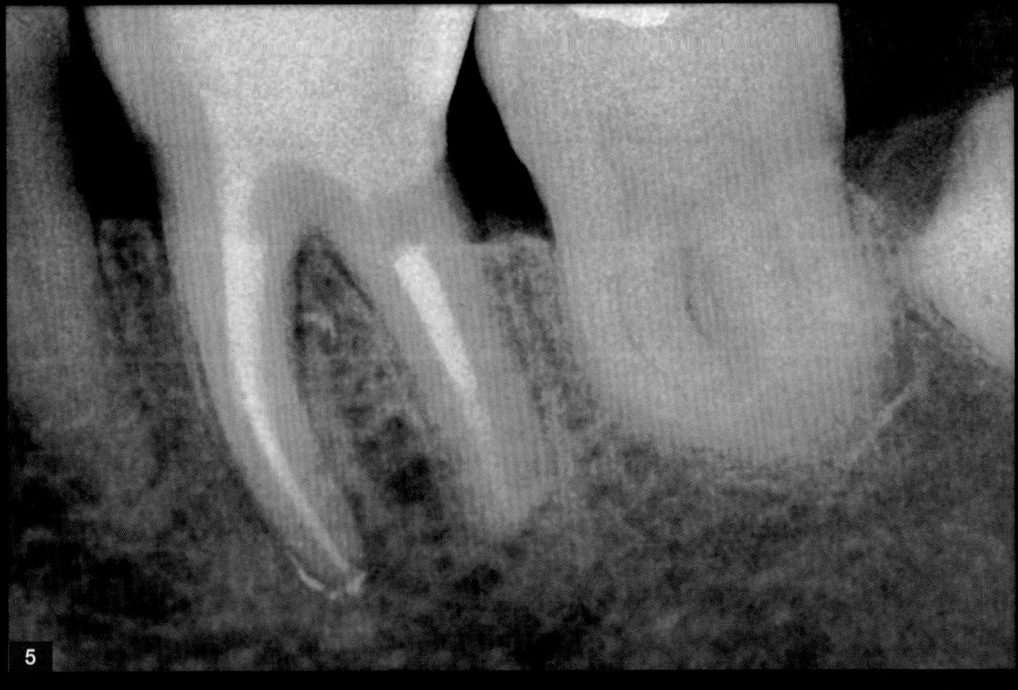

Figure 5. 1년 추적관찰

CASE REPORT 8

근관 형태가 보존되지 않은 치아의 재치료

재치료를 받고 있는 하악 대구치의 근관이 심하게 변형되었다. 근단부 병변이 매우 크고 임상적으로 누공이 관찰되어 재치료를 진행해야 한다. 근관의 해부학적 구조가 잘 보존되지 않았음에도 재치료를 시도하였지만, 안타깝게도 추적관찰에서 좋은 결과를 얻지 못했다.

초기 상황. 치근단 방사선 투과성 병소와 근관 충전이 일관되지 못한 것에 주목할 것

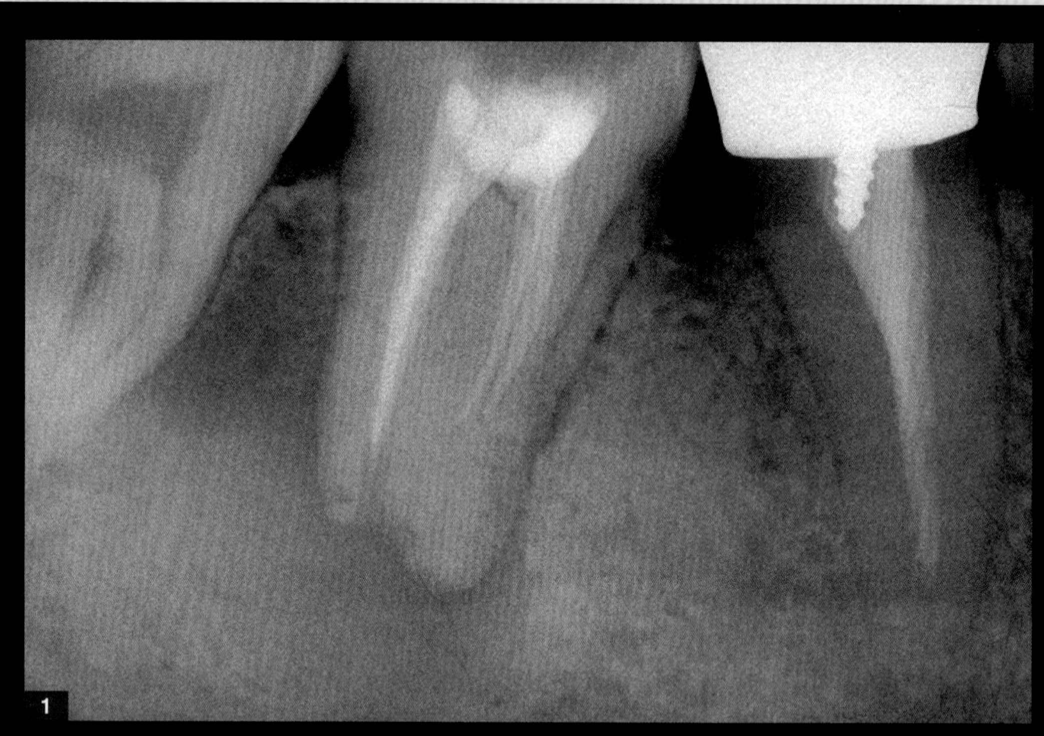

원심 치근첨이 열려 있어서 근관 충전재가 근관 밖으로 유출되었다.

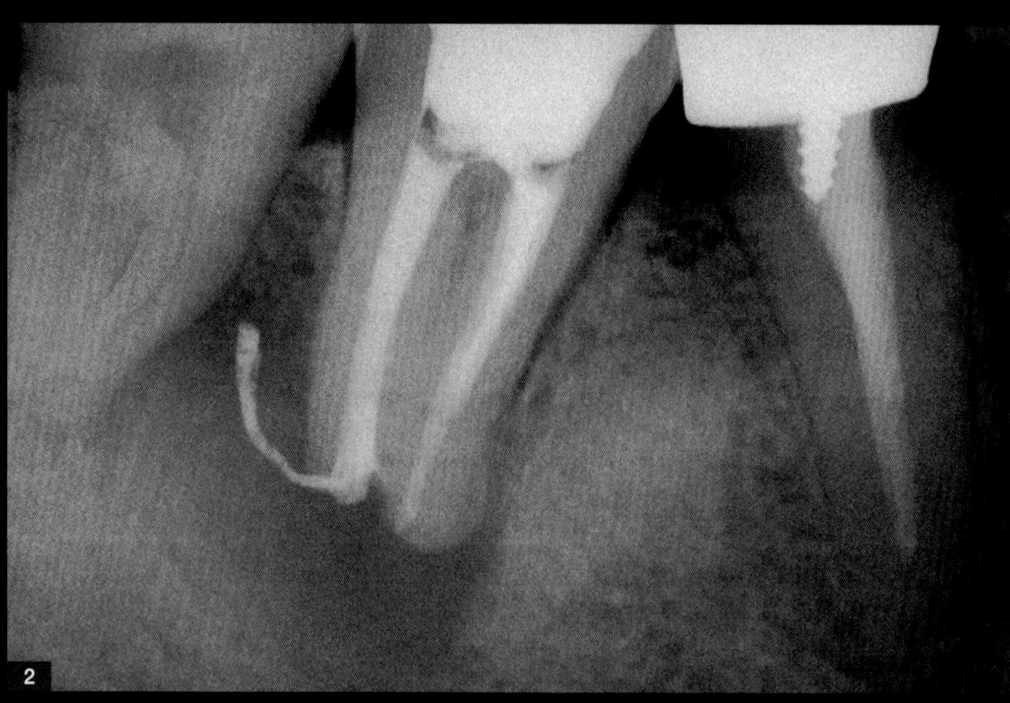

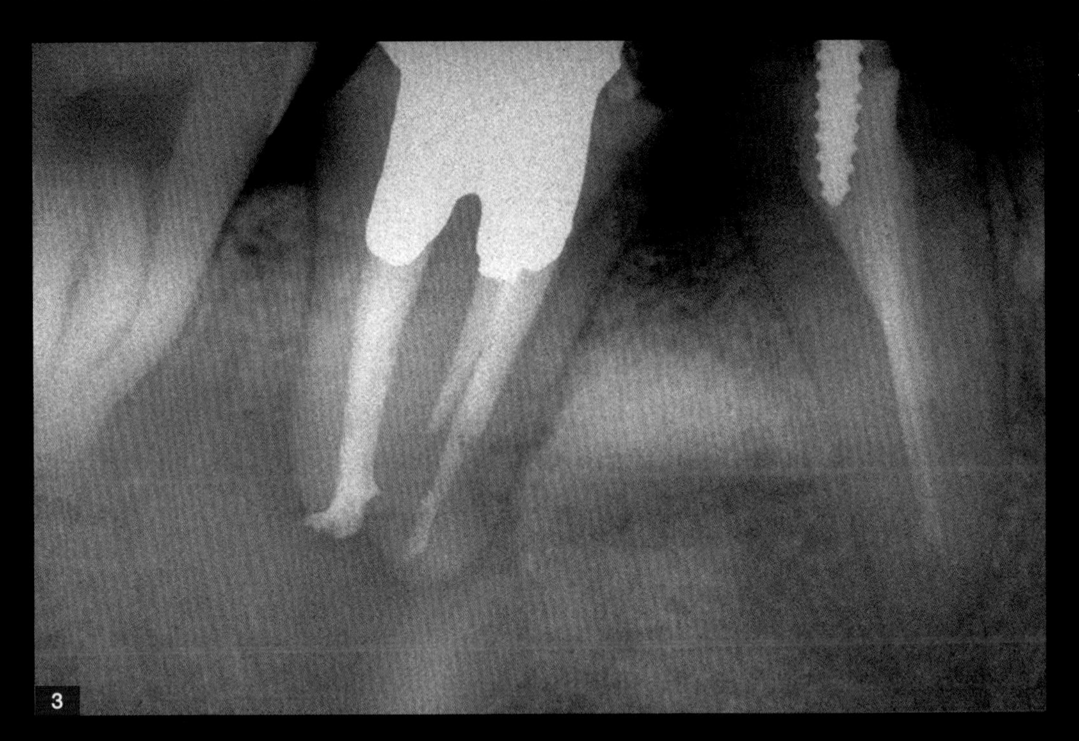

Figure 3: 6개월 추적관찰에서 유출된 충전재는 흡수되었지만 병소는 남아 있다.

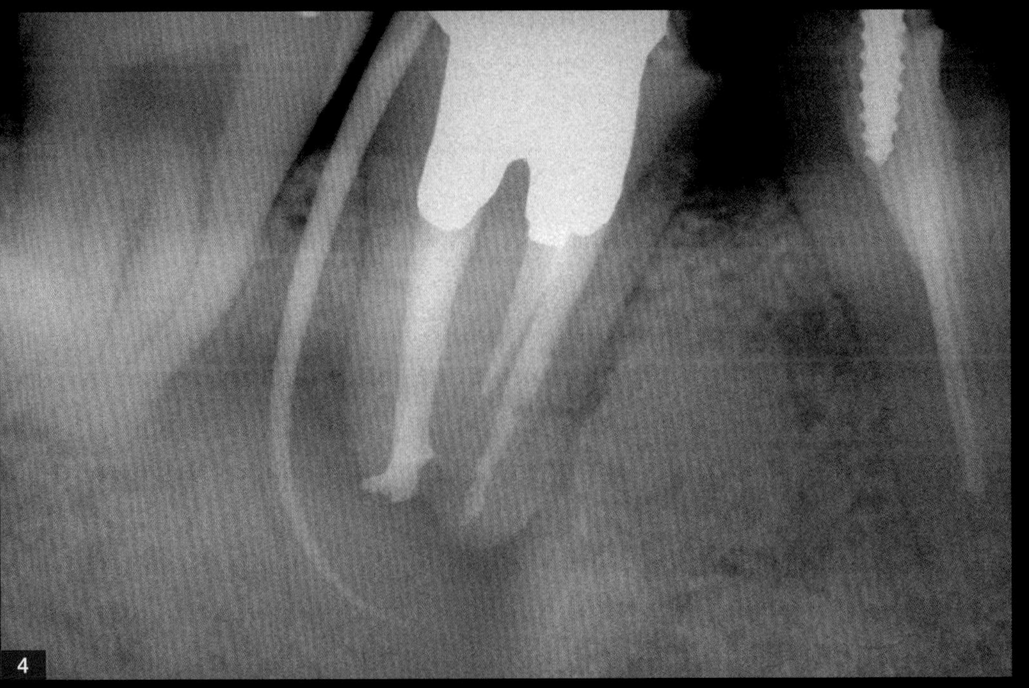

Figure 4: 1년 추적관찰에서 누공이 다시 관찰되어 이 증례는 실패로 판단하였다. 이 증례는 치근단 수술을 위해 의뢰되었다.

143명의 환자에 대한 연구 결과를 바탕으로 저자는 초기 PAI 점수와 5년 추적관찰 때의 PAI 점수가 전반적으로 일치한다고 결론지었다. Al-Nuaimi et al.[101, 102]는 임상적 관점에서 137개의 구치부를 분석하였다. CBCT를 사용하여 치근단 질환의 정도를 정확하게 평가하였고, 구강 스캐너를 사용하여 잔존 치관의 양을 정량화했다. 그들은 잔존 치관이 30% 미만으로 남은 경우 재치료 성공에 매우 불리한 예후 인자로 작용함을 보고하였다.

치료 1년 후 성공률은 CBCT 영상을 분석했을 때 82%였고 2차원 X-ray에서 88%로, 후자가 치유를 과대 평가하는 경향이 있음을 확인했다. Ricucci et al.[7, 103]가 보고한 훌륭한 연구에서 강조된 바와 같이, 화농성 누공의 존재는 통상의 비외과적 재치료로 치료하기 어려운 치근 밖 박테리아의 존재의 가능성을 시사한다.

Fonzar et al.[104]는 근관치료 전문의가 치료한 약 500명의 환자(총 1,175개의 치아)를 분석하였다. 그 결과 재치료의 10년 성공률은 94%였고, 이는 조사된 치아의 약 40%에 해당한다. 치료 전 증상과 방사선학적으로 명백한 병변의 존재가 실패의 두 가지 주 요인으로 나타났다. 한국에서 수행된 5년 코호트 연구에서 재치료의 성공률은 88.4%였고, 이전에 치료받지 않은 치아의 성공률은 90.8%였다.[112] Pirani et al.[113]는 다른 충전 방법을 사용하였고 다른 연구보다 약간 낮은 성공률을 보고하였다.

결론적으로 여러 문헌 보고에 의하면 재근관치료의 성공률은 약 80% 정도이고, 성공률에 영향을 미치는 요인은 치근단 조직이 이환된 정도와 근관의 형태, 치관부 잔존 치질의 양이다. 임상적 관점에서 더 넓게 보면, 이러한 재치료의 성공률은 외과적 근관치료를 통해 향상될 수 있다. 술자의 기술(아래 참조)과 밀접한 관련이 있는 두 가지 치료 기술의 조합은 좋은 결과로 이어질 수 있다.

Fig. 1.47: 두 개의 협측 근관은 적절해 보이지만 구개측 근관은 부적절해 보이는 근관치료를 받은 상악 대구치. 이런 경우 증상이 있으면 재치료를 고려해야 한다. 하지만 증상이 없으면 주기적인 추적관찰이 최선의 선택이다.

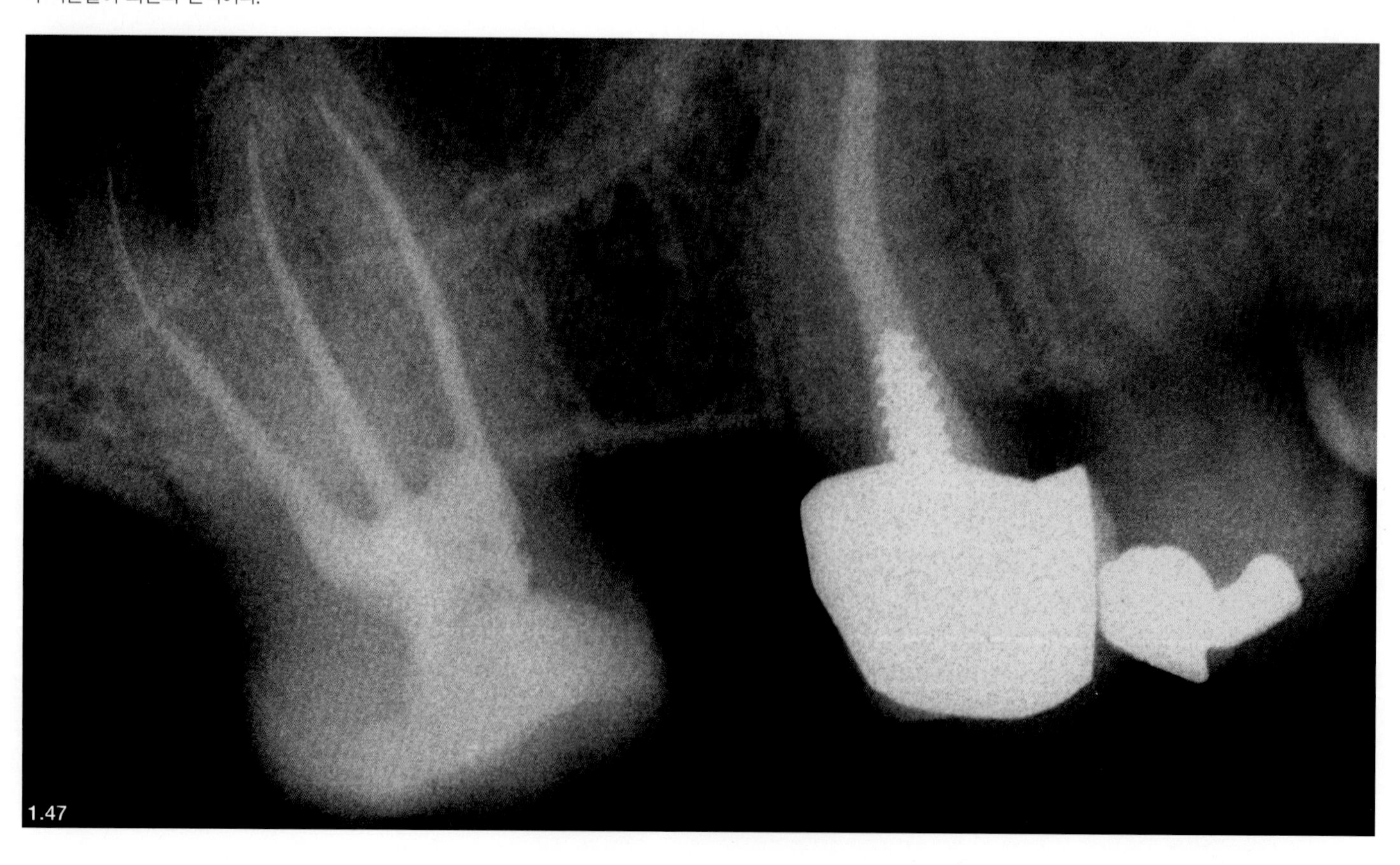

재치료를 할 것인가 말 것인가: 사전 고려사항

치근단 질환은 종종 우연히 발견된다. 특히 국소적 또는 전신적 질병을 발생시킬지 말지 알 수 없는 무증상 질병을 발견했을 때, 임상의에게 재치료 여부의 결정은 어려운 딜레마이다.

Wesselink[105]가 언급한 바와 같이, 근관 X-ray 또는 파노라마 사진에서 환자가 의뢰된 주소와 무관하게 이전에 치료받은 치아에서 치근단 주위 방사선 투과상이 종종 관찰된다. 의사결정 과정(64 페이지)에서 알 수 있듯이 재치료를 할지 말지 결정하는 주요인은 병변의 악화 여부이다. Yu et al.[69]이 수행한 연구에서, 20년 동안 6% 미만의 병변만이 급성 상태가 되어 응급 치료를 필요로 하는 감염을 일으킨다.

하지만, 같은 기간 동안 거의 두 개 중 한 개의 치아는 환자의 삶의 질에 영향을 미치지 않는 경미한

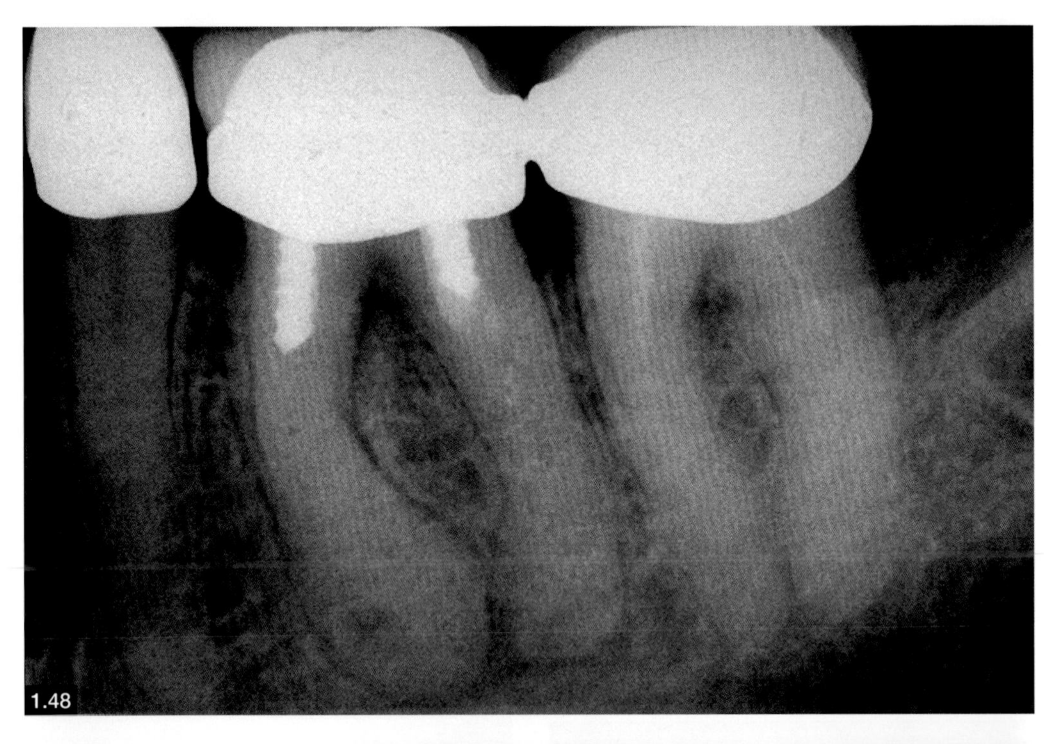

Fig. 1.48: 치근단 백악질의 증식에 의해 발생하는 자기제한적(self-limiting) 치근단 반응의 전형적인 예. 근관이 좁아져 있고, 재치료는 권장되지 않는다.

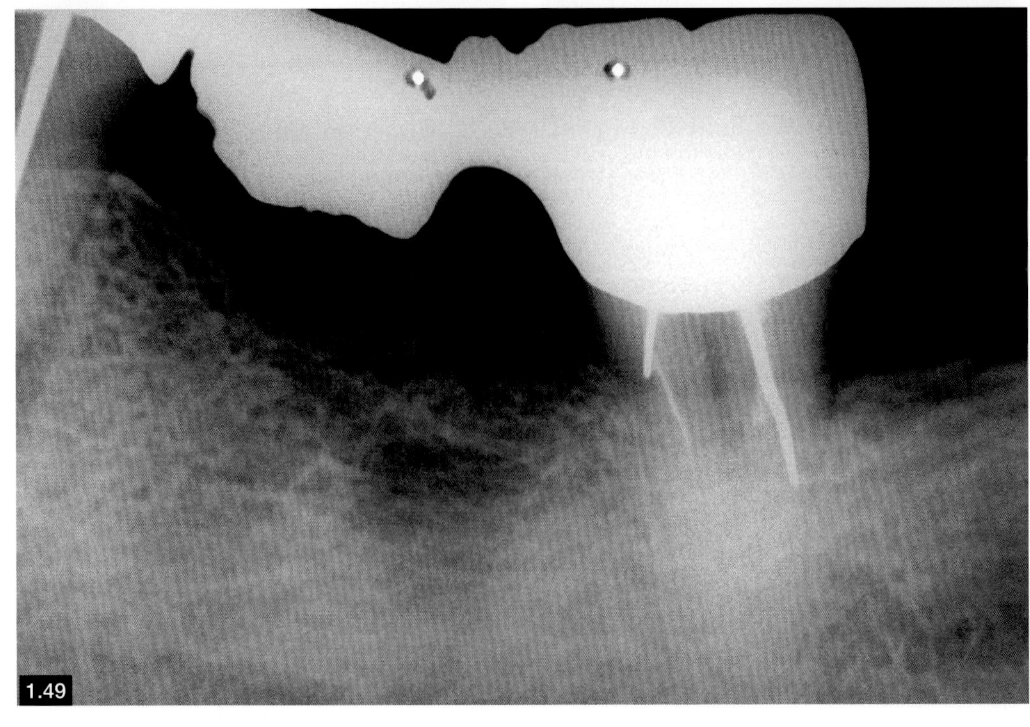

Fig. 1.49: 근관 내부가 완전히 막혀 있고 치근단 병변을 일으키지 않은 비슷한 예. 재치료는 불가능할 것이다.

Fig. 1.50a: 부적절하게 근관치료된 상악 제1대구치와 상악 제2소구치. 치근단 병변으로 인해 외과적 근관치료가 필요해 보인다.

Fig. 1.50b: 부적절하게 충전되고 마모된 수복물

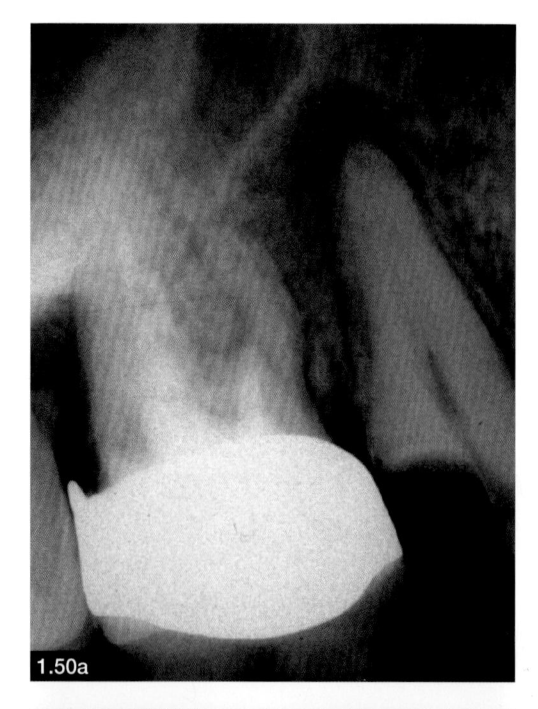

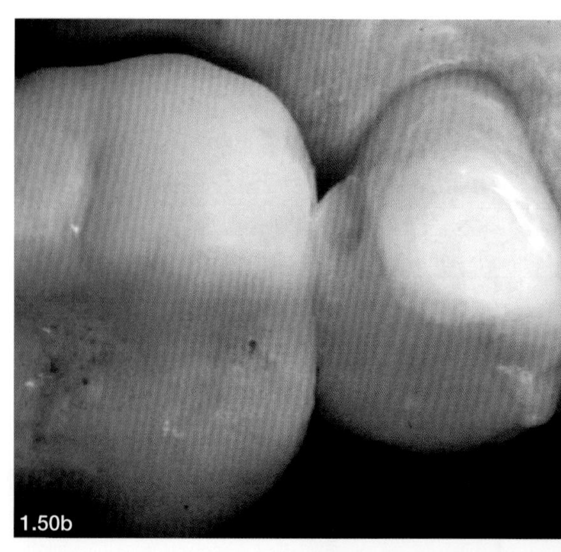

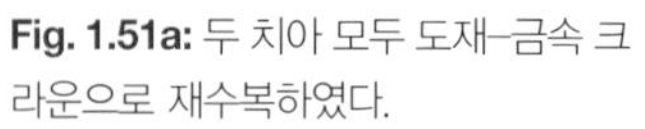

Fig. 1.51a: 두 치아 모두 도재-금속 크라운으로 재수복하였다.

Fig. 1.51b: 6개월 뒤, 상악 제2소구치는 예상대로 치유되었고 제1대구치는 검사 결과 재치료를 할 필요가 없어 보였다.

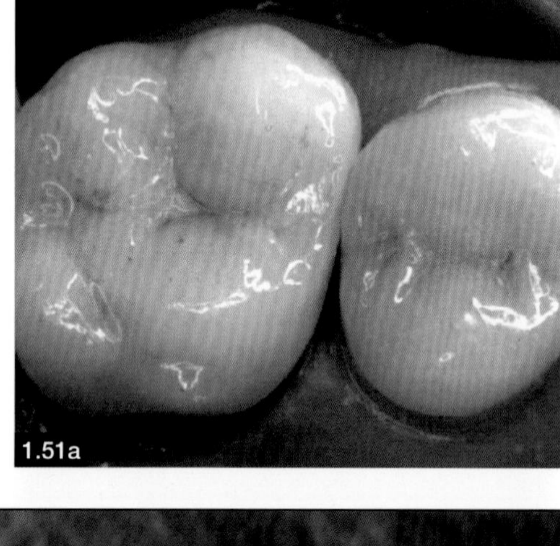

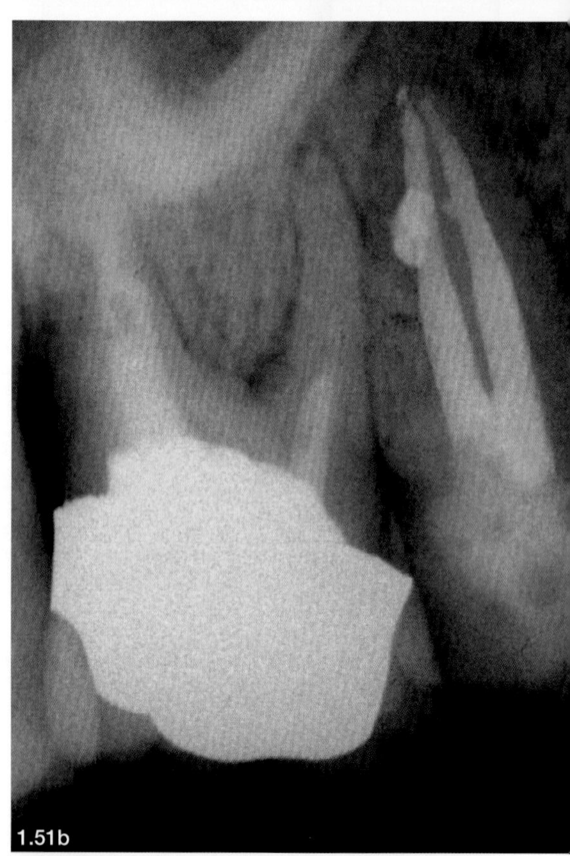

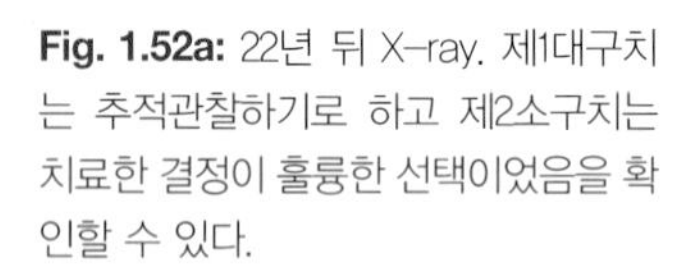

Fig. 1.52a: 22년 뒤 X-ray. 제1대구치는 추적관찰하기로 하고 제2소구치는 치료한 결정이 훌륭한 선택이었음을 확인할 수 있다.

Fig. 1.52b: 다른 각도의 동일한 치아 사진

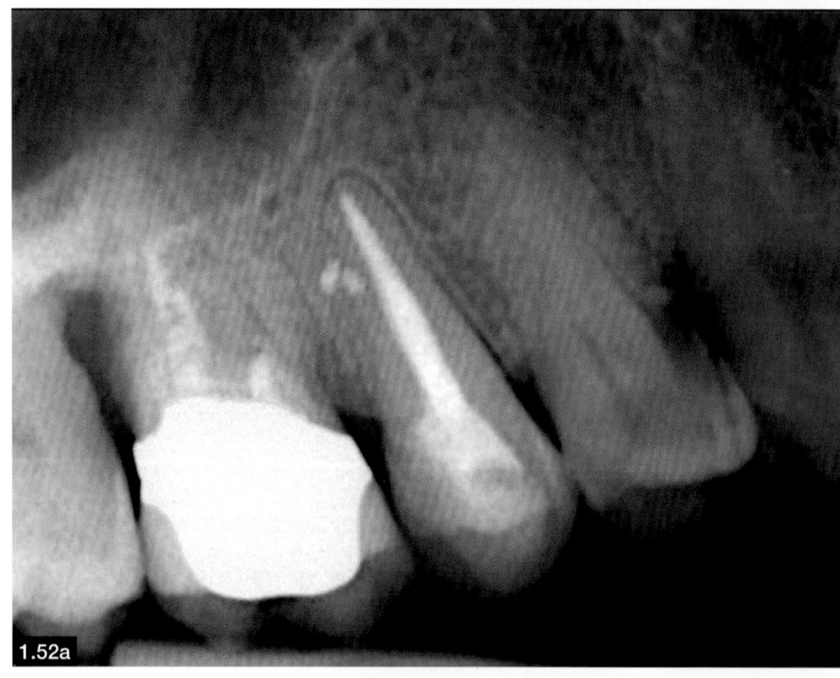

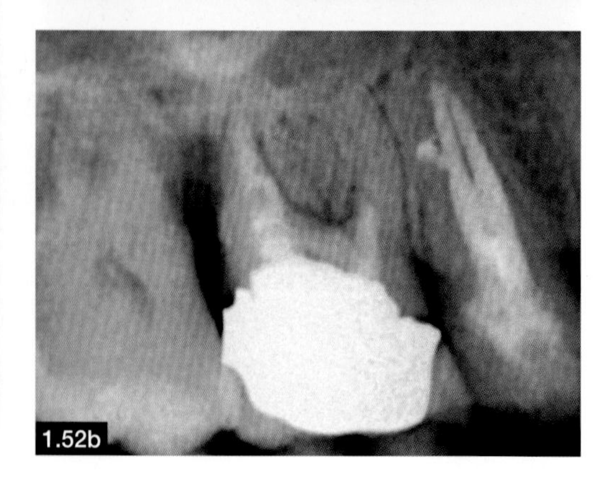

통증을 일으킨다. 따라서 우리는 치료 여부를 결정할 때 치근단 병변뿐만 아니라 다른 많은 요소를 고려해야 하고, 우리는 이 주제를 별도의 장에서 다룰 예정이다.

이들 중 일부는 우리가 참고할 만한 가치가 있다고 판단한 문헌에서 가져왔다. 한 가지 간과할 수 없는 점은 비용과 관련된 것이다. Schwendicke & Stolpe[106]가 수행한 연구는 치료 비용을 포함한, 경제적 측면에 초점을 맞추고 있다. 저자들은 다양한 유형의 재치료를 평가하기 위해 경제 모델을 의료비용-효율성 분석에 사용하였다.

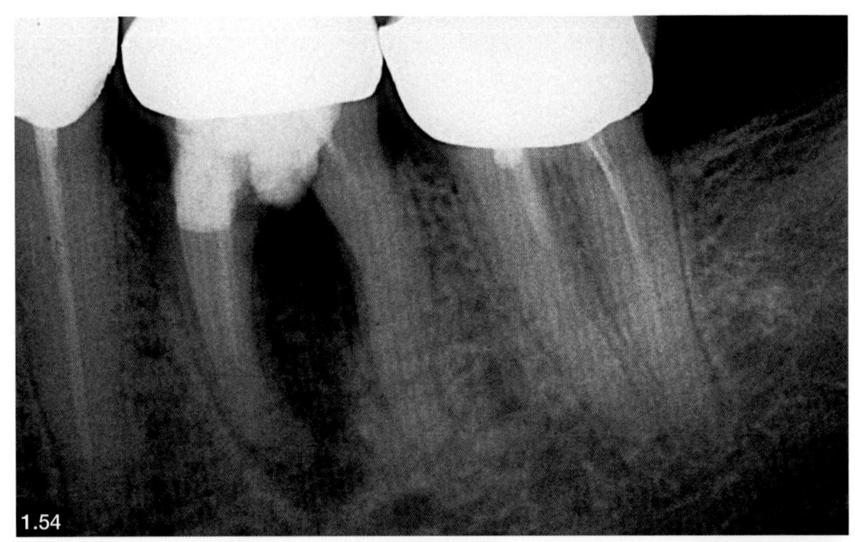

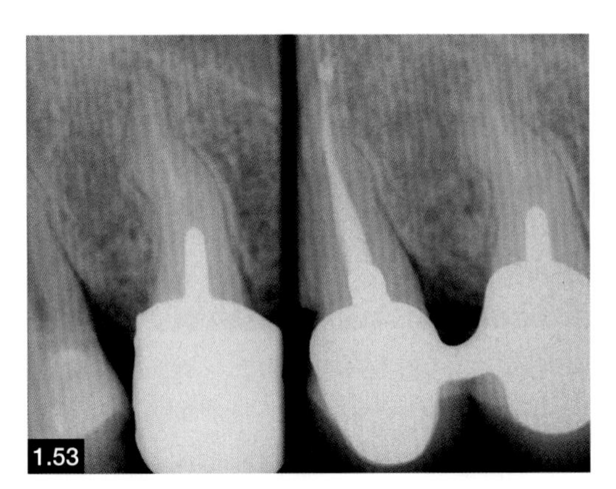

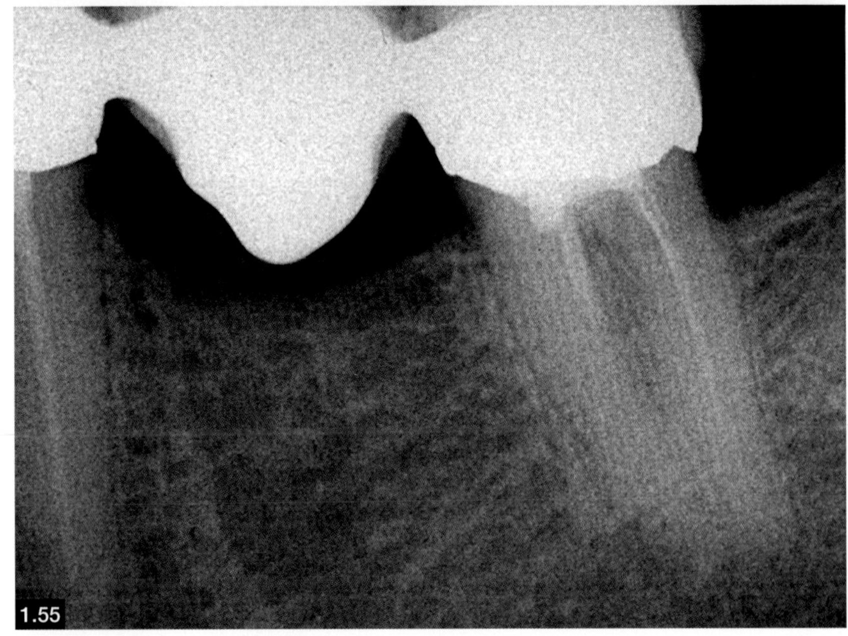

그들은 재치료를 하지 않거나 재치료를 한 후에 얻을 수 있는 결과를 예측하여 관련된 모든 조건들(포스트 & 크라운 또는 크라운을 통한 수복)을 비교하였다.

발생 가능한 문제들을 문헌에 기재된 자료에 따라 분류하였다. 재치료 수행의 측면에서 그 결과는 꽤 실망스러웠다. 치근단 병변이 있어서 이전의 근관치료가 실패로 분류되었지만 임상적으로 증상이 없는 증례에서, 재치료를 하지 않고 크라운 등의 재수복을 한 경우 재근관치료를 한 뒤 재수복을 한 경우보다 문제가 적게 발생하였다.

근관 충전의 질 등 이전 치료가 적절했는지 여부는 평가하지 않았고 단지 치근단 병변만을 평가했기 때문에 현실을 완전히 반영하지 못하는 이론적 연구이지만, 이 연구는 주목할 만한 가치가 있다.

재치료를 했을 때 발생 가능한 합병증을 해결하기 위해 예상되는 경제적인 비용은 환자뿐만 아니라 치과의사의 의사 결정에도 중요한 요인이 될 수 있다.

Fig. 1.53: 추적관찰 중인 만곡이 심한 소구치(5년 사이 두 번째 경과 관찰). 치료의 복잡성을 감안할 때 재치료는 추천되지 않는다.

Fig. 1.54: 치질의 손상은 발치와 연결된다. 인접 치아는 잘 치료되지 않았지만 재치료하지 않았다.

Fig. 1.55: 5년 추적관찰. 치료의 선택이 적절했음을 확인할 수 있다.

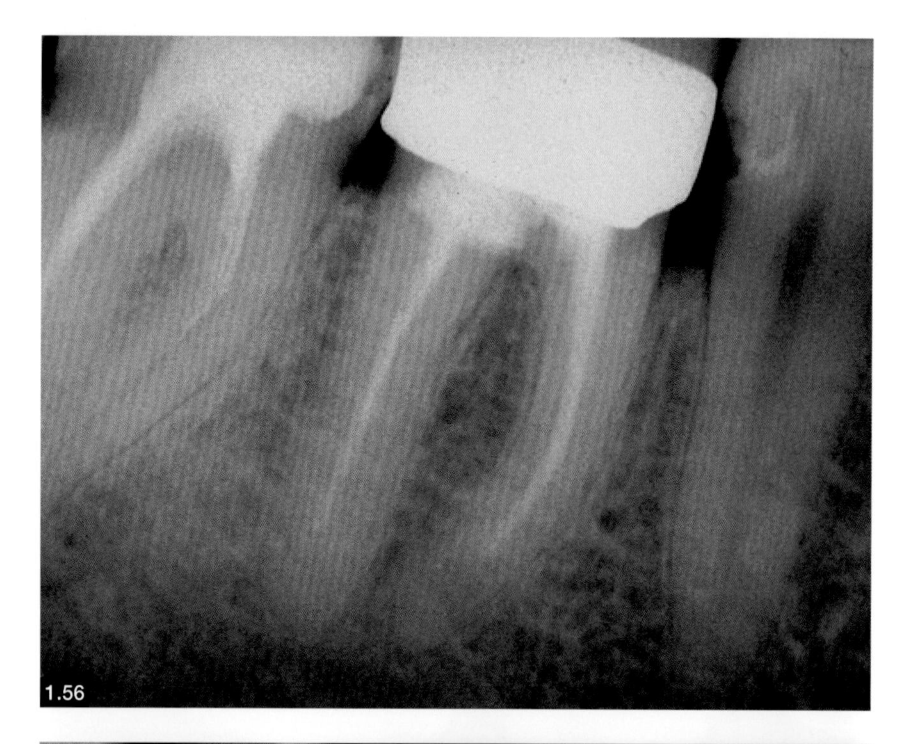

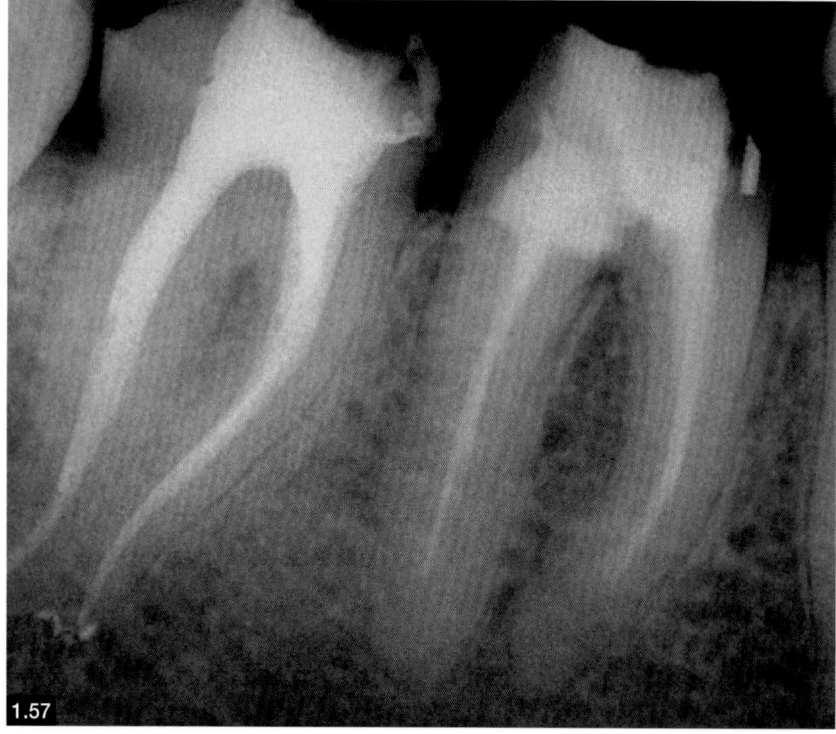

Fig. 1.56-1.57: 부적절하게 치료된 하악 제1, 2대구치. 제2대구치는 치근단 부위까지 충전되어 있어서 재치료가 쉬울 것으로 예상된다. 반면에 제1대구치는 치근단 부위 근관이 좁아져 있어서 재치료가 어려워 보인다.

치근단 질환은 환자의 전신 건강에 영향을 미칠 수 있으므로 재치료와 관련된 다른 고려할 점들은 대체로 부수적인 것들이다. 그러나 경제적 측면을 고려한 다른 치료 방법(예로, 현재 치근단 병소가 활동성의 병소가 아닌 것으로 보여서 'wait and see'가 가장 좋은 치료법이라고 판단되지만, 발치 뒤 임플란트의 식립)도 생각해 봐야 한다.

따라서, 치료 전 검사를 통해 치과의사뿐만 아니라 환자의 상황도 고려한 모든 치료 대안을 탐색하는 것이 필요하다. Tifooni et al.[116]는 점수에 기반한 의사 결정이 좋거나 나쁜 결과를 예측하는 데 유용함을 뒷받침하는, 보다 정교한 예후 예측 지수를 고안했다.

결론적으로 우리는 환자에게 현재 치아의 상태에 대한 모든 정보를 제공하는 것이 좋은 환자-의사 신뢰 관계를 맺는 데 필요하다고 생각한다. 이는 "환자와 치과의사 간의 신뢰관계"를 구축하는 데 필수적이고 이와 관련된 많은 논의가 있어왔다. 그러나 이와 같은 상황에서 종종 환자에 대한 치과의사의 의무만이 강조되기도 한다.

치과의사는 환자에게 증상은 없지만 감염이 있는 경우 이를 알려야 한다. 재치료는 위에 설명된 이유로 필요하지만, 특정 경우에는 개입하지 않는 것이 해결책이 될 수 있다는 것도 역시 사실이다. 추가 수복이 필요하기 때문에 치료 비용도 무시할 수 없다. 재치료로 인한 합병증이 발생할 수 있으며 대부분 해결 가능하지만 환자에게 불편을 야기할 수 있다. 발치도 고려할 수 있지만, 이는 최후의 방법으로 간주되어야 하며, 기존의 수복물을 교체하거나 더 광범위한 수복이 필요할 때까지 경과 관찰하며 지켜보는 것도 가능한 대안이 될 수 있다.

경과 관찰과 관련된 주요 위험으로 증상이 갑자기 악화되어 재치료가 불가능해지거나 더 비용이 드는 수복을 요하는 침습적인 치료가 필요한 경우가 있다. 이전에 치료받은 치아를 새로 수복하거나 보철치료하면, 최종적으로 치료한 치과의사가 그 치아를 전적으로 책임져야 한다는 점을 명심해야 한다.

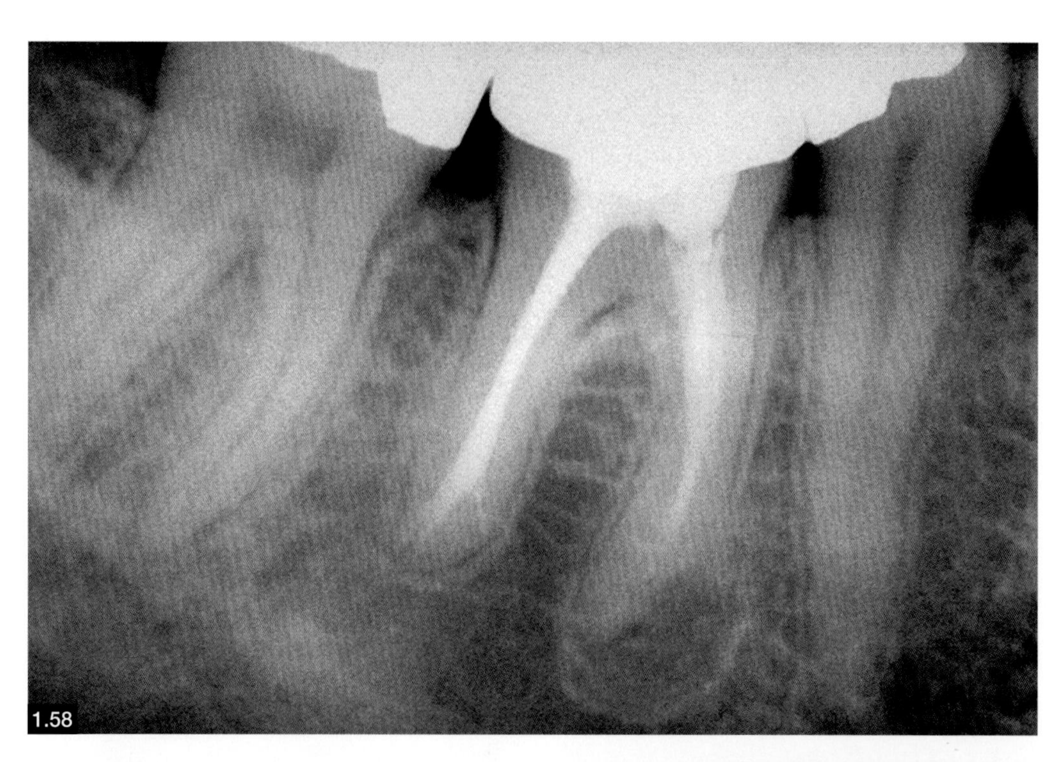

Fig. 1.58: 하악 대구치의 큰 병변은 수술 없이 제거할 수 없다. 환자는 치료를 연기하길 원하였다.

Fig. 1.59: 근관 포스트의 존재는 재치료를 어렵게 한다.

Fig. 1.60-1.61: 치근단 주위 병변이 없는, 이전에 치료된 치아의 크라운 교체

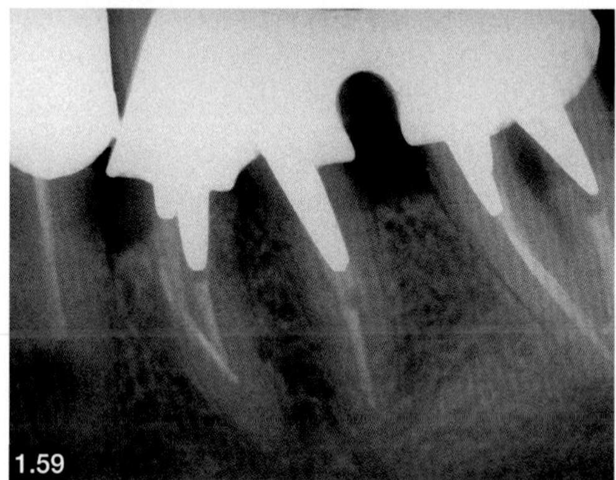

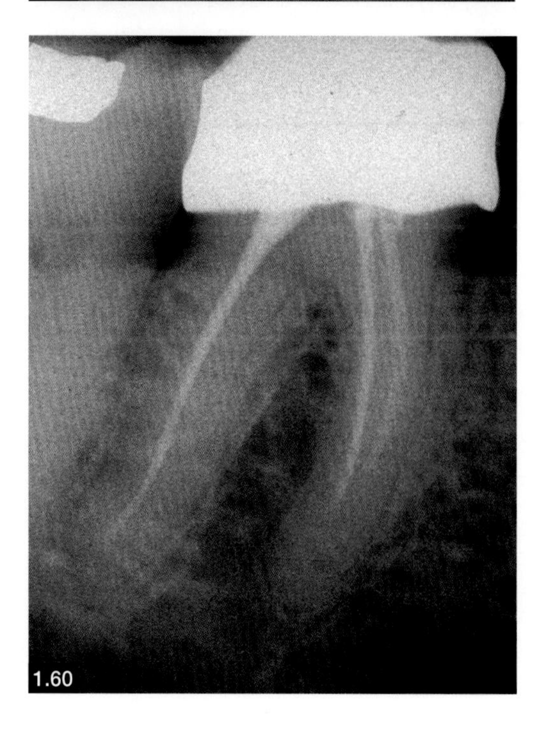

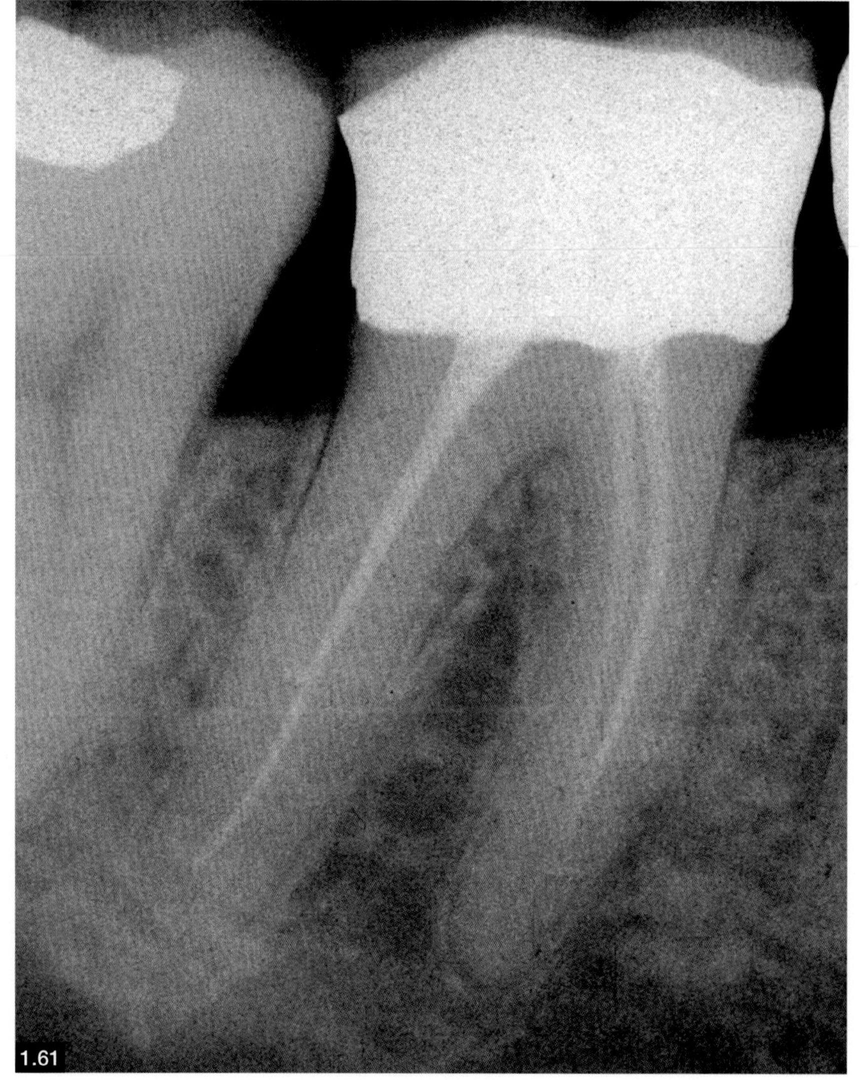

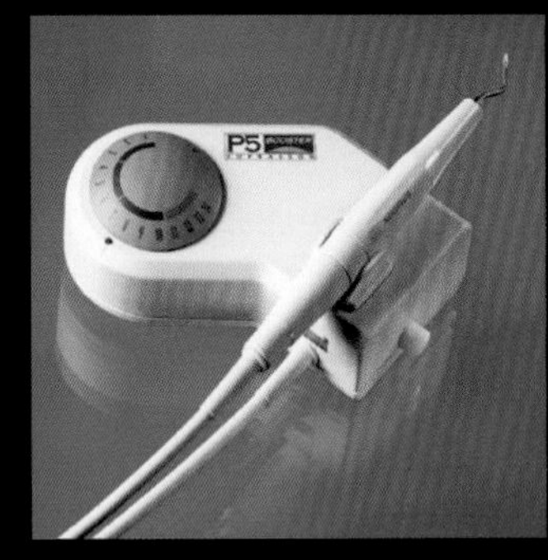

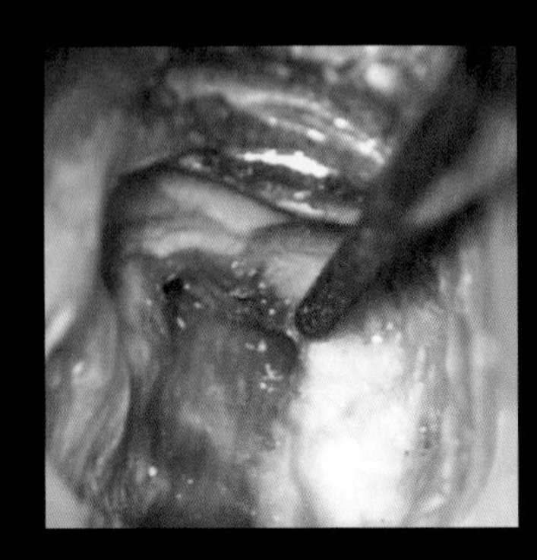

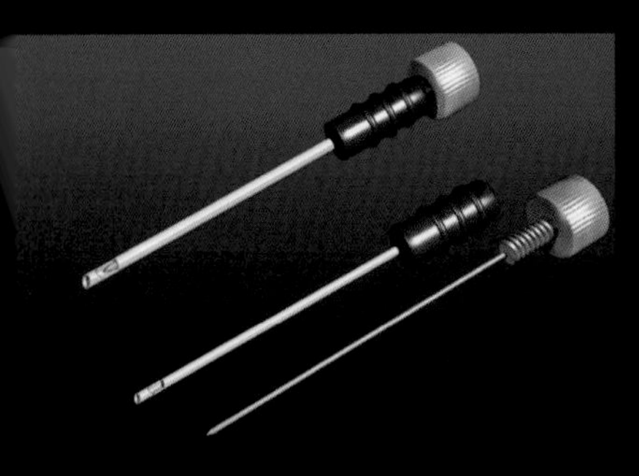

재치료: 전문가의 역할

이번 장의 서두에서 논의된 바와 같이, 재치료는 경험이 많은 임상의가 수행해야 하는 매우 어려운 치료이다.[107] 따라서 임상가는 치료 전에 자신의 기술적 한계를 명확히 평가하고, 치료가 진행되는 동안 발생할 수 있는 재치료로 인한 모든 문제를 해결하는 데 필요한 도구를 준비해야 한다.

미국 근관치료학회(AAE)(Box 1.5)에 의해 보고된 바와 같이, 이전에는 경험이 적은 임상의가 접근할 수 없다고 간주되던 여러 임상 상황들도 이제는 치료를 고려할 수 있다.

결과적으로 정확한 진단이 이루어지면 복잡한 근관 치료를 할지 말지 결정하는 것이 훨씬 쉬워진다.

이 단계에서 치과의사는 치료를 본인이 할 지 아니면 해당 분야에서 더 많은 경험을 가진 동료에게 의뢰할 것인지 신중하게 고려해서 가능한 최선의 의료를 제공해야 한다.

근관치료 전문의와 일반 치과의사가 수행한 치료를 분석한 연구에 의하면 대구치에서 전문의는 일반의보다 더 나은 결과를 보였다.[108] 많은 학자[109–113]들이 수술용 현미경의 사용이 좋은 임상 결과를 얻는 데 중요하다고 강조하였다.[114–117]

Lee et al.[118]은 기관에 속한 임상가와 의원급에 근무하는 임상가를 비교한 연구에서 전자의 더 높은 성공률을 보고하였다. 이 결과를 통해 숙련된 의료진에 의한 치료가 좋은 결과를 보임을 알 수 있다.

Ramey et al.[119]은 2,000건 이상의 치료를 후향적으로 분석하여 근관치료의 성공과 술자의 숙련도 간에 밀접한 관계가 있음을 보고하였다. 수련을 받은 근관치료 전문의가 치료한 증례는 더 나은 결과를 보였다.

Savani et al.[120]은 젊은 세대가 신기술을 더 잘 받아들이지만, 근관치료의 숙련도는 수련을 받은 것만으로는 측정할 수 없음을 강조했다. 궁극적으로 임상의의 전문성은 근관치료 및 재치료의 성공에 중요한 요소이고, 복잡한 치료 술식의 최종 결과에 영향을 미칠 수 있다.

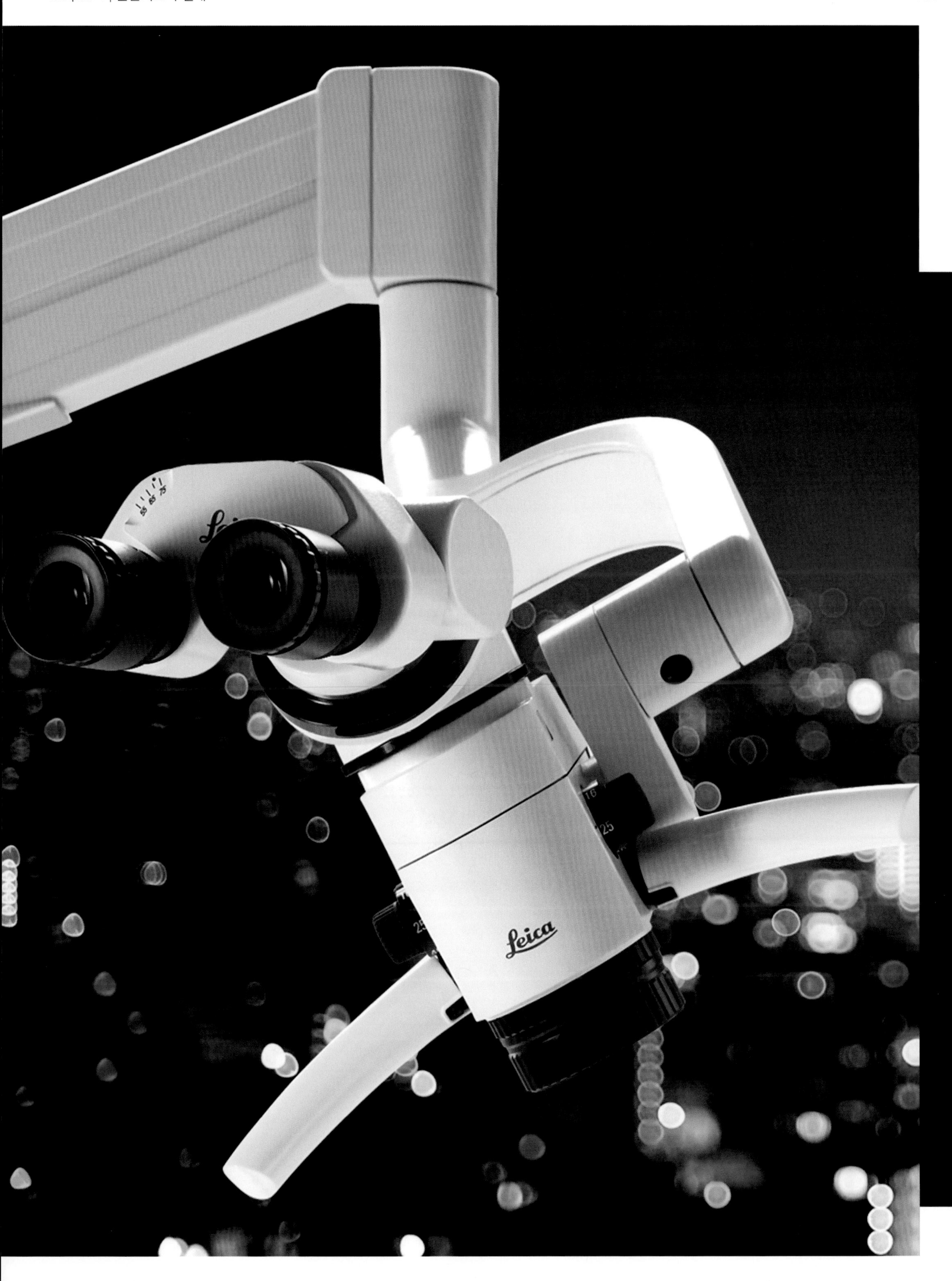
Leica

의사 결정 과정

다음은 재치료에 앞서 임상의가 결과를 예측하기 위해
치료 시작 전에 해야 하는 4단계 분석 과정이다.

1

재치료에서 고려해야 할 측면

예후에 영향을 미치는 요인

- 치근단 조직의 치료 전 상태
- 치근단 병소의 크기
- 근관의 해부학적 형태
- 치관 혹은 치근 파절
- 의원성 요소(아래 참조)
- 근관치료 후 수복물의 질
- 첫 번째 치료 후 경과된 시간
- 미생물
- 추적관찰 기간

재치료를 요하는 의원성 오류

- 부러진 기구
- 막힌 근관 – steps 혹은 plugs
- 천공
- 양적 & 질적으로 불충분한 충전
- 놓친 근관(missing canals)
- 치근단 밖으로 나간 충전물

재치료에서 고려해야 할 일반적인 요소

- 환자의 전신 건강
- 술자의 숙련도
- 사용 가능한 기구
- 진단과 치료 계획
- 방사선 사진 판독
- 근관의 해부학적 형태
- 근관 밀폐의 질
- 재근관치료 후 수복물의 질

재치료의 금기증

재치료는 필연적으로 치근의 약화를 야기하므로 진단 단계에서 반드시 고려해야 한다. 치과의사는 전동 기구나 초음파를 사용할 때 발생하는 열이 치근 주변 치주조직, 특히 치아 지지 구조를 손상시키고 약화시킬 수 있음을 고려해야 한다.

증례 선택

재치료보다 외과적 근관치료를 선택하게 하는 요인들

- 환자의 선호도
- 재발성 감염 병력
- 광범위한 치주 병변의 존재
- 인접 치아와 연관된 병변
- 외상성 교합
- 좋지 않은 치관-치근 비율
- 복잡한 근관 해부학
- 치근 외흡수
- 치근 파절
- 근관 충전의 질
- 병변의 크기와 충전질 간의 관계
- 근관 충전물의 과충전

재치료 전 분석 순서

1. 환자 **2.** 구강 **3.** 사분악 **4.** 치아

치료 전 고려사항

새로운 근관치료의 필요성을 평가할 때 고려할 요소

- 무증상인 경우
- 해당 치아의 전략적 중요성
- 재치료의 실제 효과

치료 소요 시간과 관련 비용

- 보철물의 제거 및 새 보철물의 제작
- 기술적 난이도
- 예상되는 치료 결과

재치료의 성공과 실패: 결정 요인

재치료의 실패에 영향을 미치지 않는 요인

- 치아의 위치와 형태
- 환자의 나이와 성별
- 내원 횟수
- 충전 재료의 종류
- 치료 전후의 통증

재치료의 실패에 영향을 미치는 요인

- 지속된 근관 내 감염
- 부적절한 근관 성형 - 근관 transport (출혈)
- 근관 세정액으로 인한 치근단 조직의 자극
- 크고 작은 의원성 오류(근관 폐쇄 및/또는 천공)

참고문헌

1. Cardinali F, et al., *La risoluzione delle complessitè nei ritrattamenti.* Dental Cadmos, 2014. 82(10): p. 690-712.
2. Friedman S, *Considerations and concepts of case selection in the management of post-treatment endodontic disease (treatment failure).* Endodontic Topics, 2002. 5(1): p. 54-78.
3. Haapasalo MSY, Ricucci D, *Reasons for persistent and emerging post-treatment endodontic disease.* Endodontic Topics, 2011. 18(1): p. 31-50.
4. Abbott P, *Diagnosis and management planning for root-filled teeth with persisting or new apical pathosis.* Endodontic Topics, 2008. 19(1): p. 1-21.
5. Dofour DL, V Leung, Levesque, CM, *Bacterial biofilm: structure, function, and antimicrobial resistance.* Endodontic Topics, 2010. 22(1): p. 2-16.
6. Ricucci D and G Bergenholtz, *Bacterial status in root-filled teeth exposed to the oral environment by loss of restoration and fracture or caries-a histobacteriological study of treated cases.* Int Endod J, 2003. 36(11): p. 787-802.
7. Ricucci D, et al., *Extraradicular infection as the cause of persistent symptoms: a case series.* J Endod, 2015. 41(2): p. 265-273.
8. Kakehashi S, HR Stanley, and R Fitzgerald, *The exposed germ-free pulp: effects of topical corticosteroid medication and restoration.* Oral Surg Oral Med Oral Pathol, 1969. 27(1): p. 60-67.
9. Kakehashi S, HR Stanley, and RJ Fitzgerald, *The Effects of Surgical Exposures of Dental Pulps in Germ-Free and Conventional Laboratory Rats.* Oral Surg Oral Med Oral Pathol, 1965. 20: p. 340-349.
10. Sjogren U, et al., *Factors affecting the long-term results of endodontic treatment.* J Endod, 1990. 16(10): p. 498-504.
11. Sundqvist G, *Ecology of the root canal flora.* J Endod, 1992. 18(9): p. 427-430.
12. Sundqvist G, *Taxonomy, ecology, and pathogenicity of the root canal flora.* Oral Surg Oral Med Oral Pathol, 1994. 78(4): p. 522-530.
13. Sundqvist G and D Figdor, *Life as an endodontic pathogen. Ecological differences between untreated and root-filled root canals.* Endodontic Topics, 2003. 6: p. 3-28.
14. Moller AJ, et al., *Influence on periapical tissues of indigenous oral bacteria and necrotic pulp tissue in monkeys.* Scand J Dent Res, 1981. 89(6): p. 475-484.
15. Nair PN, *Pathogenesis of apical periodontitis and the causes of endodontic failures.* Crit Rev Oral Biol Med, 2004. 15(6): p. 348-381.
16. Nair PN, *Pathobiology of Apical Periodontitis*, in *Essential Endodontology*, D. Orstavik and T.R. Pitt Ford, Editors. 2008, Blackwell Munksgaard Ltd: Oxford, UK. p. 81-123.
17. Siqueira JF, Jr., *Endodontic infections: concepts, paradigms, and perspectives.* Oral Surg Oral Med Oral Pathol Oral Radiol Endod, 2002. 94(3): p. 281-293.
18. Siqueira Jr, JFR, IN Rôças, Ricucci D, *Biofilms in endodontic infection.* Endodontic Topics, 2010. 22(1): p. 33-49.
19. Siqueira Jr, JFR, IN Rôças, *Present status and future directions in endodontic microbiology.* Endodontic Topics, 2014. 30(1): p. 3-22.
20. Ricucci D and JF Siqueira, Jr., *Apical actinomycosis as a continuum of intraradicular and extraradicular infection: case report and critical review on its involvement with treatment failure.* J Endod, 2008. 34(9): p. 1124-1129.
21. Ricucci D and JF Siqueira, Jr., *Biofilms and apical periodontitis: study of prevalence and association with clinical and histopathologic findings.* J Endod, 2010. 36(8): p. 1277-1288.
22. Sabeti M, et al., *Cytomegalovirus and Epstein-Barr virus active infection in periapical lesions of teeth with intact crowns.* J Endod, 2003. 29(5): p. 321-323.
23. Sabeti M and J Slots, *Herpesviral-bacterial coinfection in periapical pathosis.* J Endod, 2004. 30(2): p. 69-72.
24. Egan MW, et al., *Prevalence of yeasts in saliva and root canals of teeth associated with apical periodontitis.* Int Endod J, 2002. 35(4): p. 321-329.
25. Siqueira JF, Jr. and BH Sen, *Fungi in endodontic infections.* Oral Surg Oral Med Oral Pathol Oral Radiol Endod, 2004. 97(5): p. 632-641.
26. Waltimo TM, et al., *Yeasts in apical periodontitis.* Crit Rev Oral Biol Med, 2003. 14(2): p. 128-37.
27. Nair PN, *On the causes of persistent apical periodontitis: a review.* Int Endod J, 2006. 39(4): p. 249-281.
28. Aminoshariae A, Kulild JC. *The impact of sealer extrusion on endodontic outcome: A systematic review with meta-analysis*. Aust Endod J, 2019 (in-press).
29. Mello, F. W., et al., *The influence of apical extent of root canal obturation on endodontic therapy outcome: a systematic review*. Clin Oral Investig, 2019. 23(5).
30. Sakamoto M, et al., *Molecular analysis of bacteria in asymptomatic and symptomatic endodontic infections.* Oral Microbiol Immunol, 2006. 21(2): p. 112-122.
31. Lang MLZ, Zhu L, Kreth J, *Keeping the bad bacteria in check: interactions of the host immune system with oral cavity biofilms* Endodontic Topics, 2010. 22(1): p. 17-32.
32. Hülsmann M, *Epidemiology of post-treatment disease.* Endodontic Topics, 2016. 34(1): p. 42-63.
33. Tsai P, et al., *Accuracy of cone-beam computed tomography and periapical radiography in detecting small periapical lesions.* J Endod, 2012. 38(7): p. 965-970.
34. Paes da Silva Ramos Fernandes LM, et al., *Prevalence of apical periodontitis detected in cone beam CT images of a Brazilian subpopulation.* Dentomaxillofac Radiol, 2013. 42(1): 80179163.
35. Van der Veken D, et al., *Prevalence of apical periodontitis and root filled teeth in a Belgian subpopulation found on CBCT images.* Int Endod J, 2017. 50(4): p. 317-329.

36. Burklein S, Schafer E, Johren HP, Donnermeyer D. *Quality of root canal fillings and prevalence of apical radiolucencies in a German population: a CBCT analysis*. Clin Oral Investig, 2019 (on-line pre-press).
37. Pak JG, S Fayazi, and SN White, *Prevalence of periapical radiolucency and root canal treatment: a systematic review of cross-sectional studies.* J Endod, 2012. 38(9): p. 1170-1176.
38. Kirkevang L, *Root canal treatment and apical periodontitis: What can be learned from observational studies?* Endodontic Topics, 2011. 18(1): p. 51-61.
39. Kirkevang LL, M Vaeth, and A Wenzel, *Ten-year follow-up of root filled teeth: a radiographic study of a Danish population.* Int Endod J, 2014. 47(10): p. 980-988.
40. Peters LB, et al., *Prevalence of apical periodontitis relative to endodontic treatment in an adult Dutch population: a repeated cross-sectional study.* Oral Surg Oral Med Oral Pathol Oral Radiol Endod, 2011. 111(4): p. 523-528.
41. Kirkevang LL, M Vaeth, and A Wenzel, *Ten-year follow-up observations of periapical and endodontic status in a Danish population.* Int Endod J, 2012. 45(9): p. 829-839.
42. Connert, T., et al, *Changes in periapical status, quality of root fillings and estimated endodontic treatment need in a similar urban German population 20 years later*. Clin Oral Investig, 2019. 23(3): p. 1373-1382.
43. Murray CA and WP Saunders, *Root canal treatment and general health: a review of the literature.* Int Endod J, 2000. 33(1): p. 1-18.
44. Cotti E, et al., *An overview on biologic medications and their possible role in apical periodontitis.* J Endod, 2014. 40(12): p. 1902-1911.
45. Aminoshariae A, et al., *Association between Systemic Diseases and Endodontic Outcome: A Systematic Review.* J Endod, 2017. 43(4): p. 514-519.
46. Aminoshariae A, JC Kulild, and AF Fouad, *The Impact of Endodontic Infections on the Pathogenesis of Cardiovascular Disease(s): A Systematic Review with Meta-analysis Using GRADE.* J Endod, 2018. 44(9): p. 1361-1366 e3.
47. Hamedy R, et al., *Prevalence of root canal treatment and periapical radiolucency in elders: a systematic review.* Gerodontology, 2016. 33(1): p. 116-127.
48. Hamedy R, B Shakiba, and SN White, *Essential elder endodontics.* Gerodontology, 2016. 33(4): p. 433.
49. Shakiba B, et al., *Influence of increased patient age on longitudinal outcomes of root canal treatment: a systematic review.* Gerodontology, 2017. 34(1): p. 101-109.
50. Segura-Egea, JJ, J. Martin-Gonzalez, and L Castellanos-Cosano, *Endodontic medicine: connections between apical periodontitis and systemic diseases.* Int Endod J, 2015. 48(10): p. 933-951.
51. Allen PF, JM Whitworth, *Endodontic considerations in the elderly.* Gerodontology, 2004. 21: p. 185-194.
52. Rutz da Silva F, et al., *Relationship between quality of root canal obturation and periapical lesion in elderly patients: a systematic review.* Gerodontology, 2016. 33(3): p. 290-298.
53. Lopez-Lopez J, et al., *Periapical and endodontic status of type 2 diabetic patients in Catalonia, Spain: a cross-sectional study.* J Endod, 2011. 37(5): p. 598-601.
54. Segura-Egea JJ, et al., *High prevalence of apical periodontitis amongst type 2 diabetic patients.* Int Endod J, 2005. 38(8): p. 564-569.
55. Cabanillas-Balsera, D., et al., *Association between diabetes and non-retention of root filled teeth: a systematic review and meta-analysis*. Int Endod J, 2019. 52(3): p. 297-306.
56. Laukkanen, E., et al,. *Impact of systemic diseases and tooth-based factors on outcome of root canal treatment*. Int Endod J, 2019. 52(10): p. 1417-1426.
57. Nagendrababu, V., et al., *Association between diabetes and the outcome of root canal treatment in adults: An umbrella review*. Int Endod J, 2019. (in press)
58. Segura-Egea JJ, et al., *Hypertension and dental periapical condition.* J Endod, 2010. 36(11): p. 1800-1804.
59. Jalali P, et al., *Prevalence of Periapical Rarefying Osteitis in Patients with Rheumatoid Arthritis.* J Endod, 2017. 43(7): p. 1093-1096.
60. Virtanen E, et al., *Apical periodontitis associates with cardiovascular diseases: a cross-sectional study from Sweden.* BMC Oral Health, 2017. 17(1): p. 107.
61. Berlin-Broner Y, M Febbraio and L Levin, *Association between apical periodontitis and cardiovascular diseases: a systematic review of the literature.* Int Endod J, 2017. 50(9): p. 847-859.
62. Cotti E, et al., *Association of endodontic infection with detection of an initial lesion to the cardiovascular system.* J Endod, 2011. 37(12): p. 1624-1629.
63. Pasqualini D, et al., *Association among oral health, apical periodontitis, CD14 polymorphisms, and coronary heart disease in middle-aged adults.* J Endod, 2012. 38(12): p. 1570-1577.
64. Segura-Egea JJ, et al., *Antibiotics in Endodontics: a review.* Int Endod J, 2017. 50(12): p. 1169-1184.
65. Marx RE, JE Cillo Jr, and JJ Ulloa, *Oral bisphosphonate-induced osteonecrosis: risk factors, prediction of risk using serum CTX testing, prevention, and treatment.* J Oral Maxillofac Surg, 2007. 65(12): p. 2397-2410.
66. Price N, et al., *Prevention and management of osteonecrosis of the jaw associated with bisphosphonate therapy.* Support Cancer Ther, 2004. 2(1): p. 14-17.
67. Ruggiero SL, et al., *Osteonecrosis of the jaws associated with the use of bisphosphonates: a review of 63 cases.* J Oral Maxillofac Surg, 2004. 62(5): p. 527-534.
68. Sawatari Y and RE Marx, *Bisphosphonates and bisphosphonate induced osteonecrosis.* Oral Maxillofac Surg Clin North Am, 2007. 19(4): p. 487-498, v-vi.
69. Assael LA, *Oral Bisphosphonates as a Cause of Bisphosphonate-Related Osteonecrosis of the Jaws: Clinical Findings, Assessment of Risks, and Preventive Strategies.* Journal of Oral Maxillofacial Surgery, 2009. 67: p. 35-43.

70. Fantasia JE, *Bisphosphonates - What the Dentist Needs to Know: Practical Considerations.* Journal of Oral Maxillofacial Surgery, 2009. 67: p. 53-60.
71. Moinzadeh AT, et al., *Bisphosphonates and their clinical implications in endodontic therapy.* Int Endod J, 2013. 46(5): p. 391-398.
72. Hsiao A, G Glickman and J He, *A retrospective clinical and radiographic study on healing of periradicular lesions in patients taking oral bisphosphonates.* J Endod, 2009. 35(11): p. 1525-1528.
73. Alsalleeh F, et al., *Bisphosphonate-associated osteonecrosis of jaw reoccurrence after methotrexate therapy: a case report.* J Endod, 2014. 40(9): p. 1505-1507.
74. Ruggiero SLC, ER Carlson, LA Assael, *Comprehensive Review of Bisphosphonate Therapy: Implications for the Oral and Maxillofacial Surgery Patient.* Journal of Oral Maxillofacial Surgery, 2009. 67: p. 1.
75. Segura-Egea JJ, et al., *European Society of Endodontology position statement: the use of antibiotics in endodontics.* Int Endod J, 2018. 51(1): p. 20-25.
76. Yu VS, et al., *Incidence and impact of painful exacerbations in a cohort with post-treatment persistent endodontic lesions.* J Endod, 2012. 38(1): p. 41-46.
77. Carter AE, G Carter, and R George, *Pathways of fear and anxiety in endodontic patients.* Int Endod J, 2015. 48(6): p. 528-532.
78. Cho SY, et al., *Effect of Topical Anesthesia on Pain from Needle Insertion and Injection and Its Relationship with Anxiety in Patients Awaiting Apical Surgery: A Randomized Double-blind Clinical Trial.* J Endod, 2017. 43(3): p. 364-369.
79. Monteiro MR, et al., *4% articaine buccal infiltration versus 2% lidocaine inferior alveolar nerve block for emergency root canal treatment in mandibular molars with irreversible pulpits: a randomized clinical study.* Int Endod J, 2015. 48(2): p. 145-152.
80. De Pedro-Munoz A and J Mena-Alvarez, *The effect of preoperative submucosal administration of tramadol on the success rate of inferior alveolar nerve block on mandibular molars with symptomatic irreversible pulpitis: a randomized, double-blind placebo-controlled clinical trial.* Int Endod J, 2017. 50(12): p. 1134-1142.
81. Kirkevang LL, et al., *Prediction of periapical status and tooth extraction.* Int Endod J, 2017. 50(1): p. 5-14.
82. He J, et al., *Clinical and Patient-centered Outcomes of Nonsurgical Root Canal Retreatment in First Molars Using Contemporary Techniques.* J Endod, 2017. 43(2): p. 231-237.
83. Burns LE, et al., *Long-term Evaluation of Treatment Planning Decisions for Nonhealing Endodontic Cases by Different Groups of Practitioners.* J Endod, 2018. 44(2): p. 226-232.
84. Foltyn P, *Ethical decision making in aged care.* Gerodontology, 2017. 34: p. 289-290.
85. Alani A, K Bishop, and S Djemal, *The influence of specialty training, experience, discussion and reflection on decision making in modern restorative treatment planning.* Br Dent J, 2011. 210(4): p. E4.
86. Re D, et al., *Natural tooth preservation versus extraction and implant placement: patient preferences and analysis of the willingness to pay.* Br Dent J, 2017. 222(6): p. 467-471.
87. Mounce R and JD Moody, *The decision fork in the road; When to treat, when to refer, and when it's time for titanium.* Dent Today, 2013. 32(11): p. 98-103.
88. Orstavik D, K Kerekes and HM Eriksen, *The periapical index: a scoring system for radiographic assessment of apical periodontitis.* Endod Dent Traumatol, 1986. 2(1): p. 20-34.
89. Eliyas S, et al., *Development of quality measurement instruments for root canal treatment.* Int Endod J, 2017. 50(7): p. 652-666.
90. Del Fabbro M, et al., *Analysis of the secondary endodontic lesions focusing on the extraradicular microorganisms: an overview.* J Investig Clin Dent, 2014. 5(4): p. 245-254.
91. Rocas IN and JF Siqueira Jr, *Characterization of microbiota of root canal-treated teeth with posttreatment disease.* J Clin Microbiol, 2012. 50(5): p. 1721-1724.
92. Zhu X, et al., *Prevalence, phenotype, and genotype of Enterococcus faecalis isolated from saliva and root canals in patients with persistent apical periodontitis.* J Endod, 2010. 36(12): p. 1950-1955.
93. Rocas IN, M. Hulsmann, and J.F. Siqueira, Jr., *Microorganisms in root canal-treated teeth from a German population.* J Endod, 2008. 34(8): p. 926-931.
94. Siqueira JF, Jr. and IN Rocas, *Bacterial pathogenesis and mediators in apical periodontitis.* Braz Dent J, 2007. 18(4): p. 267-280.
95. Li H, et al., *Herpesviruses in endodontic pathoses: association of Epstein-Barr virus with irreversible pulpitis and apical periodontitis.* J Endod, 2009. 35(1): p. 23-29.
96. Chen V, et al., *Herpesviruses in abscesses and cellulitis of endodontic origin.* J Endod, 2009. 35(2): p. 182-188.
97. Schirrmeister JF, et al., *New bacterial compositions in root-filled teeth with periradicular lesions.* J Endod, 2009. 35(2): p. 169-174.
98. Wang QQ, et al., *Prevalence of Enterococcus faecalis in saliva and filled root canals of teeth associated with apical periodontitis.* Int J Oral Sci, 2012. 4(1): p. 19-23.
99. Signoretti FG, et al., *Persistent extraradicular infection in root-filled asymptomatic human tooth: scanning electron microscopic analysis and microbial investigation after apical microsurgery.* J Endod, 2011. 37(12): p. 1696-1700.
100. Farzaneh M, S Abitbol, and S Friedman, *Treatment outcome in endodontics: the Toronto study. Phases I and II: Orthograde retreatment.* J Endod, 2004. 30(9): p. 627-633.
101. De Chevigny C, et al., *Treatment outcome in endodontics: the Toronto study--phases 3 and 4: orthograde retreatment.* J Endod, 2008. 34(2): p. 131-137.

102. Ng YG K, et al.;, *Outcome of non-surgical re-treatment.* Endodontic Topics, 2008. 18(1): p. 3-30.
103. Ng YL, V Mann and K. Gulabivala, *Outcome of secondary root canal treatment: a systematic review of the literature.* Int Endod J, 2008. 41(12): p. 1026-1046.
104. Ng YL, V Mann and K. Gulabivala, *Tooth survival following non-surgical root canal treatment: a systematic review of the literature.* Int Endod J, 2010. 43(3): p. 171-189.
105. Torabinejad M, et al., *Outcomes of nonsurgical retreatment and endodontic surgery: a systematic review.* J Endod, 2009. 35(7): p. 930-937.
106. Davies A, et al., *The detection of periapical pathoses using digital periapical radiography and cone beam computed tomography in endodontically retreated teeth - part 2: a 1 year post-treatment follow-up.* Int Endod J, 2016. 49(7): p. 623-635.
107. Gorni FG and MM Gagliani, *The outcome of endodontic retreatment: a 2-yr follow-up.* J Endod, 2004. 30(1): p. 1-4.
108. Al-Nuaimi N, et al., *A prospective study assessing the effect of coronal tooth structure loss on the outcome of root canal retreatment.* Int Endod J, 2017. 50(12): p. 1143-1157.
109. Al-Nuaimi N, et al., *Pooled analysis of 1-year recall data from three root canal treatment outcome studies undertaken using cone beam computed tomography.* Int Endod J, 2018. 51 Suppl 3: p. e216-e226.
110. Ricucci DG, D et al.;, *The compromised tooth: conservative treatment or extraction?* Endodontic Topics, 2006. 13(1): p. 108-122.
111. Fonzar F, et al., *The prognosis of root canal therapy: a 10-year retrospective cohort study on 411 patients with 1175 endodontically treated teeth.* Eur J Oral Implantol., 2009. 2(3): p. 201-208.
112. Kwak, Y., et al., *The 5-Year Survival Rate of Nonsurgical Endodontic Treatment: A Population-based Cohort Study in Korea*. J Endod, 2019. 45(10): pp. 1192-1199.
113. Pirani, C., et al., *Outcome of secondary root canal treatment filled with Thermafil: a 5-year follow-up of retrospective cohort study*. Clin Oral Investig, 2018. 22(3): pp. 1363-1373.
114. Wesselink PR, *The incidental discovery of apical periodontitis.* Endodontic Topics, 2014. 30(1): p. 23-28.
115. Schwendicke F and M Stolpe, *Secondary Treatment for Asymptomatic Root Canal Treated Teeth: A Cost-effectiveness Analysis.* J Endod, 2015. 41(6): p. 812-816.
116. Tifooni, A., et al.,*Validation of the effectiveness of the Dental Practicality Index in predicting the outcome of root canal retreatments*. Int Endod J, 2019.52(10): pp. 1403-1409.
117. Torabinejad M, et al., *Levels of evidence for the outcome of nonsurgical endodontic treatment.* J Endod, 2005. 31(9): p. 637-646.
118. Burry, J.C., et al., *Outcomes of Primary Endodontic Therapy Provided by Endodontic Specialists Compared with Other Providers.* J Endod, 2016. 42(5): p. 702-705.
119. Iandolo A, et al., *Modern technologies in Endodontics.* Giornale Italiano di Endodonzia, 2016. 30(1): p. 2-9.
120. Lababidi EA, *Discuss the impact technological advances in equipment and materials have made on the delivery and outcome of endodontic treatment.* Aust Endod J, 2013. 39(3): p. 92-97.
121. Rampado ME, et al., *The benefit of the operating microscope for access cavity preparation by undergraduate students.* J Endod, 2004. 30(12): p. 863-867.
122. Rapani M, et al., *Influenza del microscopio operatorio nella diagnosi intraoperatoria e nel ritrattamento chirurgico endodontico: studio clinico e radiografico con follow-up a un anno.* Dental Cadmos, 2011. 79(8): p. 533-543.
123. Riccitiello F, et al., *Microscopio operatorio: diffusione e limiti.* Giornale Italiano di Endodonzia, 2012. 26(2): p. 67-72.
124. Del Fabbro M and S Taschieri, *Endodontic therapy using magnification devices: a systematic review.* J Dent, 2010. 38(4): p. 269-275.
125. Del Fabbro M, et al., *Magnification devices for endodontic therapy.* Cochrane Database Syst Rev, 2009(3): p. CD005969.
126. Taschieri S, et al., *Magnification in modern endodontic practice.* Refuat Hapeh Vehashinayim (1993), 2010. 27(3): p. 18-22, 61.
127. Taschieri S, et al., *Magnifying loupes versus surgical microscope in endodontic surgery: a four-year retrospective study.* Aust Endod J, 2013. 39(2): p. 78-80.
128. Lee CB, et al., *Association of Failed Root Canal Treatment with Dentist and Institutional Volumes: A Population-based Cohort Study in Taiwan.* J Endod, 2017. 43(10): p. 1628-1634.
129. Ramey K, J Yaccino, and J Wealleans, *A Retrospective, Radiographic Outcomes Assessment of 1960 Initial Posterior Root Canal Treatments Performed by Endodontists and Dentists.* J Endod, 2017. 43(8): p. 1250-1254.
130. Savani GM, et al., *Current trends in endodontic treatment by general dental practitioners: report of a United States national survey.* J Endod, 2014. 40(5): p. 618-624.

Sitography

[1a] https://www.aae.org/specialty/wp-con-tent/uploads/sites/2/2017/06/2006casedifficultyassessmentformb_edited2010.pdf
[1b] American Association of Endodontists (2005) Endodontic Case Difficulty Assessment and Referral. https:// www.aae.org/uploadedfiles/dental_professionals/endodontic_case_assessment/2006casedifficultyassessmentformb_edited 2010.pdf. [accessed on 24 April 2016].
[1c] https://www.endodonzia.it/articoli-scientifici/cose-un-granuloma/
[1d] https://www.e-s-e.eu/publications/index.html

- 치근단 주위 병변이 의심되는 환자에서 근거에 기반한 **진단 과정**을 설명하시오.
- 치근단 조직의 염증성 질환을 검사하기 위한 가장 효과적이고 정확한 **진단 도구**는 무엇인가?
- 정확한 진단 및 치료 계획을 수립하는 데 결정적인 역할을 할 수 있는 CBCT와 같은 **진단 검사**를 설명하시오.

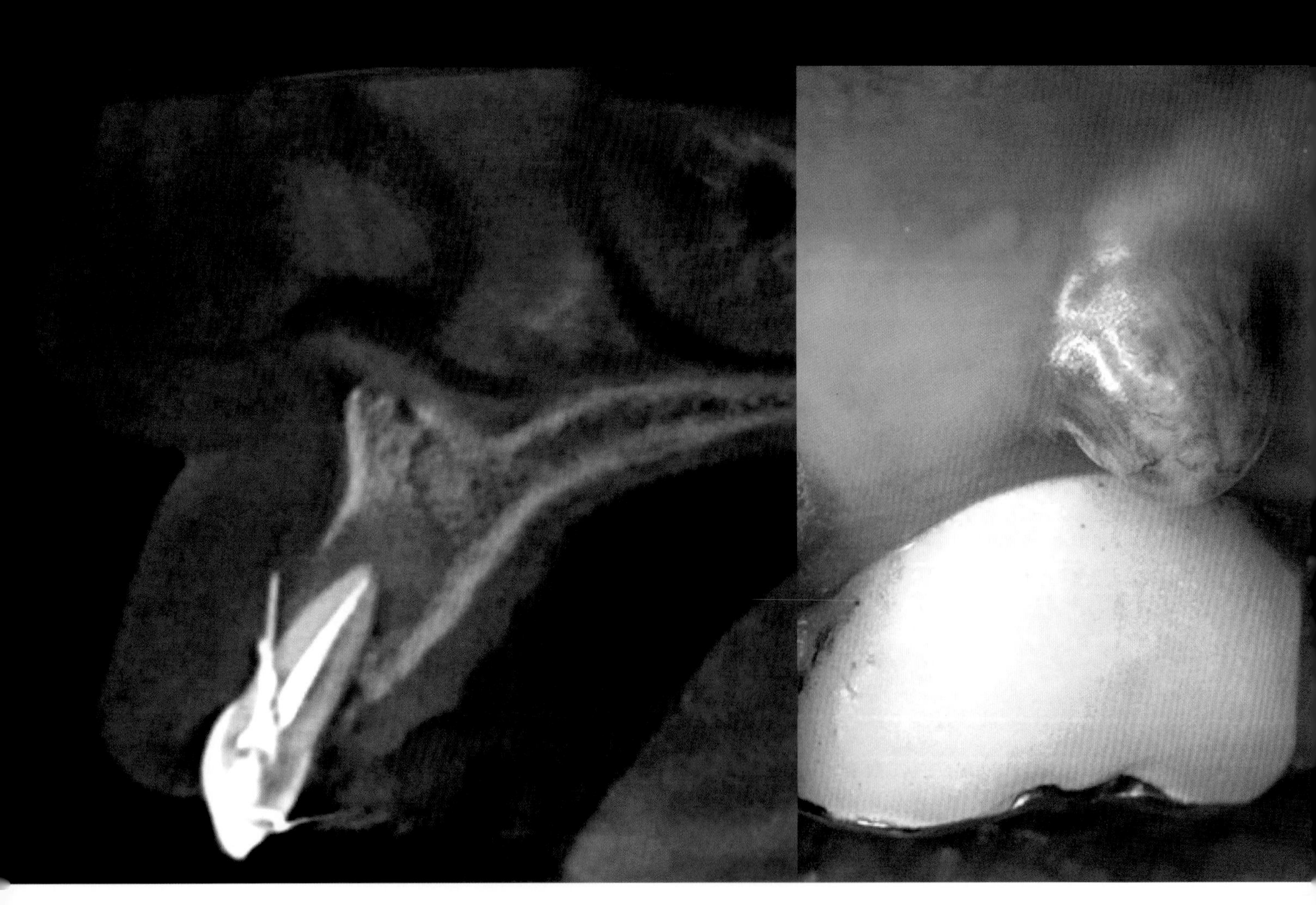

Roberto Fornara, Filippo Cardinali

02

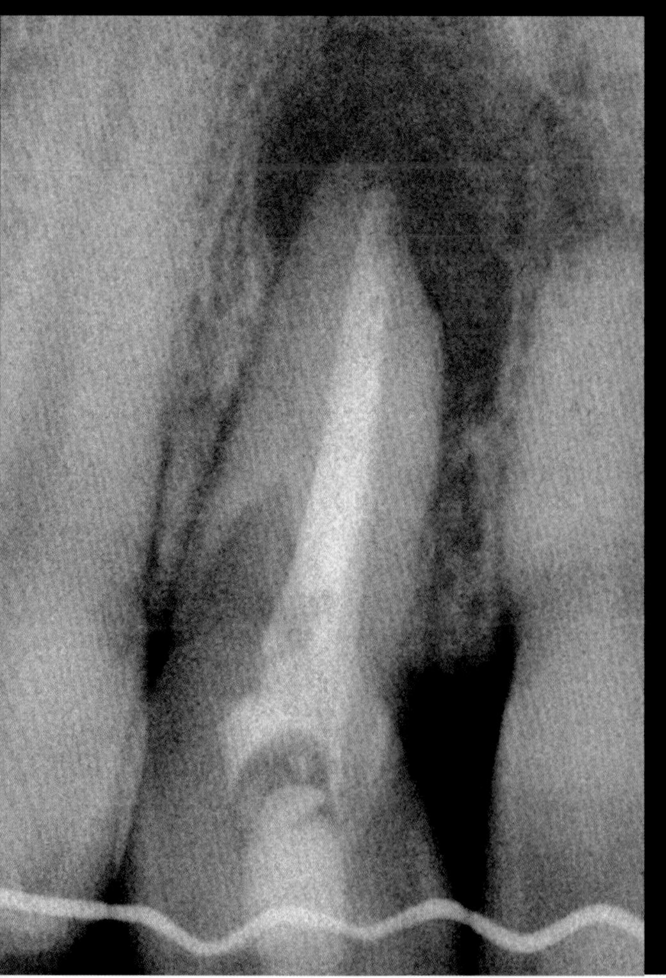

근관치료가 실패한 치아의 진단 과정

치근단 주위 병변을 확인하는 데 유용한 임상 및 방사선 검사

이 장의 시작에 앞서

이 장은 이전의 근관치료와 치아 수복으로 인해 발생한 급성 또는 만성 치근단 염증 반응과 관련된 수많은 임상 상황을 담고 있다.[1]

근관치료 전 상태와 관계없이 치료가 원하는 결과를 얻지 못한 경우를 주로 다룬다. 근관치료는 치근단 주변 문제의 발생을 예방하지만, 부적절한 치료는 치근단 질환을 일으킨다.

이러한 유형의 문제는 치수 기원의 치근단 병변이 있는 치아에서 수행된 근관치료가 완료되지 않았거나 원하는 결과를 아직 얻지 못한 경우를 포함한다.[2, 3]

다시 말해서, 명백하게 서로 다른 두 가지 상황이지만 해당 치아를 처음 검사하는 치과의사에게는 결과적으로는 동일한 임상 상황이다.[4]

따라서 모든 진단 도구를 사용하여 관련 변수를 고려하고, 가장 좋은 예후가 예상되는 치료 계획을 수립해야 한다. Abbott는 치근단 질환을 두 개의 범주로 나누었다.[5, 6]

Fig. 2.1a: 방사선 사진에서 치관부, 근관 내 물질, 치조골의 구조를 포함하여 모든 세부 사항을 분석해야 한다. 임상적, 방사선학적으로 약간의 문제가 관찰되지만 치아가 완전히 무증상이기 때문에 재치료할 필요 없다.

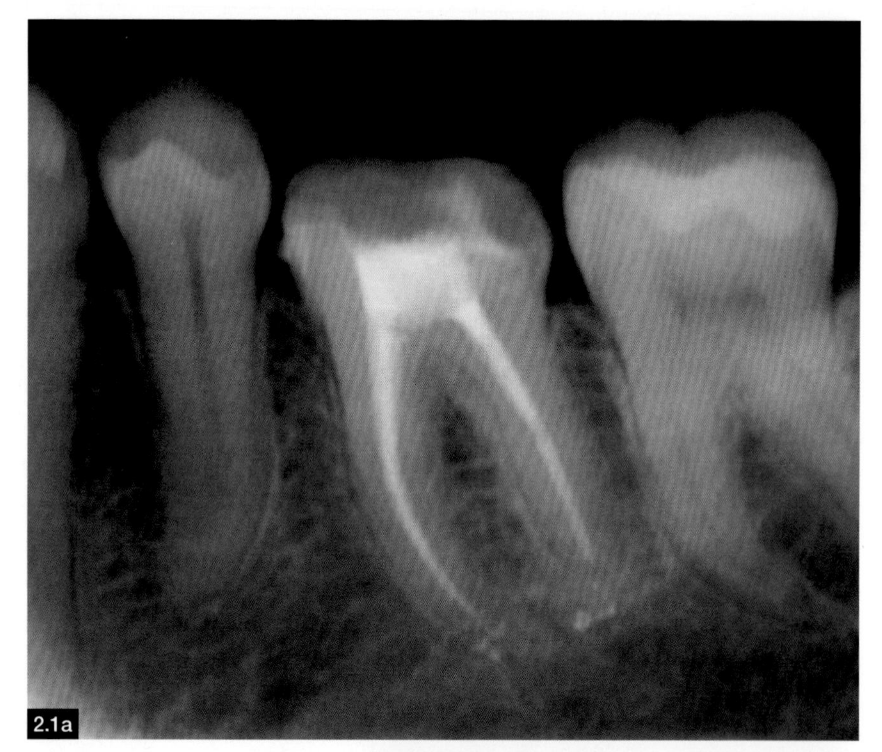

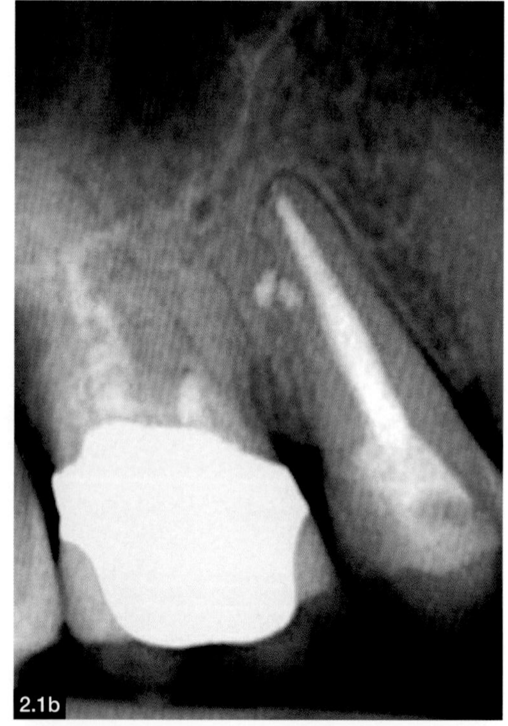

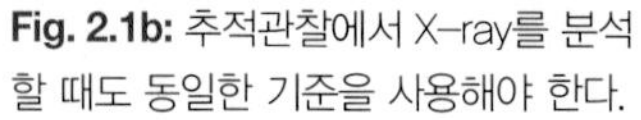

Fig. 2.1b: 추적관찰에서 X-ray를 분석할 때도 동일한 기준을 사용해야 한다.

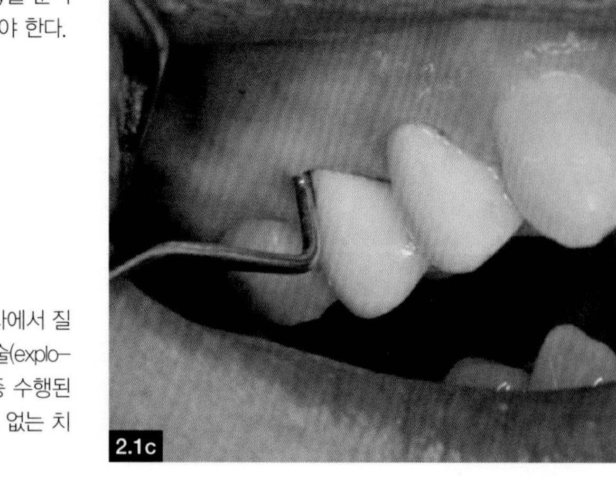

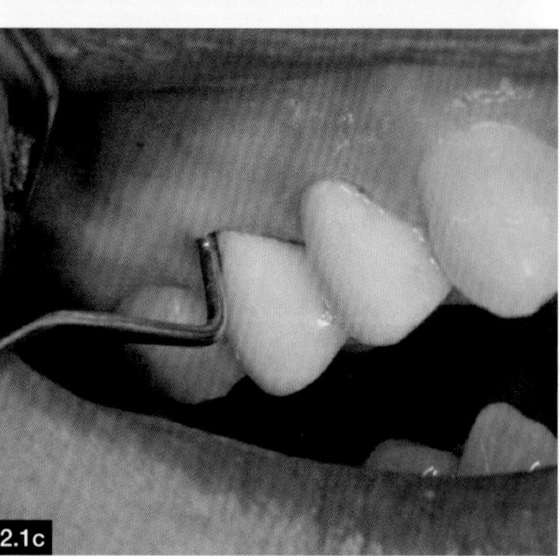

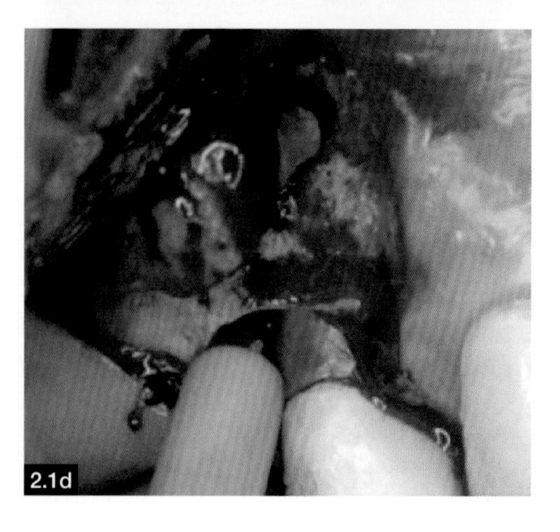

Fig. 2.1c-d: 첫 번째 임상 검사에서 질환이 의심되는 경우 탐색적 수술(exploratory flap examination)이 종종 수행된다(방사선 사진에서 관찰할 수 없는 치근 파절의 예).

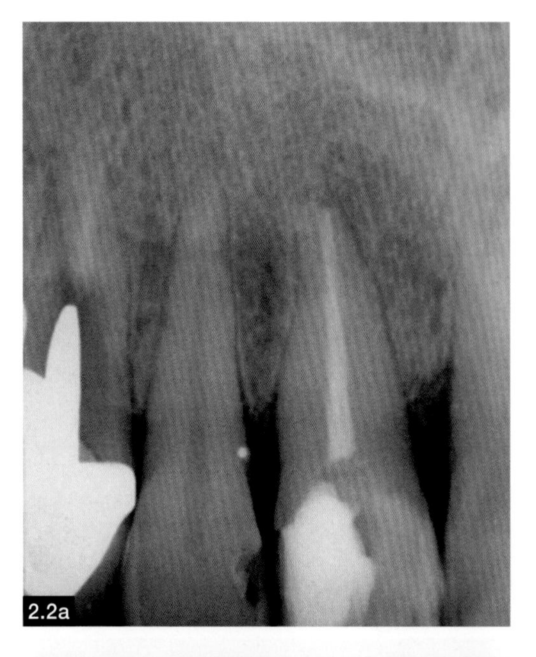

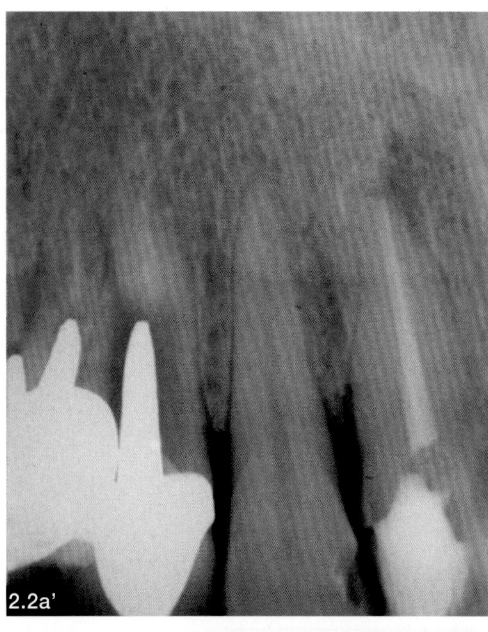

Fig. 2.2a-a': 방사선 조사각을 달리하면 치근이 중첩된 부위를 확인할 수 있다.

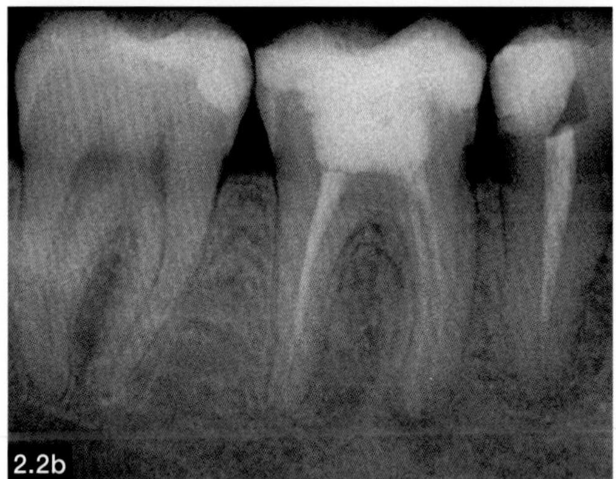

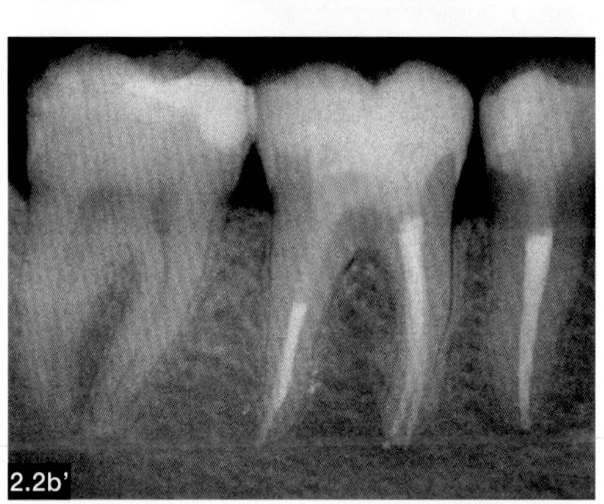

Fig. 2.2b: 부적절한 근관치료와 관련된 방사선 투과성 병변

Fig. 2.2b': 재근관치료 후 사진

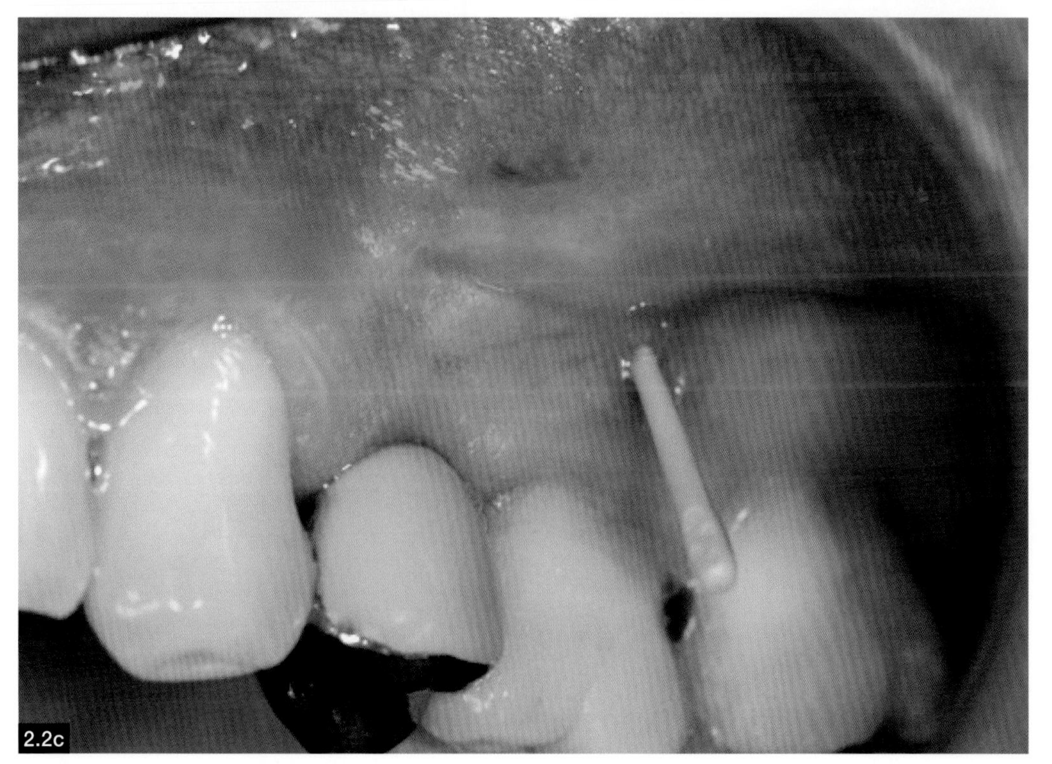

Fig. 2.2c-c': 누공이 존재하는 경우 만성 염증의 원인이 되는 치아를 식별하기 위해 거타퍼챠 콘 삽입 검사를 해야 한다. 임상 사진과 치근단 방사선 사진

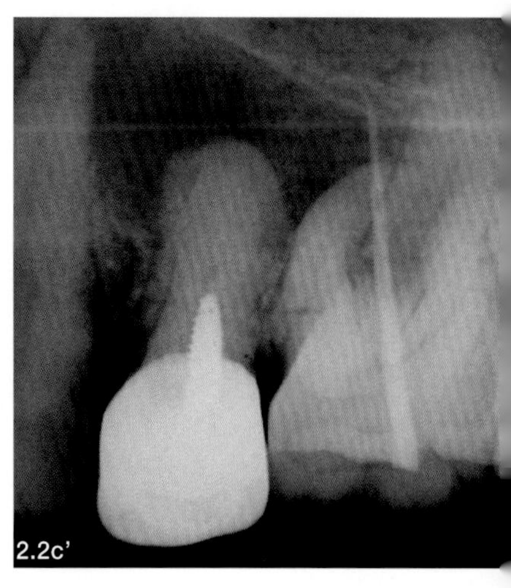

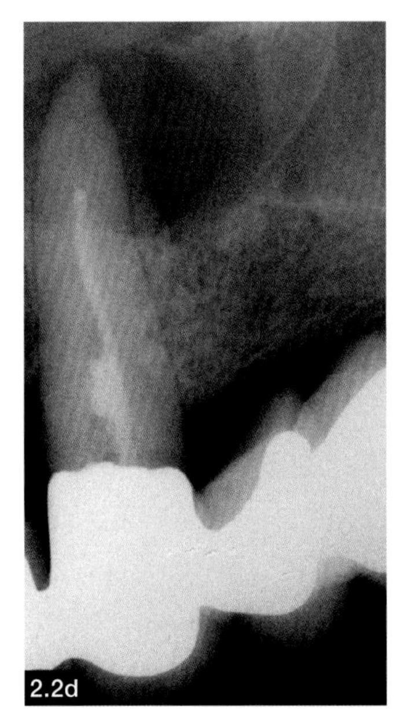

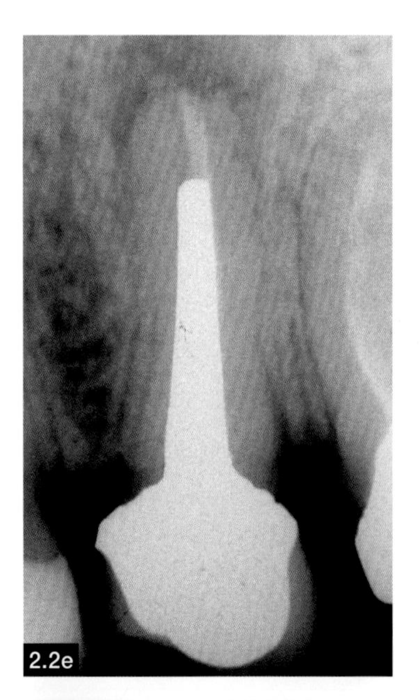

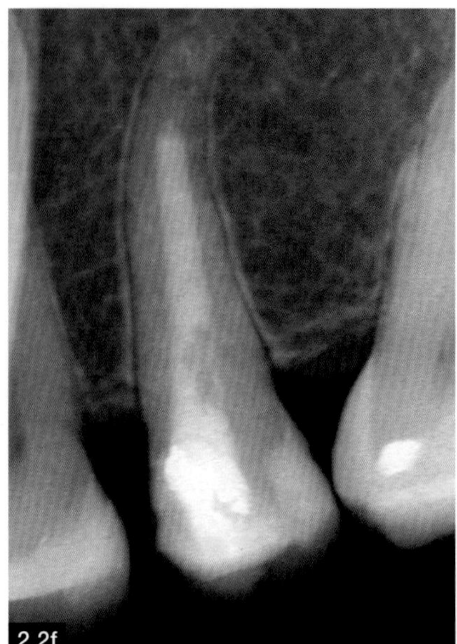

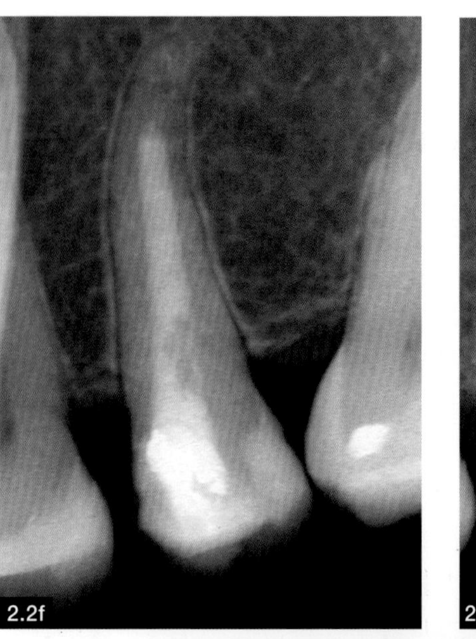

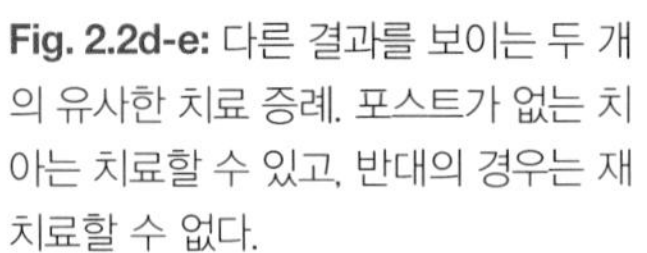

Fig. 2.2d-e: 다른 결과를 보이는 두 개의 유사한 치료 증례. 포스트가 없는 치아는 치료할 수 있고, 반대의 경우는 재치료할 수 없다.

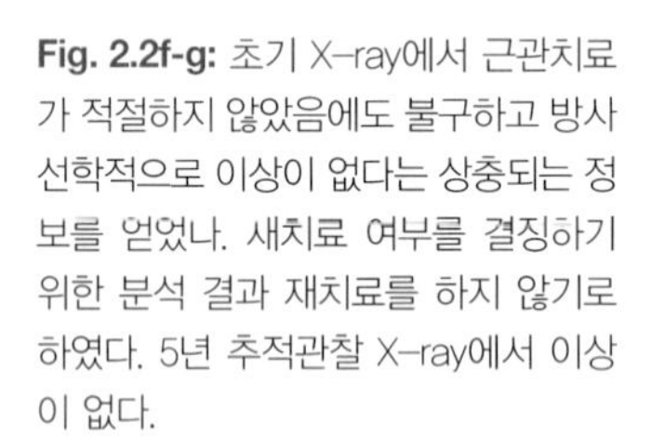

Fig. 2.2f-g: 초기 X-ray에서 근관치료가 적절하지 않았음에도 불구하고 방사선학적으로 이상이 없다는 상충되는 정보를 얻었나. 새치료 여부를 결징하기 위한 분석 결과 재치료를 하지 않기로 하였다. 5년 추적관찰 X-ray에서 이상이 없다.

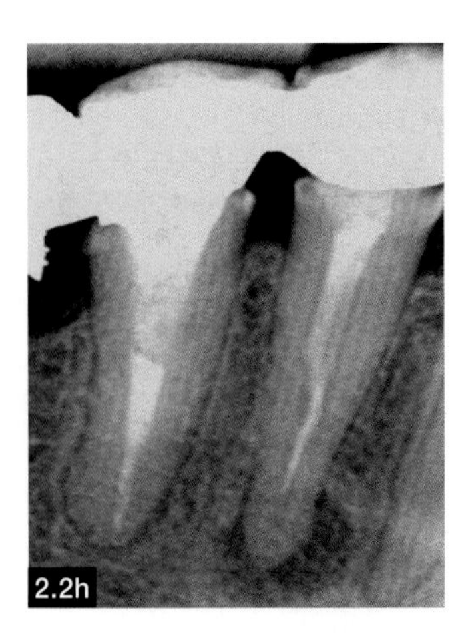

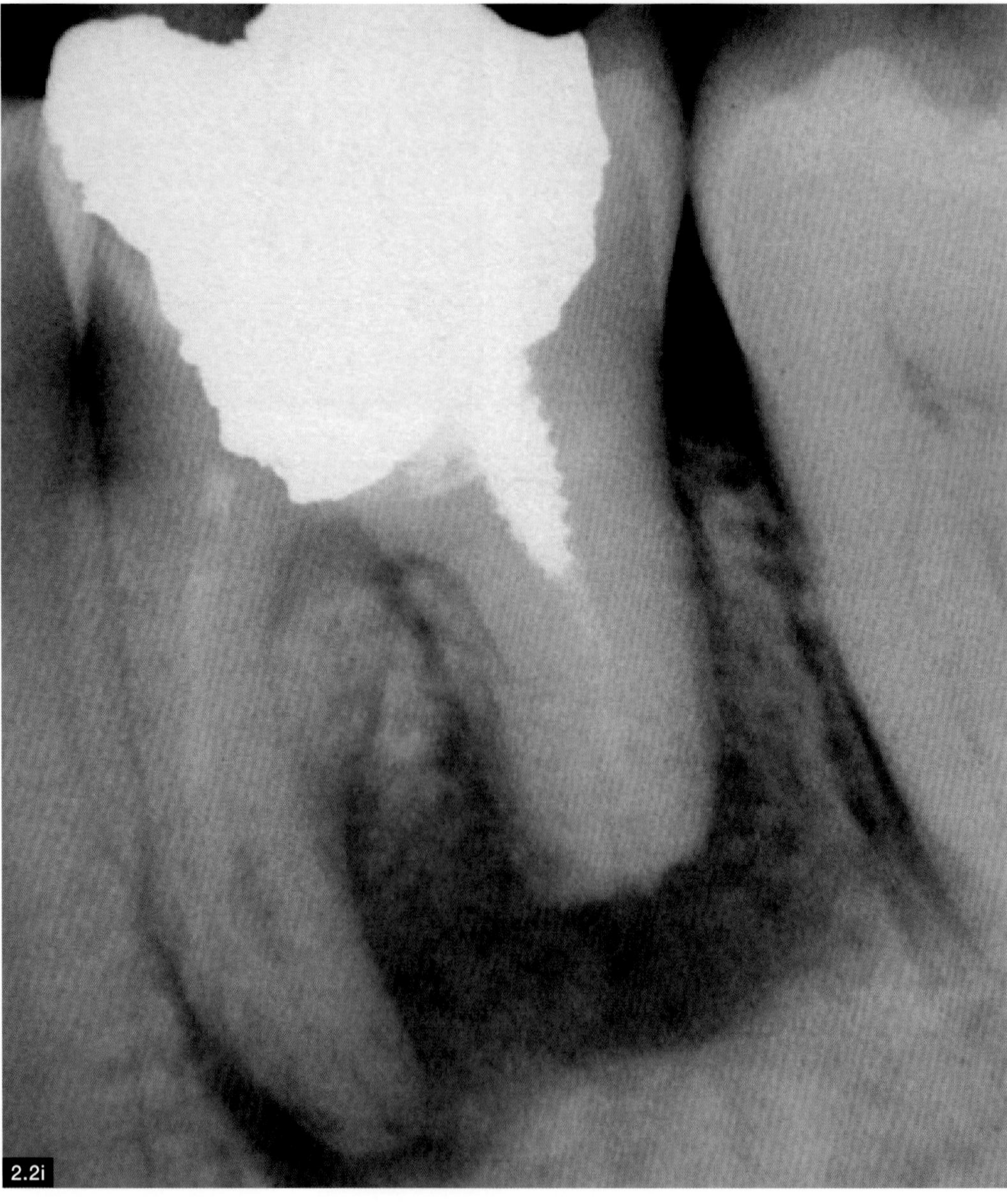

Fig. 2.2h-i: 근관 기원 치근단 병변의 방사선 사진. 치근부에 발생한 손상은 두 증례에서 다른 예후를 시사한다.

실패 분석

근관치료의 실패를 논할 때, 우리는 여러 어려움을 겪는다. 합리적으로 그리고 확실하게 실패를 예측할 수 있는 요소는 무엇인가?

임상적 요소는 환자의 증상 또는 방사선 검사일 수 있다. 주요 국제 학회의 지침에 따른 임상적 관찰 결과는 실패를 판단하기 위한 기본 요소이다.

2차원 및 3차원 방사선 검사는 질병의 실제 상태에 대한 자세한 정보를 제공하고, 박테리아에 의해 감염된 근관을 세정하기 위해 재치료를 수행할지 여부에 대한 대략적인 정보를 제공한다. 하지만 근관치료에 대한 신체의 반응은 매우 다양하다.

동일 상황에서 좋거나 나쁜 결과가 나올 수 있으므로, 잘못된 치료 방법의 선택을 방지하기 위해서 다각도의 분석이 필요하다.

예비 분석 단계에서, 저자는 자발통 혹은 강한 임상 증상이 재근관치료를 결정하는 일반적인 조건이라고 생각한다. 이러한 통증은 저작을 어렵게 할 정도로 지속적이어야 하고, 경미한 통증이더라도 시간이 지남에 따라 악화되어야 한다.

이후 방사선 검사를 통해 치아의 상태를 더 잘 분석하고 해당 치아와 관련된 임상 결과를 종합하여 치과의사는 재치료를 할지 혹은 추적관찰을 할지 결정해야 한다.

요약하면, 우리는 전통적 문헌(classical literature)[2, 4, 6]에서 제시하는 세 가지 요소를 고려해야 한다.

1. 임상 자료
2. 방사선학적 분석
3. 조직학적 확인

조직학적 확인이 가장 정확한 방법이지만, 안타깝게도 외과적 근관치료를 선택한 경우를 제외하고는 실용적이지 않다. 9장에서 관련된 내용을 다룰 것이다. 따라서 임상적 상황 또는 3차원 방사선 영상이라는 두 가지 요소를 고려해야 한다.

병력 청취와 사전 동의

의학적 또는 외과적 시술 이전의 진단 단계에서 환자의 의과적 병력 청취는 필수적이다. 근관치료는 외과적 시술로 간주해야 하므로 환자의 병력 청취는 진단의 기본이고 임상의는 가능한 철저하게 정보를 수집해야 한다.

질병의 정확한 특성을 파악하는 데 중요한 이러한 일련의 정보는 올바른 치료 계획을 수립하기 위한 다른 요소들과 함께 판단해야 한다. 이 단계에서 환자의 기대치, 해당 치아를 보존하려는 의지, 예상되는 치료 소요시간 역시 기본적으로 고려해야 한다.

치료가 실패할 경우 발생할 수 있는 합병증을 환자에게 설명하는 것이 필수는 아니지만 권장한다. 그리고 치료 중, 상황에 따라 근관치료 이외의 다른 방법으로 치료 계획을 변경할 수 있음을 설명하고 치료 전에 환자에게 동의를 얻는 것이 필요하다.

대표적인 예로, 근관치료로 좋은 결과를 얻을 수 없는 경우가 있다. 환자가 이미 마취된 경우 임상의는 환자의 추가 동의 없이 발치해야 할 수 있다.

이러한 모든 발생 가능한 상황을 사전 동의 양식에 포함해서 환자에게 설명한 뒤 서명을 받아야 한다.

임상 검사

임상 검사 전에 철저한 의과적 병력 청취가 선행되어야 한다. 모든 다른 의과적 치료와 마찬가지로, 병력은 환자가 경험한 임상적 불편함, 치아에 대한 환자의 태도 등을 이해하는 데 있어 기본이다.

문진을 통해 환자의 질병을 파악하는 것은 필수적이다.[7] 실제로, 재치료와 같은 복잡한 치료를 진행함에 있어 필수적인 환자와 치과의사 간의 신뢰 관계 구축을 위해서, 문진 초기 단계에 환자의 통증을 완화하거나 발생을 예방하기 위해 통증과 관련성이 가장 높은 요소를 파악해야 한다.

이와 관련하여 Friedman[8]의 제안은 좋은 지침이 된다(**Table 2.1**). 환자의 일반적인 상태 및 침습적 치과 시술에 대한 절대적인 금기인 병발성 전신 질환(1장 참조)이 있는 상태에서, 치료는 증상에 영향을 미치는 것으로 추정되는 치아 또는 특정 병력과 관련된 치아에서 시작해야 한다.

이러한 경우 통증이 비특이적이고 간헐적이며, 원인을 정확하게 파악하기 어려운 경우가 많다. 그러나 환자가 명확하게 특정할 수 있는 저작, 단순 접촉 혹은 타진에 대한 통증을 통해 치수 기원의 치근단 질환을 의심해 볼 수 있다.

환자의 진술은 증상이 발생한 시기를 재구성하는 데 중요하다. 예로, 치료 직후 발생한 통증을 치료 후 일정 시간이 경과한 뒤 발생한 통증이나 6개월 이상 이전에 시행된 근관치료와 관련된 통증과 같은 범주에서 판단하면 안 된다.

여러 문헌들[9–12]에서 치근단 주위 병변이 있는 치아를 치료한 증례를 분석했다. 그 결과 지속적으로 커지는 치근단 병변이 있는 경우 질환을 합리적으로 의심할 수 있다.[5] 병력 청취 단계에서 얻은 정보는 후속 검사 단계에서 확인해야 하며, 이는 방사선 촬영 단계 이전의 임상 검사에서 이뤄져야 한다.

구강 외 검사

치성 기원 염증성 질환의 첫 번째 증상으로 종종 발생하는 부종 또는 림프절 반응을 확인하기 위해 항상 구강 외 검사를 해야 한다.

Table 2.1 **MEDICAL HISTORY-RELATED CONSIDERATIONS FOR CASE SELECTION**

	No	Yes
Patient's motivation to preserve the tooth	Extraction	Endodontic retreatment/surgery
Patient's motivation to achieve the best long-term result	Endodontic surgery	Retreatment
Time issues	Retreatment	Endodontic surgery
Economic issues	Retreatment	Endodontic surgery

Source: Friedman S. *Considerations and concepts of case selection in the management of post-treatment endodontic disease (treatment failure)*. Endodontic Topics, 2002;1:54-78.

구강 외 촉진

부종

부종은 급성 질환의 전형적인 증상이고 환자를 보는 것만으로도 진단할 수 있다. 급성 증상이 있는 경우 진행 중인 병리학적 과정의 심각성을 인지하고 감염된 치아를 신중하게 평가해야 한다.

이런 부종과 같은 합병증을 불리한 예후 요소로 간주할 필요는 없지만, 이러한 치아의 치료 계획을 세울 때 치과의사는 의구심을 갖게 된다. 응급 상황의 치료를 위해 **Box 2.1**과 24 페이지의 **Box 1.3** 그리고 6장을 참고하기 바란다.

Box 2.1 급성 증상과 관련된 응급 상황

급성 농양과 관련된 응급 상황은 단순한 부기에서 가래, 몸 전체에 영향을 미치는 매우 심각한 상황에 이르기까지 다양한 형태로 발생할 수 있으며 발열과 전신적 불쾌감을 동반한다.

드물지만, 환자를 중태에 빠트린 사례가 보고되기도 한다. 이 경우, 적절한 용량의 광범위한 항생제 사용이 필요하다(6장 참조).

400 mg 이상 용량의 이부프로펜과 같은 NSAIDS를 파라세타몰 1,000 mg과 함께 혹은 단독으로 복용하는 것이 도움이 된다. 배농 역시 합병증을 예방하고 급성 상태를 빠르게 해소하는 데 도움이 된다.

일단 패혈증과 관련된 급성 증상이 해소되면, 급성 증상을 야기한 원인과 관련된 치료가 고려되어야 함을 염두에 두고 관련된 치아에 관한 진단-예후 평가를 재개할 수 있다.

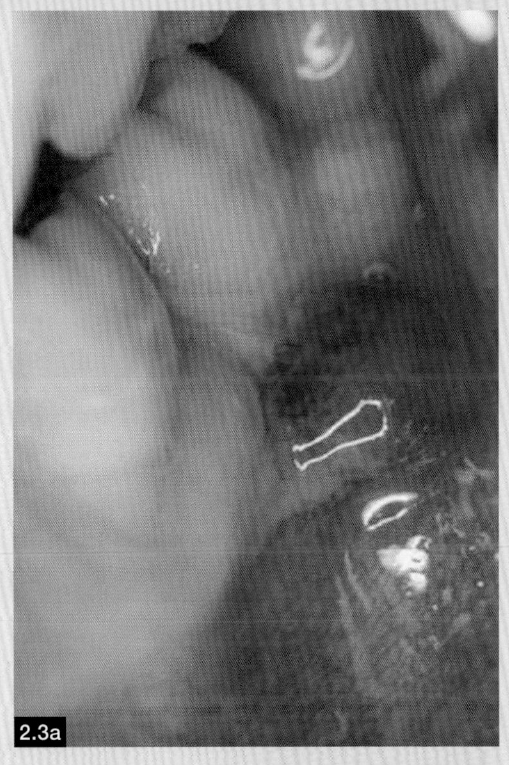

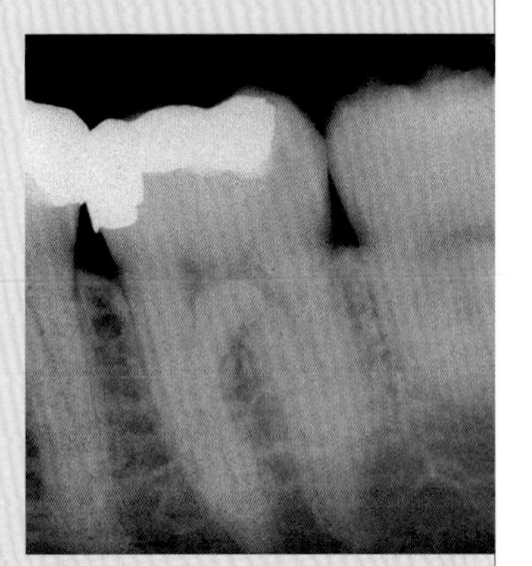

Fig. 2.3a: 37번 치아 주변의 임상 상황은 근관의 감염을 시사한다. 병력 청취와 적절한 임상 검사를 통해 38번 치아의 맹출 지연과 관련된 증상임을 확인하였다.

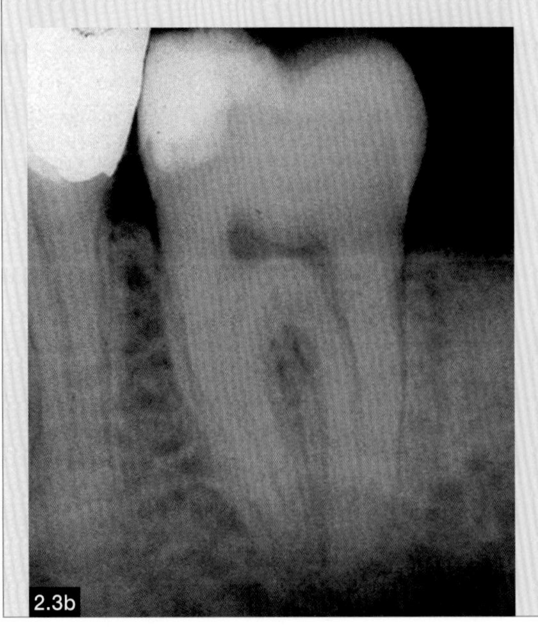

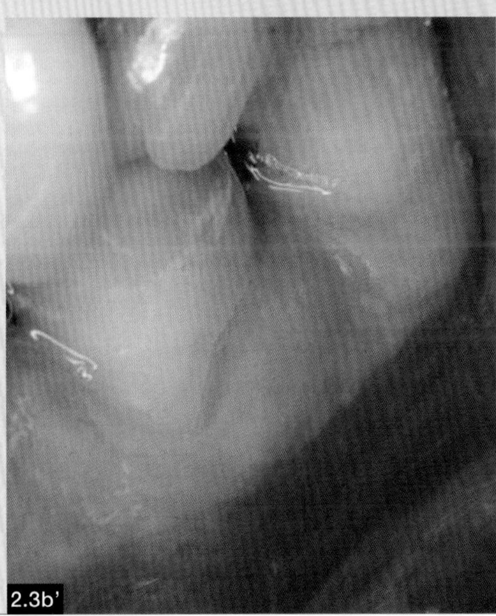

Fig. 2.3b-3b': 38번 치아의 발치 후 증상이 해소되었고 37번 치아의 원심 치조골이 정상으로 회복되었다.

Fig. 2.4a: 70대 환자의 화농성 피부 누공에 삽입된 거타퍼챠 콘

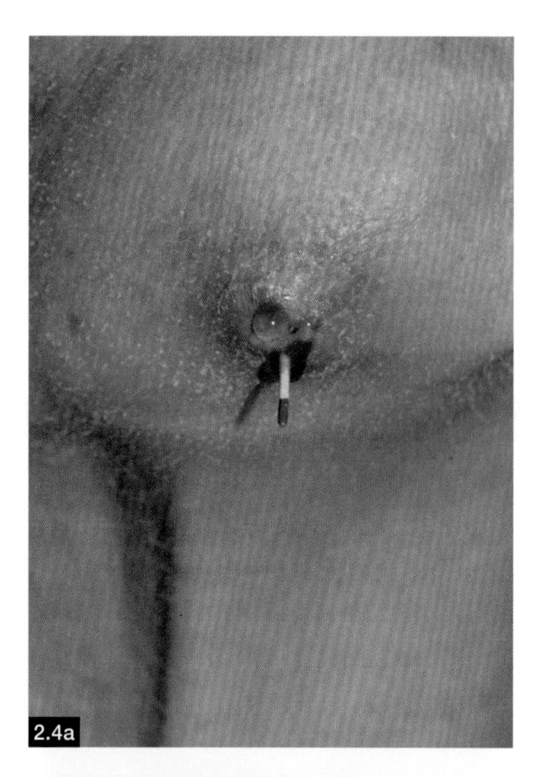

Fig. 2.4b: 치수 생활력의 소실이 확인된 42번 치아의 치근단에서 큰 방사선 투과성 병변이 관찰된다.

Fig. 2.4c: 6개월 뒤 동일 부위

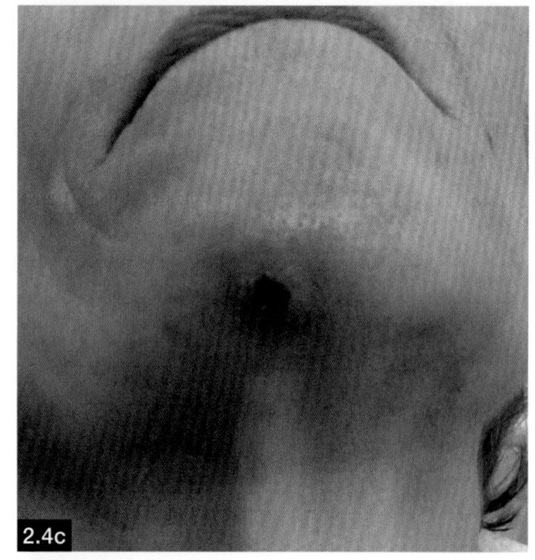

Fig. 2.4d: 설측 치주낭이 10 mm를 초과했기 때문에 발치를 선택하였다. 누공이 줄어들고 있지만 여전히 큰 피부 병변이 관찰된다.

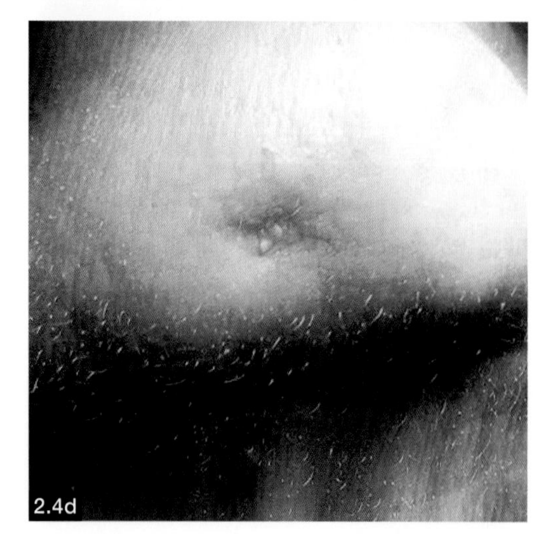

Fig. 2.4e: 2개월 후 피부 병변

피부 누공

현대에 피부 누공은 드물게 관찰된다. 피부 누공은 과거에 더 빈번했는데, 아마도 사람들이 치과 치료를 덜 자주 받았기 때문일 것이다. 피부 누공은 종종 피부과 증상으로 오인되며, 시간이 경과함에 따라 지속되어 심각한 골내 병변을 만든다.

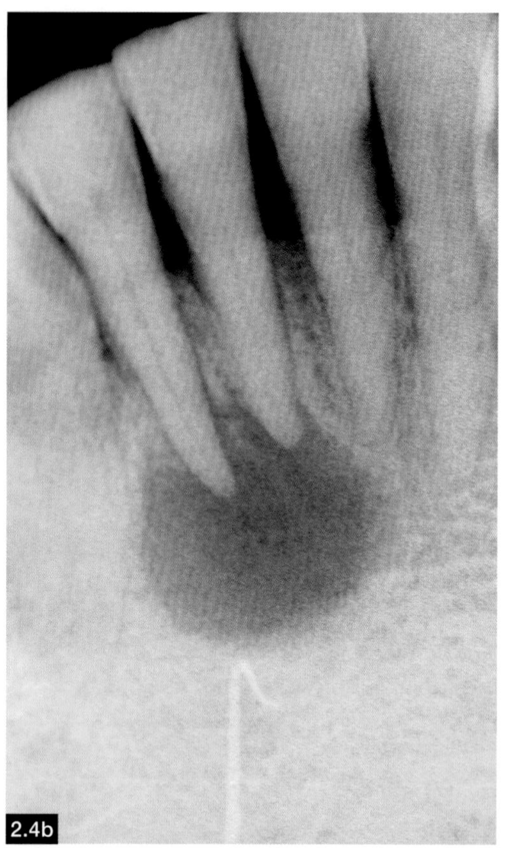

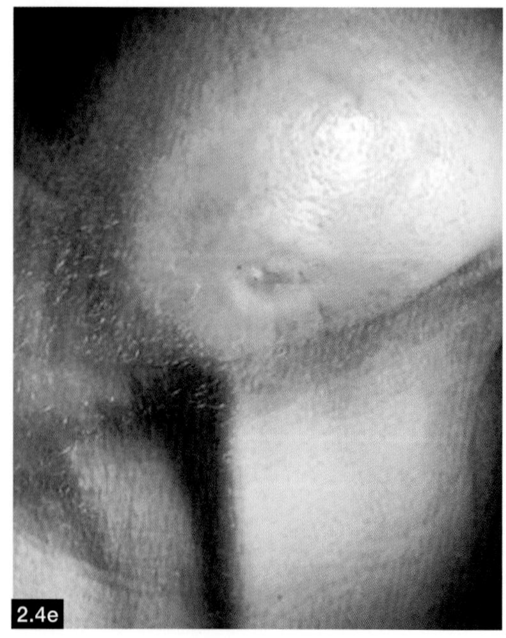

구강 내 검사

결함이 있는 수복물의 관찰

경계가 잘 안 맞는 수복물은 문제 발생의 경고로 간주해야 한다. 여러 연구에서 부적절한 수복물이 근관 및 치근단 조직의 세균 오염의 원인임이 밝혀졌다. 이런 의미에서 체계적 문헌 고찰을 통해 얻은 지식을 바탕으로 임상 상황을 분석해야 한다.[13]

탈락한 수복물의 관찰

수복물의 부재 역시 치근단 병변을 예측하게 하는 요소이다. Ricucci et al.[14, 15]은 거타퍼챠 충전이 구강 내 타액에 노출되더라도 박테리아의 침입을 예방하기에 충분하다고 강조했지만, 이와 다르게 실제로는 최종 수복물이 없는 치아에서 치근단 병변은 흔하게 관찰된다.

누공

누공은 전정 점막의 단순한 구멍부터, 드물게 상악 구개측 부위와 하악 설측 부위에 발생 가능하고, 비대성 돌출에 이르기까지 다양한 특징을 가진다. 고름은 종종 자발적으로 혹은 압력을 가할 때 누공에서 나온다.
자발적으로 혹은 압력을 가할 때 배출되는 농은 종종 좋지 못한 예후를 보인다. 이 증상은 치근 표면에 군집을 이룬 박테리아에 의해 지속되는 치근단 감염과 종종 관련이 있고, 이 경우 외과적으로만 제거할 수 있기 때문이다.

부종

누공보다 드물게, 치근단 질환이 있는 치아에서 눈에 띄는 부종이 나타날 수 있고 치근단 촉진 검사를 통해 확인할 수 있다. 병소의 위치와 형태에 따라 치근 파절을 확인하기 위해 진단 수술이 필요할 수 있다. 포스트가 있는 치아, 특히 나사 형태로 고정된 금속 포스트의 경우 높은 치근 파절 가능성을 고려해야 한다.

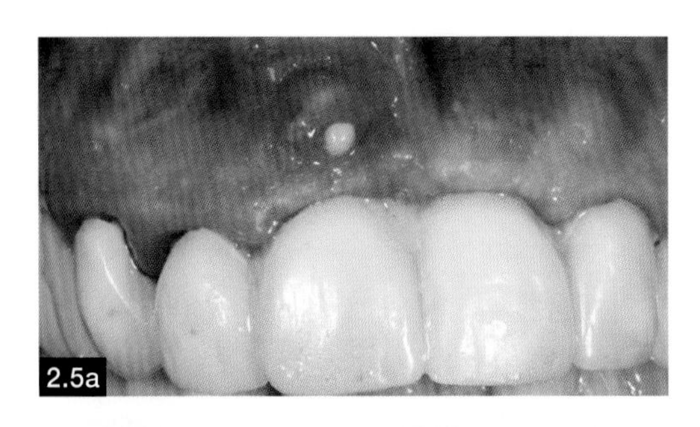

Fig. 2.5a: 순측 화농성 누공. 치경부의 누공은 치주 기원 병변의 가능성을 시사한다.

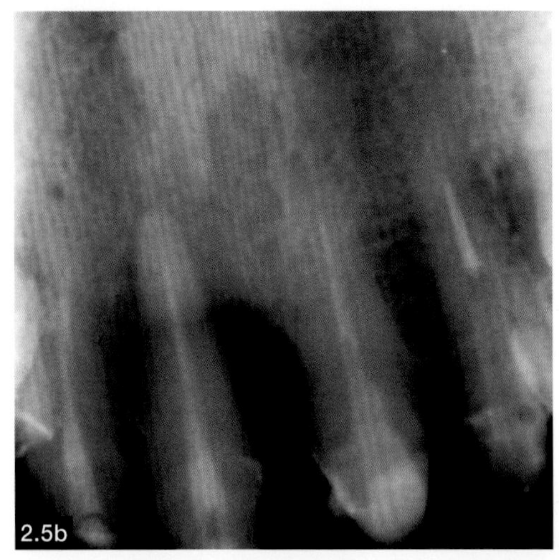

Fig. 2.5b: 깊은 치조골 흡수를 보여주는 구내 방사선 사진

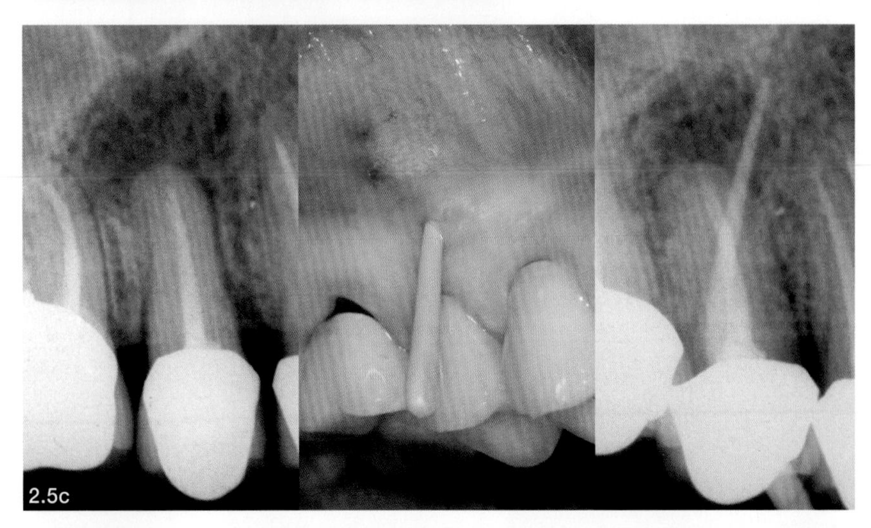

Fig. 2.5c: 질병의 원인을 정확하게 분석하기 위해 구내 방사선 검사 후 시행한 누공 검사. 이 경우 의구심이 남는다.

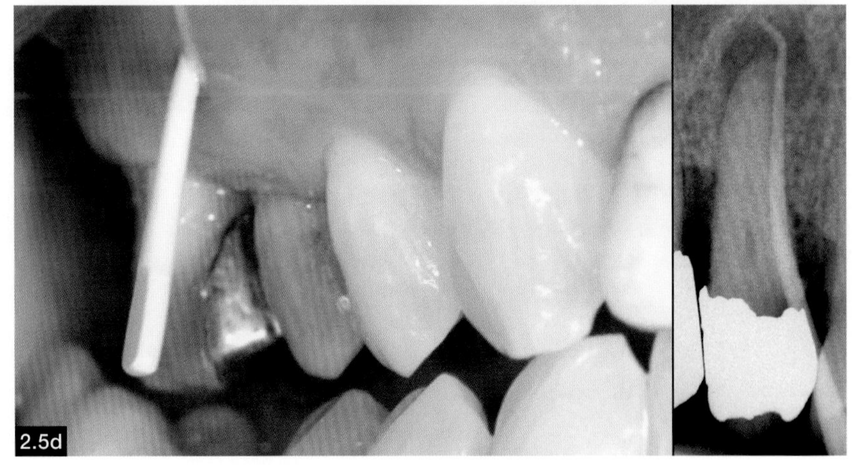

Fig. 2.5d: 이전 영상과 다르게 거타퍼챠 콘에 의해 원인 치아가 명확하게 구분된다.

▶ *continue to page 84*

CASE
REPORT 1

부적절하게 밀폐된 상악 소구치

반복적으로 언급했듯이, 구강 내를 검사할 때 치아를 주의 깊게 관찰해야 한다. 이번 증례에서, 환자는 저작 시 14번 치아에서 심한 통증을 호소했다. 육안으로 관찰했을 때 치아는 포스트라고 생각하기 어려운 두 개의 이상한 핀과 레진으로 수복되어 있었다.

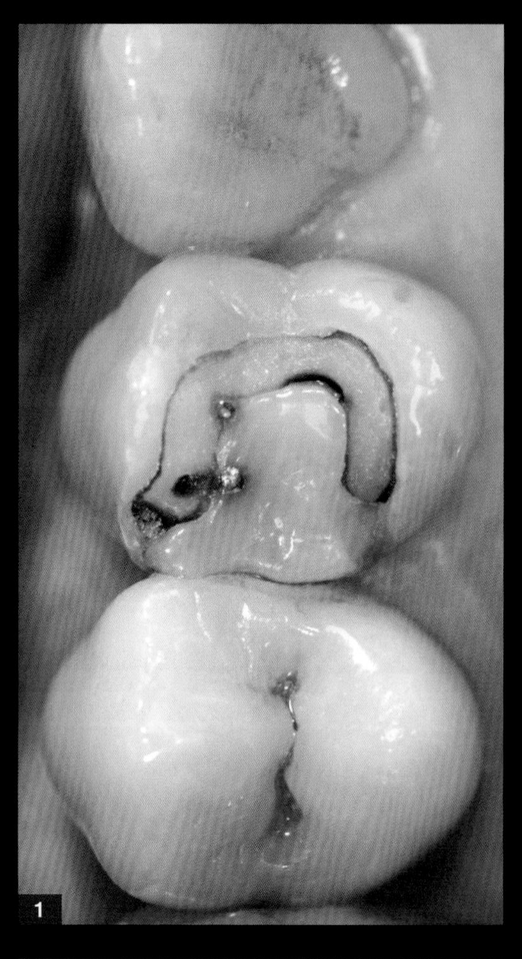

Figure 1: 13번, 14번 및 15번 치아의 임상 검사. 14번 치아의 복합 재료 내부의 두 개의 작은 금속에 주목할 것

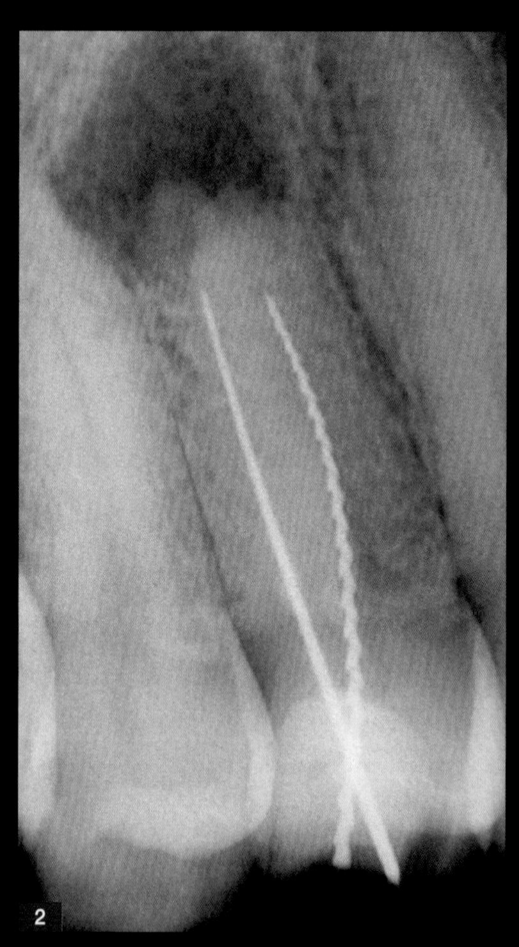

Figure 2: 근관 와동 입구에 의도적으로 부러뜨린 두 개의 기구(Hedstrom 파일)가 있음을 확인할 수 있는 방사선 사진. 7 mm 이상의 치근단 방사선 투과성 병변이 관찰된다.

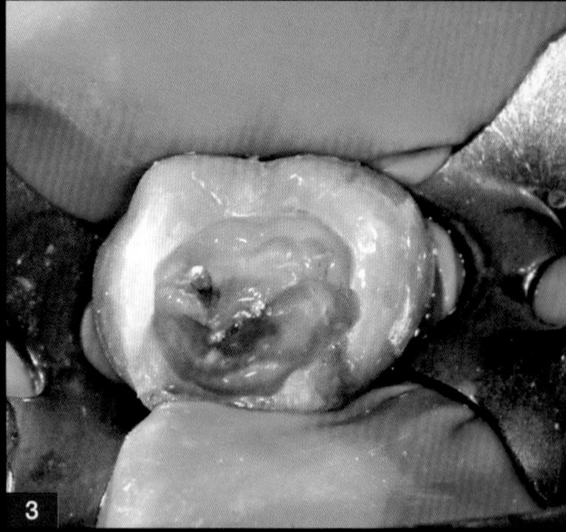

Figure 3: 치관부 접근의 첫 단계에서 기구의 머리 부분이 노출되었다.

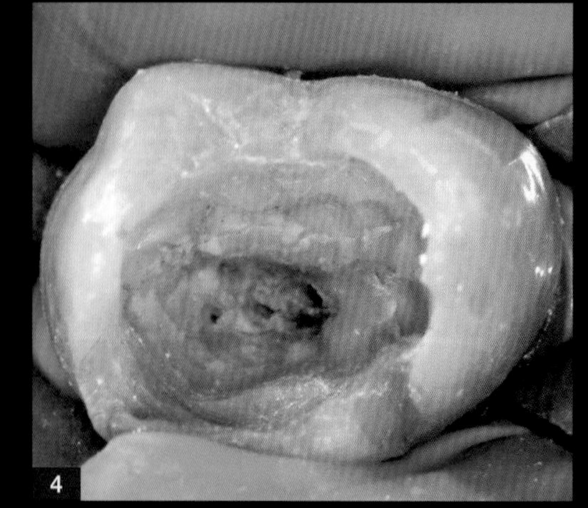

Figure 4: 치수강 바닥이 심하게 석회화되어 있다.

X-ray 검사에서 근관을 폐쇄하기 위해 의도적으로 사용된 두 개의 기구가 관찰되었다. 치근단 부위에서 방사선 투과성 병변이 명확하게 관찰된다.
기구의 제거는 쉽지 않았고, 근관 충전도 약간 과충전되었다. 하지만 치료 후 6년 추적관찰에서 치료의 성공이 확인되었다.

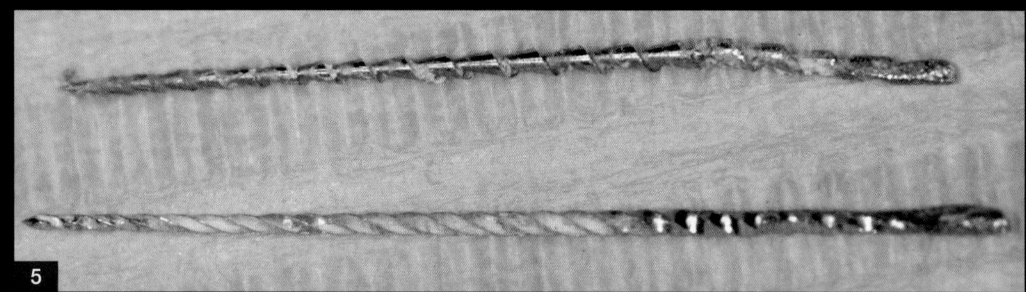

파절 없이 근관 내에서 제거한 두 개의 기구(H 및 K 파일)

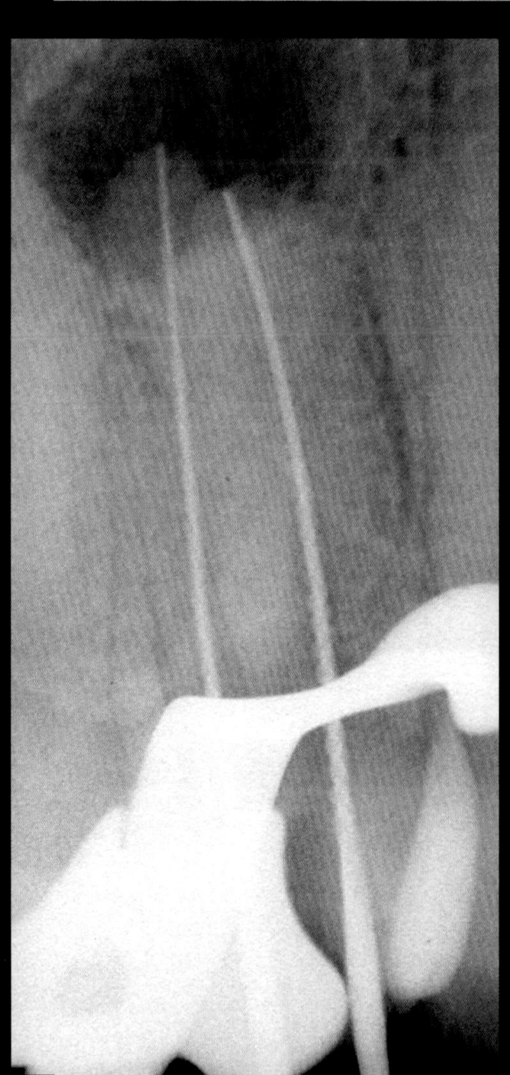

근관장 측정 방사선 사진

근관에 삽입된 두 개의 기구를 통해 두 근관의 치근단 확대 크기가 다른 것을 확인할 수 있다.

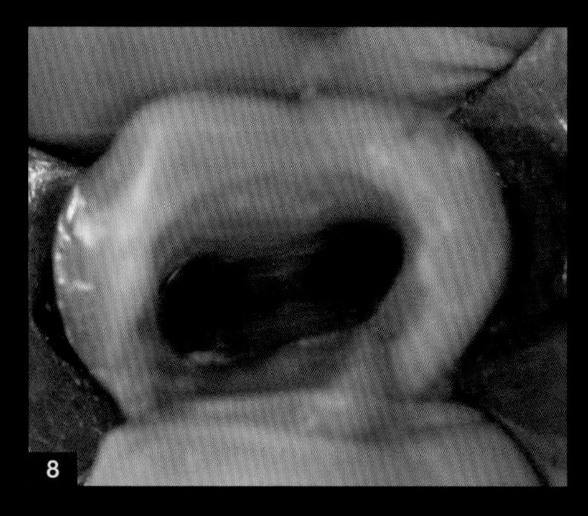

완벽한 형태의 근관 입구. Fig. 4와의 차이점을 확인할 것

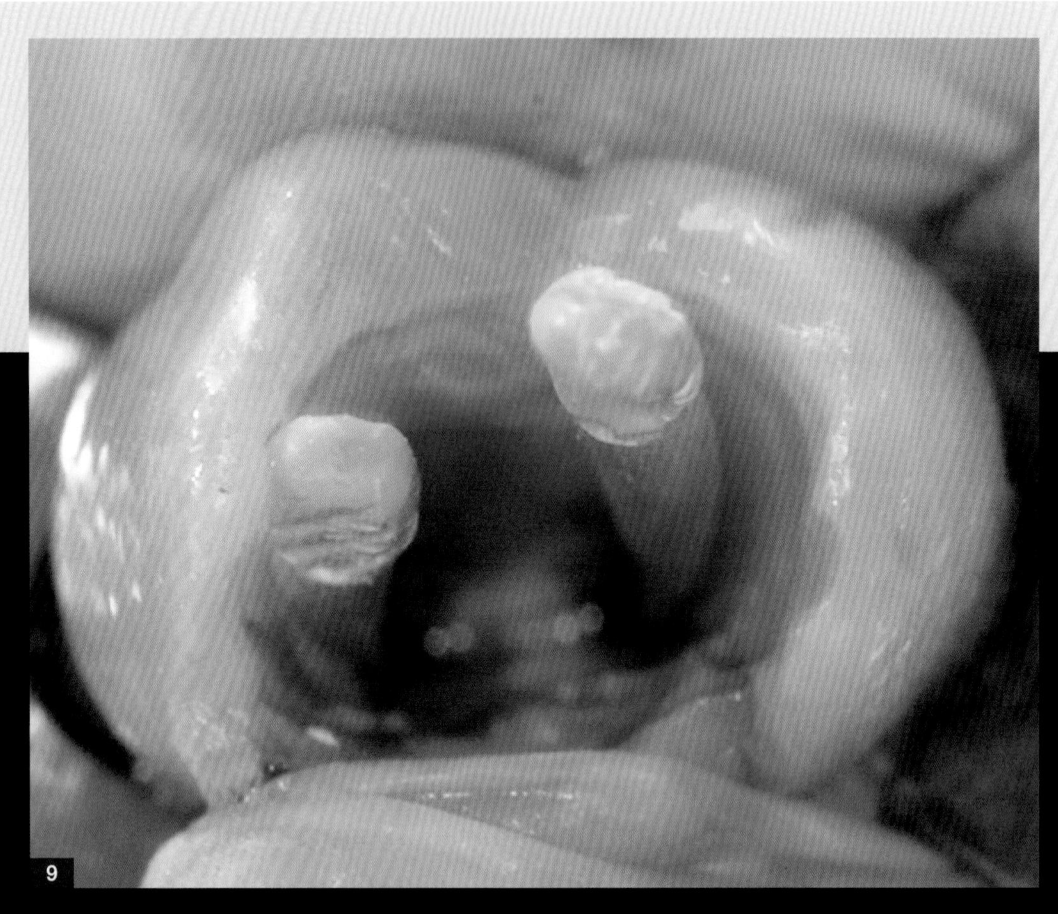

Figure 9: 근관 내부에 삽입한 두 개의 거타퍼챠 콘

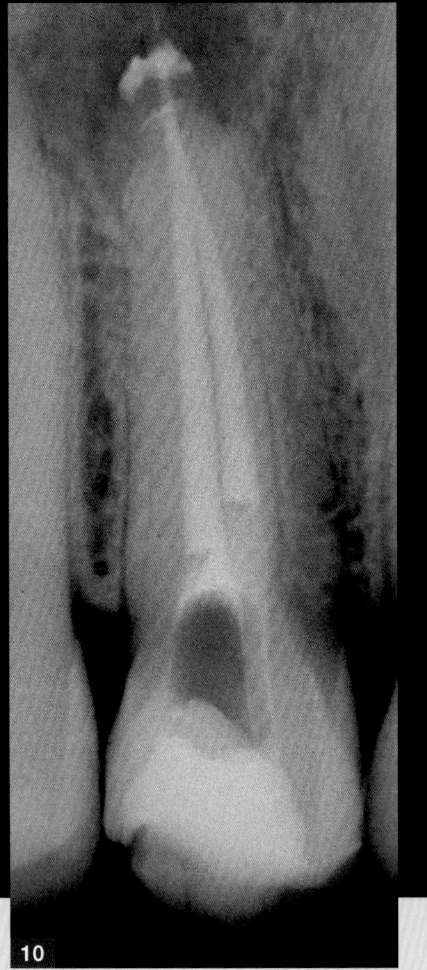

Figure 10: 근관 충전. 약간의 과충전을 확인할 것

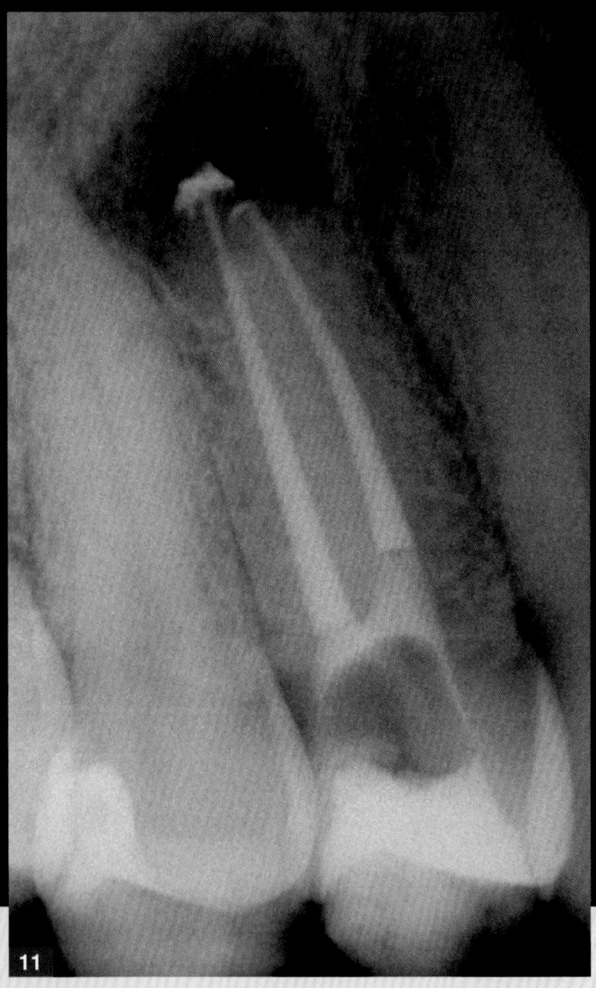

Figure 11: 분리된 치근단공을 확인할 수 있는 각도를 달리하는 사진

치유 단계에 따른 다양한 방사선 사진이다. 그림에서 볼 수 있듯이 **Fig. 12**와 **Fig. 16** 사이에 약 6년이 경과했다. 이 정도의 병변이 완전히 치유되는 데 필요한 시간은 매우 다양하므로, 각 시점의 사진을 개별적으로 판독하면 실패로 간주하는 실수를 할 수 있다.

여러 차례의 추적관찰 동안 환자는 불편함이 없었고, 최종 추적관찰에서 치근 주위 치조골이 재생되어 마치 온전한 치아였던 것처럼 다시 둘러싸고 있다.

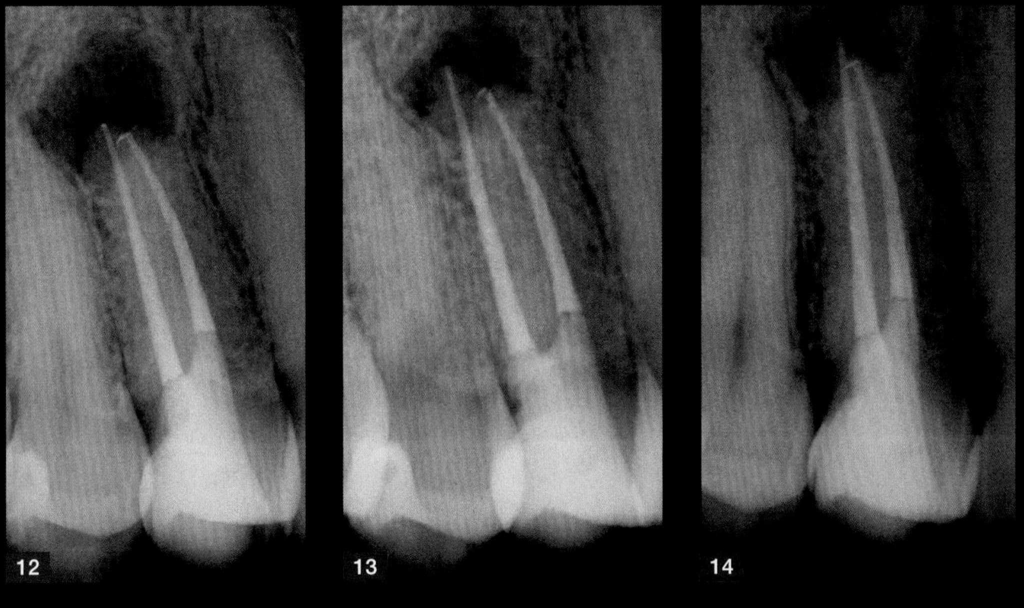

치료 1개월 뒤 추적관찰 X-ray

치료 6개월 뒤 추적관찰 X-ray

Fig. 13과 다른 각도에서 촬영한 치료 6개월 뒤 추적관찰 X-ray

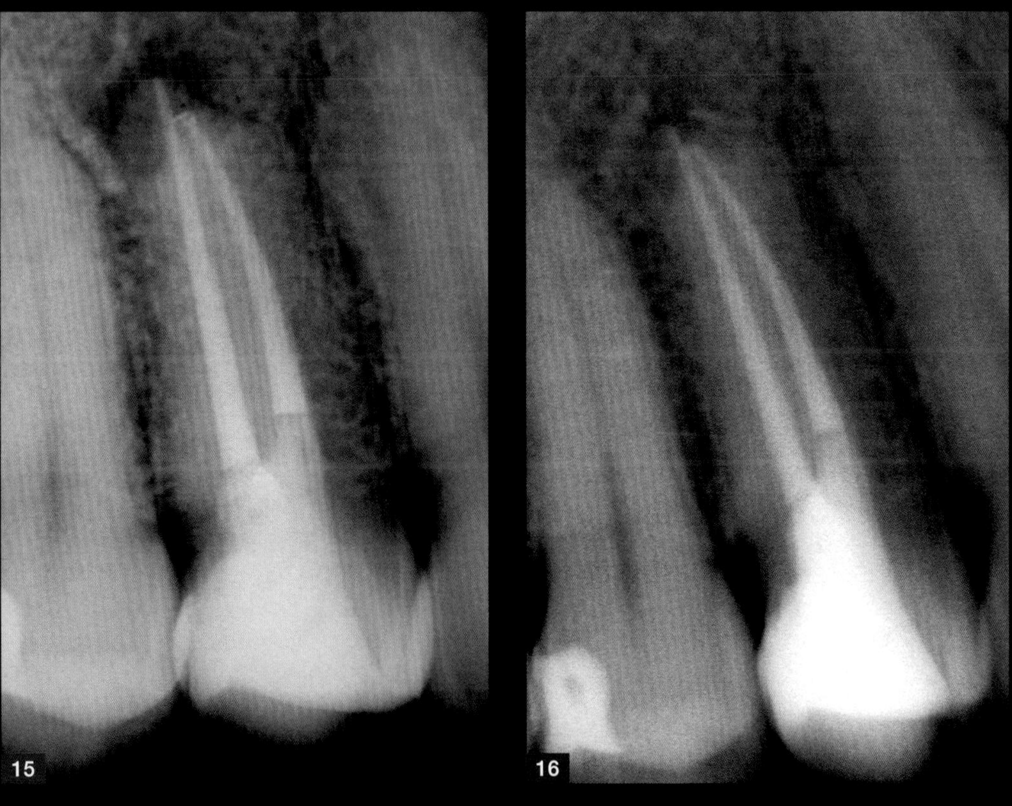

치료 1년 뒤 추적관찰 X-ray

치료 6년 뒤 추적관찰 X-ray

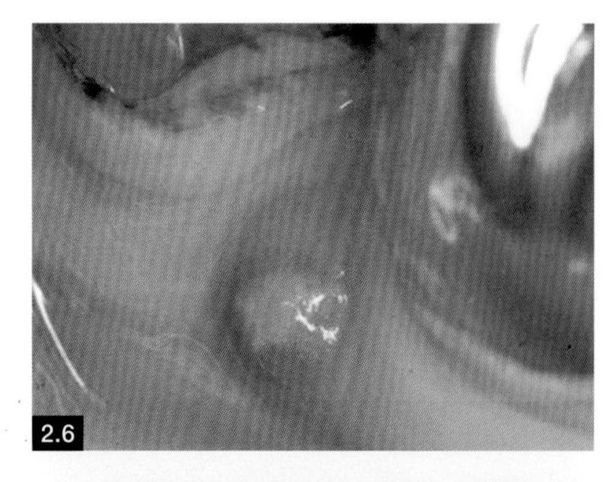

Fig. 2.6: 치아 사이에 위치한 누공의 예. 누공의 위치로 인해 종종 원인 치아를 오인할 수 있으므로 거타퍼챠 콘을 삽입하여 확인해야 한다.

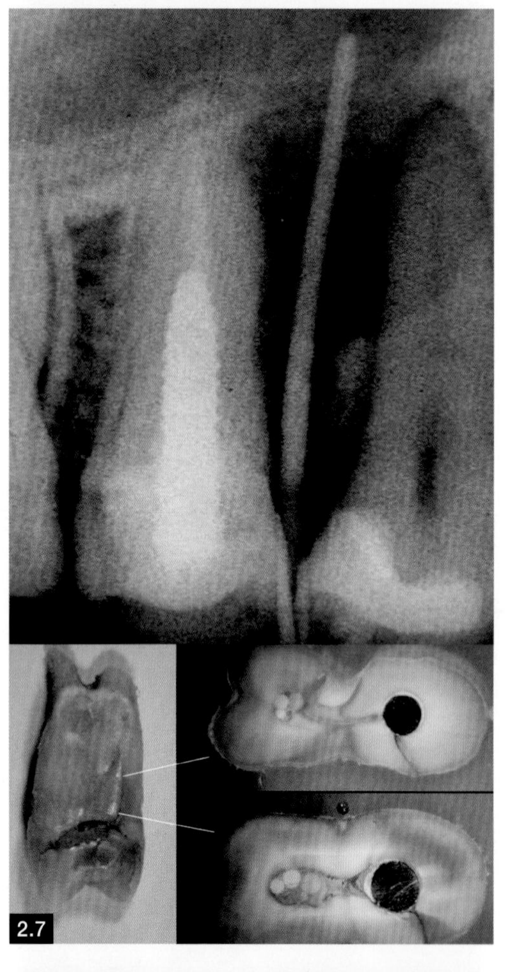

Fig. 2.7: 누공 추적 촬영의 예. 거타퍼챠 콘이 삽입된 방사선 사진을 통해 병변 부위를 식별해야 한다. 하지만 원인 치아는 여전히 불확실하다.

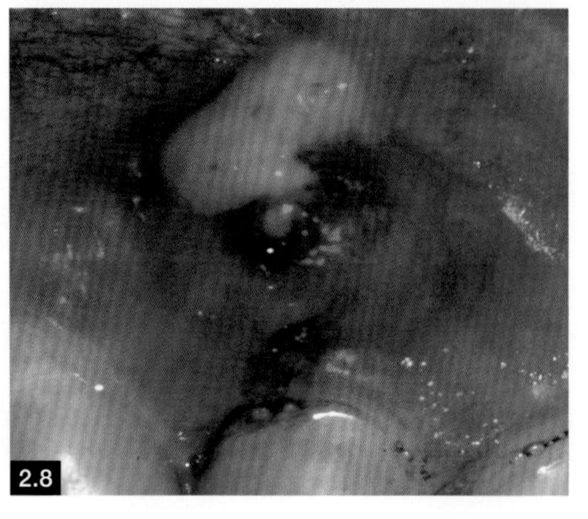

Fig. 2.8: 화농성 치근단 누공. 이 흔치 않은 상황은 종종 치근 표면에 증식하는 박테리아로 가득 찬 치근단 병변과 연결되어 있으므로 근관치료만으로는 잘 낫지 않을 수 있다.

기구를 이용한 구강 내 검사

이전 검사와 연속적으로 진행되는 이 두 번째 단계는 임상적 관점에서 가장 연관성이 높은 예후 인자를 도출하는 데 중요하다.

치수 생활력 검사

치수 생활력을 평가하기 위한 방사선 사진이 없는 경우, 특히 이러한 치아가 이미 치료된 경우 해당 치아의 치수가 변성되었는지 여부를 확인해야 한다. 온도 검사(한랭, 온열), 전기 치수검사 등 치수 생활력 검사에 대한 자세한 설명은 여기서 다루지는 않는다. 이러한 검사는 치수 기원의 치근단 병변이 의심될 때 반드시 해야 한다.

촉진

치근단 질환과 연관된 치아의 치조골 부위에 손가락으로 압력을 가하면 통증이 발생할 수 있다. 앞에서 언급했듯이 부종이 관찰될 수 있으며, 부종은 치근을 둘러싼 조직이 만성 염증 상태임을 나타낸다. 치근단 전정 부위의 촉진은 종종 통증을 유발하며, 이는 근관치료 후 발생한 치근단 주위 질환의 진단에 중요한 요소가 될 수 있다.

Circumferential probing

위에서 언급한 치주 관련 고려 사항 외에도 치주 조직 검사는 진단을 위해 중요한 임상 검사이다. 좁고 깊은 치주낭은 예후에 부정적인 신호이다.
실제로, 그것은 현재 치의학으로는 해결이 불가능하고 진단하기 어려운 질환인 치근 수직 파절과 종종 관련이 있다. 이러한 질환은 종종 상당한 치조골 손실을 초래하여 후속 임플란트 치료를 어렵게 하므로 적절한 진단을 통해 발치해야 한다.

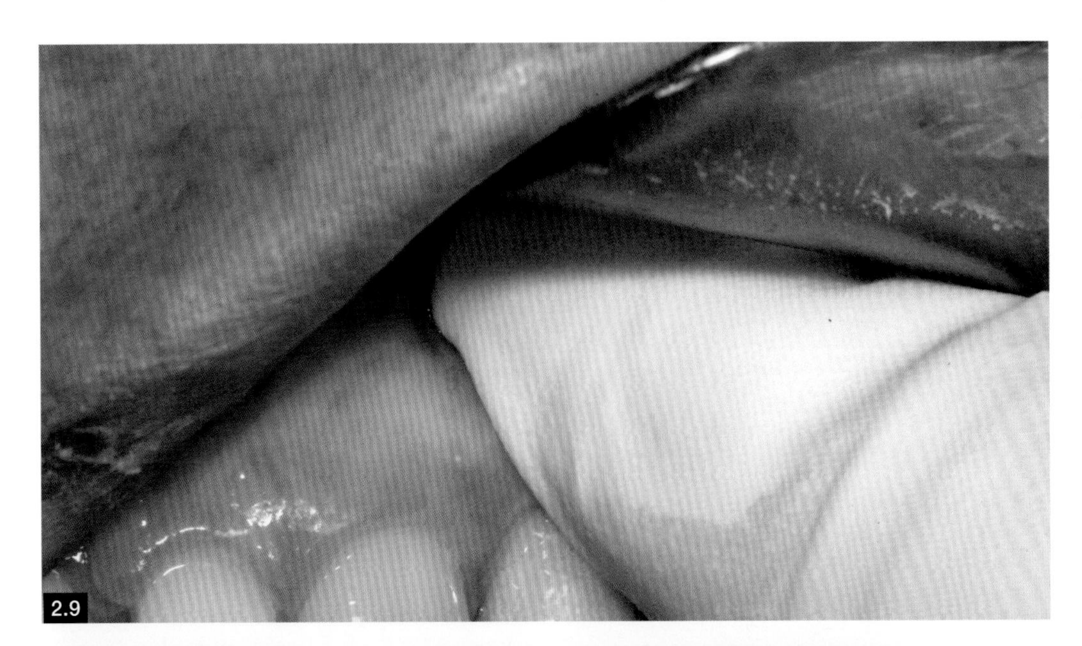

Fig. 2.9: 치근단 부위의 촉진. 이 검사를 통해 치아의 치근단 주위 치조골의 윤곽을 알 수 있다. 질환과 연관된 치아의 치근단 부위를 촉진 시 통증이 유발될 수 있다.

Fig. 2.10: Circumferential probing은 진단의 기본 과정이다. 좁고 깊은 치주낭은 종종 수직 치근 파절을 암시한다.

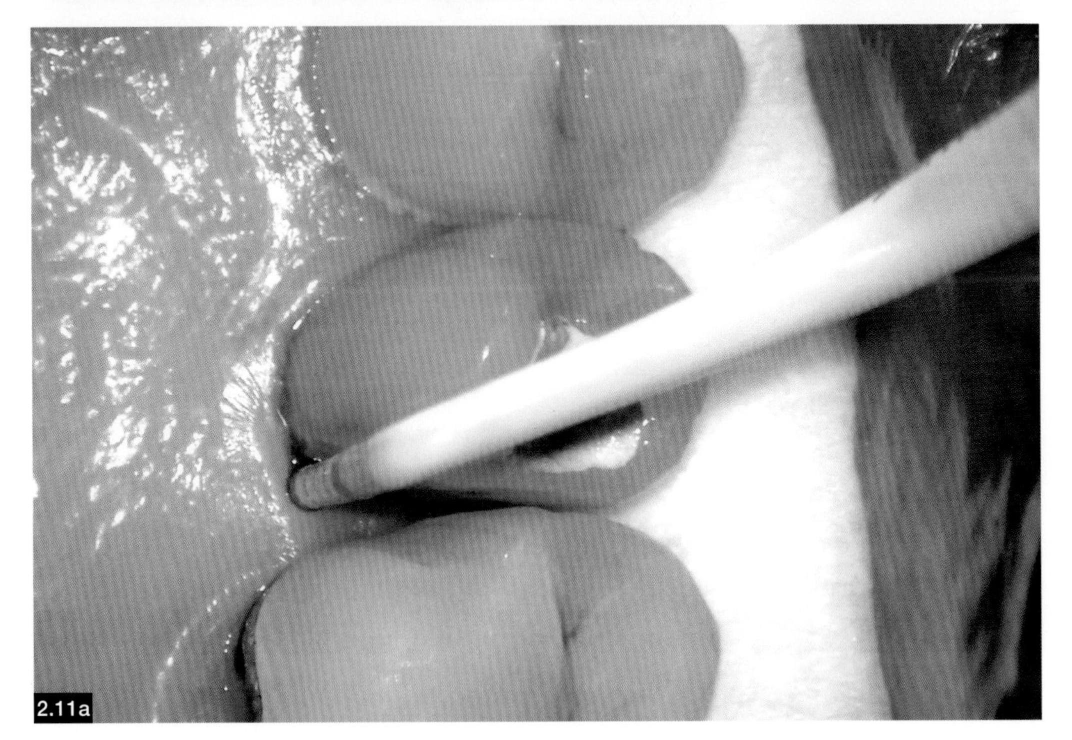

Fig. 2.11a: 임상 검사에서 원심 부위의 깊은 치주낭이 확인되었고 방사선 사진에서 원심 치근 주위 골 소실이 관찰되었다.

Fig. 2.11b: 현미경하에서 치근 표면을 검사했을 때 수직 치근 파절은 관찰되지 않았고 재치료를 하기로 결정하였다.

Fig. 2.11c: 근관 충전 사진에서 측방관이 관찰된다.

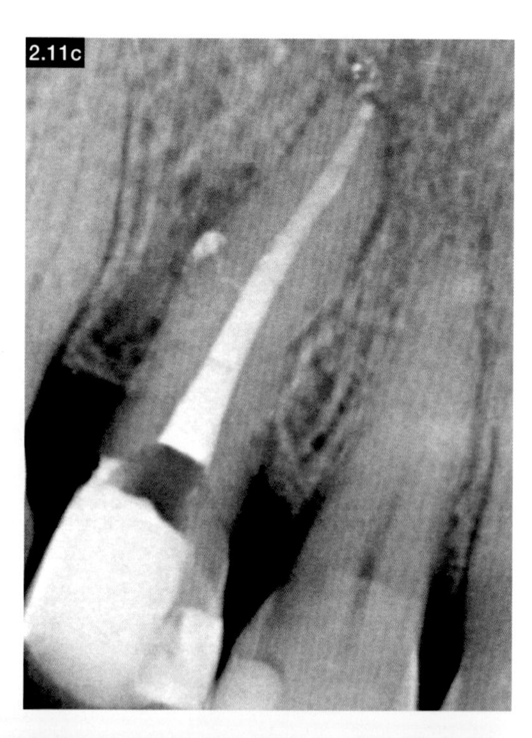

Fig. 2.11d: 근관계를 완전히 밀폐한 뒤 증상이 소실되었다. 방사선 사진에서 치조골이 재생되었고, 이를 통하여 진단과 치료 과정이 적절했음을 확인할 수 있다.

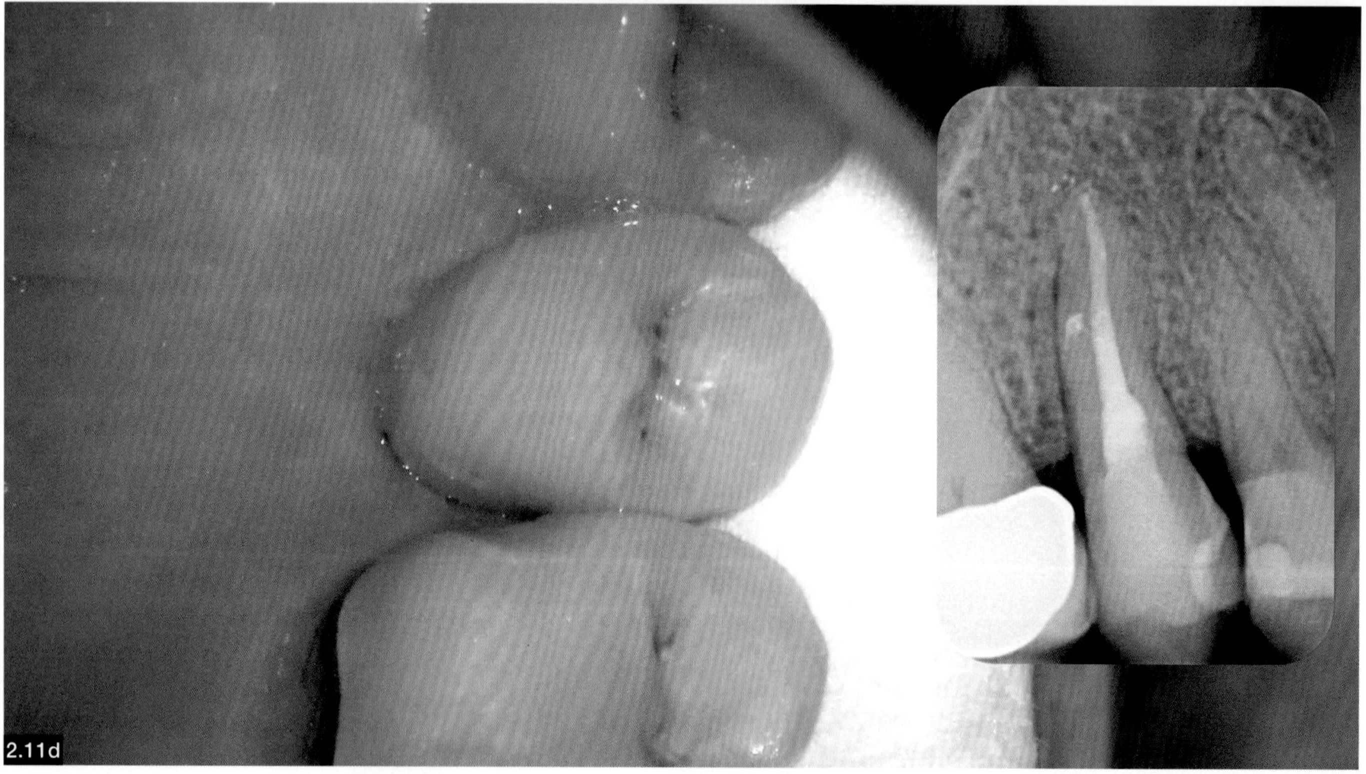

치근단 병소와 누공이 있는 상악 측절치 증례

CASE REPORT 2

22번 치아 치근의 원심 부위 누공은 치수 기원의 치근단 병소를 의심하게 한다. 심미적으로 중요한 부위였기 때문에 재근관치료는 당일 마무리하였다.

▶ continue to page 88

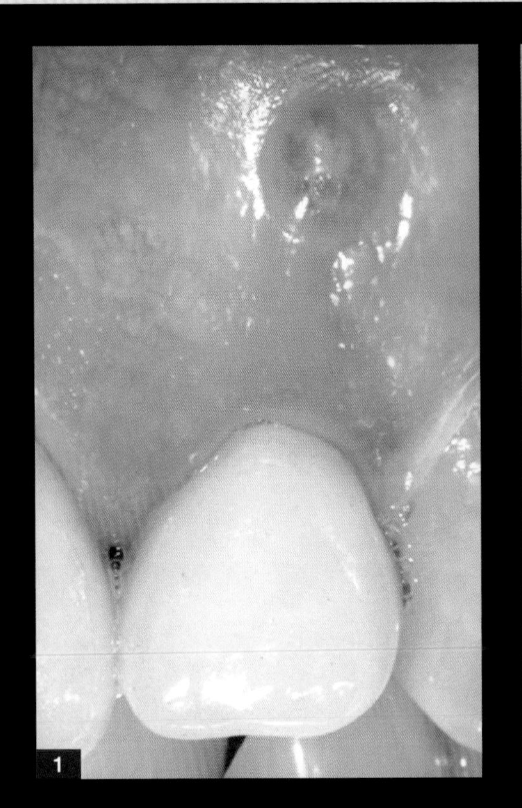

Figure 1: 22번 치아의 임상 사진. 치근단 부위에 누공이 관찰된다.

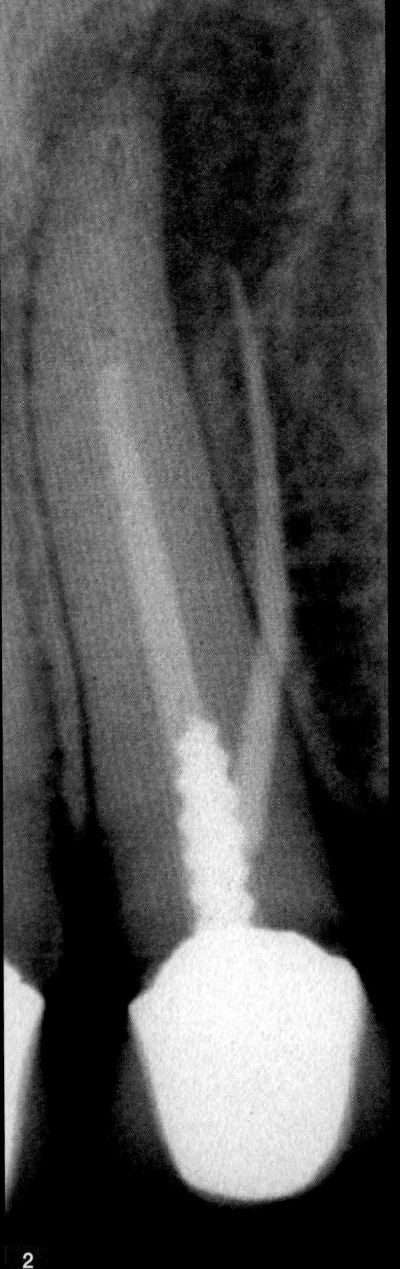

Figure 2: 콘이 삽입된 방사선 사진. 방사선 투과성 병변은 치수 기원의 질환임을 명확히 보여준다. 나사 형태의 포스트가 치관부를 막고 있다는 점이 흥미롭다.

Figure 3: 병소의 기원을 확인하기 위해 누공에 삽입된 거타퍼차 콘

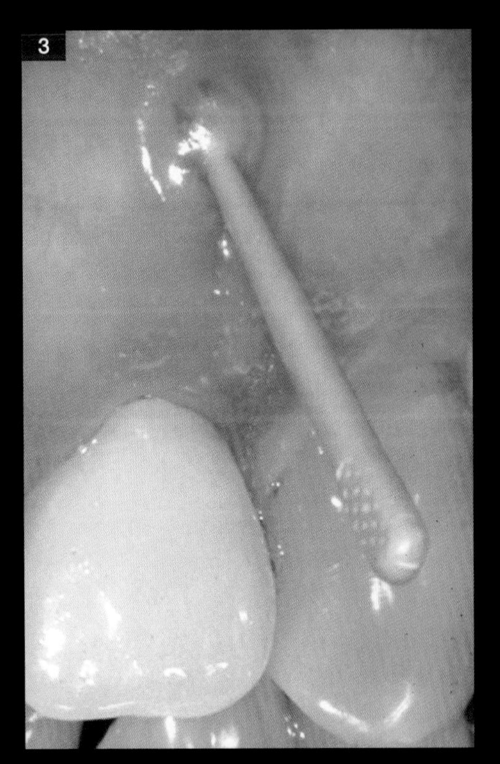

Figure 4, 5: 크라운을 제거한 뒤 포스트가 노출되었고, 포스트를 제거하였다.

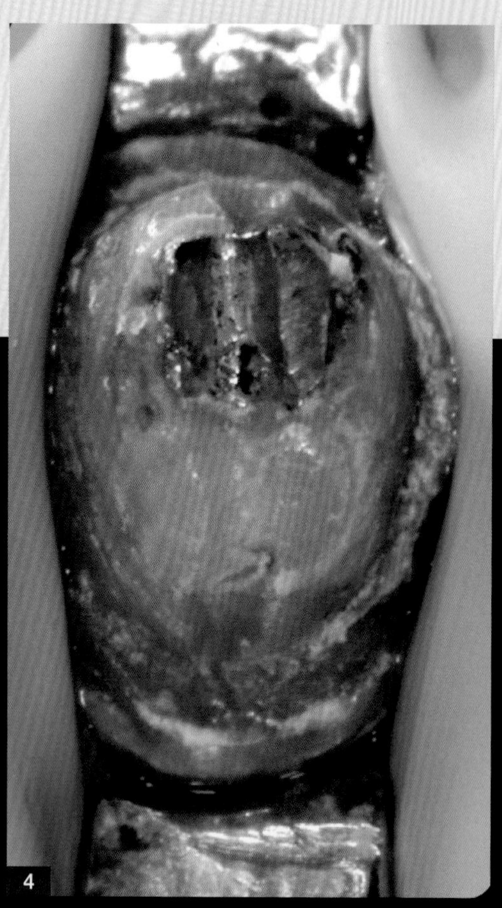

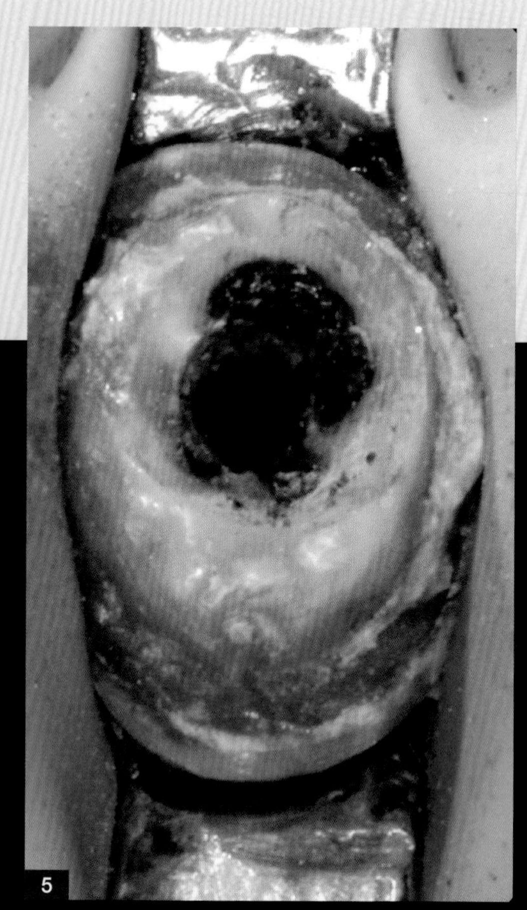

상악 측절치의 치근은 종종 원심 쪽으로 휘어 있어서 근관 성형을 까다롭게 한다.

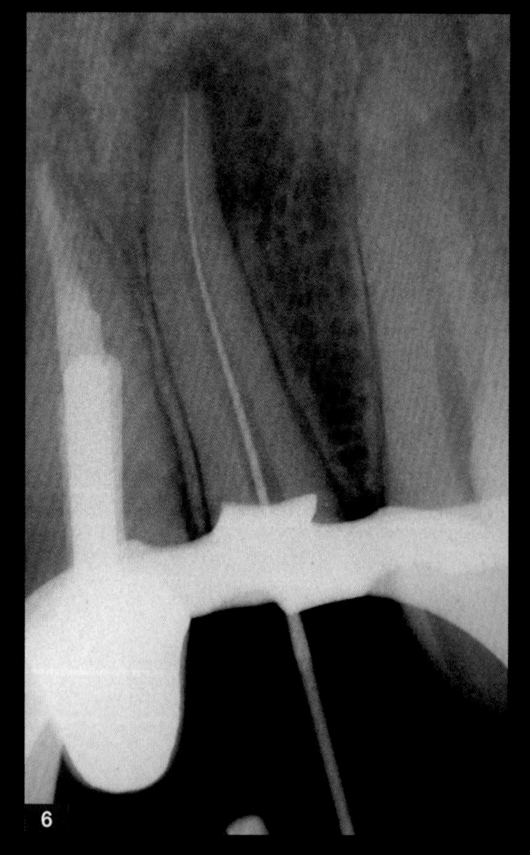

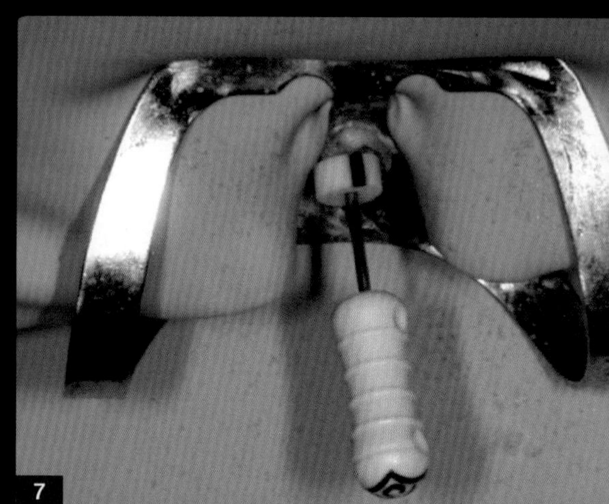

전자 근관장 측정기를 통해 측정된 근관장을 확인하기 위해 삽입된 파일

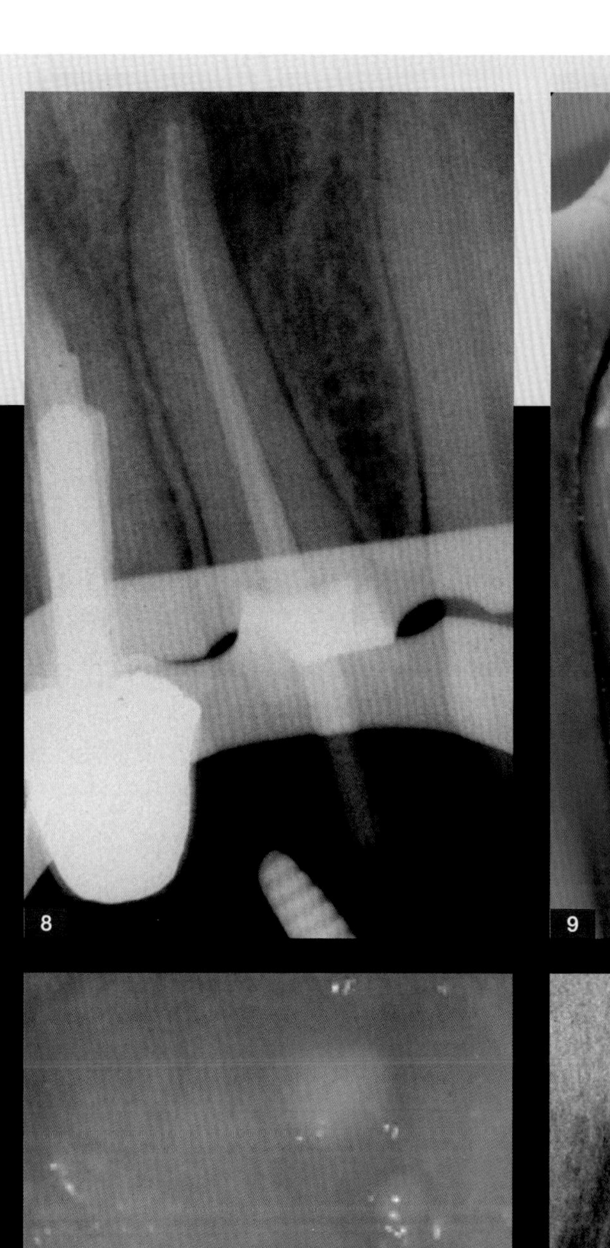

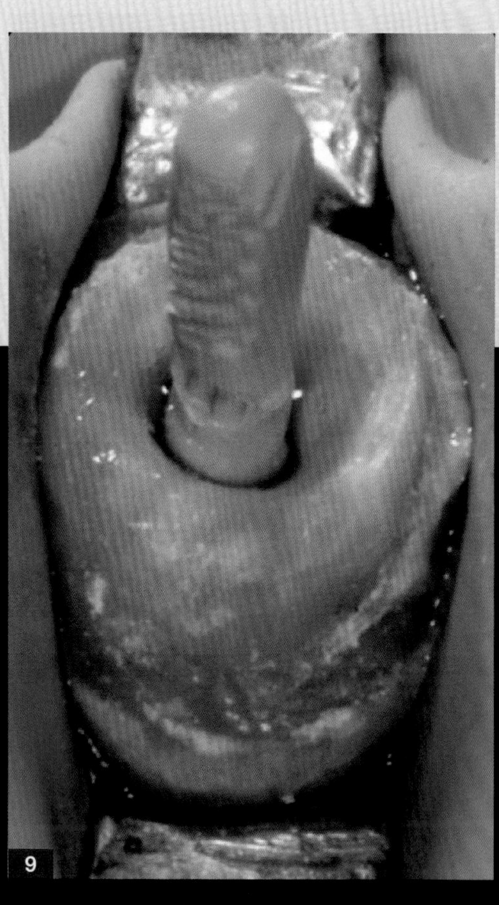

Figure 8: MAF 확인

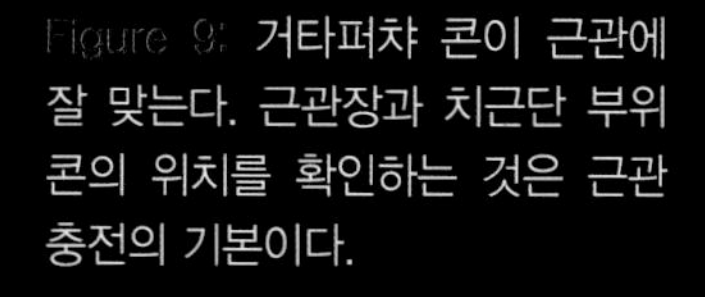

Figure 9: 거타퍼챠 콘이 근관에 잘 맞는다. 근관장과 치근단 부위 콘의 위치를 확인하는 것은 근관 충전의 기본이다.

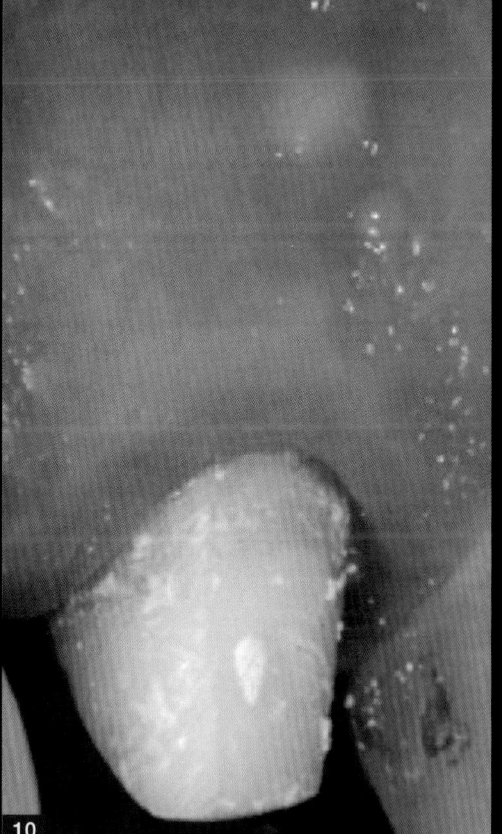

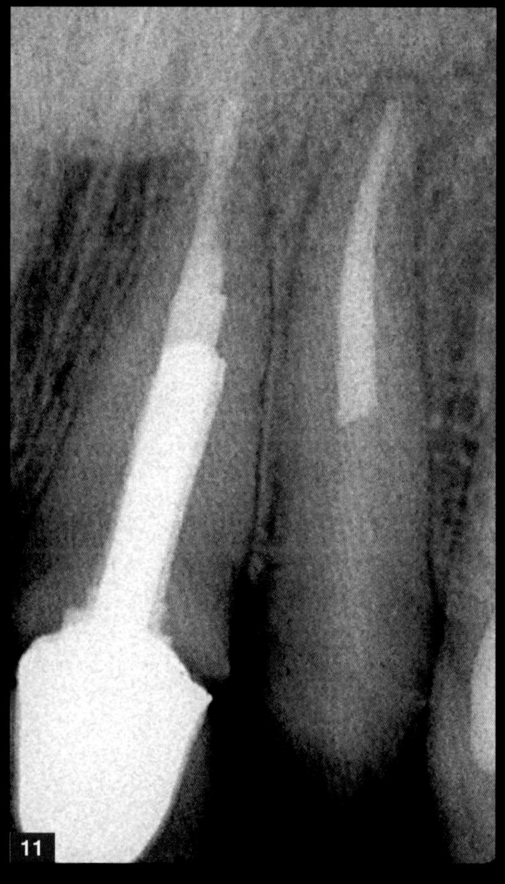

Figure 10: 치유된 누공이 섬유상 반흔을 남겼다.

Figure 11: 치료의 성공과 방사선 투과성 병변의 치유. 주변 골조직의 재생은 바람직한 치료 결과이지만 항상 얻어지는 것은 아니다.

타진

치아의 수직 타진 검사에서 중등도 혹은 심한 통증을 호소하는 경우 –의료 기록 수집 단계에서 환자가 보고하지 않았음에도 불구하고– 치근단 병변을 의심할 수 있다. 면봉을 씹는 등의 검사를 통해 치료가 불가능한 치아 파절이 드물지 않게 발견된다 **(Fig. 2.12-2.13)**.

동요도

치아 동요도 검사는 치주 자체 질환이 원인이든, 치수 기원의 병소가 심화되어 치주 조직이 이환된 것이든 간에 치주 조직의 침범에 대한 의심을 전제로 한다. 치아의 동요는 급성기를 제외하고는 항상 복잡한 재근관치료를 필요로 하는 심각한 병리학적 상황과 연관되어 있다.

임상 검사

임상 검사를 통해 치근단 질환의 영향을 받는 치아를 예측할 수 있기 때문에 임상 검사는 진단에서 여전히 중요한 단계이다. 이후 아래에서 논의할 방사선학적 진단도 필수적이다. 병력 청취 단계와 임상 검사 동안 수집된 정보와 임상적 관찰(환자의 상태, 악궁에서 치아의 위치, 수복 유형, 교합력 등)은 여러 문헌[11]에서 보고된 바와 같이 진단을 확정하고 예후를 예측하는 데 중요하다.

Fig. 2.12: 인접 치아가 동일한 질환에 의해 영향을 받은 경우 타진 검사는 필수이다. 타진에 대한 통증은 치근단 조직 이환의 특징적인 신호이다.

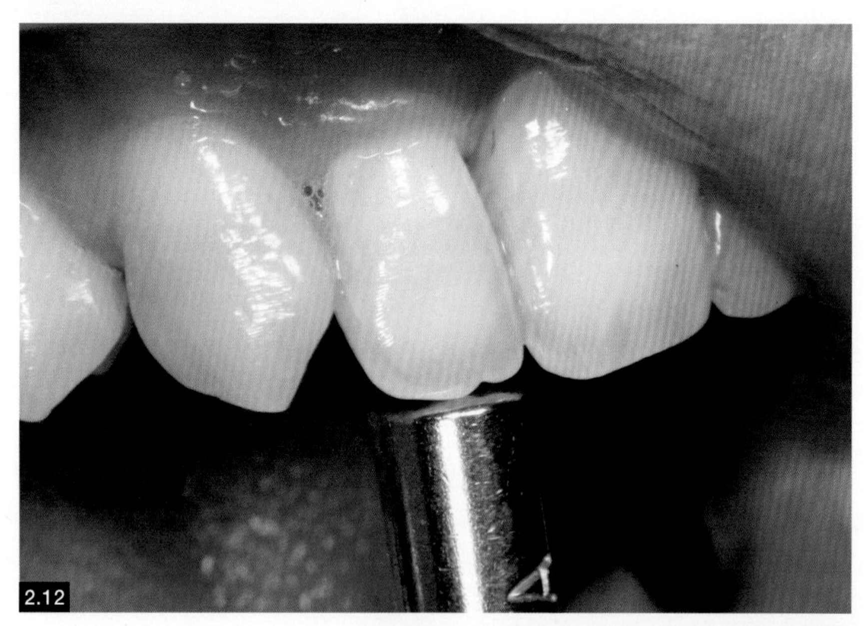
2.12

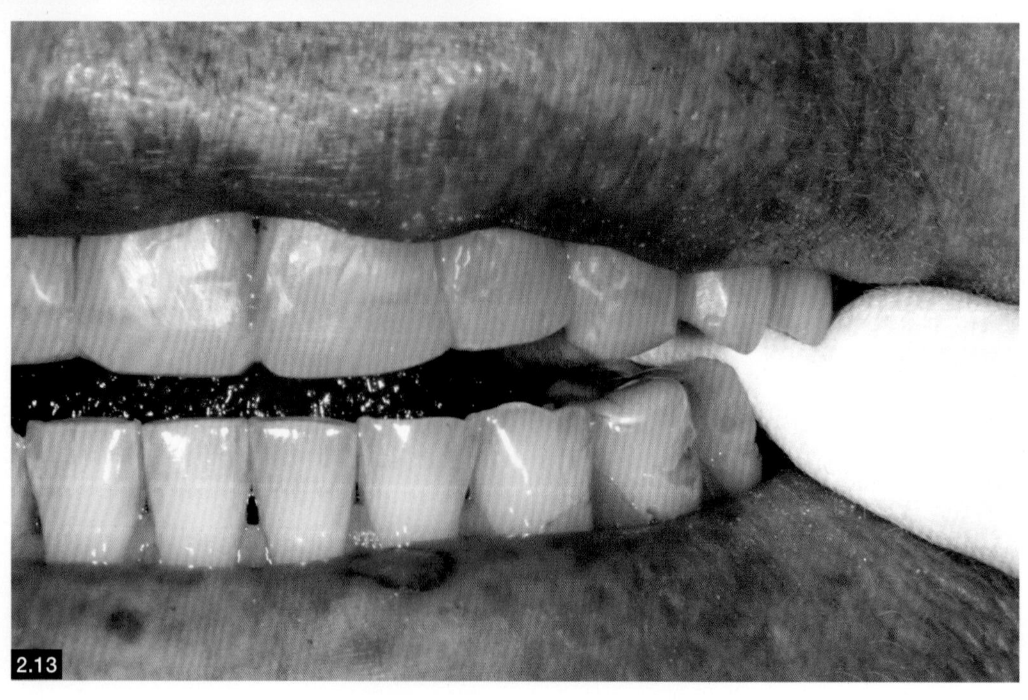
2.13

Fig. 2.13: 악궁 사이에 면봉을 삽입하고 치아를 꽉 물게 하는 것은 다소 광범위한 치근 병변(종종 골절)이 의심되는 환자에게 권장된다.

방사선 검사

방사선 검사는 치근단 주위 질환의 진단에 필수적인 검사이다. 2차원 방사선 사진을 주의 깊게 관찰하면 흑백 이미지에서 많은 정보를 얻을 수 있다.

치근단 방사선 사진

치근단 방사선 사진 촬영은 치근단 질환을 확인하는 가장 쉬운 검사 방법이다(**Fig. 2.14a-b**). 방사선 검사는 전용 장치(XCP 등)를 이용하여 여러 각도에서 촬영해야 한다.

다근치에서 여러 영상을 촬영하고 분석하면 통증의 원인이 되는 치근을 정확하게 식별할 수 있다. 그러나 이러한 유형의 검사로 질병을 파악하는 것이 항상 정확하지는 않다.

실제로, Bender와 Seltzer[16]가 50년 전에 잘 설명했듯이, 치근단 육아종 반응으로 인한 골 파괴 과정에서 피질골이 침범되지 않으면 방사선 사진상에 병변이 나타나지 않는다. 임상가는 치근 윤곽의 상세한 검사를 통해 치근 주위 방사선상의 연속성의 단절과 치조백선의 소실 등 치주 인대 파괴의 징후를 확인하여 치아를 지지하는 조직의 염증성 질환의 발병을 예측할 수 있다.

이후 피질골이 침범되면 방사선 투과성이 명확해진다. 따라서 실제 병변은 방사선 사진에 보이는 것보다 더 큰 것으로 간주되어야 한다. 병변의 크기는 진단과 예후 예측에 중요하며, 뒤에서 설명할 치료 방법을 결정하는 데 필요한 정보를 치과의사에게 제공한다.

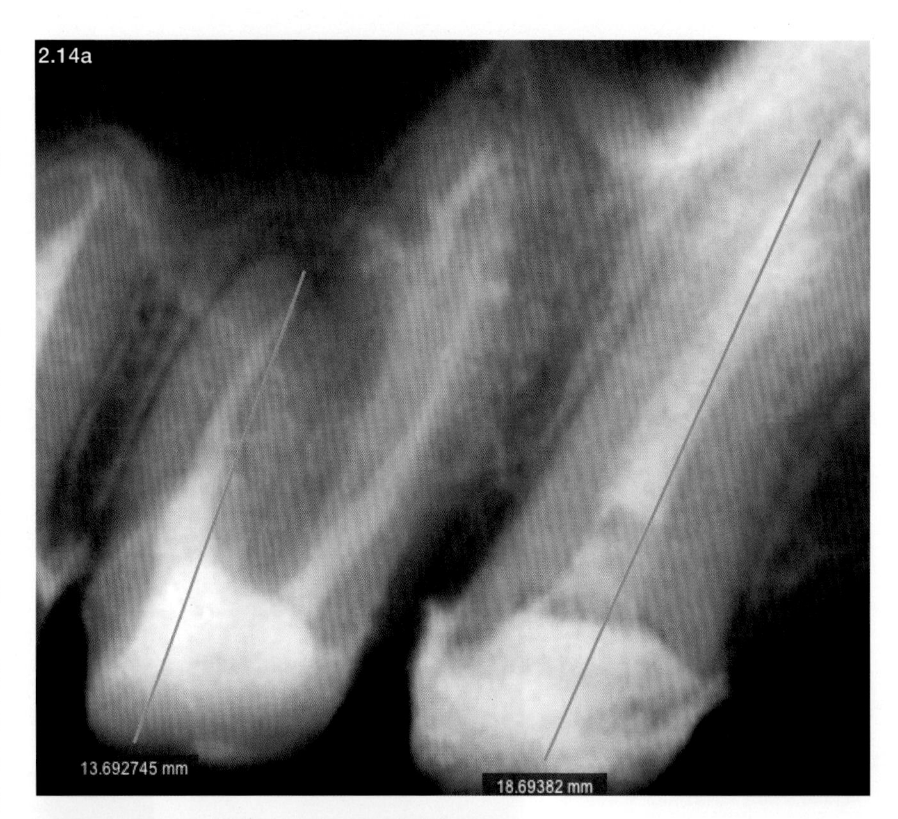

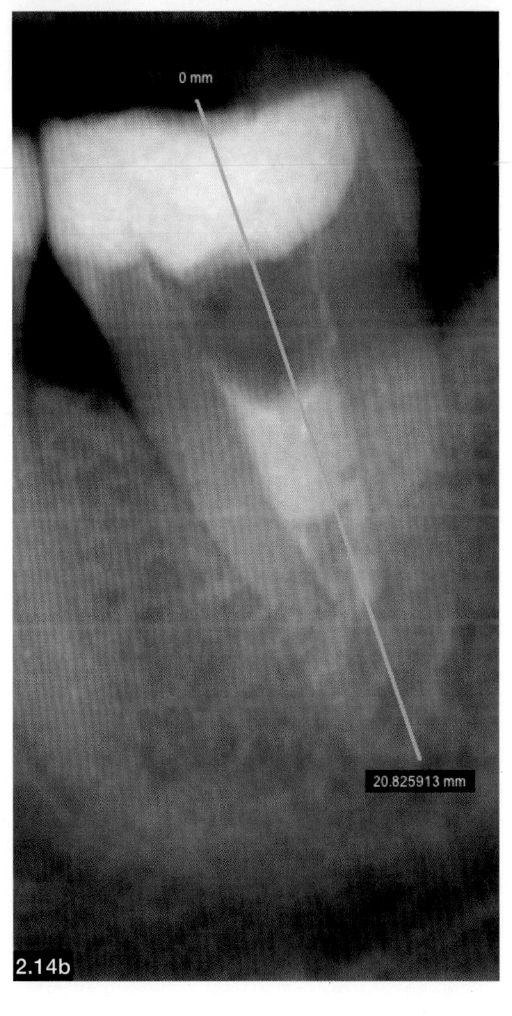

Fig. 2.14a-b: 디지털화된 2차원 방사선 사진은 추가 정보를 제공하므로 근관장 측정 등에 도움이 될 수 있다.

Box 2.2 **방사선학적 기법**

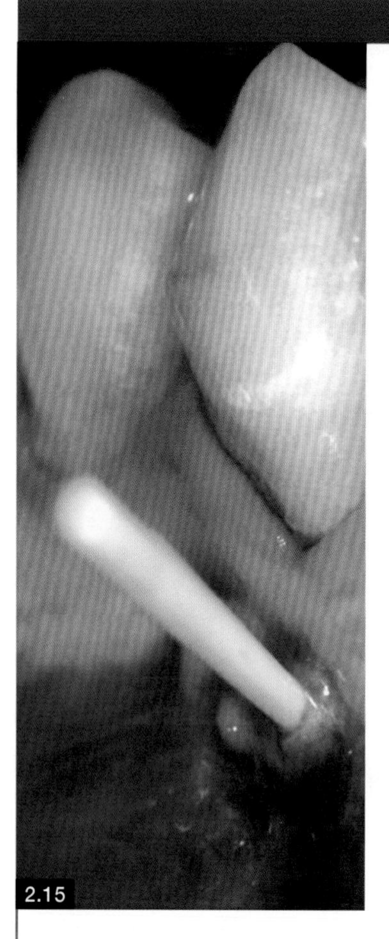
2.15

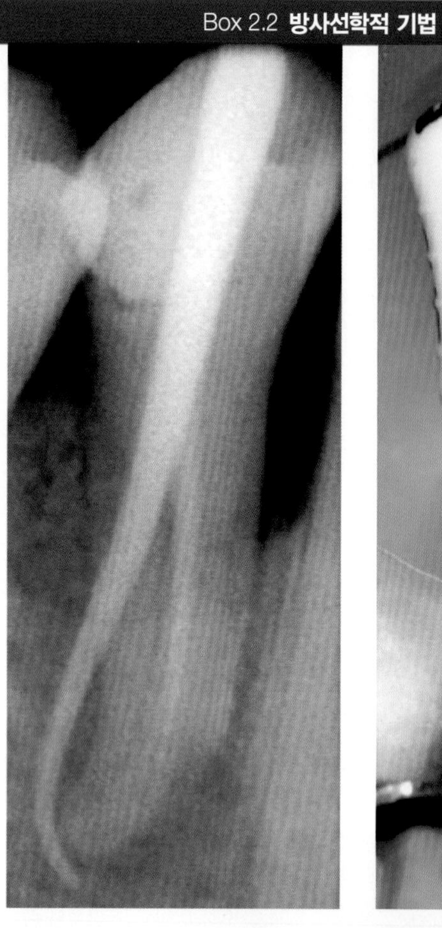

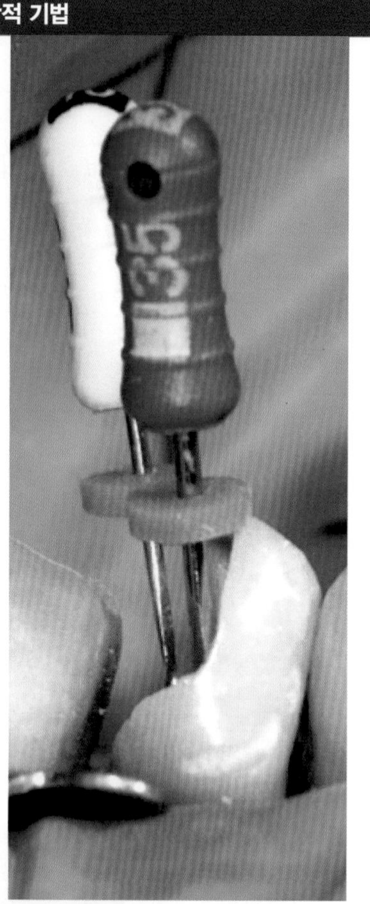

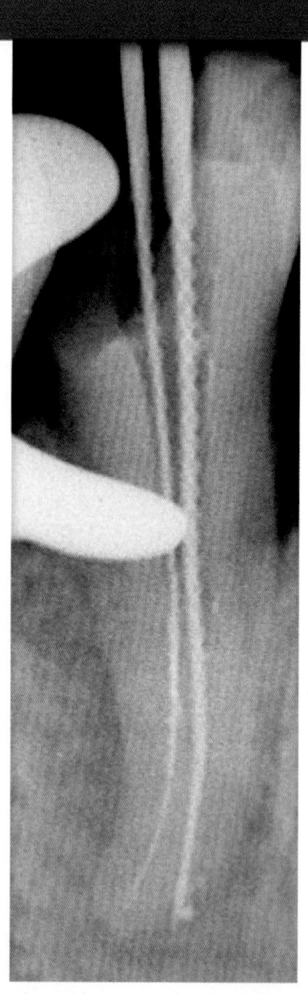

Fig. 2.15: 이 경우 누공 경로에 삽입한 거타퍼챠 콘을 통해 명백한 치수 기원의 치근단 병변이 관찰된다. 치아가 두 개의 근관을 가진다는 의심은 방사선 조사 각도를 달리한 X-ray 영상을 통해 확인할 수 있다.

Hoen MM, Pink FE. Contemporary Endodontic Retreatment: an Analysis Based on Clinical Treatment. J Endod 2002;28(12):834–836.

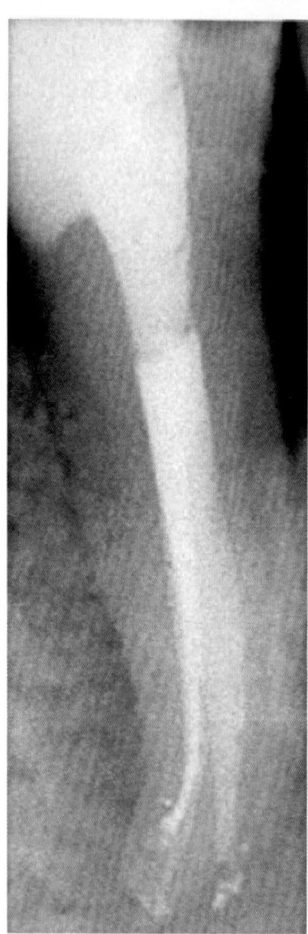

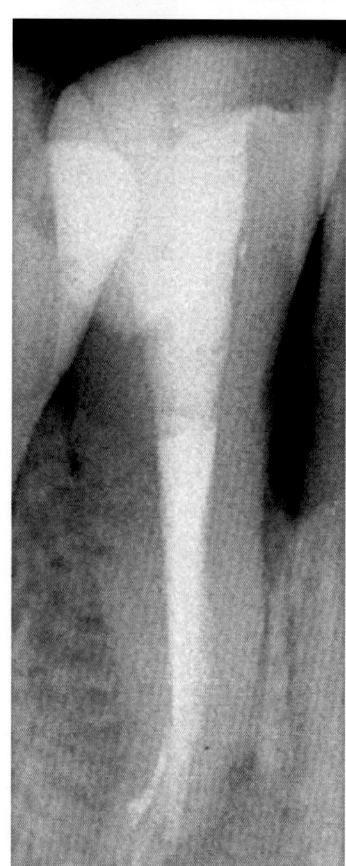

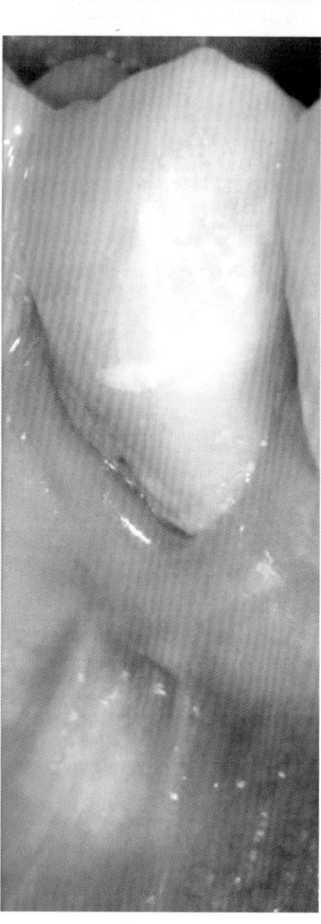

그림에 의해 잘 설명된 바와 같이, 'buccal object rule'은 도식을 통해 이해할 수 있다.

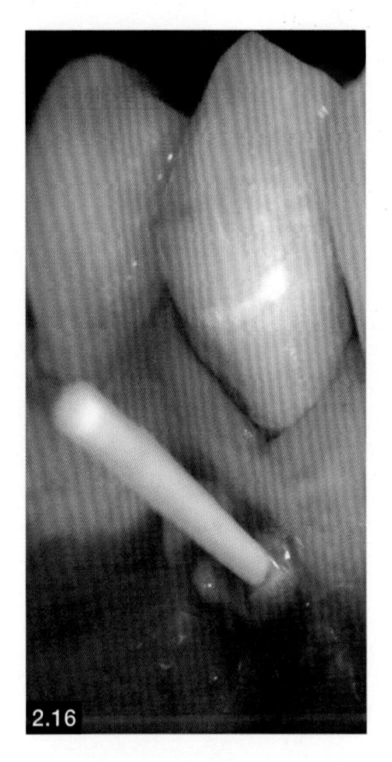

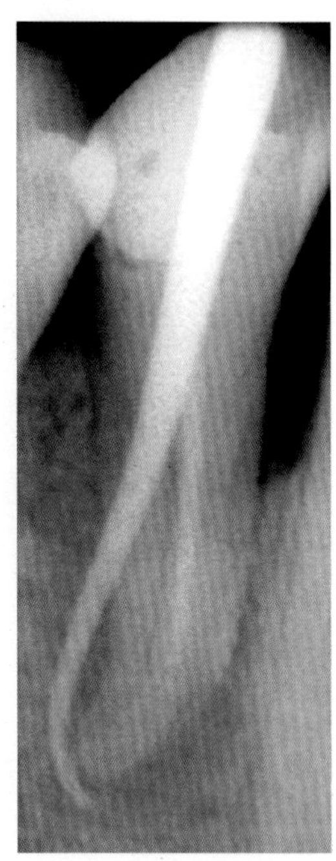

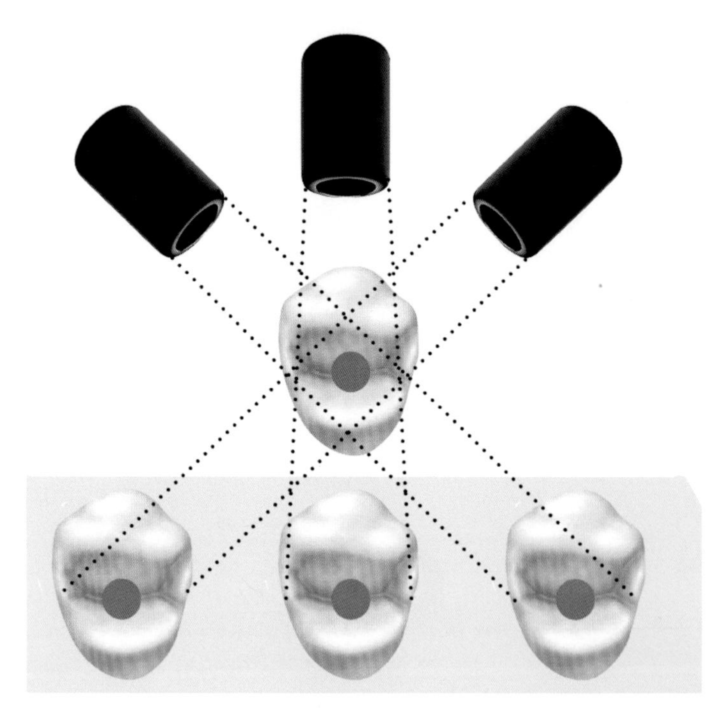

Fig. 2.16: 치근에 근관이 하나만 있는 경우 근관은 X-ray 조사각도와 관계없이 항상 치근의 중심에 위치한다.

임상의는 "buccal object rule"에 따라 근심 또는 원심 방사선 조사각으로 촬영된 사진에서 협측에 있는 근관 내의 구조물(예: 치료 중 파일 또는 콘, 이전 치료의 근관 충전 물질)이 관구의 이동 방향과 반대로 움직인다는 것을 알아야 한다. 따라서 방사선이 근심에서 조사된 경우 협측(순측) 구조물은 방사선 사진의 원심 부위에 나타나는 반면, 방사선이 원심에서 조사된 경우 협측(순측) 구조물은 근심에 나타난다. 이 경우 근심 조사를 통해 협측 근관을 식별할 수 있다.

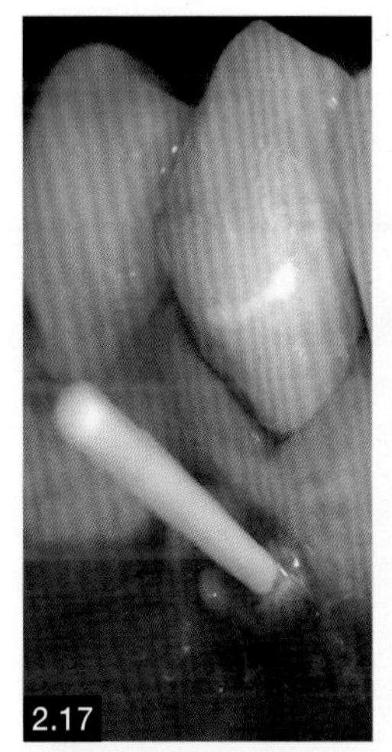

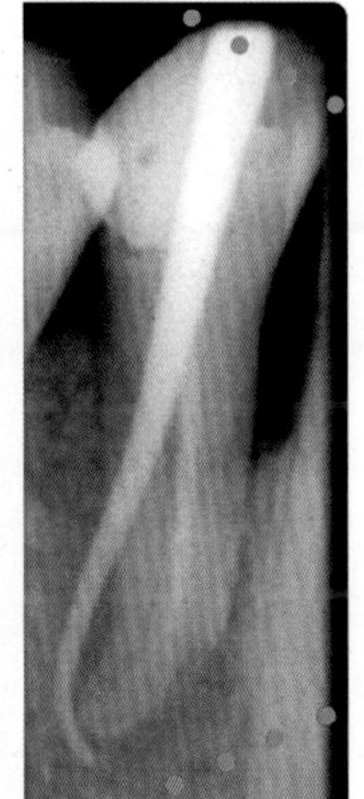

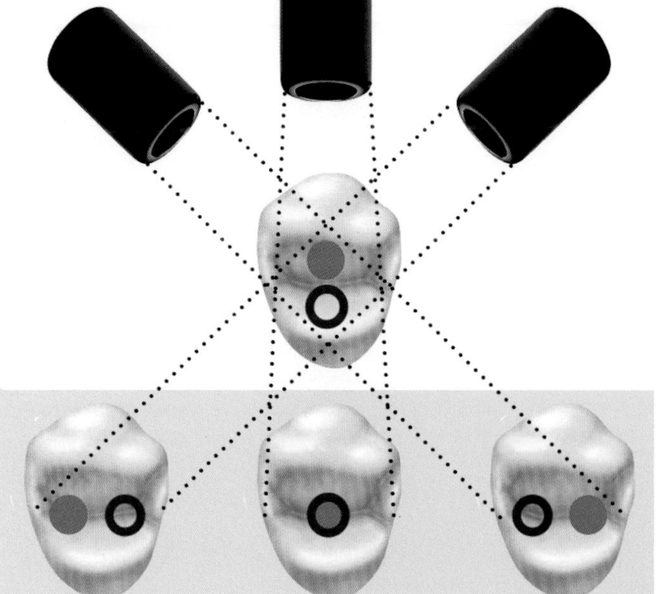

Fig. 2.17: 여러 개의 근관이 있는 치아의 경우 X-ray 관구의 수평 이동을 통해 근관을 명확하게 식별할 수 있다(buccal object rule).
Richards AG. The buccal object rule. Dent Radiogr Photogr. 1980;53(3):37–56.

2차원 방사선 사진에서 검사할 요소

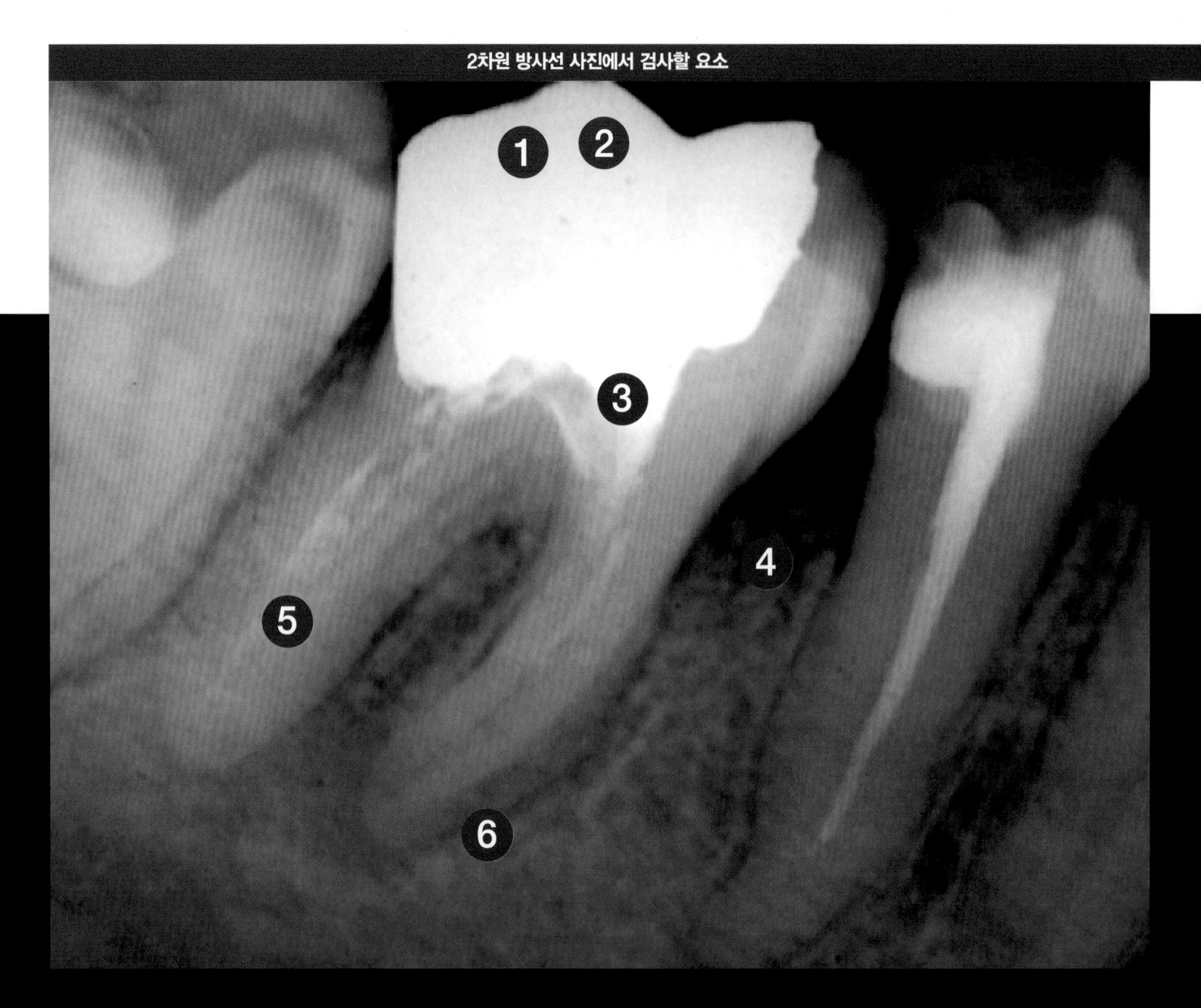

1 치관을 수복한 재료의 특성을 주의 깊게 평가해야 적절한 삭제 기구를 선택하여 근관에 접근할 수 있다.

2 근관 방사선 사진은 장치(XCP 등)를 사용하여 촬영해야 한다.
그렇지 않으면 잘못된 방사선 조사각으로 인해 이 증례의 사진과 같이 영상이 왜곡되어 적절한 진단이 어려워진다.

3 치수강 바닥과 근관 입구는 잘 보여야 한다. 잘 촬영된 방사선 사진은 치수강 개방에 사용할 방법을 결정하는 데 도움이 된다. 치수강 개방 시 발생하는 실수는 종종 치료의 예후를 불량하게 하는 오류로 이어진다.

4 치관 주변 방사선 투과상이 관찰될 경우 치주 병변, 치근 파절 또는 근관 상부의 천공을 의심해야 한다.

5 근관 내용물을 세심하게 검사해야 한다. 균일하지 않은 내용물 외형은 충전재가 불완전하게 가압된 것을 알려준다. 종종 거타퍼챠 없이 sealer로만 충전됐을 수 있다.

6 치근의 전체 부위를 검사하여 치근단 외연을 평가해야 한다. 외연의 불연속성은 골 조직의 염증 반응을 의미한다.

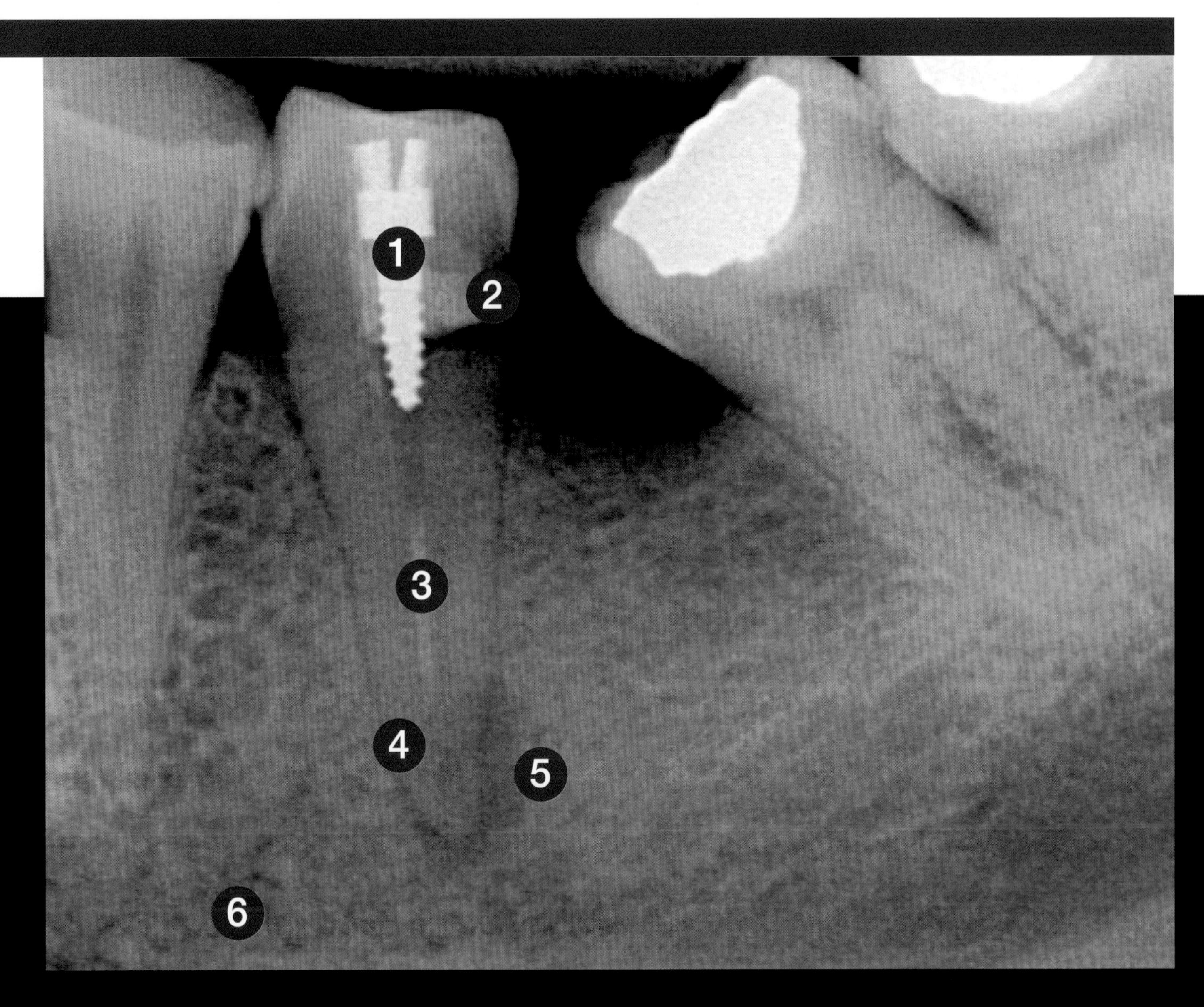

1 방사선 불투과성 근관 포스트가 존재할 가능성에 주의해야 한다. 근관에 깊게 삽입되어 있을수록 제거하기 더 어려워진다.

2 치관부 밀폐는 연속적이고 균일해야 한다. 그렇지 않으면 치관부의 누출을 의심해야 한다.

3 근관 충전의 깊이(level)는 근관치료의 질을 평가하는 데 중요한 요소이다. 방사선학적 치근첨에서 2 mm 이상 떨어진 충전은 부적절한 것으로 간주해야 한다.

4 방사선 사진에서 관찰되는 불충분하게 충전된 근관의 존재는 재치료에 유리한 예후 인자이다.

5 골의 방사성 투과성의 변화는 근관 내부의 박테리아 존재와 관련된 염증 반응의 명확한 지표이다.

6 하악에서 항상 이공(mental foramen)의 위치를 확인해야 한다.

3차원 방사선 검사

Cone Beam Computed Tomography (CBCT)

Cone Beam Computed Tomography (CBCT)은 CT와 유사하지만 몇 가지 다른 특징을 가지는 방사선 검사이다. 최신 세대의 CBCT 시스템은 X-ray 소스를 사용하는 소형 기기(orthopantomographic 장치와 유사)로, X-ray 소스와 검사할 환자 주변의 감지기가 동시에 이동하면서 회전하며(회전 진폭은 180도에서 360도까지 다양함), cone 또는 pyramidal beam (따라서 "cone beam"이라는 이름이 붙음)을 방출한다.

따라서 감지기는 원통형 또는 구형(FOV)의 전체 영상을 얻으며 이를 통해 작동 시간이 단축되어 환자의 방사선 노출 시간과 선량을 감소시킬 수 있다. 획득된 영상을 적절한 소프트웨어를 사용하여 처리해서 진단에 유용한 세 종류의 평면(tangential, transversal, and axial)의 2차원 이미지를 얻는다.

최신 multi-slice computed tomography (MSCT)와 비교했을 때 CBCT는 작은 고 대비 구조물을 더 정확하고 세밀하게 감지할 수 있다. CBCT는 또한 MSCT보다 상당히 낮은 방사선 노출을 필요로 한다.[17, 18]

2003년에 이탈리아에서 수행된 연구[19]에서 상악 대구치의 구개측 치근에 대한 치근단 수술을 계획한 경우 수술 전 진단 분석을 위해 CBCT의 사용을 제안했다. CBCT의 광범위한 사용의 정당성은 CBCT의 민감도와 특이도를 전통적인 2차원 검사와 비교한 2007년 연구에 의해 과학적으로 입증되었다.[20]

후속 연구에서 저자는 치근단 질환의 진단에서 CBCT가 기존 X-ray보다 25% 더 높은 특이도를 보임을 강조했다.[21-29] 최근 체계적 문헌 고찰[30]이 발표되었고 이 문헌에 기술된 임상적 사용에 대한 적응증들이 European Society of Endodontics[31]에 의해 제안되었다.

근관치료 시 3차원 진단은 다음 영역에 사용된다.

- 치근단 주변 질환의 식별, 국소화 및 범위 확인; 하나 이상의 근관과 연관되었을 가능성; 상악동, 하치조 신경 및 이공과 같은 인접한 해부학적 구조물과 연관성
- 내흡수 및 외흡수의 확인
- 상악골, 하악골의 외상
- 외상이 의심되는 경우 및 근관치료된 치아의 실패 여부 확인

이와 같이 CBCT 사용의 이점은 분명하지만 2차원 근관 방사선 사진에 비해 환자에게 더 많은 방사선이 노출됨을 고려해야 한다.

따라서 CBCT는 진단이 모호한 증례에서 탁월한 진단 방법으로 사용될 수 있다. 근관치료된 치아의 진단에 CBCT를 사용할 때 방사선 불투과성 물질(금속 포스트, 거타퍼챠, 방사선 불투과성 시멘트, 보철물 등)로 인한 artifacts (beam hardening)의 결과로 CBCT 영상의 특이도가 감소해 진단 및 의사결정에 영향을 미칠 수 있음을 고려해야 한다.

실제로 artifacts는 잘못된 진단을 유도할 수 있다. 예를 들어, 일부 형태의 artifacts (줄무늬)는 파절 또는 천공으로 오인될 수 있다. 최근 이러한 장애를 부분적으로 해결하기 위해 특수 소프트웨어가 사용되고 있다. 이러한 이유 때문에 근관치료를 위한

Fig. 2.18a: Tangential 단면. 천공(빨간색 화살표)을 유발한 잘못된 근관 성형을 확인할 수 있다. 증례를 보고한 임상의는 근관을 탐침할 때 다량의 출혈을 확인했다. 전자 근관장 측정기는 실제 치근의 길이보다 몇 밀리미터 더 짧은 근관장을 표시했다.

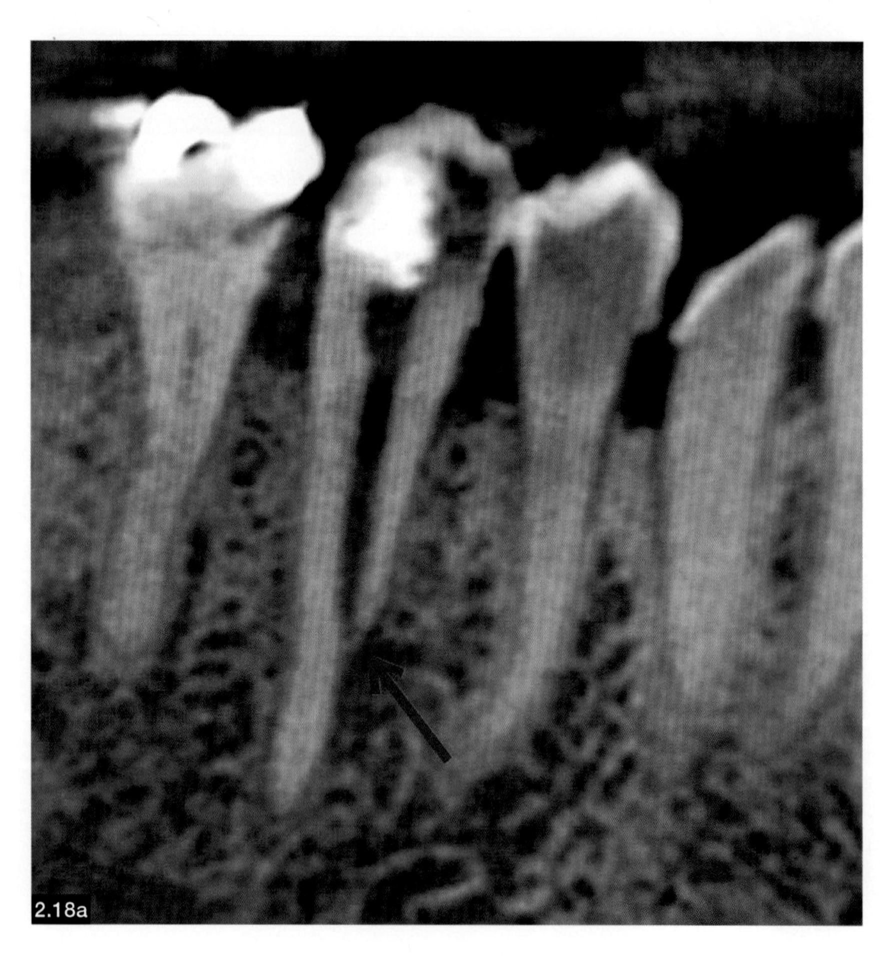

CBCT의 무분별한 사용은 신중하게 고려되어야 한다. 그럼에도 불구하고, CBCT는 매우 유용한 진단 방법이다.

따라서 이러한 검사를 할 때 임상의는 다음 두 가지 기본 사항을 고려해서 촬영 여부를 결정해야 한다.

- 타당성 변수: 사용 지침에 따라 임상의는 먼저 필요한 모든 진단 정보를 수집하여 환자 노출을 제한해야 함
- 최적화 변수: 임상의는 검사가 필요하다고 결정하면, 환자의 노출을 최소화할 수 있는 최적의 설정을 해야 함

CBCT 검사를 통해 일반적인 X-ray로는 식별할 수 없는 치아 및 치아주위 조직을 확인할 수 있으며 이는 기존의 2차원 방사선 사진보다 38% 더 높은 비율이다.[32, 33]

비가역적 치수염 상태의 치아의 진단에도 사용을 고려할 수 있다. 이와 관련된 연구에서, 치근단 희박대(rarefaction)의 식별은 일반 X-ray에서 20%, CBCT 검사에서 48%였다.[34]

이러한 결과를 통해 비가역적 치수염 양상을 특징으로 하는 많은 치과 질환이 이미 미래의 예후를 예측할 수 있게 하는 염증성 치근단 주위 반응을 일으켰음을 확인할 수 있다. 이러한 발견은 Cheung et al.[28]에 의해 전통적인 근관 방사선 사진의 부정확성이 확인되며 더욱 강조되었다. 그의 연구에서 임상적으로 평가할 수 있는 결과를 실험을 통해 다시 확인하였고, 2차원 방사선 영상은 주의해서 판독해야 한다고 강조하였다.

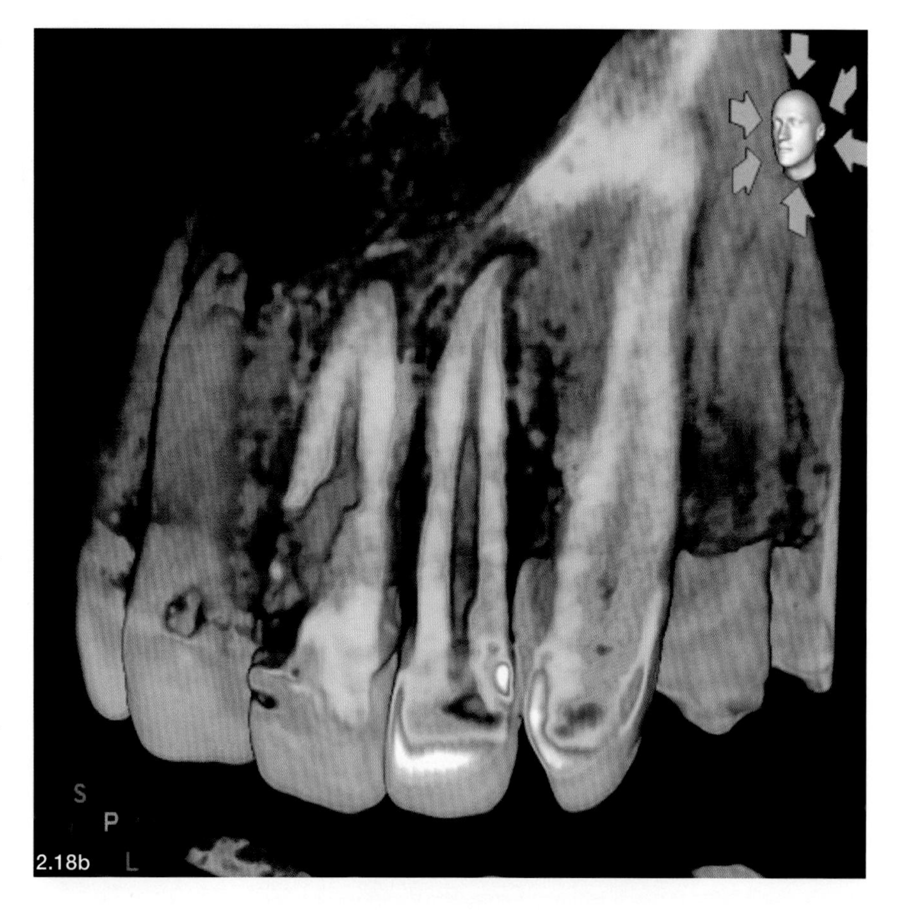

이러한 결과는 CBCT가 치성 기원의 근단부 질환을 진단하는 데 있어 아날로그 또는 디지털 여부와 관계없이 기존의 근관 방사선 사진보다 훨씬 더 민감도가 높다는 것을 보여준다. 3차원 검사의 또 다른 장점은 다음과 같다. 질병을 식별하고 실제 이환된 범위를 결정할 수 있는 가능성, 특히 다근치의 경우 이전의 근관치료에서 도달하지 못한 치근 부위를 감지할 수 있다.

Fig. 2.18b: DOV가 명확한 작은 FOV 상악 전치부의 렌더링
- 11번 치아의 치근단 변형을 일으킨 큰 치근단 병변
- 11번 치아의 초기 치경부 흡수
- 21번 치아의 심한 병적 치관-치근 외 흡수: 치아는 수복이 불가능하다.

측절치의 치근단 1/3의 특이한 만곡은 종종 이러한 치아의 근관치료 실패를 유발한다.

치근 파절, 특히 치주 조직 깊숙한 부위에서의 파절은 많은 노력을 들여서 재치료를 하더라도 예후가 좋지 않으므로 진단 과정에서 발견하는 것이 중요하다. 우리는 이 주제를 별도의 장에서 다룰 것이다. 근관 공간의 분석으로 돌아가서, 여러 단면의 영상들은 치아의 해부학과 근관의 충전에 관한 정보를 제공한다.

근관 충전 길이와 충전의 질은 2차원 영상에서도 어느 정도 평가할 수 있다. 그러나 충전 정도, 거타퍼챠의 치밀함, 치근의 모든 공간의 충전 여부는 재치료에 대해 논할 때 무시할 수 없는 요소들이다.

이러한 요소들은 3차원 검사에서 더 쉽게 확인하고 평가할 수 있다. 성형 단계에서 근관성형 기구가 근관의 얼마나 많은 부위를 건드리지 못하는지를 보고한 연구에서 강조한 바와 같이, 근관 성형이 불충분한 근관은 매우 흔하게 관찰된다.[35, 36]

이러한 중요한 고려 사항 외에도, 성형되지 않은 근관이나 근관 내의 공극(void)을 식별하는 것은 2차원 방사선 시스템보다 3차원 시스템을 사용하면 훨씬 간편하다.[34] 근관의 오염 가능성이 있는 부분의 식별은 새로운 치료가 더 효과적이게 한다.

결론적으로 CBCT는 근관치료 실패의 원인을 파악하고 치료 계획을 수립하는 데 중요한 역할을 한다. 정보 수집, 임상 검사, 2차원 방사선 사진만으로 진단하기 어려운 경우 3차원 검사는 필수적이다.

Fig. 2.19: 좌측 상악 구치부 단면 영상은 27번 치아의 근심 근관의 불완전한 충전 및 다른 근관의 양호한 충전을 보여준다. 2차원 영상에서 이러한 세부 사항을 모두 확인할 수 없었을 것이다. 또한 다양한 단면에서 상악동과의 연관을 확인하여 치료 계획을 세울 수 있게 한다.

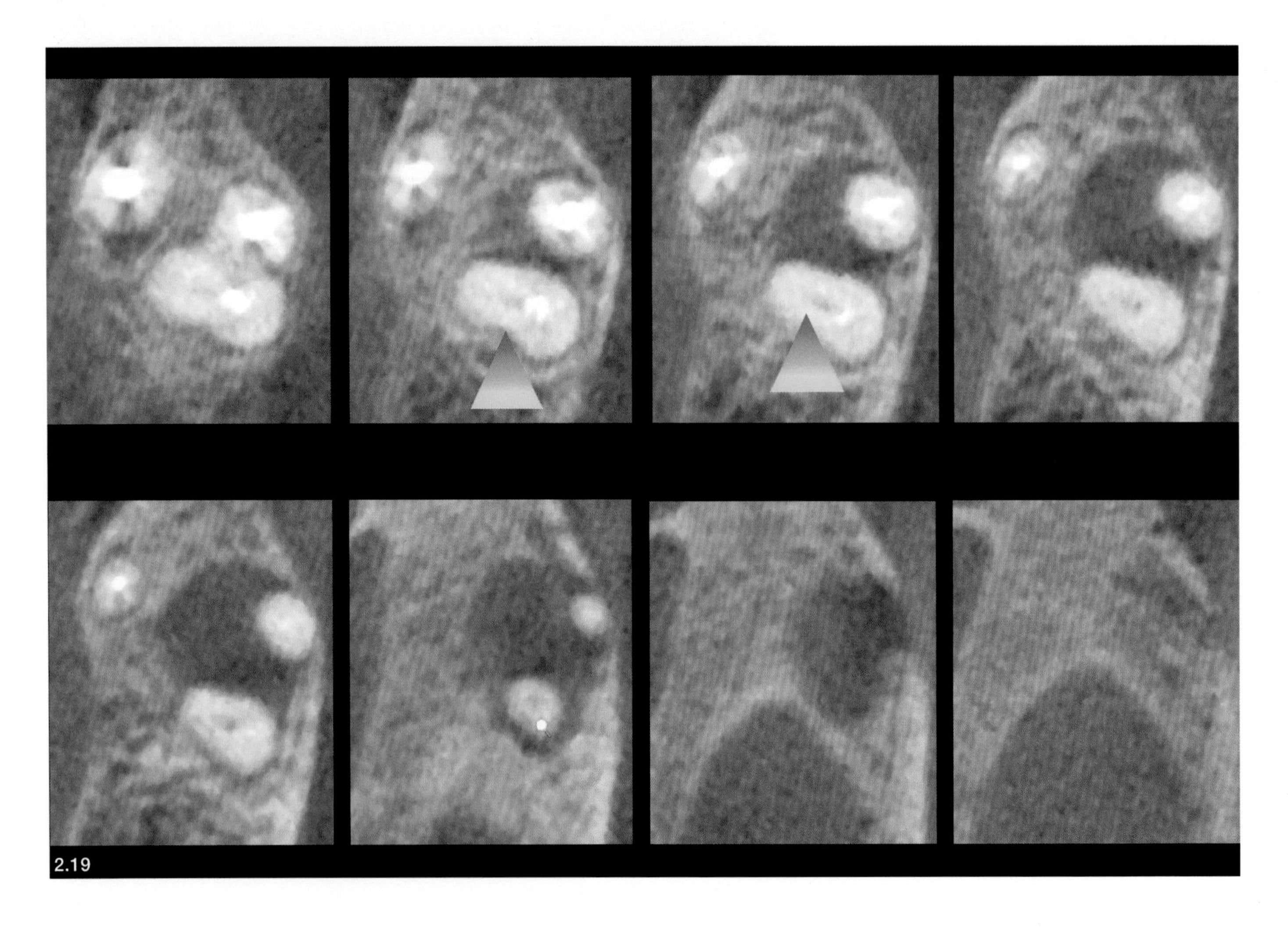

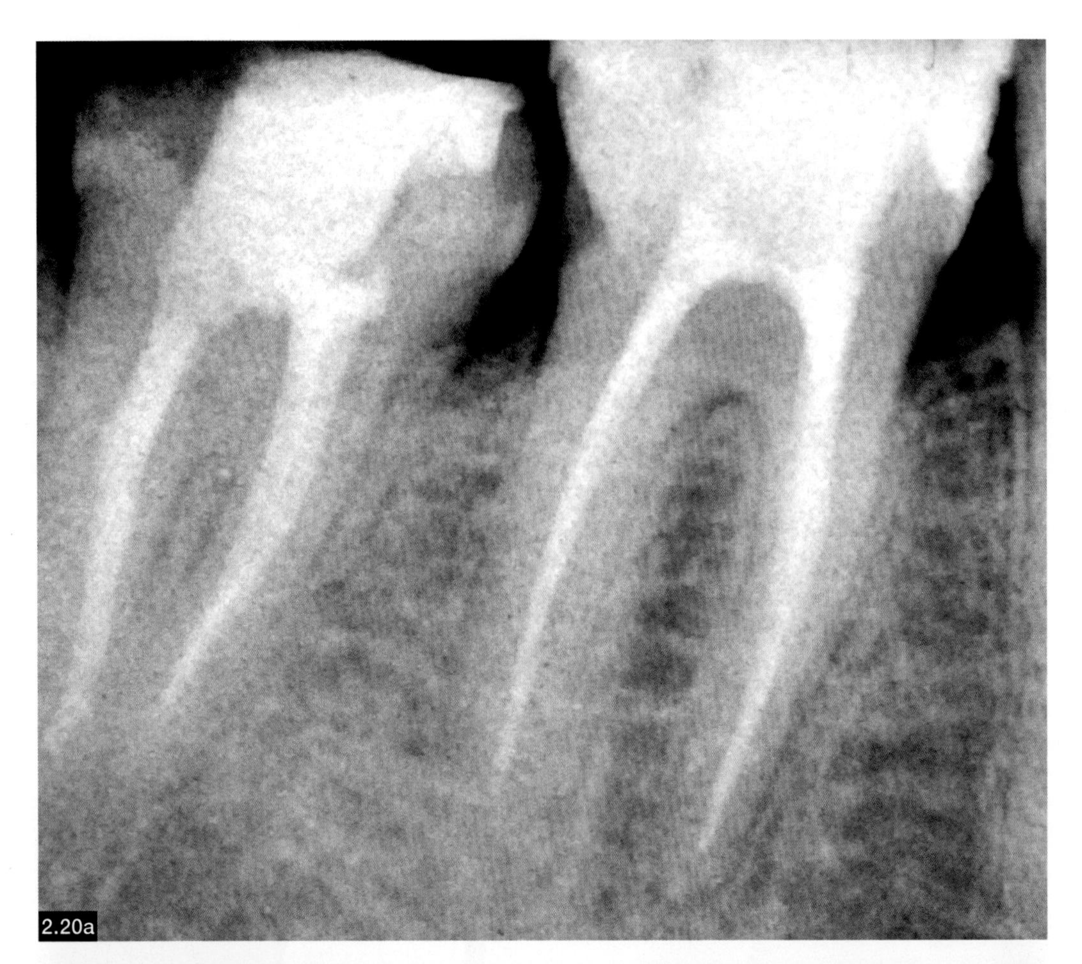

Fig. 2.20a: 근관치료된 하악 대구치. 환자는 여전히 열과 압력 변화(높은 고도에서)에 통증을 호소한다.

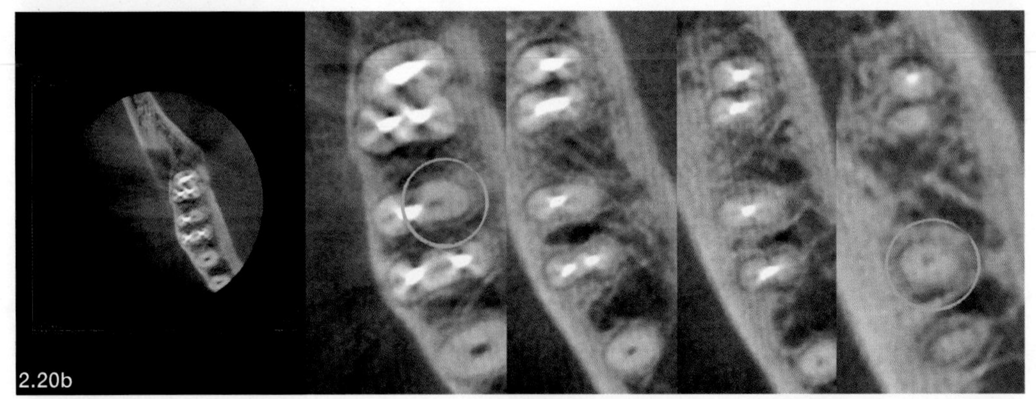

Fig. 2.20b: 3차원 X-ray에서 근단부에서 수렴하지만 별도의 근단공을 갖는 치료되지 않은 원심 치근(파란색 원)의 근관이 관찰된다.

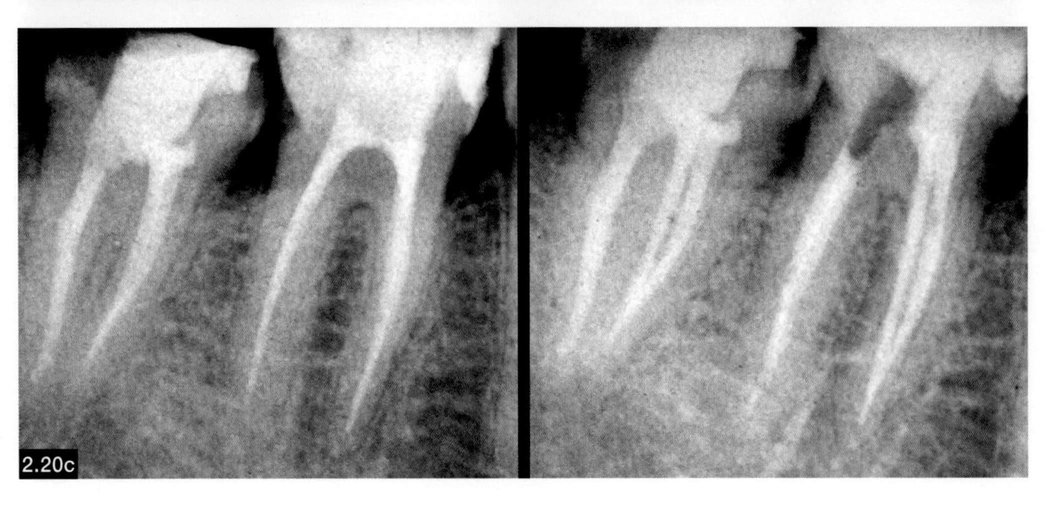

Fig. 2.20c: 재치료 이후 증상이 개선되었다. 46번 치아 원심 치근의 치료 전후 차이를 확인할 것

▶ *continue to page 127*

CASE
REPORT 3

대구치와 소구치에 인접한 치근단 병변

방사선 사진 검사는 이전에 치료된 치아의 치근 주위 병변을 과소 평가하고, 충전된 근관에 대해 부정확한 정보를 제공하기도 하므로 주의해야 한다.

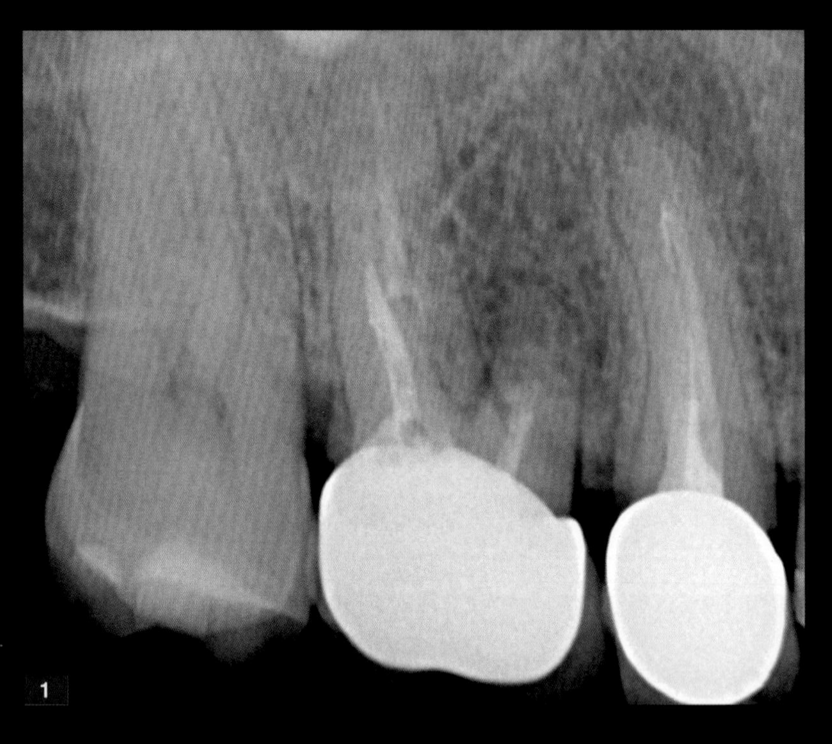

Figure 1: 술전 방사선 사진. 16번 치아의 근심 치근 주변의 작은 방사선 투과성 영역과 15번 치아의 치근단 부위에 주목할 것

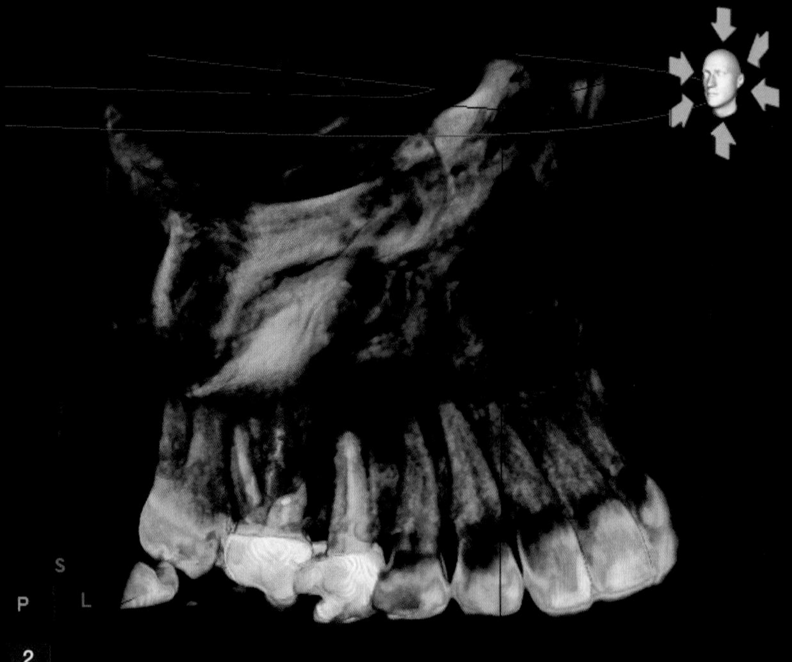

Figure 2: CBCT촬영을 통해 재구성된 3차원 사진에서 15, 16번 치아의 골 내 병변이 관찰되고, 일부 절제된 16번 치아의 근심 치근이 확인된다.

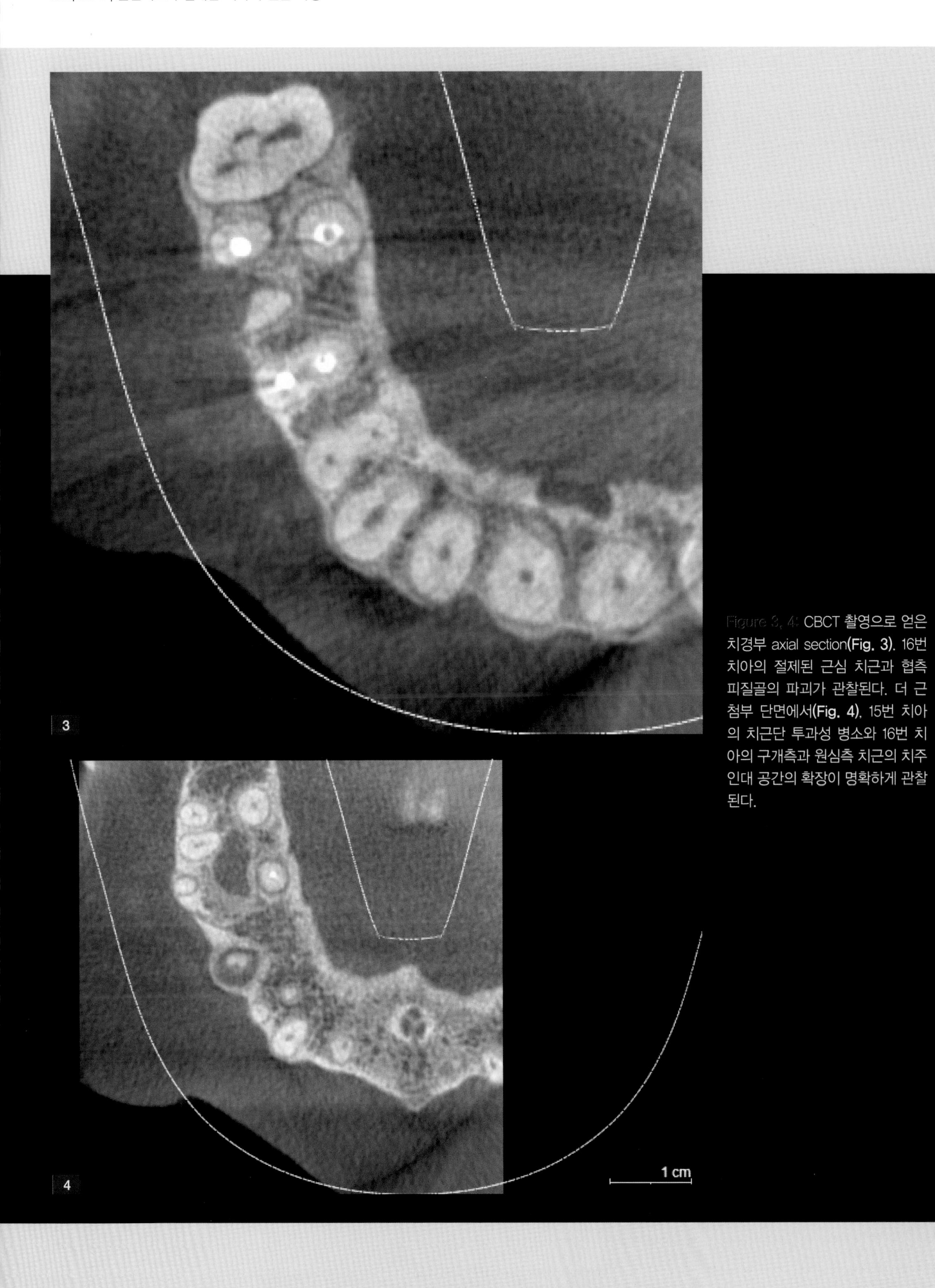

Figure 3, 4: CBCT 촬영으로 얻은 치경부 axial section(**Fig. 3**). 16번 치아의 절제된 근심 치근과 협측 피질골의 파괴가 관찰된다. 더 근첨부 단면에서(**Fig. 4**). 15번 치아의 치근단 투과성 병소와 16번 치아의 구개측과 원심측 치근의 치주인대 공간의 확장이 명확하게 관찰된다.

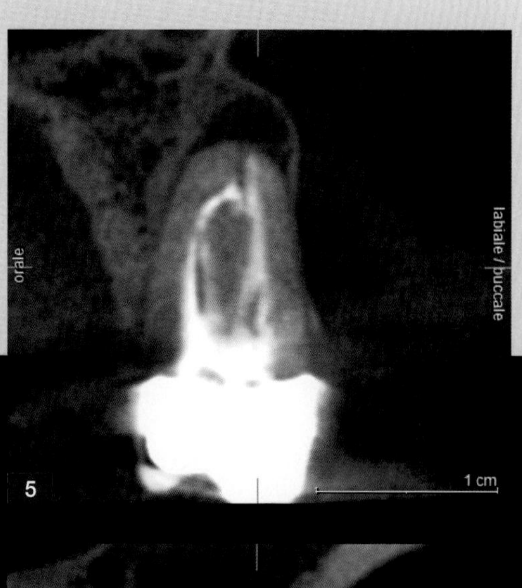

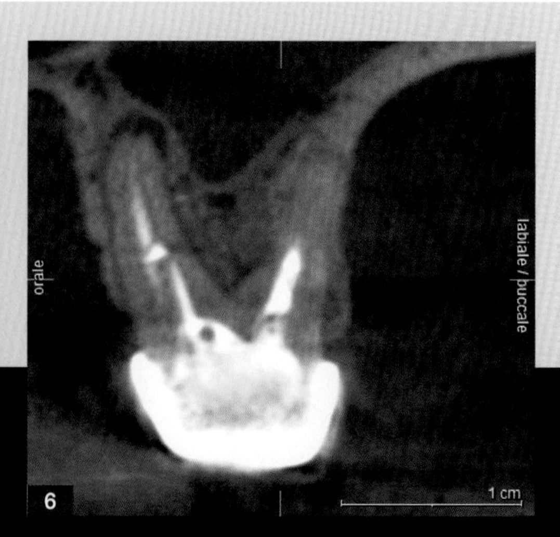

Figure 5-7: 15번 치아의 치근단 주변 병변과 협측 방향으로 만곡이 심한 구개측 근관을 보여주는 coronal CBCT 단면(**Fig. 5**). 병변은 16번 치아의 구개측 치근(**Fig. 6**)과 절제된 근심 치근에서도 관찰된다(**Fig. 7**).

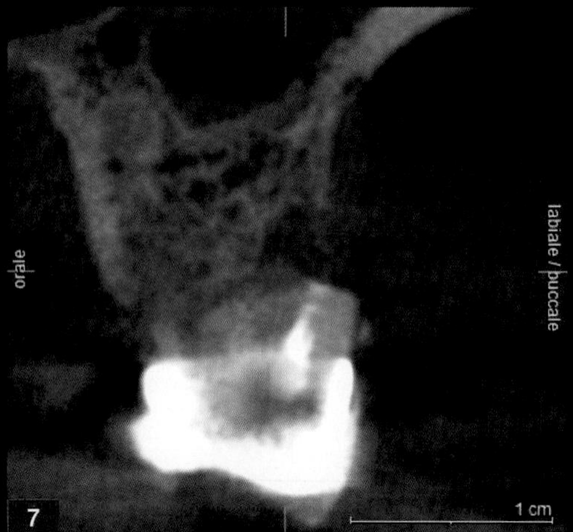

Figure 8: 15번 치아의 치근단 병변과 16번 치아의 절제된 근심 치근을 보여주는 Sagittal CBCT 단면

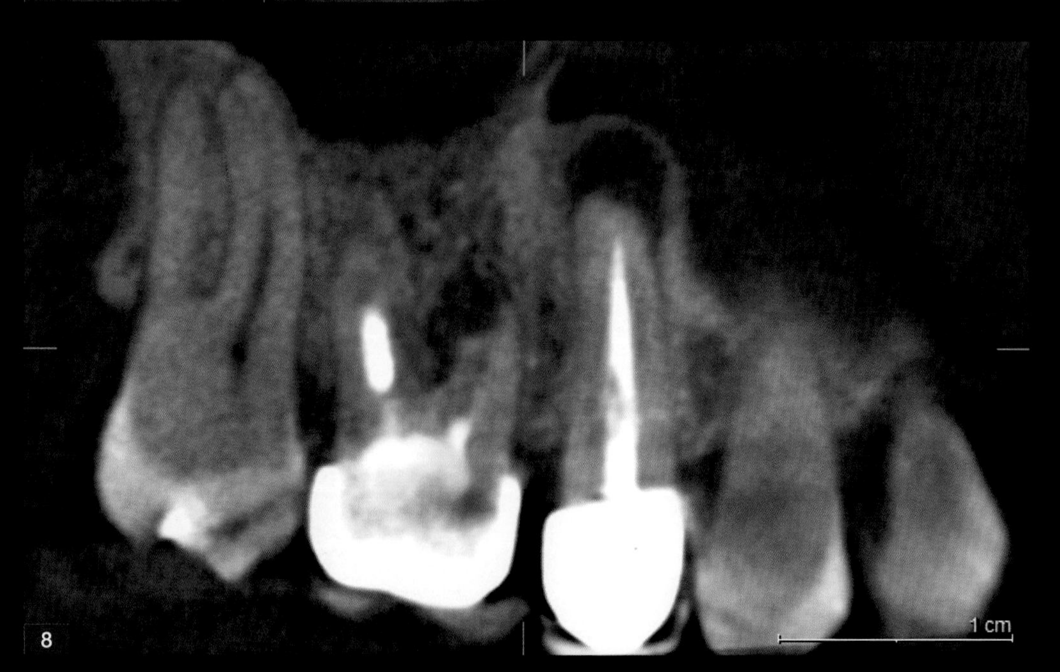

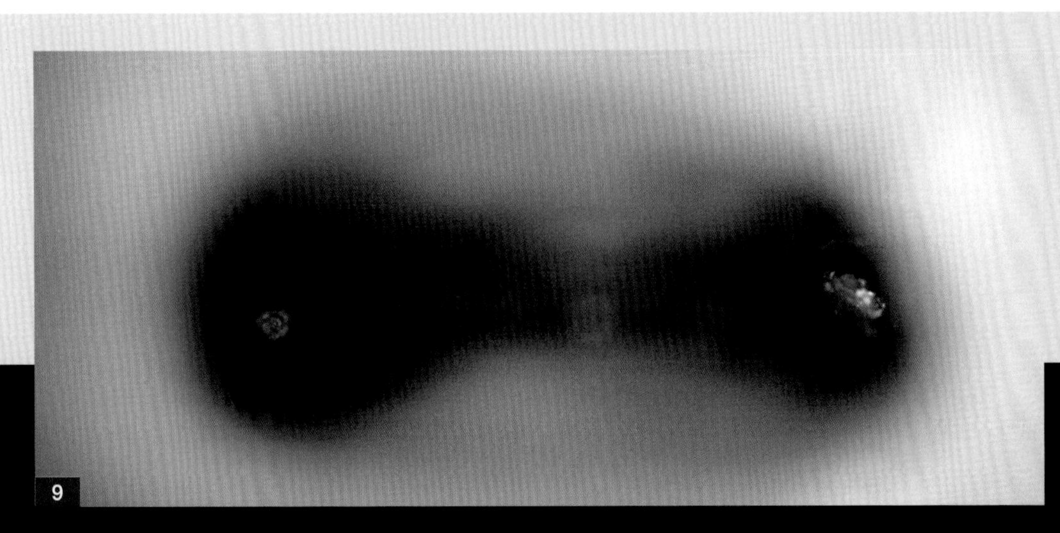

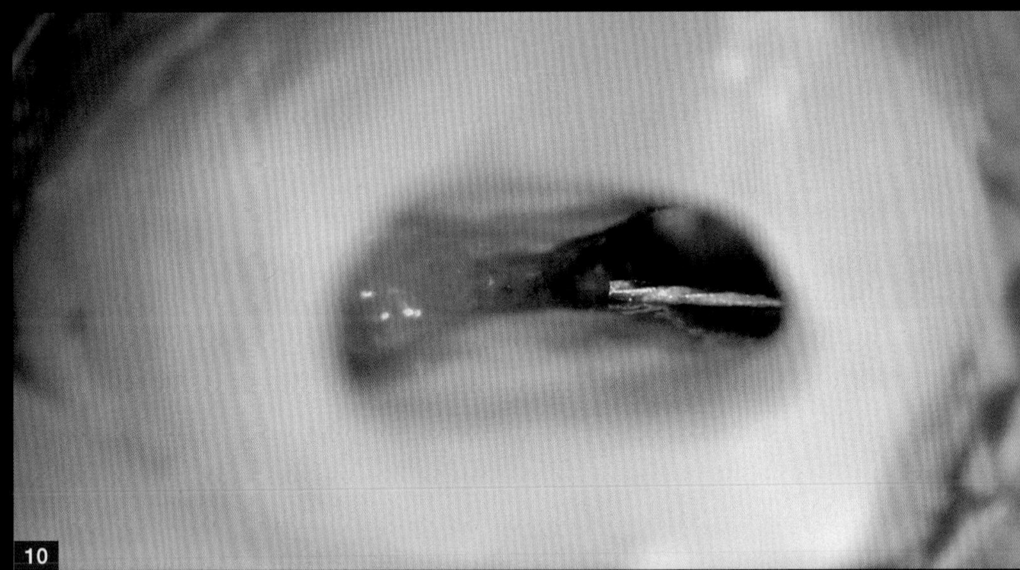

Figures 9, 10: 구개측 근관에 파절된 기구(Fig. 9)와 제거(Fig. 10)를 보여주는 술중 임상 사진

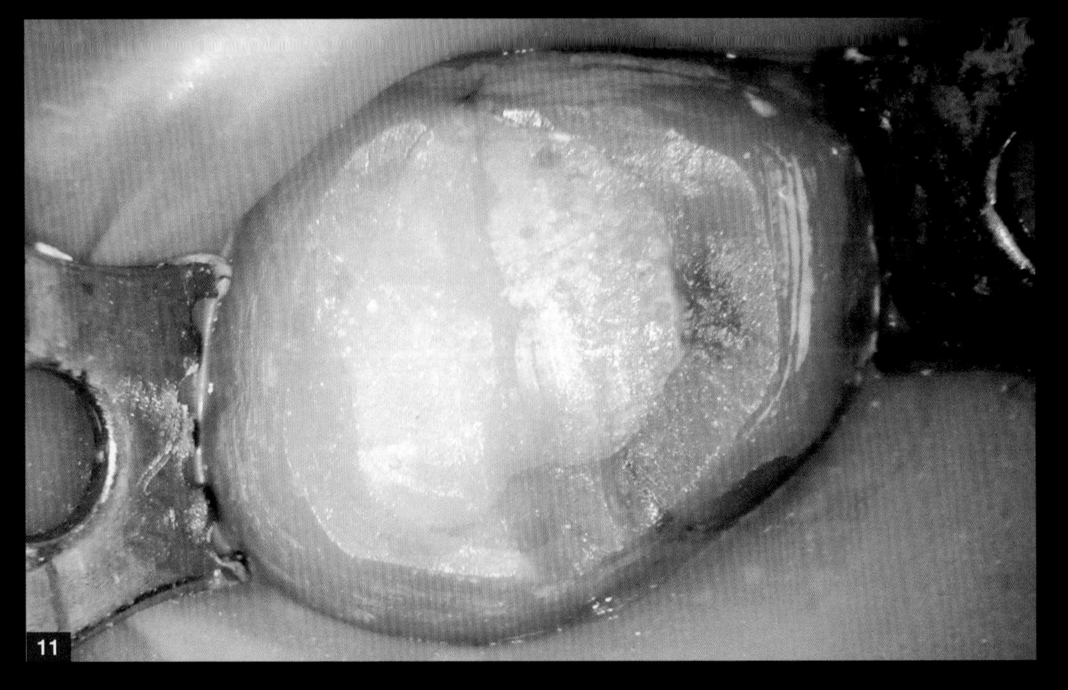

Figure 11: 러버댐으로 격리 후 촬영한 16번 치아의 술중 임상 사진

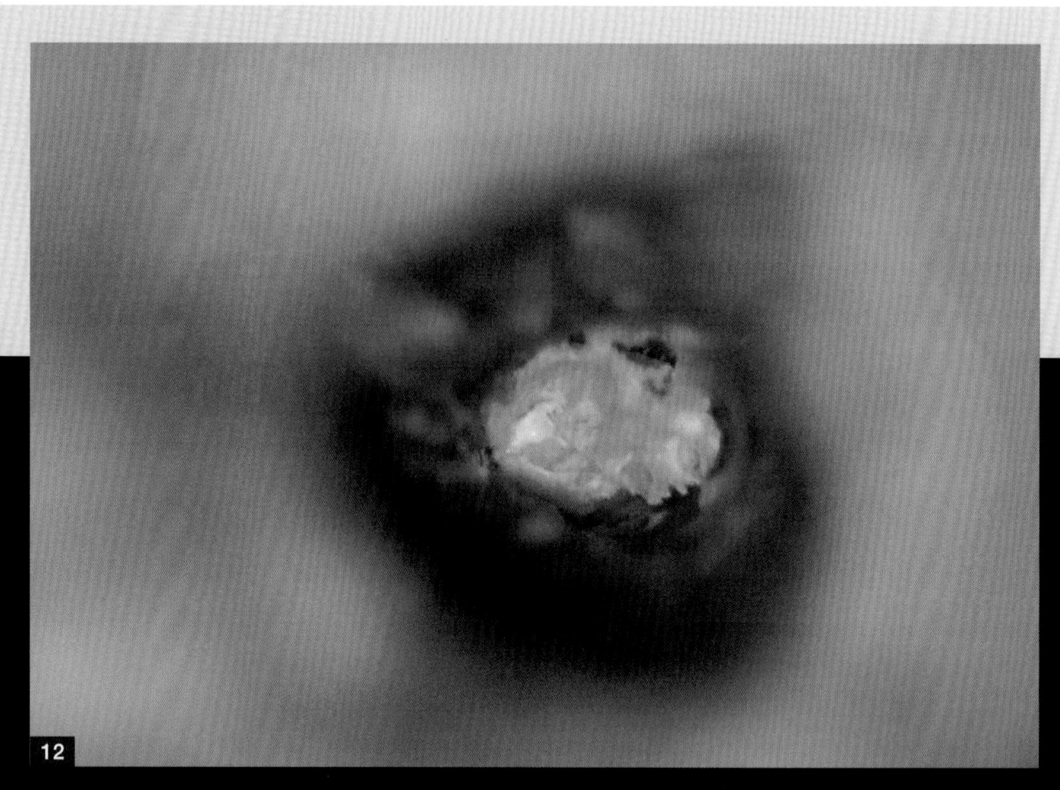

Figure 12: 구개측 근관 내부의 오래된 근관 충전 재료를 확인할 것. 충전재와 근관 벽 사이에 공간이 관찰된다.

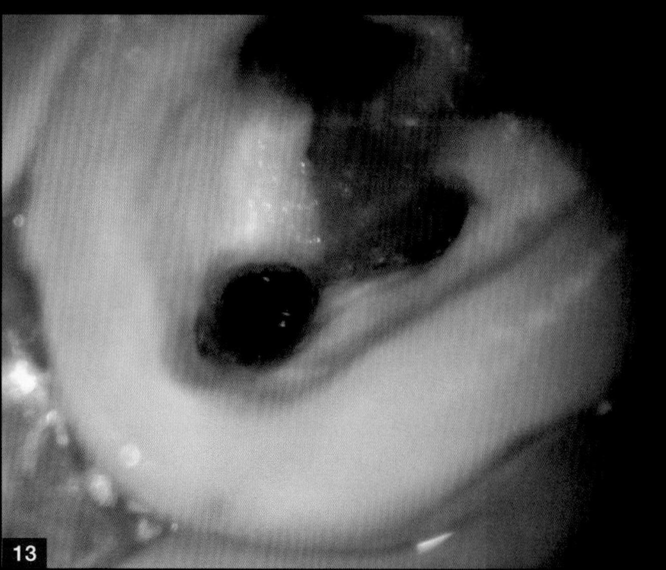

Figure 13: 재형성된 매우 넓은 MB1 근관과 독립적으로 주행하는 MB2 근관을 보여주는 술중 임상 사진

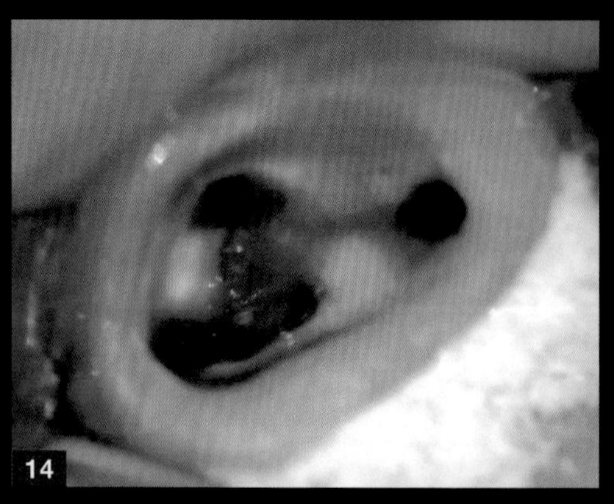

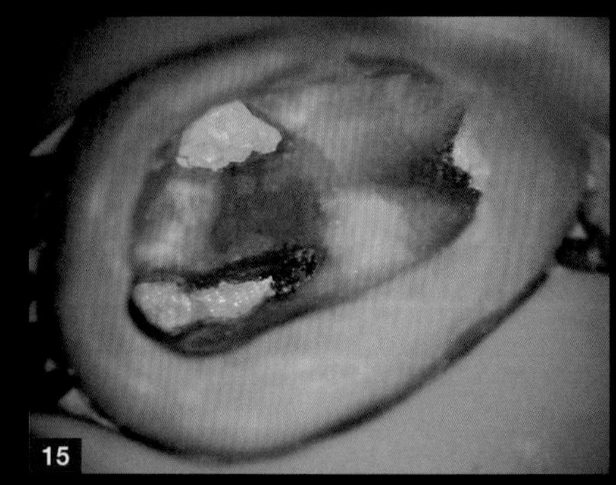

Figure 14, 15: 근관 충전 전(Fig. 14)과 후(Fig. 15)의 근관 와동 사진

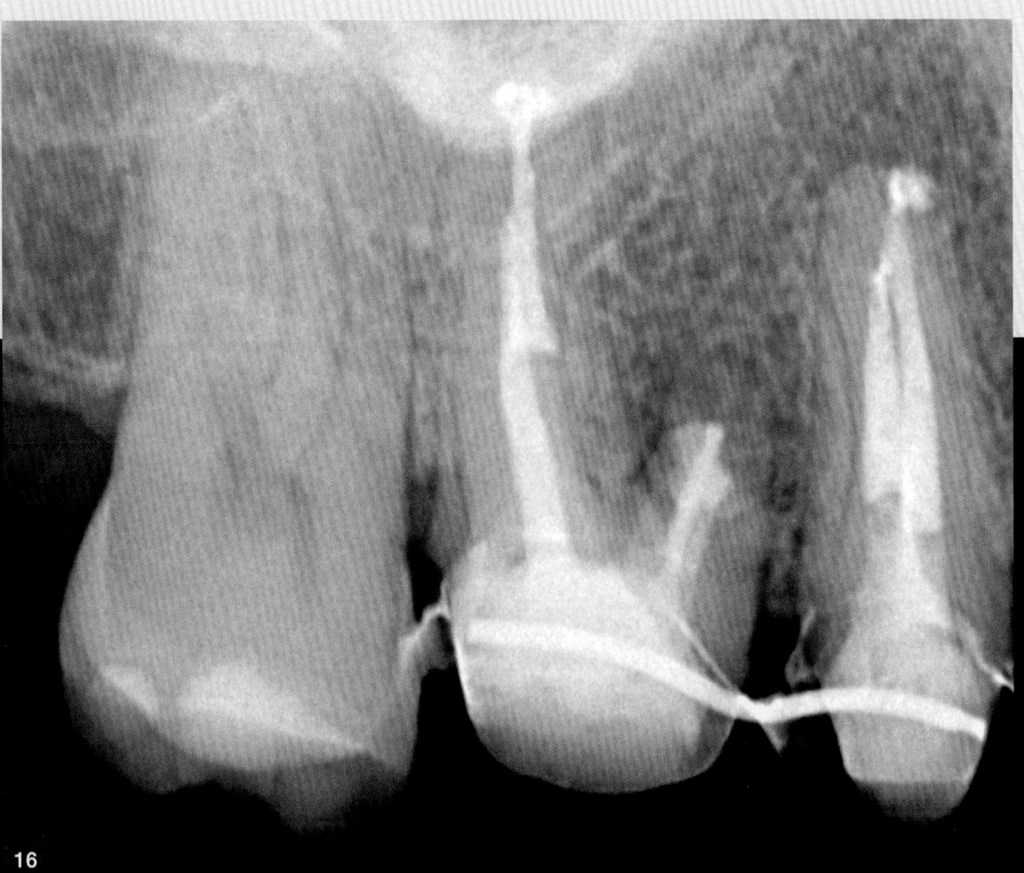

Figure 16: 최종 X-ray. 15번 치아의 근관은 치근단 부위에서 만나고, 16번 치아의 근심 근관은 독립적으로 주행하는 것을 확인할 수 있다.

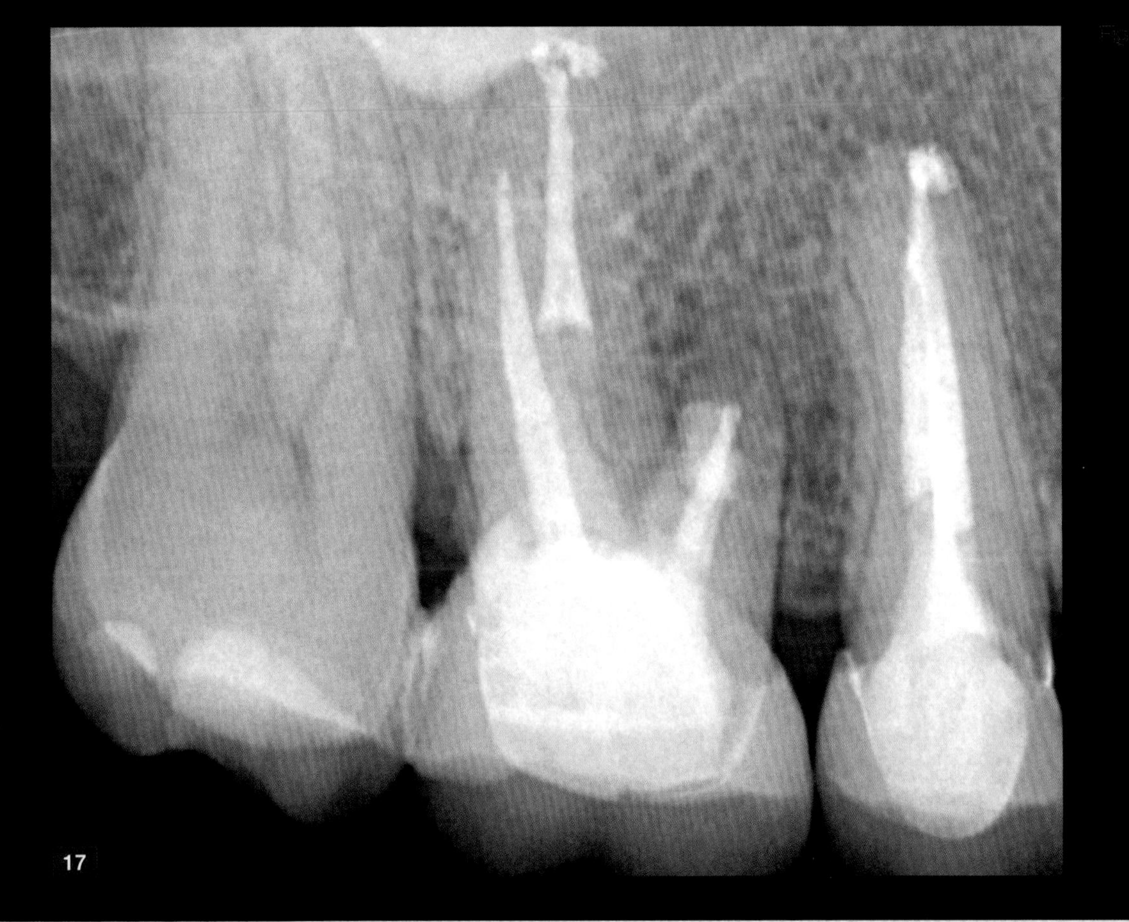

Figure 17: 3개월 추적관찰 X-ray

CASE
REPORT 4

천공/파절된 소구치의 진단

이 증례와 같은 경우에는, 3차원적 관찰을 통해 임상적, 방사선학적 상태를 파악하는 것이 치료 계획을 수립하는 데 필수적이다. 2차원 X-ray에 의존했다면 잘못된 치료 계획을 수립하였을 것이다.

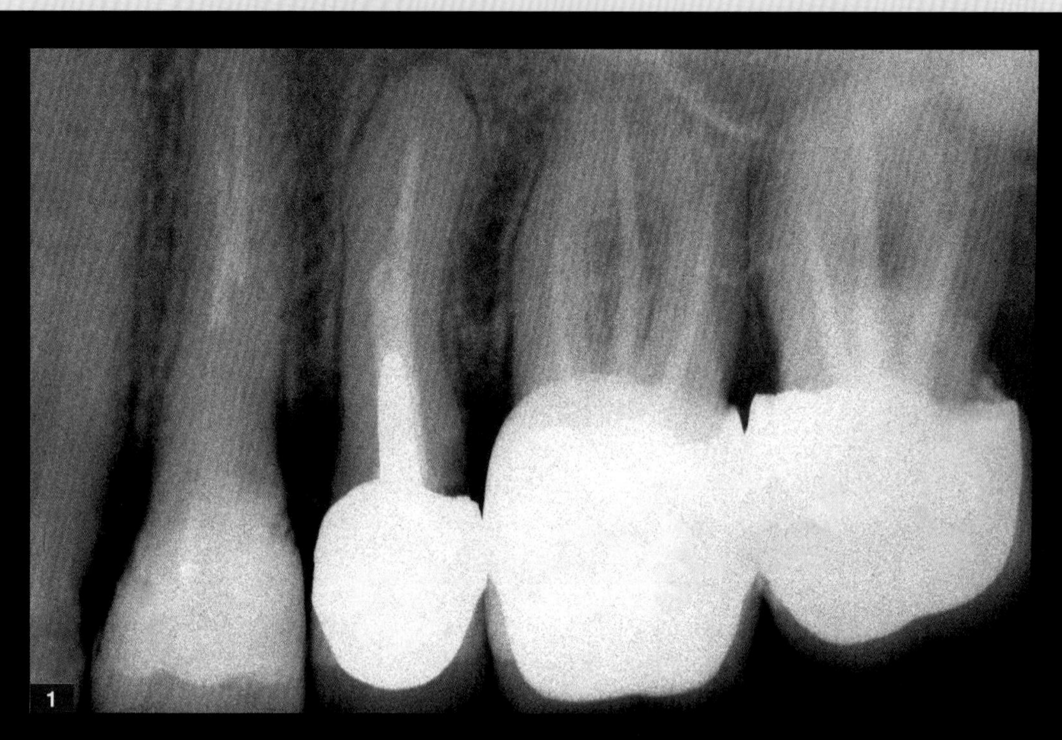

Figure 1: 25번 치아의 원심 부위의 우식, 큰 근관 내 포스트 및 치근단 부위의 약간의 비후를 보여주는 초진 X-ray

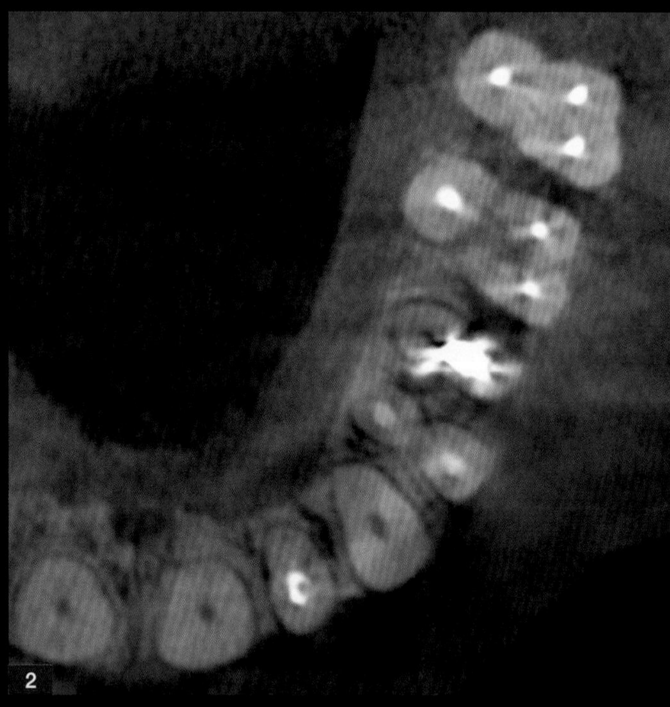

Figure 2: 잘못 식립된 포스트와 치근 파절 가능성을 보여주는 axial CBCT 영상

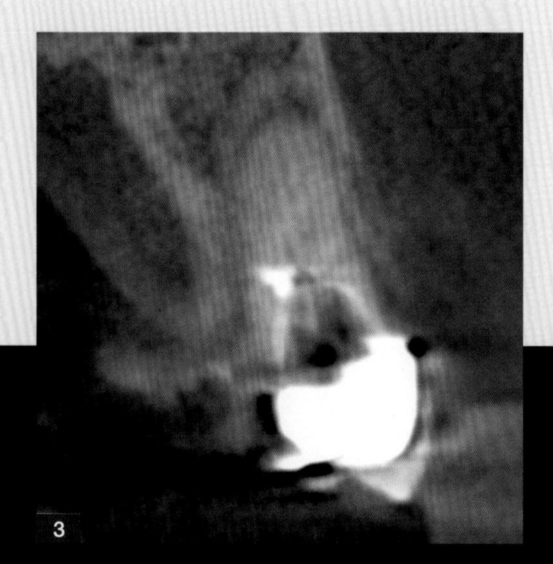

Figure 3: 치질의 상당한 손실을 보여주는 25번 치아의 coronal CBCT 영상

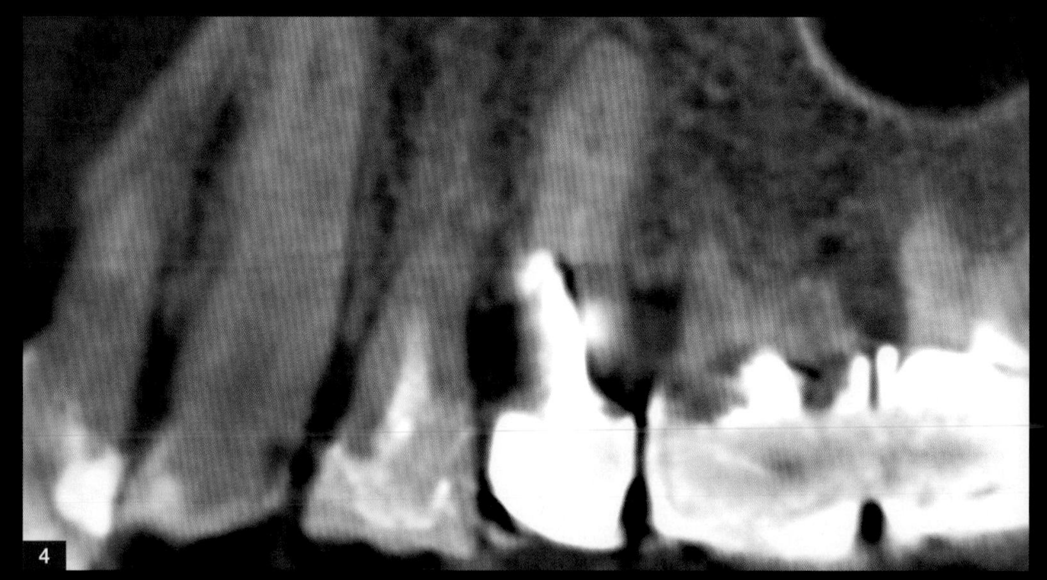

Figure 4: 포스트로 인한 근심측 천공과 약간의 치근단 병변이 관찰되는 sagittal CBCT 영상

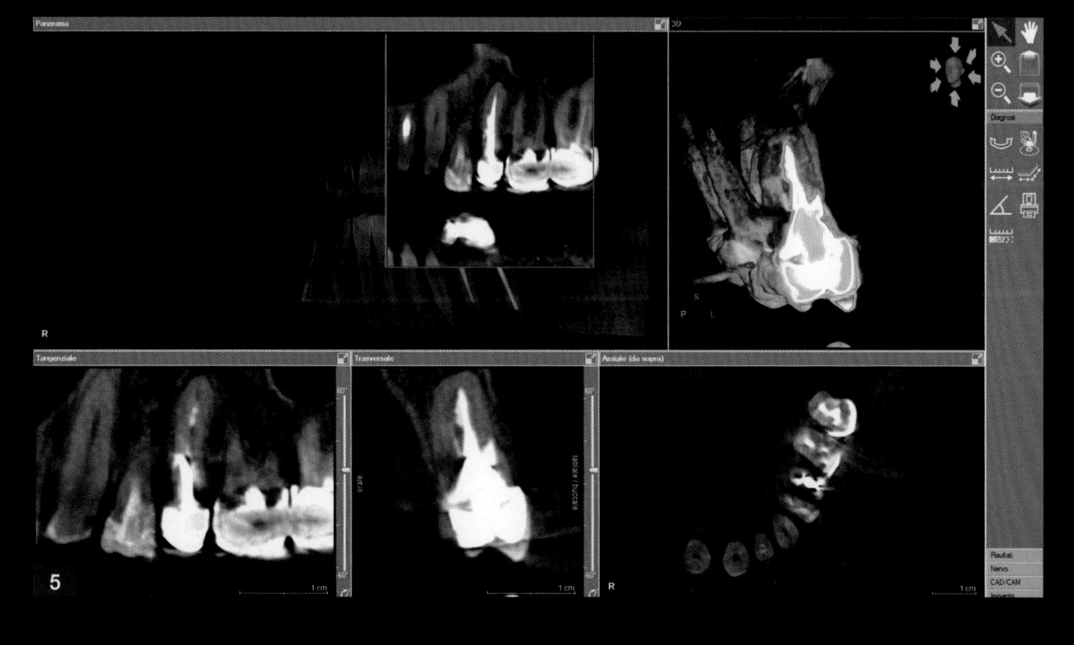

Figure 5: CBCT 재구성 프로그램을 이용하여 axial, coronal 및 sagittal 단면과 3D 재구성 사진을 동시에 탐색할 수 있다.

CASE
REPORT 5

상악 대구치의 근심 치근에 부러진 기구

2차원 사진의 분석만으로도 상악 대구치의 원심 치근에 부러진 기구가 있는 것이 명확하게 관찰되지만, 3차원 사진을 촬영하면 적절한 치료 계획을 수립하는 데 도움이 된다.

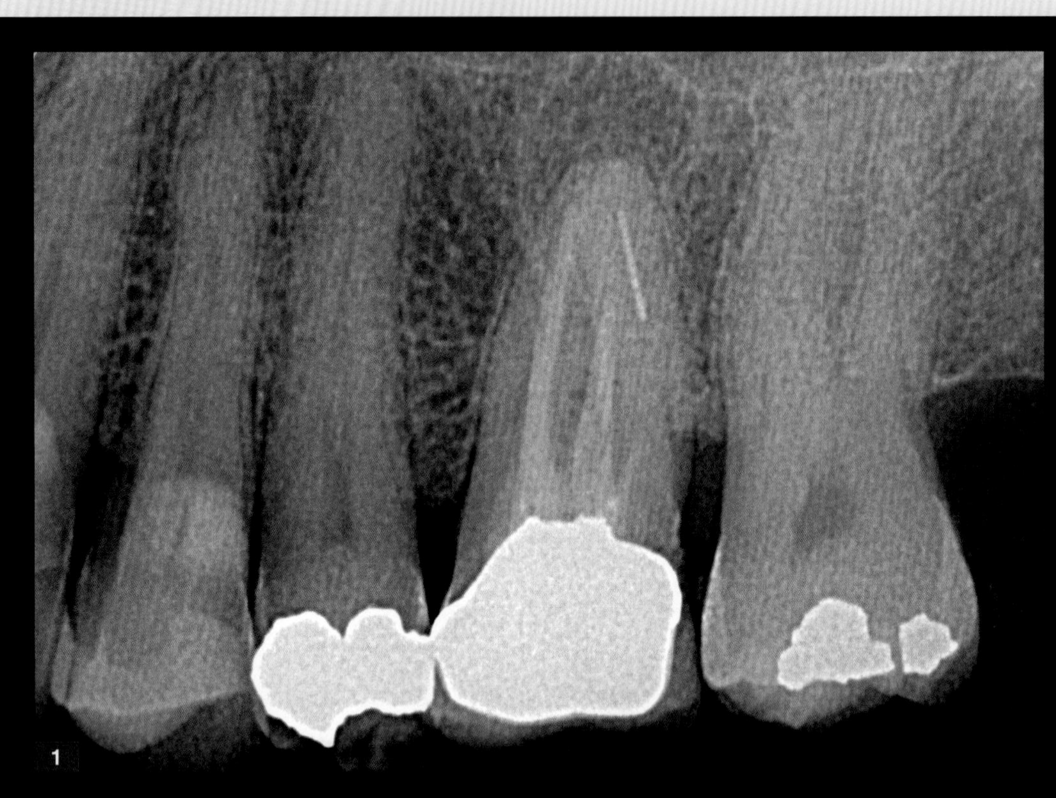

Figure 1: 26번 치아의 경사진 치근 형태와 원심 근관 내부에 부러진 기구를 보여주는 술전 구내 방사선 사진

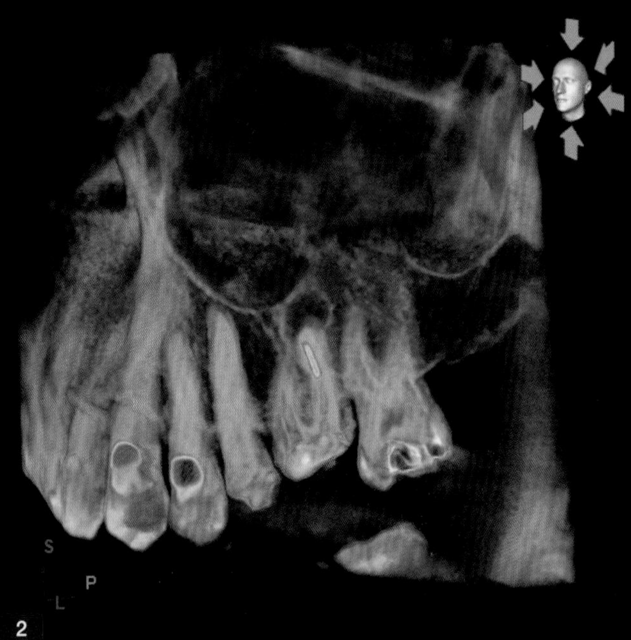

Figure 2: 3D CBCT 재구성 영상은 26번 치아에 부러진 기구와 치근단 주위 병변을 보여준다.

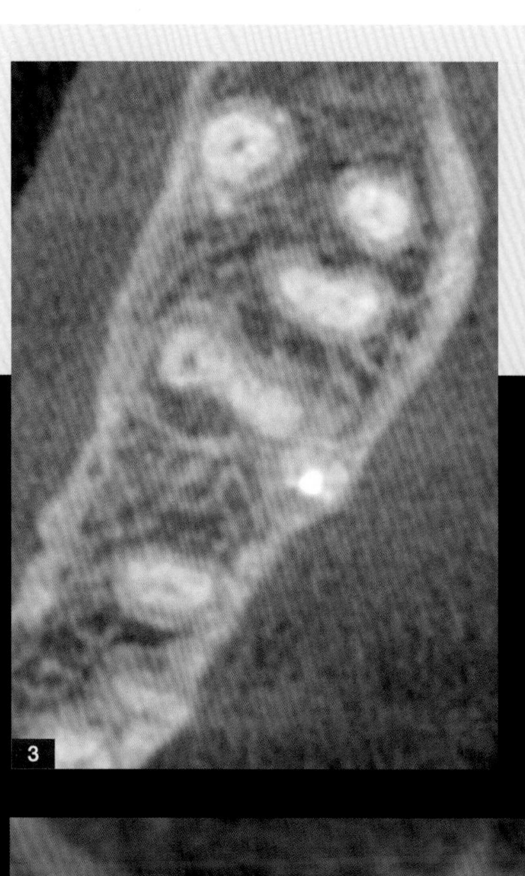

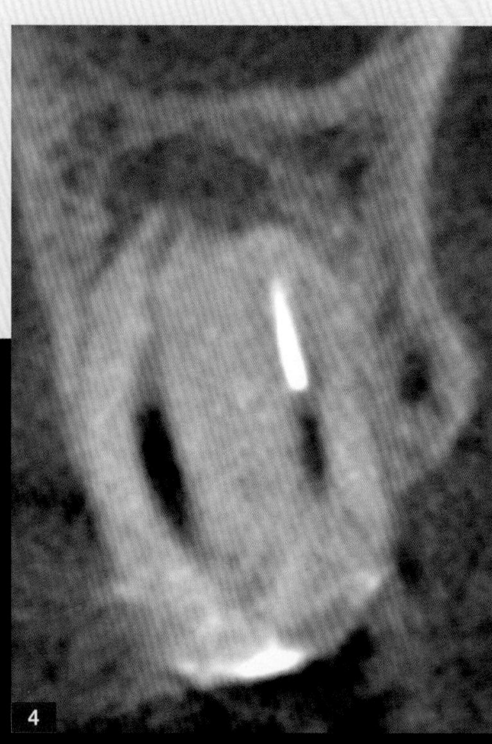

Figure 3: 구개측 치근의 치근단 병변을 보여주는 axial CBCT 영상

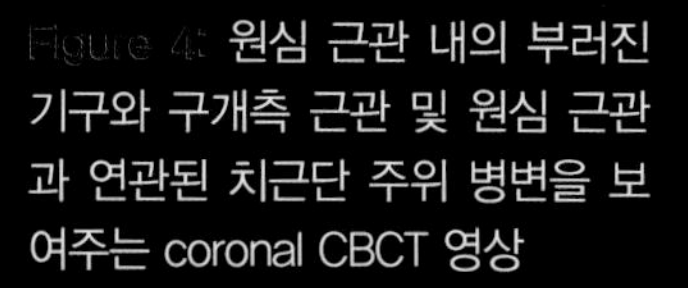

Figure 4: 원심 근관 내의 부러진 기구와 구개측 근관 및 원심 근관과 연관된 치근단 주위 병변을 보여주는 coronal CBCT 영상

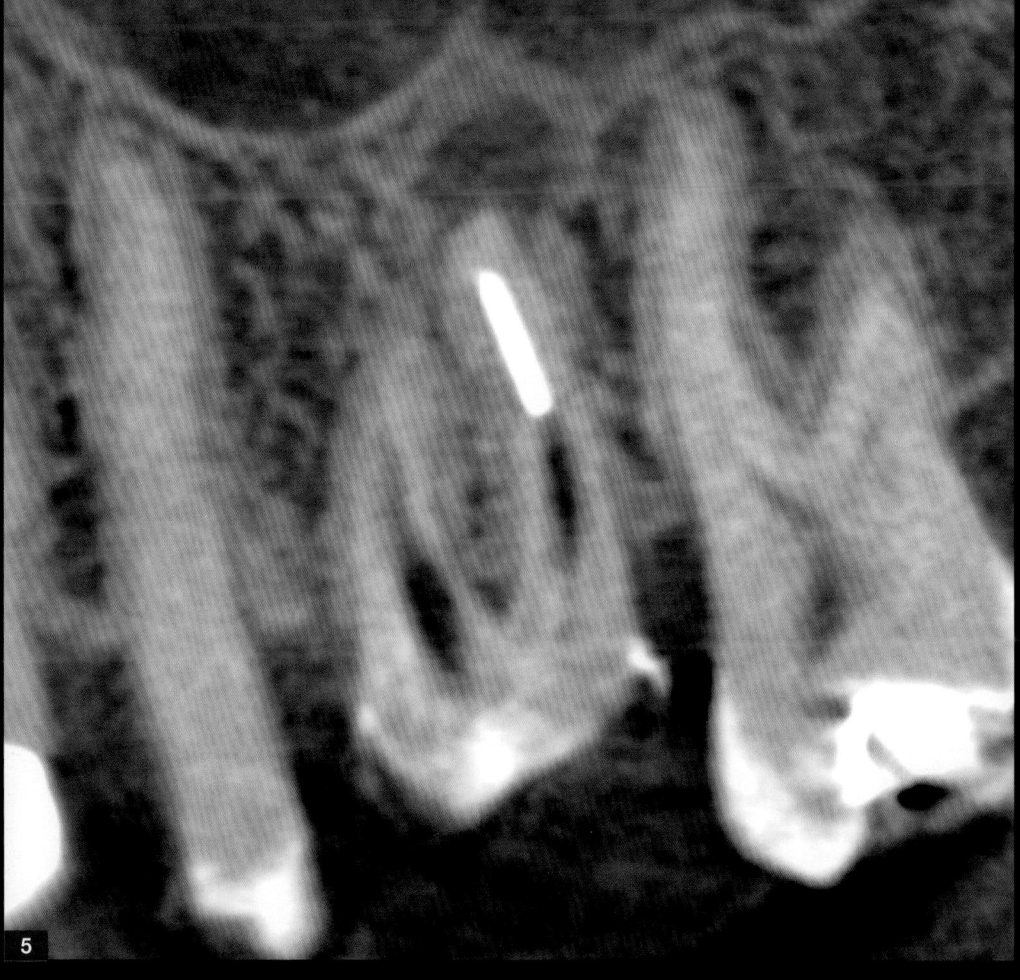

Figure 5: 원심 근관 내의 부러진 기구와 치근단 병변을 보여주는 sagittal CBCT 영상

Figures 6, 7: 술전 임상 사진(Fig. 6) 및 도재-금속 크라운을 제거한 26번 치아

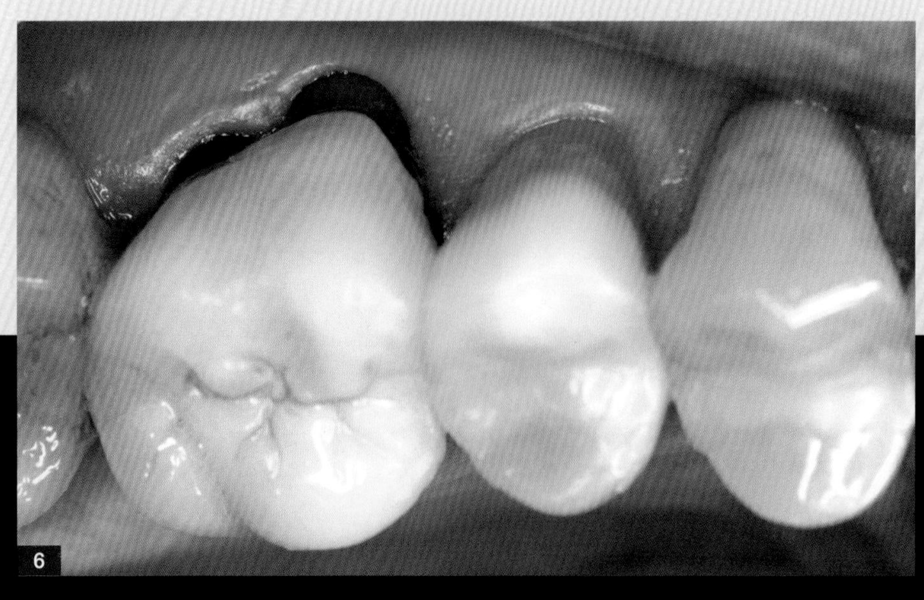

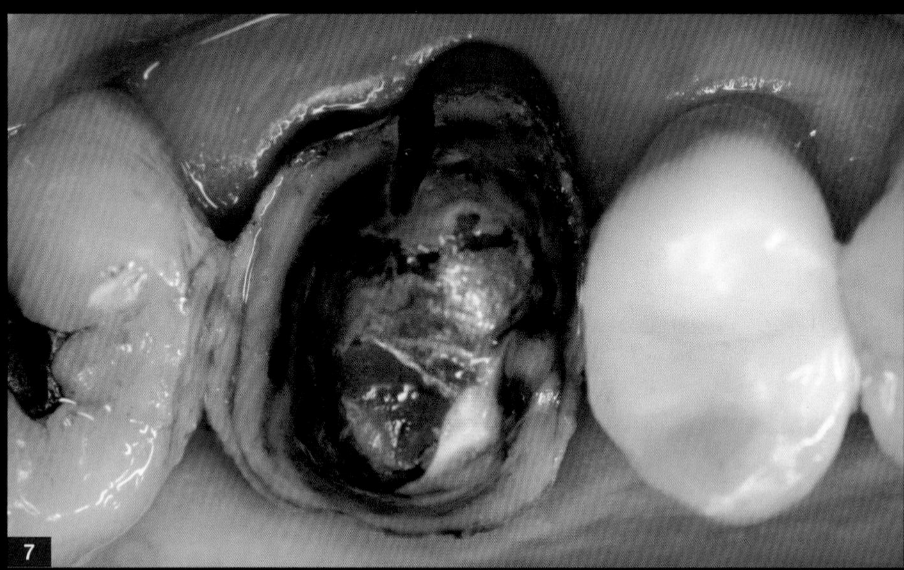

Figure 8: MB2 근관 입구 탐침

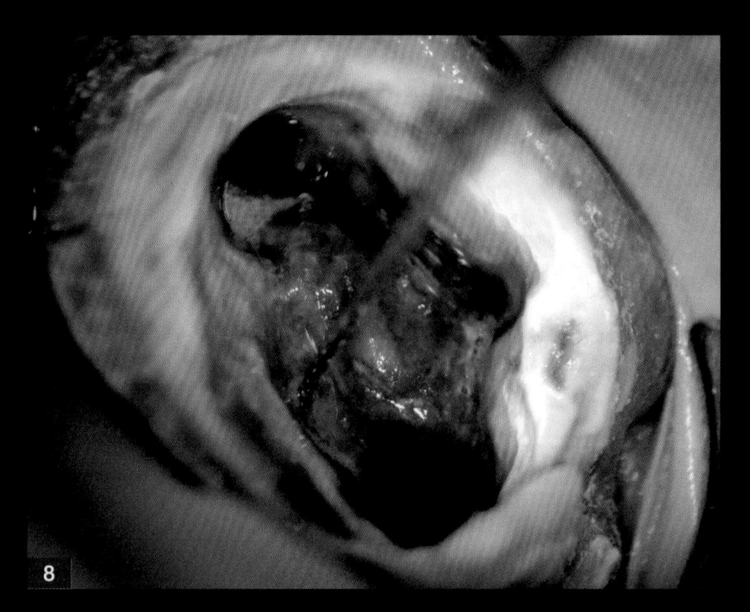

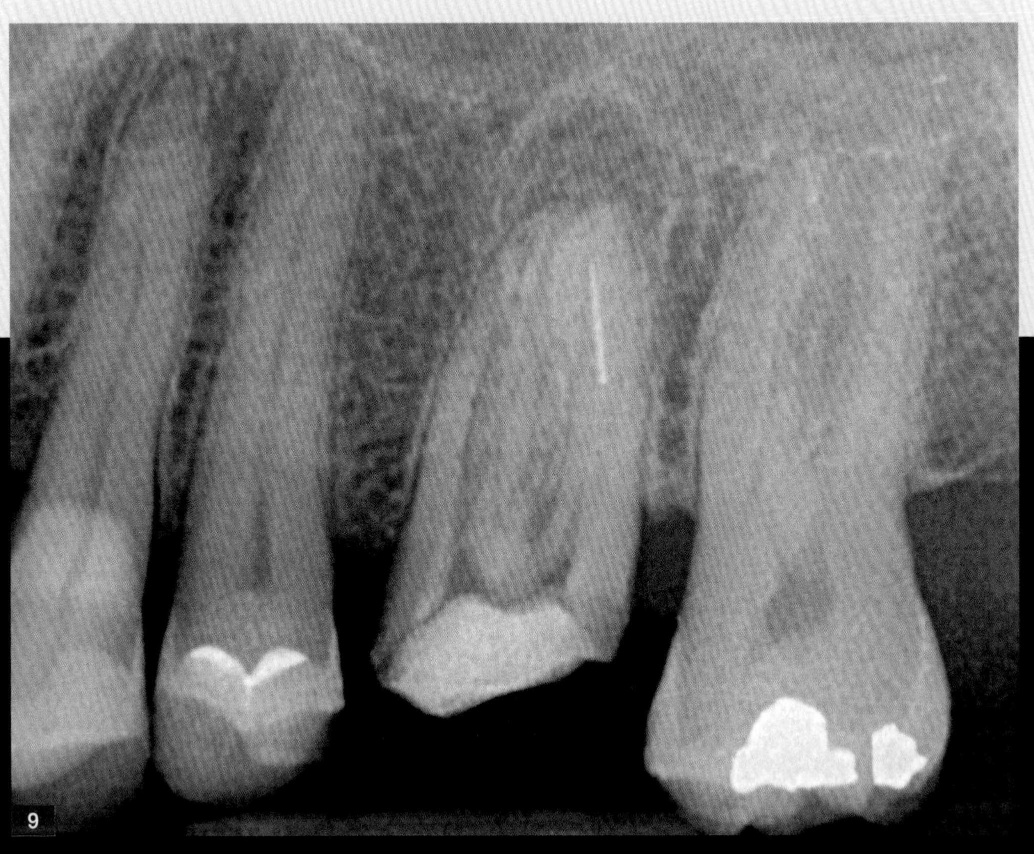

Figure 9: 근관 충전재를 제거한 후 촬영한 X-ray

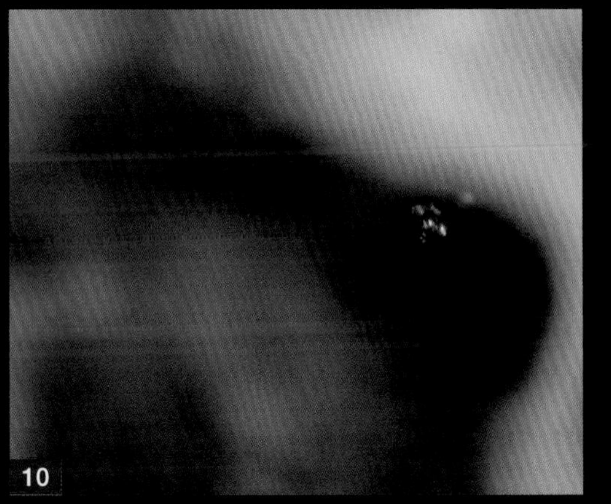

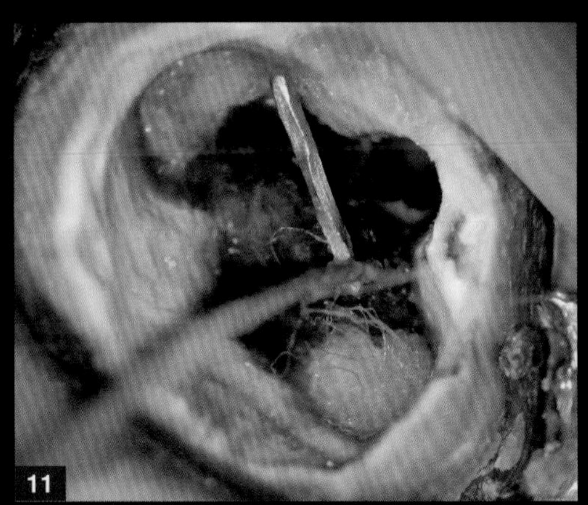

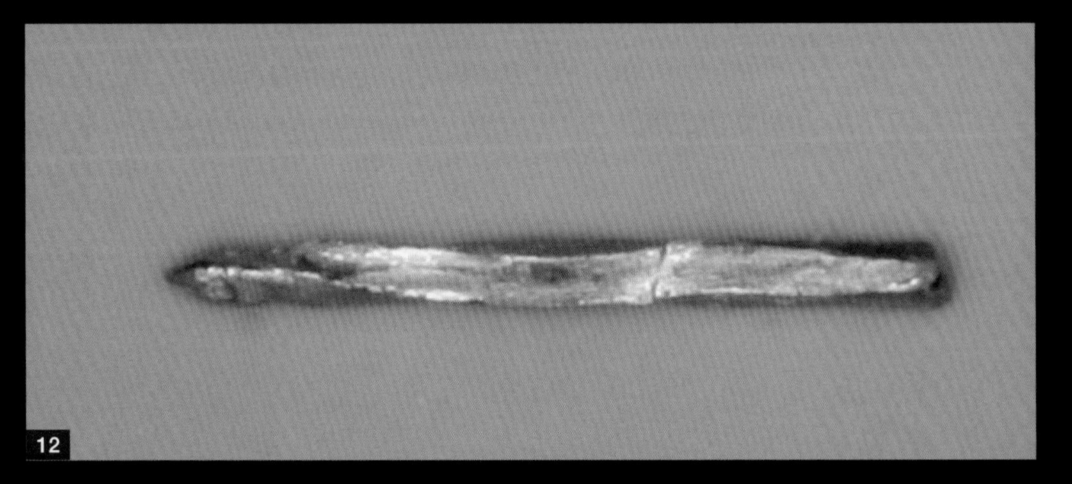

Figures 10–12: 원심 근관에서 부러진 기구를 확인(**Fig. 10**), 부러진 기구의 제거(**Fig. 11**), 제거된 기구(**Fig. 12**)의 사진

Figure 13: 26번 치아의 원심 근관에서 부러진 기구를 완전히 제거한 것을 보여주는 X-ray

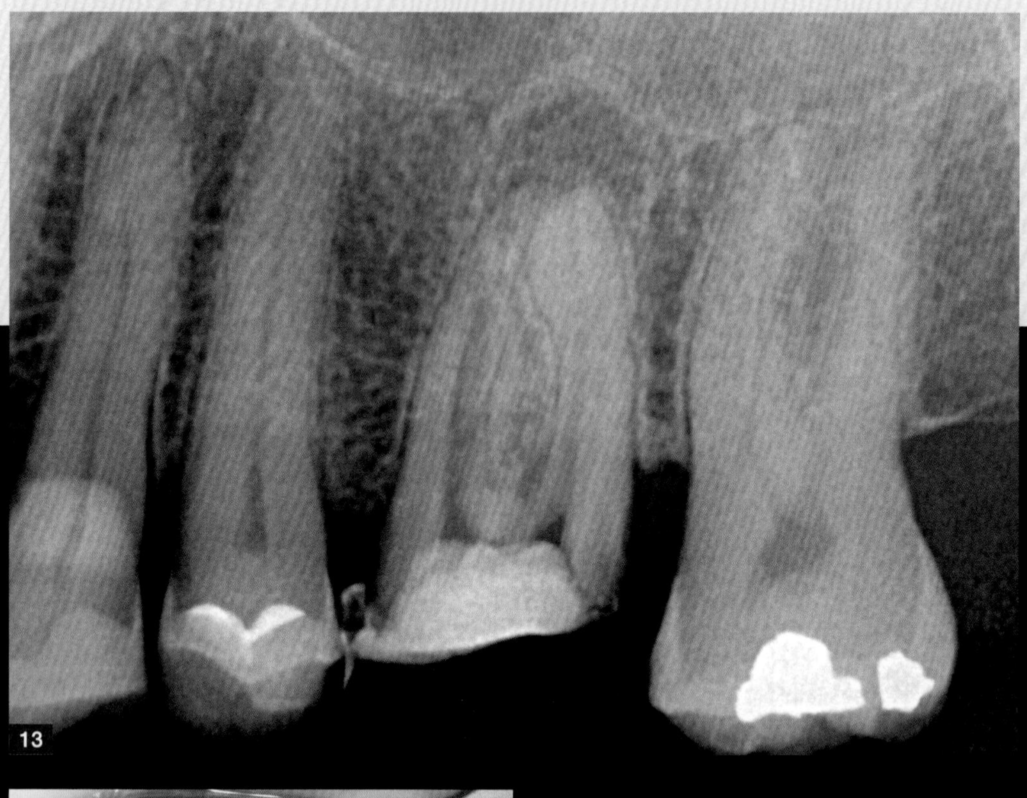

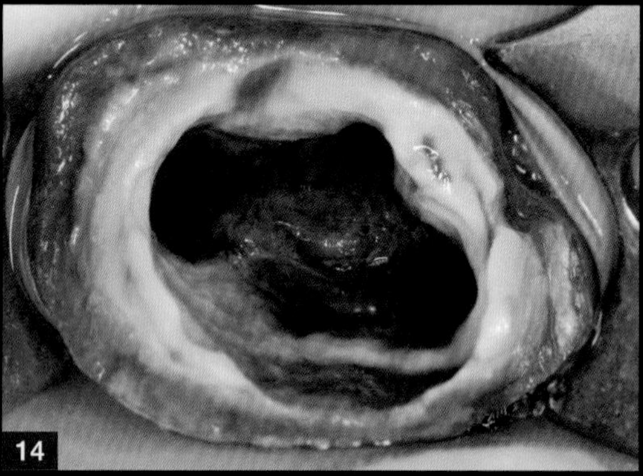

Figure 14, 15: 성형이 완료된 근관 와동 사진

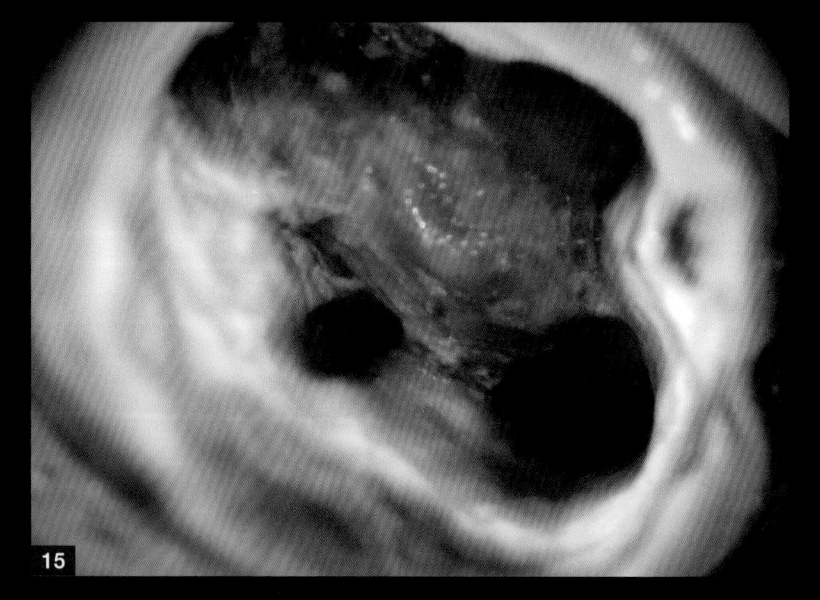

Figure 16: 원심 근관 내부에서 NaOCl 활성 기포가 관찰되고, 이 경우 장시간의 근관 세정이 필수적이다.

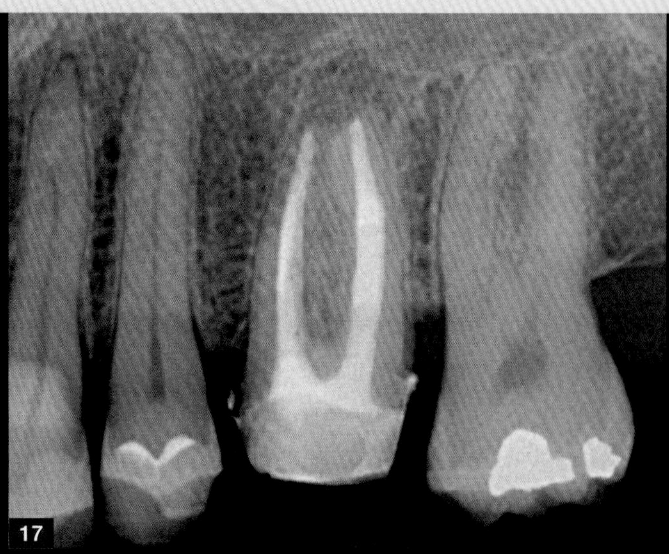

Figure 17: 치근단 부위까지 적절하게 충전된 술후 방사선 사진

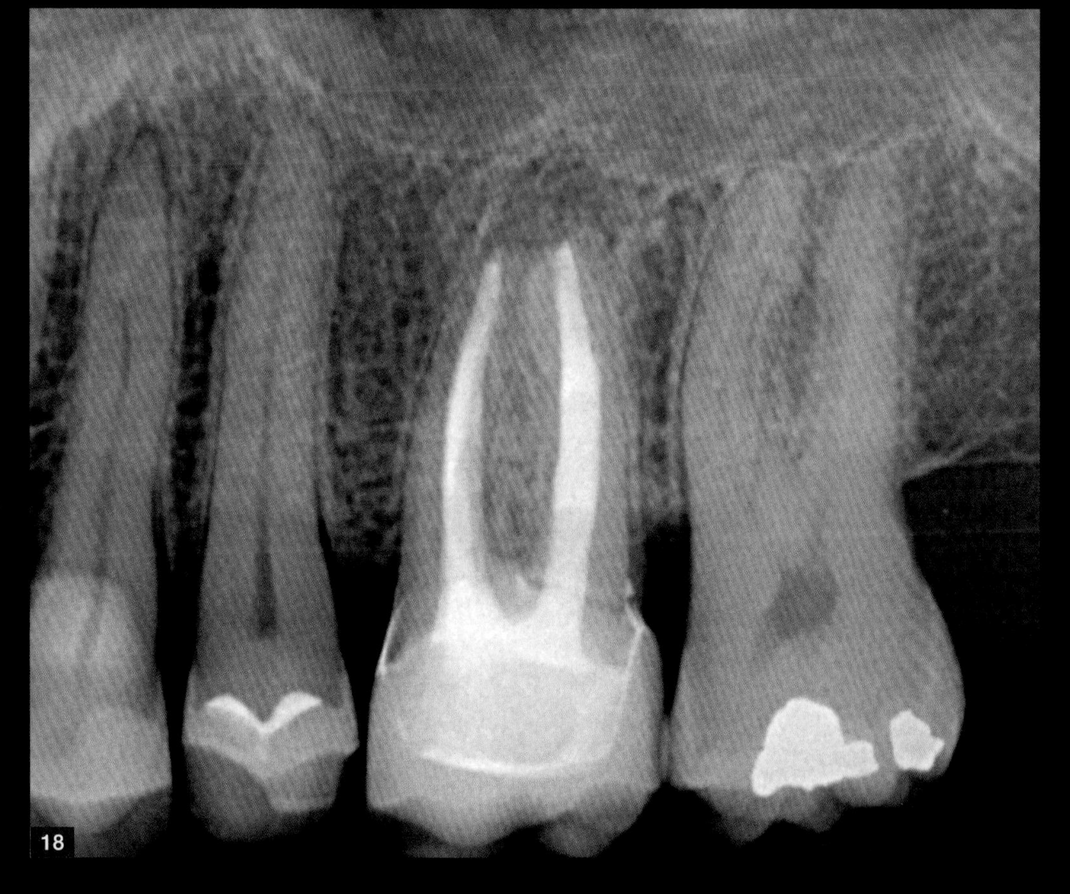

Figure 18: 4개월 추적관찰 사진에서 26번 치아의 치근단 병변이 치유되고 있다.

CASE
REPORT 6

하악 견치의 치근단 주위 골희박 병변의 진단

특이한 근관 형태를 가진 완벽하게 충전된 견치의 방사선 투과성 병변은 병변의 원인이 인접 치아에 의한 것일 가능성을 제시하고, CBCT 검사를 통해 진단 가설을 확인할 수 있다.

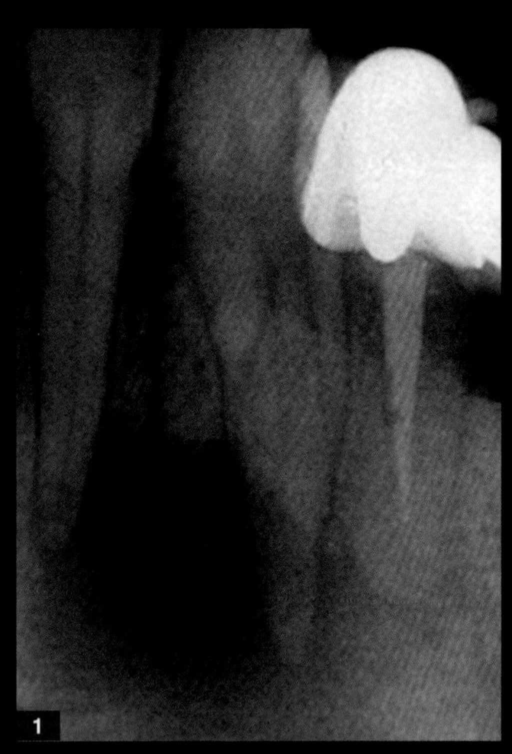

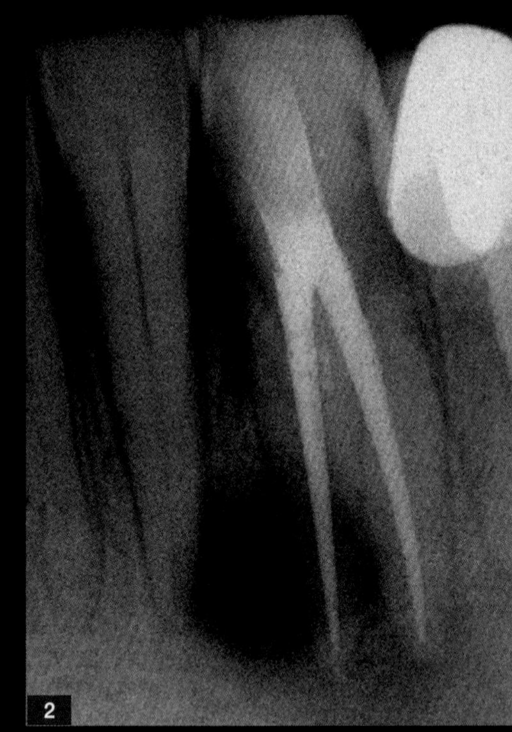

Figure 1: 술전 방사선 사진. 33번 치아의 치근단 방사선 투과성 병변을 확인할 것

Figure 2: 4개월 추적관찰 X-ray에서 33번 치아의 근관 충전된 두 개의 뚜렷한 치근과 치근단 병변이 남아 있는 것을 확인할 수 있다.

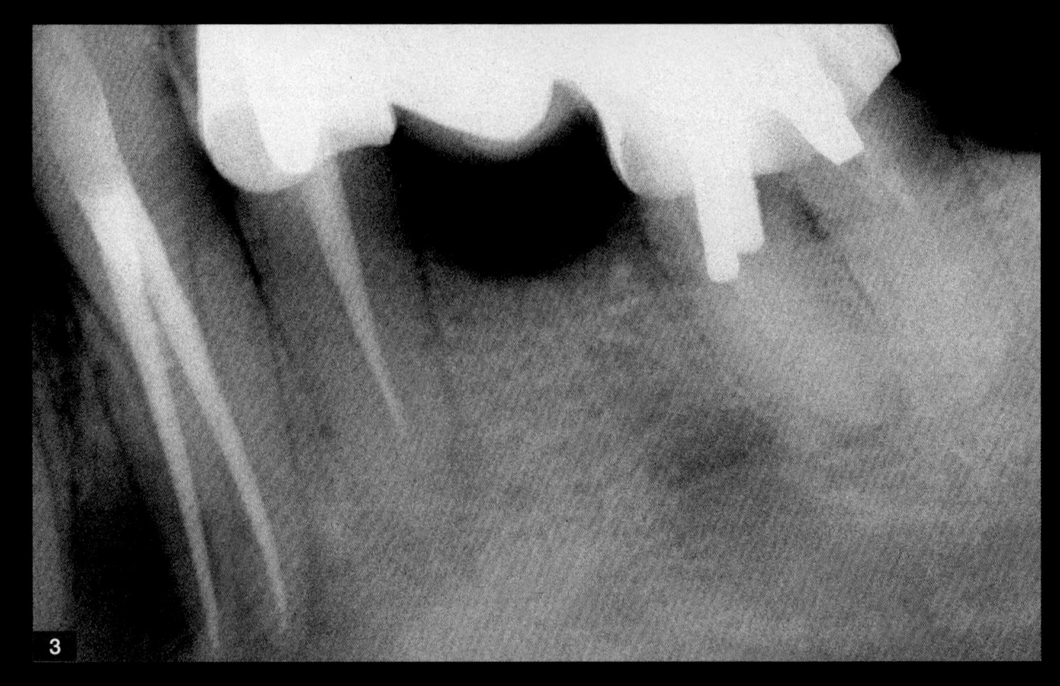

Figure 3: 6개월 추적관찰 X-ray에서 33번 치아의 치근단 주변 병변이 남아 있다.

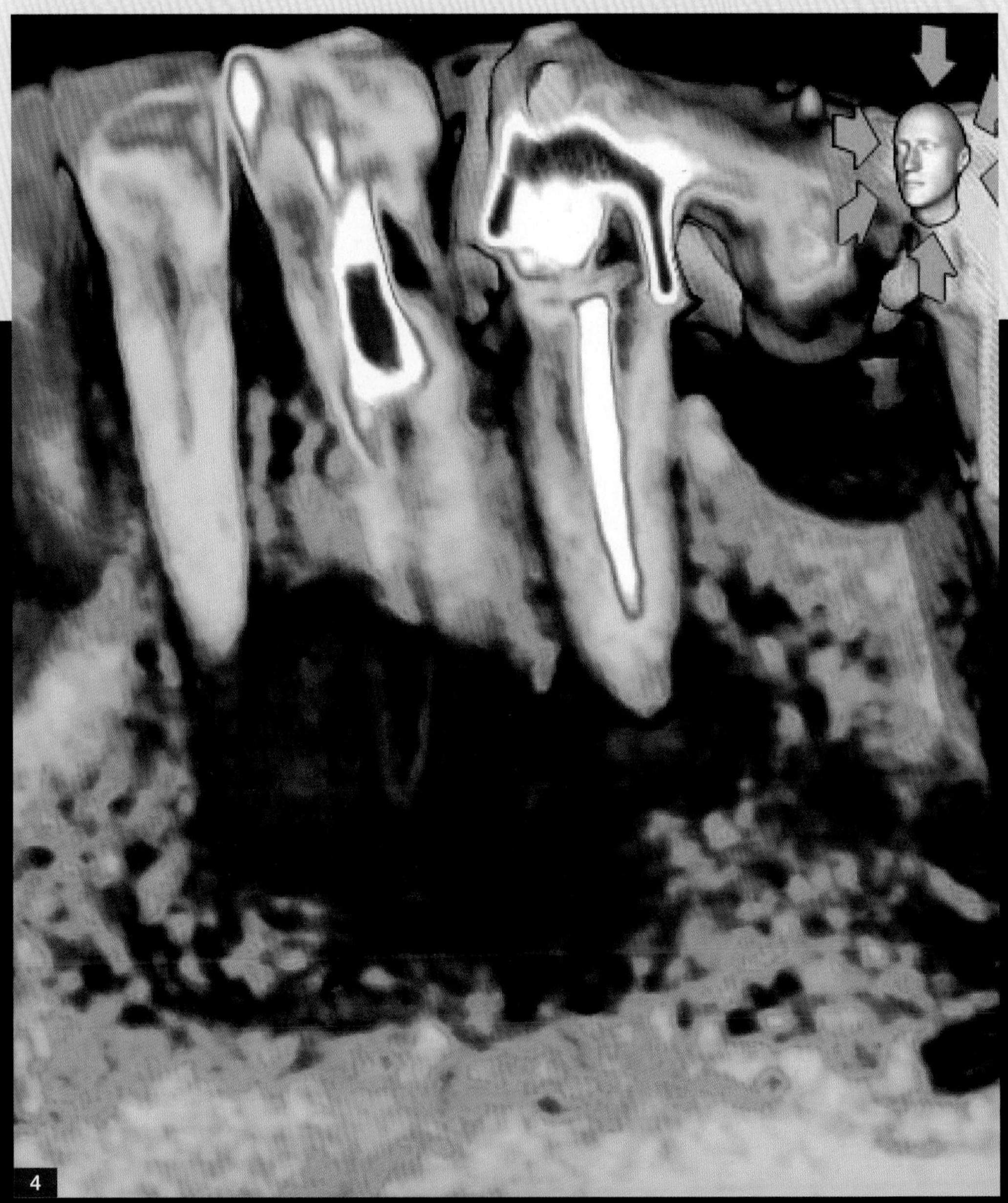

Figure 4: 치근단 주위 병변의 범위를 보여주는 3D CBCT 재구성 영상. 병변과 32, 33 및 34번 치아의 연관성을 확인할 것

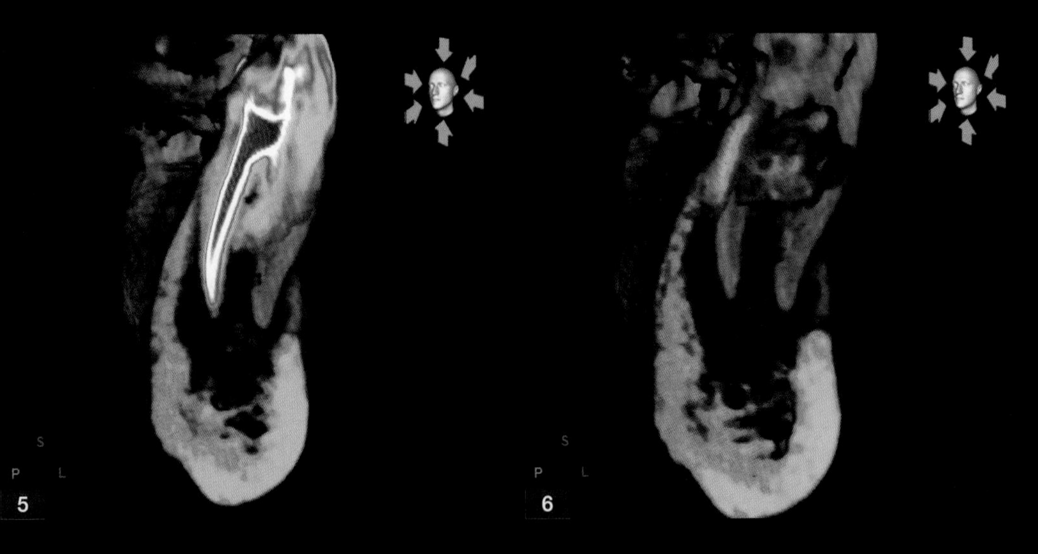

Figures 5, 6: 33번 치아의 두 치근과 골내 병변을 보여주는 CBCT coronal 단면의 3D 재구성

Figure 7: 골내 병변에 치근첨이 침범된 것을 보여주는 CBCT axial 단면의 3D 재구성

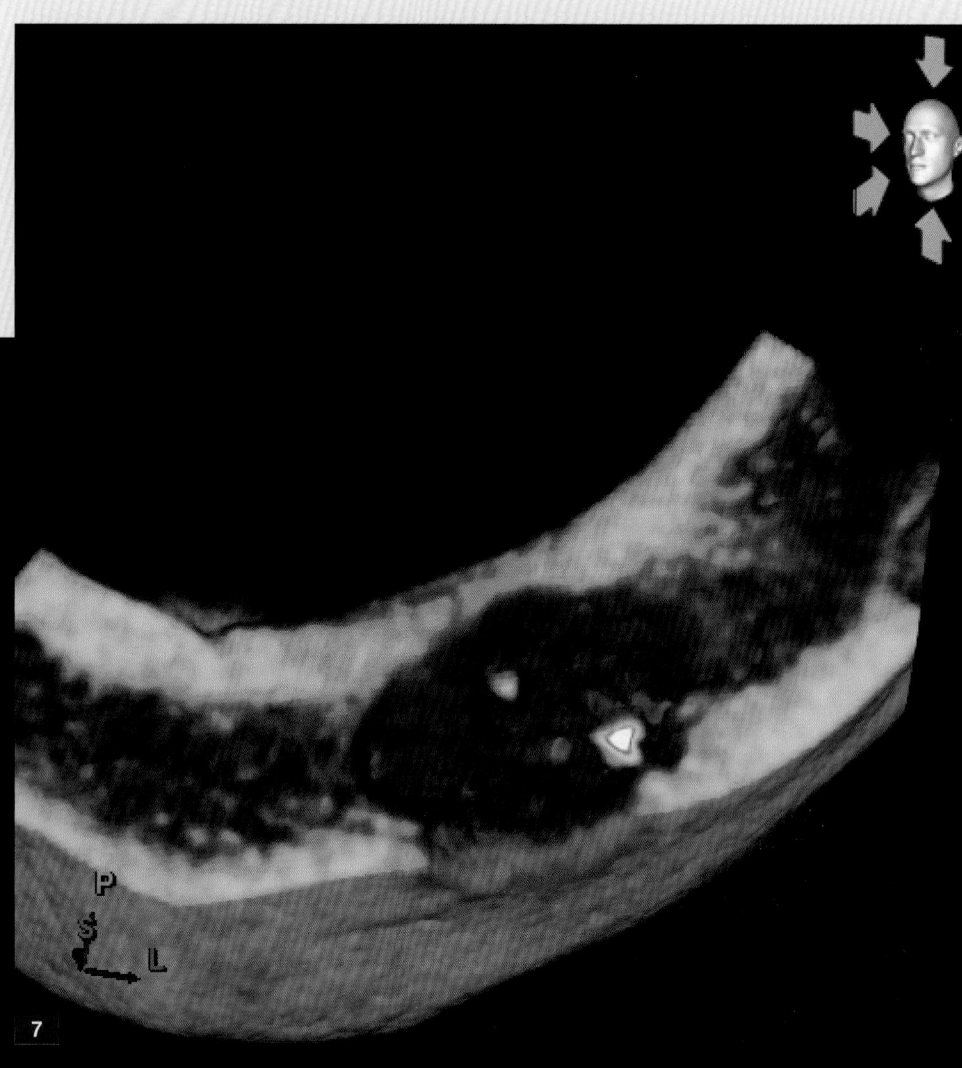

Figure 8: 병변의 실제 크기를 보여주는 CBCT axial 단면

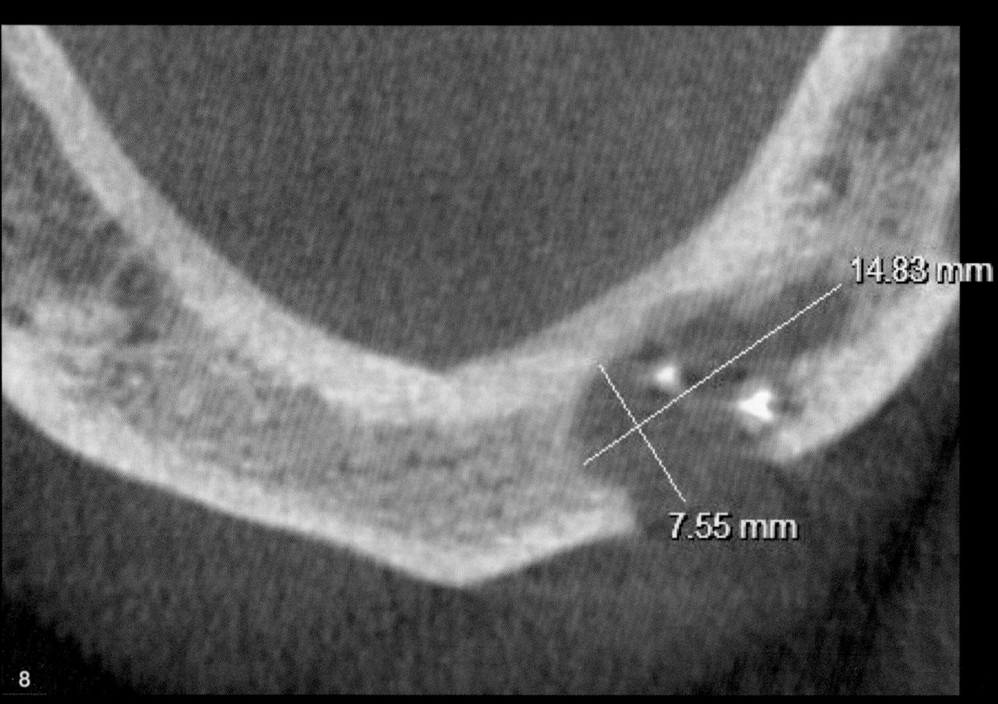

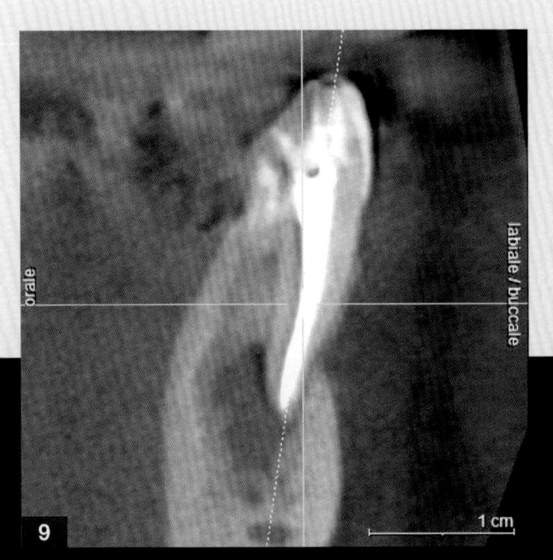

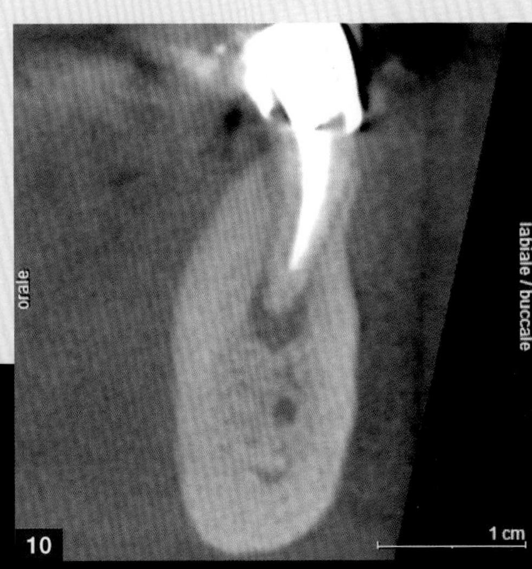

Figures 9, 10: 33번 치아가 병변에 포함된 것을 보여주는 coronal CBCT 단면

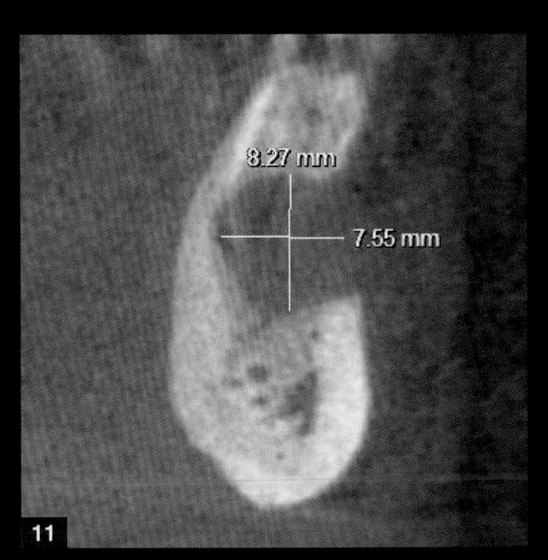

Figure 11: 병변의 실제 협-설측 확장을 보여주는 coronal CBCT 단면

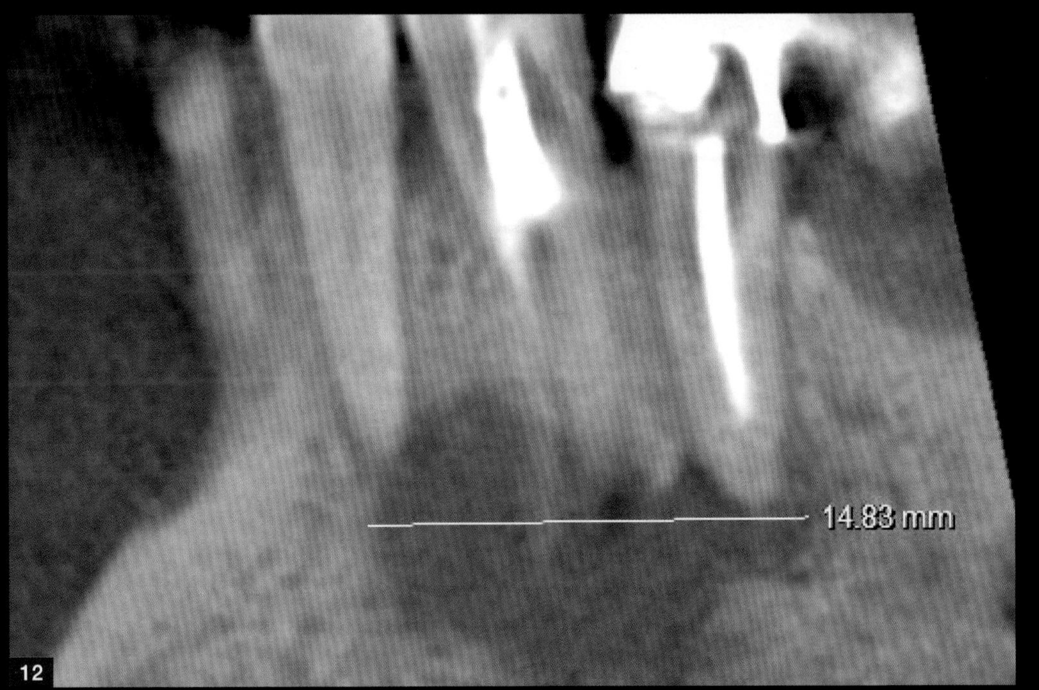

Figure 12: 골내 병변의 근-원심 확장을 보여주는 sagittal CBCT 단면

CASE REPORT 7

하악 대구치의 치근 천공의 진단

이번 증례와 같은 경우 2차원 사진만으로도 진단이 가능하다. 그러나 CBCT 평가는 이전 치료 때 놓쳤거나 성형되지 않은 근심 근관의 접근을 위해 필수적이다.

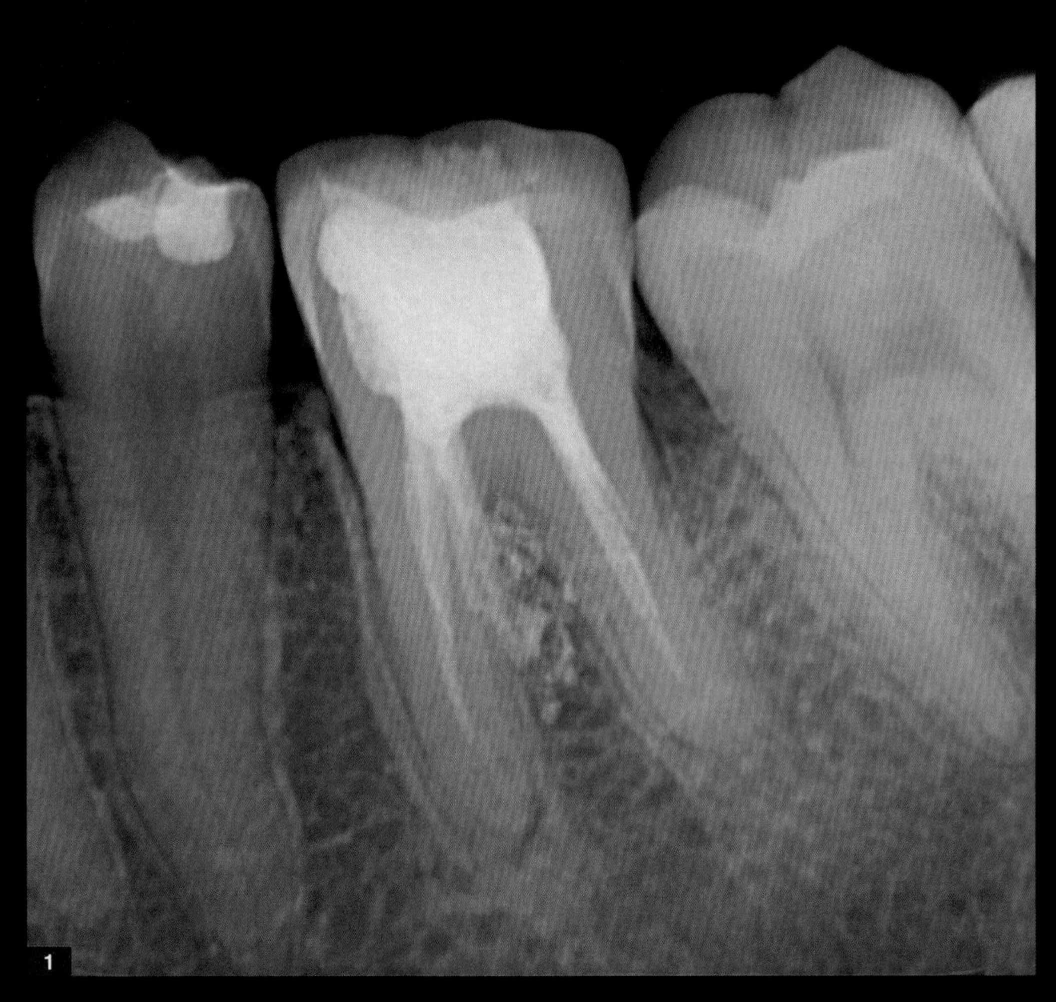

Figure 1: 술전 X-ray. 36번 치아에서 짧은 근관 성형 및 충전이 보이고, 치근 이개부 치조골로 충전 재료가 유출된 것을 확인할 수 있다.

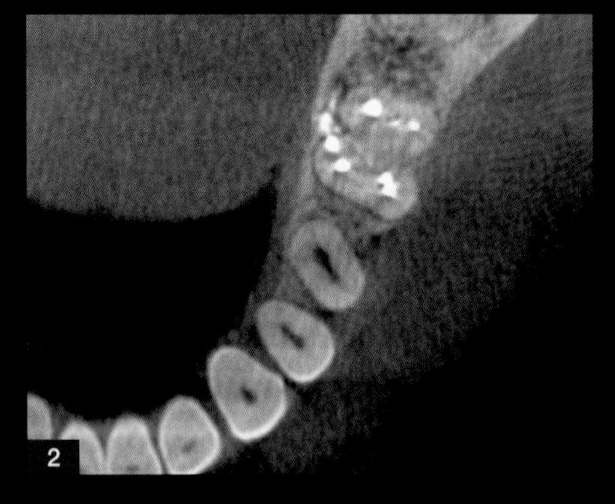

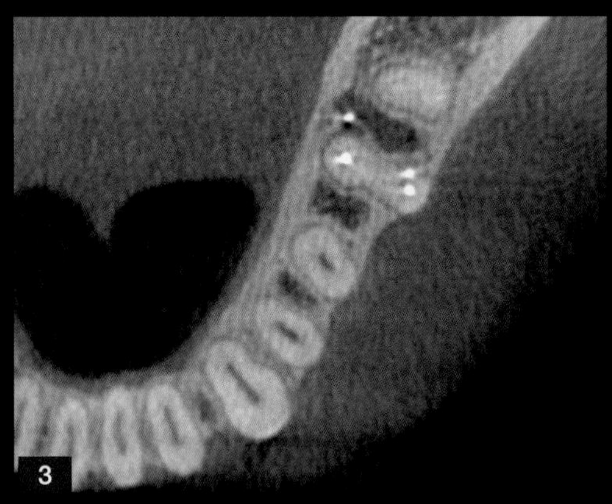

Figures 2, 3: CBCT 영상의 axial 단면에서 천공과 근관치료 재료의 유출이 있는 잘못 성형된 설측 근관과 근심 협측 근관이 명확하게 관찰된다.

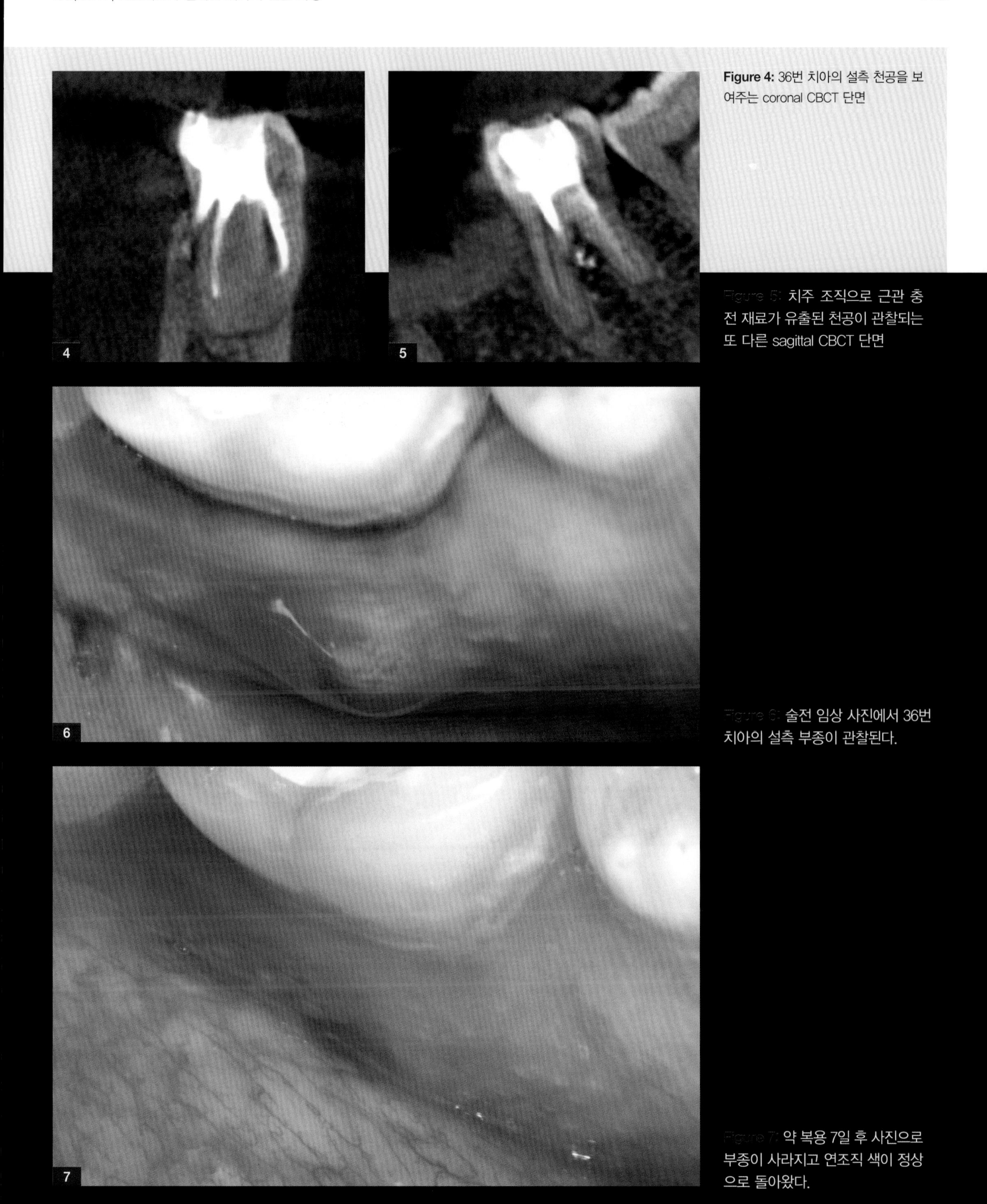

Figure 4: 36번 치아의 설측 천공을 보여주는 coronal CBCT 단면

Figure 5: 치주 조직으로 근관 충전 재료가 유출된 천공이 관찰되는 또 다른 sagittal CBCT 단면

Figure 6: 술전 임상 사진에서 36번 치아의 설측 부종이 관찰된다.

Figure 7: 약 복용 7일 후 사진으로 부종이 사라지고 연조직 색이 정상으로 돌아왔다.

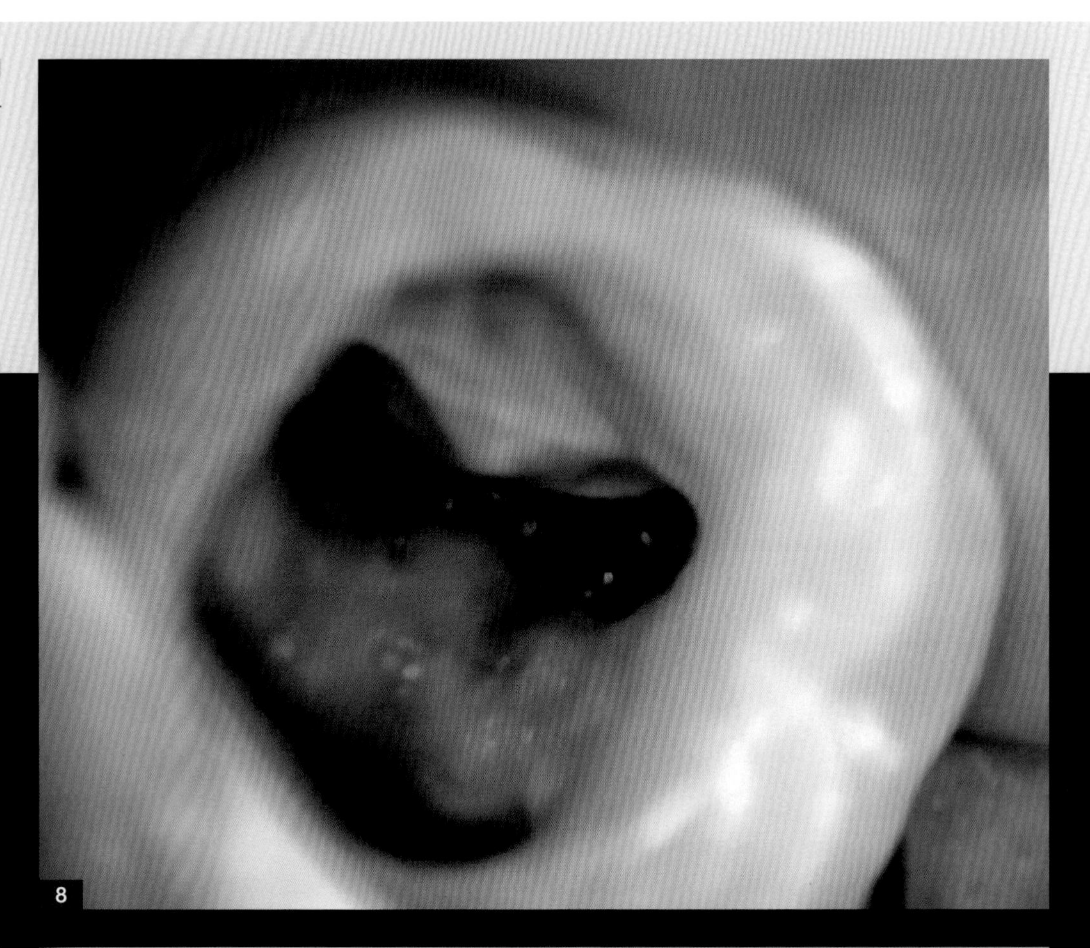

Figure 8: 근심 협측 근관 입구의 근심 쪽에 잘못된 근관 접근이 있었음을 보여주는 현미경 사진

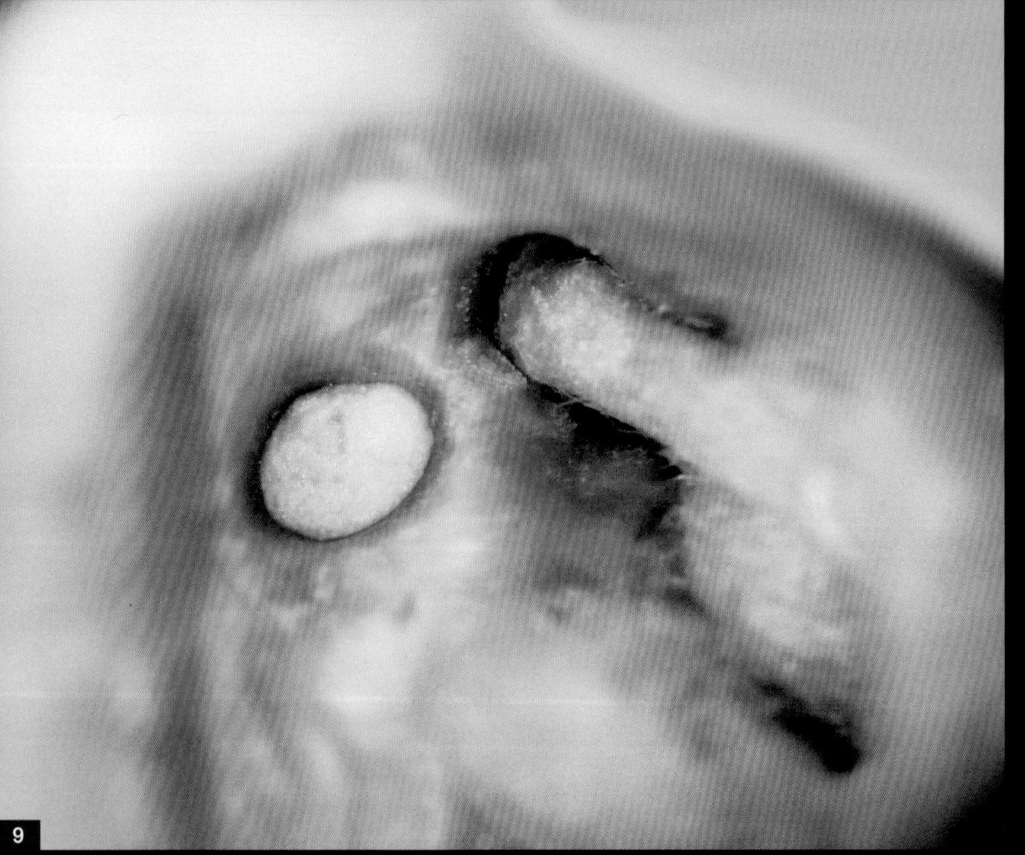

Figure 9: Paper point와 면봉을 사용하여 근관 입구를 보호한 뒤 설측 천공 부위에 MTA를 적용한 치료 중 현미경 사진

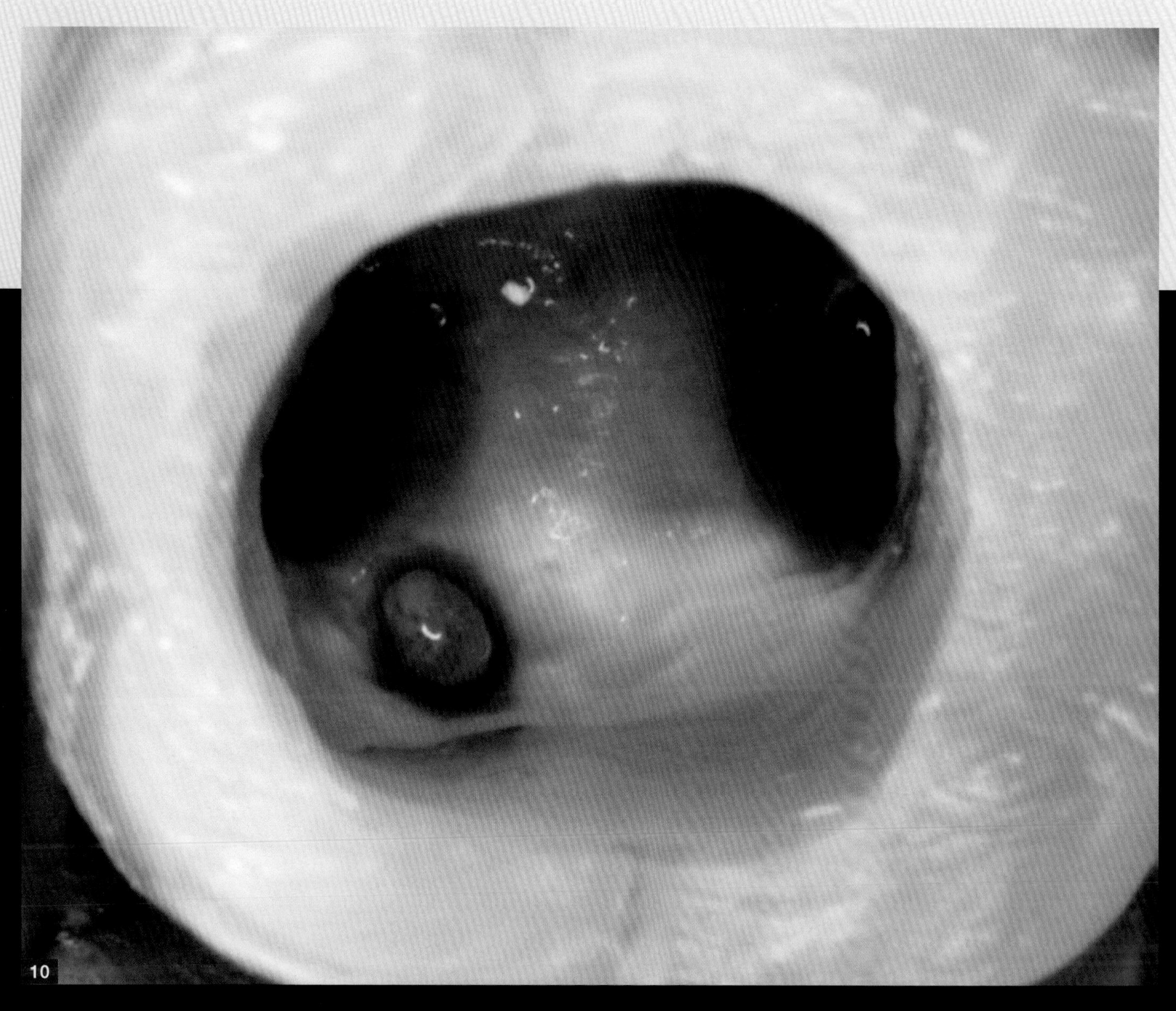

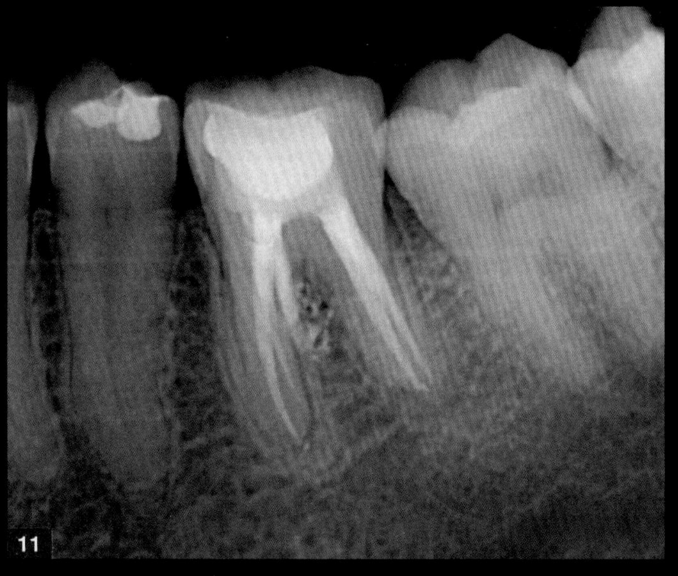

Figure 10. 근관 와동과 수복된 설측 천공의 치료 중 사진

Figure 11. 3개월 추적관찰 치근단 방사선 사진. 4개의 독립된 근관과 천공 수복을 확인할 것

CASE
REPORT 8

상악 견치의 치경부 흡수의 진단 및 치료 평가

이전에 치료한 병력 없이 치아에 부종이 생기는 것은 치수 기원 염증성 병변의 특징이기 때문에 항상 감별 진단에 주의를 기울여야 한다.

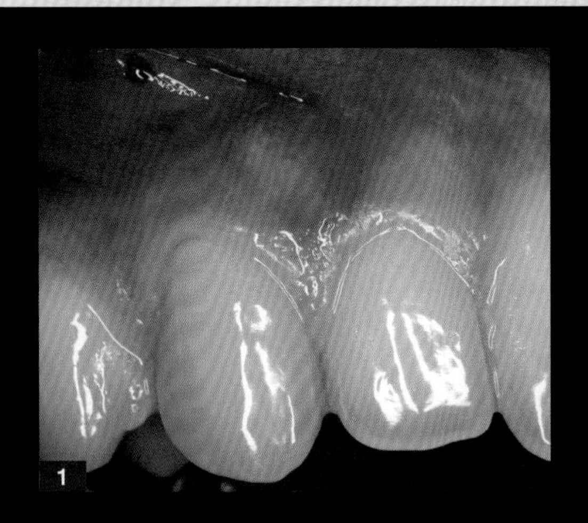

Figure 1: 13번 치아에서 치은 부종이 관찰된다.

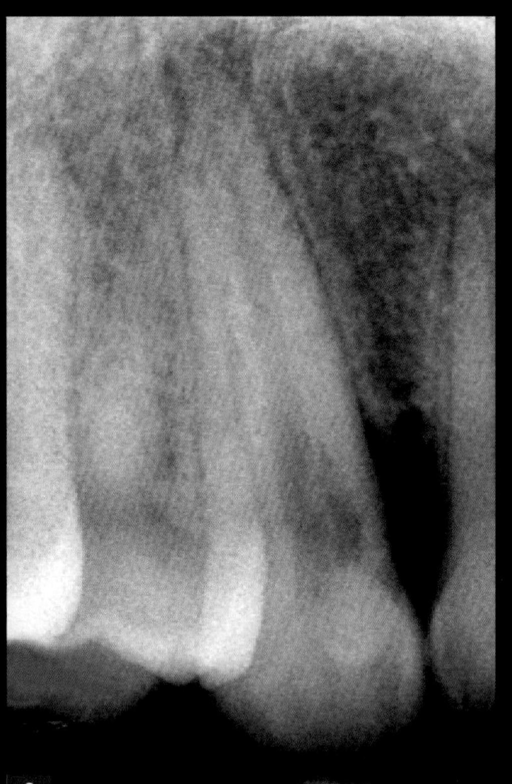

Figure 2: 13번 치아의 근단부 방사선 투과성 병변과 큰 치경부 흡수를 보여주는 술전 방사선 사진

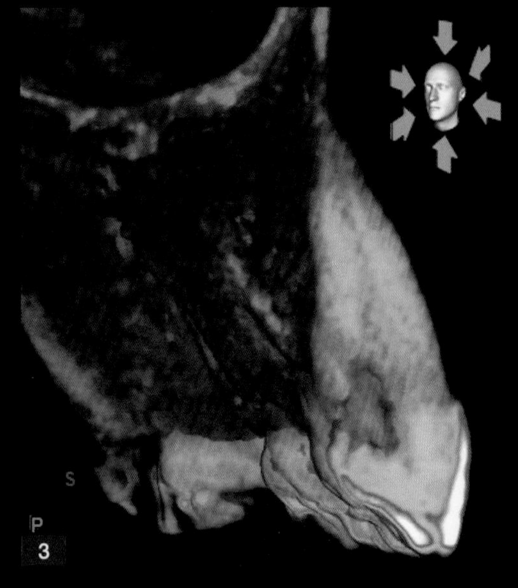

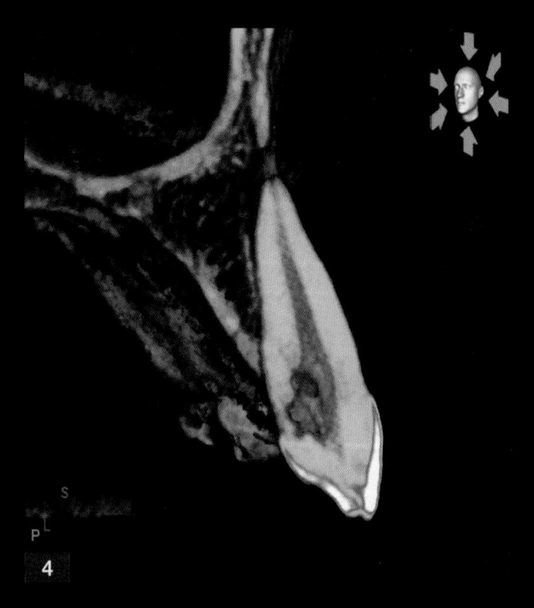

Figures 3, 4: 치경부 치근 흡수(Fig. 3)와 치주 조직과의 개통을 보여주는 CBCT 영상을 이용한 3D 재구성

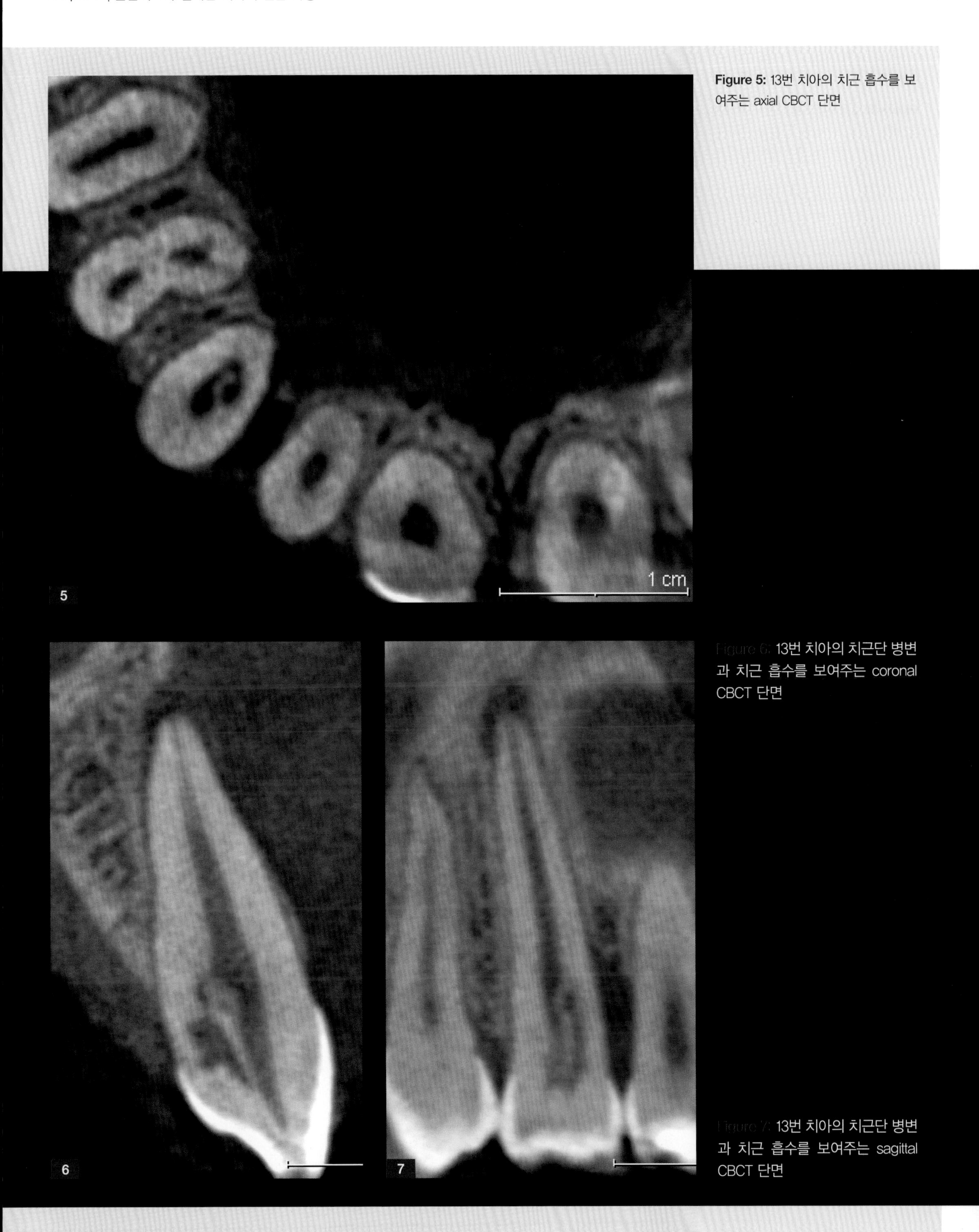

Figure 5: 13번 치아의 치근 흡수를 보여주는 axial CBCT 단면

Figure 6: 13번 치아의 치근단 병변과 치근 흡수를 보여주는 coronal CBCT 단면

Figure 7: 13번 치아의 치근단 병변과 치근 흡수를 보여주는 sagittal CBCT 단면

Figure 8: 천공 부위의 출혈이 관찰된다.

Figure 9: 초음파를 이용한 근관 세척제의 활성

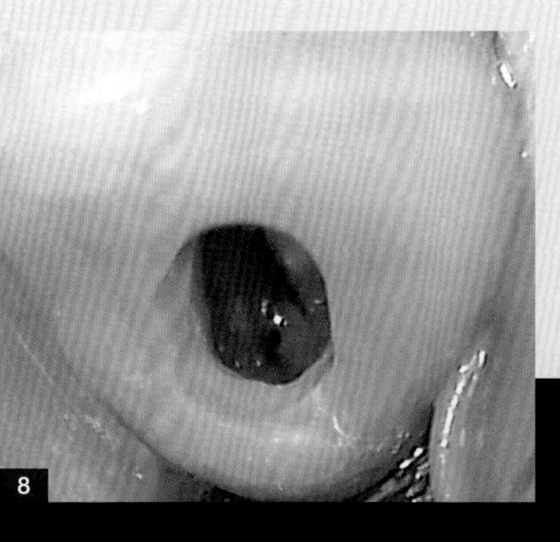

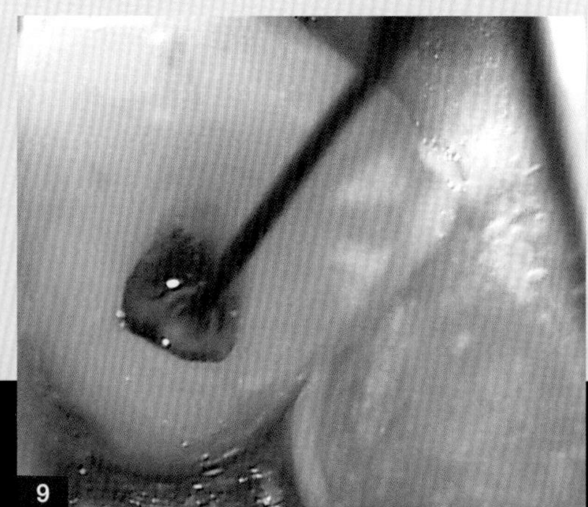

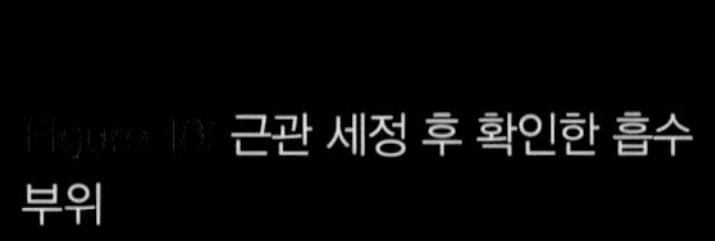

Figure 10: 근관 세정 후 확인한 흡수 부위

Figure 11: 두 부위의 천공이 관찰된다.

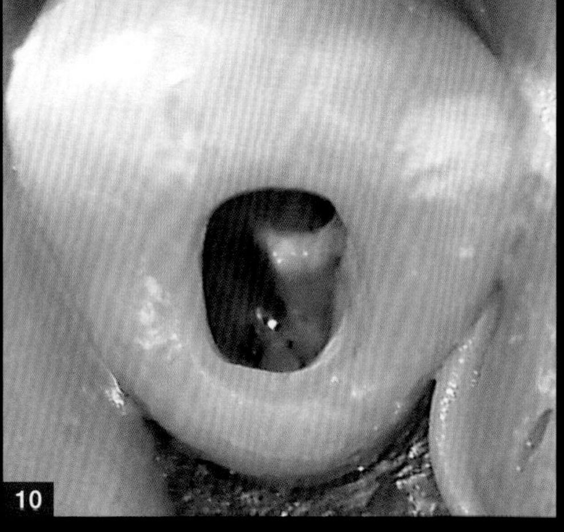

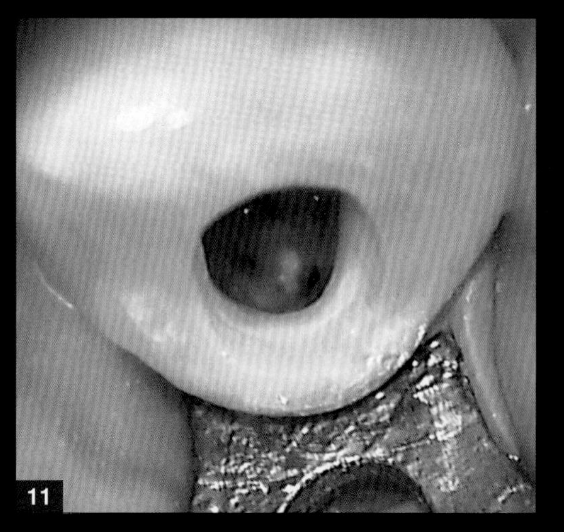

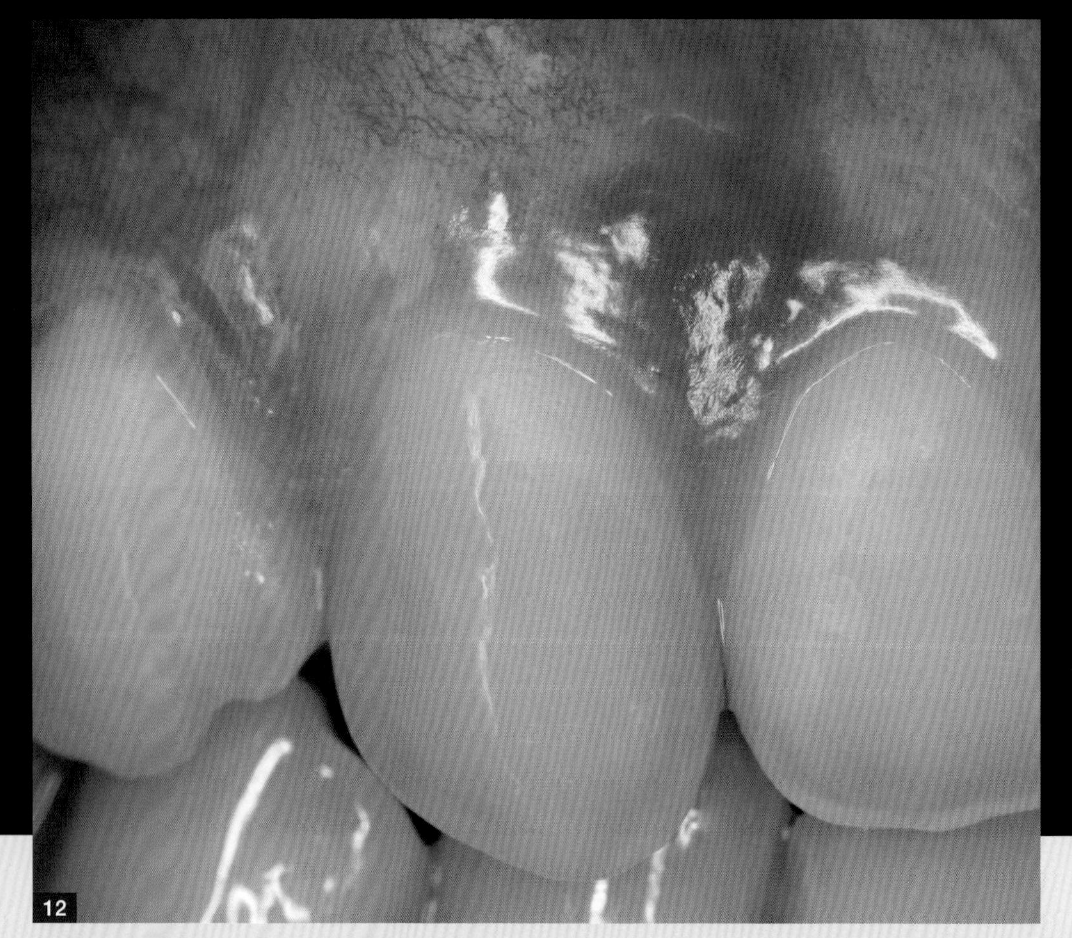

Figure 12: 치료 10일 뒤 연조직의 치유를 확인할 수 있다.

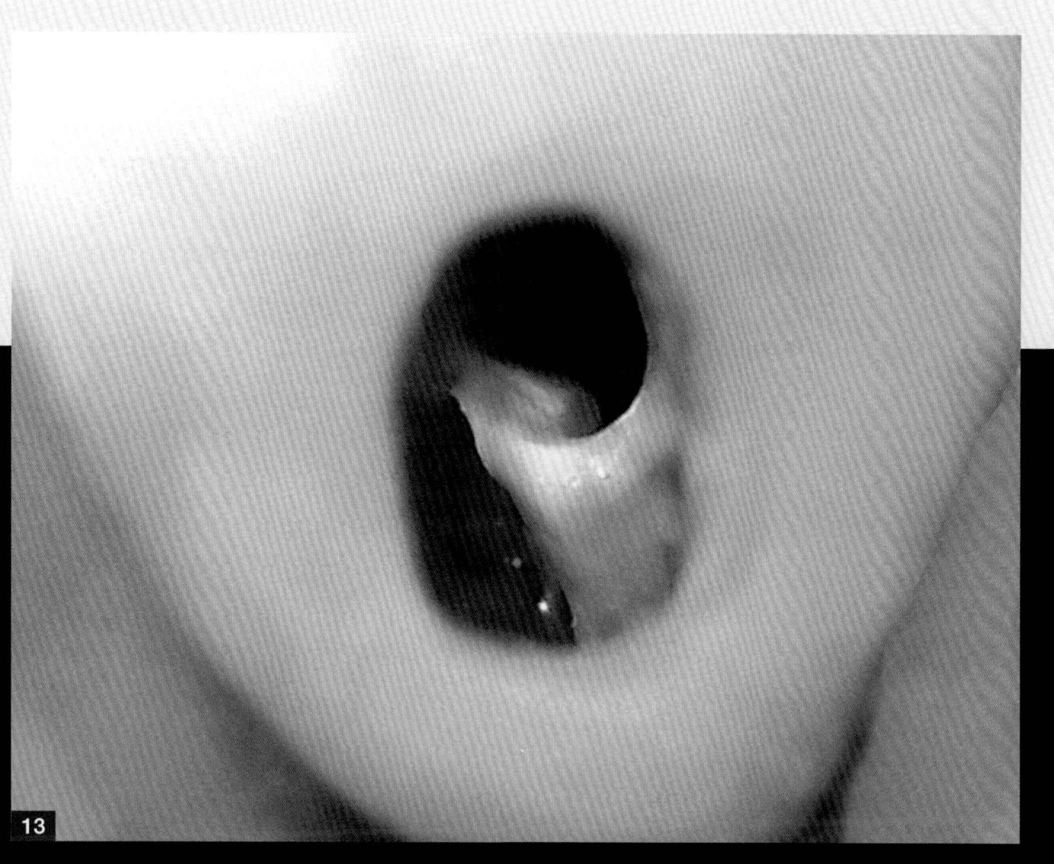

Figure 13: 초음파 팁으로 근관 성형 및 세정한 뒤에 확인한 천공 부위

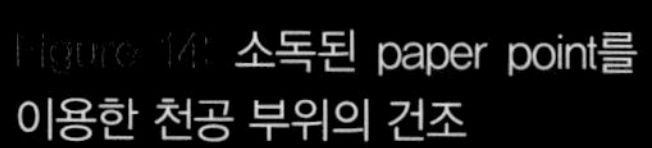

Figure 14: 소독된 paper point를 이용한 천공 부위의 건조

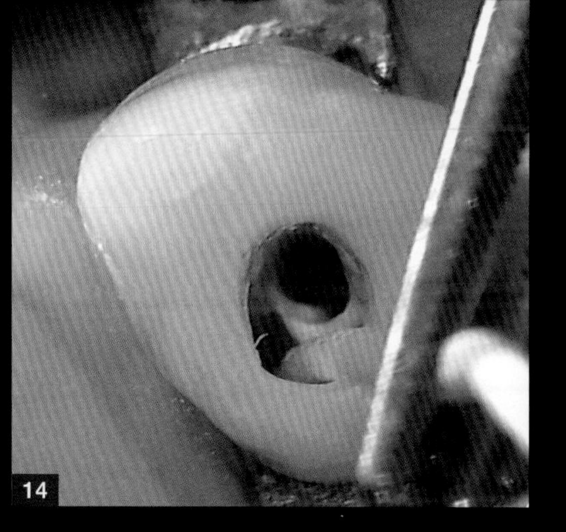

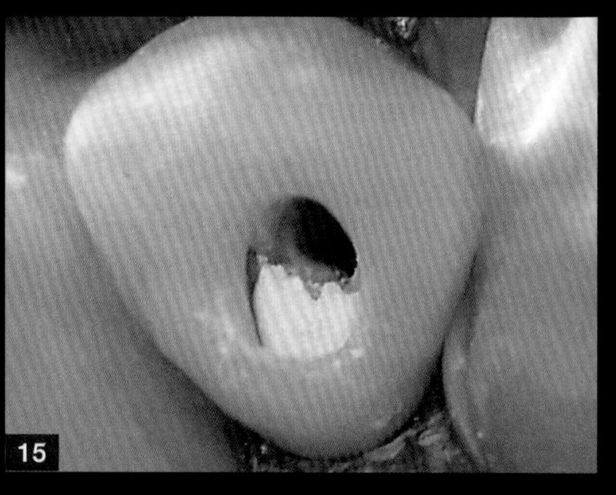

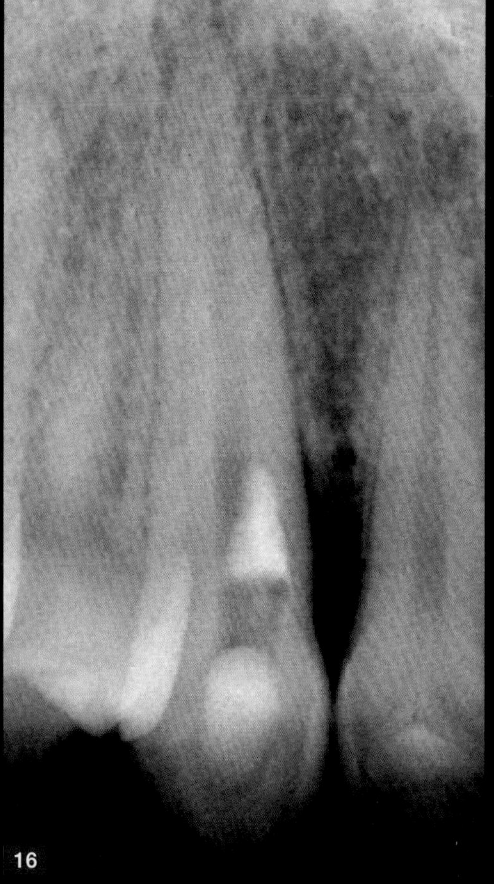

Figure 15: MTA를 이용한 천공 수복

Figure 16: MTA로 수복된 천공 부위가 X-ray에서 확인된다.

Figure 17: 경화된 MTA. MTA의 경화는 약 48–72시간이 소요되고, 최근 경화 시간이 단축된 재료가 출시되었다.

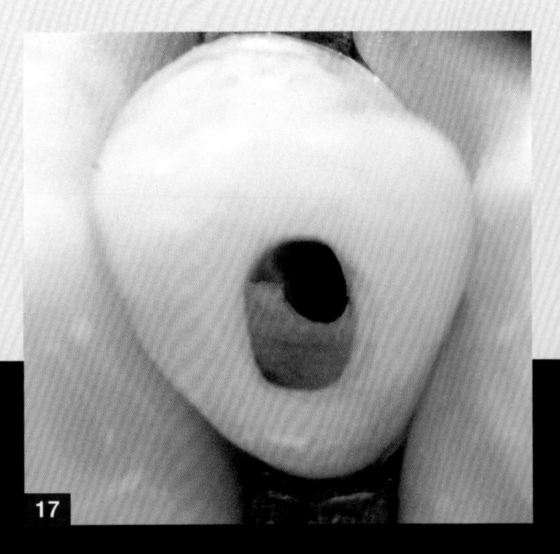

Figure 18: 3개월 추적관찰 X–ray에서 13번 치아의 치근단 병변의 초기 치유가 관찰되고 치주 문제는 관찰되지 않는다.

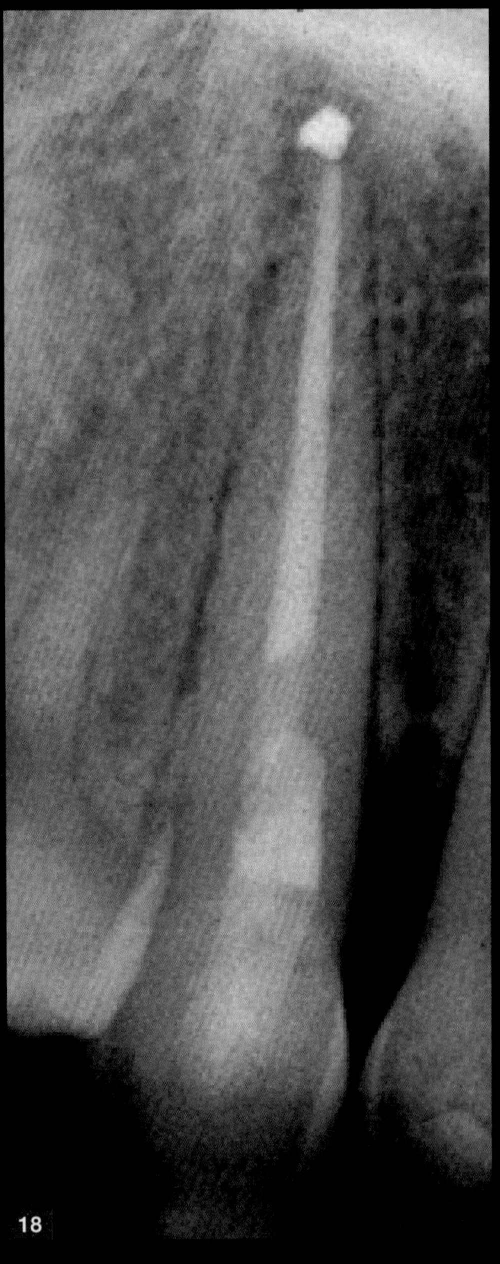

Figure 19: 3년 추적관찰 사진으로 정상적인 연조직이 관찰된다.

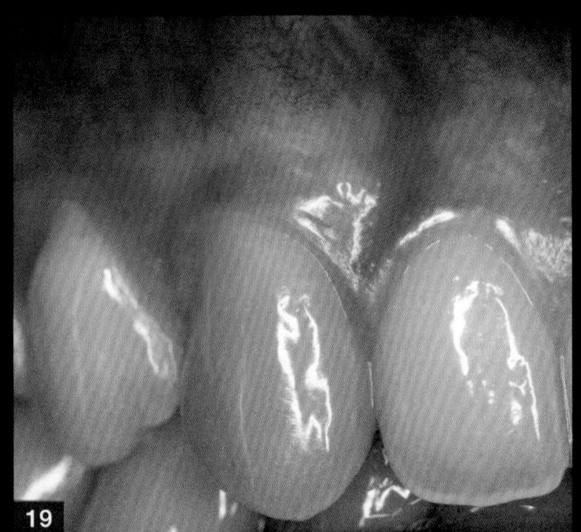

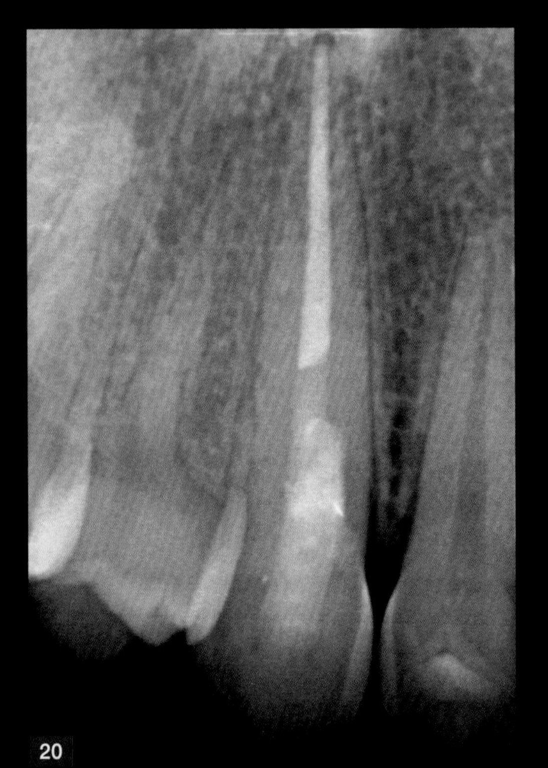

Figure 20: 3년 추적관찰 X–ray에서 근단 밖으로 나간 sealer가 완전히 흡수되었고 치근단 병변이 치유된 것이 관찰된다. 반흔 조직으로 치유된 것으로 예상되는 작은 치근단 투과상이 관찰된다.

대부분 실험실 연구로 진행된 일부 연구에서 CBCT 사용에 대한 긍정적인 근거를 얻지 못했다. 앞에서 언급했듯이 근관 내부에 존재하는 방사선 불투과성 물질로 인한 "artifact"는 이러한 유형의 방사선 검사(CBCT 등)의 판독을 어렵게 한다.[37, 38]

근관 포스트, 특히 금속 포스트의 존재와 수직 치근 파절 사이의 연관성은 여러 문헌을 통하여 이미 수년 전에 보고되었다.[39–41]

수직 치근 파절과 같이 명백히 치료가 불가능한 손상은 CBCT 검사 없이도 임상 검사와 전통적인 방사선 사진으로 진단할 수 있다. 그러나 진단이 애매한 증례의 경우, 병변의 위치에 대한 추가 정보를 CBCT 검사에서 얻을 수 있다.

치아 단면의 방사선 사진을 치관–치근 방향으로 이동하며 볼 수 있기 때문에, CBCT 검사는 수직 치근 파절의 진단에 유용한 정보를 제공한다. 1장에 설명된 바와 같이 치수강 바닥 바로 아래의 방사선 사진의 첫 번째 단면에 치조골 희박이 이미 존재하는 경우 치근 파절을 의심할 수 있다.

Box 2.3 치근 파절

치근 파절은 별도의 장에서 다뤄야 할 만큼 중요하다. 치근 파절은 이전에 치료된 치아에서 점점 더 많이 발견된다. 최근 연구에서, 치근 주위 질환의 징후가 명확하지 않고 판독하기 어렵기 때문에 재치료 또는 치근단 절제술의 적응증으로 잘못 해석되었다는 점을 밝혀냈다.[42, 43] 임상 또는 방사선 사진 검사에서 **Table 2.2**에 나열된 요소 중 하나 이상이 존재하는 치아는 수직 치근 파절을 의심해야 한다.

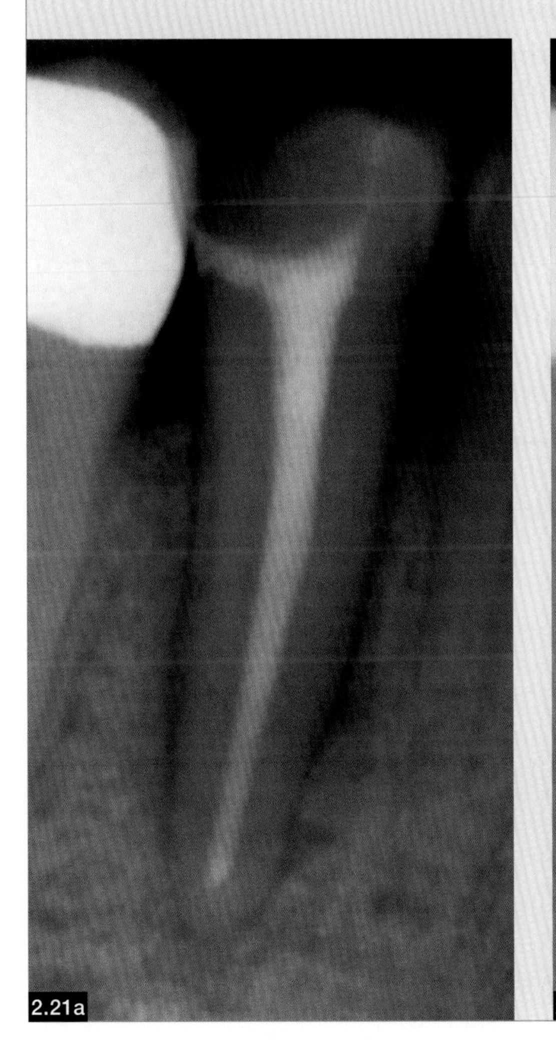

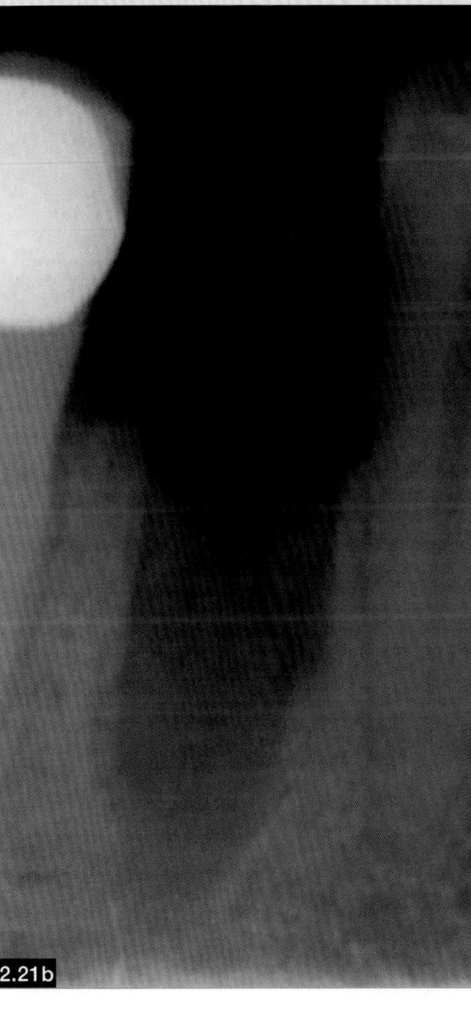

Fig. 2.21a: 명백하게 근관치료가 잘 된 치아 치근의 전체 윤곽을 따라 눈에 잘 띄지 않는 희박대가 관찰된다.

Fig. 2.21b: 수직 치근 파절로 발치한 결과. 광범위한 골 소실에 주목할 것

Fig. 2.22: 건전한 치아와 치료된 치아가 관찰되는 상악 소구치의 임상 사진 저작 시 통증은 14번 치아의 치근단 주위 병변으로 인한 것이었다.

Fig. 2.23: 방사선 검사에서 치수 손상을 유발하는 것으로 알려진 어떠한 요소도 관찰되지 않는 15번 치아의 특발성 치근단 병변이 뚜렷이 관찰된다.

Fig. 2.24: 치아를 고배율로 확대해서 검사한 결과, 치아를 구강 내에 유지하기 어려운 파절선이 관찰된다.

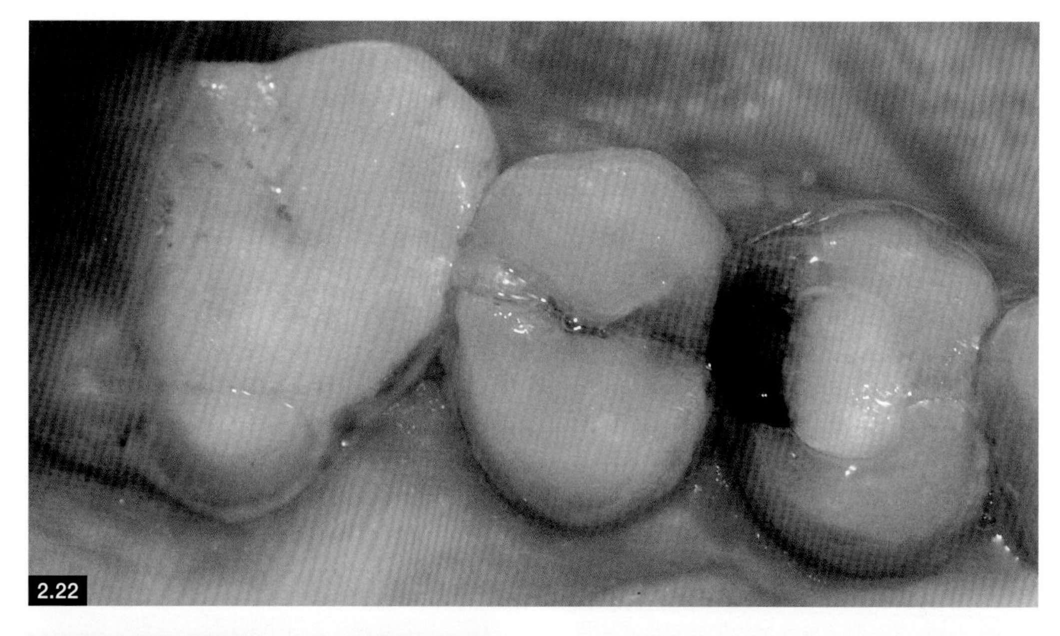
2.22

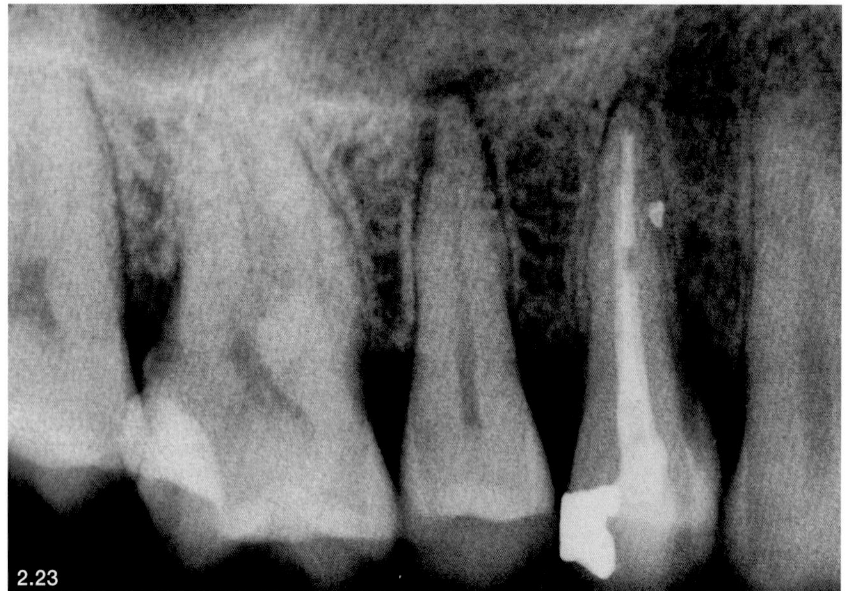
2.23

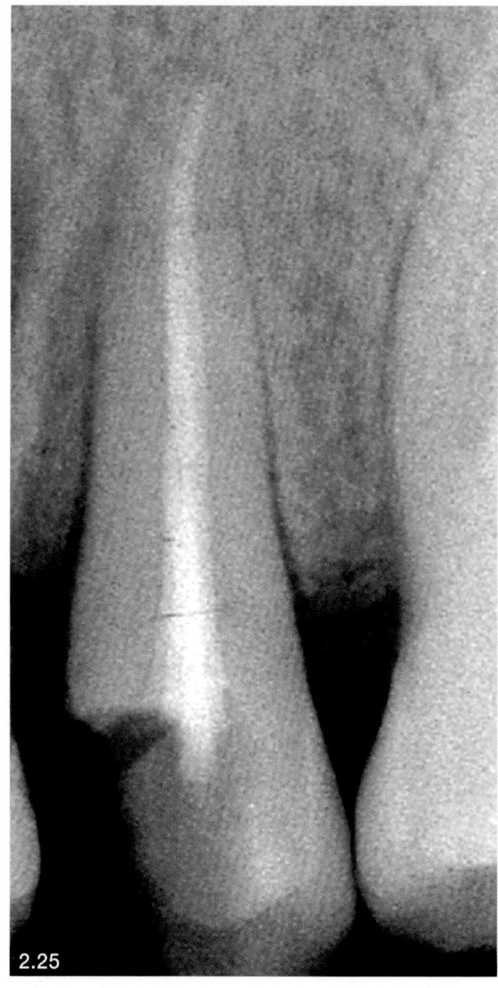
2.25

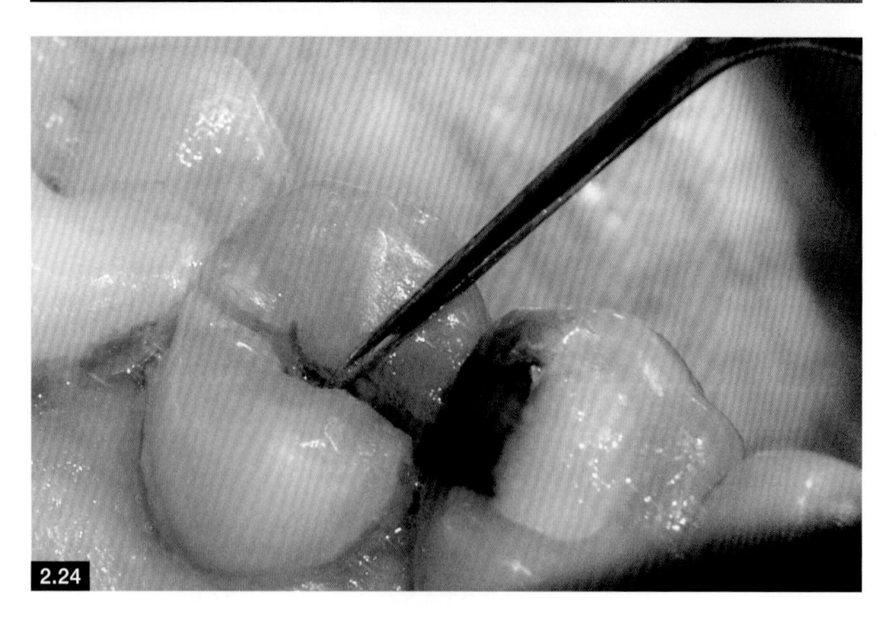
2.24

Fig. 2.25: 치근의 수직축 방향에 인접한 원심 부위 골흡수를 보여주는 방사선 사진은 치근의 수직 파절을 암시한다.

Table 2.2 **RISK FACTORS**

• BRIDGE PILLARS, ESPECIALLY IF TERMINAL	• FISTULAS AND SWELLINGS THAT TEND TO NOT TO REGRESS DESPITE TREATMENT
• RECONSTRUCTIONS WITHOUT CUSP COVER	• X-RAY EXAMINATION REVEALING WIDE RAREFACTION UNRELATED TO INCONGRUOUS ROOT CANAL TREATMENT
• ROOT CANAL POSTS	• MOBILITY
• SCREW-RETAINED (THREADED)	
• ICONIC CROWNS ROOT CANAL POSTS	
• PERIRADICULAR TUBULAR PROBING	

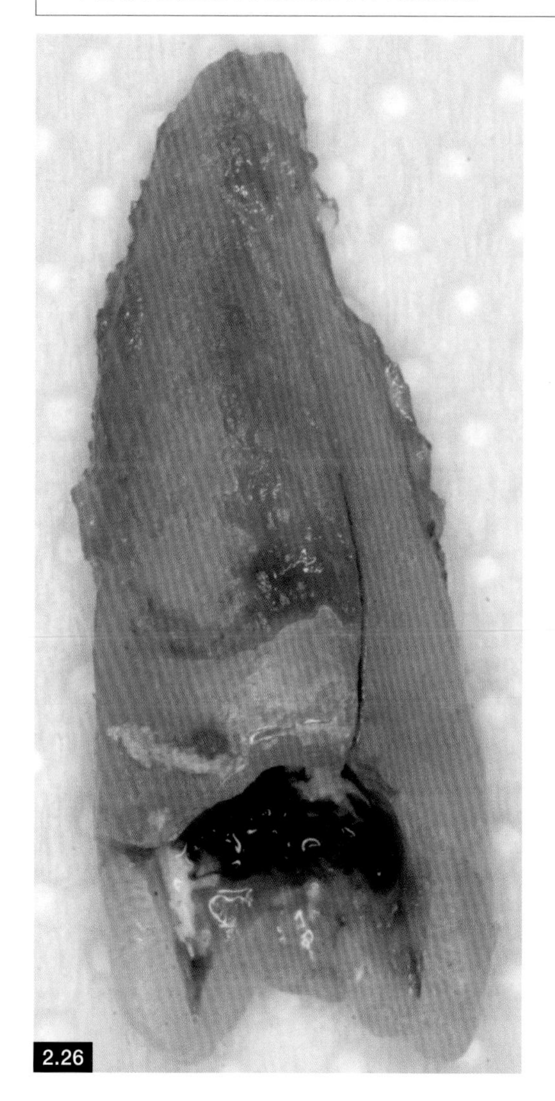

2.26

2.27

Fig. 2.26: 치근 파절의 수직 단면

Fig. 2.27: Fig. 26과 동일 증례의 수평 단면

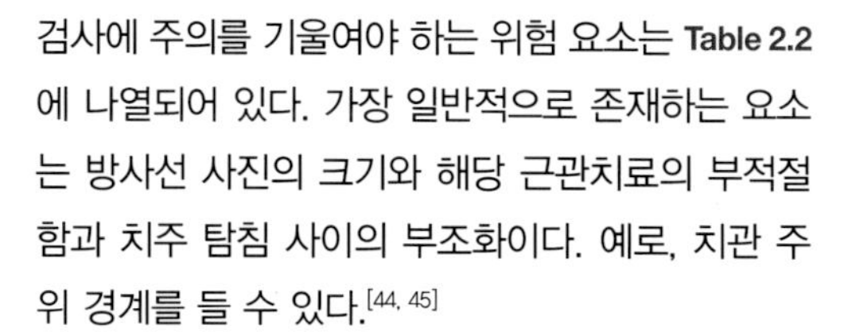

검사에 주의를 기울여야 하는 위험 요소는 **Table 2.2**에 나열되어 있다. 가장 일반적으로 존재하는 요소는 방사선 사진의 크기와 해당 근관치료의 부적절함과 치주 탐침 사이의 부조화이다. 예로, 치관 주위 경계를 들 수 있다.[44, 45]

다시 말하면, 적절한 수준의 근관치료를 받은 치아에서 치근단 부위에 국한되지 않는 매우 넓은 영역의 방사선 투과상이 보이면 치근 파절을 의심해야 한다. 일부 연구에서 다양한 방법으로 치근 파절을 치료하는 방법을 보고했지만,[46, 47] 보철물로 밴드를 사용하거나 사용하지 않고 파절 부위를 접착하는 이러한 치료의 효과에 대한 증거는 부족하다. 또한 치근 파절은 종종 치근단 부위에서 시작되므로 치관 부위에서 관찰될 정도면 이미 지속적인 골 파괴를 야기하는 심각한 염증 반응을 일으킬 가능성이 높다. 이러한 골 파괴는 이후 임플란트를 식립하는데 기술적 어려움을 초래하고 때로는 골이식을 필요로 하게 한다. 따라서 골 소실을 예방하기 위해 수직 치근 파절을 조기에 진단해야 한다.

참고문헌

1. Nair PN *Pathogenesis of apical periodontitis and the causes of endodontic failures.* Crit Rev Oral Biol Med. 2004;15(6):348-381.
2. Haapasalo MS Y; Ricucci D *Reasons for persistent and emerging post-treatment endodontic disease.* Endodontic Topics, 2011;18(1):31-50.
3. Sjogren U et al. *Factors affecting the long-term results of endodontic treatment.* J Endod, 1990. 16(10): p. 498-504.
4. Ricucci DG, D *The compromised tooth: conservative treatment or extraction?* Endodontic Topics, 2006. 13(1): p. 108-122.
5. Abbott P, *Diagnosis and management planning for root-filled teeth with persisting or new apical pathosis.* Endodontic Topics, 2008. 19(1): p. 1-21.
6. *Success and failure in endodontics: an online study guide.* J Endod, 2008. 34(5 Suppl): p. e1-6.
7. Hamedy R et al. *Patient-centered endodontic outcomes: a narrative review.* Iran Endod J, 2013. 8(4): p. 197-204.
8. Friedman S, *Considerations and concepts of case selection in the management of post-treatment endodontic disease (treatment failure).* Endodontic Topics, 2002. 5(1): p. 54-78.
9. Kirkevang L, *Root canal treatment and apical periodontitis: What can be learned from observational studies?* Endodontic Topics, 2011. 18(1): p. 51-61.
10. Friedman S, S. Abitbol, and H.P. Lawrence, *Treatment outcome in endodontics: the Toronto Study. Phase 1: initial treatment.* J Endod, 2003. 29(12): p. 787-793.
11. Ng YL et al. *Outcome of primary root canal treatment: systematic review of the literature -- Part 2. Influence of clinical factors.* Int Endod J, 2008. 41(1): p. 6-31.
12. Pirani C et al. *Long-term outcome of non-surgical root canal treatment: a retrospective analysis.* Odontology, 2015. 103(2): p. 185-193.
13. Gillen BM et al. *Impact of the quality of coronal restoration versus the quality of root canal fillings on success of root canal treatment: a systematic review and meta-analysis.* J Endod, 2011. 37(7): p. 895-902.
14. Ricucci D et al. *A prospective cohort study of endodontic treatments of 1,369 root canals: results after 5 years.* Oral Surg Oral Med Oral Pathol Oral Radiol Endod, 2011. 112(6): p. 825-842.
15. Ricucci D and JF Siqueira Jr, *Recurrent apical periodontitis and late endodontic treatment failure related to coronal leakage: a case report.* J Endod, 2011. 37(8): p. 1171-1175.
16. Bender IB and S Seltzer, *Roentgenographic and direct observation of experimental lesions in bone: II. 1961.* J Endod, 2003. 29(11): p. 707-12; discussion 701.
17. Hofmann E et al. *Cone beam computed tomography and low-dose multislice computed tomography in orthodontics and dentistry: a comparative evaluation on image quality and radiation exposure.* J Orofac Orthop, 2014. 75(5): p. 384-398.
18. Hofmann E et al. *Comparative study of image quality and radiation dose of cone beam and low-dose multislice computed tomography--an in-vitro investigation.* Clin Oral Investig, 2014. 18(1): p. 301-311.
19. Rigolone M et al. *Vestibular surgical access to the palatine root of the superior first molar: "low-dose cone-beam" CT analysis of the pathway and its anatomic variations.* J Endod, 2003. 29(11): p. 773-775.
20. Estrela C et al. *Accuracy of cone beam computed tomography and panoramic and periapical radiography for detection of apical periodontitis.* J Endod, 2008. 34(3): p. 273-279.
21. Patel S *New dimensions in endodontic imaging: Part 2. Cone beam computed tomography.* Int Endod J, 2009. 42(6): p. 463-475.
22. Patel S et al. *The detection and management of root resorption lesions using intraoral radiography and cone beam computed tomography - an in vivo investigation.* Int Endod J, 2009. 42(9): p. 831-838.
23. Scarfe WC et al. *Use of cone beam computed tomography in endodontics.* Int J Dent, 2009;2009:634567.
24. Cheng L et al. *A comparative analysis of periapical radiography and cone-beam computerized tomography for the evaluation of endodontic obturation length.* Oral Surg Oral Med Oral Pathol Oral Radiol Endod, 2011. 112(3): p. 383-389.
25. Patel S et al. *Radiographs and CBCT--time for a reassessment?* Int Endod J, 2011. 44(10): p. 887-888.
26. Patel S et al. *The detection of periapical pathosis using digital periapical radiography and cone beam computed tomography - part 2: a 1-year post-treatment follow-up.* Int Endod J, 2012. 45(8): p. 711-723.
27. Ahlowalia MS et al., *Accuracy of CBCT for volumetric measurement of simulated periapical lesions.* Int Endod J, 2013. 46(6): p. 538-546.
28. Cheung GS WL Wei and C McGrath *Agreement between periapical radiographs and cone-beam computed tomography for assessment of periapical status of root filled molar teeth.* Int Endod J, 2013. 46(10): p. 889-895.

29. Moller L et al. *Comparison of images from digital intraoral receptors and cone beam computed tomography scanning for detection of voids in root canal fillings: an in vitro study using micro-computed tomography as validation.* Oral Surg Oral Med Oral Pathol Oral Radiol, 2013. 115(6): p. 810-818.
30. Patel S et al. *Cone Beam Computed Tomography in Endodontics- A review.* Int Endod J, 2014.
31. Patel S et al. *European Society of Endodontology position statement: The use of CBCT in Endodontics.* Int Endod J, 2014. 47(6): p. 502-504.
32. Pope O, C Sathorn and P Parashos, *A comparative investigation of cone-beam computed tomography and periapical radiography in the diagnosis of a healthy periapex.* J Endod, 2014. 40(3): p. 360-365.
33. Davies A et al. *The detection of periapical pathoses in root filled teeth using single and parallax periapical radiographs versus cone beam computed tomography - a clinical study.* Int Endod J, 2015. 48(6): p. 582-592.
34. Karabucak B et al. *Prevalence of Apical Periodontitis in Endodontically Treated Premolars and Molars with Untreated Canal: A Cone-beam Computed Tomography Study.* J Endod, 2016. 42(4): p. 538-541.
35. Paque F and OA Peters, *Micro-computed tomography evaluation of the preparation of long oval root canals in mandibular molars with the self-adjusting file.* J Endod, 2011. 37(4): p. 517-521.
36. Paque F, M Zehnder and G De-Deus, *Microtomography-based comparison of reciprocating single-file F2 ProTaper technique versus rotary full sequence.* J Endod, 2011. 37(10): p. 1394-1397.
37. Ozer SY, *Detection of vertical root fractures of different thicknesses in endodontically enlarged teeth by cone beam computed tomography versus digital radiography.* J Endod, 2010. 36(7): p. 1245-1249.
38. Ozer SY, *Detection of vertical root fractures by using cone beam computed tomography with variable voxel sizes in an in vitro model.* J Endod, 2011. 37(1): p. 75-79.
39. Dutra KL et al. *Influence of Intracanal Materials in Vertical Root Fracture Pathway Detection with Cone-beam Computed Tomography.* J Endod, 2017. 43(7): p. 1170-1175.
40. Elsaltani MH, MM Farid and MS Eldin Ashmawy, *Detection of Simulated Vertical Root Fractures: Which Cone-beam Computed Tomographic System Is the Most Accurate?* J Endod, 2016. 42(6): p. 972-977.
41. Hassan B et al. *Comparison of five cone beam computed tomography systems for the detection of vertical root fractures.* J Endod, 2010. 36(1): p. 126-129.
42. Maddalone M et al *Prevalence of vertical root fractures in teeth planned for apical surgery. A retrospective cohort study.* Int Endod J, 2018. 51(9): p. 969-974.
43. von Arx T, E Roux and W. Burgin, *Treatment decisions in 330 cases referred for apical surgery.* J Endod, 2014. 40(2): p. 187-191.
44. Metska ME et al. *Detection of vertical root fractures in vivo in endodontically treated teeth by cone-beam computed tomography scans.* J Endod, 2012. 38(10): p. 1344-1347.
45. Patel S et al. *The detection of vertical root fractures in root filled teeth with periapical radiographs and CBCT scans.* Int Endod J, 2013. 46(12): p. 1140-1152.
46. Floratos SG and SI Kratchman, *Surgical management of vertical root fractures for posterior teeth: report of four cases.* J Endod, 2012. 38(4): p. 550-555.
47. Uzunoglu E et al. *Effect of ethylenediaminetetraacetic acid on root fracture with respect to concentration at different time exposures.* J Endod, 2012. 38(8): p. 1110-1113.

이전에 근관치료 받은 치아를 재치료하기 위한 **근관 개방 전략**을 설명하시오.

치관부 장애물과 **포스트를 제거하는 방법**을 설명하시오.

이전에 부적절하게 치료된 근관에서 발생하는 문제에 대한 해결책을 제시하시오.

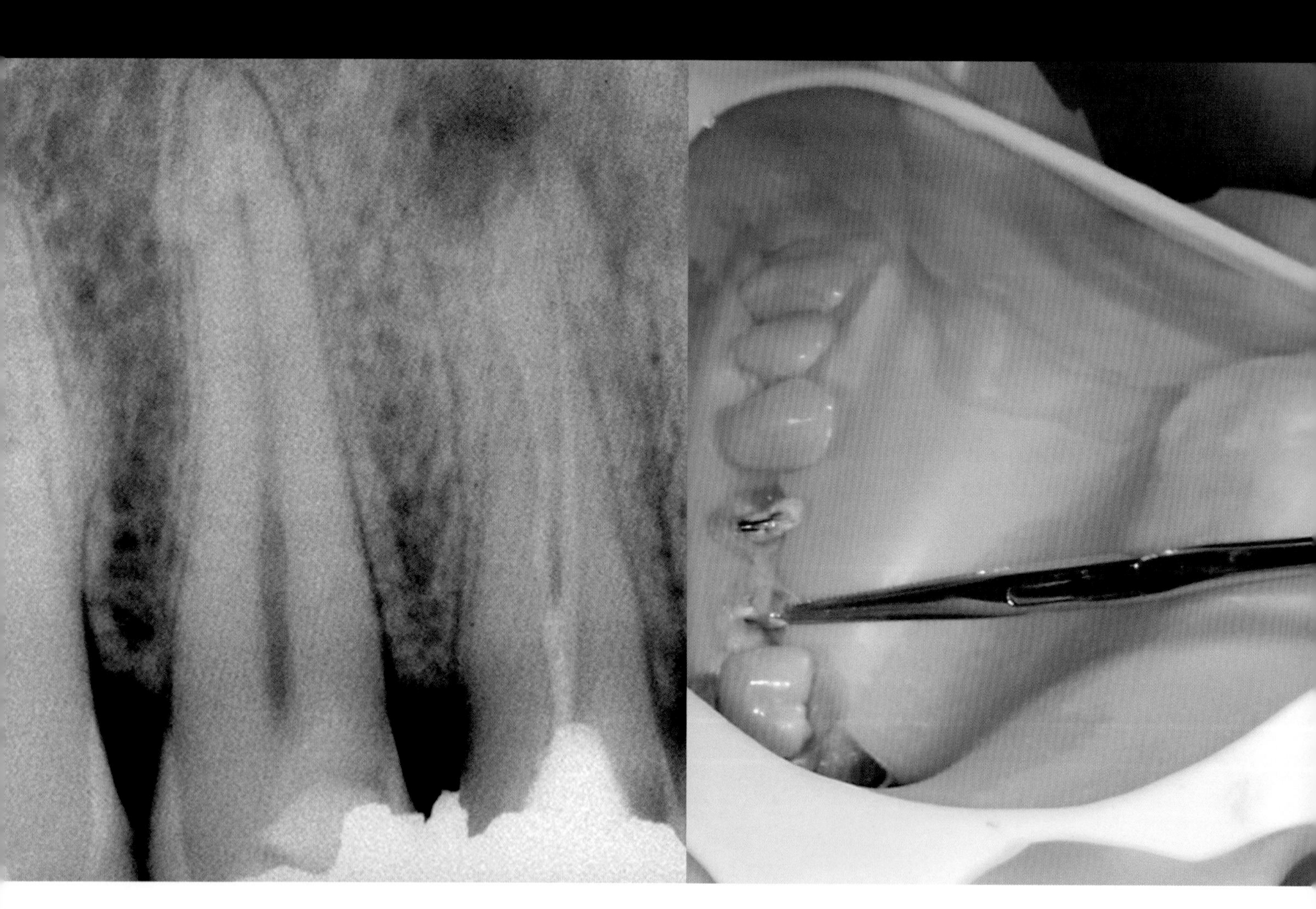

Enrico Cassai, Massimo Giovarruscio,
Francesca Cerutti

03

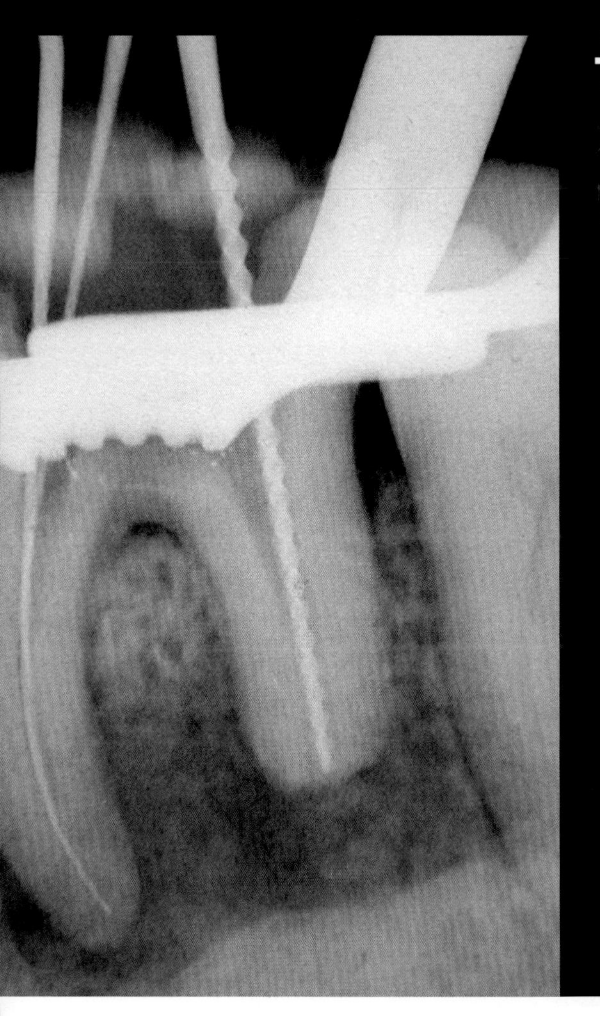

근관계로 접근하기 위한 임상 술식

재치료 중 마주칠 수 있는 모든 종류의 치관부 및 근관부 폐쇄를 해결하는 방법

재치료 전에 분석해야 할 요소들

전치부

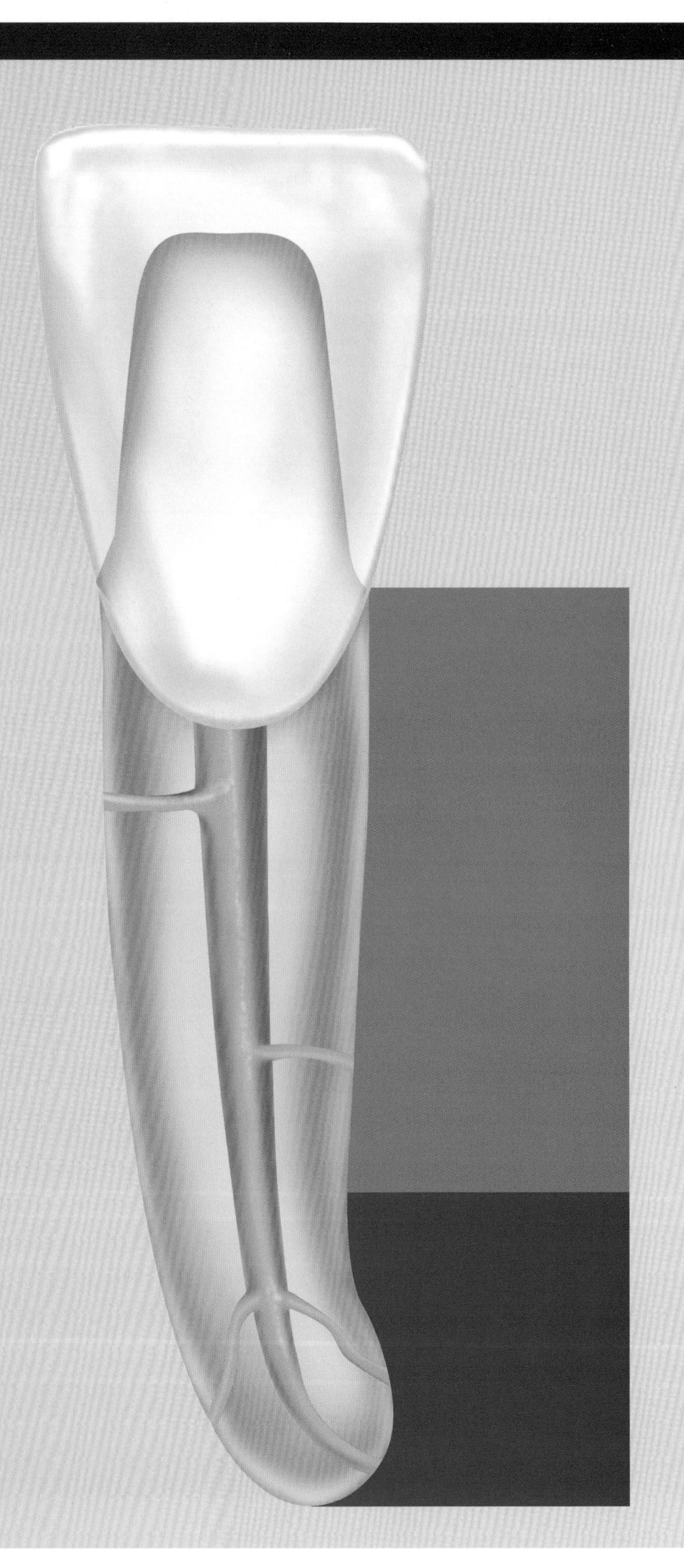

1. 전치부의 근관을 개방할 때 심미성을 필수적으로 고려해야 한다. 올바른 치수강 개방은 재치료의 기본적인 요소이다.

2. 기존 치관부 수복물의 평가: 보존할 것인가 아니면 교체할 것인가?

3. 치료 전 방사선 검사를 통해 기존 근관 충전의 질을 평가해야 한다.

4. 적절한 치근단 폐쇄는 근관치료의 성공에 중요한 요소이다. 전치에서 근단공이 넓은 경우 치근단 폐쇄는 어렵다.

구치부

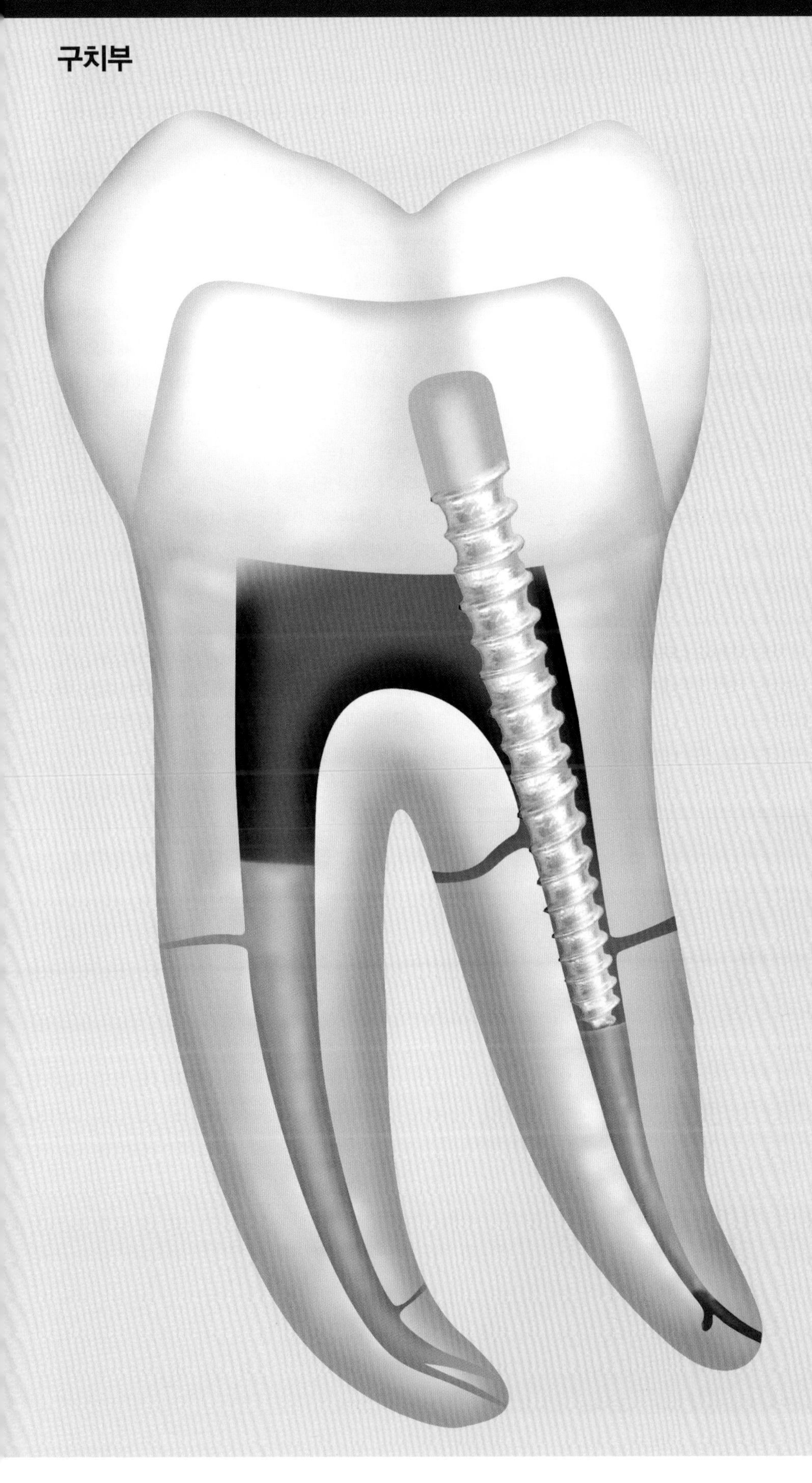

1. 근관 개방을 위해 기존의 수복물을 제거하여도 심미성에 큰 영향을 미치지 않는다.

2. 근관 포스트는 다양한 종류와 형태가 있고, 다양한 기술과 도구를 사용하여 제거할 수 있다. 적절한 치료 전 평가는 임상의가 좋은 선택을 할 수 있게 한다.

3. 천공은 적절하게 진단할 경우 최신의 기구와 술식을 이용하여 성공적으로 치료할 수 있는 의원성 실수이다.

4. 근관의 해부학적 복잡성으로 인하여 근관계 전체를 치료하지 못하는 것이 구치부 치료 실패의 주 요인 중 하나이다.

5. 부러진 기구는 근관 구조와 기구의 위치에 따라 제거하거나 우회해야 하는 장애물이다.

6. 치근단의 해부학적 복잡성으로 인해 재치료가 필요한 구치부에서 근관 막힘과 렛지(ledge)가 종종 관찰된다.

치수강 개방 전 고려해야 할 것

재치료를 시작할 때 전치부와 구치부를 구분해서 생각해야 한다.

전치부에서 이미 근관치료 받은 치아를 발치 후 임플란트로 치료할 때 잠재적인 외과적 어려움 이외에도, 심미적 특성을 고려할 때 최종 결과에 만족하지 못하는 환자가 종종 발생한다.

임플란트로 전치부를 치료할 때 발생 가능한 복잡한 문제를 고려할 때 임상의는 예후를 합리적으로 평가해서 치아를 보존하려고 노력해야 한다.[1–3]

이 부위의 재치료의 어려움은 대부분 다음과 관련 있다.

- 해부학적 요소(근단공 크기/미성숙 치근/넓은 성숙 치근)
- 근관 내 구조물의 존재(주조 포스트, 금속 또는 화이버 포스트)
- 제거해야 할 근관 내 재료
- 의원성 실수

이러한 요인들 외에도 심미적 요소가 중요하다. 따라서 임상의는 자연 치아를 보존하기 위해 다각도로 접근해야 한다.

전치부는 교합력이 제한적이라는 장점이 있다. 따라서 좋지 못한 치관–치근 비율의 치아도 유지할 수 있다.

비외과적 재치료가 적합한 않은 경우, 외과적 근관치료는 매우 높은 성공률을 보장하는 치료 대안이다.

반면, 구치부의 재치료는 전치부에 비해 심미성을 덜 고려해도 된다. 치아가 심하게 손상되고 수복이 어려운 경우 임상의는 치아를 임플란트로 교체하는 것을 고려할 수 있다(10장 참조).[4, 5]

따라서 임상의는 적절한 근관 소독을 위해 제거해야 할 장애물과 효과적인 새로운 치근단 폐쇄와 관련된 술식의 어려움을 주의 깊게 평가해야 한다.

전치부와 구치부의 치료 전단계의 수복과 관련된 고려사항도 다르다.

임상의가 치료 단계를 정확하게 평가하는 것은 중요하다. 전치부의 경우 전체 치료 기간 동안, 즉 치근단 질환이 나을 때까지 환자가 받아들일 수 있는 수준의 심미성을 유지하는 것이 필수적이기 때문이다.

임시 치관의 사용이 필요하다고 생각되면 기존 보철물을 제거하기 전에 대체 보철물을 준비하는 것이 도움이 된다. 이와 관련하여 기존 수복물을 제거하지 않는 것을 고려해 볼 수 있다.

명심해야 할 점은 재치료 시에 근관계에 쉽게 접근할 수 있어야 한다는 것이다. 만약 기존 수복물이 기구의 적절한 접근을 방해한다면 제거해야 한다.

Fig. 3.1a-b: 근관 세정, 성형, 충전의 측면에서 잘 치료되고 적절하게 수복된 증례(10년 추적관찰)

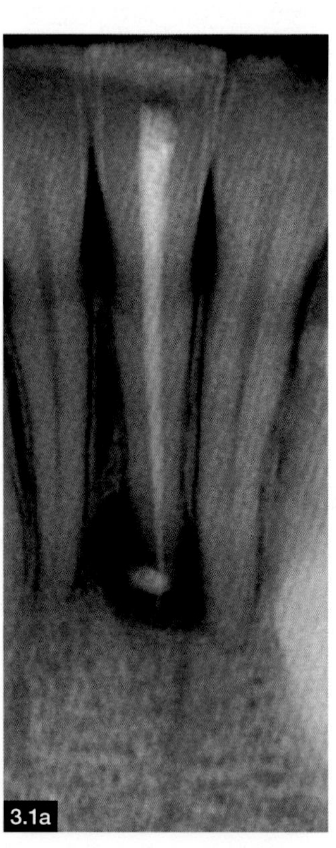

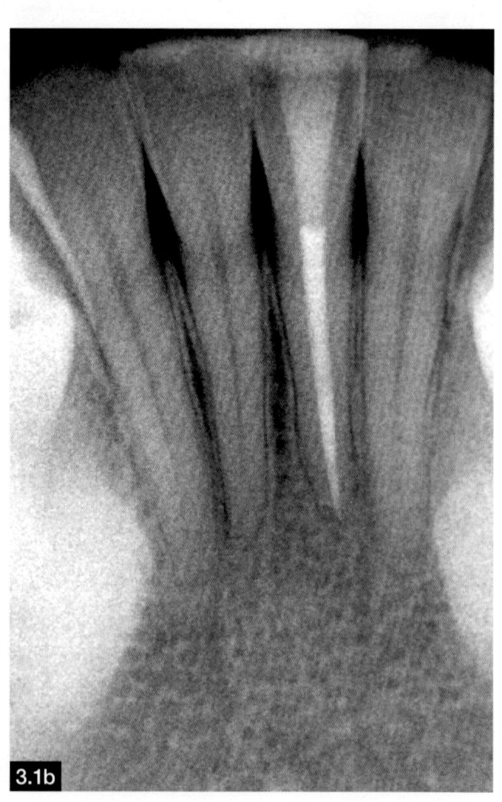

CASE REPORT 1

부적절하게 치료된 복잡한 해부학적 구조를 갖는 하악 대구치

술전 방사선 사진 분석에서 아말감으로 광범위하게 수복된 치관부와 근심 근관의 포스트, 부적절한 길이의 근관 충전과 파절된 기구가 존재할 가능성이 있는 근심 치근, 치료하기 어려운 심한 만곡을 갖는 근원

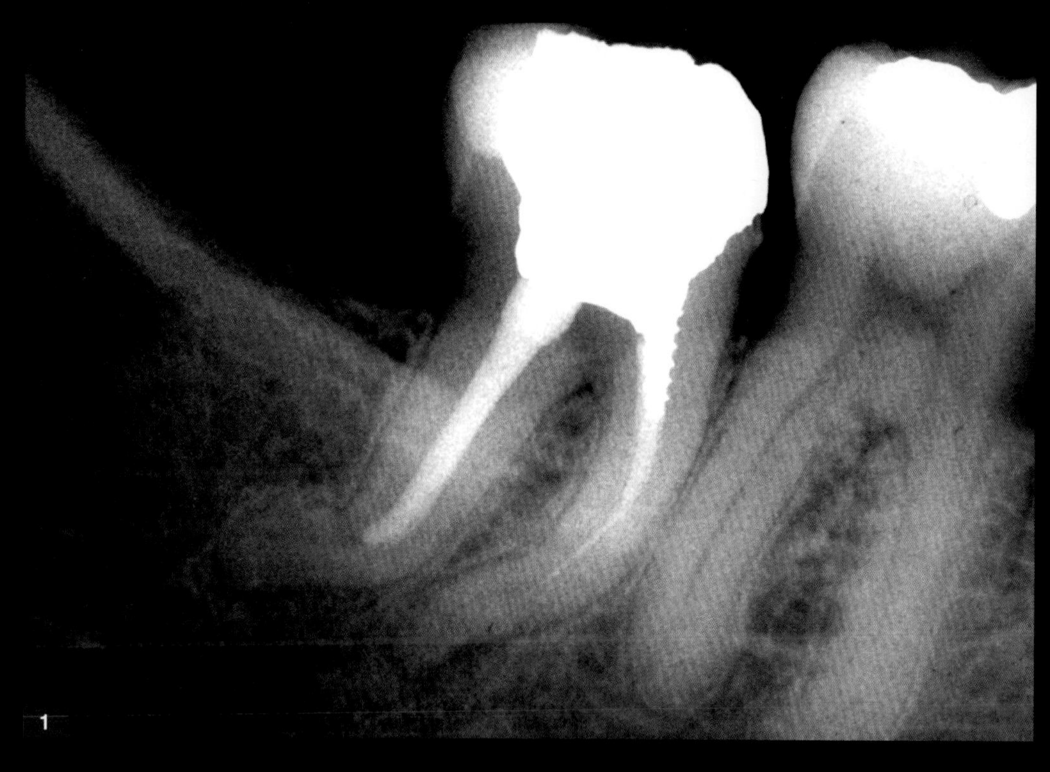

Figure 1. 설명한 바와 같이, 술전 방사선 사진에서 임상의가 재치료 여부를 결정할 때 고려할 요소들이 관찰된다.

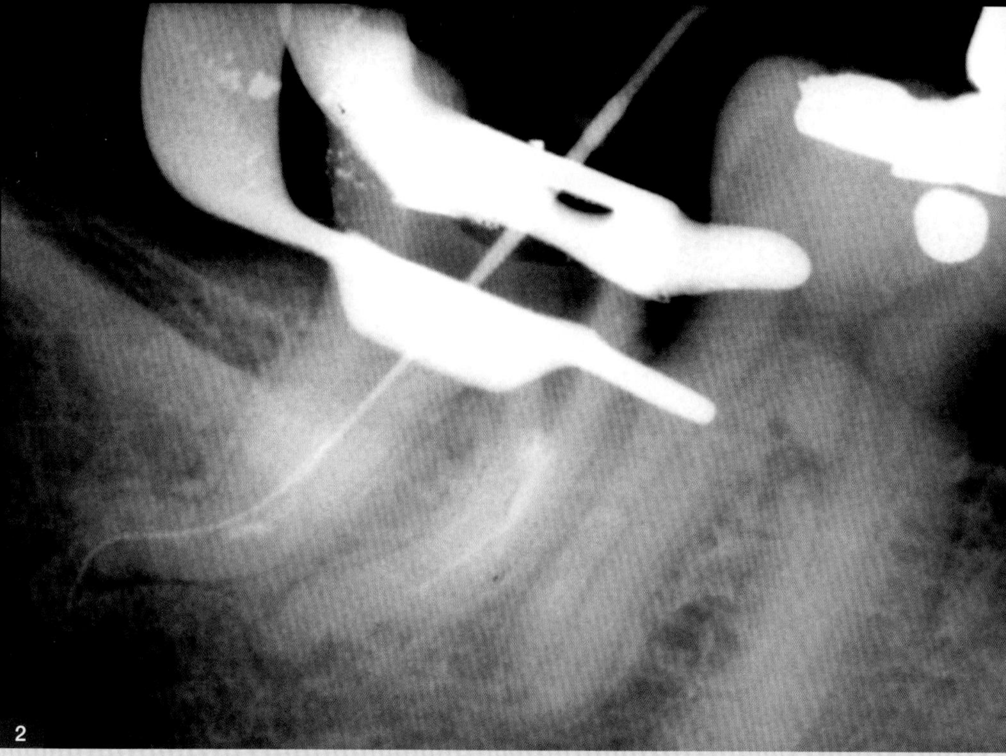

Figure 2. 치관부 장애물이 제거된 후, 술전 방사선 사진에서 거의 보이지 않던 원심 근관이 성형되었다.

심 치근의 근단부가 관찰되었다.
본 증례는 부러진 기구를 제거하고, 근관을 세정, 성형, 충전하는 올바른 순서로 치료되었다. 치료는 적절한 치관부 수복으로 종료되었다. 7년 후에도 임상 및 방사선학적 성공이 관찰된다.

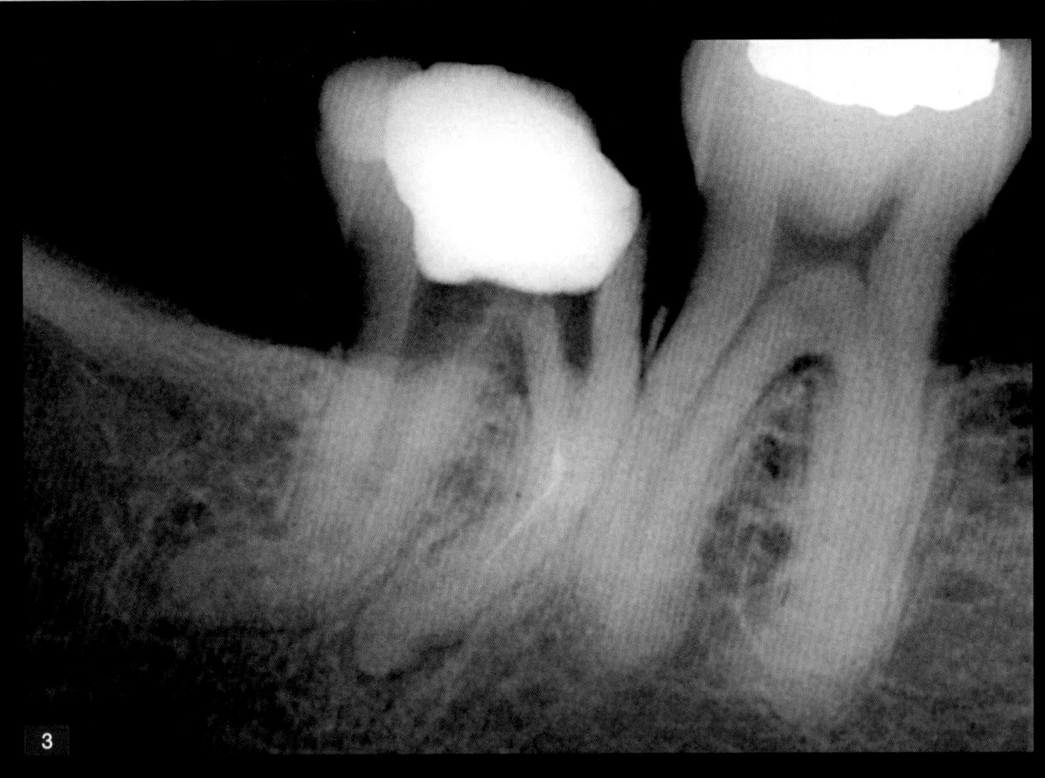

Figure 3: 근관 내 물질을 최대한 제거한 뒤 부러진 기구를 제거해야 한다.

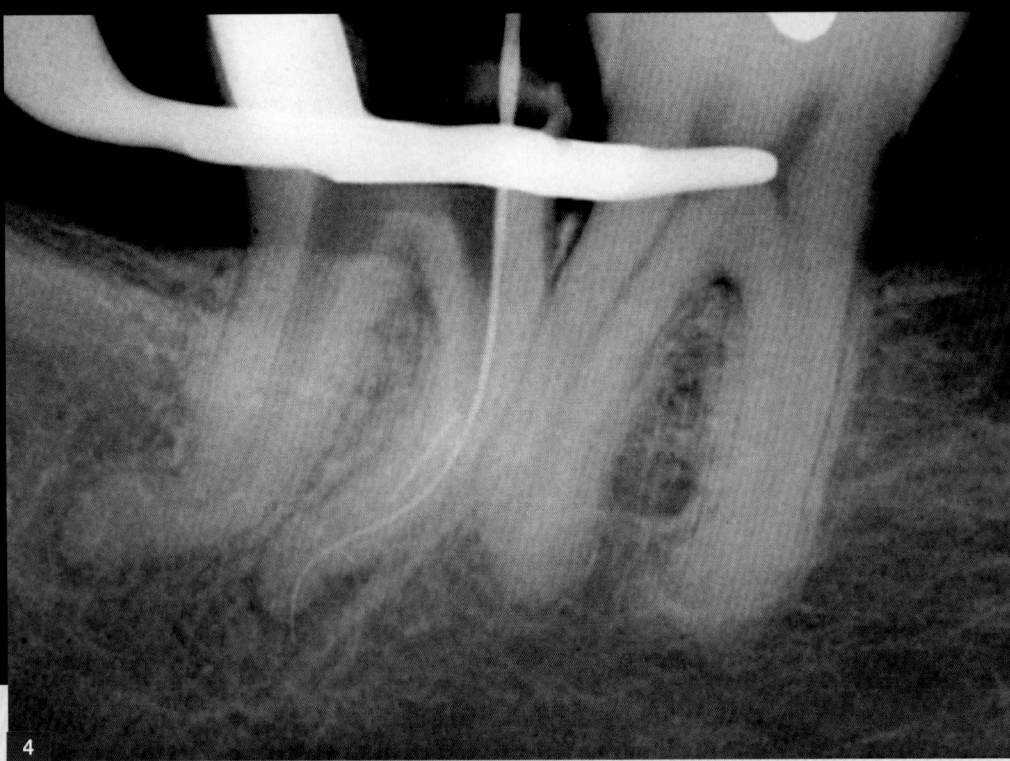

Figure 4: 첫 번째 단계로 부러진 기구 옆으로 지나가는 것이 가능했고, 제거를 위한 공간을 만든다.

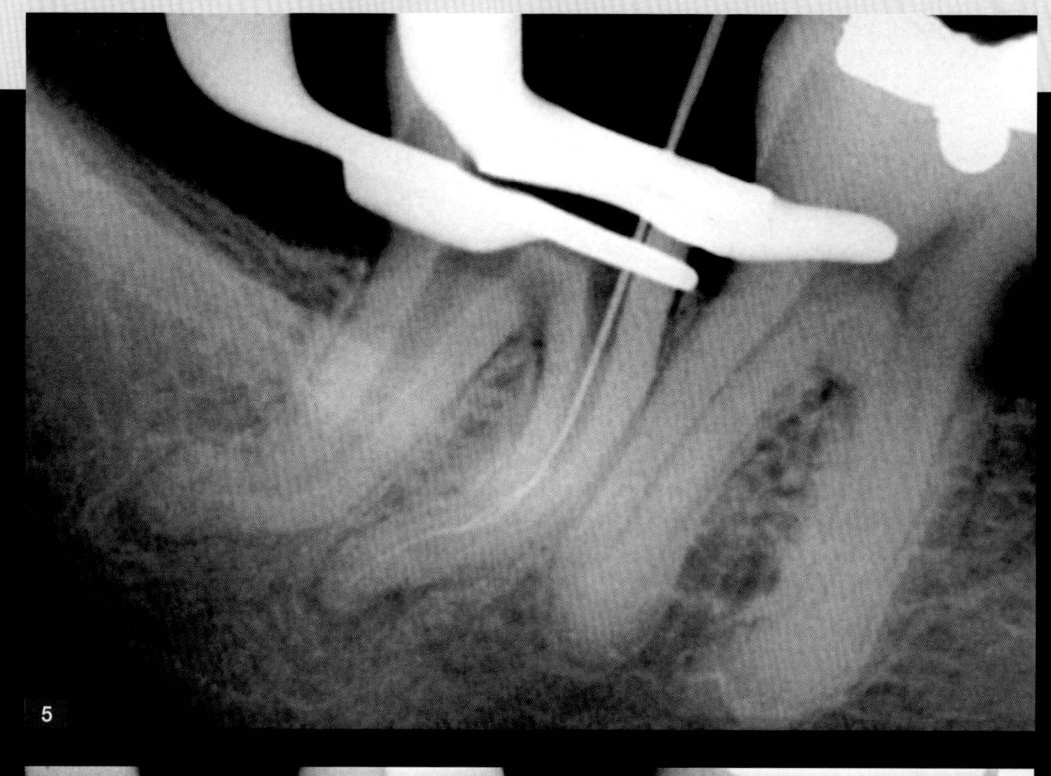

Figure 5: 기구를 제거하기 위해 근심의 공간을 확장하였다.

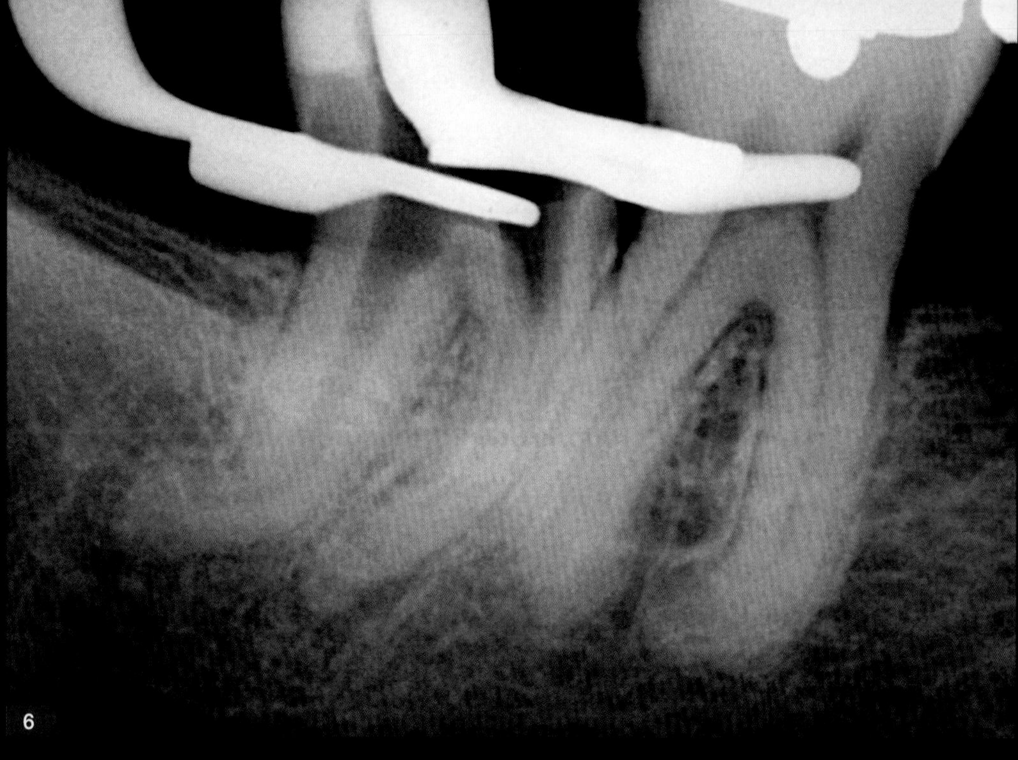

Figure 6: 기구는 제거되었고 근관을 적절하게 치료할 수 있다.

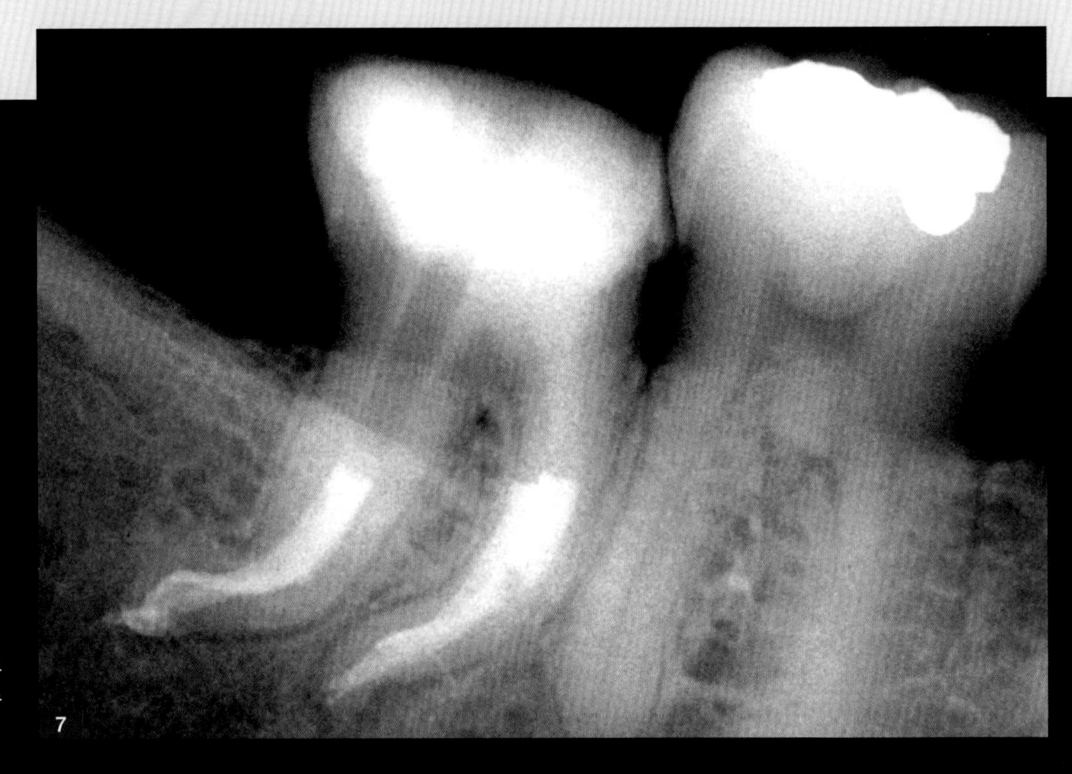

Figure 7 근관 충전 후 파이버 포스트와 복합 레진으로 치관부를 수복하였다.

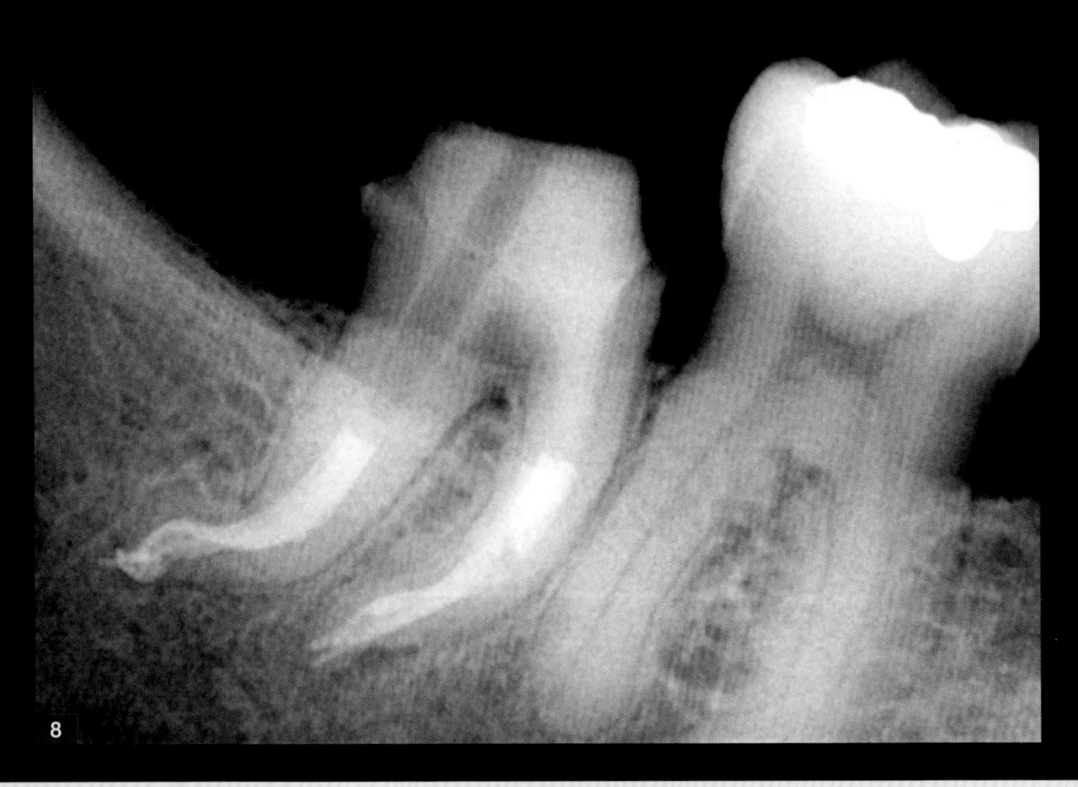

Figure 8 주조 금관을 위한 치아 성형

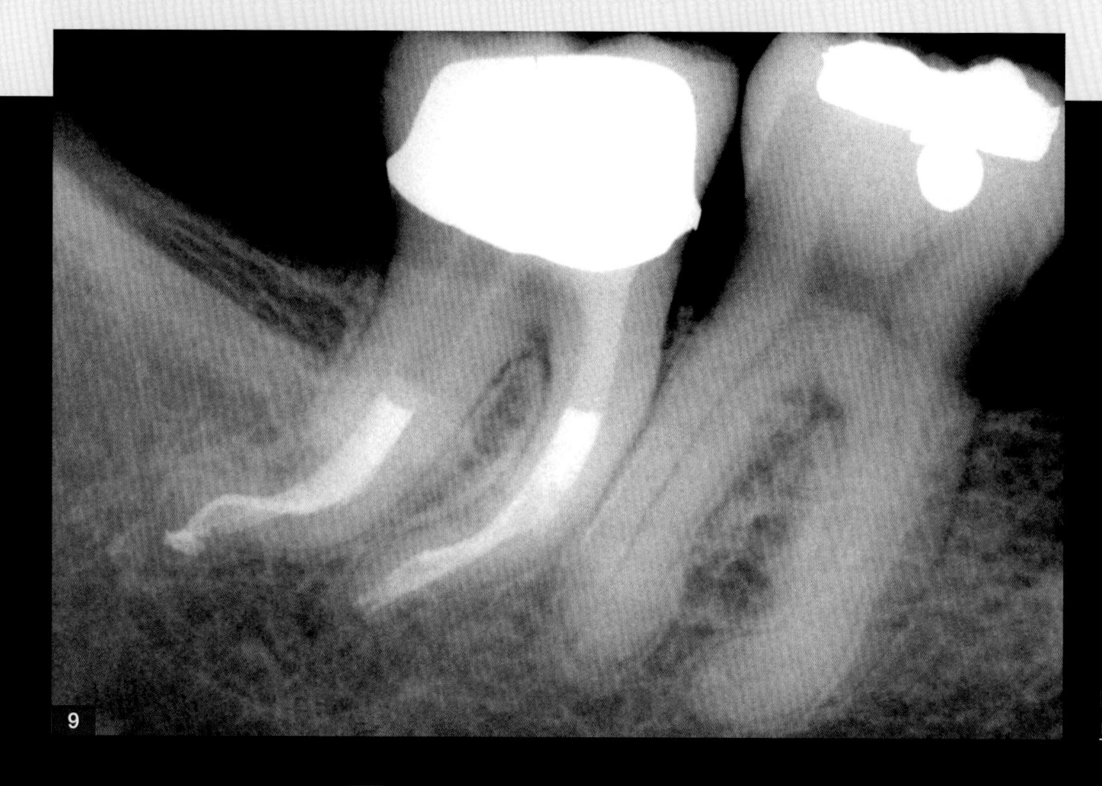

Figure 9: 완전한 치관부 밀폐를 보이는 금속-도재 금관

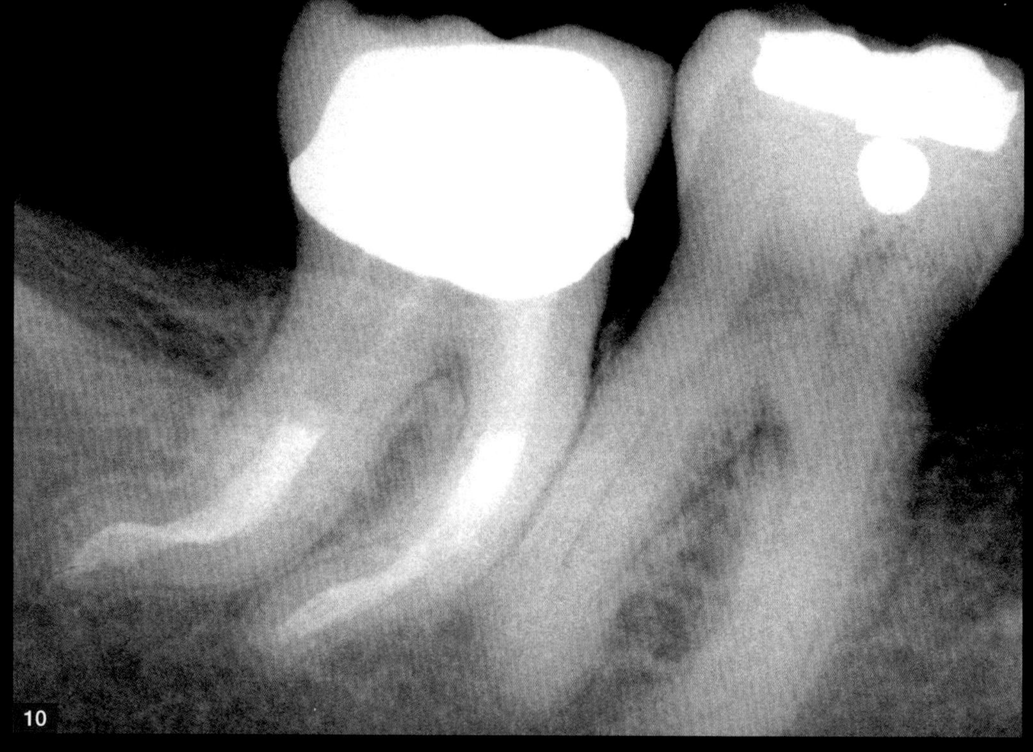

Figure 10: 7년 후 방사선 사진

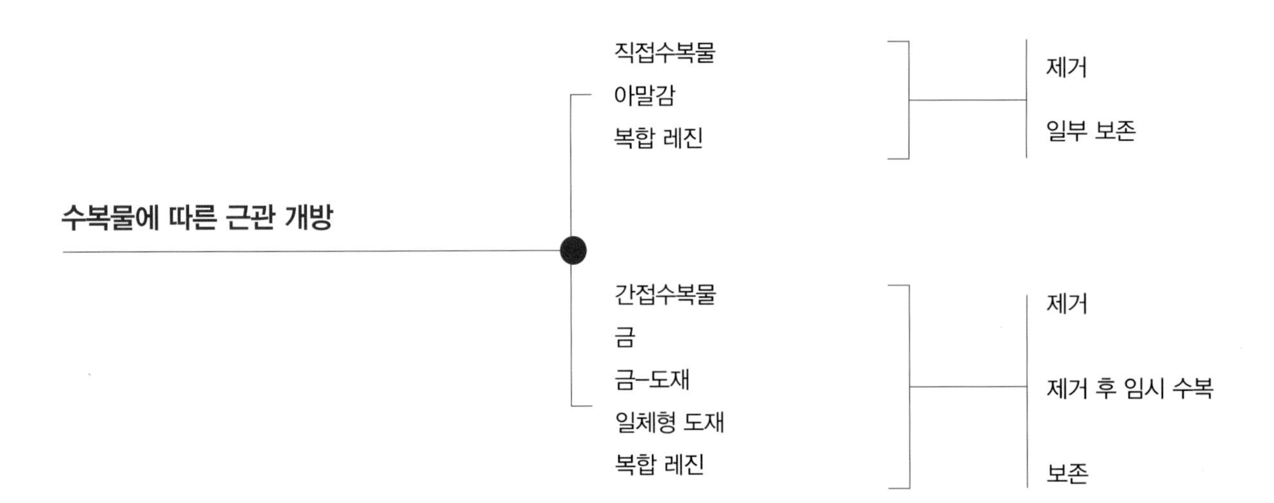

하지만 근본적인 질문은 여전히 남는다. 근관계에 잘 접근하기 위해 어떤 치료 순서를 따라야 하는가?[6] 요약하면, 두 단계로 구성된다.

1. 첫째, 치관부 수준에서 근관계로 접근을 제한하는 모든 것을 제거해야 한다.
2. 둘째, 이전 근관치료의 충전물은 제거하고 필요시 근단부 도달을 방해하는 장애물을 해결해야 한다.

기존의 치관부 수복물에 구멍을 뚫거나 제거하고, 우식을 제거하는 것은 근관계에 적절한 접근을 확보하는 데 필수적이다.

그러나 근관계가 박테리아에 재감염되는 것을 방지하기 위해 치관부 누출을 방지하는 것도 필수적이다.[7, 8]

따라서 다음 요소들을 고려해서 치관부 장애물을 제거해야 한다.

- 근관계에 대한 올바른 접근 확보
- 치아의 치관 부분에서 오염된 물질을 제거
- 근관계 깊은 부위까지 시야 확보

이러한 첫 번째 단계를 주의 깊게 완료한 후 아래와 같은 근관 내의 장애물의 제거를 고려해야 한다.

- 다양한 형태의 근관 내 포스트(있는 경우)
- 근관 내 충전재
- 파절된 기구(가능한 경우 제거하지 않고 우회할 수 있음)
- steps 혹은 석회화

임상가가 찾지 못해서 성형, 세정 그리고 충전되지 못한 근관을 특히 주의해야 한다. 위에서 기술한 상황과 상관 없이, 치근 천공은 별도로 고려해야 한다. 이 문제에 대해서는 7장에서 더 자세히 다룰 것이다. 재치료 중 할 수 있는 임상적 검사는 Del Fabbro 등에 의해 체계적으로 정리되었다.[9]

치관부 장애물: 어떻게 제거할 것인가

재치료를 해야 하는 치아는 치관부를 재건해야 하는 경우가 많다. 기존 수복물의 제거 여부는 치아의 초기 상태, 치아의 위치, 제거의 난이도와 밀접하게 관련이 있다. 하지만 기존 수복물을 남겨 둘 경우 재근관치료를 방해하지 말아야 한다는 점은 꼭 지켜져야 한다. 또한, 재치료 이후 치관부의 완전한 밀폐가 가능해야 한다.

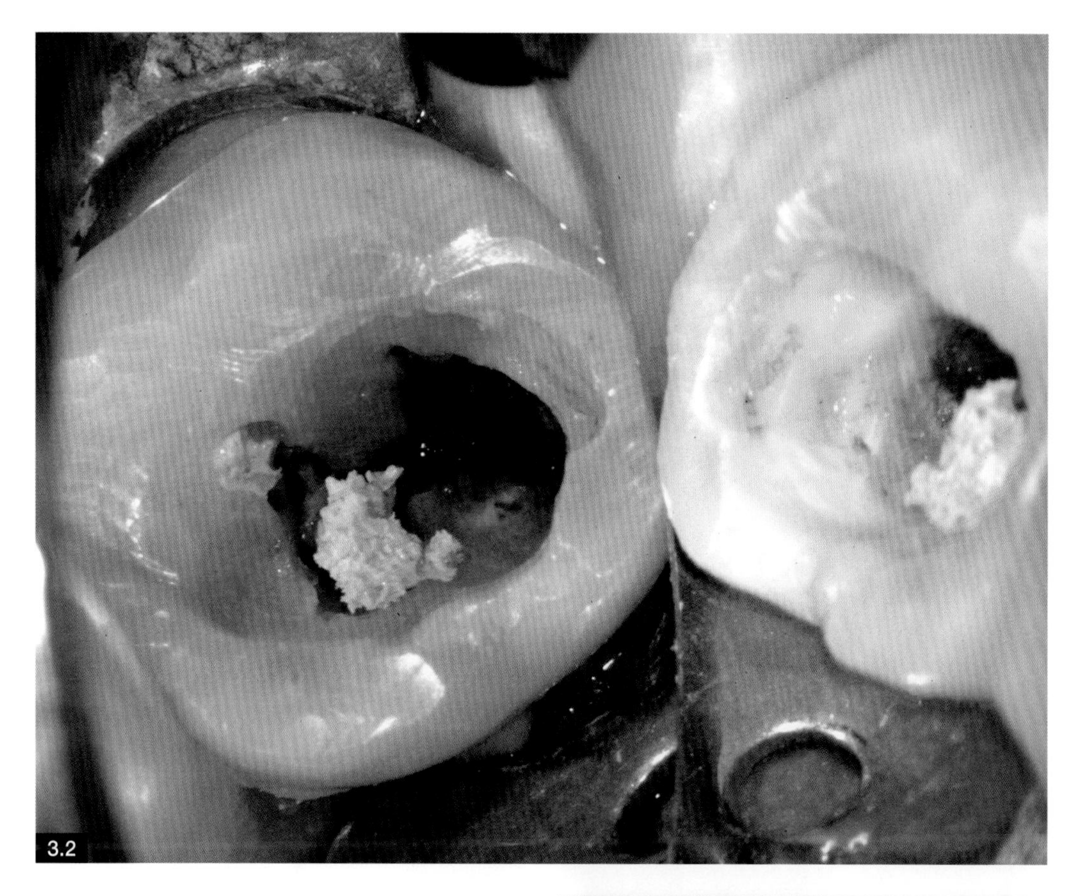

Fig. 3.2: 재치료 시 치수강은 종종 부적절하게 세정된다.

직접 수복물

자연치아의 직접 수복물은 치수강 개방에 영향을 미치지 않을 수 있다. 물론, 이차 우식이 있는지를 주의 깊게 살펴야 한다. 이 단계에서 효과적인 러버댐 격리를 위해 때때로 치주 치료가 선행되야 한다. 치료에 여러 번 내원이 필요한 경우, 예비 수복 단계는 중요하다. 하지만 기존의 모든 수복물을 제거하면 안 된다. 실제로, 적절한 기존 수복물은 좋은 치관부 개방의 기반이 된다. 이전 치료에 사용된 거타퍼챠와 sealer에 의해 변색된 치관은 전치부 재근관 치료에서 종종 관찰된다. 따라서 치관부 혹은 근관 입구에서 이러한 것들을 완전히 제거하는 것은 근관 공간으로의 좋은 접근을 보장할 뿐만 아니라 치관부 변색을 제거하거나 완화하는 데 중요하다.[10] 치수강 개방을 할 때는 제거할 재료나 치아 지지 조직과 관련된 모든 상황을 다룰 수 있도록 **Table 3.1**에 요약되어 있는 적절한 기구들을 구비하는 것이 필수적이다.

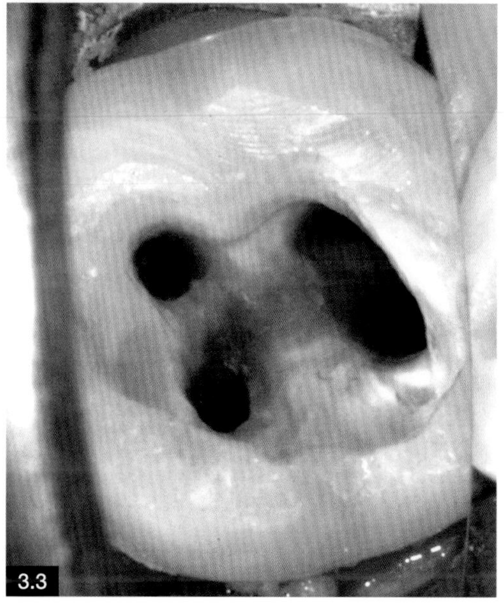

Fig. 3.3: 개방 형태를 수정하였고 완전히 세정되었다.

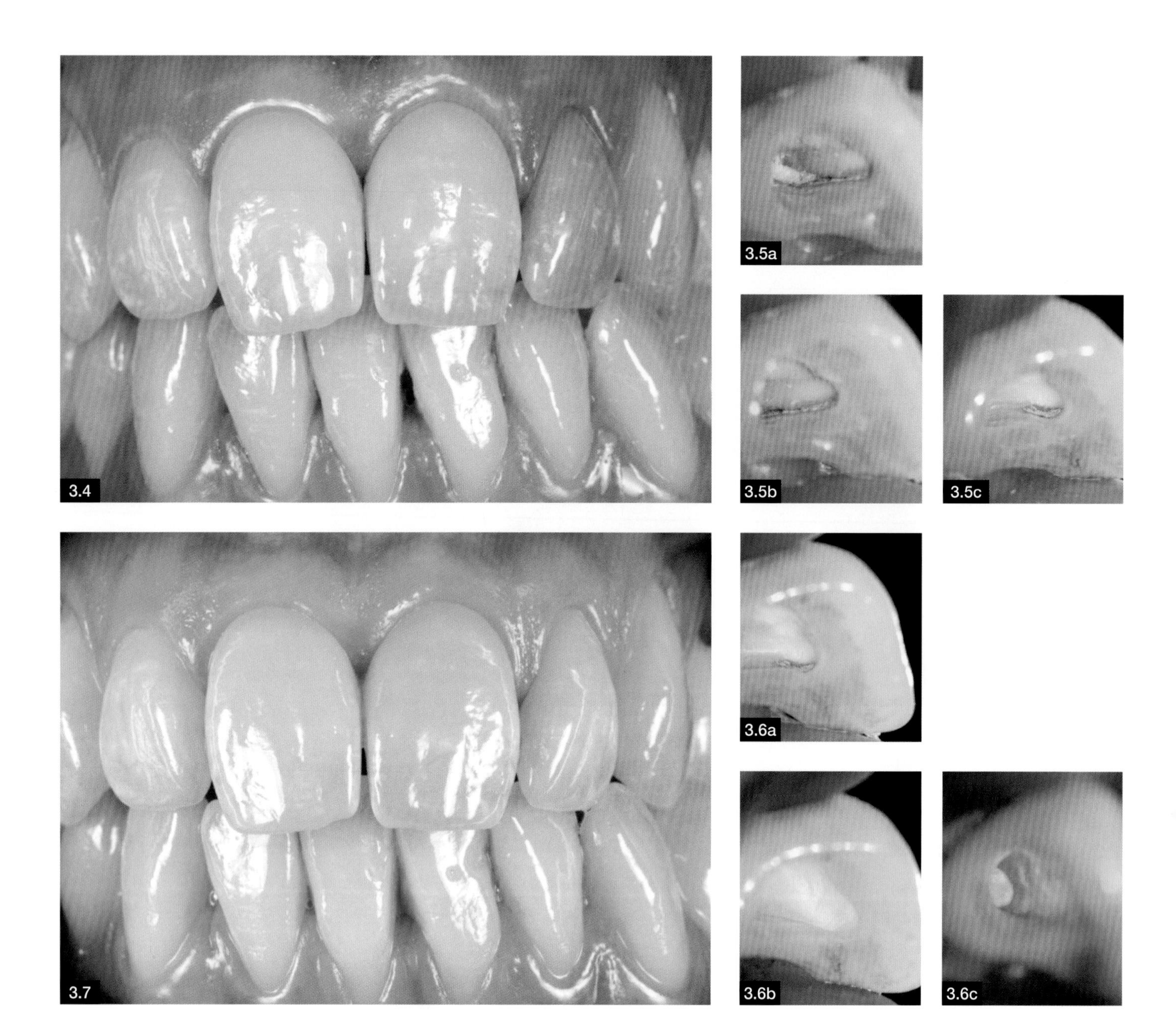

Fig. 3.4: 정면 사진에서 변색된 측절치가 관찰된다.

Fig. 3.5a-c: 치수강 내에 제거되지 않은 다량의 sealer가 관찰된다.

Fig. 3.6a-c: 치관부를 깨끗히 정리하고 sealer를 근관 입구 아래로 제한하여 변색을 제거하였다.

Fig. 3.7: 치료 완료 후 정면 사진에서 치아 색의 변화가 관찰된다.

구치부에서 아말감은 일반적으로 제거해야 하고 **(Fig. 3.8-3.9)** 술자 및 환자의 건강을 위해 러버댐과 충분한 석션 하에서 제거해야 한다.[9, 11]
고속 혹은 저속 핸드피스에 텅스텐 카바이드 버를 체결하여 사용한다**(Table 3.1)**. 버를 치아 벽과 수복물 사이에 위치시키면 수복물의 제거가 쉽고 남은 치아 조직의 과도한 손상을 방지할 수 있다. 아말감이 근관으로 확장되어 있으면 제거가 어렵고 위험할 수 있으므로 고속 핸드피스를 사용하지 않는 것이 좋다(잘못된 경로를 만들 위험이 있음).
임상의는 언더컷을 제거하기 위해 충분한 주수 하에서 초음파 기구를 사용해야 한다**(Table 3.1)**. 복합 레진이나 접착된 수복물은 치아와 구분이 어려우므로 주의를 기울여야 한다. 실제로 수복물을 제거하다가 건전 치질을 삭제할 위험이 있다. 이 경우 더 나은 시야 확보를 위해 물 없이 마른 상태에서 초음파 기구를 사용하는 것이 좋다**(Fig. 3.11)**.

Table 3.1 **재근관치료를 위한 기구들**

Rotary instruments	Ultrasonic instruments	Hand-tools
Blue ring/red ring contra-angle	Piezoelectric hand-pieces (subsonic or ultrasonic)	Excavators
Long-stemmed, diamond and tungsten carbide FG/CA burrs	Diamond and non-diamond handpiece burs	Probe DG 16 (7)

절삭 기구(버) 설명

효율적인 치료를 위해 다음의 기구를 사용하는 것이 추천된다. 제거할 재료에 따라 다른 버를 사용할 수 있다. 치질 삭제를 위한 마이크로 모터용 로제트 밀링 버 ① 또는 저속 핸드피스용 밀링 버②. 복합 레진 삭제를 위해 특별하게 고안된 다이아몬드 버④(Komet 5985)와 지르코니아 크라운 삭제를 위한 다이아몬드 버⑤(Komet 4ZRS). 아말감 제거를 위한 교차 날 형태의 버(Komet H32)③(Komet H4MCL)⑥.

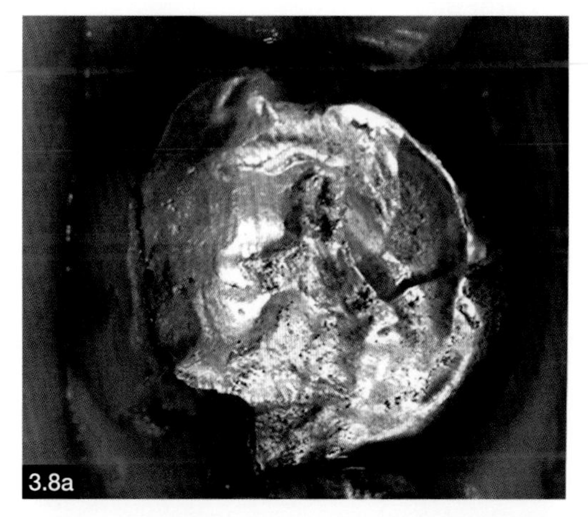

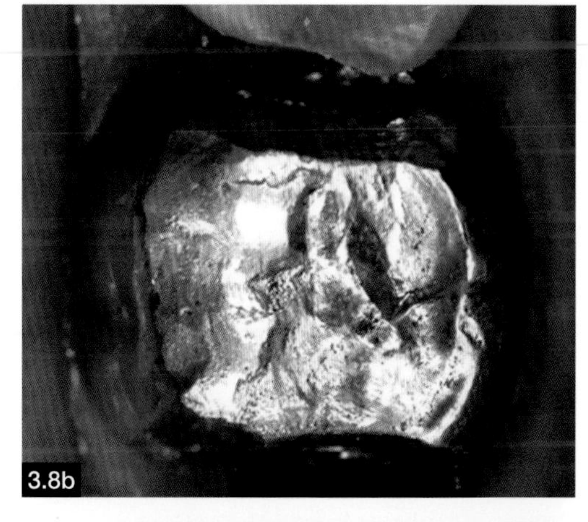

Fig. 3.8a: 제거해야 할 아말감

Fig. 3.8b: 근심과 원심을 삭제해서 러버댐을 효율적으로 적용할 수 있다.

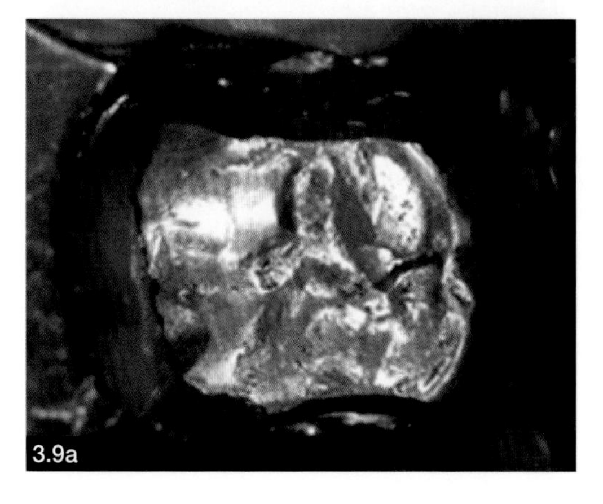

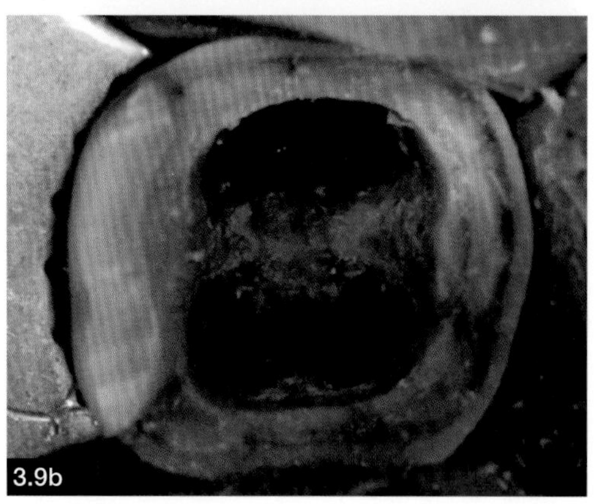

Fig. 3.9a: 러버댐 적용

Fig. 3.9b: 아말감이 완전히 제거되었다.

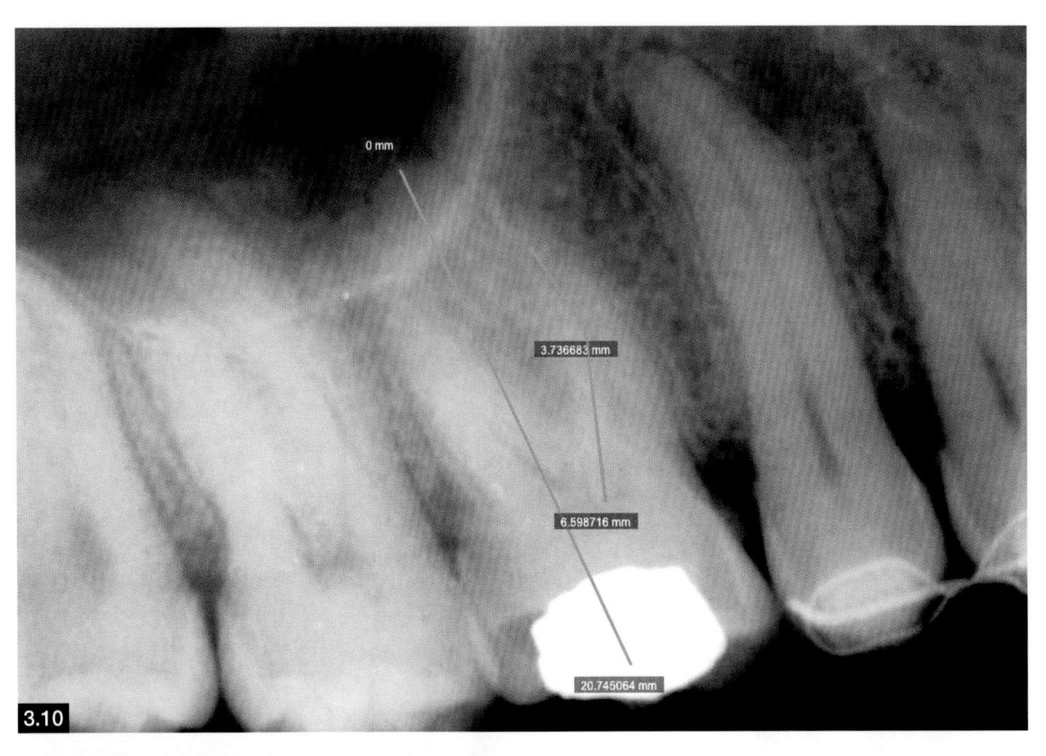

Fig. 3.10: 근관의 길이와 크기를 방사선 사진에서 분석하는 것이 가능하다.

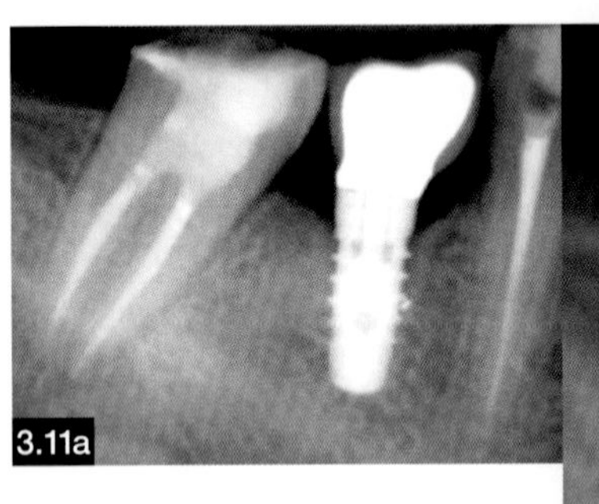

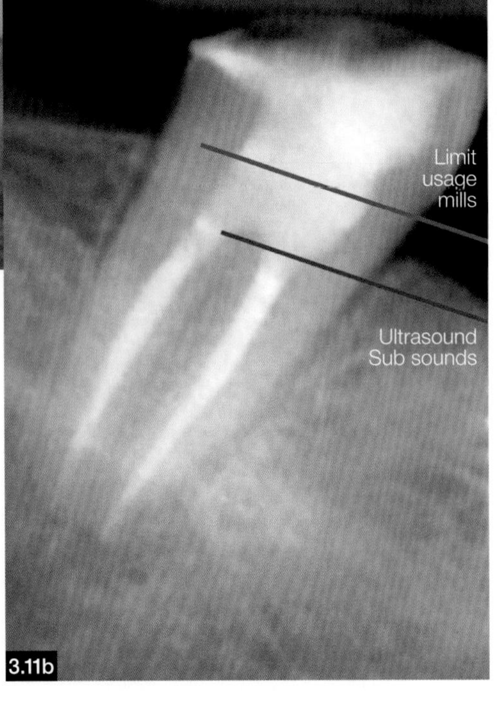

Fig. 3.11a-b: 방사선 분석을 통해 안전한 치수강 접근을 위한 전용 초음파 드릴의 사용을 계획할 수 있다.

재료에 삭제 기구를 적용할 때 충분한 광학 배율(루페 또는 수술용 현미경)과 적절한 광원을 사용하여 신중하게 평가해야 한다. 또한, 치과 체어의 공기-물 사출기를 이용하여 치료 부위를 깨끗하게 유지해야 한다.

와동을 물로 씻어내면 레진과 습윤한 상아질 사이의 색상 차이를 향상시키는 데 도움이 된다. 이를 위해 알코올로 씻어내는 것도 유용하다. 이 과정에서 임상의가 상아질과 레진을 구분하기 어려운 경우 DG 16 프로브를 이용하여 와동 벽을 긁으면 레진 계열의 재료는 뚜렷한 검은색으로 긁힌 표시가 생기므로 레진과 치질을 식별할 수 있다. 구치부에서 의원성 손상(천공)을 야기할 수 있는 과도한 삭제 혹은 근관 입구의 정확한 위치에 관한 중요한 정보의 손실을 방지하기 위해 기존 수복물은 거친 버로 제거하는 것이 좋다.

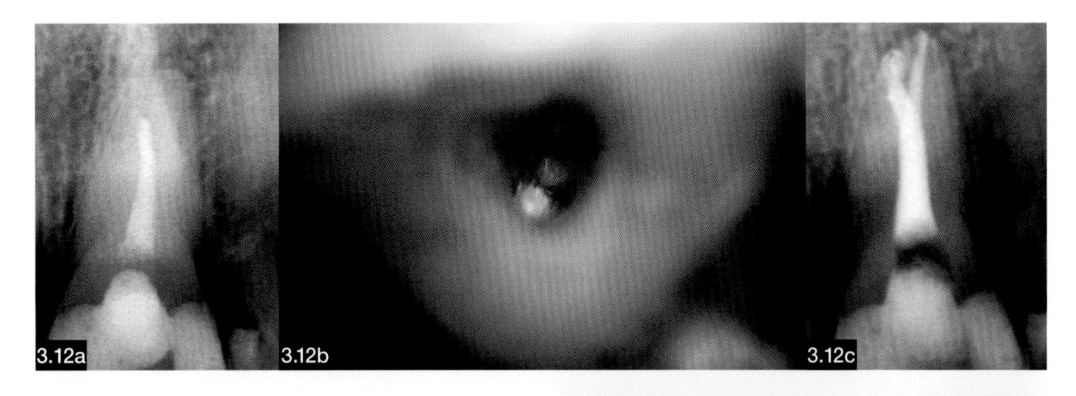

Fig. 3.12a: 비정상적인 근관 형태를 가진 상악 중절치가 부적절하게 근관치료되어 있다.

Fig. 3.12b: 기존 복합 수복물을 남겨둔 와동 형성

Fig. 3.12c: 두 갈래로 나뉜 치근단 부위가 관찰된다.

이후, 임상의는 초음파 기구를 사용하여 와동의 하부를 정리해야 한다. 이는 수복물이 치수강 바닥과 직접 접촉하는 경우 필수적이다. 부적절하게 남은 치질과 기존 수복물을 제거한 뒤 임상의는 손상된 와동 벽을 적절한 형태로 재건해야 한다. 구치부에서 매우 중요한 이 과정은 4개의 벽을 가진 새로운 치수강의 생성을 용이하게 한다(Fig. 3.13-3.17). 상당히 광범위한 레진 수복물을 고려할 때, 러버댐을 적용하기 전에 치관부 세정은 필수적인 것은 아니다. 이와 같이, 기존 수복물이 있는 경우 근관계로의 접근은 가능한 한 주의 깊게 진행되어야 한다.

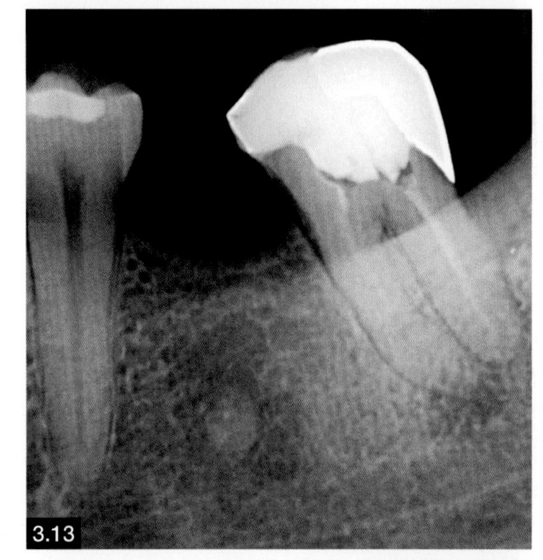

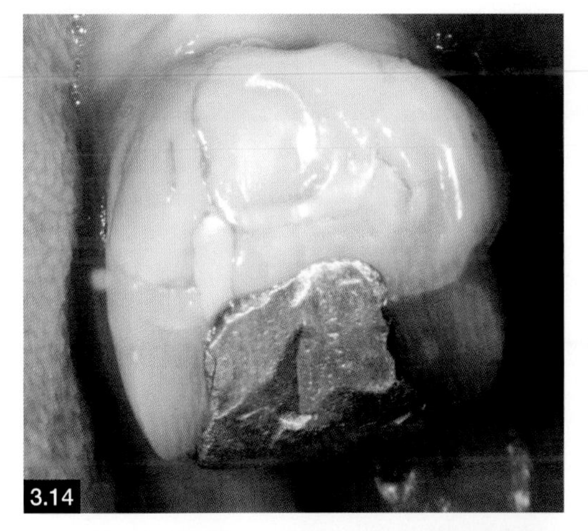

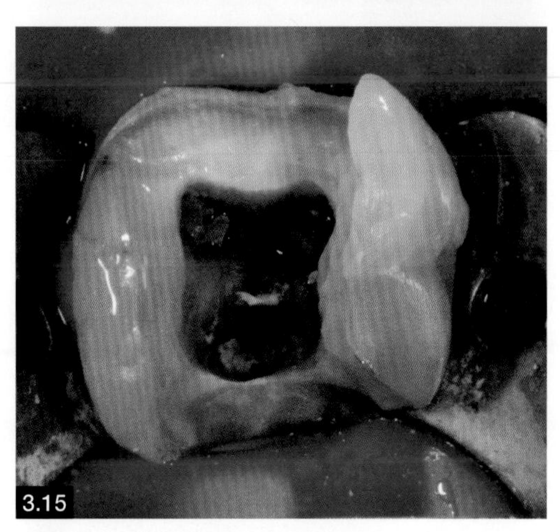

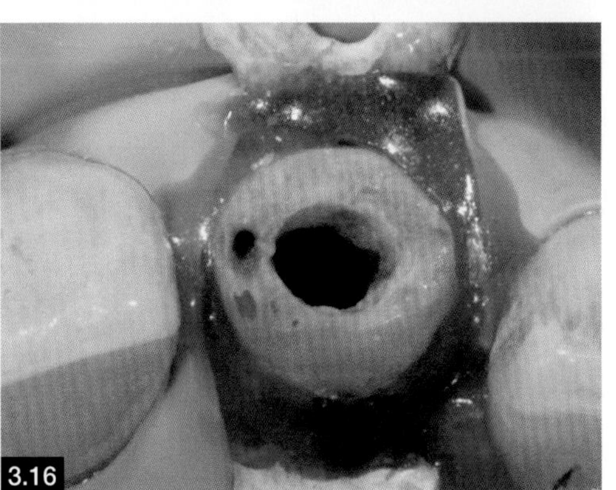

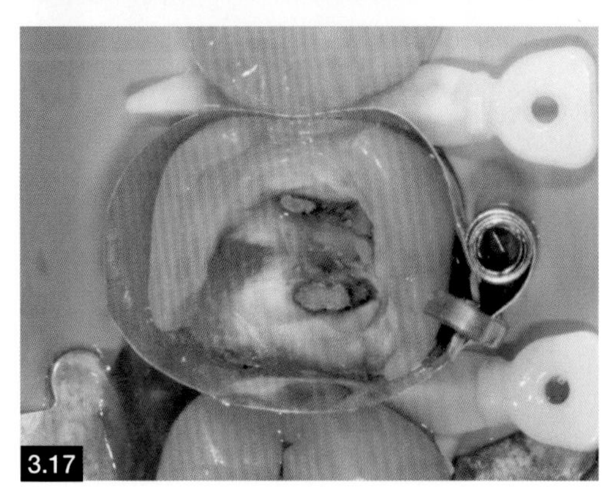

Fig. 3.13: X-ray에서 볼 수 있듯이 하악 구치부의 재치료가 필요하다.

Fig. 3.14: 임상 사진에서 근심 부분의 넓은 복합 레진 수복물과 원심 부분의 아말감이 관찰된다.

Fig. 3.15: 수복물의 제거한 뒤 사진에서 광범위한 치아의 손실이 관찰된다.

Fig. 3.16: "격리용 레진"의 적용은 일시적인 격리를 가능하게 한다.

Fig. 3.17: 원심 벽의 재건. 복합 레진을 이용한 수복은 여러 차례의 내원에 걸친 근관 세정 및 치료의 경우에도 근관계를 완전하게 격리할 수 있게 한다.

CASE
REPORT 2

변색된 상악 중절치의 재치료

재치료는 종종 치아의 심미적 측면을 고려해야 한다. 이 증례에서 보이는 것과 같이 환자는 종종 치아 변색을 주소로 치과에 방문한다. 이 경우 두 가지를 해결해야 한다. 심미성을 회복하고 치근단 및 치주 조직의

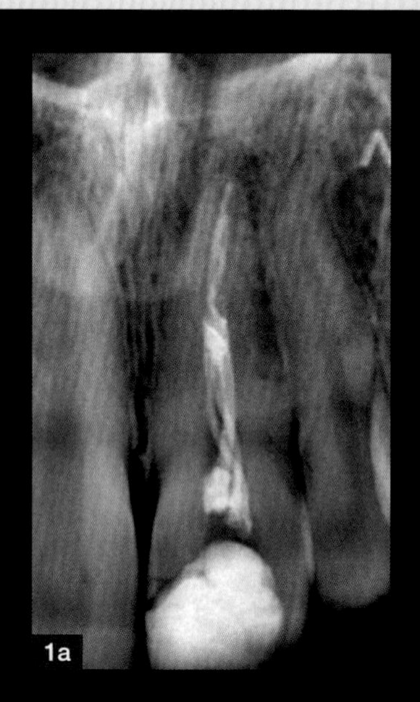

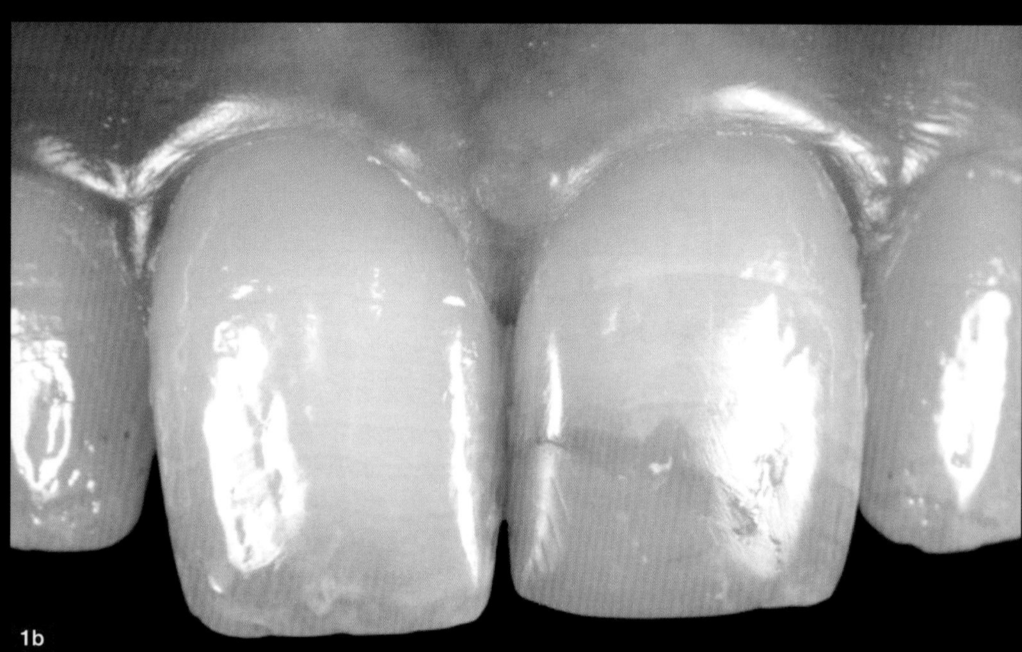

X-ray에서 부적절하게 근관치료된 치아가 관찰된다.

상악 좌측 중절치에서 부적절한 복합 레진 수복에 의한 수복에 의한 상악 좌측 중절치의 약간의 변색이 관찰된다.

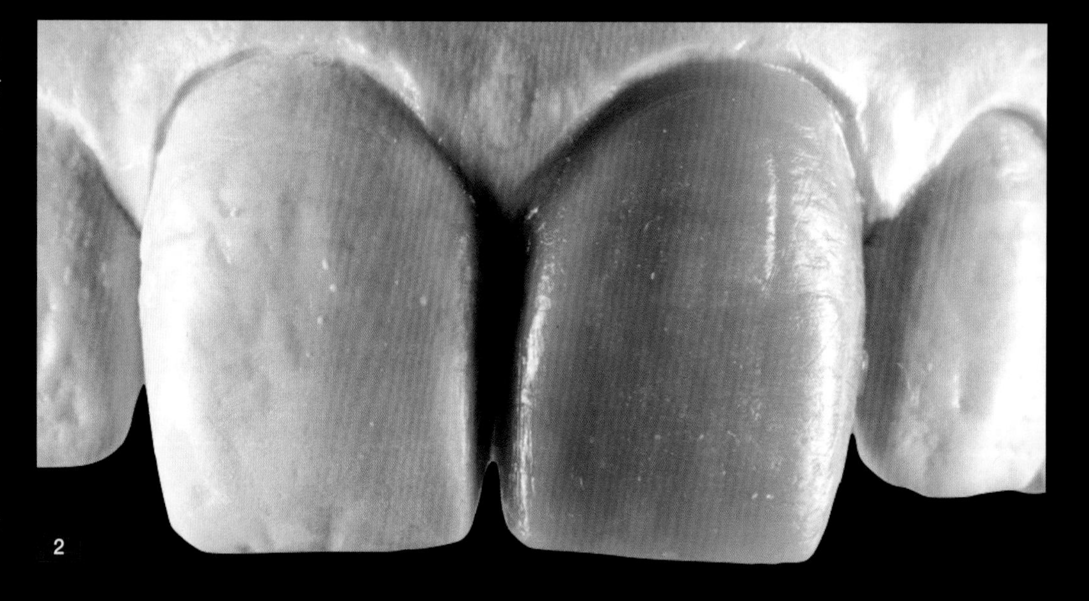

적절한 형태의 재건을 위한 왁스-업

건강을 회복하는 것이다. 이와 같은 변색은 치수강의 부적절한 개방 및 세척과 근관 충전 단계에서 sealer의 잘못된 사용으로 인해 종종 발생한다. 치관부를 철저히 세척하면 심미적 문제를 해결할 수 있고 근관을 적절하게 소독하고 밀봉하면 치근단 및 치주 조직의 건강을 회복할 수 있다.

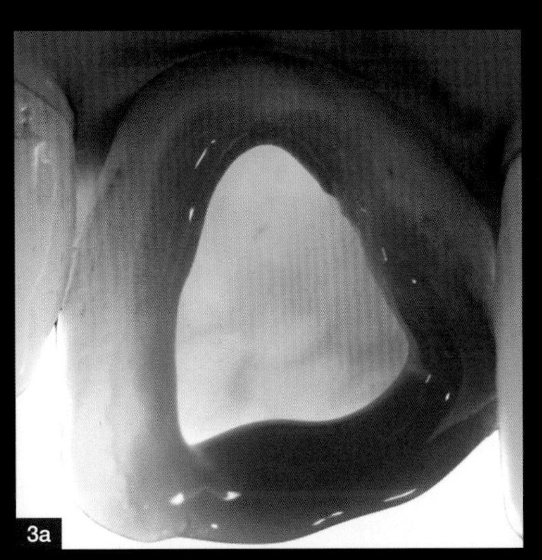

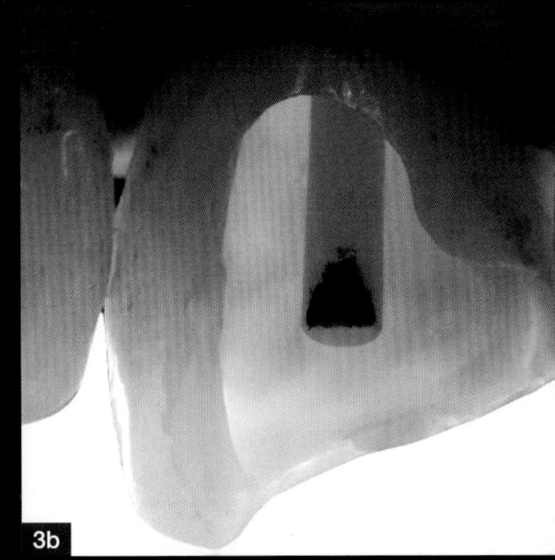

근관치료 완료 후, 광범위한 코어를 유지하기 위한 파이버-포스트의 식립

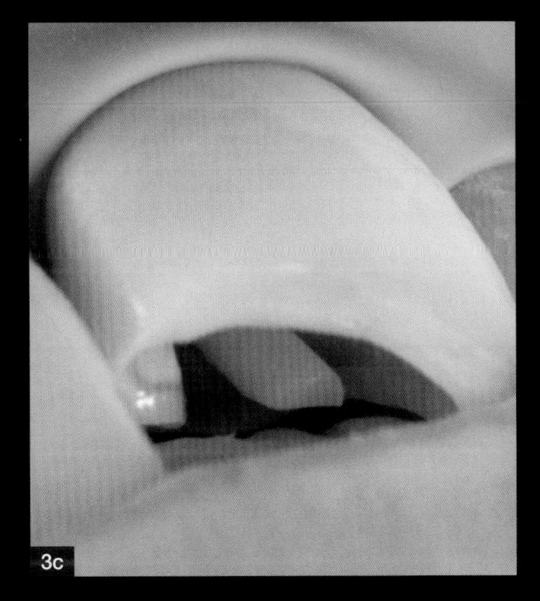

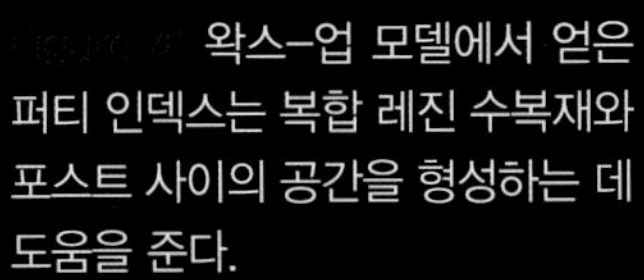
왁스-업 모델에서 얻은 퍼티 인덱스는 복합 레진 수복재와 포스트 사이의 공간을 형성하는 데 도움을 준다.

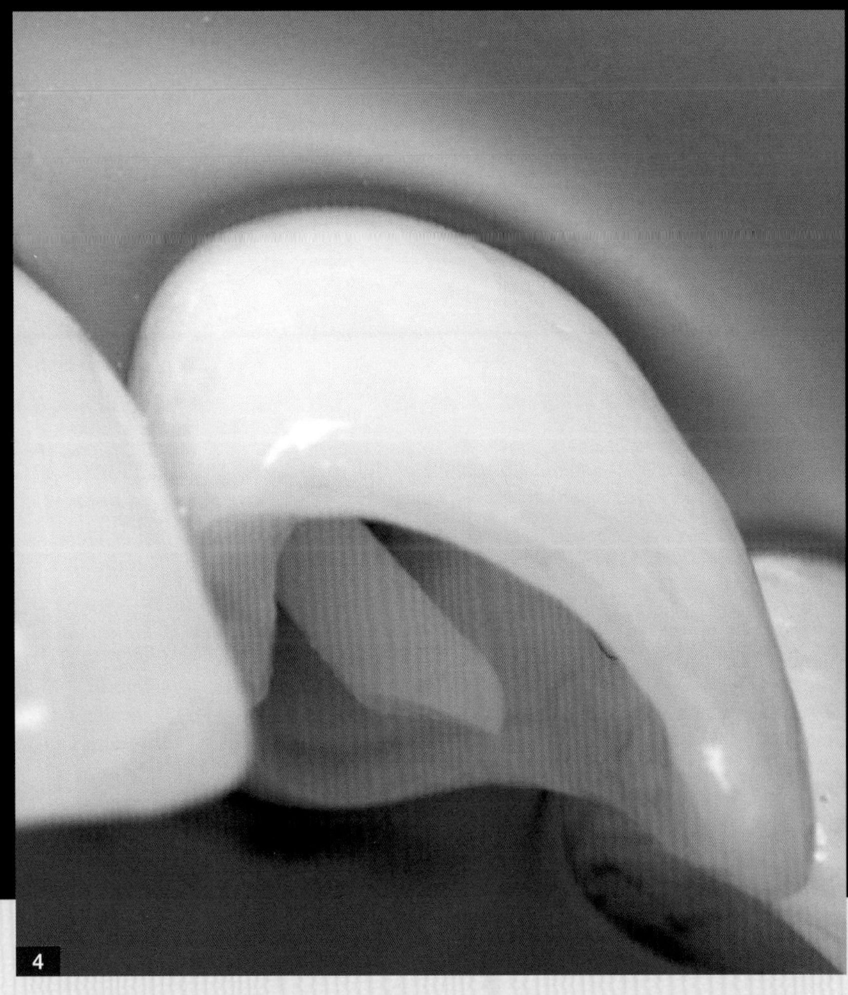

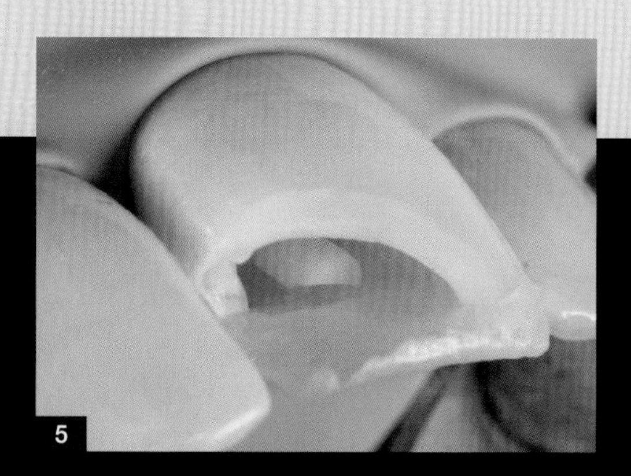

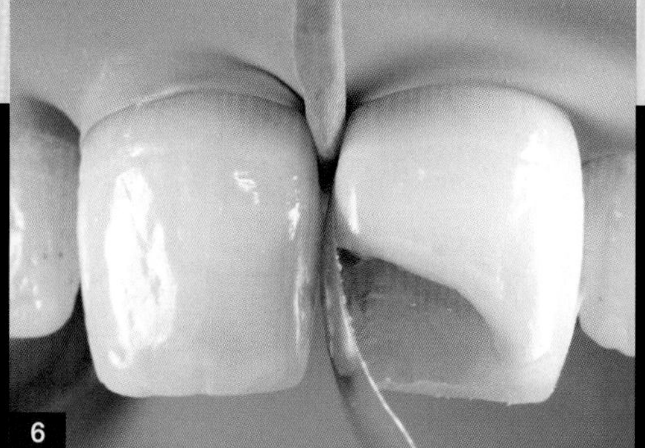

구개측 레진 벽 형성을 가능하다면 간격 조정부탁드립니다. 삭제하였다.

Class IV 와동의 더 나은 해부학적 재건을 위한 격벽의 적용

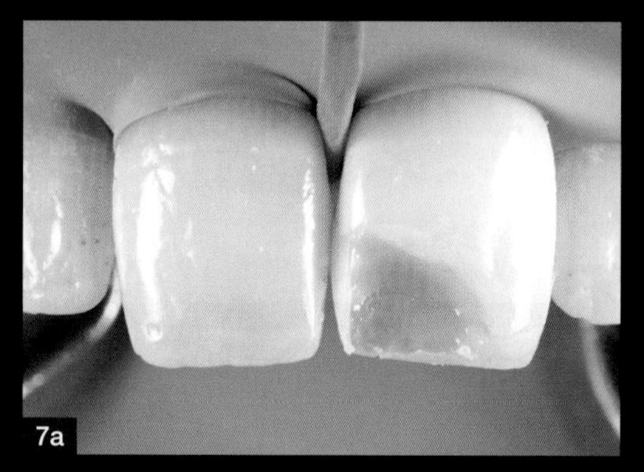

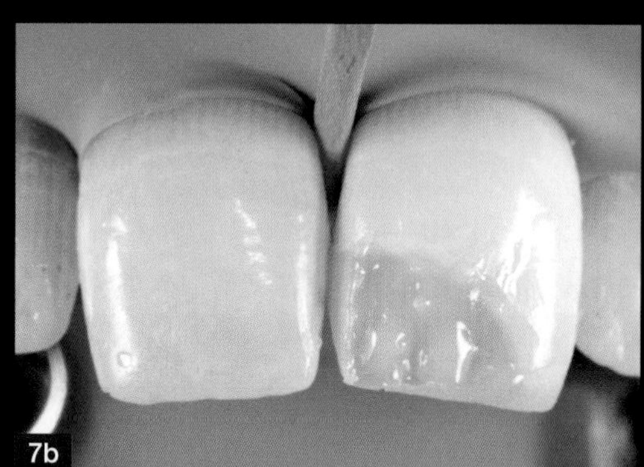

상아질 마멜론을 재현한 복합 레진의 적층

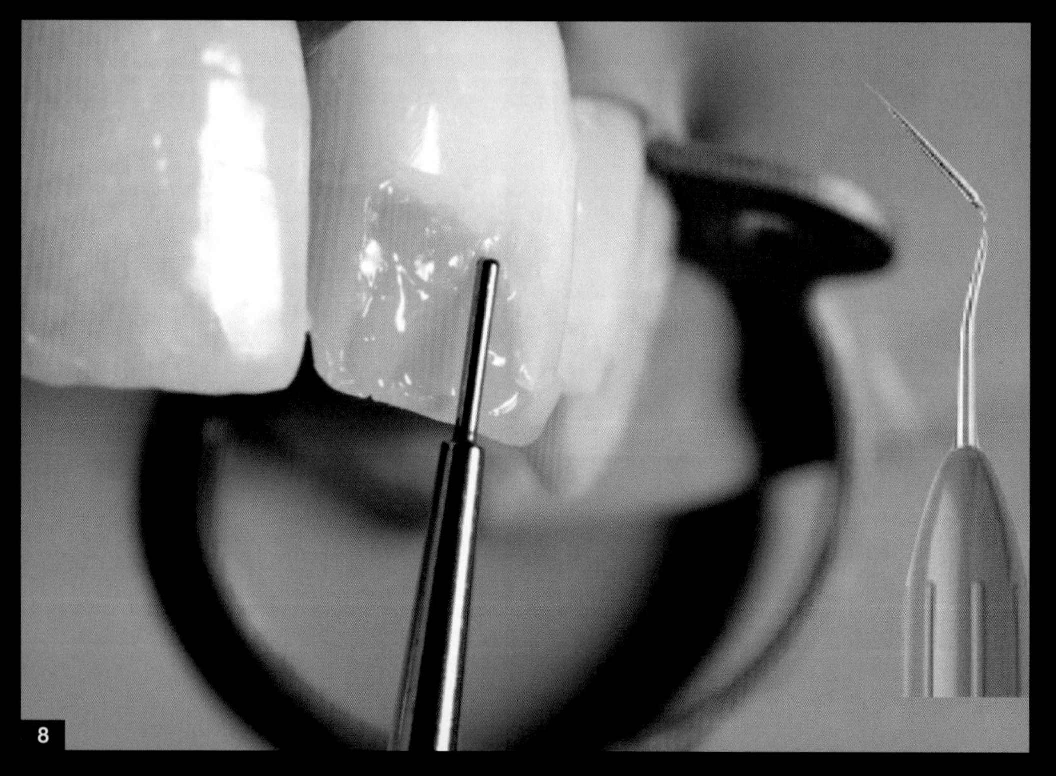

전용 도구(LM Dental Measurement)를 사용한 법랑질의 정확한 두께 확인

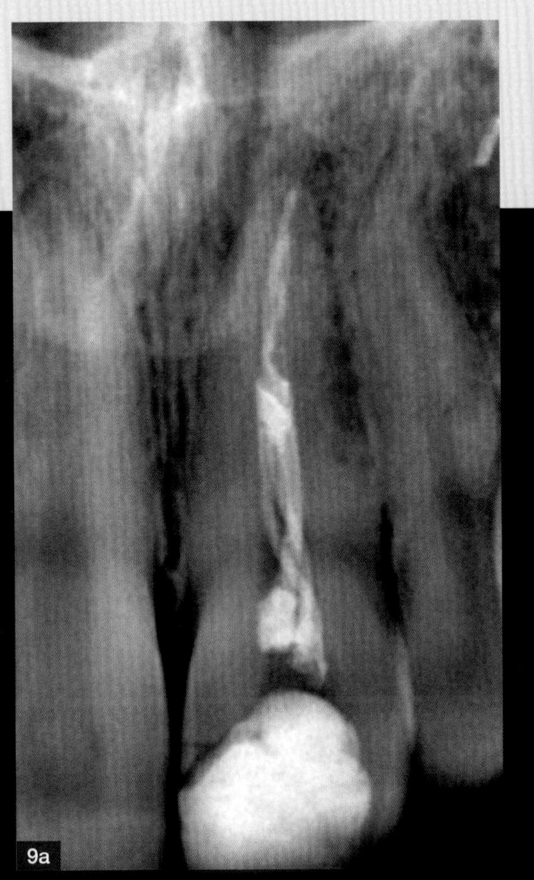

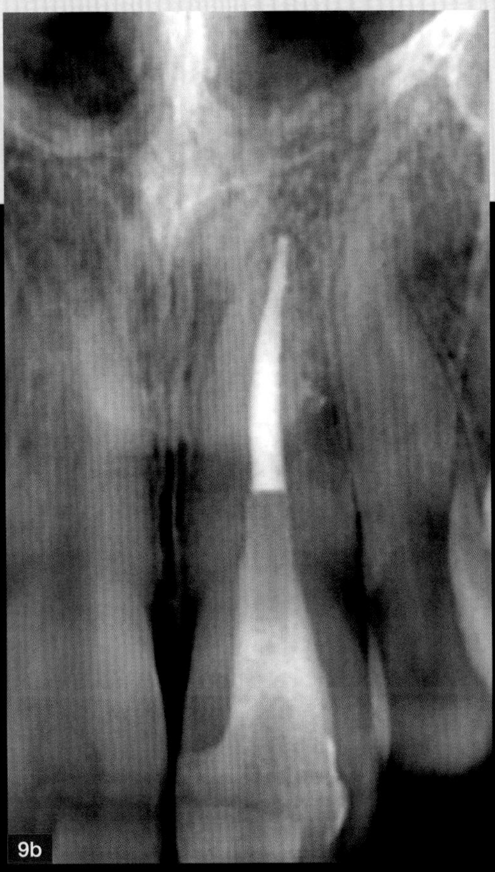

Figure 9a: 술전 X-ray. 부적절한 근관 충전에 주목할 것. 이와 같은 증례의 재치료는 성공할 가능성이 높다.

Figure 9b: 근관계가 완벽하게 재건된 술후 X-ray

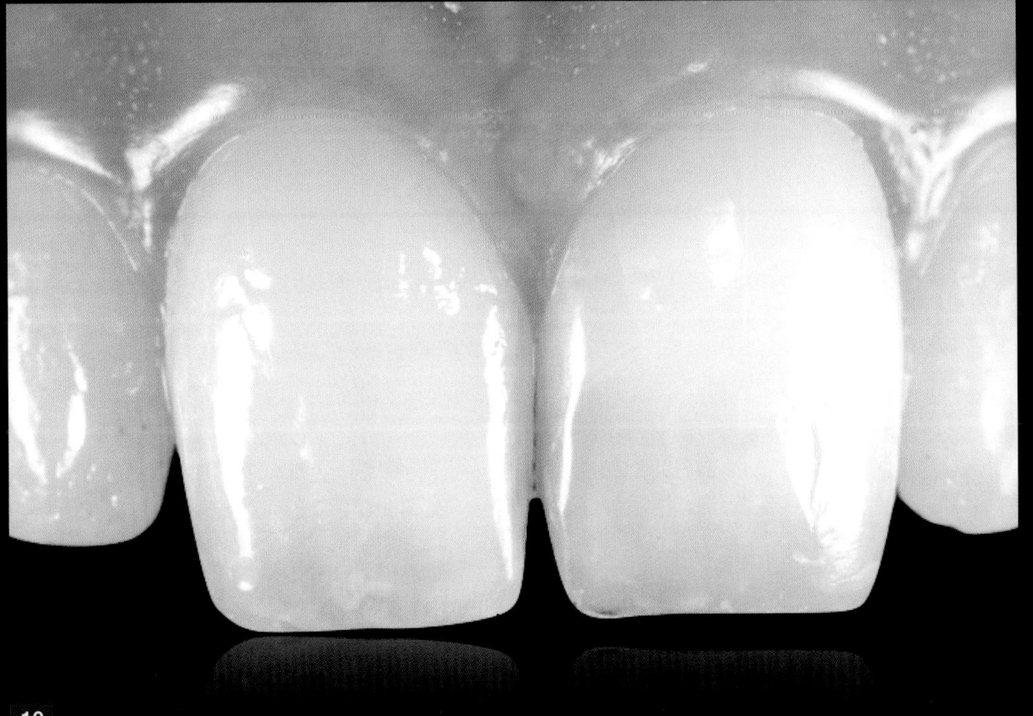

Figure 10: 치료 전과 비교하여 심미성이 완벽하게 회복된 임상 사진

CASE REPORT 3

상악 좌측 제1대구치의 재치료

이 환자의 주소는 상악 좌측 어금니에 압력을 받을 때 통증이 있다는 것이었다. 임상 검사에서 26번과 27번 치아에 연결된 크라운(splint crown)이 있었고 26번 치아는 타진에 반응이 있었고 26번 치아의 협측에 농양이 있었다(**Fig. 1**).

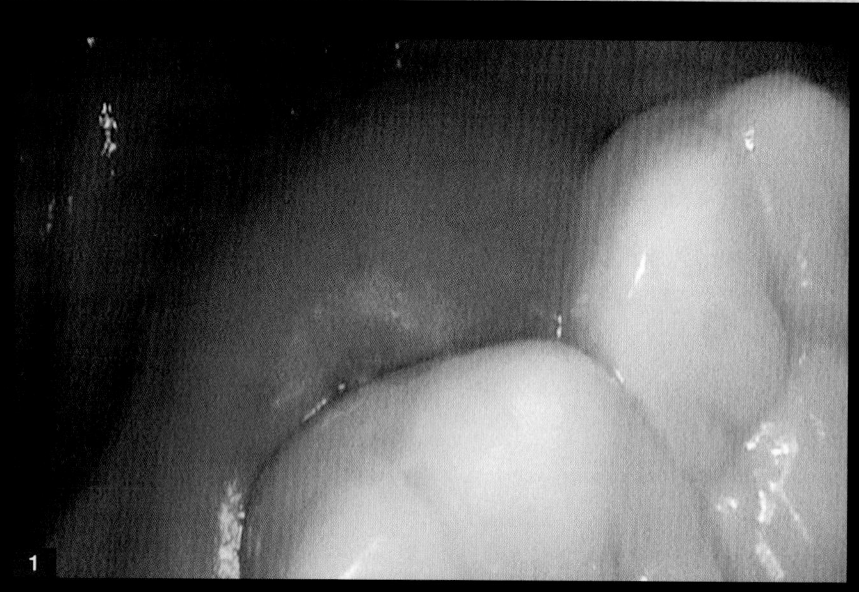

1 상악 구치의 협측 부위의 임상 검사

26번 치아의 세 개의 근관과 근심 치근의 병변을 보여주는 근위부 방사선 사진

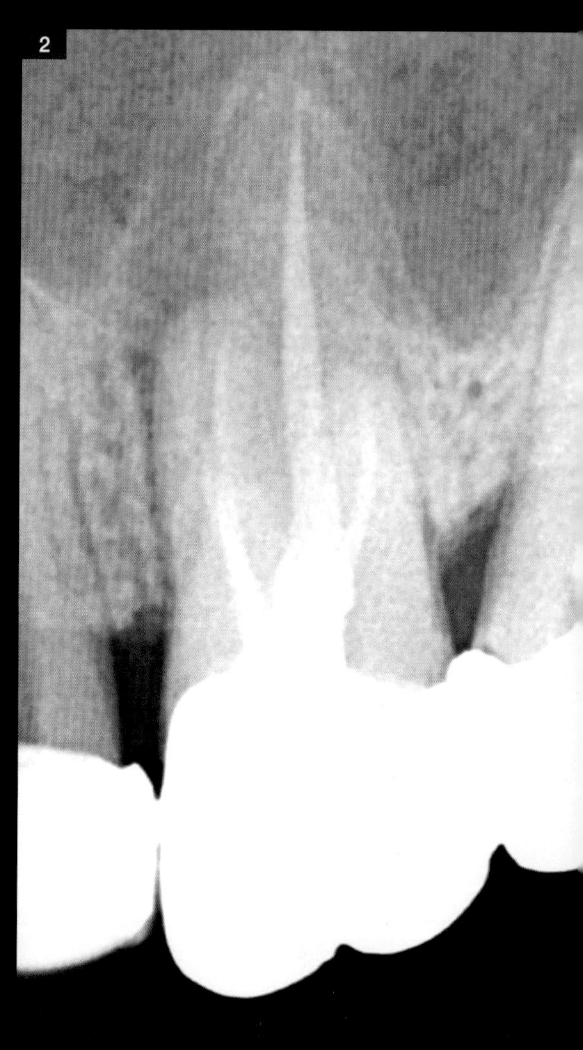

2

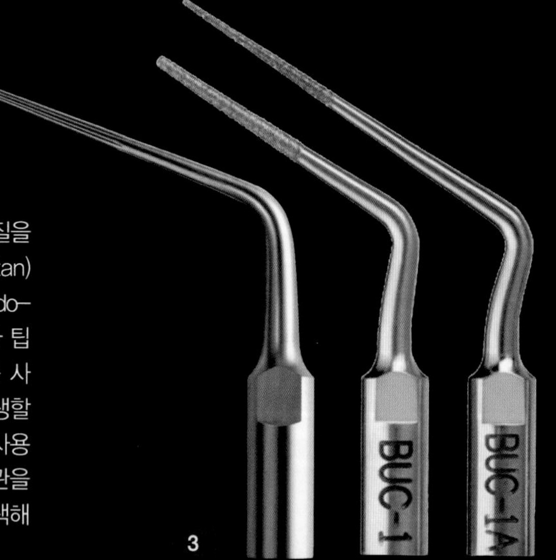

3 치수강 내에서 잔류 물질을 제거하려면 BUC 1A (Obtura Spartan) 또는 StartX #3 (Dentsply Sirona Endodontic)와 같은 근관치료용 초음파 팁이 필요하다. 고속 핸드피스 버를 사용할 경우 이개부에서 천공이 발생할 위험이 있으므로 초음파 기구의 사용은 중요하다. 추가로 누락된 근관을 찾기 위해 근심 부위를 다듬고 탐색해야 한다.

근단부 방사선 사진에서 26번 치아는 이전에 근관치료를 받았고 3개의 근관이 관찰되었다. 26번 치아의 근심 근관에 치근단 병소가 있었고 보철물의 경계는 괜찮아 보였다(**Fig. 2**).
근심 치근에 누락된 근관이 있을 가능성을 염두에 두고 재근관치료를 계획하였다. 다이아몬드 고속 버를 사용하여 기존 보철물에 구멍을 뚫어서 치수강을 개방하였다. 치료 일주일 후 환자가 내원하였을 때 통증은 사라졌고 농양은 치유되었다. 근관 충전을 하여 재근관치료를 완료하였다.

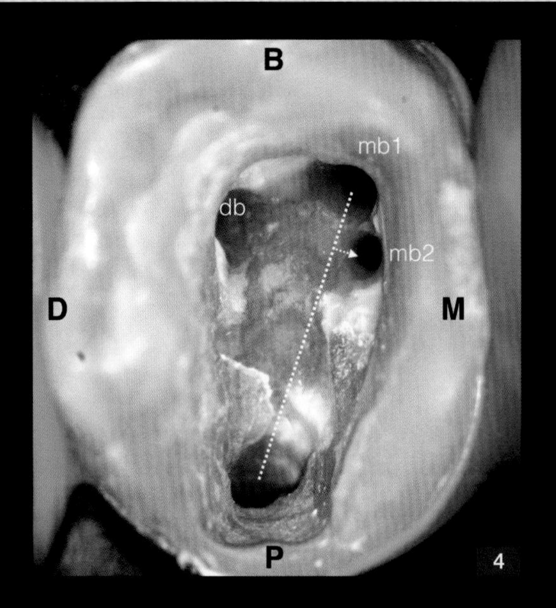

잠재적으로 누락된 MB2 근관을 찾기 위해 탐색해야 하는 부위는 일반적으로 MB1 근관 입구에서 구개 쪽이고, MB1과 구개측 근관 입구 사이를 연결하는 선에서 약간 근심 쪽이다.

근심 근관을 다듬고 탐색 한 뒤 마침내 누락된 근관이 발견되었다. 3개의 근심 근관(MB1, MB2 및 MB3), 1개의 원심 근관(DB) 및 1개의 구개측 근관이 있었다. 5개의 모든 근관을 성형 및 세정한 뒤 치아를 임시 밀봉하였다.

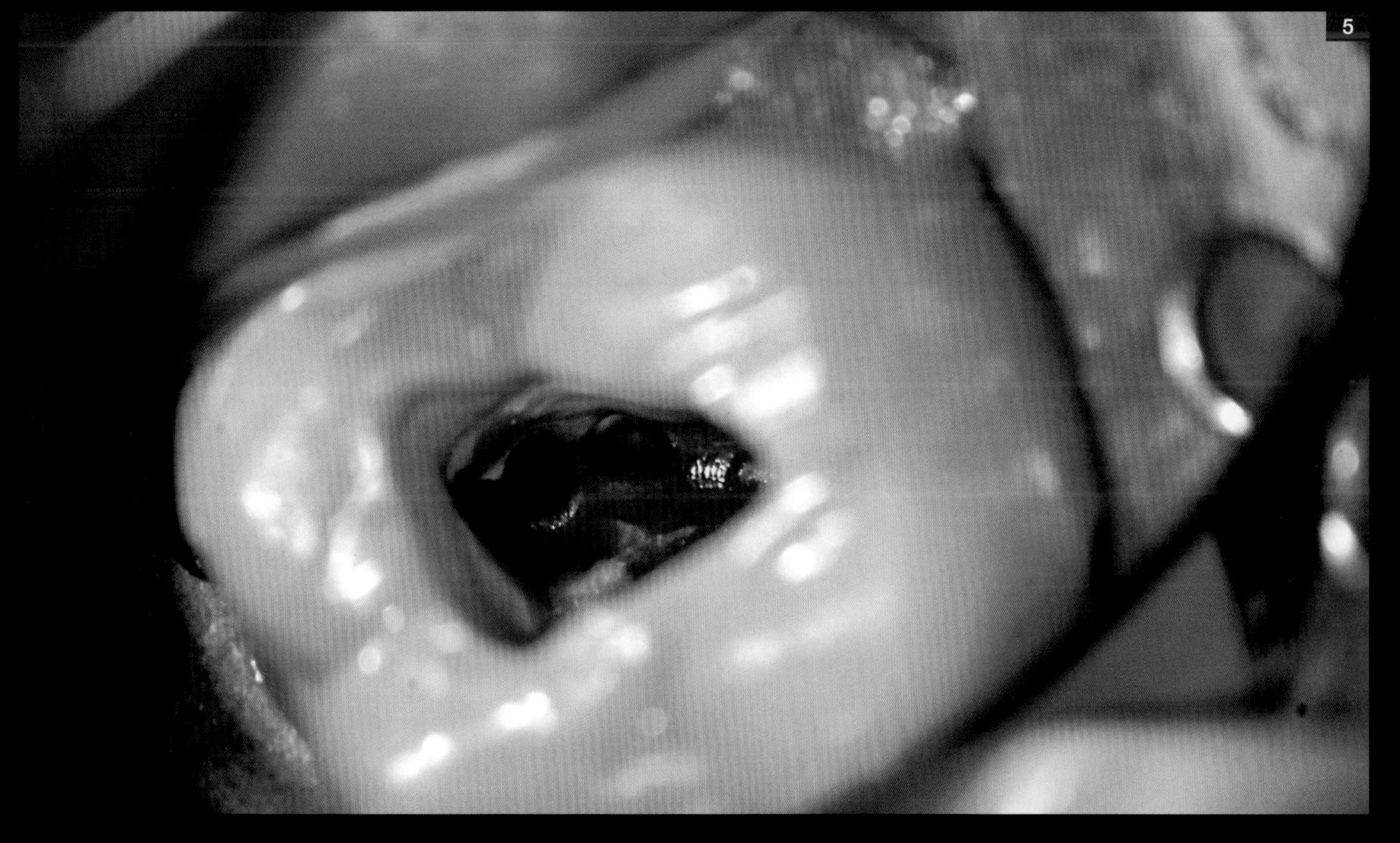

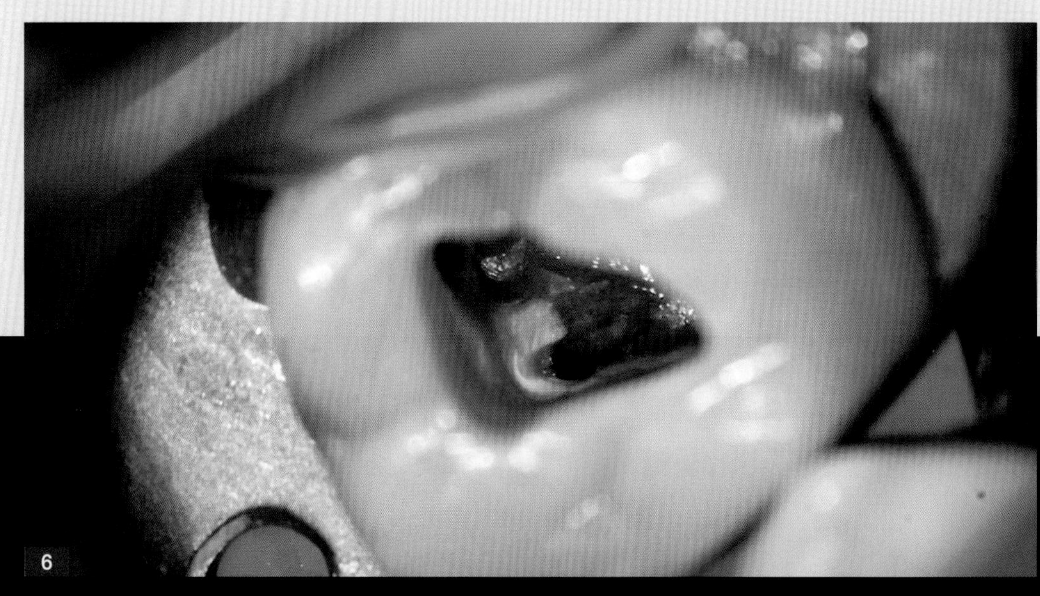

Figure 6: 치아의 중앙-협측 측면. 초음파 팁으로 형성한 근관 입구의 확대로 MB2 근관을 확인할 수 있다.

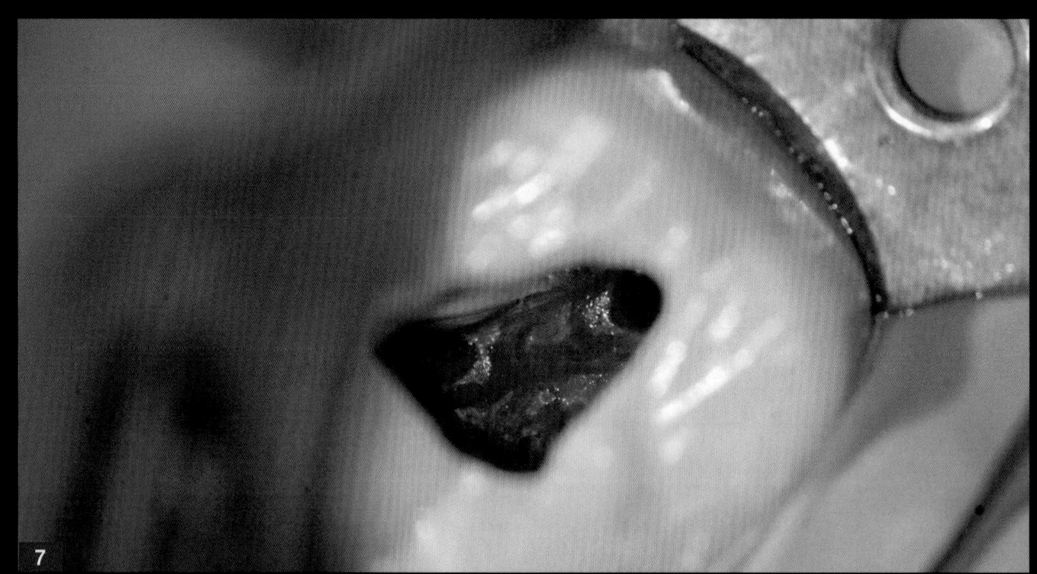

Figure 7: 구개 및 원심-협측 근관은 다이아몬드 코팅된 초음파 팁을 이용하여 정리하였다.

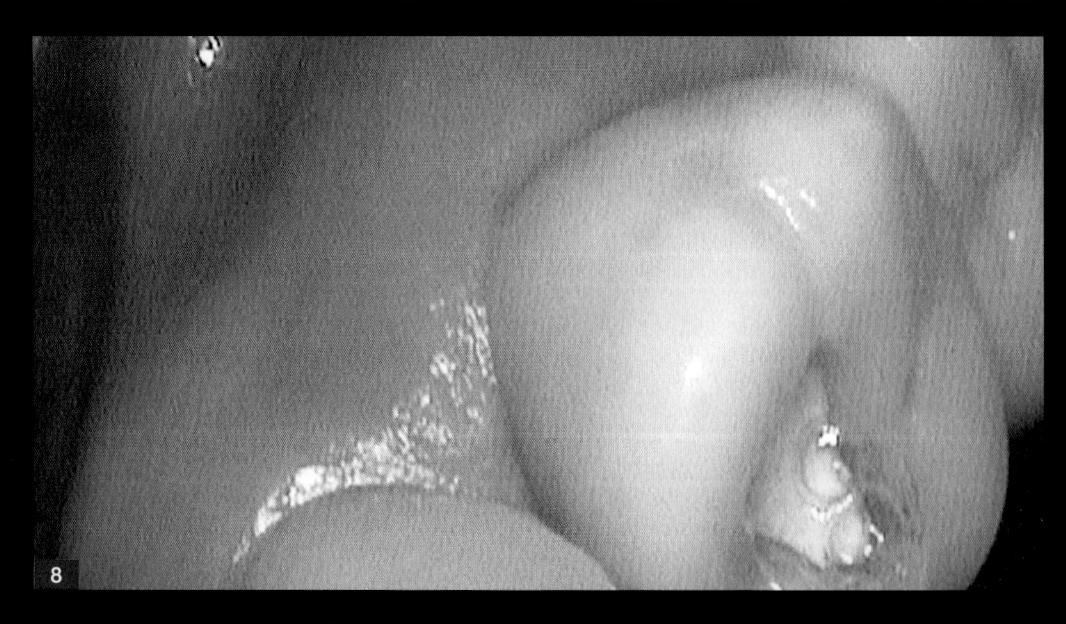

Figure 8: 수산화칼슘 첩약을 통해 근관계가 적절하게 소독된 후 부종이 가라앉았다.

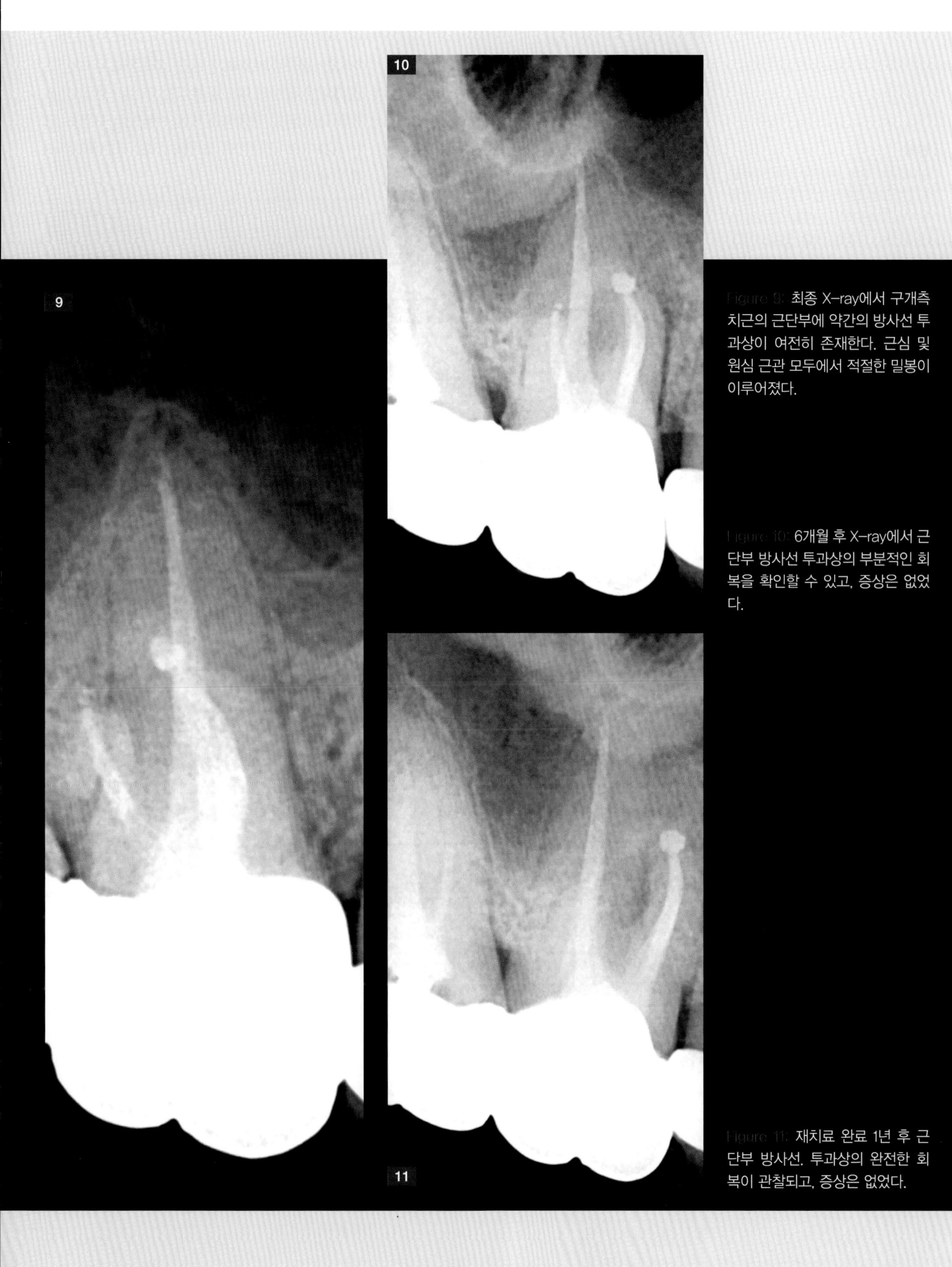

Figure 9: 최종 X-ray에서 구개측 치근의 근단부에 약간의 방사선 투과상이 여전히 존재한다. 근심 및 원심 근관 모두에서 적절한 밀봉이 이루어졌다.

Figure 10: 6개월 후 X-ray에서 근단부 방사선 투과상의 부분적인 회복을 확인할 수 있고, 증상은 없었다.

Figure 11: 재치료 완료 1년 후 근단부 방사선. 투과상의 완전한 회복이 관찰되고, 증상은 없었다.

치관부가 가능한 최상의 방법으로 격리되면 치료할 부위도 효율적으로 분리된다.

상아질 표면이 효율적으로 세척되면 이 단계에서 얻을 수 있는 접착력은 양과 질 측면에서 증가될 것이다.

접착

상아질이 화학 물질에 의해 오염되지 않았기 때문에 상아질 접착제와 레진을 이용하여 근관을 외부와 격리하면 이 과정이 더욱 효과적이다.

따라서 접착제, 특히 "자가 산 부식" (또는 "산 부식 및 건조") 형태의 접착제를 상아질을 처리하고 수복재에 결합하는 데 사용할 수 있다. 수복재는 기존의 레진 혹은 흐름성이 좋은 레진을 사용할 수 있고, 치료 완료 후 대부분 간접 수복물로 치아를 재건하므로 코어로 유용하게 사용될 수 있다.

이때 "벌크-필(bulk-fills)"로 알려진 최신의 복합 재료[12]와 글래스아이오노머 혹은 레진 함유 글래스아이오노머[13]의 사용을 고려할 수 있다.

간접 수복물

종종 재치료를 위해 단일 수복물 또는 브릿지와 같은 간접 수복물이 있는 치아의 근관을 개방해야 한다. 이때, 다음과 같은 요소를 고려해야 한다.

간접 수복물의 보존

치관부 수복물이 적절하다고 판단되면 수복물에 구멍을 뚫거나[14] 또는 가능하면 수복물을 온전하게 제거한 뒤 치료 종료 후 재부착을 시도할 수 있다.

기존 크라운을 유지한 근관 개방

기존 크라운을 남겨두고 근관계로 접근을 시도하면 다음과 같은 여러 가지 어려움을 겪을 수 있다.

- 경우에 따라 기존에 크라운으로 수복할 때 교합면의 형태가 변형되어서 올바른 형태의 근관개방을 어렵게 한다.
- 지대치와 수복물의 축이 다를 경우 의원성 손상을 일으킬 수 있다.
- 도재에 치핑이 발생할 가능성
- 크라운과 지대치의 약화
- 복합 레진을 사용하여 수복하기 어려운 심미적 손상

하지만 심미적 부위에서 기존 크라운을 유지한 근관 개방은 환자의 미소를 유지할 수 있는 장점을 가진다. 러버댐을 적용하기 전에 수복물의 구개측 또는 설측에서 근관계로 접근을 위한 시뮬레이션을 미리 해야 한다.

러버댐을 적용하기 전 근관을 개방하면 크라운과 버의 방향을 3차원으로 적절하고 효과적으로 평가할 수 있어서 천공을 유발하는 잘못된 접근을 방지할 수 있다.

도재-금속 크라운

임상의는 크라운의 도재 부위를 삭제하고 자연 치아에 비해 약간 큰 와동을 형성하기 위해 일반적으로 거친 입자의 다이아몬드 버를 사용하고 이후 금속을 삭제하기 위해 텅스텐 카바이드 버를 사용하는데, 이 같은 초기 드릴링 단계에서 매우 주의해야 한다. 도재의 치핑을 방지하기 위해 도재의 경계를 건드리지 않도록 주의해야 한다. 일단 접근이 이루어지면 다이아몬드 또는 비-가공 텅스텐 카바이드에 관계없이 근관 개방에 일반적으로 사용되는 테이퍼 드릴이 근관계로 접근을 형성하고 sealer나 거타퍼챠와 같은 이전 치료의 잔사들을 제거하는 데 유용하게 사용된다.

또한 저속으로 밀링 버를 사용하는 것이 매우 중요하다. 보다 효과적인 절삭을 위해 새 버를 사용하는 것이 좋다. 이는 삭제 중 진동을 줄이고 도재의 균열 발생 위험을 감소시킨다. 이때에도, 초음파 기구는 관련 영상 자료에서 입증된 바와 같이 기존 재료를 깨끗이 하고 제거하는 데 필수적이다.

도재에 균열이 생겨 하부의 금속이 드러날 수 있으므로 초음파 팁의 샤프트가 보철물에 닿지 않게 하는 것이 중요하다.

특히 문제의 치아가 심미적으로 중요한 부위에 있는 경우, 치관부 접근 과정 중 도재가 깨질 위험이 있음을 환자에게 미리 알리는 것이 중요하다. 임상의는 치료 전 인상을 채득해서 근관 개방 단계에서 기존 크라운이 복구 불가능하게 손상된 경우 임시 크라운을 제작할 수 있도록 준비해야 한다. 이 과정에서 추가 광원이 있는 루페나 수술용 현미경과 같은 확대 기구가 있어야 한다.

이 과정이 완료되면, 임상의는 다음의 세 가지 상황에 직면하게 된다.

1. 치관부를 삭제해도 크라운의 밀폐에 영향을 주지 않는 경우
2. 크라운의 밀폐가 부분적으로 손상되었으나 크라운의 안정성은 유지되는 경우
3. 크라운의 밀폐가 대부분 손상되었고 크라운의 안정성이 의심스러운 경우

1, 2의 경우, 글래스 아이오노머 복합체 또는 sealer(자가중합형 또는 광중합형)를 사용하는 것이 깊은 치근에 접근할 때 우수한 밀폐를 보장하는 가장 좋은 방법인 것으로 보인다.

여러 차례 내원하여 재근관치료를 해야 하는 경우 반드시 근관 내 첩약을 해야 한다. 그렇지 않으면 타액이 스며들어서 이미 대부분 소독된 근관에 새로운 세균 오염이 발생할 수 있고 이는 술후 재감염의 원인이 될 수 있다.

크라운의 안정성이 의심스러운 경우, 즉시 크라운을 대체하기 위한 레진이나 폴리카보네이트 임시 수복을 고려해야 한다.

장석, 유리, 지르코니아 도재 크라운 혹은 비니어

위의 선택 기준은 최신의 심미적 도재 재료에도 적용된다. 도재가 깨져서 치료 단계 및 치료 이후에 더 이상 사용할 수 없는 가능성이 존재한다.

치유 단계에서 이러한 수복물의 역할은 무시할 수 없다. 따라서 예후는 좋지만, 확실하지는 않은 치아를 새로운 수복물로 치료하는 것은 고민해야 한다. 이를 고려했을 때, 방습이 잘 되는 이전 수복물을 유지하는 것은 임시 레진 재료 및 새로운 수복 치료의 대안이 될 수 있다.

수복물
기존 수복물의 유지는 재치료 단계의 중요한 요소가 될 수 있다.

전치부가 심미적인 재료로 치료된 치아의 경우에 특히 그렇다. 리튬 디실리케이트 또는 지르코니아 크라운에 와동을 형성하려면 수복물의 두께가 0.5–2 mm까지 다양할 수 있다는 점을 고려하여 이러한 재료를 삭제하기 위해 고안된 전용 버를 고속 핸드피스에 체결하여 사용하는 것이 좋다.

이전 치료에 사용된 재료를 제거하는 것이 크라운의 안정성을 손상시키지 않고, 미세 균열 및 박리가 관찰되지 않는 경우 복합 레진을 사용하여 근관 와동을 간단히 수복해도 기존 수복물의 충분한 수명을 보장한다.

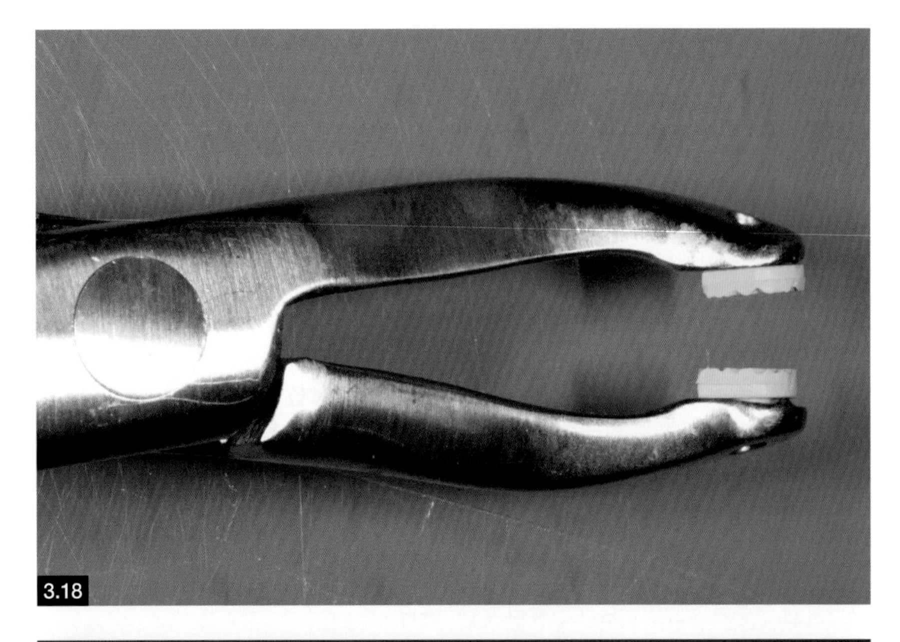
3.18

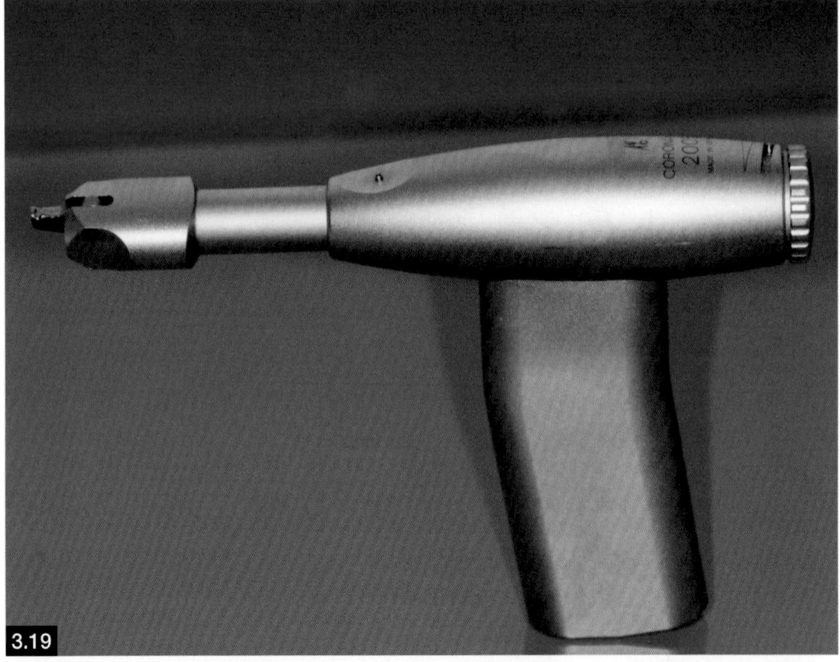
3.19

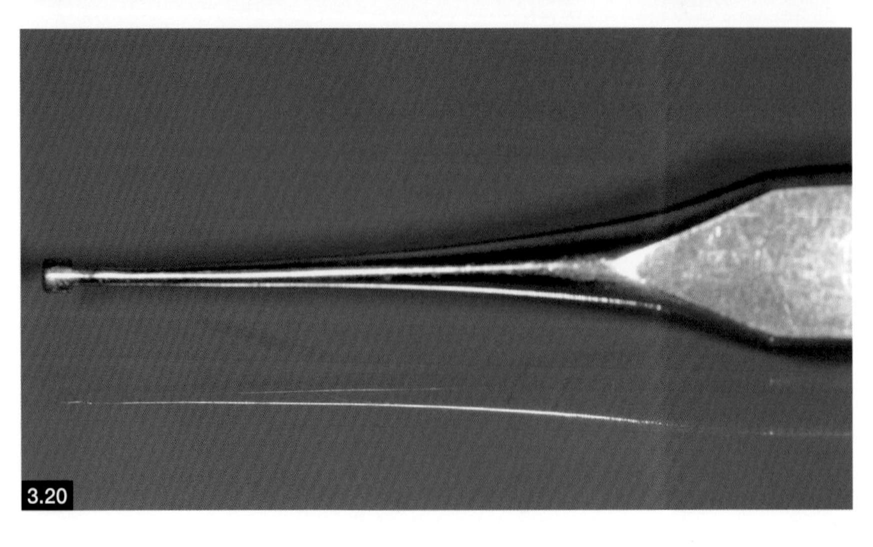
3.20

간접 수복물의 제거

기존 치관부 수복물의 상태를 신뢰할 수 없거나 안정적이지 않은 경우 임상의는 기존 크라운, 어버트먼트 및 최종적으로 근관계로의 접근을 제한하는 모든 구조(예: 포스트)를 제거해야 한다.

치관부의 간섭을 제거함으로써 더 나은 시야 확보가 가능하고 간결한 기구로 근관을 치료할 수 있어 재치료의 어려움을 최소화할 수 있다.[15]

이 기술은 보철물 하방 지대치의 구조를 최대한 보존할 수 있도록 기존 크라운을 완전히 제거하는 것을 포함한다. 또한 보철물 하방 지대치의 상태를 즉시 가장 잘 평가할 수 있는 방법이다.

크라운의 제거는 상황에 따라 어려울 수 있다. 크라운의 유지력은 치아 삭제 유형, 수복물의 형태 그리고 접착제와 같은 여러 요인에 의해 결정된다. 크라운 제거를 쉽게 하는 많은 도구가 있으며 세 가지 범주로 나눌 수 있다.

1. 잡는 도구(실리콘 그립 플라이어)**(Fig. 3.18)**
2. 두드리는 도구(CORONAflex™, KaVo) 및 손 망치 **(Fig. 3.19)**
3. 지렛대 기구(Metalift™ 또는 WAMKey)**(Fig. 3.20)**.

임상의는 크라운 또는 기존 수복물을 제거하기 전에 이러한 도구를 사용하는 데 따르는 위험 또는 이점을 알고 있어야 한다.[16]

크라운 제거 방법과 각 방법의 장단점이 **Table 3.2**에 요약되어 있다. 선택한 방법에 관계없이 제거 후 수복물은 손상되지 않거나 최소한으로 변형될 가능성이 높다. 따라서 관련된 모든 과정을 효율적으로 계획하고 보철물의 불필요한 제거를 방지하는 것이 중요하다.

Table 3.2 **치관부 장애물 제거를 위한 도구 및 사용법**

방법		사용법	비고
크라운 절단		전용 드릴을 사용하여 치은 경계에서 절단면까지 홈을 형성한다. 삭제된 홈에 평평한 도구를 삽입하고 아래의 지대치와 분리되도록 두 모서리를 적절하게 벌린다.	수복물을 제거하고 치아 조직을 보존한다.
지렛대 원리		치즐, 엑스카베이터 또는 탈구 레버와 같은 도구를 크라운과 치아 사이의 공간에 위치시킨다.	치아가 파절될 위험이 존재한다.
플라이어		크라운을 잡을 수 있는 고무가 달린 전용 플라이어	힘을 잘못 조절할 경우 수복물 파절 가능성. 포스트가 있는 경우 치근 파절의 위험이 있다.
탈착 시스템 (decementation)	Richwil 크라운 & 브릿지 제거기구	물에서 연화된 수용성 레진을 해부학적 언더컷에 삽입한다. 환자는 입을 다물고 레진 블록이 약 2/3 두께가 되도록 압력을 가한다. 레진이 굳으면 환자에게 입을 벌리게 한다.	반대악의 보철물이 탈락할 가능성이 존재한다.
	크라운 제거 시스템 (수동 및 기계식 제거 시스템)	사용되는 제거 시스템은 수동 또는 기계식일 수 있다. 수동 제거 시스템은 제거할 수복물의 가장자리 아래에 위치하는 삽입물이 특징이다(예: 드롭 해머). 시스템 끝에 힘이 가해지면 이 힘이 삽입물로 전달되고, 결과적으로 수복물로 전달되어 접착된 재료에 당기는 힘이 발생한다. 잘 합착된 수복물의 경우 제거 시스템의 삽입물을 수복물의 가장자리 아래에 놓기 어려울 수 있다. 기계화 시스템(예: CORONA flex™, KaVo)은 매우 효과적이며 공기압을 사용하여 합착제를 분리한다. 이러한 시스템은 일반적으로 크라운의 도재가 깨질 위험이 더 크지만 환자는 더 편안하다.	많은 경우 수복물을 재사용할 수 있을 정도로 최소한의 손상 발생. 접착된 간접 완전-도재 수복물을 제거하는 경우는 사용하면 안 된다.
	WAMKey	크라운의 전정 또는 설측 표면에 작은 구멍을 뚫고 지대치와 수복물 사이에 공간을 만든 후 키를 구멍에 삽입한다. 크라운이 들어 올려질 때까지 돌린다. 코어가 난난한 경우 특히 효과적이다. 제거된 크라운은 임시 수복물로 재사용할 수 있다.	크라운을 임시 수복물로 재사용하기 위한 효과적인 시스템. 하부의 지대치가 온전한 경우 사용할 수 있다.
	Metalift™	이 기구는 수복물 교합면의 구멍을 통해 삽입되는 셀프-태핑 나사이다. 삽입 후 돌리면 코어에 힘을 가하여 크라운 분리시킨다.	크라운을 임시 수복물로 재사용하기 위한 효과적인 시스템. 하부의 지대치가 온전한 경우 사용할 수 있다.
Ultrasound		충분한 관주하에서 고출력의 초음파의 사용(위생 및 예방을 위한 간단한 팁 또는 전용 팁 모두 사용 가능)은 합착제의 구조에 미세 파절을 생성하여 크라운을 헐겁게 한다.	보통 초음파만으로는 수복물을 제거하기에 불충분하지만 다른 방법과 함께 사용하면 유용하다.

(Modified from[16])

브릿지 보철물

앞서 논의한 치아와 유사하게 브릿지의 지대치 역할을 하는 치아의 치료는 수많은 진단 및 예후와 관련된 고려가 필요하다. 이때, 임상의는 두 가지 선택을 할 수 있다.

1. 브릿지를 탈착, 보관 및 재부착한다.
2. 브릿지를 안전하게 탈착할 수 없으므로 근관에 접근할 수 있도록 제거한다.

후자의 경우 단일 크라운과 동일한 규칙이 적용되는 반면, 전자의 경우 에어 해머(CORONAflex™, KaVo)와 같은 기구를 사용하면 브릿지를 손상 없이 제거할 수 있다(Fig. 3.21a-d).

물론 이 과정은 몇 가지 위험이 수반된다. 그러나 접근의 어려움으로 인한 재근관치료의 실패를 방지하기 위해 임상의는 기존의 브릿지를 어떻게 할지 결정해야 한다.

매우 불확실한 상황의 경우, 역충전을 동반한 치근단 절제술을 고려할 수 있다.[17]

Fig. 3.21a-d: **(a)** 술전 X-ray에서 원심 브릿지 지대치(치아 46)의 치근단 병소가 관찰된다.

(b) 브릿지를 제거하면 접근이 더 쉬워진다.

(c) 브릿지는 치료가 끝난 뒤 재부착할 수 있다.

(d) 추적관찰 X-ray에서 브릿지는 여전히 기능을 하고 있고, 치근단 병소가 사라진 것을 확인 가능하다.

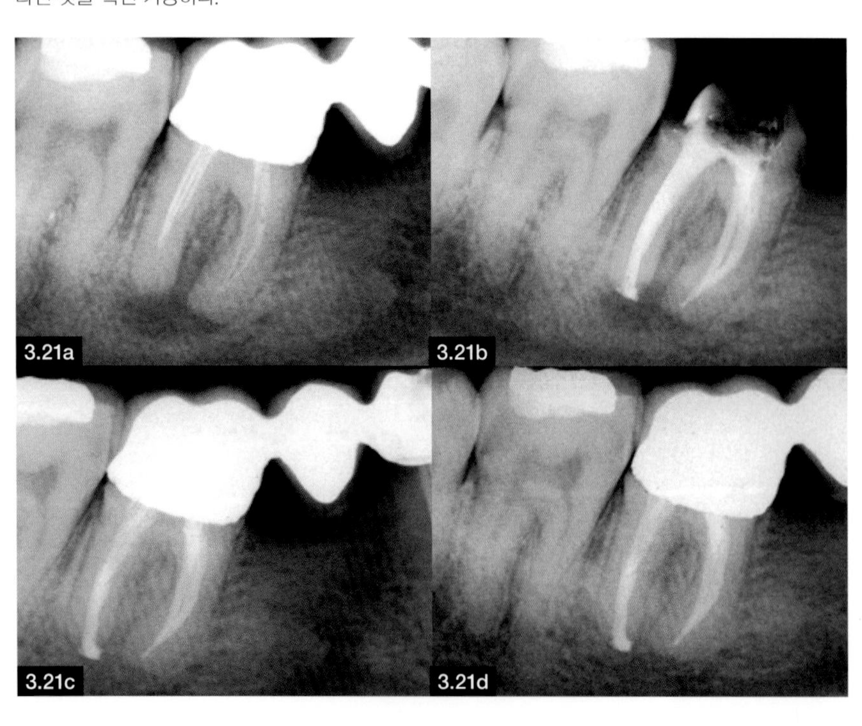

근관치료에서 치아를 보존하고 좋은 결과를 얻기 위해 적절한 기구를 사용하는 것이 중요하다. 다양한 형태와 크기의 새로운 팁을 삭제 강도와 정밀도를 효율적으로 조합하여 사용하면 근관의 원래 형태를 유지하면서 치근의 가장 깊은 부분에 도달할 수 있다.

루페나 수술용 현미경과 같은 확대 기구와 초음파 전용 팁을 사용하면 상아질의 삭제를 최소화하면서 치과

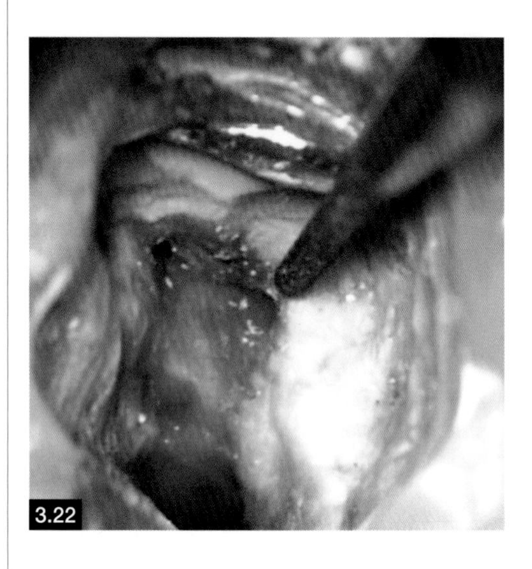

의사의 치료 정밀도를 높여서 좋은 임상 결과를 기대할 수 있다.

치료에 현미경과 초음파를 함께 사용하는 것은 안전성과 조작성을 동시에 얻는 최적의 조합이다. Martin[18]은 근관치료 분야, 특히 치근 절제에 초음파 기구를 최초로 도입했다. 1980년대에 Martin과 Cunningham[19]은 초음파 시너지 시스템을 근관 성형과 세정에 사용하는 "endosonics"이라는 용어를 도입했다.

초음파의 특성

초음파 파동은 가청 진동수(20 kHz)보다 높은 진동수를 갖는 소리이다. 이러한 진동을 유도하는 데 필요한 에너지는 자기 변형(magnetostrictive)과 압전기(piezoelectric) 원리[20] 두 가지 방법으로 생성할 수 있다.

Box 3.1 **재치료에 사용되는 초음파 시스템**

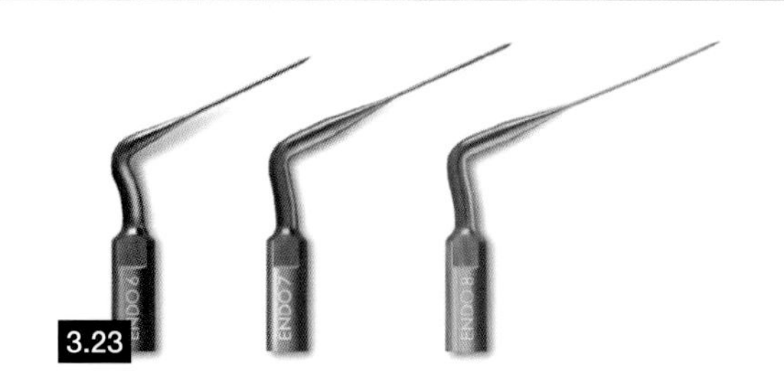

Fig. 3.22: 작동 중인 다이아몬드 초음파 팁

Fig. 3.23: 깊은 근관 내 장애물의 제거에 유용한 초음파 팁(ProUltra, Dentsply Maillefer, Switzerland)

Fig. 3.24: 깊은 근관 내 장애물의 제거에 유용한 초음파 팁(Endoset, Acteon, France)

자기 변형법은 금속 스트립 팩을 통해 전자기 에너지를 기계적 에너지로 변환하는데, 여기서 교류 자기장은 평균 약 25 kHz 진동을 생성한다. 압전기 원리를 사용하면 자기 변형법에서 발생하는 열 발생 없이 40 kHz 이상의 기계적 진동을 생성할 수 있다.

기존의 초음파 장치에 사용된 주파수 범위는 25–40 kHz 사이였는데 1–8 kHz(가청 이하 주파수)에서 작동하는 "저주파"법이 소개되었고, 이 방법은 전단 응력을 낮추고 치아 표면의 변화를 감소시켰다.[21]

근관치료 및 수술에서 사용되는 최신 압전(piezoelectric) 장치는 절삭 효율성 측면에서 명확한 장점을 가진다. 이 장치의 끝부분은 자기 변형 장치의 "타원 진동" 움직임과는 다르게 "피스톤 형태"의 선형으로 움직인다.

30 kHz 압전 발전기에 의해 활성화된 free endosonic 파일의 노드와 안티 노드의 위치는 파일의 길이를 따라 발전한다. 파일의 진동 진폭의 변화는 생성된 전력이 증가해도 점진적으로 증가하지 않는다.[22]

덜 침습적이고 더 보존적인 특성을 갖는 압전 장치를 전용 기구과 함께 사용하면 치수강 개방 단계 중 숨겨진 근관 탐색, 근관 내 장애물 및 석회화된 조직 제거와 근관 세척액의 활성화, 외과적 근관치료에서 역방향 와동 형성 등을 더 쉽게 할 수 있다.

초음파의 임상적 활용

앞서 언급했듯이 초음파와 확대 기구를 조합해서 사용하는 것은 전치부 및 구치부를 재치료할 때 중요하다. 초음파 팁의 사용이 임상적으로 유용한 첫 번째 상황은 재치료 시에 근관 입구를 탐색할 때이다.

재치료 과정 중에 임상의가 전치부의 치수각 혹은 소구치의 치수강 천장을 찾기 위해 치수강을 개방할 때 잘못된 접근을 하는 것을 종종 관찰할 수 있다. 우리는 치수강 하부의 형태를 손상시키지 않고 치아의 원래 해부학적 구조를 유지하면서 근관 개방을 하는 것이 얼마나 어려운지 잘 알고 있다. 이러한 경우 초음파 기구를 사용하면 정밀한 치질 삭제와 시술 부위의 좋은 시야를 얻을 수 있다.[23]

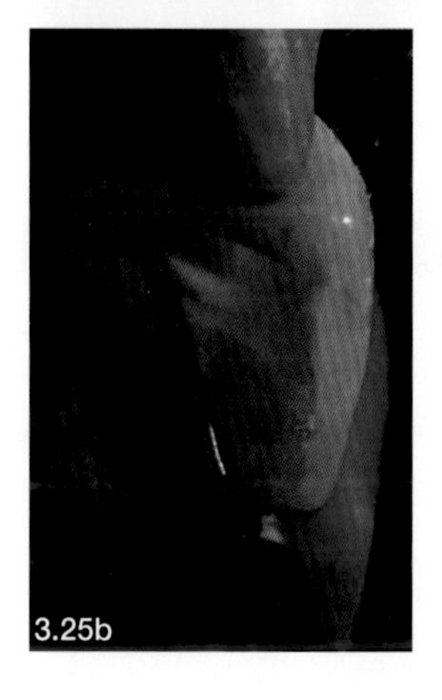

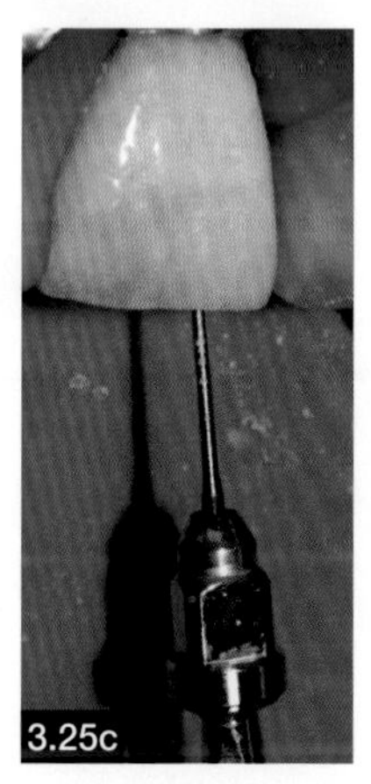

Fig. 3.25a-c: K 파일 초음파 팁의 작용(EMS, Switzerland)

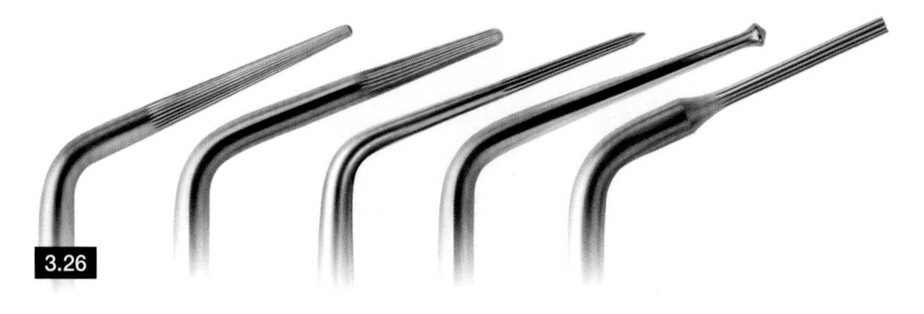

Fig. 3.26: 치수강을 다듬기 위한 초음파 팁(Start-X, Dentsply Maillefer Switzerland)

CASE REPORT 4

브릿지를 유지한 재치료

브릿지의 지대치에 치근단 병소가 생긴 경우 치료 방법을 결정하기 어렵다. 최근에 새로 한 브릿지의 경우 더 그렇다. 브릿지를 제거하지 않고 구멍을 뚫어 치료하는 방법은 환자와 치과의사에게 추가 비용을 필요로 하지 않는다는 장점을 가진다. 이번 증례는 브릿지에 구멍을 뚫어서 치료하였다.

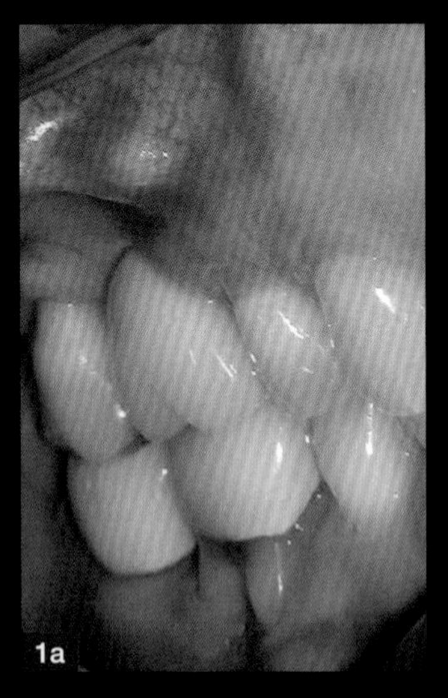

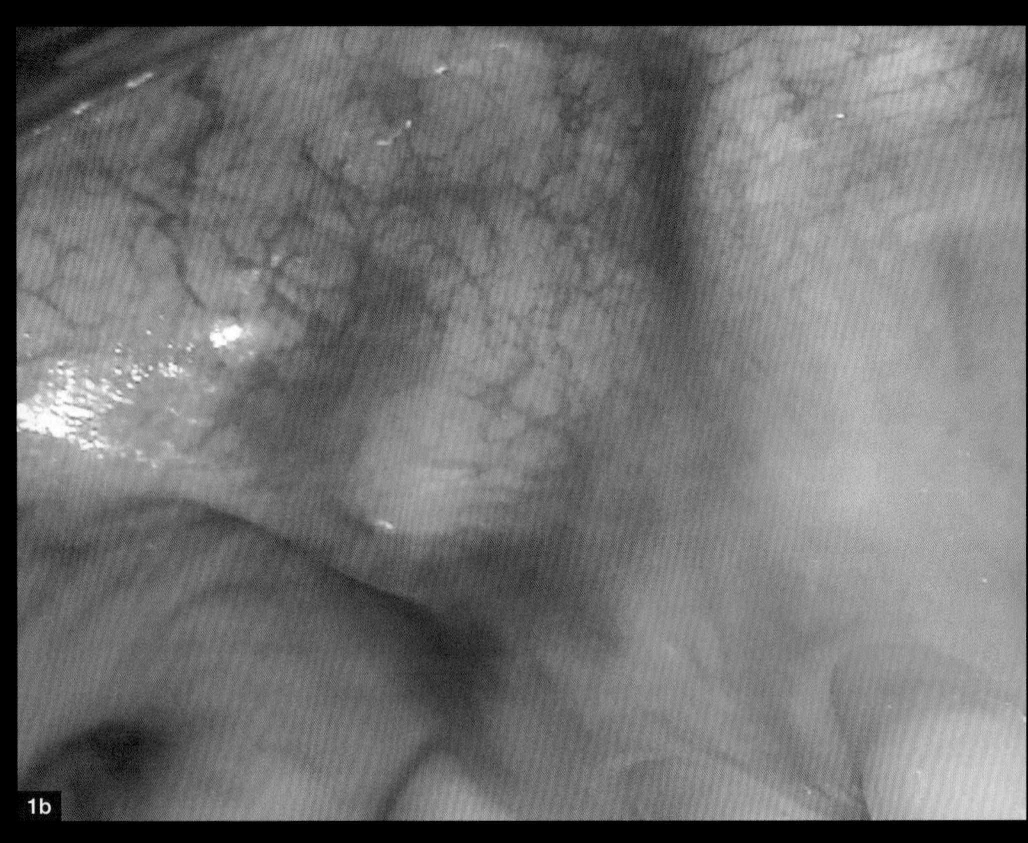

Figure 1a: 상악 제1소구치의 점막 부위에서 명확한 치근단 질환이 관찰된다.

Figure 1b: 점막 부위의 고배율 사진

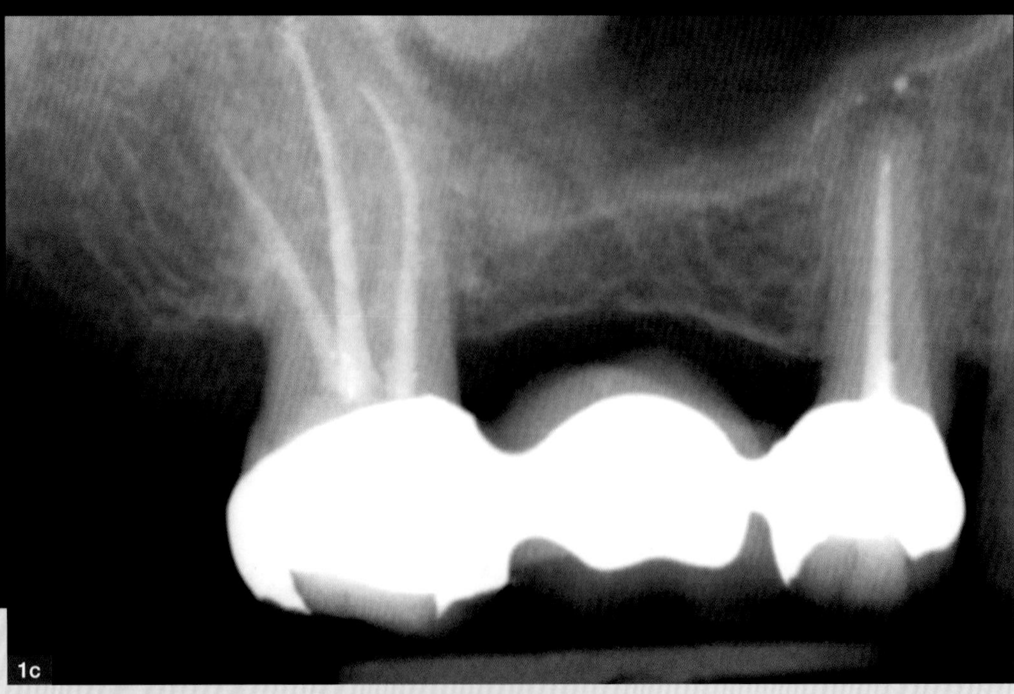

Figure 1c: X-ray 영상

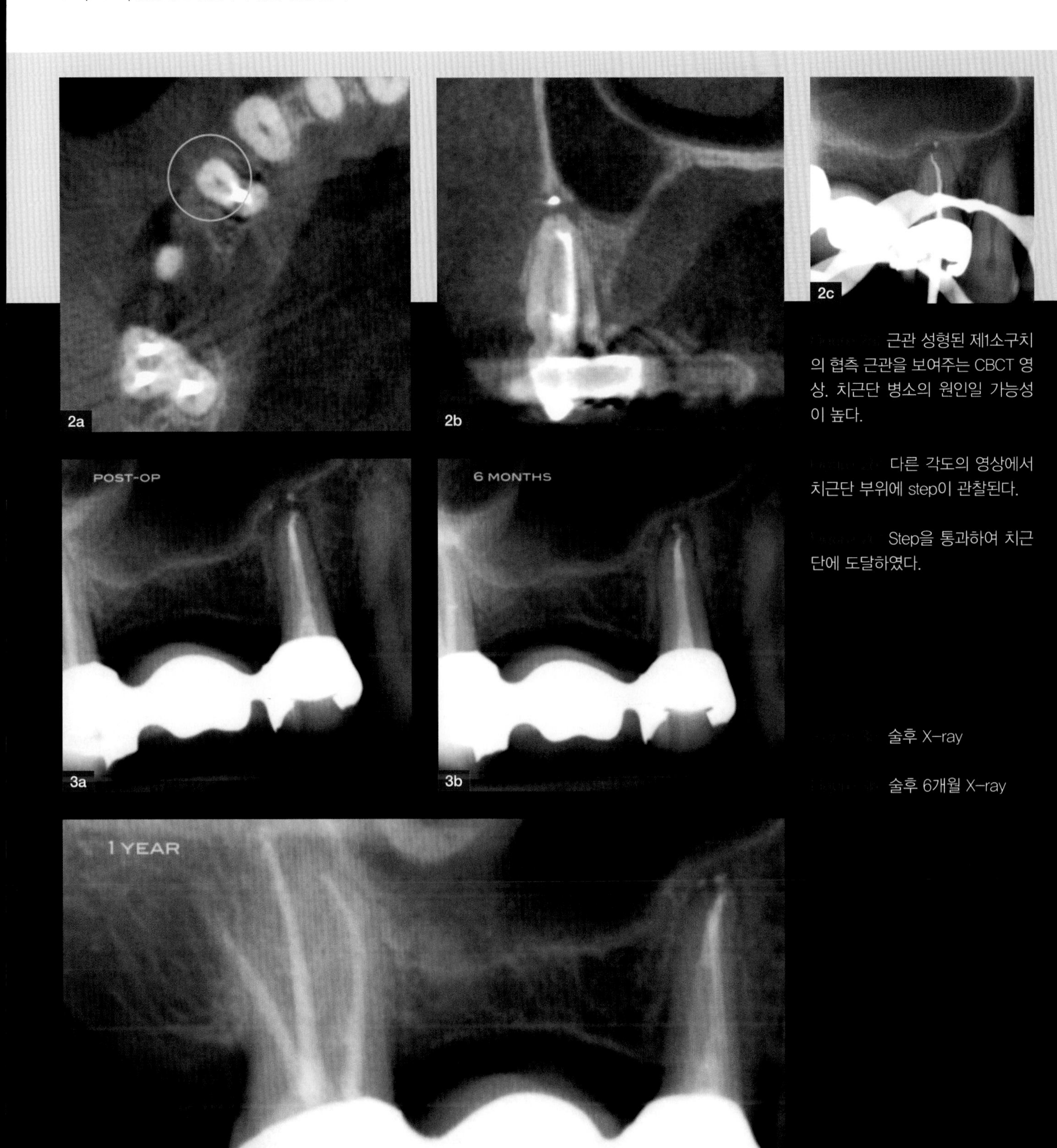

근관 성형된 제1소구치의 협측 근관을 보여주는 CBCT 영상. 치근단 병소의 원인일 가능성이 높다.

다른 각도의 영상에서 치근단 부위에 step이 관찰된다.

Step을 통과하여 치근단에 도달하였다.

술후 X-ray

술후 6개월 X-ray

술후 1년 X-ray

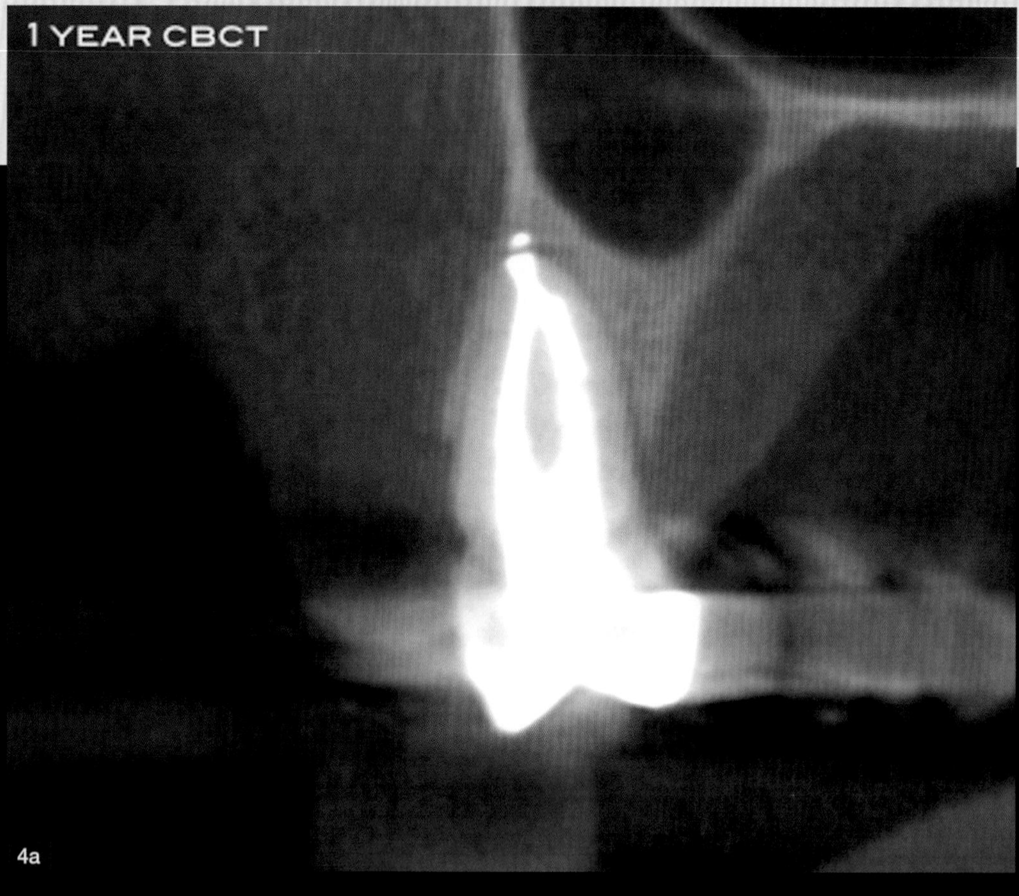

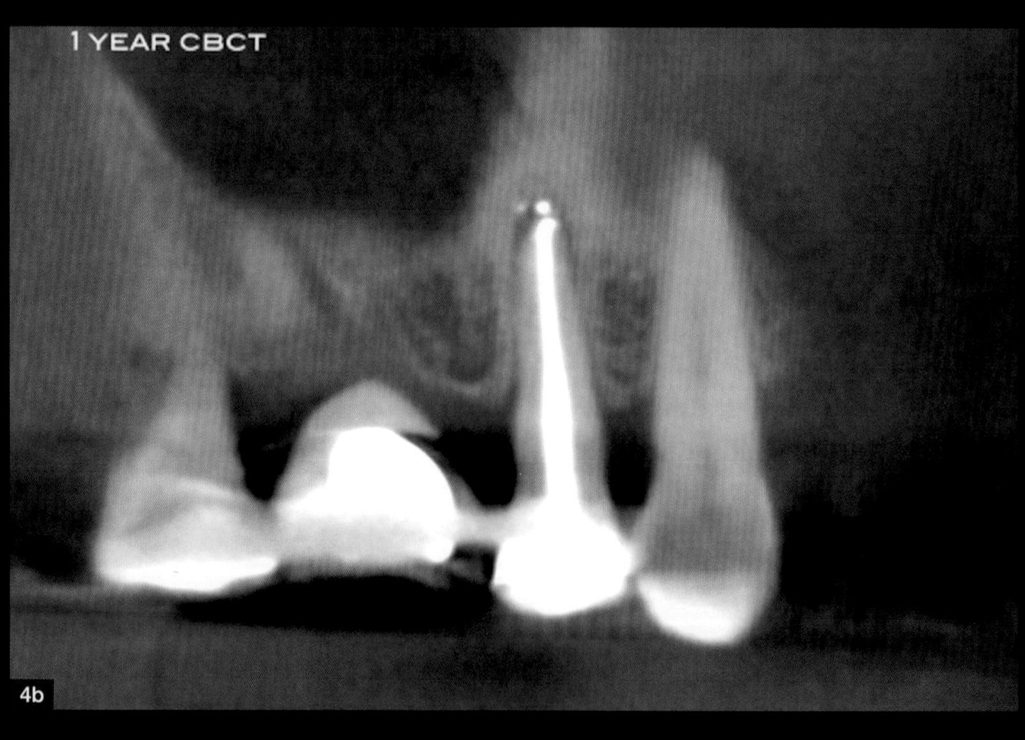

Figure 4a, b 술후 1년 CBCT에서 치근단 병소가 거의 치유된 것을 확인할 수 있다.

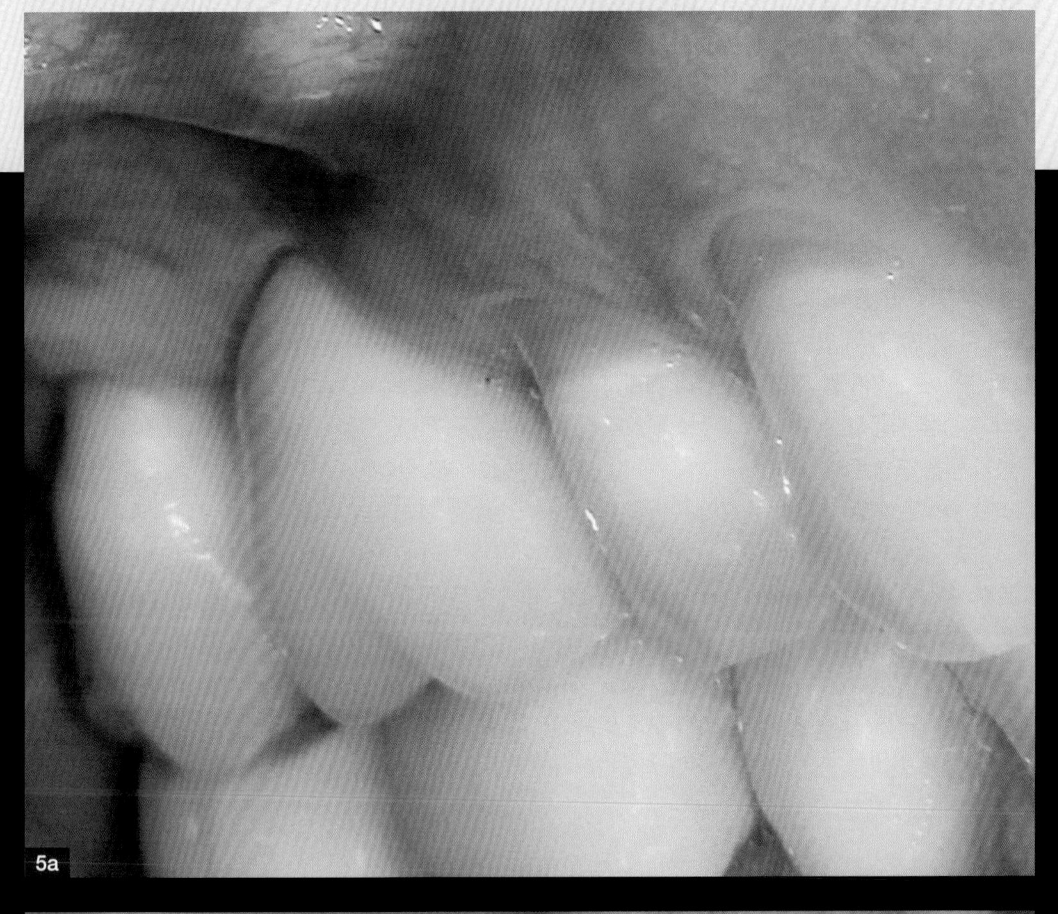

[illegible] 임상적으로 브릿지는 좋은 예후를 보인다.

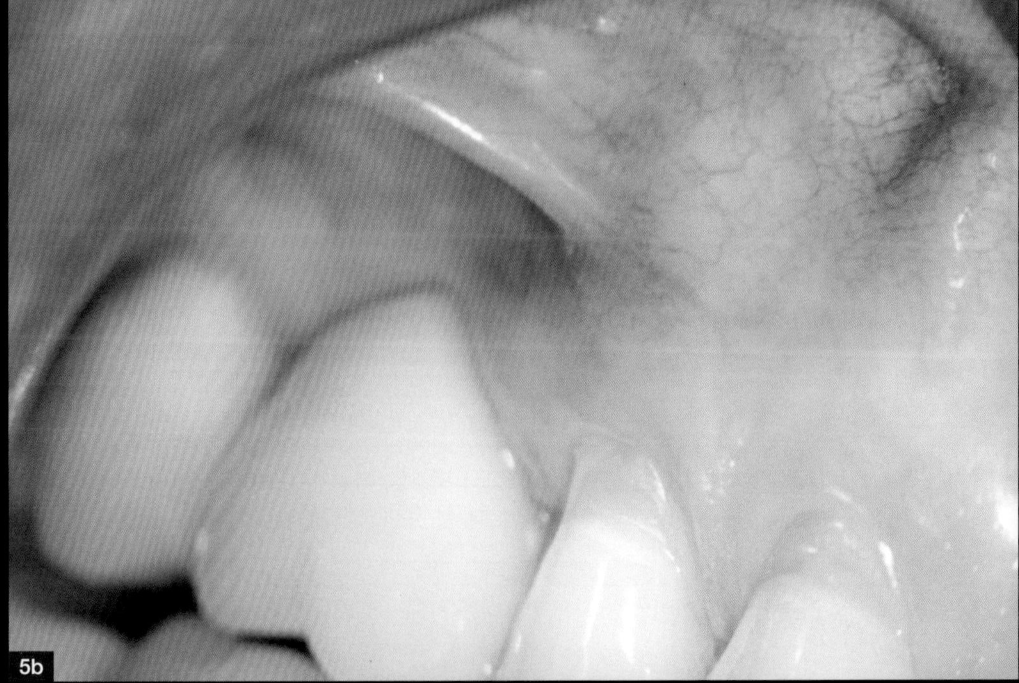

근관 내 장애물: 사전 분석

치근단 병소가 있는 근관치료된 치아에서 근관 내에는 다양한 재료가 들어 있을 수 있다. 감염된 근관 내 조직과 이전 치료에 사용한 재료를 제거하는 것은 근관의 치근단 부위에 접근하고 근관계를 적절하게 성형, 세척 및 충전하는 데 필수적인 전제 조건이다.

20세기 말부터 근관 내 장애물을 제거하는 데 도움이 되는 많은 기술이 제안되었다.[24, 25] 이러한 기술은 버,[26] 특수한 플라이어,[27] 초음파 기기,[28, 29] 솔벤트, 킬레이트 제제 또는 스프링클러,[30] 근관 내에서 파절된 근관 기구를 제거하기 위해 기계적 또는 접착 기법을 사용하는 마이크로 튜브 시스템[31] 및 추출기 등을 포함한다.[32-36]

이러한 술식은 종종 의원성 손상의 위험을 동반하므로 임상의는 사용 가능한 치료 옵션을 고려한 뒤 치료를 시작하기 전에 환자에게 정확하게 알리는 것이 중요하다.

물론 전치부보다 근관 내 장애물을 제거하는 것이 더 어렵다. 구치부는 근관의 해부학적 구조가 복잡하고 수술용 현미경 등의 확대 기구를 사용하더라도 시야 확보가 제한적이다.

1981년 문헌에 보고된 바와 같이, 초음파 팁이나 특수 핸드피스에 체결된 기구(endosonic 파일)는 근관계의 깊은 부위까지 도달 가능하므로 파절된 기구 및 접착된 포스트를 제거하는 데 유용하게 사용된다.[37] 근관에서 장애물을 제거할 때는 항상 해당 치아와 주변 조직의 해부학적 구조를 고려해야 한다.

장애물을 제거할 때 상아질을 과도하게 삭제하면 수복이 어려워지고 치아의 예후가 나빠진다. 시술 부위의 좋은 시야를 확보하려면 장애물에 대한 직선 접근(straight line access)이 필수적인 것을 명심해야 한다. 만곡이 있거나 좁은 근관에서는 가시성이 감소한다.

수술용 현미경의 사용은 시술 부위의 직접적인 시야 확보와 더 나은 광원을 얻기 위해 필수적이므로, 수술용 현미경을 사용할 수 없는 경우에는 근관 내 장애물을 제거해야 하는 임상 증례를 치료하기 어렵다(**Fig. 3.36**). 또한, 술자의 기술과 경험은 이러한 장애물 제거의 성공과 안전에 영향을 미치는 중요한 요소이므로 임상에 적용하기 전에 관련된 기술을 완벽하게 익혀야 한다.[38]

Table 3.3 **근관 내 접근을 어렵게 하는 임상적 요소**

원인	결과
부적절한 근관 와동	근관 내부에 잘못된 방향으로 기구가 삽입되면 근관 형성의 오류나 기구의 파절이 발생할 수 있다.
부적절한 치관부 확대	근관의 치관부가 부적절하게 형성되면 근관 성형 기구를 사용할 때 간섭을 일으켜서 파절, 근관 폐쇄, ledge, transportation 등의 발생 가능성이 높아진다.
부적절한 근관 세척제의 사용	최근 사용되는 기구는 삭제력이 뛰어나고 잔사를 발생시키는 경향이 있다. 세척제가 불충분하면 근관 내부에 잔존 유기물, 거타퍼챠, 및 sealer가 쌓일 수 있고 이는 근관을 막을 수 있다.
근관의 크기에 비해 직경이 너무 크거나 유연하지 않은 기구의 사용	큰 직경의 강철(steel) 기구는 근관의 해부학적 구조를 따라가기 어려우므로 step이 형성될 위험이 증가한다. 근관 성형 기구를 사용할 때 치근단 방향으로 과도한 수직 압력을 가하면 근관벽에 step이 생길 수 있다.

Box 3.2 **실버콘**

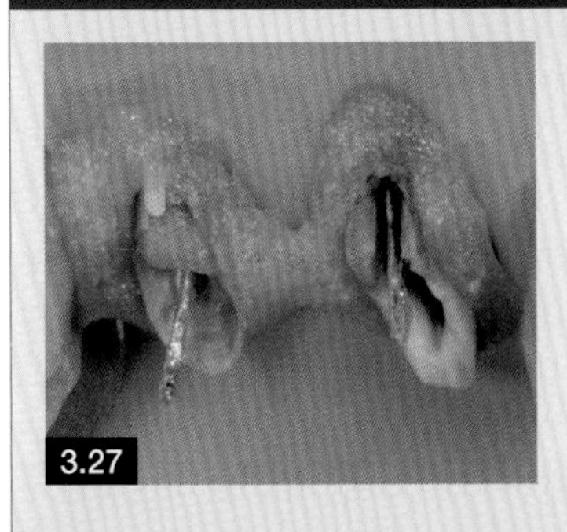

꽤 오래 전부터 사용되지 않았지만, 실버콘은 재치료 시에 가끔 근관 내부에서 발견되고 대부분 부식되어 있어서 매우 약해져 있다. 따라서 임상의는 실버콘을 제거할 때 주의해야 한다.

초음파 기구가 항상 필요한 것은 아니지만, 실버콘에서 주변 충전 재료나 sealer를 분리하는 데 유용하다. 주의해서 접근하면 근관에서 실버콘을 제거하는 과정은 매우 간단하고, 아래 증례와 같이 이후의 효과적인 근관 성형이 가능하다. 이것은 실버콘의 직경이 실제 근관의 크기와 거의 일치하지 않기 때문이다.

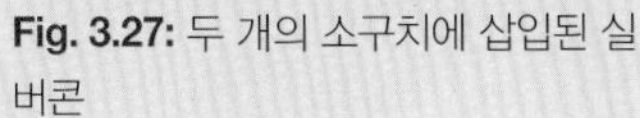

Fig. 3.27: 두 개의 소구치에 삽입된 실버콘

Fig. 3.28: 실버콘은 제거하는 것이 최선의 선택이다.

Fig. 3.29: 플라이어 팁의 확대 사진

Fig. 3.30: 드롭 해머를 사용하는 것이 유리할 수 있다.

Fig. 3.31: 체결 부위의 확대 사진

Fig. 3.32a-b: 제거된 실버콘

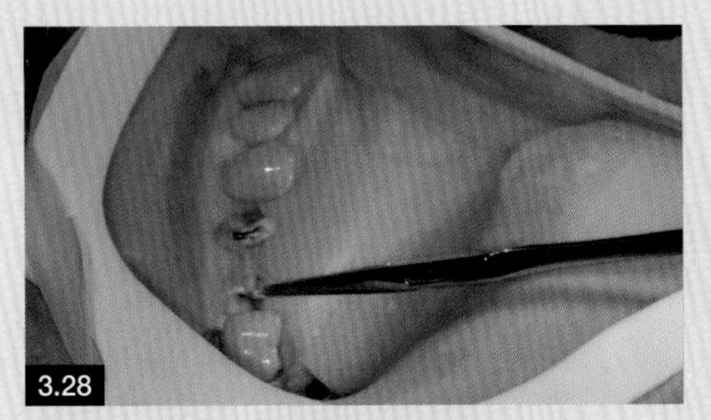

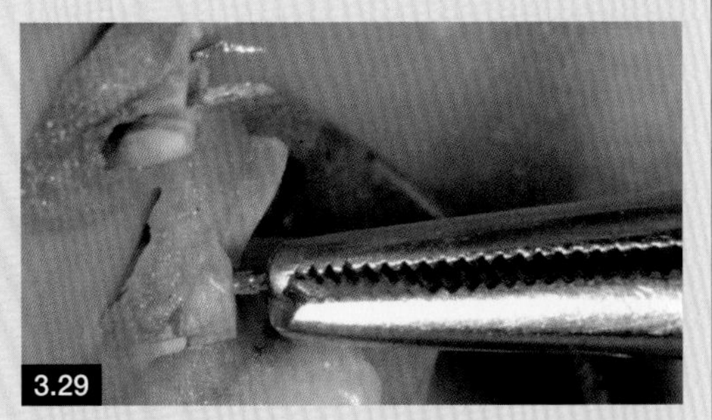

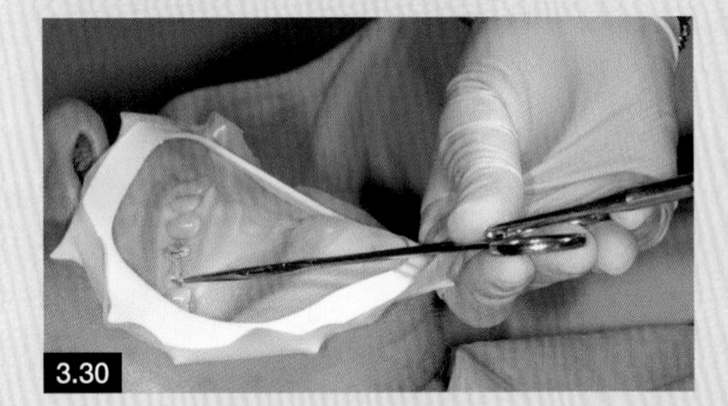

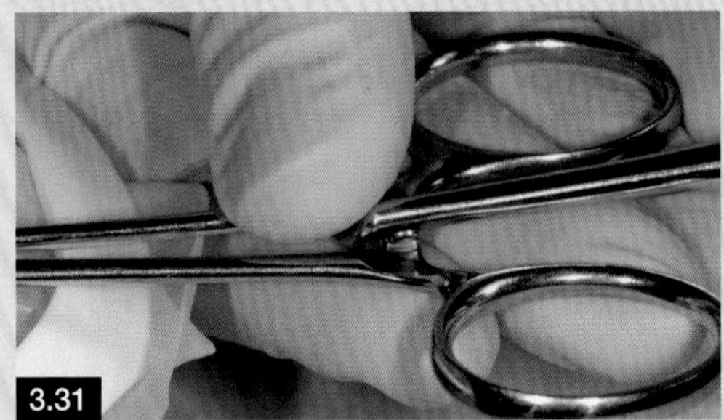

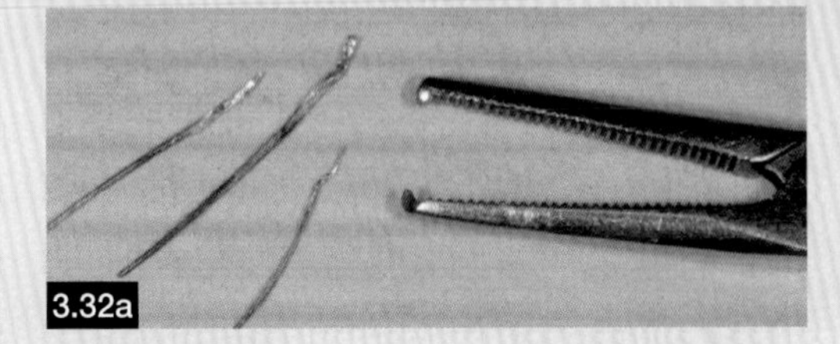

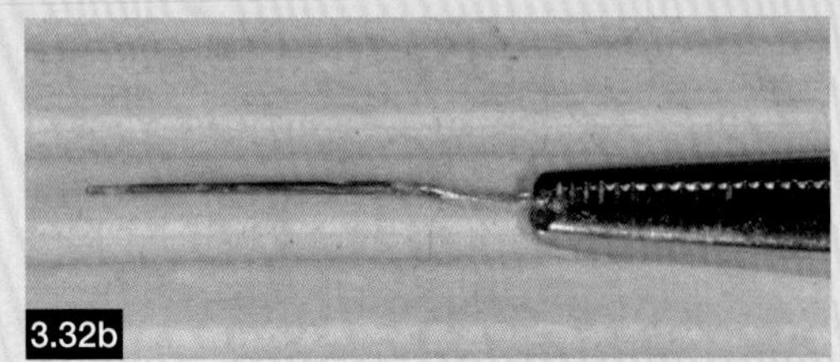

Fig. 3.33: 긴 실버콘과 치근단 병소를 가지는 치아는 재치료가 필요하다.

Fig. 3.34: 실버콘이 제거된 근관

Fig. 3.35: 근관 충전 후 X-ray

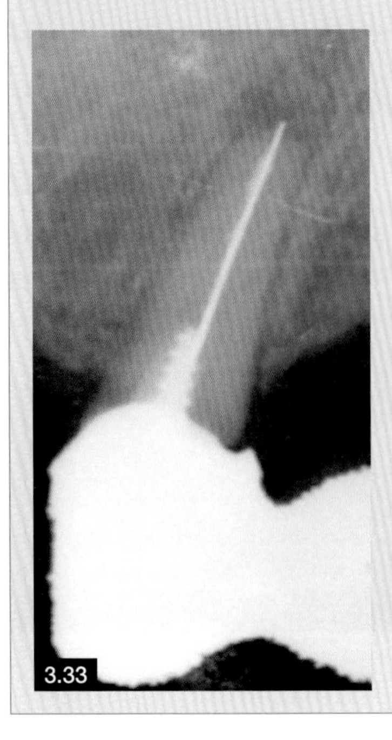

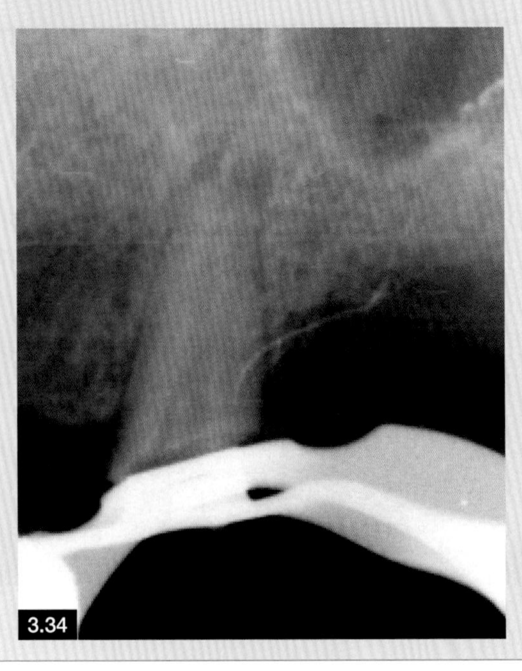

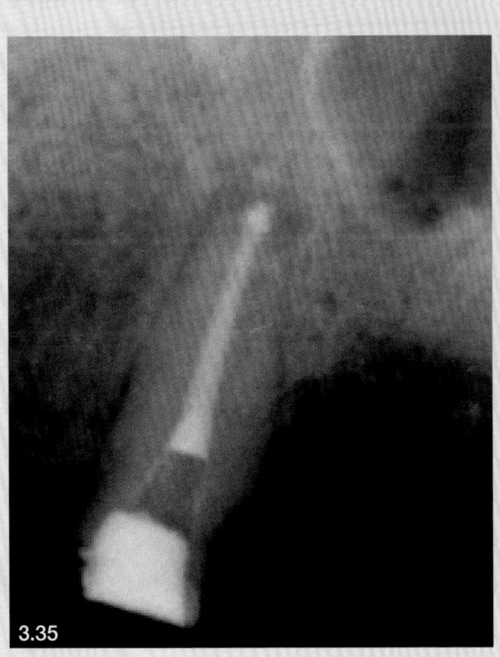

CASE
REPORT 5

실버콘 제거: 재치료 과정의 난제

실버콘의 제거가 이번 재치료 증례의 핵심이다. 예전보다는 적지만, 이러한 형태의 근관충전 재료는 항상 근관치료 전문의를 어렵게 한다. 전문의에게 의뢰된 아말감으로 수복된 하악 대구치의 재치료 증례를 소개한다.

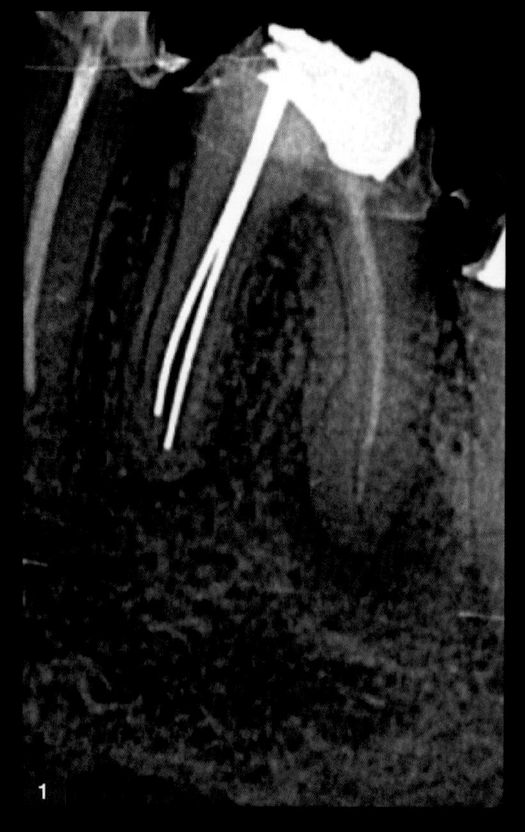

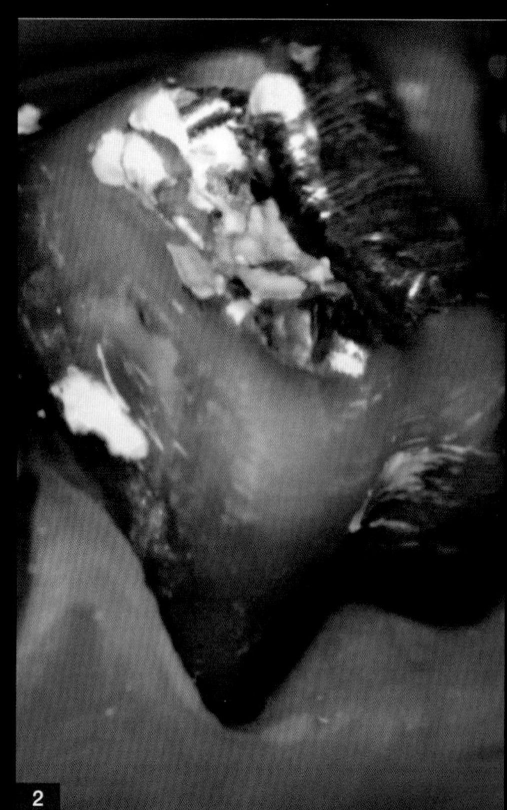

Figure 1 실버콘으로 충전되어 있고 근원심 치근 모두에 치근단 병소가 관찰되는 치근단 X-ray

Figure 2 치아는 타진에 무증상이다. 근심 근관은 실버콘으로 충전되어 있고, 상부는 아말감으로 수복되어 있다.

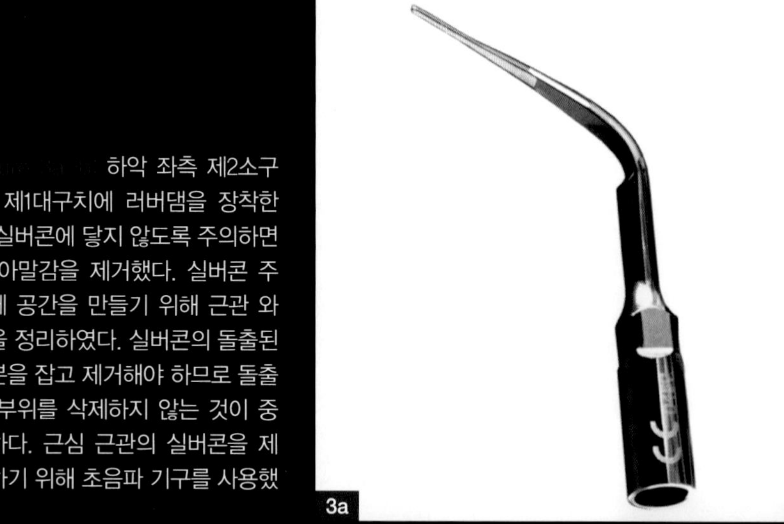

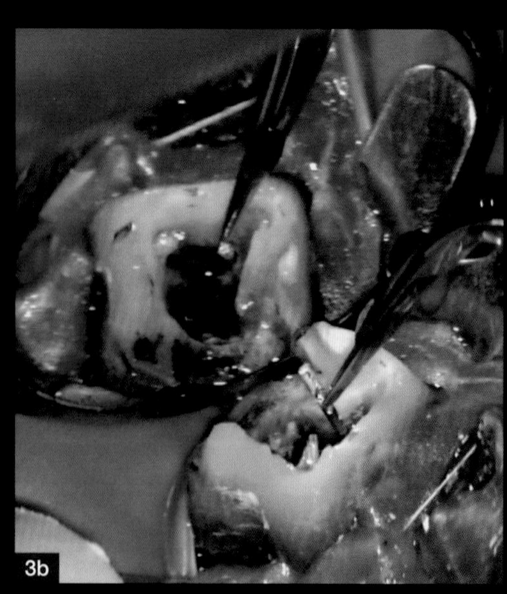

Figures 3a, 3b 하악 좌측 제2소구치, 제1대구치에 러버댐을 장착한 후 실버콘에 닿지 않도록 주의하면서 아말감을 제거했다. 실버콘 주변에 공간을 만들기 위해 근관 와동을 정리하였다. 실버콘의 돌출된 부분을 잡고 제거해야 하므로 돌출된 부위를 삭제하지 않는 것이 중요하다. 근심 근관의 실버콘을 제거하기 위해 초음파 기구를 사용했다.

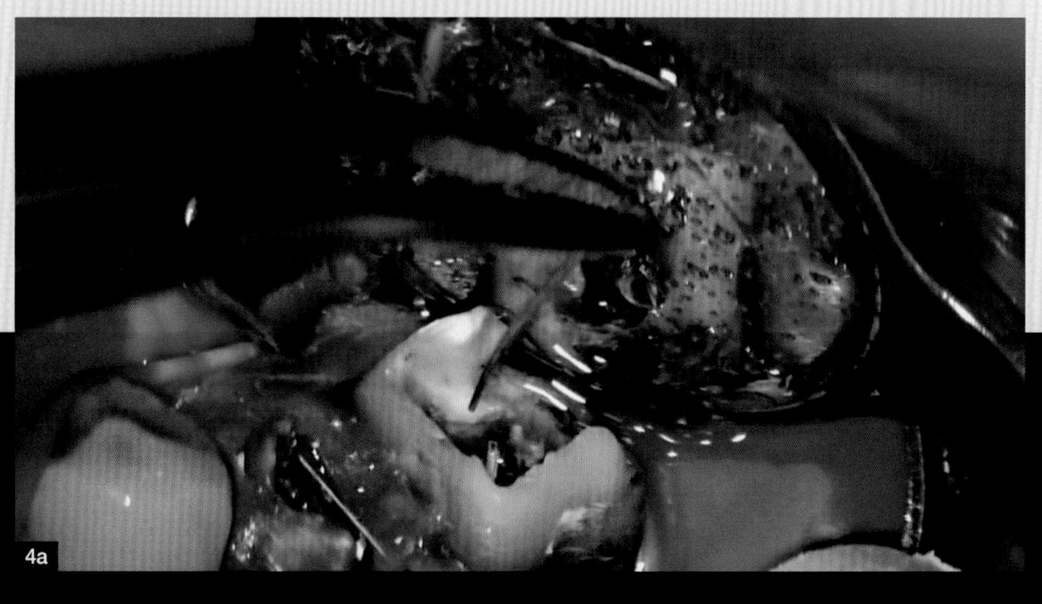

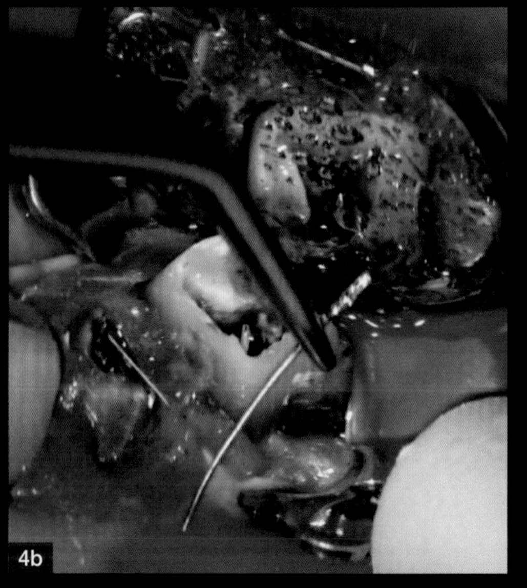

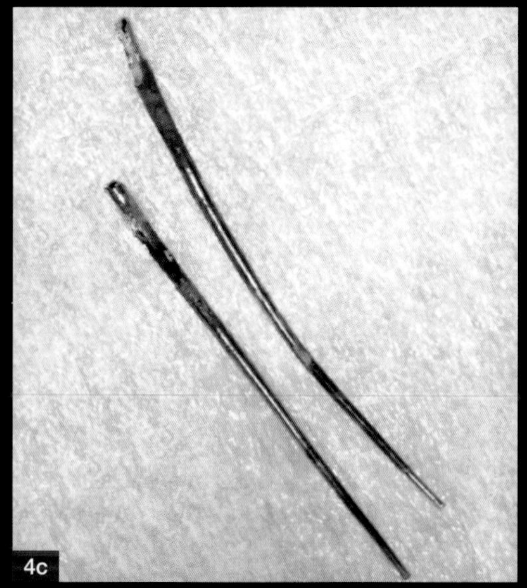

충분한 관주하에서 초음파 기구를 측방으로 힘을 가하며 사용하였고, 부드러운 은 합금에 홈이 생겼다. 각각의 실버콘이 근관에서 제거되었다.

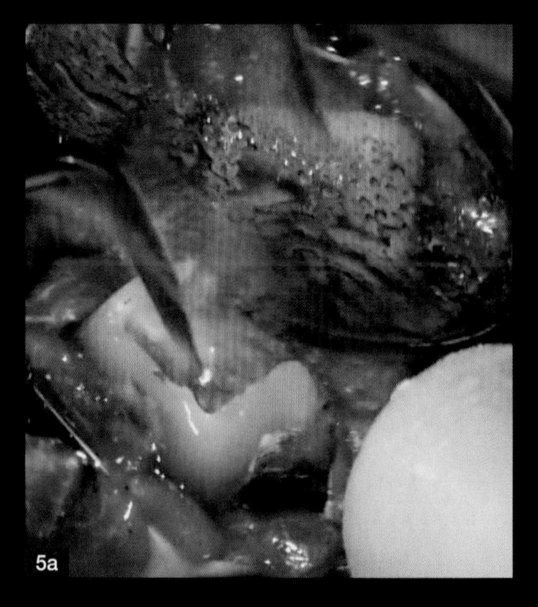

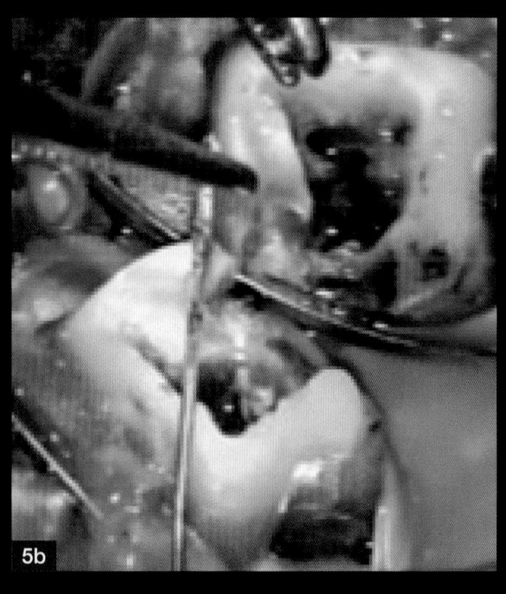

이전에 설명한 방법으로 다른 실버콘을 제거하였다.

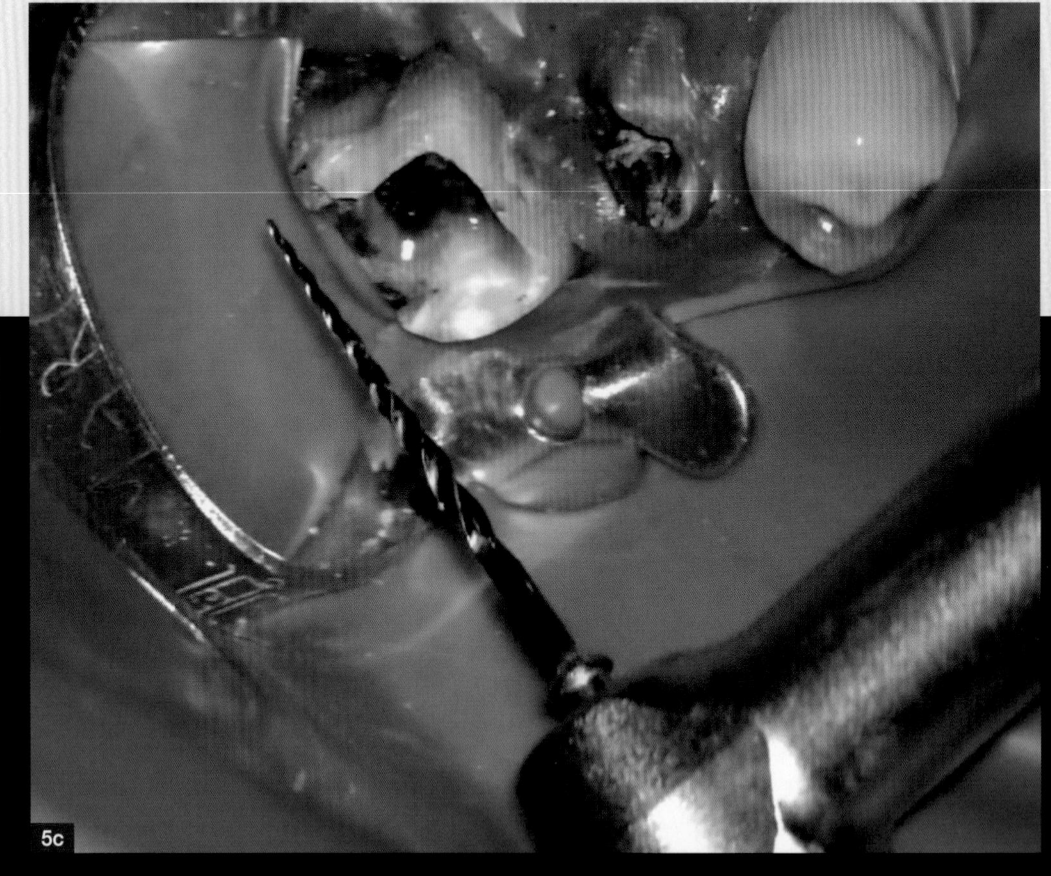

Figure 5c: 근관치료를 완료하기 위해 세 개의 근관 모두 적절한 NiTi 회전기구(One Flare, Micro Mega)를 사용하여 근관 성형하였다.

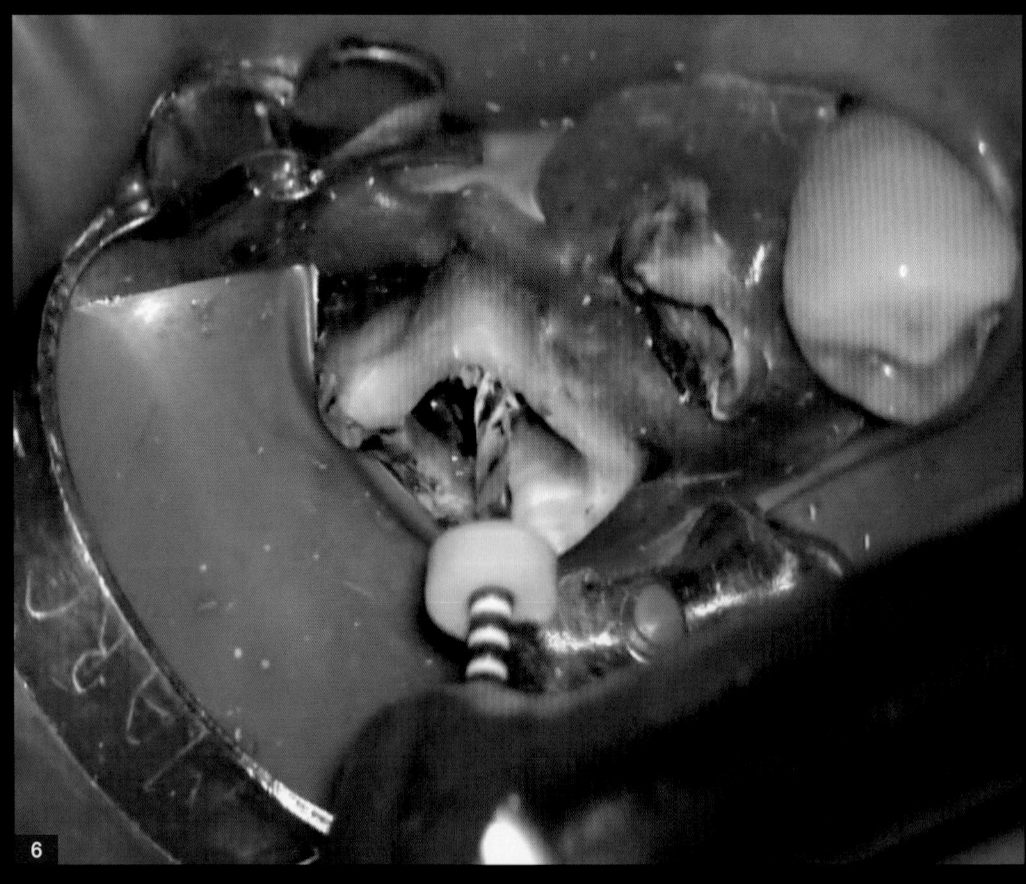

Figure 6: 적절한 근관장에 도달하고 glide path를 형성한 뒤 다른 NiTi 기구(Protaper Gold F1, Maileffer Dentsply, SUI)로 성형하였다.

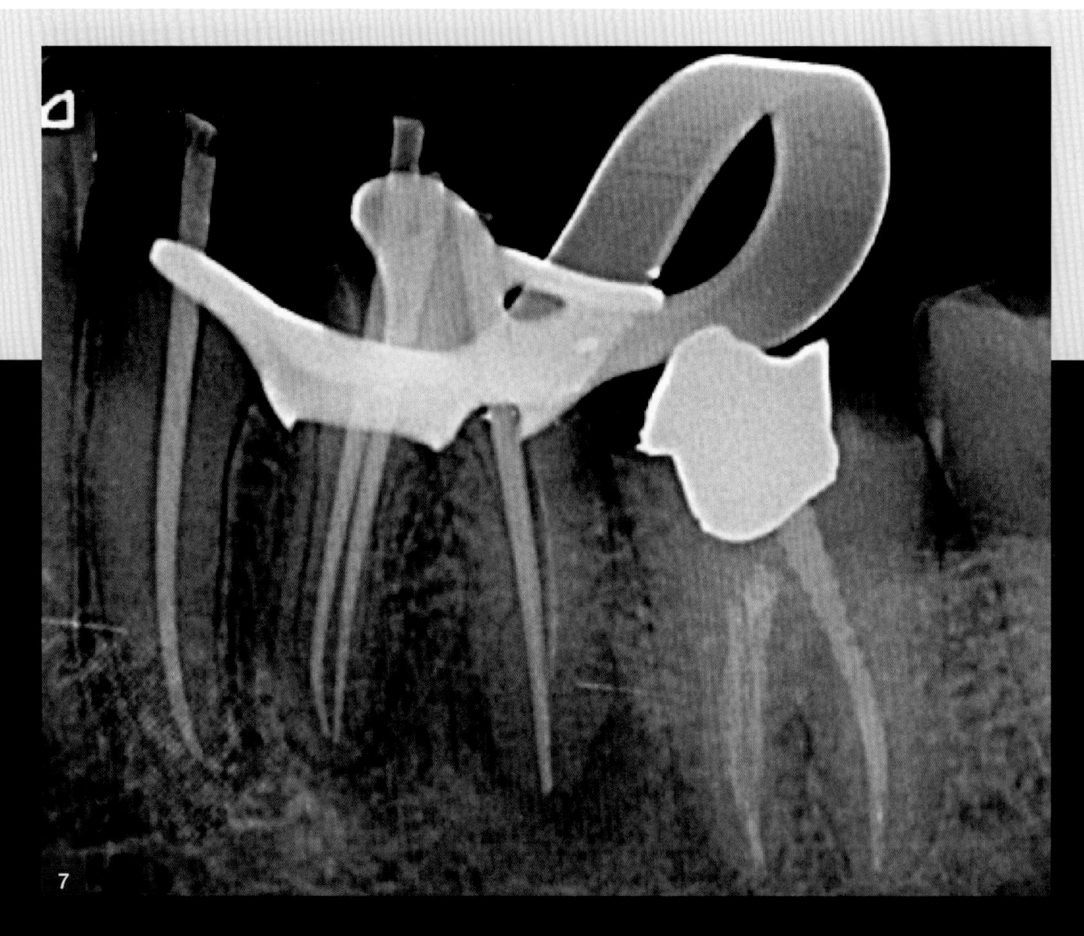

Figure 7: 근관 소독을 위해 충분한 양의 NaOCl으로 세척하였고 음파 기구(EndoActivator, Dentsply)로 세척액을 활성화하였다. 충전 전 거타퍼챠를 시적한 사진

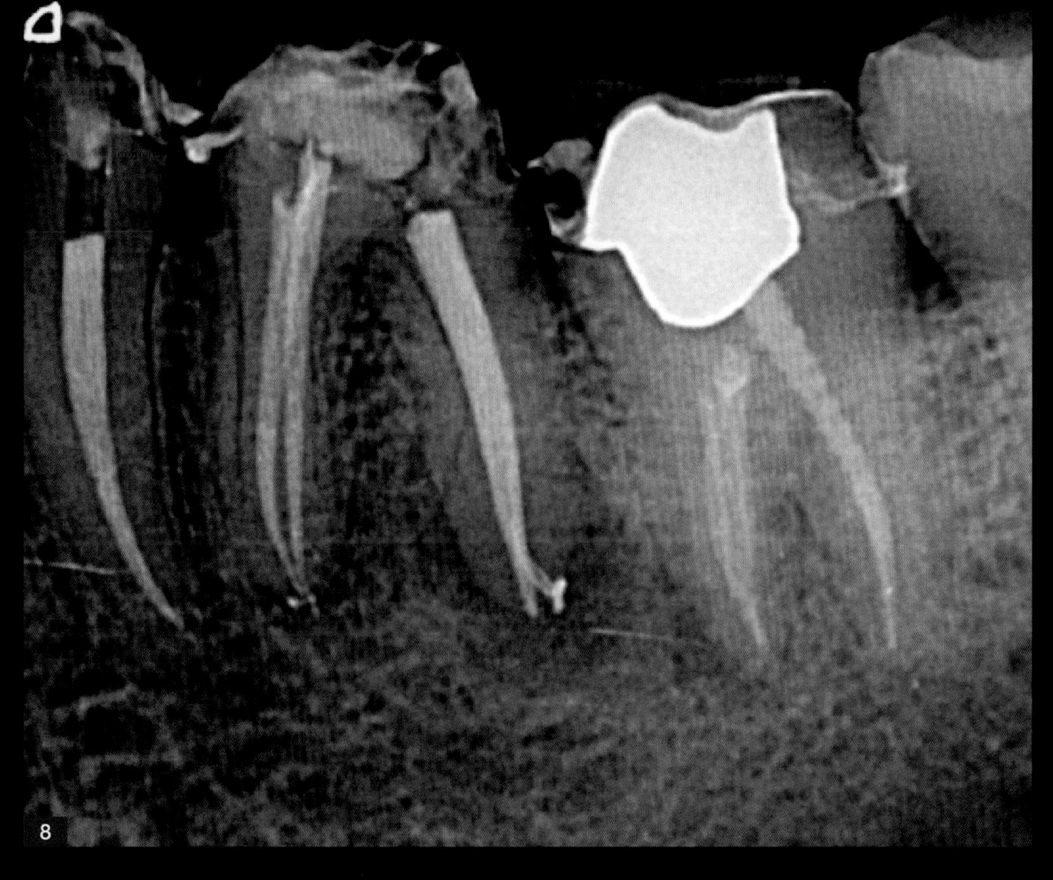

Figure 8: 수직가압법으로 근관 충전하였다.

Fig. 3.36: 수술용 현미경을 사용하면 근관 형태를 잘 파악할 수 있다.

Table. 3.4 **LIST OF INTRACANAL MATERIALS FOR USE IN RETREATMENTS**
• FILLING MATERIALS
Gutta-percha
Sealers
Preheated gutta-percha carrier system
Silver cones
• ENDODONTIC POSTS
• FRACTURED INSTRUMENTS

포스트의 제거

치질이 많이 손상된 치아는 교합력에 대한 수복물의 저항력을 높이기 위해 금속이나 파이버 포스트를 사용한다. 치아를 재치료 할 때 포스트의 유지 형태를 파악하여 제거 가능한지 판단하고 잔여 치아 구조와의 관계를 이해하는 것이 중요하다.

이것은 한 장 이상의 치근단 방사선 사진을 촬영하고, 필요한 경우 CBCT와 같은 3차원 방사선 검사를 통하여 포스트의 특성, 크기, 구조 및 포스트와 치근 사이의 비율을 확인해서 얻을 수 있다. Castrisos와 Abbott에 따르면[39] 포스트를 성공적으로 제거하기 위해 고려해야 할 필수 요소는 다음과 같다.

- 포스트의 유형, 직경 및 길이[40]
- 치근의 길이와 직경
- 잔존 상부 치질 및 치근의 구조
- 사용된 sealer의 종류(산화 아연–인산염 및 에폭시 레진 같은 "전통적인" sealer는 복합 레진 sealer보다 제거하기 쉽다).[41]

치료 전 고려해야 할 다른 요인으로 수복 형태, 교합 공간 및 교합면과 근관 입구와 연관된 포스트의 위치 등이 있다. 실제로 구치부에 포스트가 있는 경우, 특히 개구량이 적은 환자에서 제거가 더 어렵다. 치료 전 단계의 이러한 초기 분석을 통하여 근관 내 장애물을 제거하고 재치료를 할지 아니면 8장에서 다룰 내용인 외과적 접근이 바람직한지 여부를 평가할 수 있다.

재치료가 적절하다고 판단되면 근관 내 장애물을 성공적으로 제거하기 위해 사용할 가장 적절한 방법과 도구 및 필요한 기술을 결정하는 것이 중요하다. 이를 통해 포스트를 제거할 수 있는지 여부와 치료와 관련된 위험 요소(예: 치근 파절)에 대해 더 잘 이해할 수 있다.

진단 단계에서 포스트가 식립된 치아 주변의 치주 질환이나 누공의 존재 여부를 확인하는 것이 중요하다. 치주 질환이나 누공이 있는 경우 치수 질환이 아닌 치근 파절도 함께 의심해야 한다.

따라서 X-ray 영상뿐만 아니라 다른 임상 정보를 종합하여 계획을 수립해야 한다. 방사선 검사는 포스트의 유형, 삽입된 깊이 및 근관 벽과의 긴밀도에 관한 정보를 제공하여 임상의가 포스트의 크기와 잔여 치근의 양을 종합적으로 평가할 수 있게 한다.

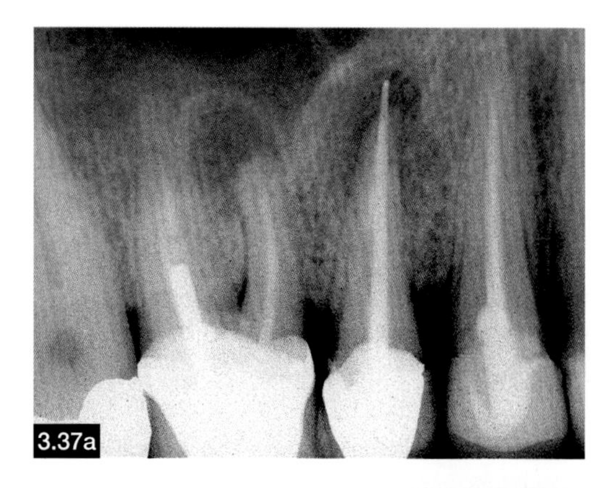

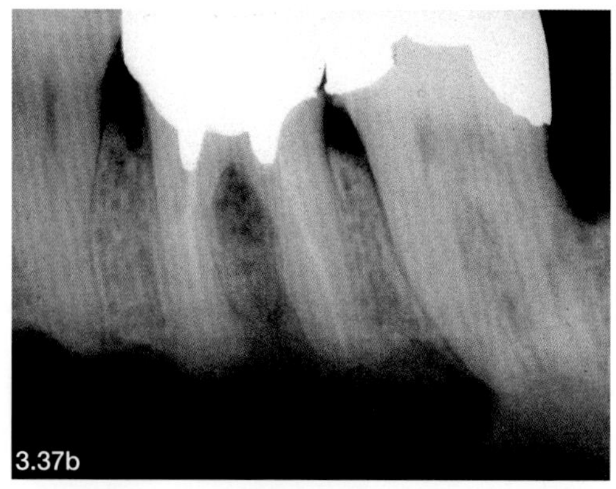

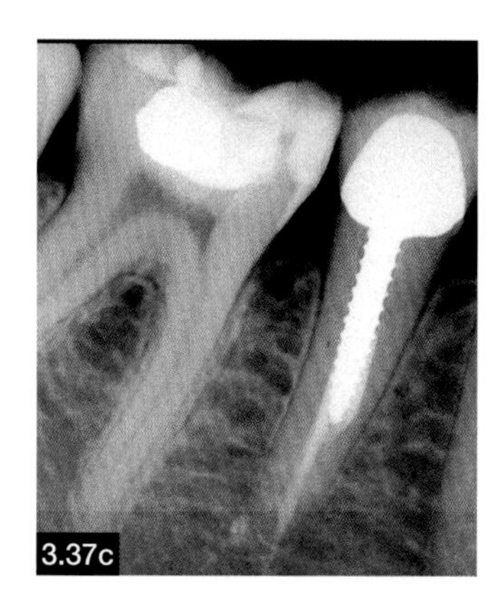

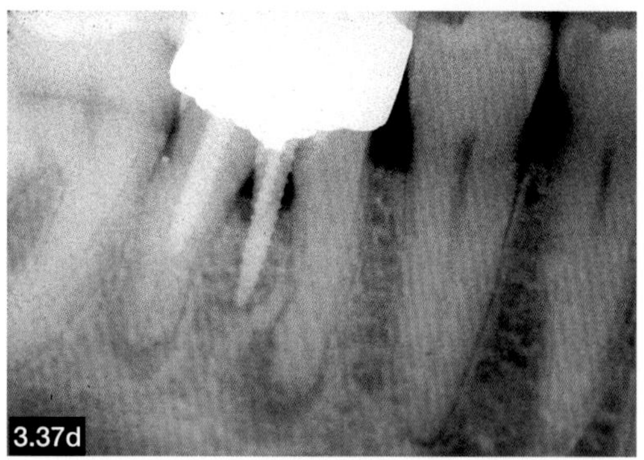

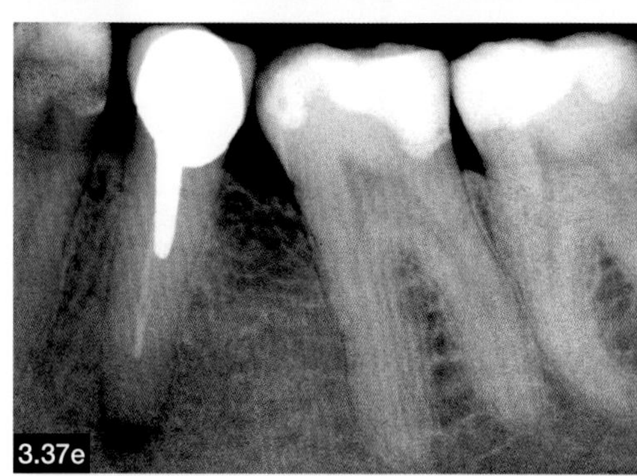

Fig. 3.37a-e: 근관치료가 실패한 치아에서 다양한 형태의 근관 포스트가 관찰된다. 치료의 실패는 포스트의 존재 여부에 의해 결정되지 않고, 치근 천공이나**(Fig. 3.37d)** 잘못 삽입된 경로**(Fig. 3.37c)**와 같이 삽입된 위치에 따라 결정된다.

Table 3.5 **포스트의 유형 및 제거 방법**

포스트 범주	포스트 유형	형태	제거에 사용하는 기구	과정
금속 나사형	티타늄, 강철, 합금 나사산	원통형/경사형	초음파 기구와 플라이어	포스트를 둘러싼 재료에서 포스트 헤드를 노출시킨다. 초음파 진동을 가한다. 초음파를 적용하는 중에도 나사가 풀리는 방향으로 힘을 가한다.
	주조물(금 혹은 귀금속 합금 혹은 비귀금속 합금)	해부학적	초음파 및 또는 특수 포스트 추출 기구	포스트를 둘러싼 재료에서 포스트 헤드를 노출시킨다. 초음파 진동을 가한다. 포스트 추출 시스템을 적용한다.
금속 합착형	기성주조 금속(티타늄, 강철, 혹은 비귀금속 합금)	원통형/경사형	초음파 및 또는 전용 포스트 추출 기구	포스트를 둘러싼 재료에서 포스트 헤드를 노출시킨다. 포스트 헤드와 포스트와 sealer 사이에 초음파 진동을 가한다. 포스트 추출 시스템을 적용한다. 포스트와 근관 사이의 적합도가 좋지 않기 때문에 이 과정은 비교적 간단하다.
파이버	글래스 파이버 혹은 탄소 함유 레진 매트릭스	원통형/경사형	초음파와 강철 혹은 텅스텐 카바이드 버	파이버 포스트의 중앙에 초음파 팁을 위치시키면 포스트가 분해되는 경향이 있다. 제거의 유일한 어려움은 파이버 포스트(검은색 탄소 포스트 제외)가 레진 및 주변 상아질과 색상이 비슷하기 때문에 구분이 어렵다는 점이다.
세라믹		경사형	초음파와 다이아몬드 버	제거는 매우 복잡하다. 다이아몬드 버는 포스트를 삭제하는 데 사용할 수 있고 초음파는 레진 실러에 부착된 부분을 분리하는 데 사용될 수 있다.

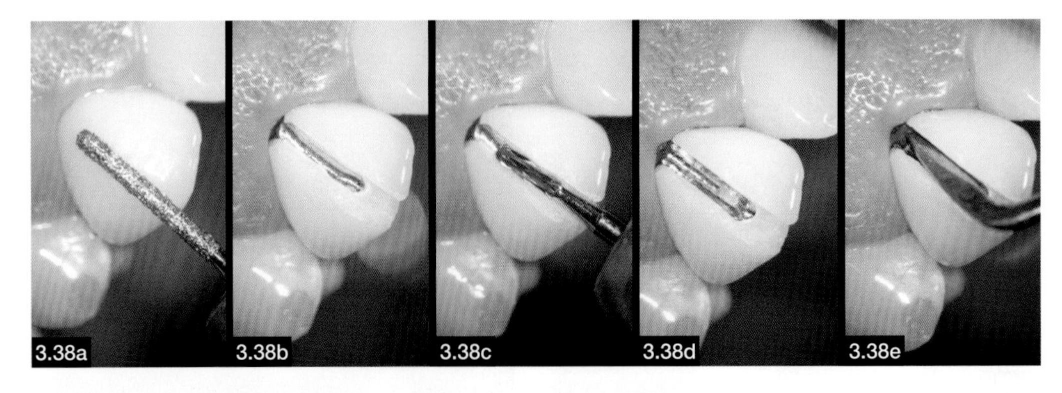

Fig. 3.38a-e: 재치료를 하기 위해 포스트에 의해 치근에 고정된 크라운을 제거해야 한다. 도재층은 다이아몬드 버로 제거하고 금속 부분은 텅스텐 카바이드 버로 제거한다. 크라운의 협측 표면에 홈을 생성한 뒤, 평평한 도구를 삽입하여 합착된 크라운을 제거한다.

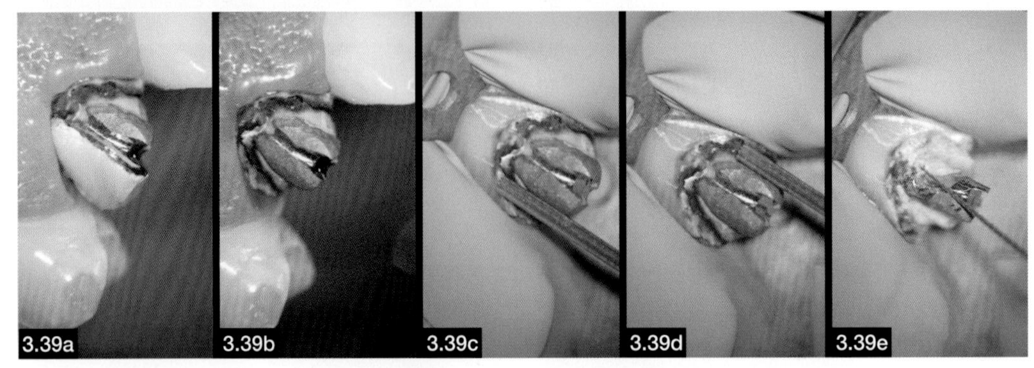

Fig. 3.39a-e: 포스트가 확인되면 상아질을 초음파 기구로 다듬는다.

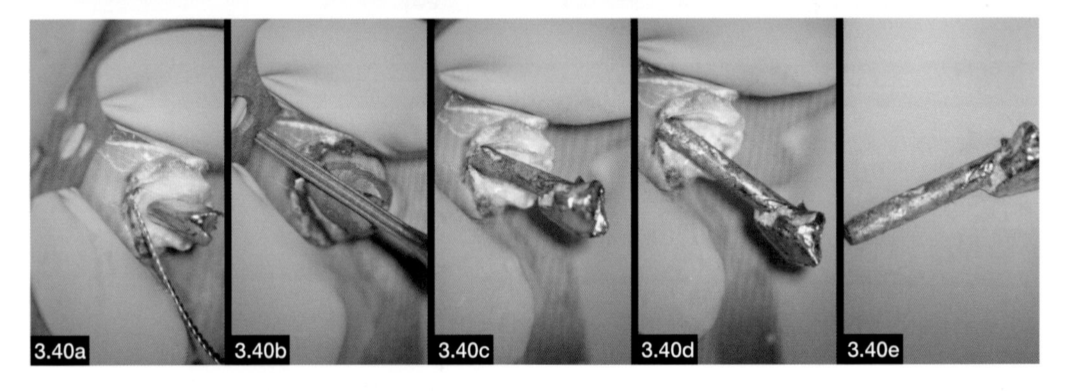

Fig. 3.40a-e: 초음파를 사용하여 포스트가 움직이게 하는 과정. sealer를 제거하기 위해 초음파 파일을 사용하는 방법과 포스트가 움직이도록 초음파 팁을 사용하는 방법을 유의해서 볼 것.

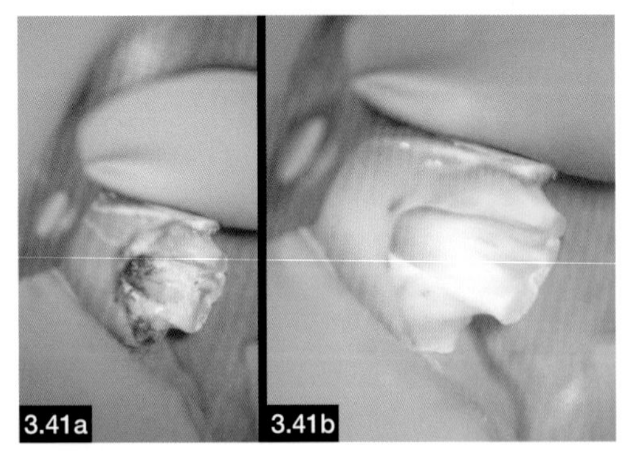

Fig. 3.41a-b: 포스트가 제거되었다.

이 정보는 CBCT[42-44]와 같은 검사를 통해 얻을 수 있다. 포스트를 제거하는 방법은 제거할 포스트의 유형에 따라 달라지므로 임상의는 현재 임상에서 사용되는 다양한 포스트에 대한 지식을 갖고 있어야 한다. **Table 3.5**에 현재 사용 가능한 다양한 유형의 포스트가 요약되어 있다.

포스트를 상아질에 고정하기 위해 사용되는 접착제가 포스트 제거 과정에 영향을 미칠 수 있다. 과거에 가장 널리 사용된 접착제는 산화 아연-인산염, 폴리카복실산 sealer, 글래스 아이오노머 sealer 및 에폭시 레진이었다. 오늘날 접착성 복합 재료의 인기가 높아지면서 포스트가 근관 벽에 강하게 접착되어 포스트의 제거가 어려울 수 있다. 초음파의 진동은 결합 재료에 미세 균열을 생성하는데 유용하므로 초음파 팁을 사용하면 포스트 제거가 훨씬 더 쉬워질 수 있다. 실제로 합착된 포스트에 초음파 팁으로 진동을 가한 후 제거하면 초음파 팁을 적용하지 않은 경우보다 약 25%의 적은 힘으로 제거할 수 있다.

초음파 팁을 적용하는 시간은 증례에 따라 다를 수 있지만 반드시 냉각을 하며 사용해야 한다.[45] 어떤 경우에는 포스트가 근관 벽에 제대로 접착되지 않아 진동만으로 제거할 수 있다. 때로는 부착된 모든 표면을 따라 진동을 전달하기 위해 초음파 팁을 포스트 머리 주변에 돌아가며 적용하는 것이 유용하다. 포스트와 치근의 크기가 허용하는 경우, 포스트와 상아질 사이 계면에서의 초음파 팁의 기계적 작용은 제거에 활용할 수 있는 공간을 만드는 데 도움이 된다.

나사형 금속 포스트

나사 형태의 금속 포스트는 매우 일반적이고 종종 근관에 얕게 삽입되어 있어서 제거하기 쉽다. 나사를 푸는 것이 최선의 방법이다. 그러나 나사를 푸는 동작을 하려면 포스트 헤드가 포스트를 유지하는 수복물에서 분리되어야 한다.

포스트가 근관에 나사로 고정되어 있으면 시계 반대 방향으로 제거해야 한다. 초음파도 시계 반대 방향으로 회전하면서 사용하는 것이 유리하다. 치관 부분의 포스트가 노출되면 적절한 파지 도구를 이용하여 포스트 헤드 부분을 잡고 회전시켜서 근관에서 포스트를 제거할 수 있다.

포스트가 근관 폭보다 좁아서 공간이 있는 경우 특수 초음파 기구를 삽입하여 사용하면 포스트의 치관부 상아질 벽에서 접착제를 제거할 수 있다.

이 단계에 가장 적합한 기구는 초음파 핸드 피스에 연결된 파일(K 파일 15-20-25-30)이다. 또한 이러한 팁을 이용해서 임상의는 포스트와 접착제 사이의 더 깊은 곳까지 기구를 넣을 수 있다. 초음파 진동과 이러한 움직임의 상호작용은 치근단 부위의 포스트와 접착제의 결합을 파괴하는 데 도움이 된다.[46]

접착제의 강도에 따라 제거 성공 여부가 결정된다. 하지만 포스트의 헤드가 노출되어 있어서 추출 기구를 사용할 수 있다면 추출 기구의 사용이 치료의 첫 번째 옵션이 될 수 있다. 초음파 팁을 물과 스프레이로 냉각하는 것이 좋다. 그렇지 않으면 핸드피스와 초음파 팁이 포스트를 과열시켜서 열이 치주인대에 전달될 수 있다.

반면에 포스트가 근관에 잘 붙어 있지만 상당 부분이 근관 외부로 노출된 경우, 지혈용 플라이어 또는 유사한 기구를 사용하여 초음파 에너지를 근관 내로 간접적으로 전달하는 동시에 포스트의 제거를 시도할 수 있다. 임상의가 지혈용 플라이어를 잡고 조금씩 포스트를 제거하려고 힘을 가하고, 동시에 진료 보조자는 지혈용 플라이어에 초음파 팁을 적용해서 진동을 가한다(four-handed technique). 그러나 이 방법은 치근 상아질에 균열을 야기할 가능성이 있음을 명심해야 한다.

적절한 길이와 직경의 포스트가 근관에 잘 맞고 플라이어가 포스트의 머리 부분을 잡을 수 없는 경우(혹은 접근 불가능한 경우) 포스트에 대한 초음파 진동의 영향은 제한적이다. 결과적으로 임상의는 포스트를 갈아내기 위해 추출기 혹은 전용 버의 사용과 같은 대체 치료법을 고려해야 한다. 텅스텐 카바이드 버는 앞에서 설명한 대로 포스트의 일부를 분리하는 데 적합하다.

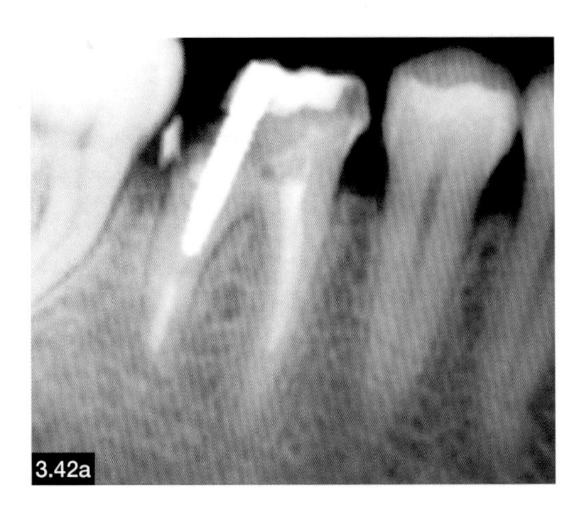

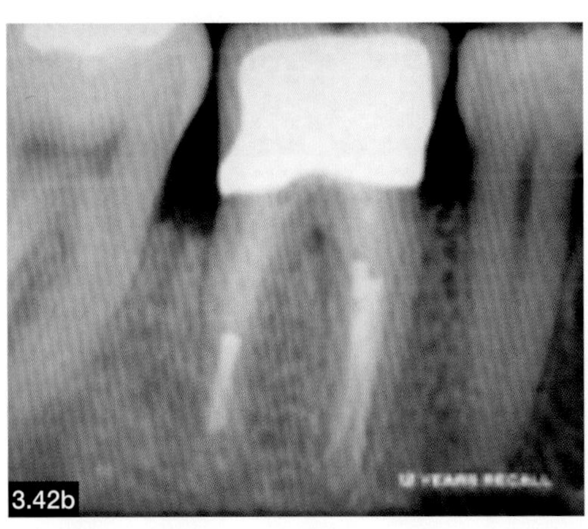

Fig. 3.42a: 하악 대구치의 원심 치근에 나사형 포스트가 삽입되어 있다.

Fig. 3.42b: 12년 추적관찰 사진

금속 어버트먼트 포스트

주조 금속 포스트는 일반적으로 근관 벽에 잘 맞고 근관 깊이 삽입되어 있다. 이러한 경우, 임상의는 주조 포스트를 제거하려고 시도하기 전에 치근이 파절되거나 매우 약해질 가능성을 고려하여 수술적 접근 가능성을 평가해야 한다. 금속 주조 포스트의 제거가 간단한 경우에는 전용 팁 또는 추출기가 가장 적합한 도구일 것이다.

포스트 제거 키트(Post Removal System, PRS 또는 Gonon)에는 플라이어, 포스트 헤드를 다듬을 버, 다양한 내부 직경의 코어 버 5개, 내부 직경 0.6–1.60 mm의 맨드릴 5개, 더 강한 토크를 위한 버, 제거하려는 힘으로부터 치아를 보호하기 위한 다양한 직경의 고무 충격 흡수 디스크가 포함되어 있다.

이러한 기계적 추출 시스템을 사용하기 전에 치수강 내부의 포스트 헤드를 완전히 노출시키고, 근관 입구 부위의 시야가 완벽하게 확보되어야 한다. 적절한 코어 버 도구가 포스트 머리 부위에 적용되면 임상의는 제거 작업을 시작할 수 있다. 맨드릴에 고무 디스크를 장착하면 견인력을 줄여서 교합력이 치아의 접촉면에 고르게 분산된다.

맨드릴을 포스트에 완전히 적합시키면 임상의는 맨드릴을 시계 반대 방향으로 돌려 안쪽으로 조일 수 있다. 강한 힘으로 맨드릴을 반시계 방향으로 1/4 회전하면 맨드릴이 포스트의 머리 위로 내려가서 단단하게 조여진다.

맨드릴은 포스트의 머리에 최소 1 mm, 가능하면 2–3 mm 정도 조여져야 하고 스레드가 벗겨지지 않도록 주의해야 한다. 맨드릴이 포스트에 단단히 조여지면 플라이어를 맨드릴에 놓을 수 있다. 한 손으로 기구를 단단히 잡고 다른 손으로 플라이어의 다른 쪽 끝에 있는 나사를 조인다.

이런 방법으로 플라이어 beak가 열리면 다른 쪽 끝의 압력이 증가한다. 이 단계에서 임상의는 고무 디스크가 치아를 올바르게 보호하고 있는지 확인해야 한다. 플라이어 끝의 나사를 돌리는 데 어려움이 있는 경우 임상의는 계속 진행하기 전에 몇 초 정도 기다려야 하고, 필요시 초음파 활성된 CPR–1을 포스트에 가능한 가까운 위치의 맨드릴 위에 적용한다. 한편으로 이것은 근관 내 포스트의 유지력을 감소시키고 다른 한편으로는 플라이어 끝의 너트와 나사를 더 돌릴 것이다.

이 조합은 근관에서 주조 포스트를 제거하는 훌륭한 방법이다. 그 후, 초음파 팁을 사용하여 거타퍼챠가 보일 때까지 sealer 또는 포스트 고정 재료를 분리할 수 있다. 포스트가 계속해서 상아질에서 제거가 안 될 경우, 피벗 바를 맨드릴 헤드에 삽입하여 지렛대 효과를 높이고 동시에 초음파 진동을 사용하여 sealer를 분해함으로써 제거 과정을 쉽게 할 수 있다.

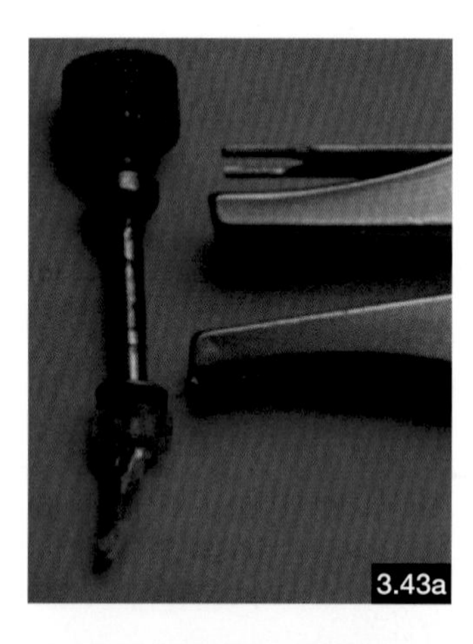
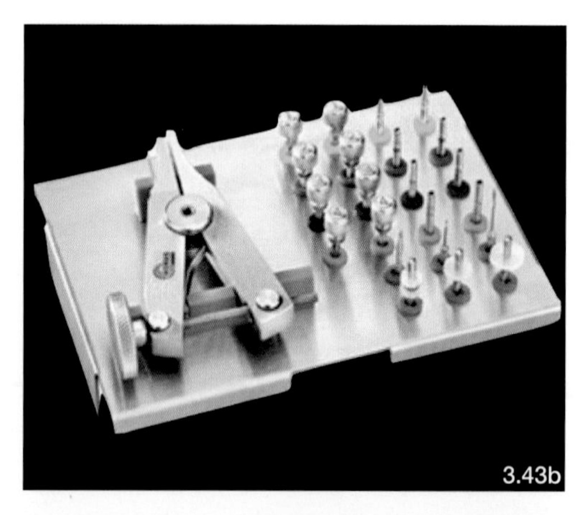

Fig. 3.43: **(a)** 전용 시스템을 사용하여 제거된 포스트, **(b)** 근관 포스트 추출 도구(Gonon)의 예

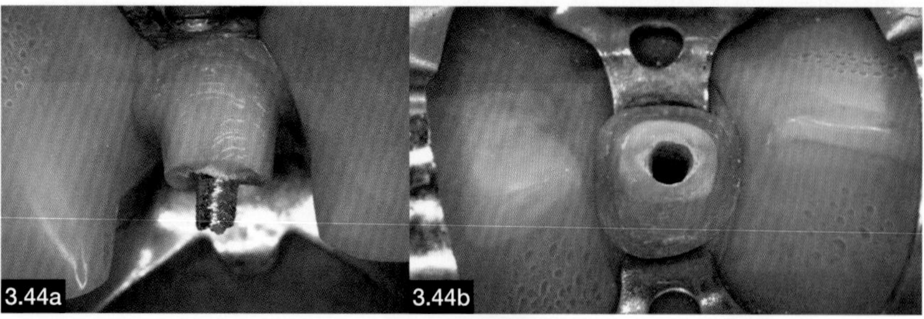

Fig. 3.44: **(a)** Gonon 시스템으로 제거하기에 적합한 근관 포스트, **(b)** 포스트가 제거된 근관

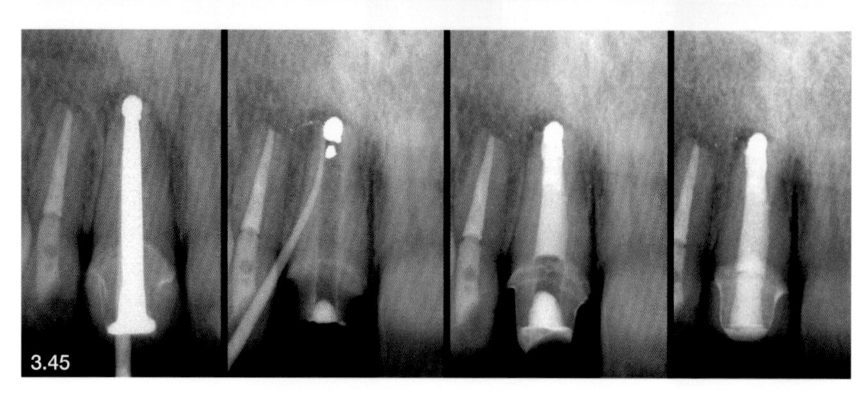

Fig. 3.45: **(a)** 치료 전 X–ray, **(b)** 근관 개방된 X–ray (부적절한 아말감 폐쇄에 주목할 것), **(c)** 근관 충전, **(d)** 추적관찰 사진

파이버 포스트

접착된 파이버 포스트를 갖는 근관의 재치료는 초음파 팁과 적절한 확대 도구를 사용해야 한다.[47] 이러한 경우 초음파를 사용하여 파이버 포스트의 구조를 파괴하는 것이 최적의 방법일 것이다.

초음파는 포스트의 세로 섬유와 레진 매트릭스를 분해하여 완전히 긁어내는 역할을 한다. 심미적인 치아색 포스트는 상아질과 구별하기 어렵기 때문에 탄소 포스트보다 제거하기가 더 어렵다. 이는 의원성 손상으로 이어질 수 있다.

이 과정 중에 초음파 팁과 포스트의 치관 부분을 직접 볼 수 있도록 건조한 상태에서 작동하는 것이 중요하다. 또한 손상된 포스트와 잔여 상아질을 제거하고 더 나은 시야를 확보하기 위해 공기와 물 스프레이로 치아를 냉각 시켜야 하는 것을 명심해야 한다.

치료 성공을 위해서는 접착에 사용된 모든 복합 재료를 제거하는 것이 중요하다. 잘 접착된 경우 접착제와 상아질 벽을 구분하기 어려운 경우가 많다. 따라서 이러한 재료를 제거하려면 확대 도구를 사용하여 상아질에 부착된 잔여 접착제 위에 초음파 팁을 선택적으로 적용해야 한다. 드릴이나 프로브 팁은 접착제 표면에 어두운 표식(dark mark)을 남기므로 상아질과 구분 가능해서 접착제를 선택적으로 제거할 수 있다.

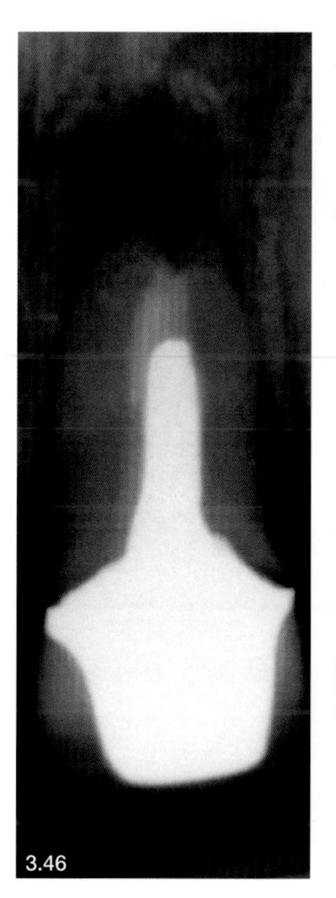

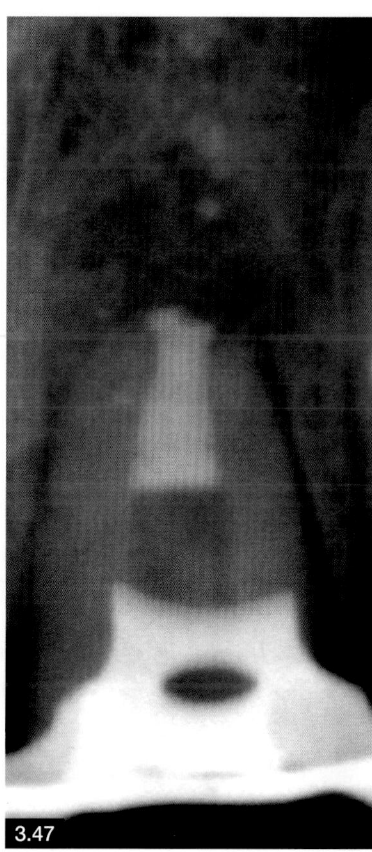

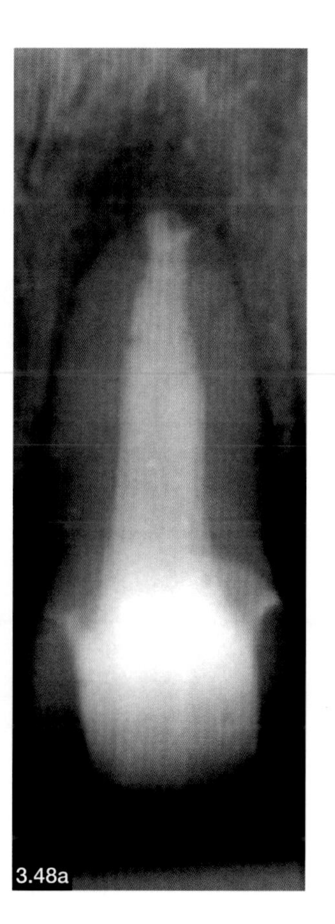

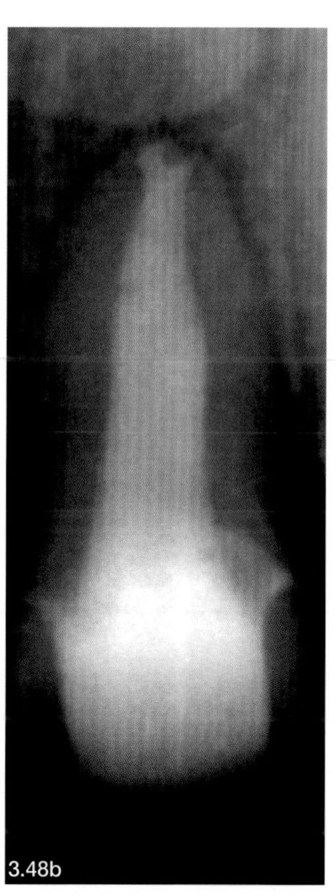

Fig. 3.46: X-ray에서 중절치에 지대주 포스트(abutment post)가 관찰된다.

Fig. 3.47: 포스트를 제거한 후 MTA로 치근단을 밀폐하였다.

Fig. 3.48a: 치관부 밀폐

Fig. 3.48b: 2년 후 사진

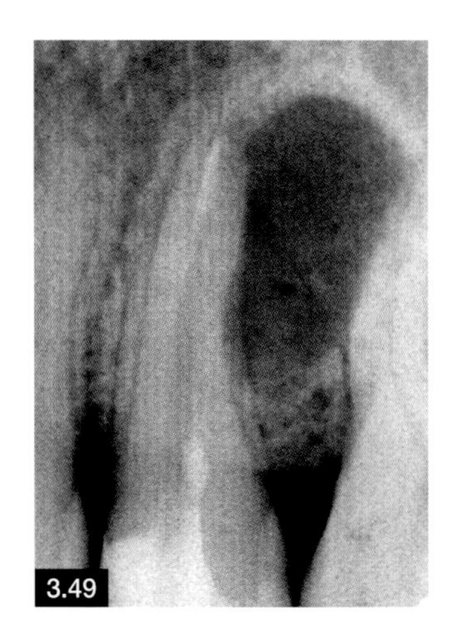

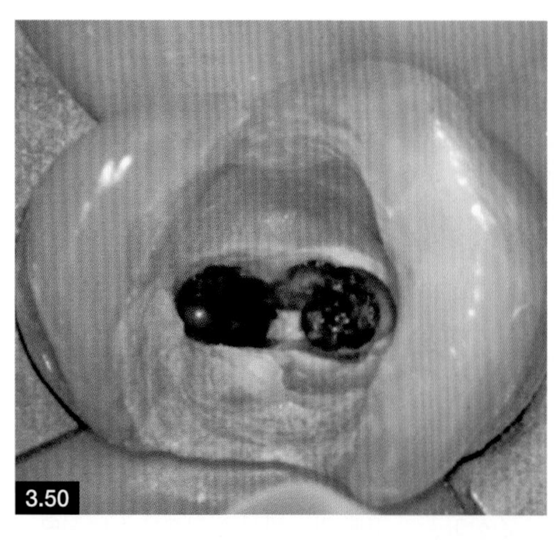

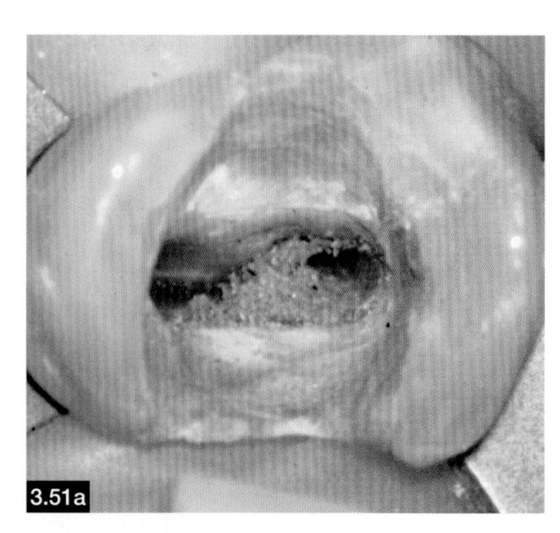

Fig. 3.49: 소구치의 측방에 병소가 관찰되고, 충전이 적절하지 않아 보이며 근관에는 파이버 포스트가 식립되어 있다.

Fig. 3.50: 파이버 포스트는 협측 근관을 막고 있다.

Fig. 3.51a: 포스트를 제거하기 위해 밀링 버를 사용하였고, 쉽게 제거된다.

Fig. 3.51b: 근관은 쉽게 재치료할 수 있다.

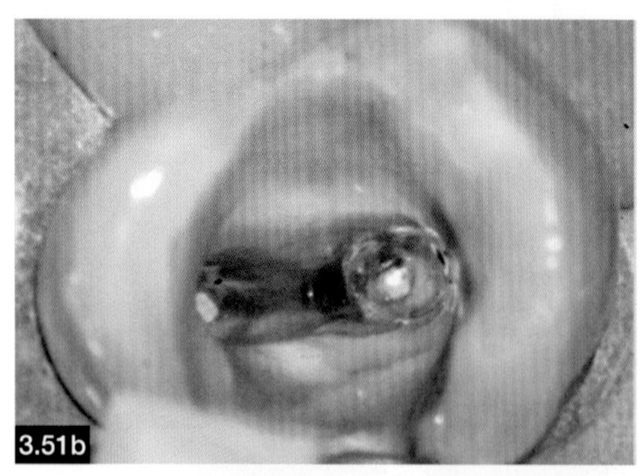

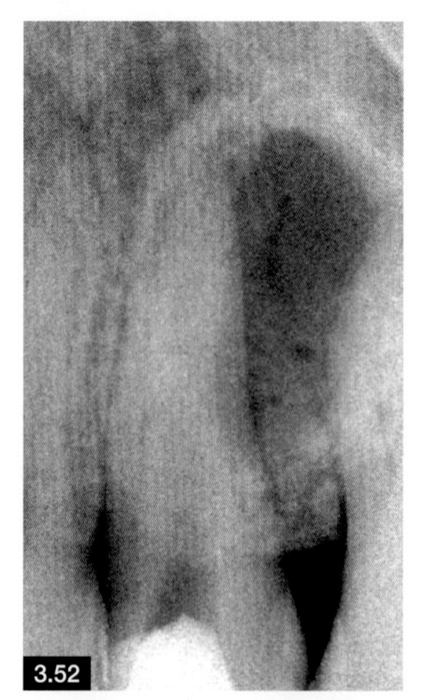

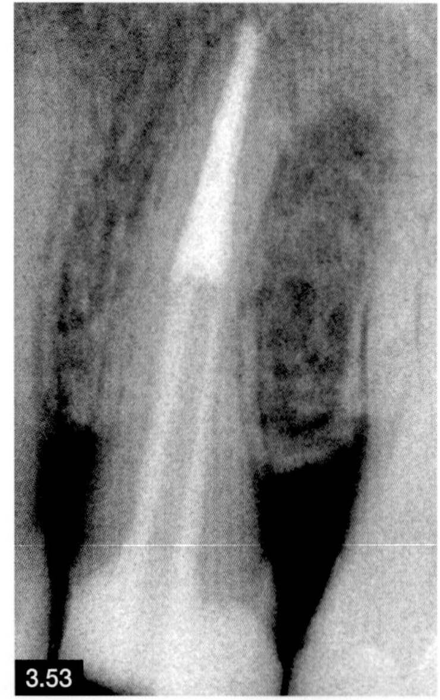

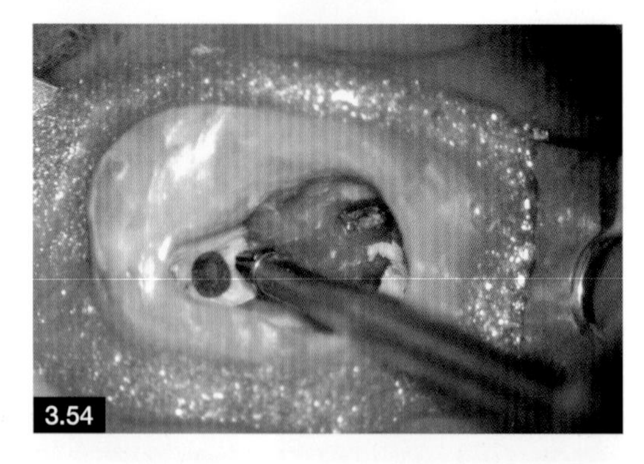

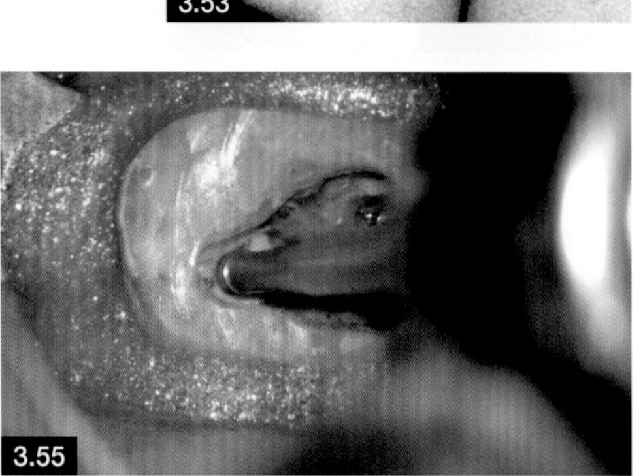

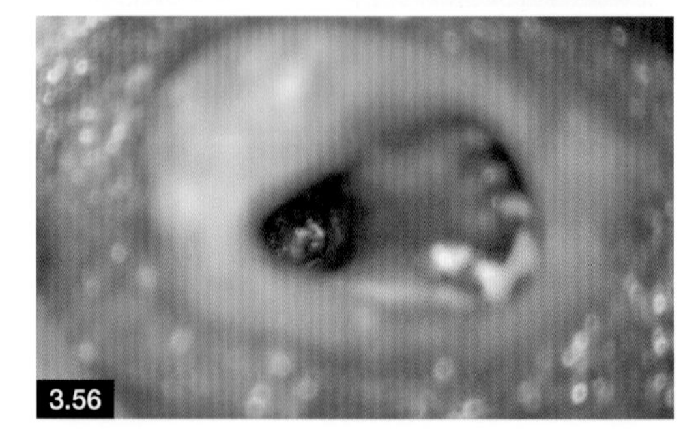

Fig. 3.52: 근관 내 장애물이 제거된 근관의 방사선 사진

Fig. 3.53: 추적관찰 사진에서 측면 병소가 완전히 해결되었다.

Fig. 3.54: 구개측 근관에 파이버 포스트가 있는 또 다른 증례

Fig. 3.55: 이와 같은 경우에 삼각형 버를 사용하는 것이 좋다.

Fig. 3.56: 제거 사진

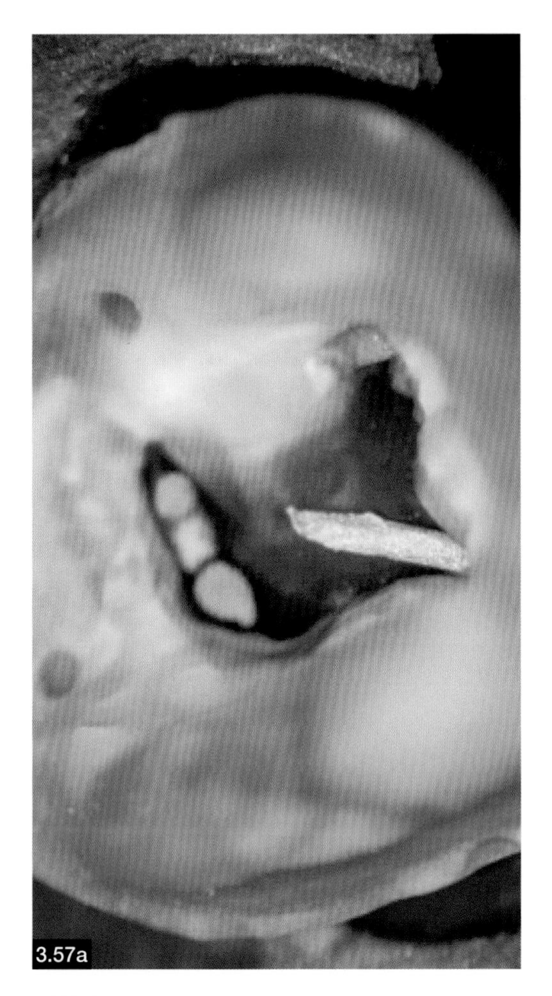

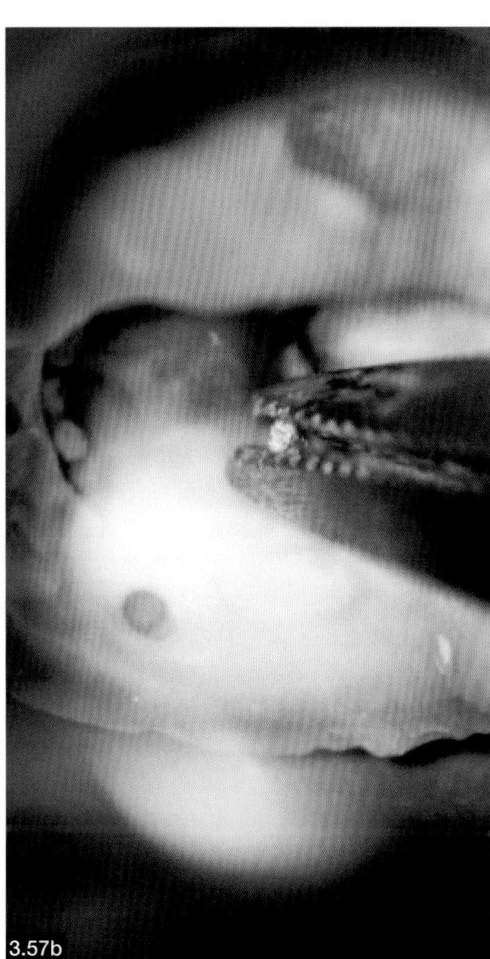

Fig. 3.57a-b: 일단 움직임이 생겨서 와동 내에서 헐거워지면 실버콘은 플라이어로 쉽게 제거할 수 있다.

근관 충전재의 제거

근관 와동을 재형성하고 포스트를 제거한 뒤 근관 내부에 존재하는 충전재를 확인해야 한다. 근관 내에 어떤 물질이 있는지에 대한 평가는 치료 전(**Table 3.6**)에 이미 이뤄졌어야 한다. 충전재를 더 효율적으로 제거하기 위해 사용 가능한 모든 용매(**Table 3.7**)와 제거 방법은 후속 평가를 통해 결정해야 한다. 근관 내 재료의 특성을 확인하려면 재료의 경도를 평가해야 하고, 이를 위해 DG 16 근관 탐침을 사용해서 검사해야 한다. 필요한 경우, 소량의 용매를 치수강에 넣어서 근관 입구의 재료를 확인할 수 있다. 이러한 검사를 통하여 임상의는 근관에서 제거해야 하는 재료의 특성을 파악할 수 있다.

Table 3.6 **REMOVAL OF THE FILLING MATERIALS**

Type of filling	Tools	Level of difficulty
Endodontic pastes or sealers (Eugenol zinc oxide/Eugenol-based/ paraformaldehyde)	Solvents Ultrasound	Simple, but particularly difficult with some sealers.
Gutta-percha	Solvents Rotary instruments NiTi Alloy	Simple
Gutta-percha with plastic carrier	Solvents/Manual steel files Heat carriers Rotary instruments NiTi Alloy	Simple in wide, medium-length and curved canals, difficult in narrow canals.
Silver cones	Specific pliers	Complex because of the risk of separating the apical portion of the cone.
Resin-based filling materials	Ultrasound	Simple or medium, depending on canal volume and the visibility of the material.
Mineral-based sealers	Ultrasound	Complex

Table 3.7 **SOLVENTS**

Product or active substance	Composition	Function
Resosolv (Pierre Rolland, Acteon, France)	95% dimethylformamide and 1%-2% Cinnamomum cassia	Solvent for resinous sealers.
Endosolv E (Septodont, Paris, France)	50%-90% tetra-chloroethylene, 2.5%-10% isopentyl acetate, and 1% thymol	Solvent for zinc oxide eugenol cements.
Guttasolv (Septodont, Paris, France)	Eucalyptol-based gutta-percha softener	Active on gutta-percha and less active on eugenate-based sealers.
Chloroform	Triclomethane ($CHCl_3$)	Gutta-percha solvent, toxic, can be substituted with dichloro methane-methylene chloride.
Xylene or Xylol	Mixture of three benzene-derived isomers (C_8H_{10})	Useful in the dissolution of gutta-percha and sealer, as it is neutralized with ethanol.
Halothane (halothane)	Bromochlorotrifluoroethane	Active on gutta-percha.
Turpentine oil	Essential oil, extracted from coniferous resins	Solvent for both eugenol cements and gutta-percha.
Orange oil	Essential oil obtained from orange	Particularly active on eugenates, and therefore useful in the dissolution of sealers.
Eucalyptol Eucalyptus oil	Essential oil obtained from eucalyptus	Active on gutta-percha and less active on eugenate-based sealers.

호제(paste) 혹은 sealer의 제거

근관용 sealer 또는 호제는 여전히 충전 재료로 사용된다. 호제는 연질(쉽게 제거할 수 있음)과 경질로 분류할 수 있다. 일반적으로, 근관 내부로 밀어 넣는 적용 방법 때문에 이러한 호제의 밀도는 치관부에서 더 높고 치근부에서 낮다.

다음의 방법으로 제거할 수 있다.

- 전용 제거 기구
- 근관 성형에 사용되는 기구
- 용매(**Box 3.3**)
- 위 기구와 용매의 조합

이러한 증례에서 근관 벽을 깨끗이 하는 것이 중요하다. Sealer로만 채워진 치아를 재치료할 때 치료 전에 석회화 및 치근 흡수의 가능성도 고려해야 한다.

환자에게 때때로 근관 내의 모든 물질을 제거하는 것이 불가능하며 치료 후 치근단 병소가 생길 수 있음을 알리는 것도 중요하다(6장 참조).[49] 이러한 sealer는 호제와 함께 사용 시 치수강의 세척이 부족할 경우, 특히 전치부에서 심미적인 문제를 일으킬 수 있다.[50, 51]

근관 입구 혹은 근관 내 치경부 1/3에서 재료가 DG 16 탐침에 의해 쉽게 제거되는 경우 용매와 수동 혹은 회전기구를 함께 사용하는 것이 좋다. 그러나 용매를 사용할 때 sealer가 상아 세관에 침투하지 못하도록 sealer가 과도하게 녹지 않게끔 특별히 주의해야 하므로 전체 치료 과정이 더 복잡해질 수 있다. 재료는 수동 기구(초기)와 회전 기구(이후)가 쉽게 들어갈 수 있도록 연화되어야 한다. 재료가 치근단 부위까지 충전되어 있는 경우, 임상의는 재료가 치근 밖으로 누출되는 것을 방지하기 위해 과도한 압력을 가하지 않도록 주의해야 한다. 기술적으로 연질의 sealer는 다음 방법으로 제거한다.

- 전용 기구(예: Micro-Debrider, Dentsply Maillefer)
- 근관 성형용 S-S 파일 혹은 NiTi 파일
- 초음파 K 파일
- 위의 기구나 paper point와 용매의 혼합 사용

Box 3.3 **재치료에서 용매의 사용**

근관 내의 물질을 제거하기 위한 용매의 역할에 대해 간략한 정리가 필요해 보인다. 이 주제에 대한 추가 정보는 4장에서도 다룬다. 열연화 기구나 초음파 팁 또는 전용 근관기구 등이 사용 가능해지면서 용매의 사용은 크게 줄었지만 용매는 sealer와 호제를 제거하는데 더 적합하다. 그러나 다양한 연구에 의하면 일부 용매는 특정 상황에서 적합하지 않을 수 있다. 예를 들어 클로로포름은 상아질 조직에 유해하다고 알려져 있으므로 유칼립톨 또는 오렌지 오일 추출물을 대신 사용해야 한다.

클로로포름은 또한 잠재적 발암물질인 것으로 의심된다. 용매를 사용하면 치근단 밖으로 넘어가는 잔사의 양이 줄어들고 연화된 충전재를 근관에서 더 빨리 제거할 수 있으므로 근관 성형에 더 효과적인 것으로 보인다. 일부 연구에 의하면 자일렌은 다른 유기 용매에 비해 가장 효과적인 용매로 입증되었다. 에센셜 오일(유칼립투스 및 오렌지)은 가장 자주 사용되는 근관 sealer에 대해 유사한 용해 능력을 갖는 것이 입증되었다. 용매를 사용해도 근관 성형 과정 중에 치근단을 탐색할 때 부작용을 일으키지 않는다고 알려져 있다. 특히 메타크릴레이트 기반 sealer에 좋은 효과를 보인다.

Canakci BC, Er O, and Dincer A. *Do the Sealer Solvents Used Affect Apically Extruded Debris in Retreatment?* J Endod. 2015;41(9):1507-9.

Er O, et al. *Effect of solvents on the accuracy of the Mini Root ZX apex locator*. Int Endod J. 2013;46(11):1088-95.

Ferreira I, et al. *New Insight into the Dissolution of Epoxy Resin-based Sealers*. J Endod. 2017;43(9):1505-1510.

Karatas E, et al. *The effect of chloroform, orange oil and eucalyptol on root canal transportation in endodontic retreatment*. Aust Endod J. 2016;42(1):37-40.

Keskin C, Sariyilmaz E and Sariyilmaz O. *Effect of solvents on apically extruded debris and irrigant during root canal retreatment using reciprocating instruments*. Int Endod J. 2017;50(11):1084-1088.

Martos J, et al. *Dissolving efficacy of eucalyptus and orange oil, xylol and chloroform solvents on different root canal sealers*. Int Endod J. 2011;44(11):1024-8.

Saglam BC, et al. *Efficacy of different solvents in removing gutta-percha from curved root canals: a micro-computed tomography study*. Aust Endod J. 2014;40(2):76-80.

Solaiman M. & Al-Hadlaq. *Effect of chloroform, orange solvent and eucalyptol on the accuracy of four electronic apex locator*. Aust Endod J. 2013;39:112-115.

Yadav HK et al. *The effectiveness of eucalyptus oil, orange oil, and xylene in dissolving different endodontic sealers*. J Conserv Dent. 2016;19:332-7.

CASE
REPORT 6

호제로 충전된 근관: 제거 전략

일반적으로 호제로 충전된 근관을 재치료하는 것은 매우 간단해 보인다. Patency가 확인된 후 초음파와 용매를 모두 사용하는 것이 이상적이다.

이러한 경우, 치근단 안팎으로 빈 근관이 보이면 "선험적(priori)" 방사선 분석을 할 수 있다.

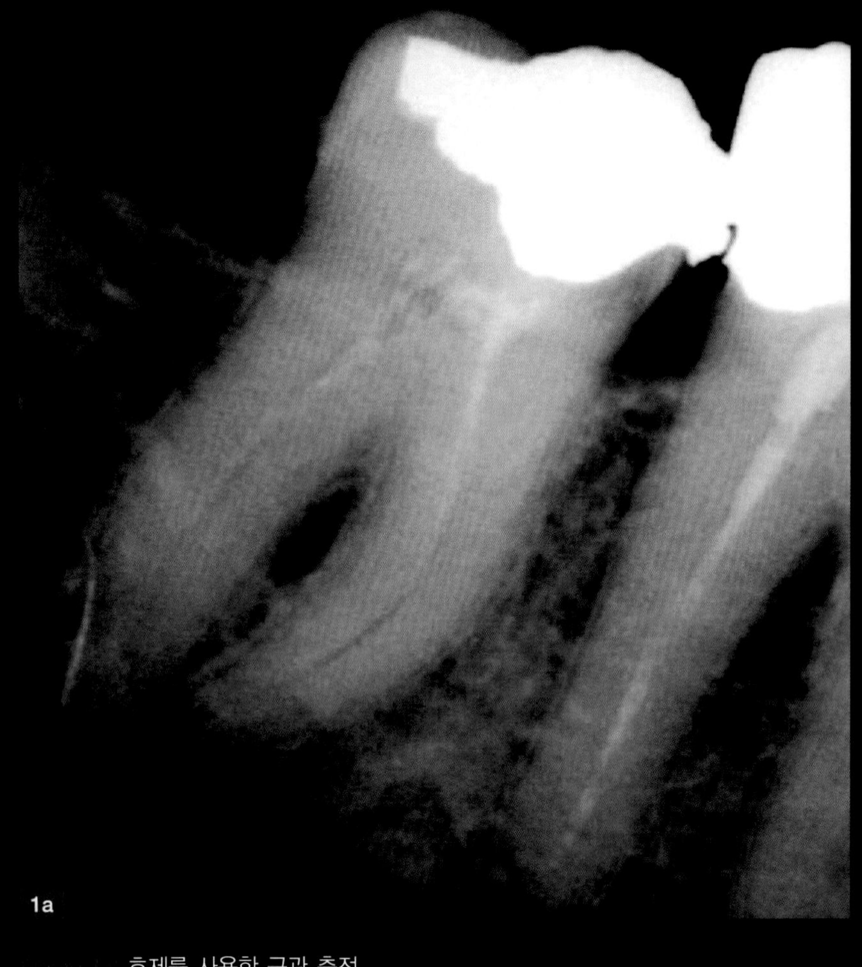

1a

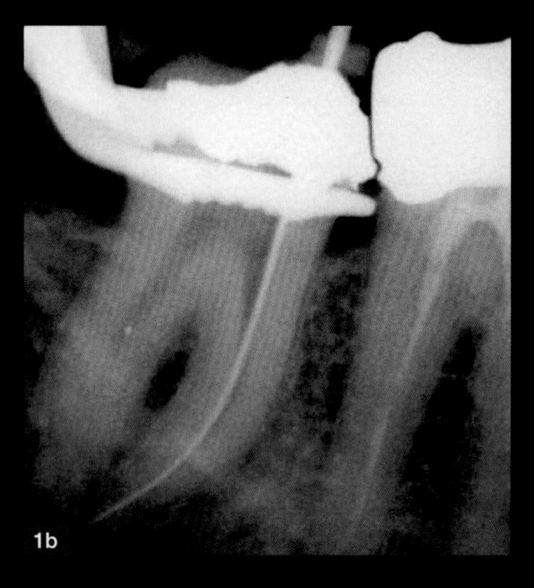

1b

1c

호제를 사용한 근관 충전의 대표적인 예. 대구치의 근관은 성형되지 않았고, 최소한으로만 충전되어 있다.

파일을 넣어 근관장을 측정하였다.

근관 충전이 완료된 증례

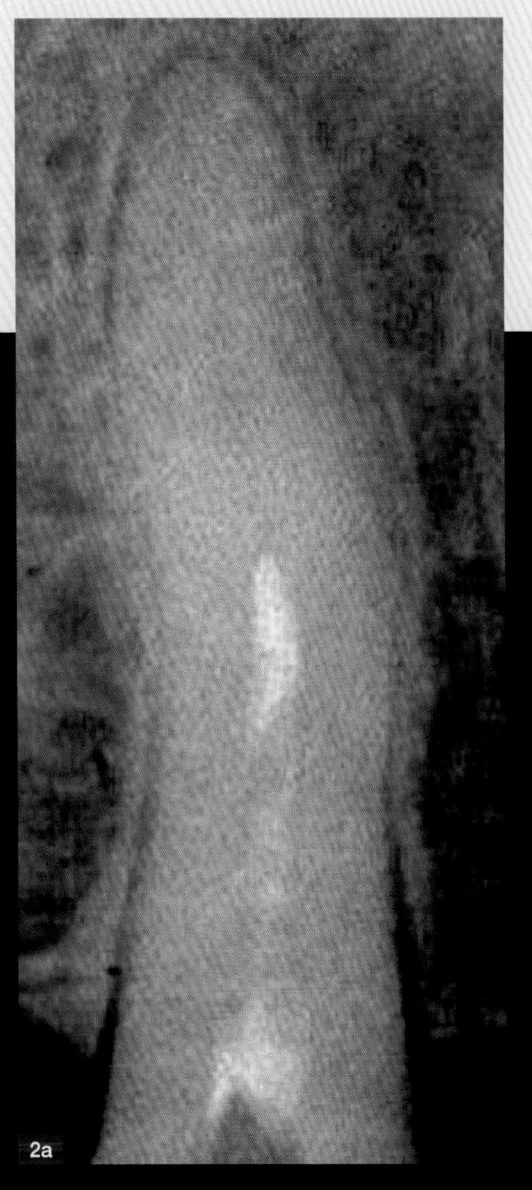

Figure 2a Lodoform 호제로 충전된 소구치

Figure 2b 재치료가 완료되었다.

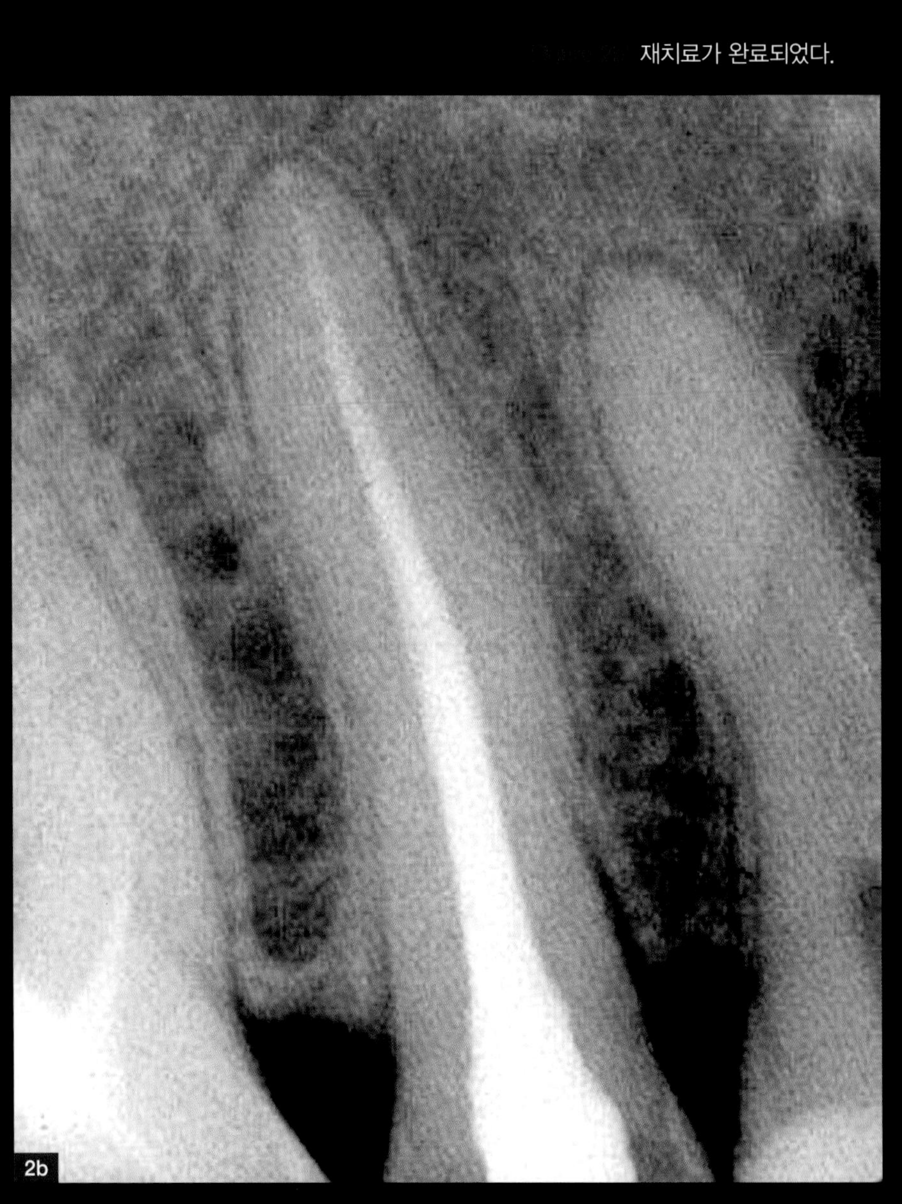

일반적으로 이러한 sealer는 거타퍼챠보다 부드럽기 때문에 제거가 어렵지 않으므로 오랜 시간이 지난 후에도 근관을 깨끗하게 청소할 수 있다.[52, 53]
그러나 단단하고 침투가 안 되는 호제로 충전된 근관을 치료할 때는 초음파 다이아몬드 코팅 버를 사용하여 매우 천천히 진행하여 충전재를 단계적으로 마모시키는 것이 좋다.[49, 54]
더 구체적으로, 강한 용매를 치수강에 적용한 후에도 재료가 단단해서 침투할 수 없어 보이면(예: Endosolv R, Septodont, France) 기계적으로 제거해야 한다.
이 경우 초음파 팁(Start-X 3, Satelec ET 20-25, ProUltra 4 또는 5) 및 초음파로 활성화된 K 파일(ISO .20 또는 .25)을 사용하는 것이 좋다. 초음파 팁은 재료의 치관 부분을 제거하도록 설계되었고, 초음파로 활성화된 K 파일은 치근단 부위의 재료를 제거하는 데 사용된다.
이 접근법은 잔존 치아 조직을 보호하기 위해 고배율의 확대와 밝은 광원이 반드시 필요하다. 따라서 수술용 현미경을 사용하는 것이 필수적이다. 이러한 형태의 "forced removal"은 제거할 재료가 근관의 직선 부분에 있거나 쉽게 접근할 수 있는 경우에만 가능하다는 점을 고려해야 한다.
재료가 근단부에 위치하거나 만곡 하방에 위치해서 직선 접근(straight access)이 불가능한 경우 발생 가능한 가장 큰 위험 중 하나는 잘못된 경로의 형성 또는 천공의 발생이다. 경질 호제/sealer의 제거는 시간이 오래 걸리고 복잡하기 때문에 다음 내용이 권장된다.

- 러버댐에 여러 개의 치아를 포함시켜서 치료할 치아의 인접한 치아들의 축이 기구의 가이드 역할을 할 수 있게 한다.
- 제거할 재료의 치관 부분에 가능한 한 직선으로 접근한다.
- 확대 기구 및 광원과 함께 초음파를 사용해야 한다.
- 치근단 부위로 진입하는 단계 중, 도달 가능한 부위까지 거타퍼챠를 넣은 뒤 다른 각도의 X-ray를 촬영한다. 이는 제거가 근관의 형태를 따라 올바르게 되고 있는지를 확인하기 위함이다(잘못된 경로 생성 방지).

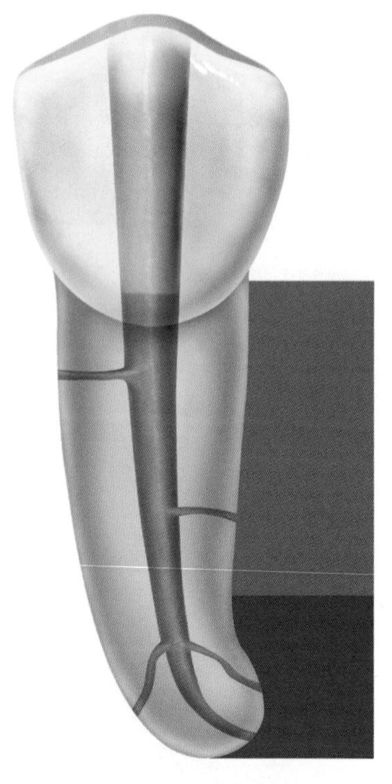
Figure 3.58: 적색 부위는 기계적으로 또는 초음파 기기로 거타퍼챠를 제거할 수 있는 반면, 하부 청색 영역에서는 용매를 사용하여 근관 내용물을 연화 시켜야 한다.

확대 기구와 적절한 광원을 사용하여 수행해야 한다. 만곡 하방에서 sealer를 제거해야 하는 경우 미리 구부린 초음파 K 파일을 사용하는 것이 좋다.

거타퍼챠 제거

거타퍼챠는 최근 수십년 동안 다양한 방법으로 사용된 근관치료에 가장 많이 사용되는 충전재이다. 실제로 충전에 사용된 방법에 따라 재근관치료 중 충전 재료 제거의 난이도가 결정된다.[55, 56]
재치료를 어렵게 만드는 다른 요인은 해부학적 요인이다. 예를 들어, 근관의 길이, 직경 및 형태(예: 만곡, 근관 합류 및 isthmus)[57]는 원래의 해부학적 구조가 얼마나 보존되었는지(ledge, 잘못된 경로 등)에 따라 달라진다.[55, 58]
1차 근관치료에 사용된 충전 방법과 상관 없이 일반적인 방법은 치관-치근단 방향으로 진행하며 점진적으로 거타퍼챠를 근관에서 제거하고 세척제의 유출을 최소화하는 것이다.[59-64] 치료 전 X-ray 분석을 통해 해당 임상 증례에 가장 적합한 기술을 결정할 수 있다.
실제로 다음 방법으로 거타퍼챠를 제거할 수 있다.

- 전동 기구
- 초음파 기구
- 열
- 용매
- 열 또는 용매와 수동 혹은 전동 기구를 함께 사용

일반적으로 전치의 근관은 똑바르고 넓기 때문에 거타퍼챠를 제거하는 가장 좋은 방법은 전용 핸드피스[64]에 장착된 NiTi 회전기구를 사용하는 것이다.

▶ continue to page 188

하악 대구치의 치근 이개부 병소

CASE
REPORT 7

하악 대구치의 치근 이개부의 골소실은 임상가들이 치료 방법의 선택을 놓고 근관치료 또는 재치료와 치주 치료(예: 치근 절제) 중 어떤 것을 선택해야 할지 고민하게 만드는 어려운 병소이다. 이 경우 종종 치주 병소와 연관된 상부의 누공이 관찰된다.

Figure 1 거타퍼챠 콘을 삽입하여 하악 대구치의 이개 부위의 누공을 확인하였다.

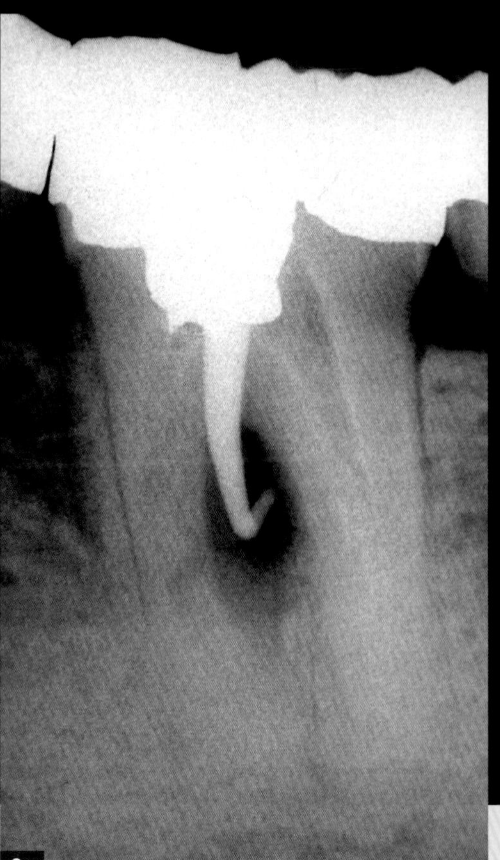

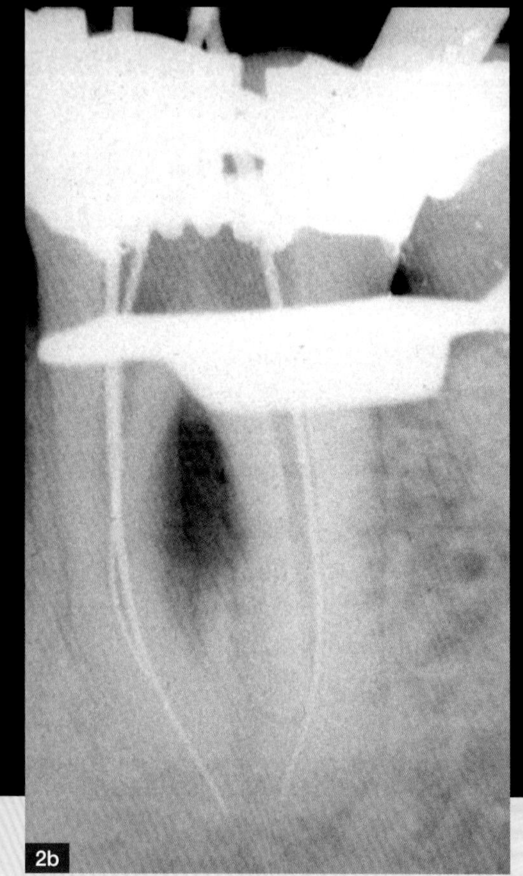

Figure 2a, b 방사선 사진에서 거타퍼챠 콘은 치주 기원의 병소를 의심하게 한다. 그러나 근관 역시 적절하게 치료되지 않아 보인다. 따라서 근관 성형과 세정을 하였다.

방사선 검사로 병소의 원인을 확인할 수는 없지만, 치아가 치수 생활력 검사에서 음성을 보이거나 이전 치료가 명백하게 부적절하거나 불완전한 경우 근관치료의 적응증이 된다.

만약 근관이 해부학적으로 이개부에서 치주와 개통된 경우 치주 병변이 발생할 수 있다. 이러한 경우 적절한 근관치료는 치주 병소의 완전한 치료로 이어진다. 종종 측방관을 통한 근관과 치주 조직 간의 개통이 방사선 사진에서 확인된다.

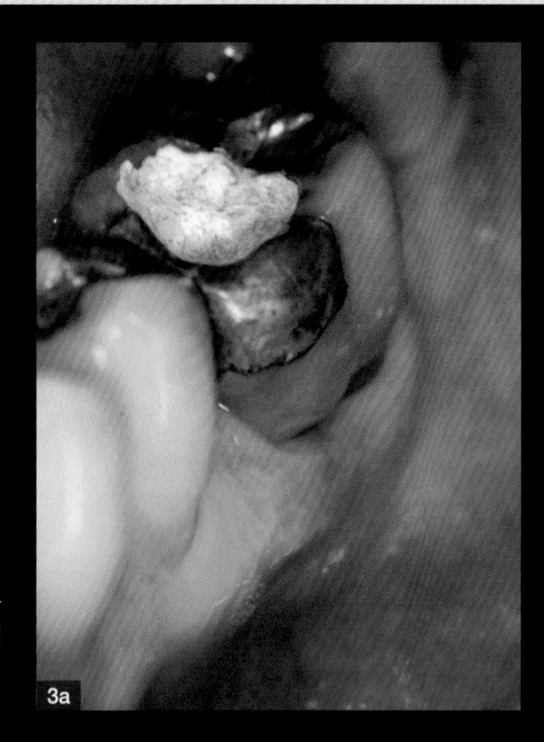

Figure 3a: 1주일 후 검진에서 누공이 사라졌고, 이는 치수 기원의 이개부 병소였음을 명백하게 보여준다.

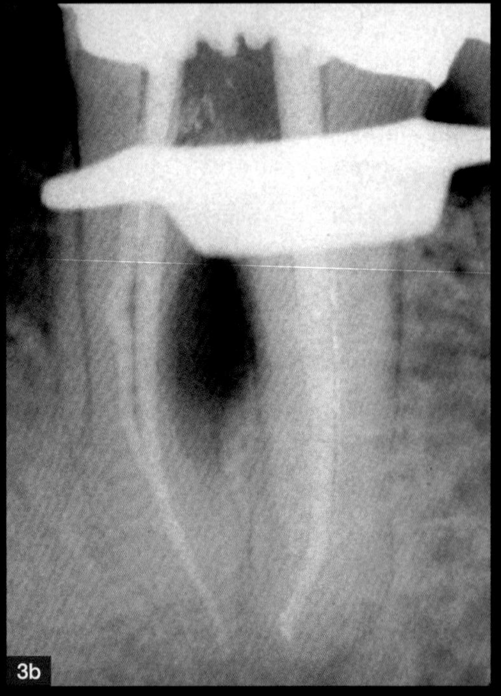

Figure 3b: 삽입된 거타퍼챠 콘은 두 근심 근관이 만나는 것을 보여준다.

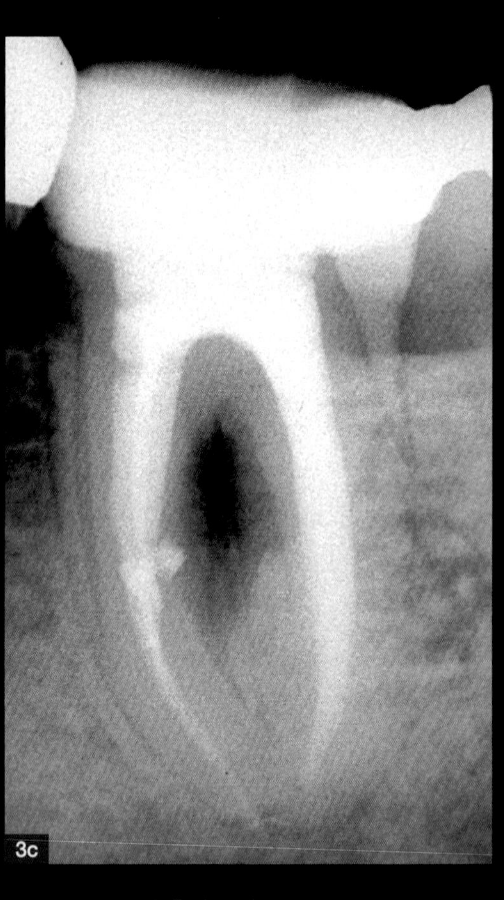

Figure 3c: 근관 충전된 사진에서 다수의 측방관을 통한 치수-치주 개통을 의심해 볼 수 있다.

재치료의 초기 단계에서, 특히 수산화칼슘으로 근관 내 첩약을 하는 경우(4장 참조) 내원 사이에 치아 주위 조직의 반응을 확인할 수 있다.
누공의 소실은 병소 해결의 시작을 의미한다. 측방 부근관을 포함한 전체 근관계가 적절하게 성형, 세정 및 충전되었기 때문에 이 증례는 성공할 수 있었다.

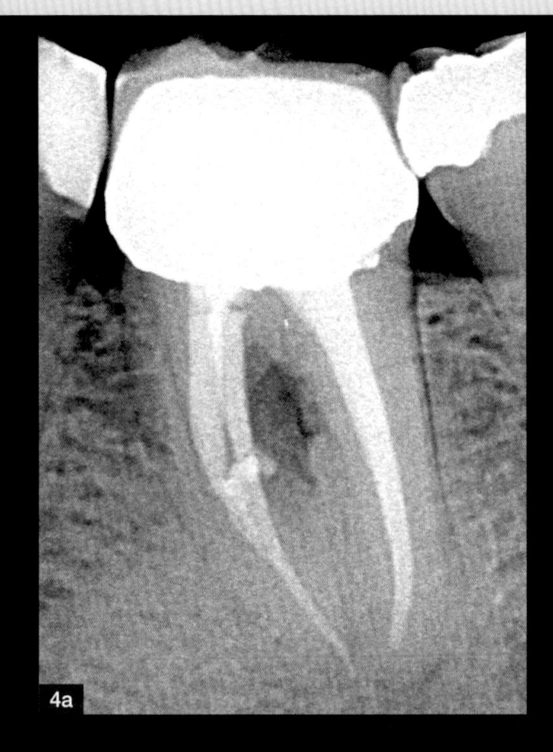

Figure 4a–c. 1년, 3년 및 5년 후 추적관찰. 우수한 재치료로 치근 이개부의 소실된 골이 완전히 재생되었고, 치수 기원의 병소였음을 알 수 있다.

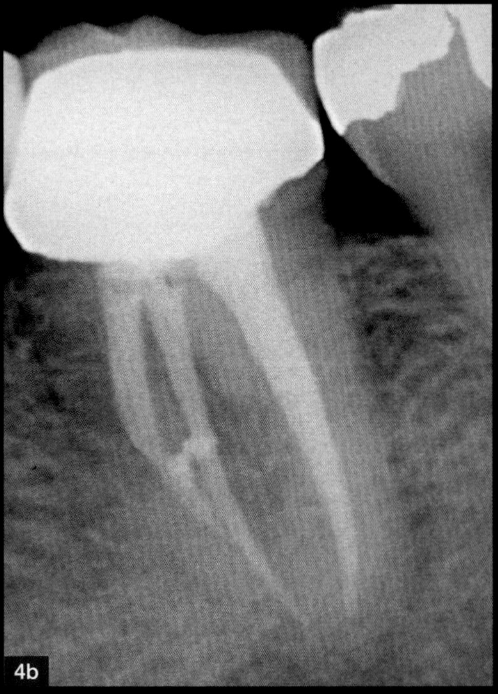

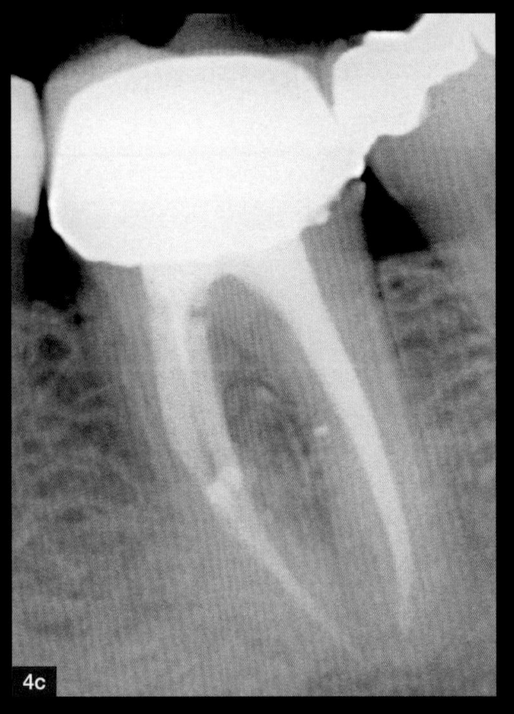

이 방법을 통하여 근관 벽에 잔류물을 남기지 않고 큰 덩어리의 거타퍼챠를 제거할 수 있다.[65-68] 이를 위해 재근관치료 전용 기구 또는 1차 근관치료에 일반적으로 사용되는 기구를 사용할 수 있다.[69-71]

효과적인 도구의 기본 특성은 다음과 같다: 우수한 삭제 능력, 거타퍼챠에 쉽게 침투 할 수 있는 활성 팁, 상당한 양의 재료를 제거할 수 있을 정도로 큰 직경(taper).[72, 73]

초음파 팁 또는 초음파 K 파일은 불규칙한 형태의 근관, 특히 회전 기구의 사용만으로는 모든 근관 벽과의 완전한 접촉이 어려운 협측-구개측 또는 협측-설측 방향으로 넓은 근관에서 매우 유용하다.

근관 충전의 압축 단계에서 거타퍼챠를 가열하기 위해 사용되는 열연화 기구를 이용하면 온도를 높여서 거타퍼챠를 연화시키고 부분적으로 제거할 수 있다.[74]

이 시스템은 단독으로 사용하거나 기계적 또는 수동 기구와 결합하여 사용할 수 있으며 충전재에 성공적으로 침투할 수 있다. 거타퍼챠를 전동 기구만으로 혹은 열과 결합되어 제거하는 경우, 몇몇 용매는 거타퍼챠를 연화시키고 사용되는 전동 기구의 효율성을 향상시킬 수 있기 때문에 좋은 보조재가 될 수 있다.[75]

용매는 수동 기구와도 결합해 사용할 수 있으며 매우 큰 타원형의 근관에 특히 유용하다. 용매의 사용과 관련된 가장 큰 단점은 용해된 거타퍼챠가 근관 벽에 달라붙어 상아 세관으로 침투하고, 세정을 방해한다는 점이다.[76]

예비 평가 단계에서, 거타퍼챠 및 sealer로 채워진 것으로 보이는 치아는 충전의 질에 따라 넓게 세 범주로 나눌 수 있다.

1. 길이와 폭이 불충분한 충전
2. 길이는 적절하지만 폭이 불충분한 충전
3. 적절한 충전

2차원 방사선 분석에서 방사선학적 치근단보다 명백하게 최소 3 mm 이상 짧은 충전은 범주 1에 속한다.

이러한 영상에서 충전재의 측방에 명백한 방사선 투과성 징후(저충전)를 종종 동반하며 충전재 하방에 비어 있는 근관을 확인할 수 있다.

범주 1과 비교했을 때 범주 2의 일차적인 차이점은 충전재가 방사선학적 근관 공간의 전체 길이를 채우고 있다는 점이다. 범주 1에 속하는 증례는 치료 전 촬영한 방사선 사진에서 쉽게 발견할 수 있다.

Single cone이나 열연화되지 않은 cone으로 충전된 근관은 방사선 사진에서 균일한 방사선 불투과도를 갖지만 테이퍼가 낮은 재료로 채워진 특성을 가진다. 이러한 증례는 용매를 사용하지 말고, H 파일을 나사를 조이는 동작으로 사용하여 근관 내의 거타퍼챠를 한 조각으로 천천히 제거하는 것이 좋다.

방사선 불투과성이 지속적으로 관찰되면, 다음 페이지에 설명된 것과 같은 재근관치료 전용 도구를 사용하여 거타퍼챠를 제거하는 것이 효과적일 수 있다.

기계적 성형 기구는 날카롭고 활성 팁이 있는 경우 효과적으로 거타퍼챠에 침투할 수 있다-기구의 직경이 충분히 큰 경우.[78-80]

기계적 제거는 초음파 팁 또는 초음파 K 파일을 사용해서 할 수도 있다(회전 기구가 치료 부위를 완전히 성형하지 못하는 불규칙한 형태의 근관에서 매우 유용함).[81]

기계적 제거만으로 거타퍼챠를 제거할 수 없는 경우, 다음과 같은 용매를 사용하여 거타퍼챠를 녹일 수 있다.

3.59

3.60

Fig. 3.59: 거타퍼챠 제거에 이상적인 active cutting blade 기구(Maillefer, Switzerland)

Fig. 3.60: 거타퍼챠 제거를 위한 유사한 기구(Micromega, France)

Fig. 3.61a-b: 거타퍼챠의 기계적 제거에 적합한 기구를 SEM으로 촬영한 두 단면. 블레이드의 active profile과 다양한 스레드 디자인을 확인할 것

Fig. 3.62a-b: 길이와 테이퍼가 다른 거타퍼챠의 기계적 제거에 적합한 도구(Komet, Germany)

1. 치수강에 용매를 주입하기 전, 건조된 상태에서 800–1,000 rpm으로 회전하는 기구를 충전재의 최대 2/3 깊이까지 삽입한다.
2. 이후 용매를 주입하고(**Table 3.7**) 작은 K 파일을 재료의 안쪽으로 삽입한다(용매가 재료에 침투할 수 있도록).
3. 녹은 거타퍼챠를 paper point로 흡수한다.
4. 이러한 동작을 근관에 넣은 paper point가 깨끗해질 때까지 반복한다.

용매는 거타퍼챠를 연화시키고 기구의 효율성을 향상시키는 역할을 한다. 용매와 수동 기구를 함께 사용하면 작업 시간이 크게 증가하여 ledge와 잘못된 경로를 만들 위험이 크게 높아진다. 따라서 거타퍼챠의 가압 단계에서 사용하는 "heat carriers"를 이용하여 열로 근관 내의 거타퍼챠를 녹이는 것이 매우 유용한 대안이 될 수 있다.

3.61a

3.61b

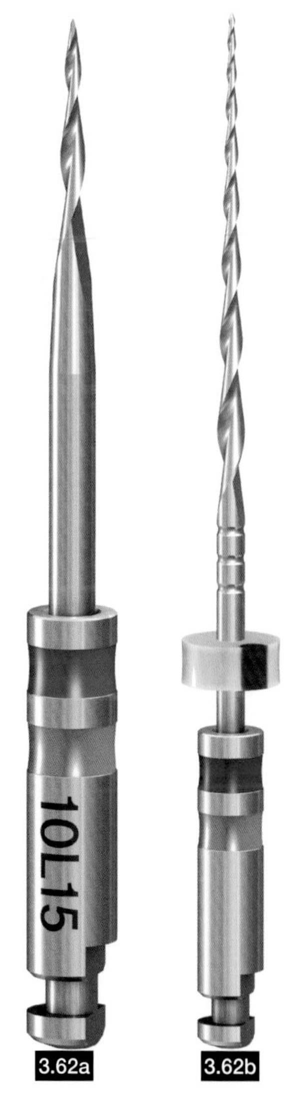

3.62a
3.62b

플라스틱 캐리어와 거타퍼챠 제거

플라스틱 캐리어 타입의 거타퍼챠 충전을 제거할 때는 핸드피스를 사용하는 것보다 초음파를 사용하는 것이 좋은데, 초음파의 열과 진동을 통해 불필요한 상아질의 삭제 없이 충전재만을 제거할 수 있기 때문이다.

초음파 사용이 어려운 경우는 열 전달 기구를 사용할 수 있다.

용매제(solvent)를 사용하여 플라스틱 코어를 분리하고 플라이어(plier)로 코어를 제거하는 것도 좋은 방법이 될 수 있다. 이러한 충전재 시스템은 다양한 재료의 코어와 coating으로 이루어져 있다.

Thermafil (Dentsply Maillefer, Switzerland)은 거타퍼챠가 플라스틱 캐리어를 코팅하고 있는 형태이지만, 다른 조성을 가진 거타퍼챠 캐리어 시스템도 있다(GuttaCore, Maillefer, Switzerland or Gutta-fusion, Dentsply Germany).

그리고 최근에는 합성 폴리머 충전재도 널리 알려져 있다(Resilon™, Kerr, USA). 충전재의 제거 측면에서는 캐리어를 이용한 충전 방법이 거타퍼챠 만으로 충전하는 방법보다 더 많은 문제점을 낳을 수 있는데, 플라스틱 캐리어는 용매제로 제거되지 않기 때문이다. 그러나 캐리어를 따라 홈(groove)이 있어서 H 파일과 같은 기구에 캐리어가 걸리게 되면 제거가 용이할 수도 있다. 캐리어 시스템은 방사선 사진에서 열가압법으로 충전된 일정한 경사도의 거타퍼챠보다 아주 조금 더 뚜렷한 방사선 불투과성을 보이기 때문에 캐리어 시스템의 사용 여부를 미리 알기는 다소 어렵다.

다만, 제대로 성형되지 않은 근관의 경우에만 아주 일부 균일한 방사선 불투과상이 관찰된다. 일반적으로 제시되는 제거 술식은 다음과 같다.

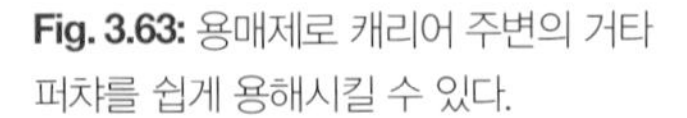
Fig. 3.63: 용매제로 캐리어 주변의 거타퍼챠를 쉽게 용해시킬 수 있다.

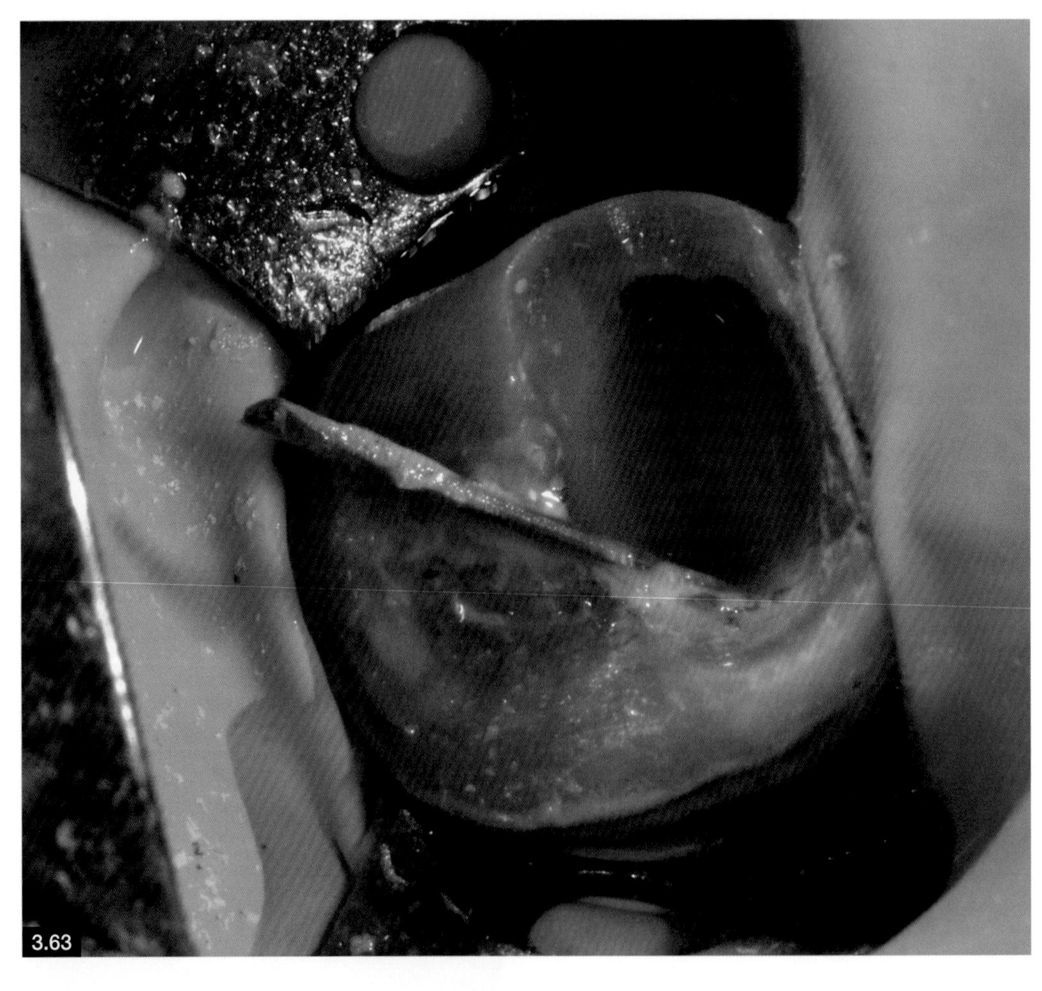

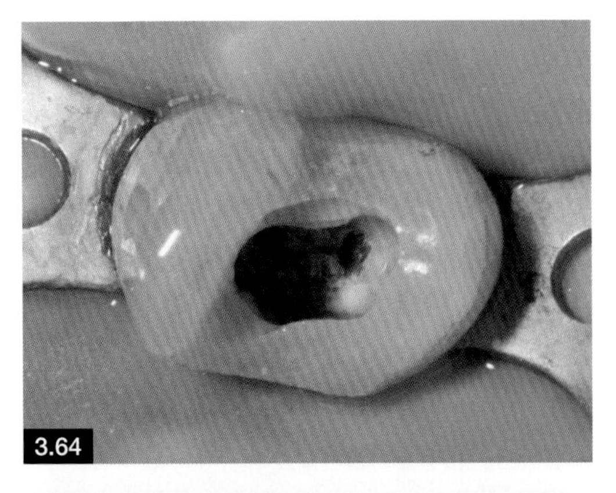

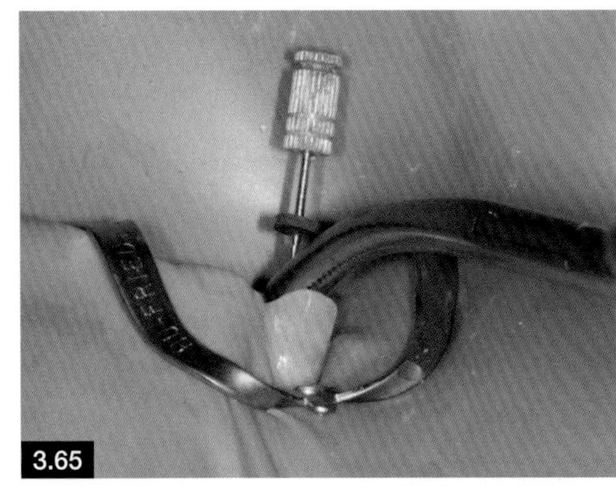

Fig. 3.64: 플라스틱 캐리어와 거타퍼챠 시스템으로 충전된 상악 소구치

Fig. 3.65: H 파일을 삽입하여 플라스틱 캐리어에 걸리게 하였다.

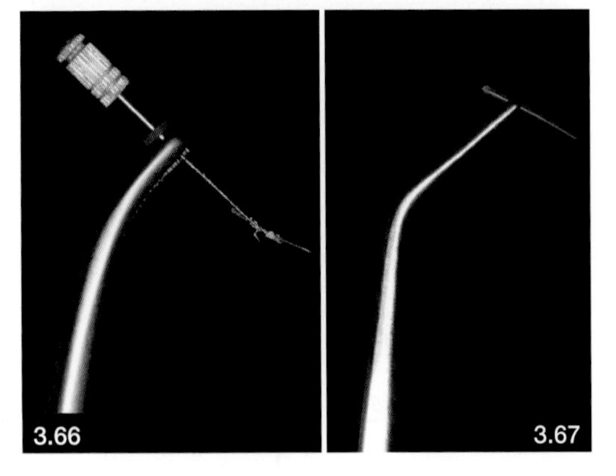

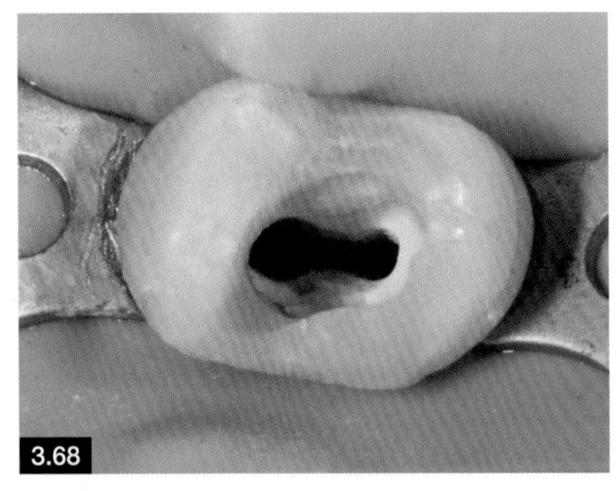

Fig. 3.66: 'Mosquito' 타입의 클램프로 꺼낸 캐리어

Fig. 3.67: College-style의 핀셋으로 꺼낸 플라스틱 캐리어

Fig. 3.68: 근관은 완전히 청소되어 새로운 충전을 할 준비가 되었다.

- 거타퍼챠 용매제를 치수강에 적용
- DG16 또는 K 파일을 플라스틱 코어와 거타퍼챠 사이로 삽입하여 플라스틱 코어를 움직임
- H 파일의 날(blade)이 코어의 플라스틱 부분에 걸리게 해서 치관 방향으로 부드럽게 당긴다.

다른 방법은 600도로 달궈진 열 전달기구를 넣고 플라스틱 코어 위에 접촉시켜 상부 일부를 녹인 다음, 에어 스프레이로 30초 정도 열을 식힌 후 치관부 방향으로 꺼내는 것이다. 일부 저자들은 초음파 팁을 이용하여 위 방법을 사용할 것을 제안했다.
꽤 안전하고 빠른 또 다른 방법은 NiTi 전동 기구(왕복 또는 연속회전)를 이용하여 거타퍼챠와 캐리어를 분리하는 것이다. 기구가 치근단 쪽으로 진행하면서 근관으로부터 캐리어 전부 혹은 일부라도 제거할 것이다.[82] 이때 삭제력이 좋은 기구를 사용하는 것이 중요한데, 그래야 술자가 치근단 방향으로 무리한 압력 없이 작업할 수 있고, 캐리어의 파절 위험을 줄이면서 시간을 줄일 수 있다. 캐리어가 근관 입구 위에서 절단된 경우에는 파절된 기구를 제거할 때 사용하는 제거 시스템들을 사용할 수 있다.[83] 캐리어 주변의 거타퍼챠를 제거하고, 캐리어를 잡고 제거하는 것이다.[84]
최근 거타퍼챠 캐리어를 이용한 충전시스템이 소개되었는데, 이 경우에는 제거가 훨씬 쉽다. 일단 저항감이 있어 보이는 치관부 대부분을 연화시키고 나면 남아있는 부위는 열 연화 충전된 거타퍼챠를 제거하는 방법으로 간단하게 제거될 수 있다.

찾지 못한 근관과 성형되지 않은 근관

근관치료의 실패와 관련된 주된 원인 중 하나는 치수강과 근관의 해부학적 형태에 대한 부정확한 접근이다.[85]

하나 이상의 근관에서 시야확보, 성형, 세정, 그리고 충전이 실패할 경우, 세균의 번식에 유리한 환경을 만들게 되고, 번식한 세균은 치근단 염증반응을 일으키게 된다.

Fig. 3.69a-d: 석회화된 상악 중절치**(a)**. 치아 변색이 관찰되었다**(b)**. 근관을 찾고 성형을 완료하였다**(c)**. 미백으로 원래의 치아색을 회복하였다**(d)**.

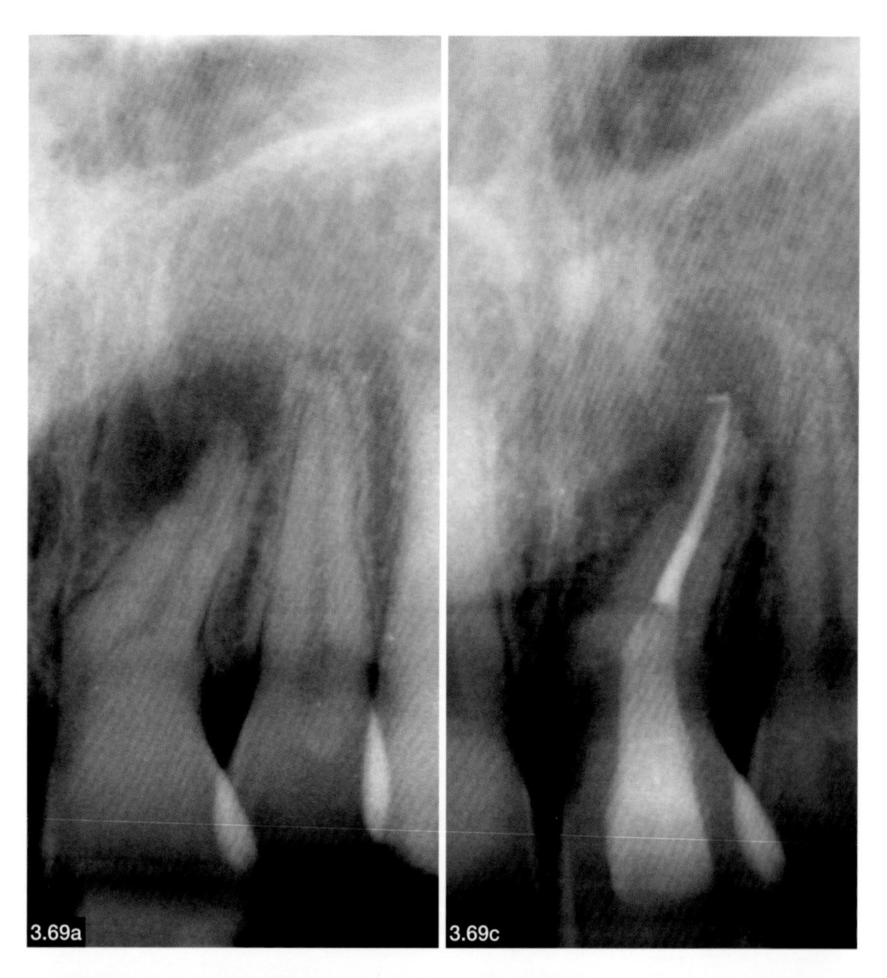

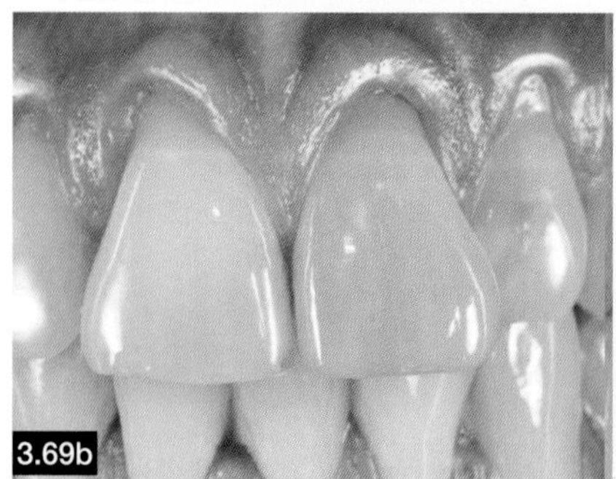

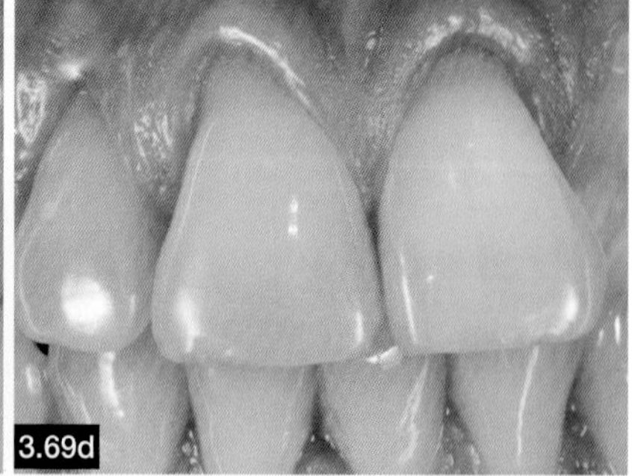

5 mm 이상의 방사선 투과상 병소가 관찰되면, 우리는 충분히 세정되지 못한 공간의 존재를 예상할 수 있다. 따라서 임상가는 모든 근관을 찾기 위해 와동 형성 단계부터 다시 시작해야 한다.

이 경우, 시야 확보는 필수적이므로 건조 상태 혹은 주수 하에서 초음파 팁을 사용하는 것이 추천되는데, 임상가들은 근관 입구를 찾을 수 있도록 치수강 저를 건전하게 남겨놓아야 한다.

또한 근관 입구를 막고 있을지도 모르는 치관부의 석회화 조직을 제거해야 할 것이다.

석회화 조직의 제거는 적절한 확대경, 조명과 함께 초음파 팁을 이용하여 올바르게 제거될 수 있다. 치수내 석회화(치수석)는 근관벽과 연결되어 있지 않기 때문에 제거가 쉬운 반면 상아질의 석회화는 훨씬 복잡하다. 천공을 피하기 위해 치수조직을 확인하기 위한 염색약(organic dye)과 현미경의 사용이 추천된다.[86]

이 과정에서는 3차원적 방사선 이미지가 도움이 되는데, 이는 술자가 적절한 전략을 짤 수 있도록 필요한 정보를 제공하기 때문이다. 치료되지 않은 근관을 발견하는 것은 우연이 아니며 이는 상악 대구치의 제2근심협측근관(MB2)을 보면 알 수 있다.[87]

놓친 근관, 제대로 성형되지 못한 근관이 존재하는 것은 치아의 해부학적 형태, 변이와 관련된 지식의 부족, 근관입구에 도달하지 못하도록 하는 방해물들의 존재, 또는 근관 전체에 존재하는 석회화 조직 등이 그 원인일지도 모른다.[88, 89] 그러나 이 과정에서의 적절한 치료는 임상적 방사선학적 성공의 전제조건이다.

▶ continue to page 207

치근단 염증의 주요 원인 중 하나인 성형되지 않은 근관

CASE REPORT 8

근관의 폐쇄로 세정이 불가능할 때 재근관치료는 필요하다. 이유는 많지만, Karabucak et al.[85]의 흥미로운 연구에 따르면, 소위 forgotton canals, 즉 처음 치료할 때 확인되지 않았던 근관이 치근단 병소를 가진 치아의 45%에서 발견되었다.

▶ continue to page 194

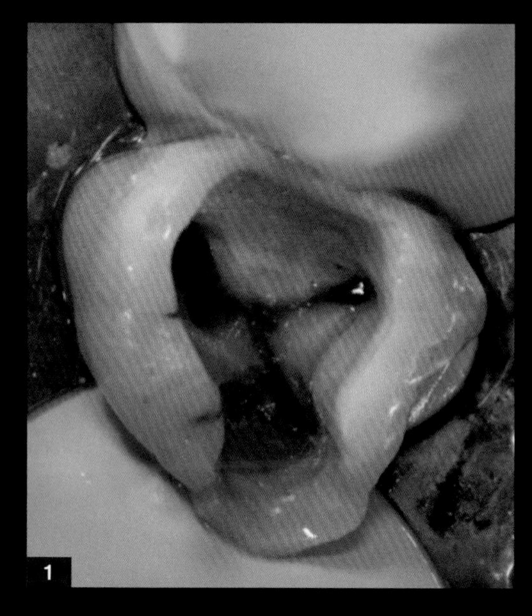

치수강으로 다시 들어갔을 때 (두개의 구개측 근관을 가진) 상악 대구치의 치수강저를 볼 수 있다.

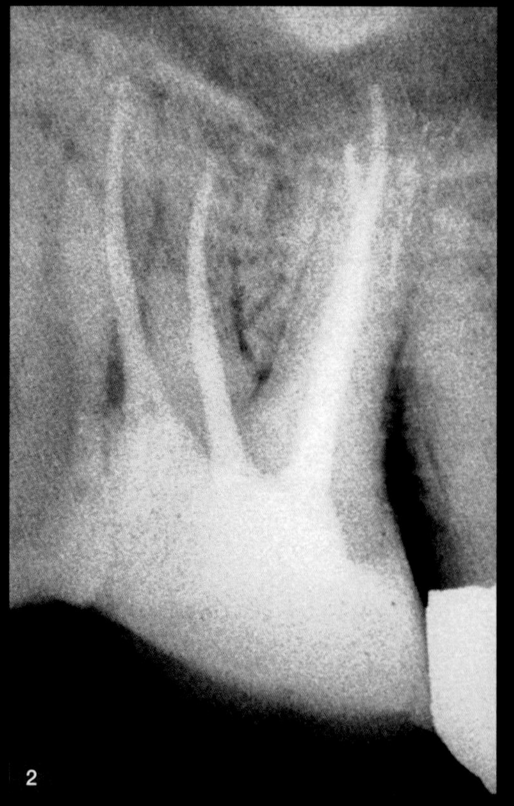

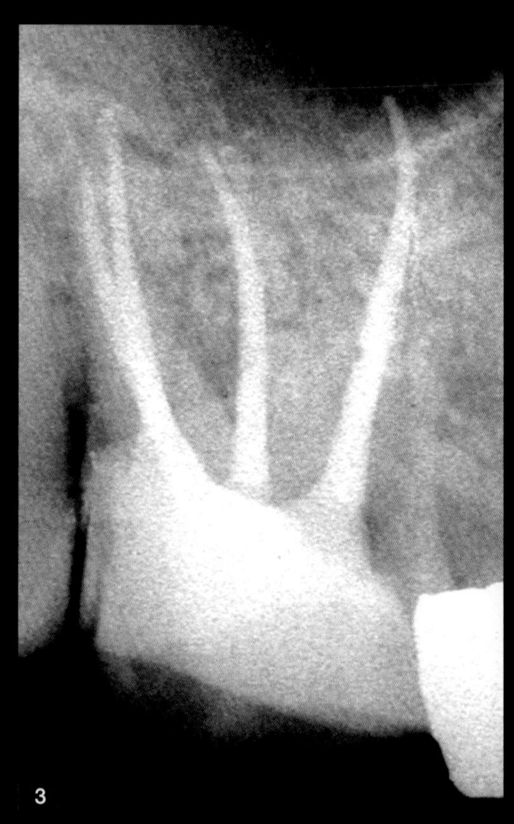

방사선 사진에서는 명확한 해부학적 특징을 보여주지 않는다.

수평각도의 사진은 치료되지 않았다면 명확한 병소가 생겼을 법한 두 개의 구개측 치근을 보여준다.

성형되지 않은 근관은 대량의 박테리아가 서식하기 좋은 이상적인 공간을 제공함으로써, 명확하게 치근단 염증반응을 일으켰을 것이다. 즉 만족스럽게 충전된 증례에서 실패가 생긴 경우, 근관계의 어딘가에서 성형되지 않은 근관이 발견되는 것은 이상하지 않다. CBCT는 이와 같은 증례에서 종종 유용하게 사용된다.

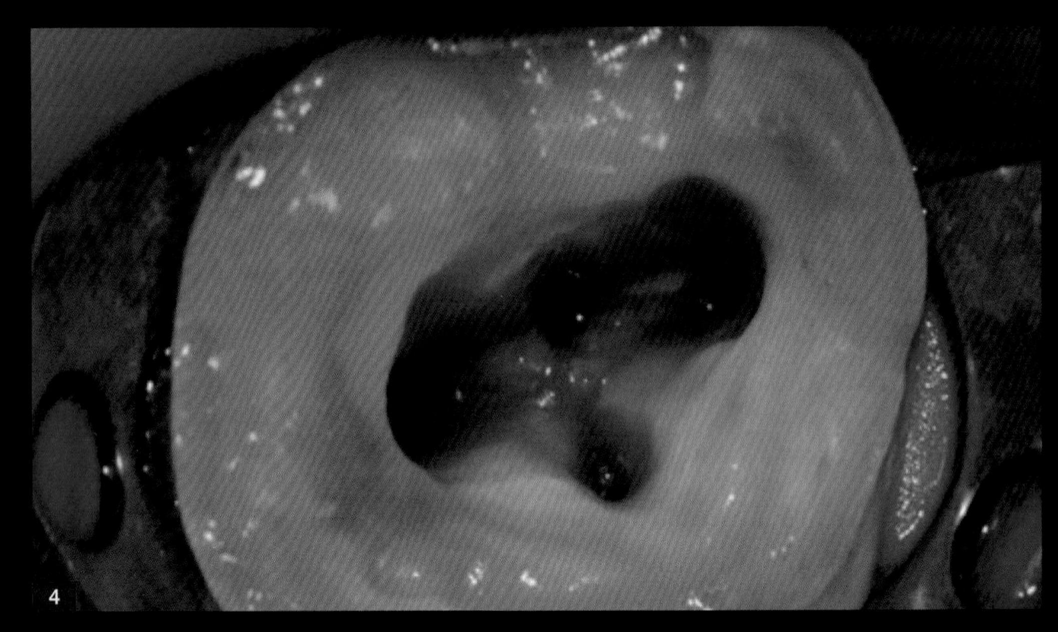

상악 대구치의 치수강을 관찰할 때는 MB2 근관이 흔하다는 점을 명심해야 한다.

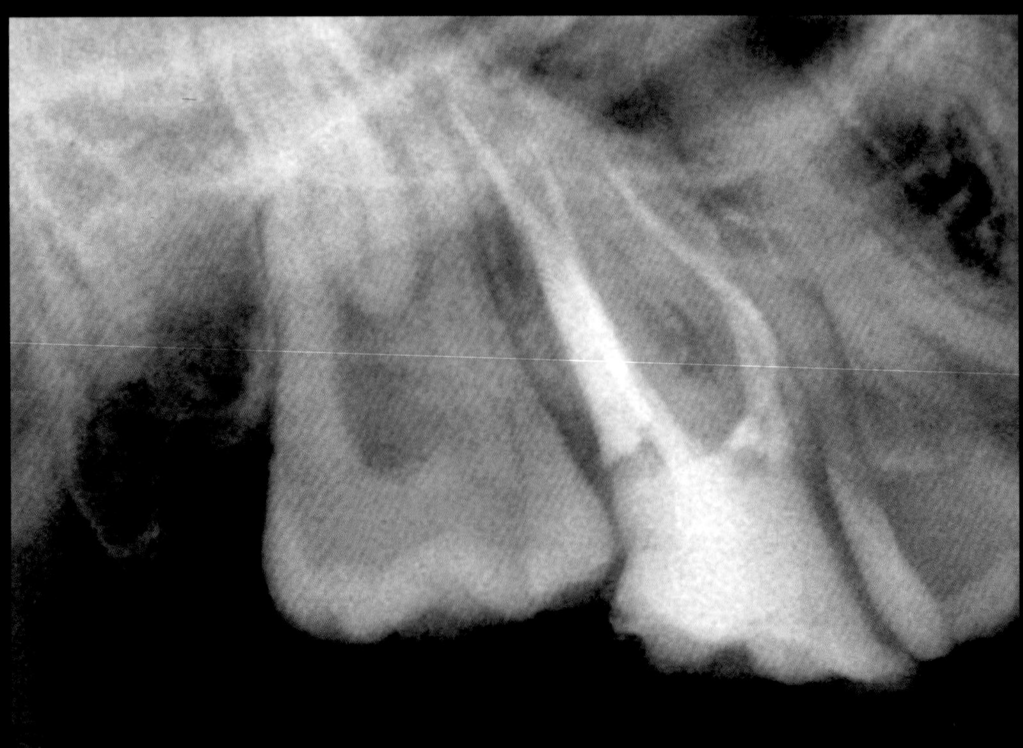

근관 충전된 사진은 MB1과 MB2 근관의 해부학적 복잡성을 보여준다.

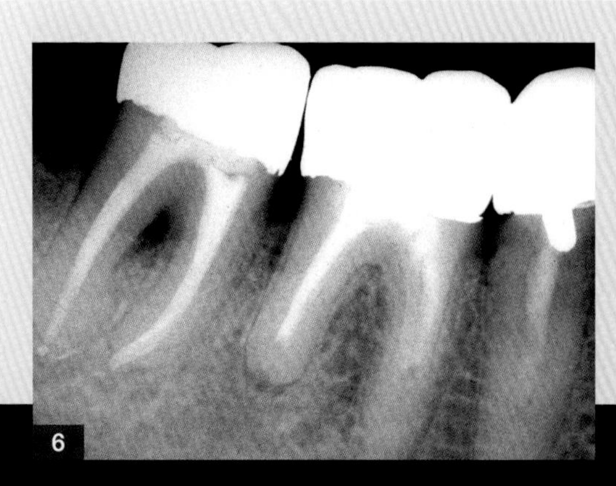

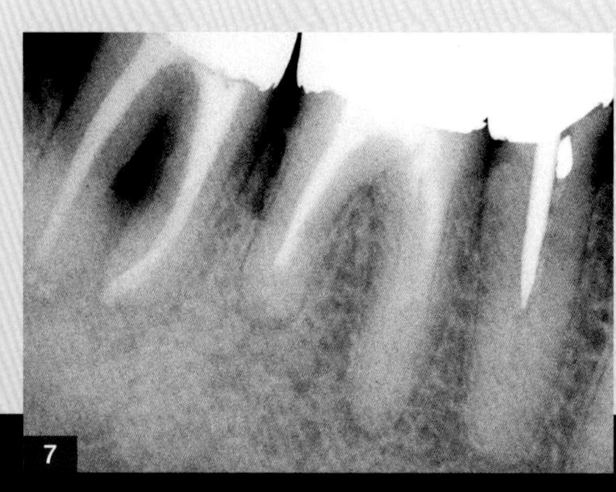

Figure. 6: 방사선 사진에서 하악 제2 대구치의 치근 사이에 명확한 방사선 투과상이 관찰된다.

3년 후 검진에서 설측으로 7 mm 이상의 치주낭이 관찰되었고, 임상가는 비가역적 치주병소로 진단하고 통증 정도를 고려하여 발치를 결정했다.

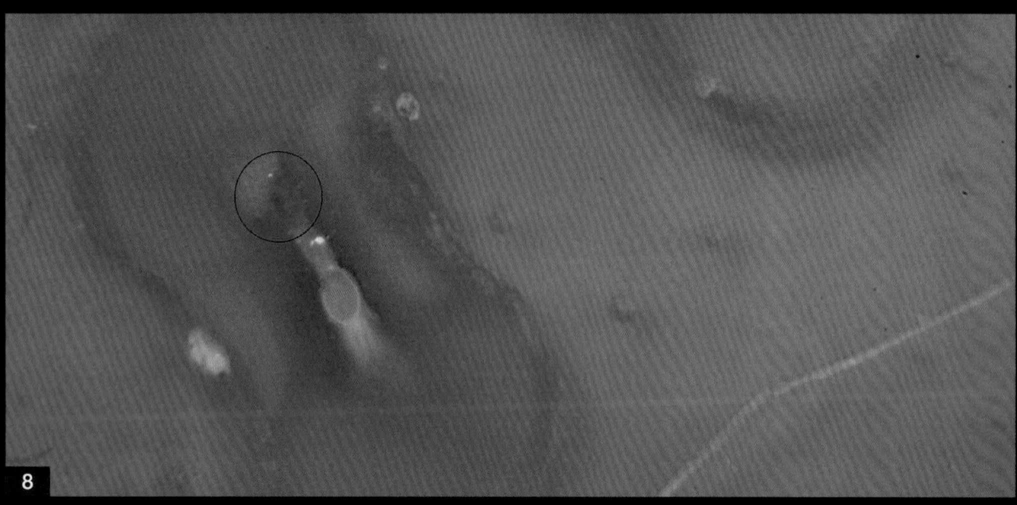

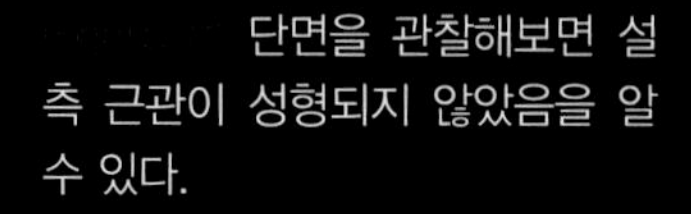

단면을 관찰해보면 설측 근관이 성형되지 않았음을 알 수 있다.

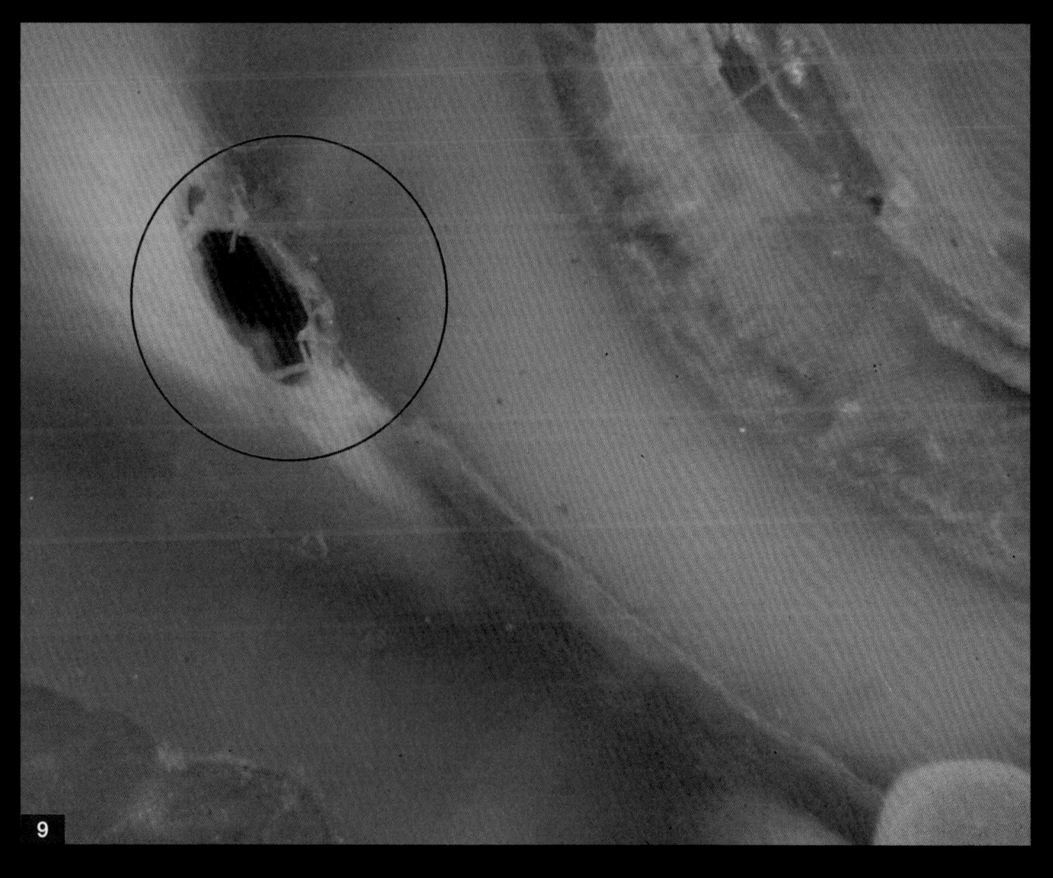

동일 사진의 고배율 이미지

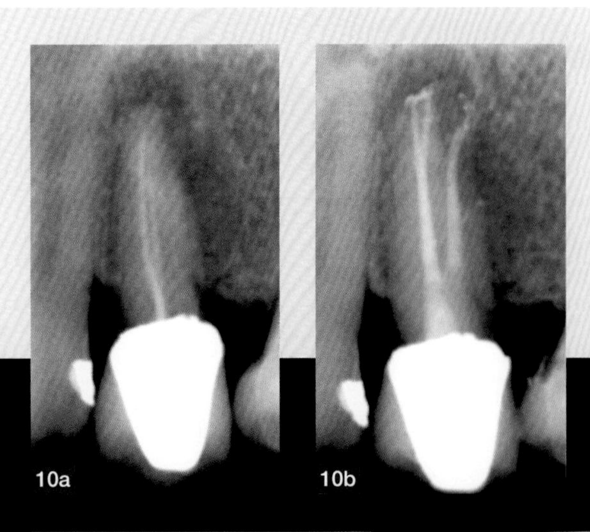

Figure. 10a: 특이한 해부학적 구조가 의심되는 상악 소구치

Figure. 10b: 복잡한 해부학적 구조와 3개의 근관 및 측방 부근관을 보여주는 술후 방사선 사진

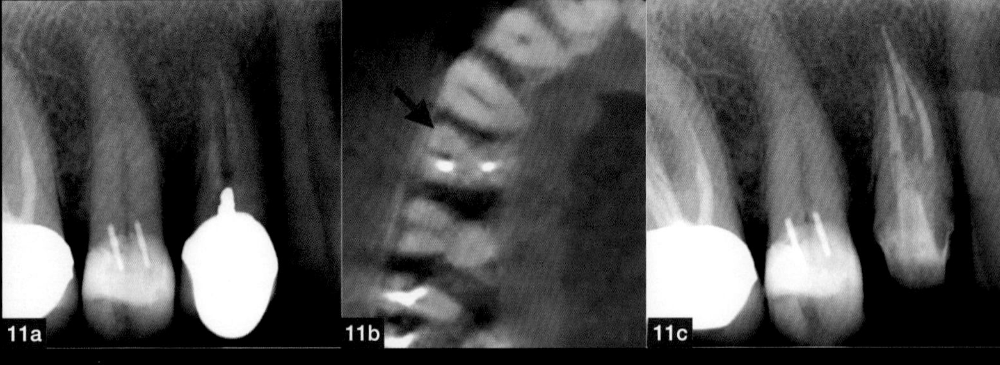

CBCT상에서 명확한 3개의 치근 형태를 보여주는 소구치

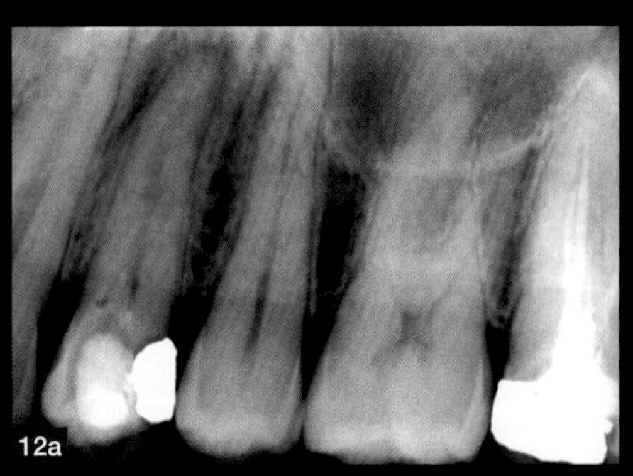

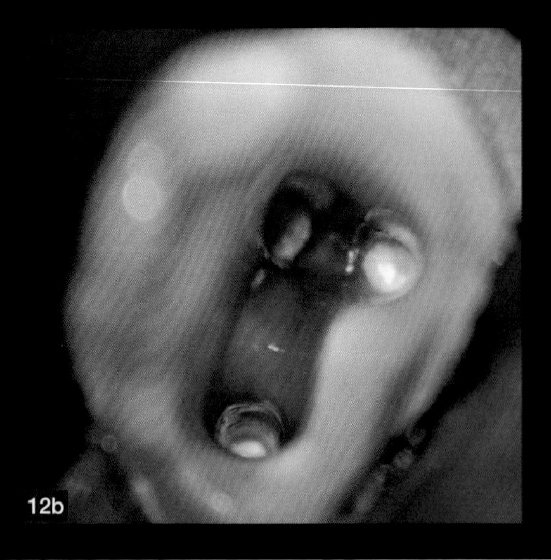

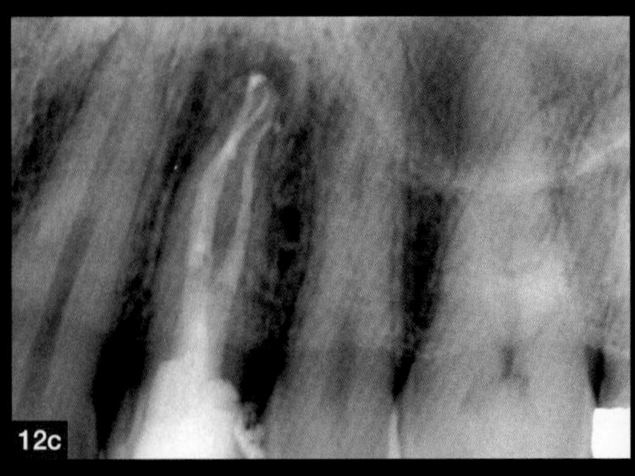

(a) 세 치근을 가진 소구치, **(b)** 세 근관의 존재를 보여주는 치수강 내부, **(c)** 근관 충전

두 개 이상의 문제를 가진 하악 대구치의 복잡한 구조

CASE REPORT 9-19

복잡한 해부학적 구조는 근관치료를 어렵게 한다. 이러한 치아의 재근관치료 시 불량한 근관충전, 잘 제거되지 않는 sealer, ledge, 파절된 기구, 천공 혹은 스트립(stripping) 천공 등과 같은 문제점들이 존재한다면 더 어려워진다. 방해요소가 하나라도 존재한다면 해결하기 어려울 수 있는데, 두 가지 이상의 문제가 동반될 경우 문제는 더 심각해진다.

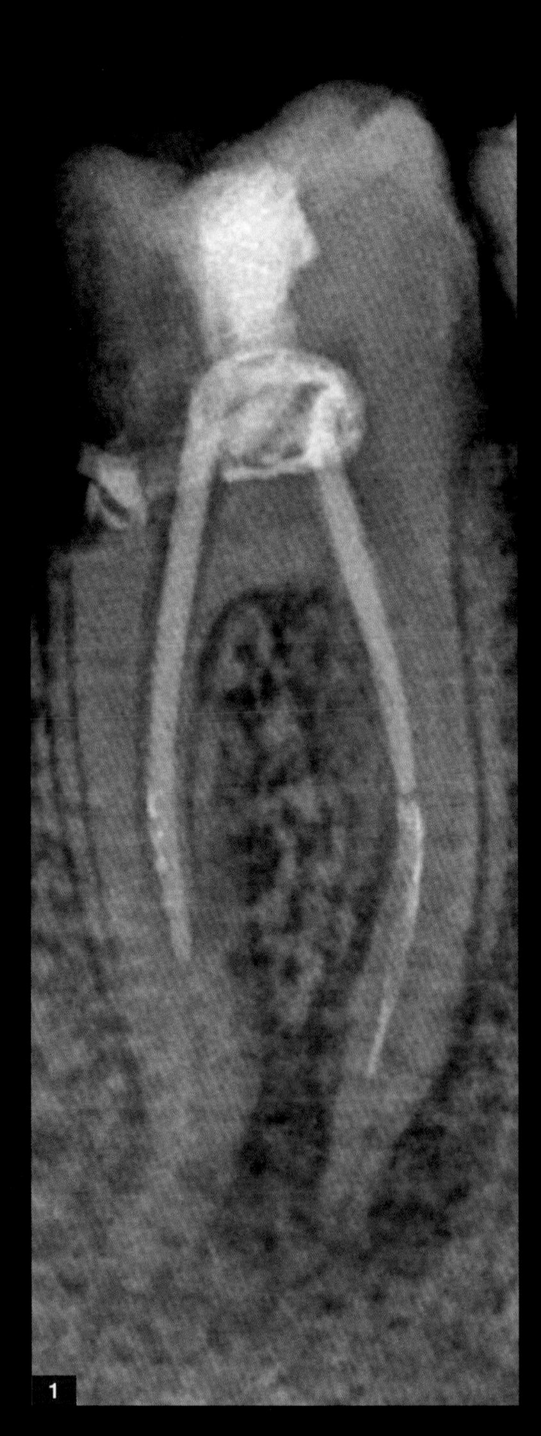

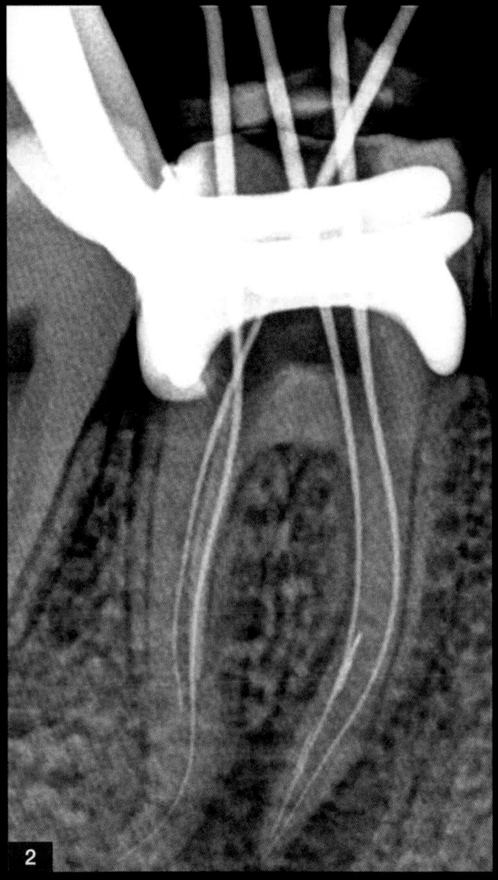

큰 우식 병소와 치근단 염증을 보이는 하악 대구치의 재근관치료가 필요하다. 근관은 제대로 성형되어 있지 않고, 충전이 부적절하며 근심근관에 파절된 기구가 관찰된다. 이 같은 증례에서는 근관이 막혀있을 가능성이 꽤 높기 때문에 임상적으로 접근하기 전에 치료 전략을 잘 세워야 한다. 충분한 소독 과정과 초음파 기구의 사용은 이러한 조건에서 아주 중요하다.

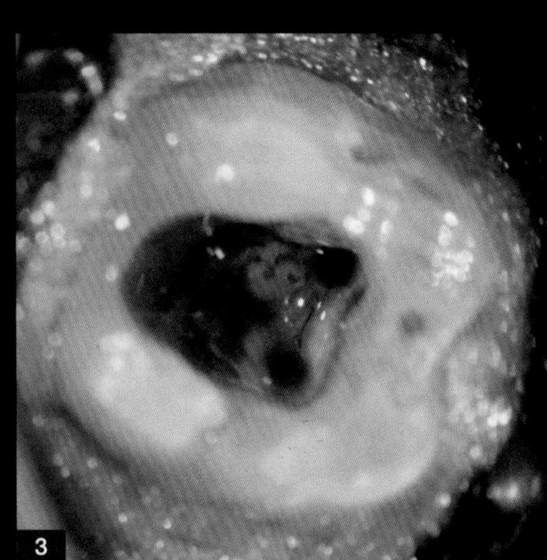

근관 와동은 부적절한 치수강 개방을 보여준다.

CASE REPORT 10

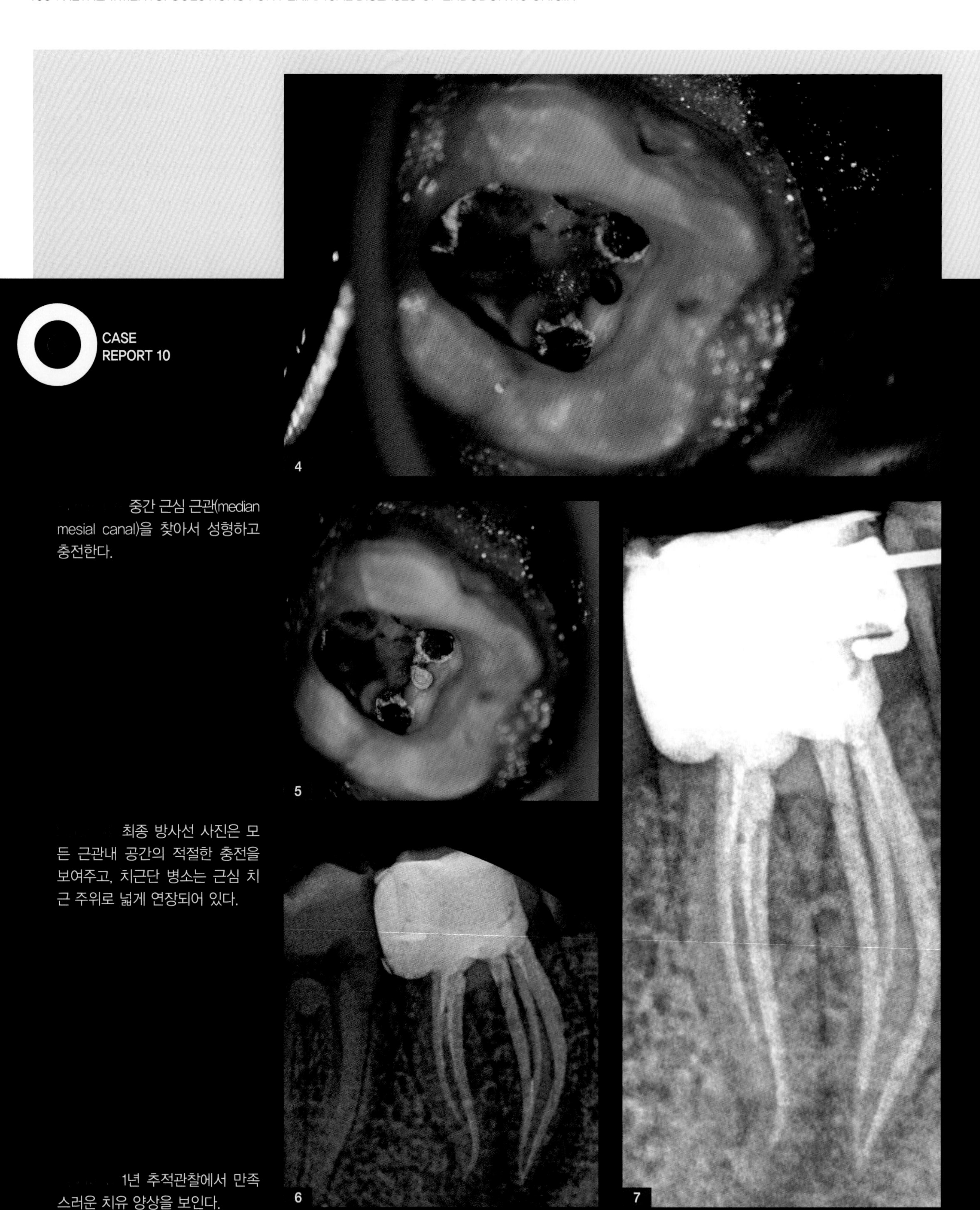

중간 근심 근관(median mesial canal)을 찾아서 성형하고 충전한다.

최종 방사선 사진은 모든 근관내 공간의 적절한 충전을 보여주고, 치근단 병소는 근심 치근 주위로 넓게 연장되어 있다.

1년 추적관찰에서 만족스러운 치유 양상을 보인다.

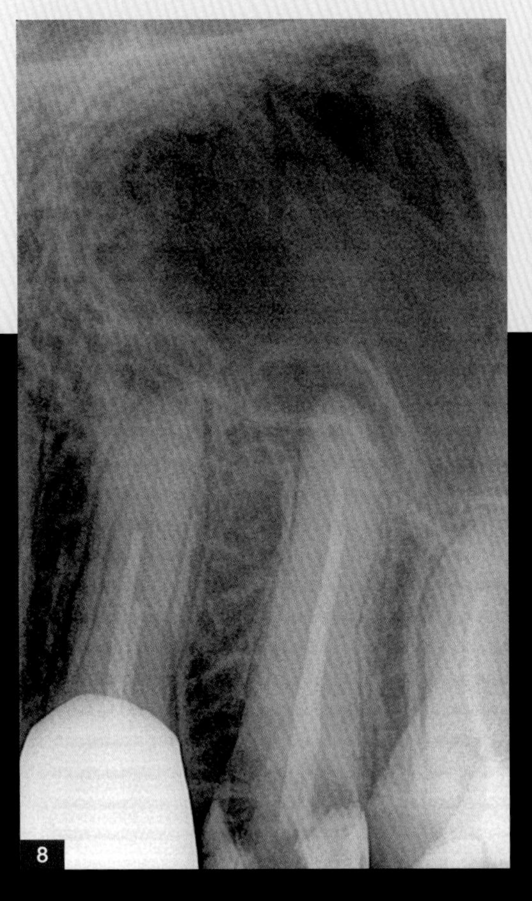

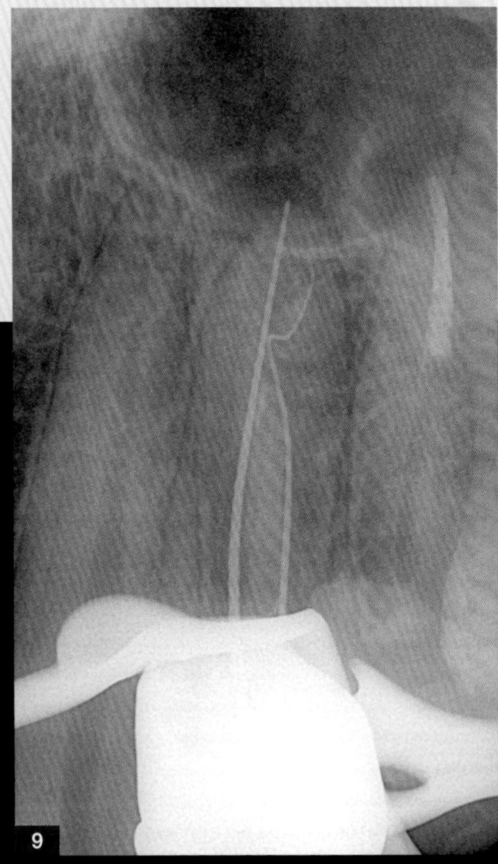

CASE
REPORT 11

상악 소구치는 다양한 해부학적 변이 가능성을 가진 치아이다. 방사선 사진에서는 단순한 근관 형태로 보이지만, 실제로는 근관의 중간 1/3 지점에서 두 근관이 합류하는 것을 알 수 있다.

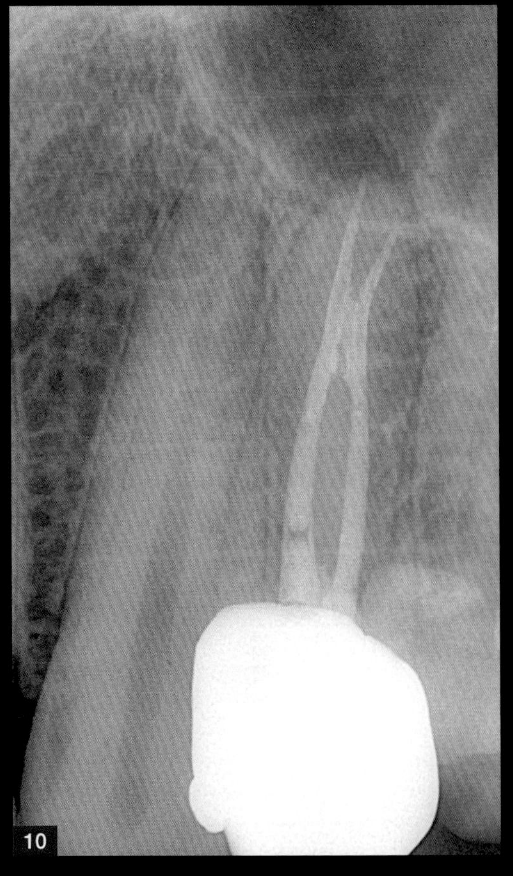

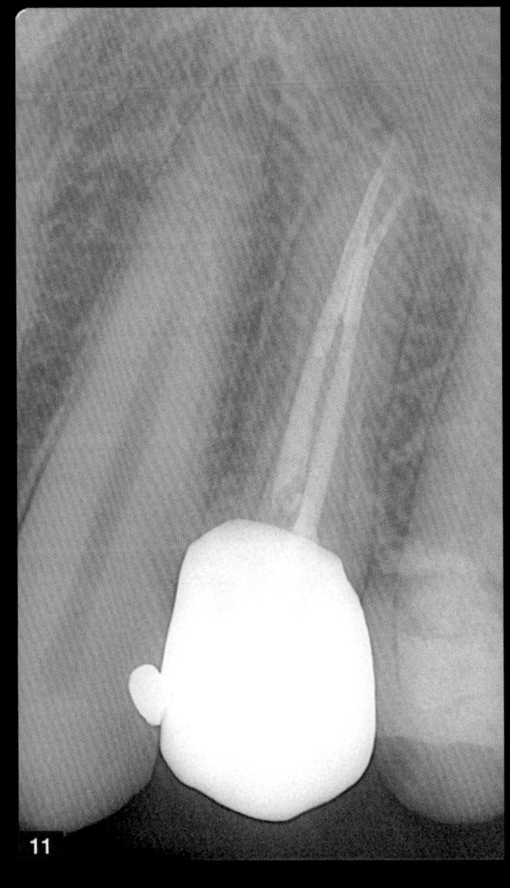

적절히 충전되었고, 추적관찰에서 치근단 투과상이 완전히 해소된 것을 확인할 수 있다.

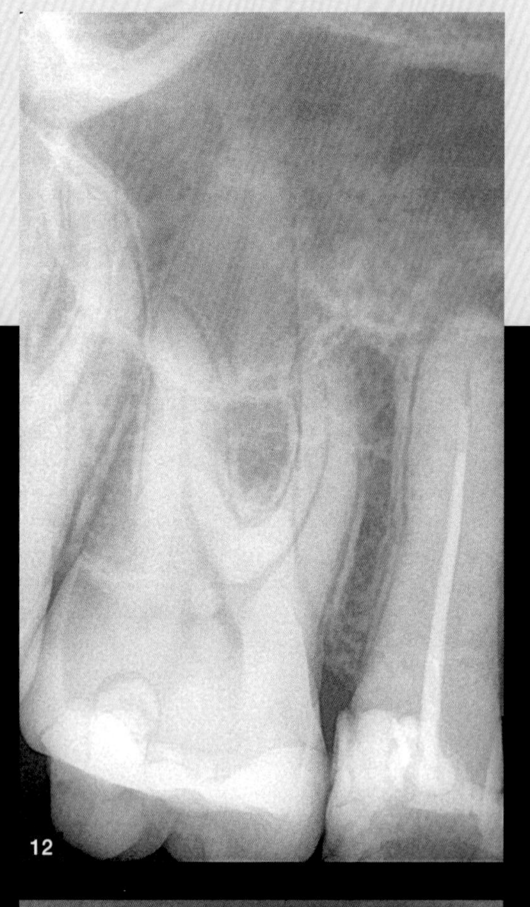

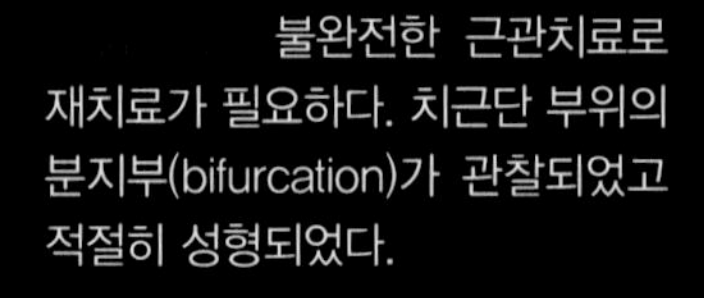

불완전한 근관치료로 재치료가 필요하다. 치근단 부위의 분지부(bifurcation)가 관찰되었고 적절히 성형되었다.

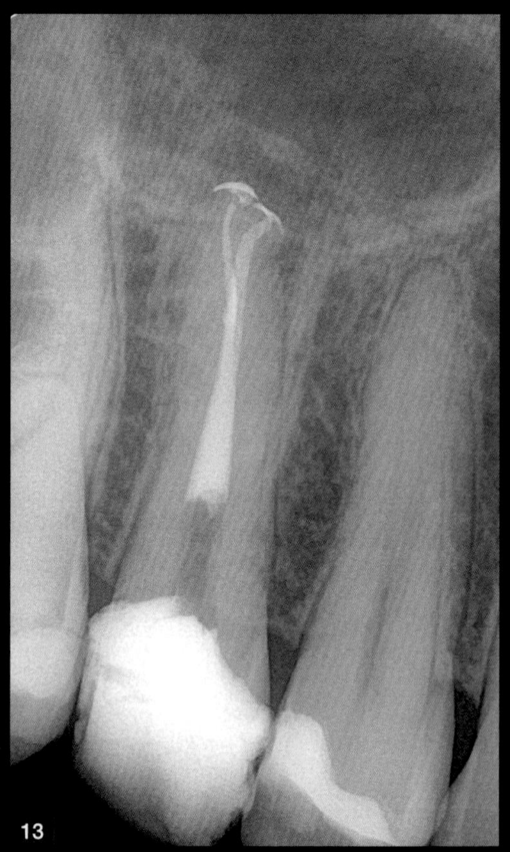

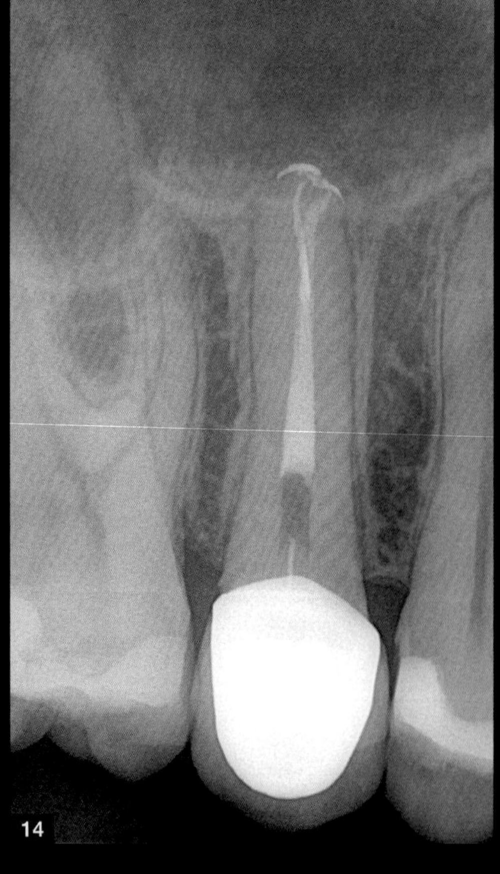

치료 마지막 단계에서의 방사선 사진과 1년 추적관찰(Fig. 14) 사진에서 재치료의 성공을 확인했다.

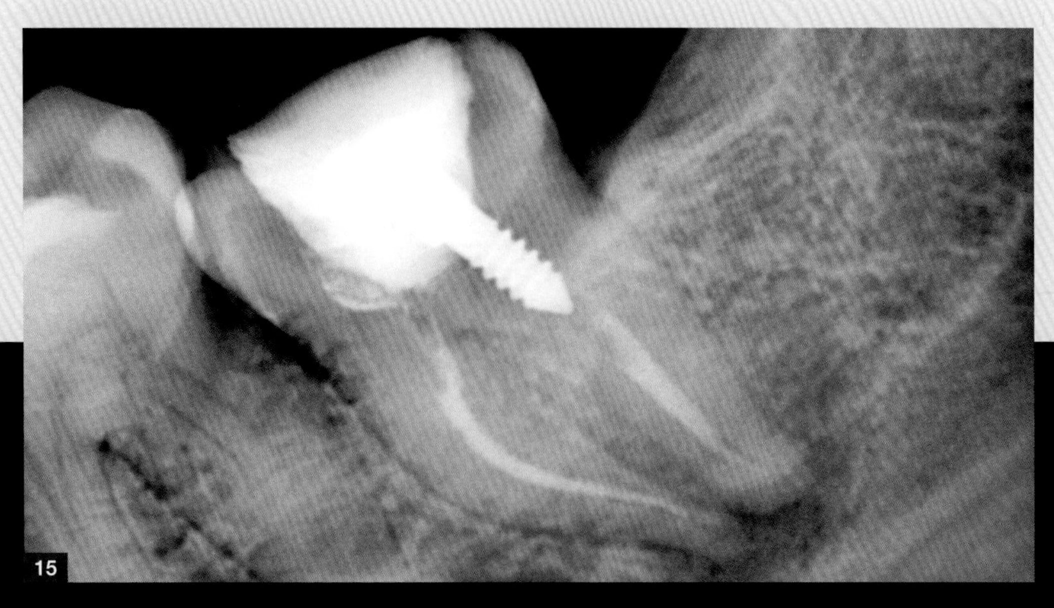

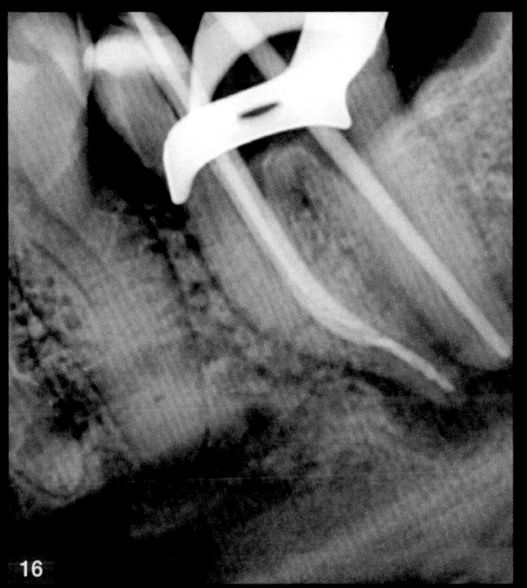

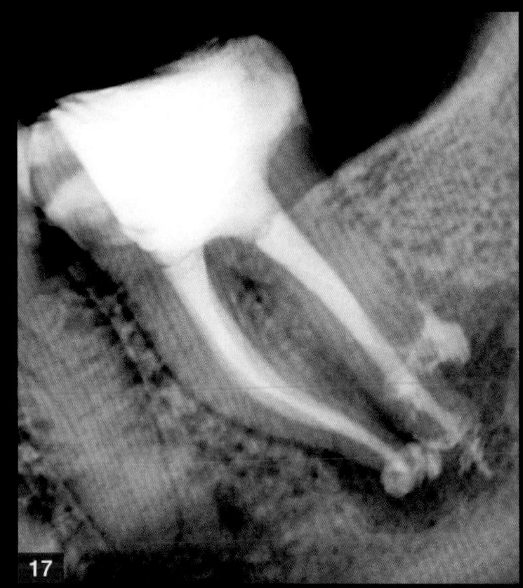

치료 전 방사선 사진을 꼼꼼하게 평가하는 것은 올바른 재근관치료 전략을 수립하는 데 기본적인 전제조건이다. 하악 대구치의 광범위한 치근단병소는 원심 치근 주위로 존재한다.

Figure 15 치근단 부위 델타(delta)의 존재를 의심해야한다.

Figure 16 꼼꼼하고 충분한 세정은 근관계 전체를 깨끗하게 소독하고 최적의 충전상태를 만든다.

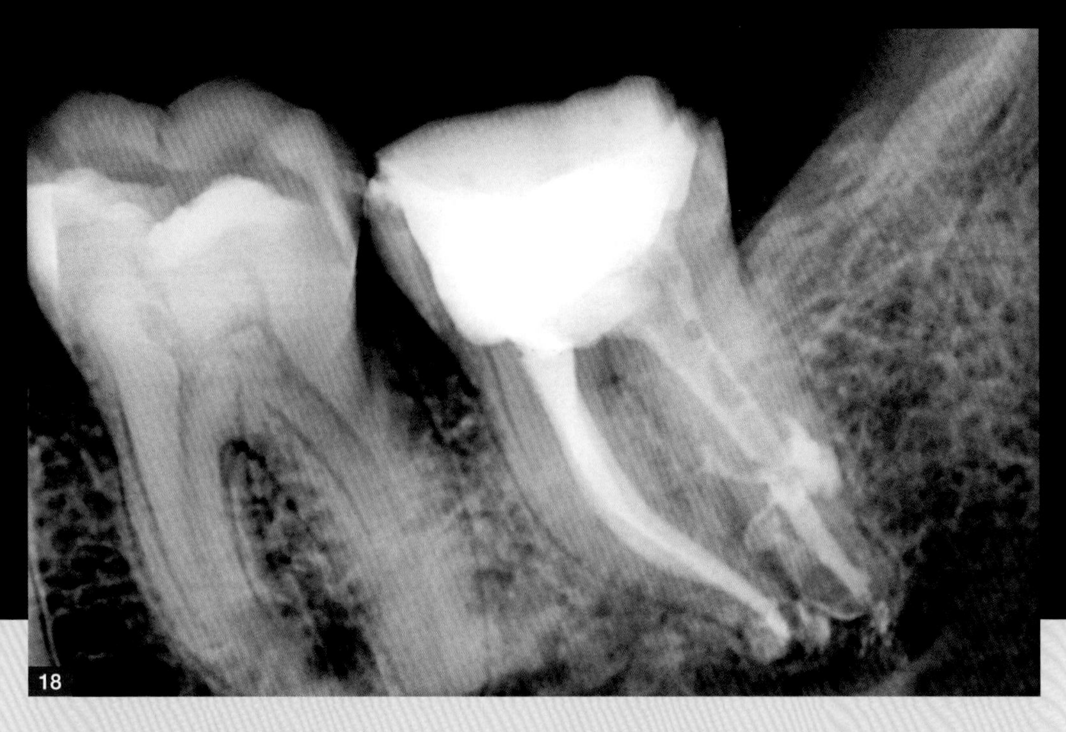

Figure 17 열 연화 수직 가압법으로 충전했을 때 여러 개의 측방 부근관의 존재를 확인할 수 있다.

Figure 18 추적관찰 방사선 사진에서 정출된 충전재가 감소된 것으로 보인다.

CASE
REPORT 14

Figure. 19: 술전 방사선 사진에서 다소 단순한 형태의 상악 제1대구치가 관찰된다. 비록 쉬운 증례이나 기구 조작하는 동안, 특히 파일로 길을 찾는 과정(scouting)에서 두 번의 치근단 만곡이 감지되었다. 치근단 부위의 형태를 보존하기 위해서 근관 성형은 다소 보존적일 수 있다.

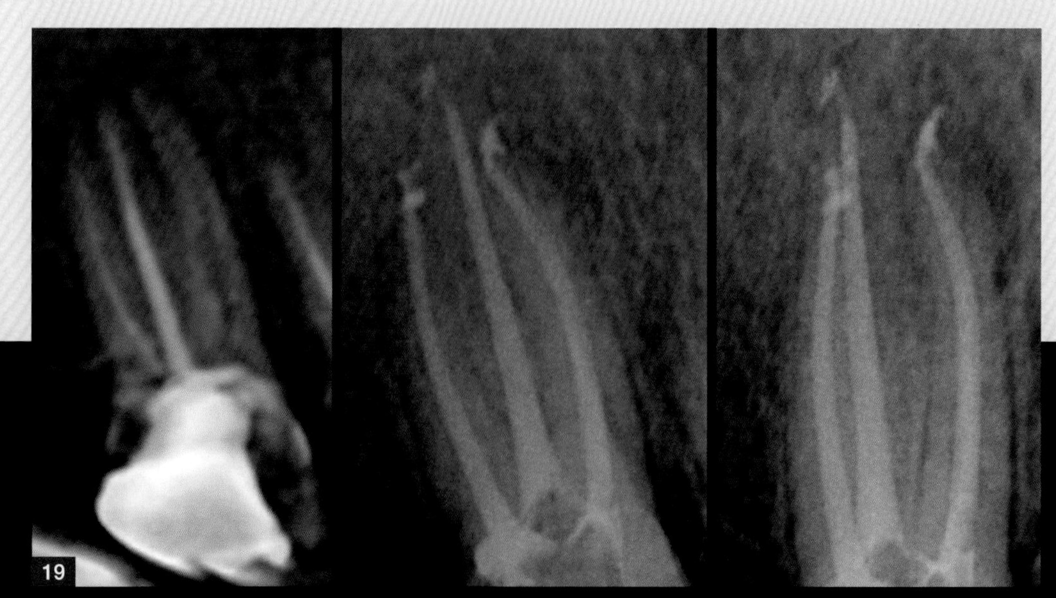

CASE
REPORT 15

Figure 20a–c: 성형과정은 상아질의 보존에 초점을 맞추고, 전체 근관계의 치근단 구조를 보존하면서 이루어져야 한다. 근심 근관의 합류 지점에 주의해야 한다.

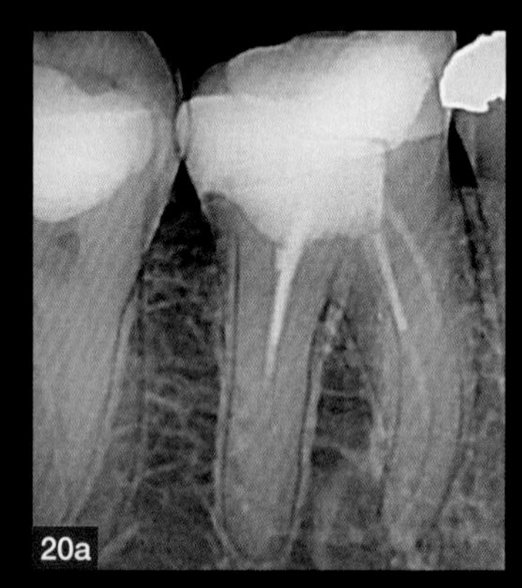

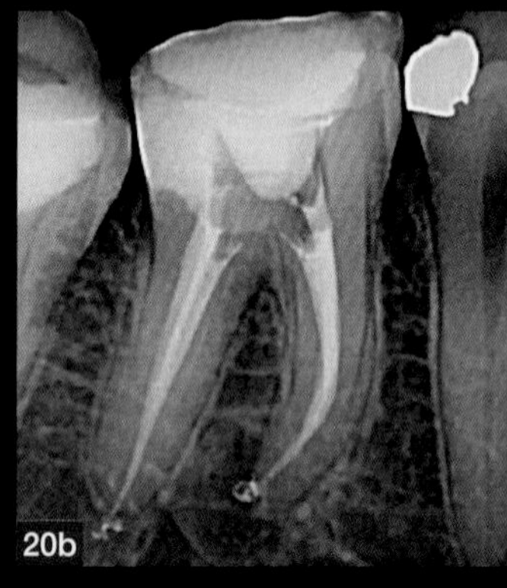

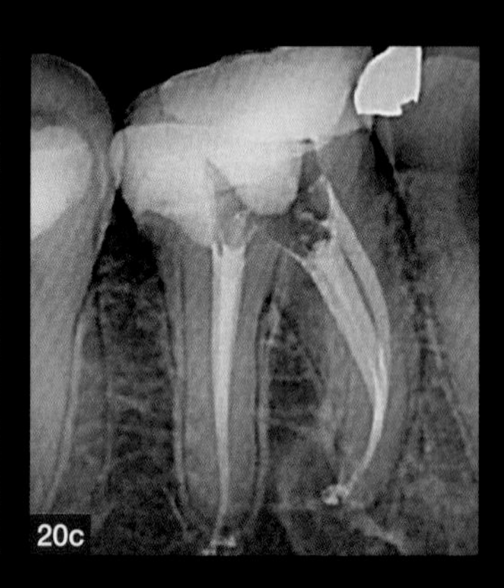

CASE
REPORT 16

Figure 21a–c: 근심협측 및 근심설측이 같이 모아지는 형태임이 관찰되었고, 적절한 근관 성형은 두 근관이 치근첨까지 완전히 충전될 수 있게 했다.

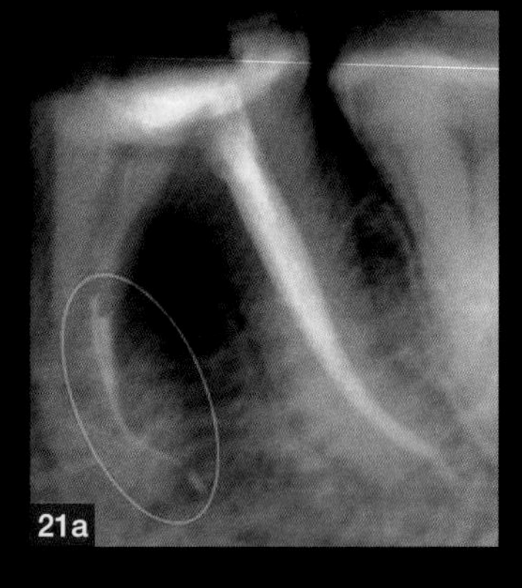

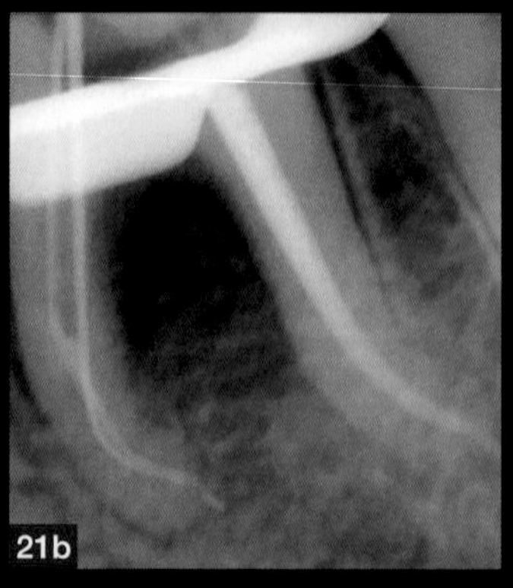

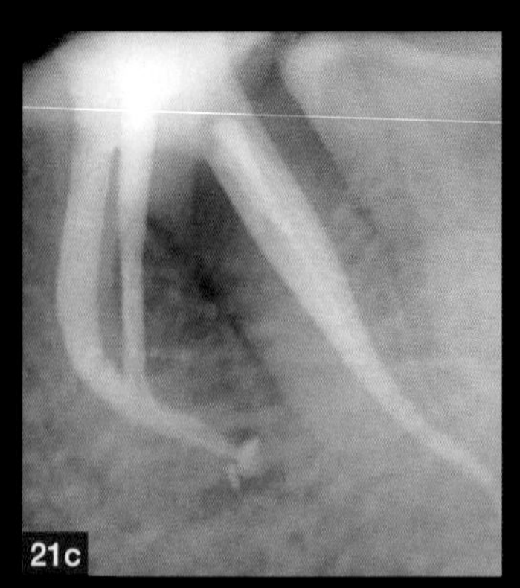

CASE
REPORT 17

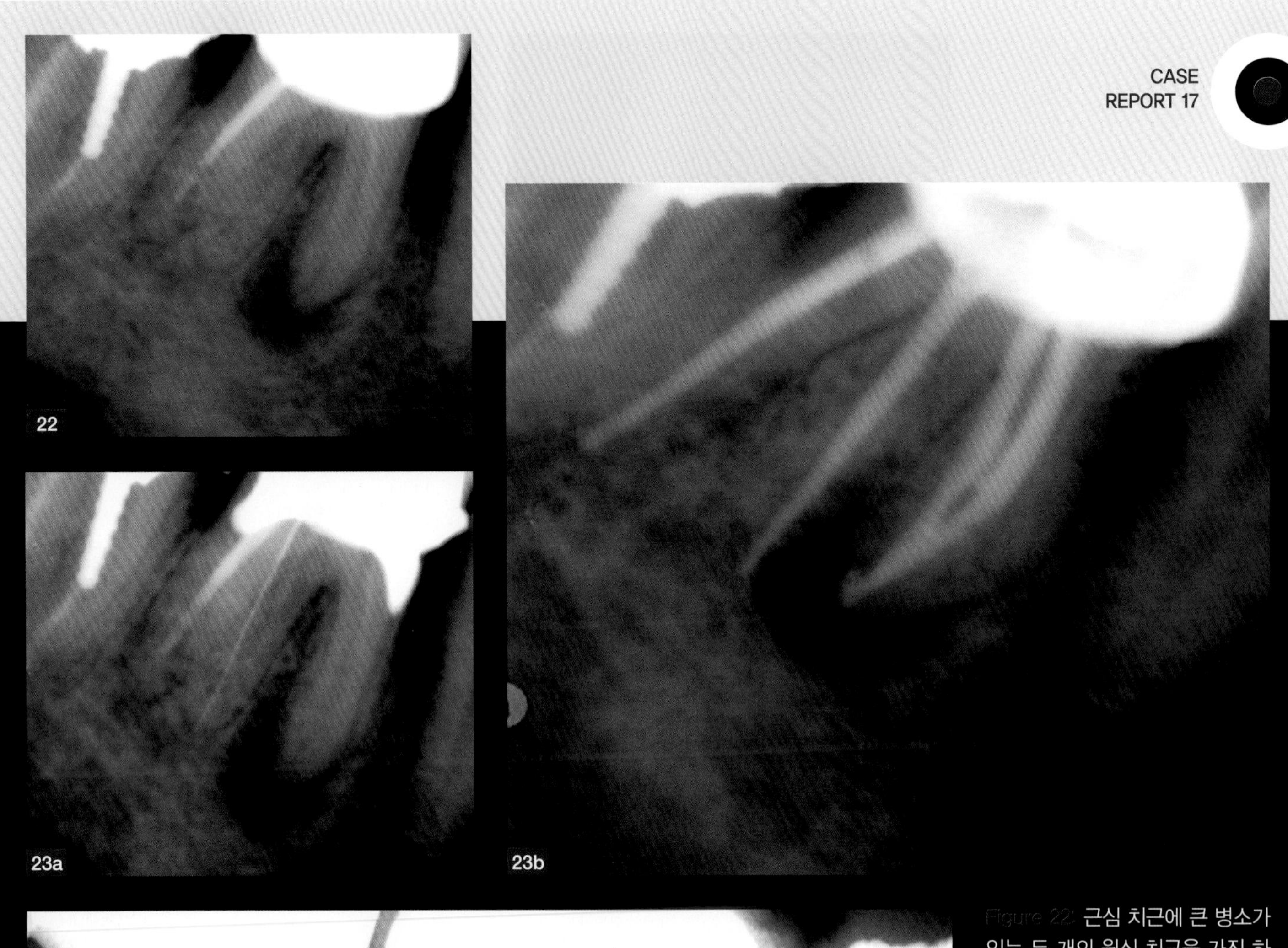

Figure 22: 근심 치근에 큰 병소가 있는 두 개의 원심 치근을 가진 하악 대구치, 'Radixenthomolaris'

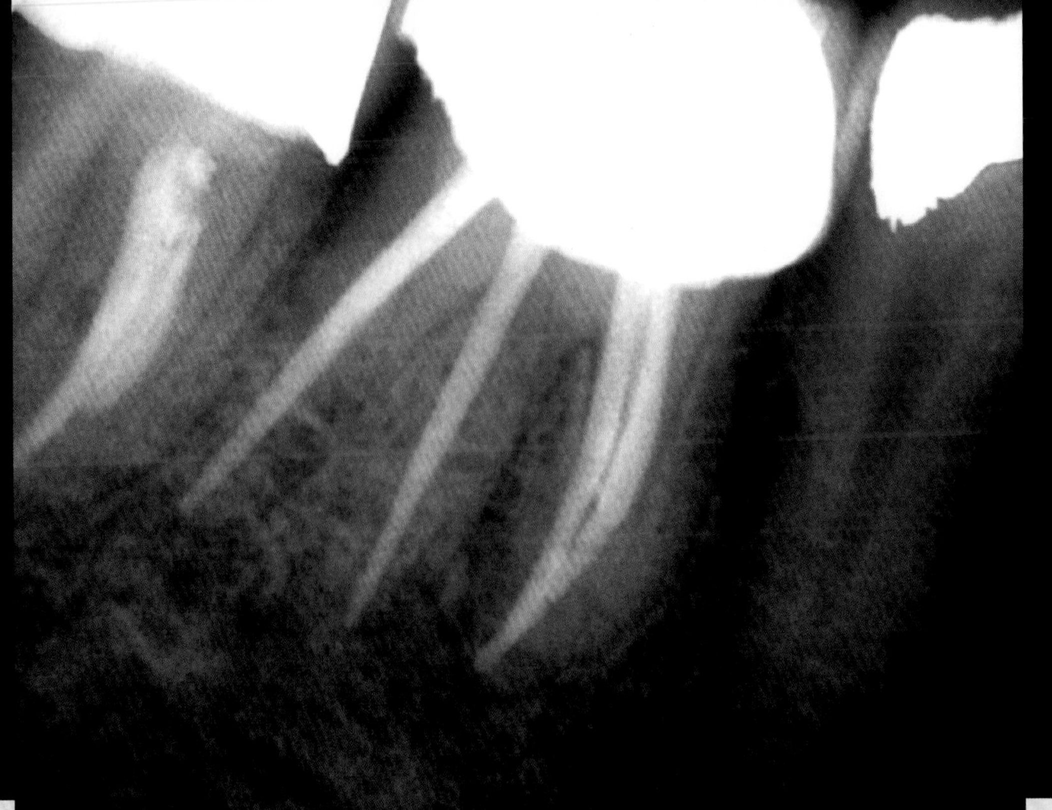

Figure 23a–c: 다른 각도에서 촬영한 방사선 사진은 드물지 않게 발견되는 이러한 해부학적 특징을 인식하는 데 유용하다.

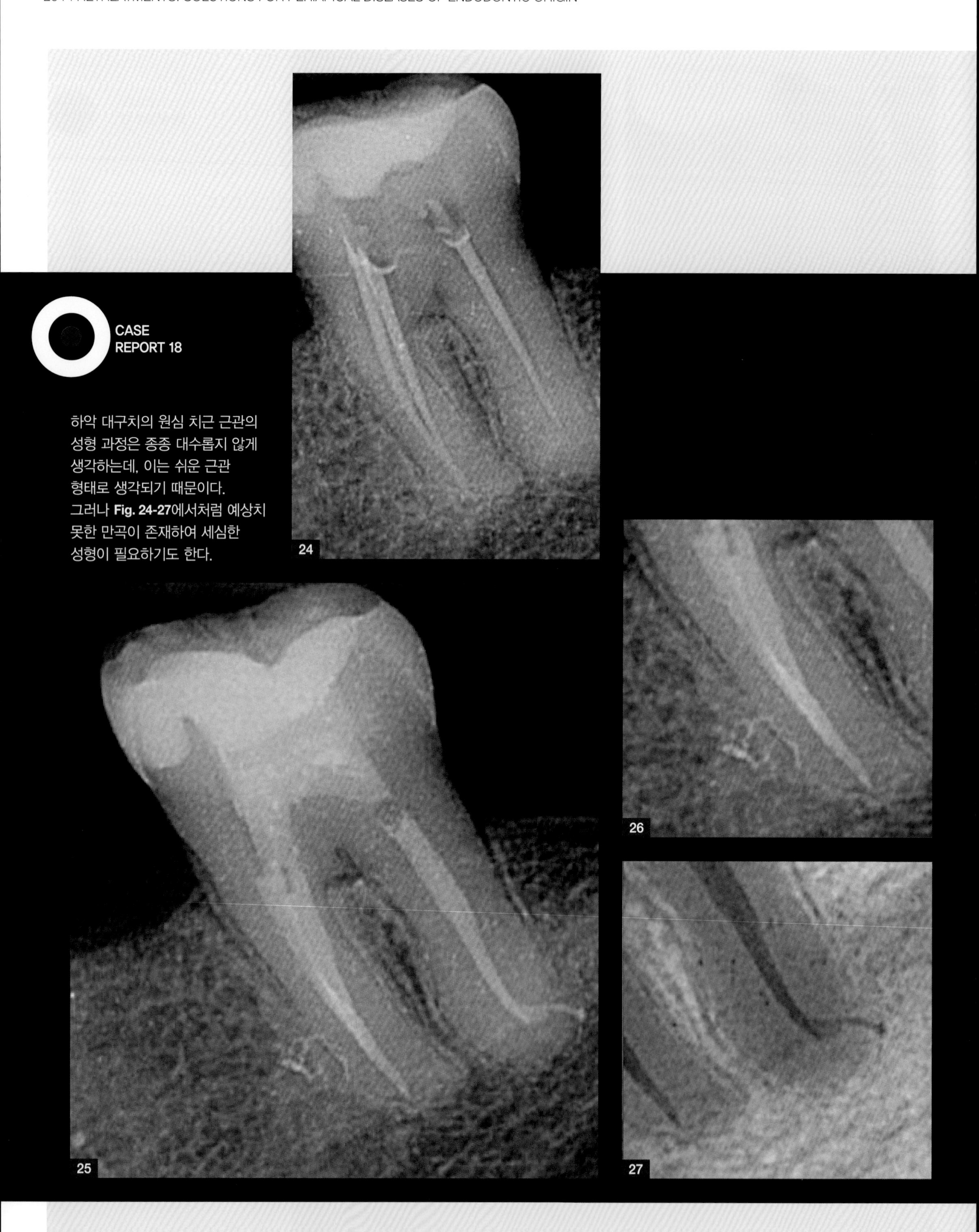

CASE
REPORT 18

하악 대구치의 원심 치근 근관의 성형 과정은 종종 대수롭지 않게 생각하는데, 이는 쉬운 근관 형태로 생각되기 때문이다. 그러나 **Fig. 24-27**에서처럼 예상치 못한 만곡이 존재하여 세심한 성형이 필요하기도 한다.

24

25

26

27

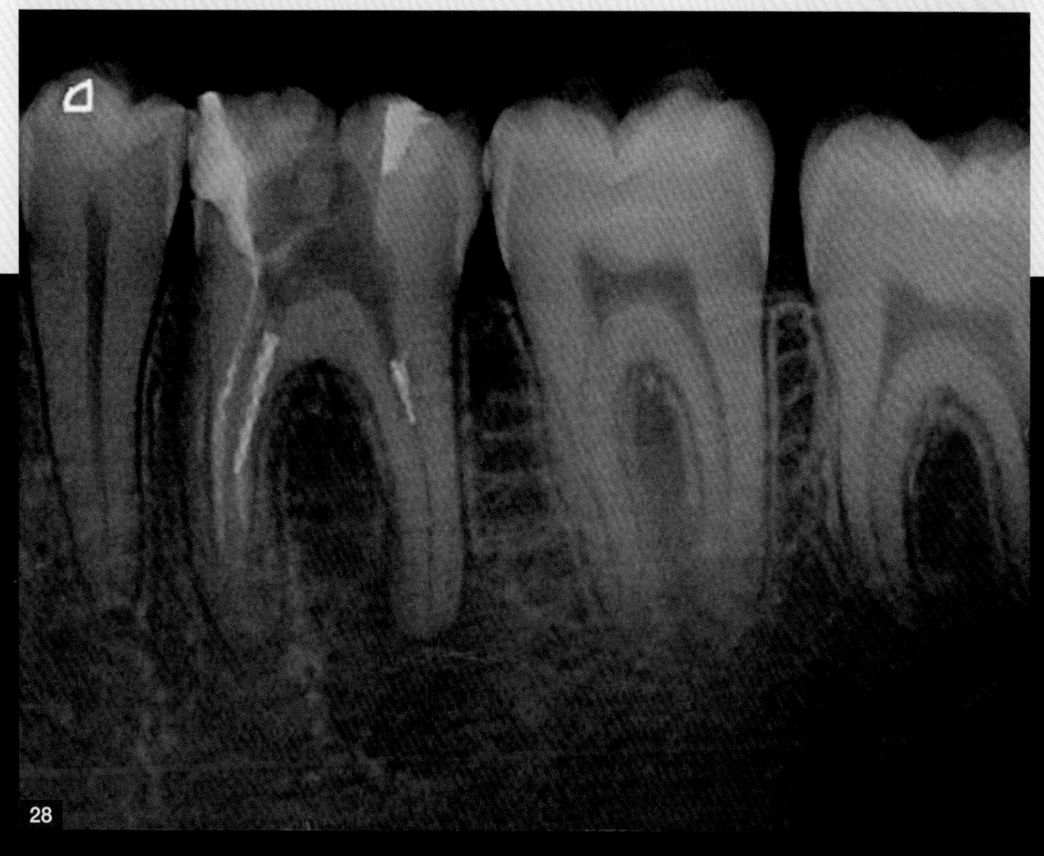

28

CASE
REPORT 19

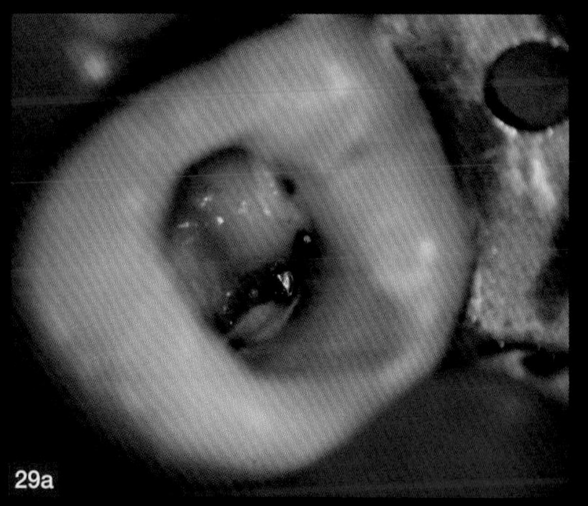

29a

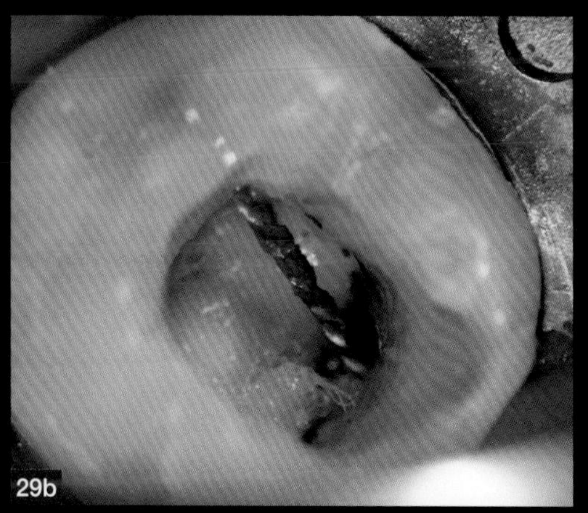

29b

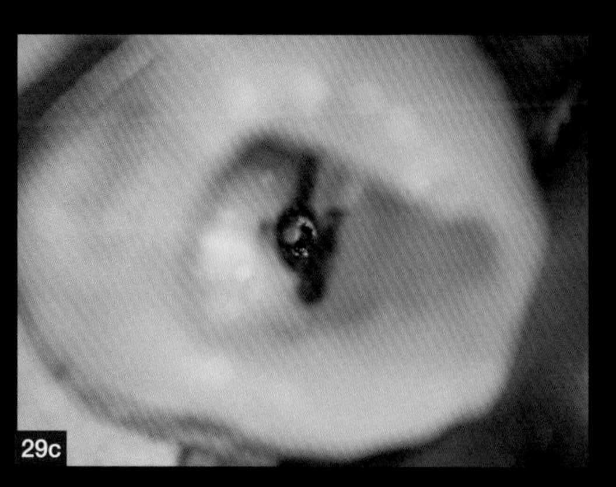

29c

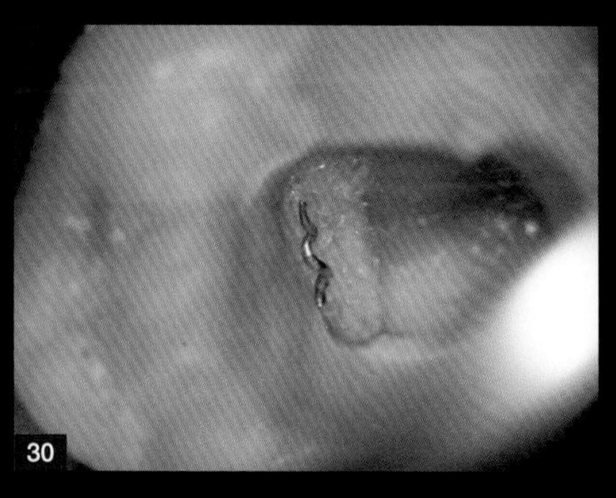

30

Fig. 28에서 하악 대구치는 근관기원의 큰 방사선 투과상 때문에 재치료를 시작했다.
이 증례에서는, 부러진 세 개의 기구 모두를 제거하는 것이 주된 과제일 수도 있다. 그러나 자세히 관찰해보면, 치근단 염증이 원심 치근에 주로 존재하는 것을 알 수 있다. 따라서 원심 근관을 주요 원인으로 생각하고 기구를 제거하는 것이 첫 번째 단계이다.
(Fig. 29 a-c)

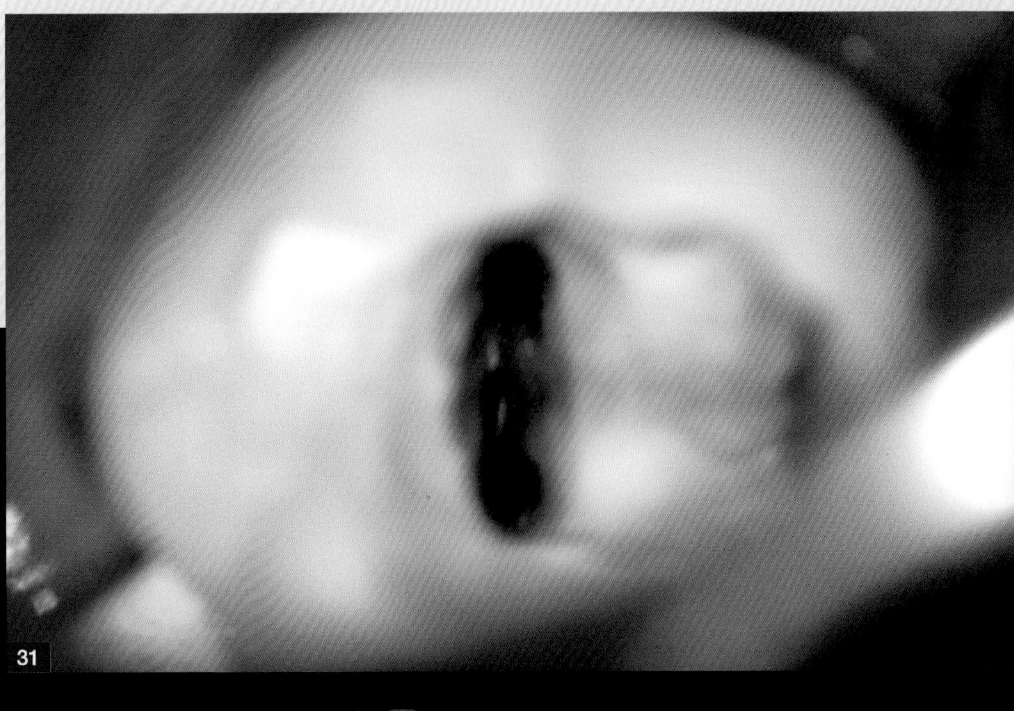

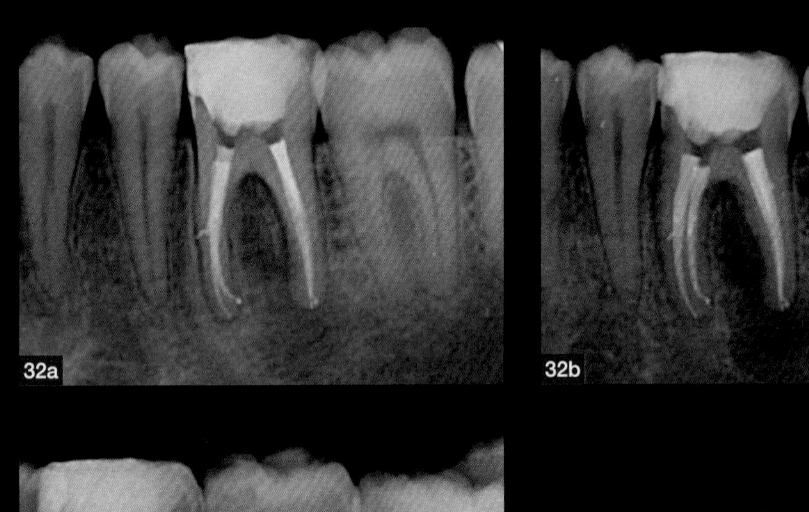

Figures 31–34: 원심 근관의 넓은 근관 입구는 치근첨에서 만나는 형태의 두 개의 원심 근관을 보여주었다. 관련하여 치근단 개방 여부를 여러 번 확인하는 것이 좋은데, 이는 재근관치료의 마무리 단계에서 올바른 근관 형태를 유지하기 위한 방법이다.

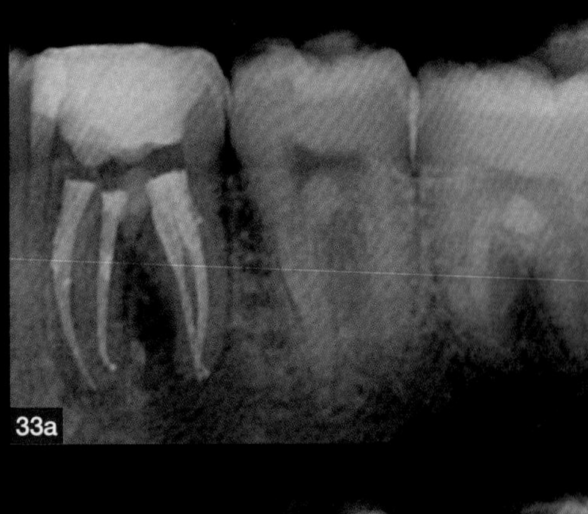

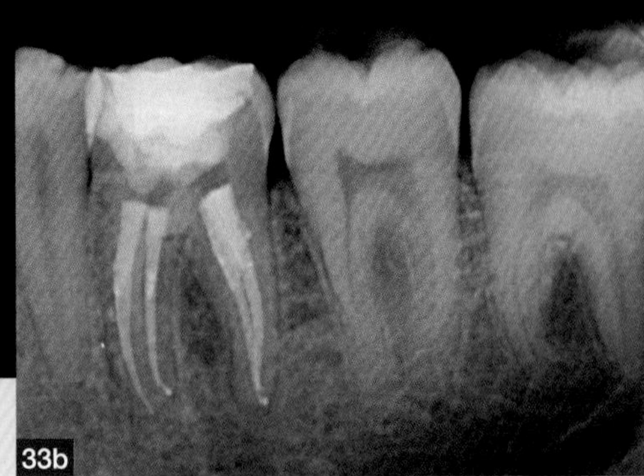

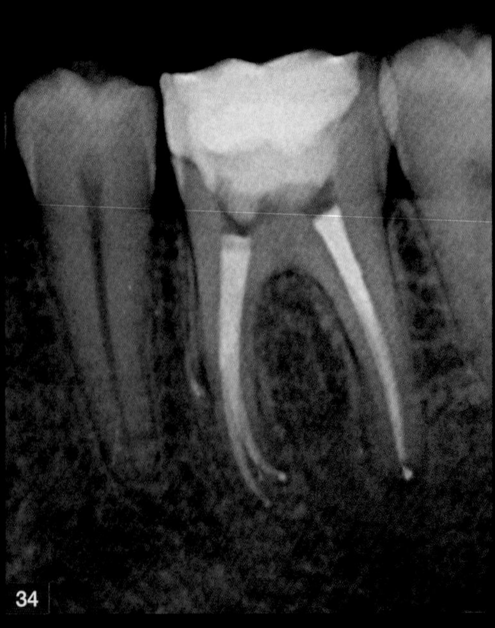

파절기구의 치료방법

재치료를 할 때, 근관계 내에 하나 이상의 파절된 기구가 존재하는 경우는 드물지 않다(**Fig. 3.70**).[91–93] 초음파, 제거 시스템과 같은 기구와 함께 치과 현미경을 사용하면 대부분의 파절편들을 제거할 수 있다. 정확한 술전 평가,[94] 적절한 기구의 사용과 근관계로의 올바른 접근은 80% 이상의 증례에서 부러진 기구를 성공적으로 제거할 수 있다.[95–97] 게다가 임상가가 파절된 기구를 우회한 증례라 할지라도 예후는 아주 우수하다.[98]

그러나 술전 과정에서, 임상가는 근관치료적 관점과 수복 관점의 예후와 관련하여, 파절된 기구의 제거 혹은 다른 치료 방법의 적용 가능성을 평가해야 한다.[99, 100] 술식을 진행하기 전에 술자는 술전 방사선 사진과 CBCT, 가능하다면 다음의 사항들을 철저히 분석해야 한다.

- 어느 근관에 파절된 기구가 위치하는가
- 파절편의 크기와 길이
- 파절된 기구의 종류(파절된 기구의 방사선 불투과성으로부터 어떤 재료인지를 예상한다)
- 근관에서 파절편의 위치
- 근관의 해부학적 특성(길이, 만곡도, 근관벽 두께)
- 파절편의 치관부 쪽으로 직선적 접근을 얻을 수 있는지 여부

임상에서 보유하고 있는 기구, 장비의 종류에 따라서도 본인이 직접 제거 술식을 시행할 것인지 적절한 장비[현미경, 초음파, 제거 기구(extractor)]가 갖춰진 타 의원으로 의뢰할 것인지를 결정할 수 있다.[101]

치아를 보존해야하는 경우에는 세가지 치료 방법이 있다.

1. 기구의 제거
2. 기구가 남아있는 상태에서 근관 충전
3. 치근단 수술

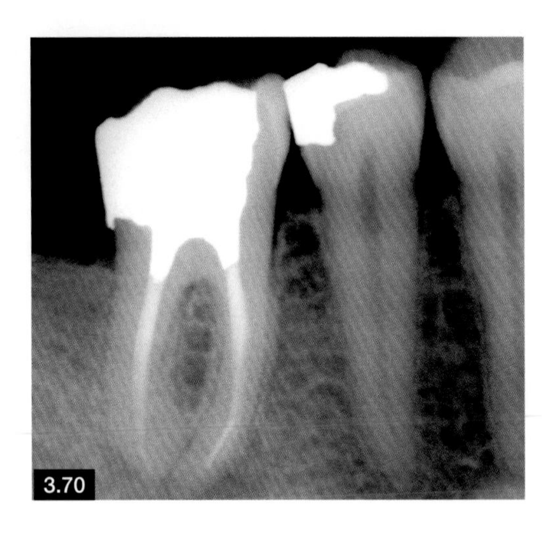

Fig. 3.70: 근심치근의 치근단 1/3 지점에 파절된 기구가 있는 치아. 이는 회전 기구의 부적절한 사용으로 종종 발생한다.[87, 88]

Box 3.4 **기구 파절의 원인**

기구 파절의 주요 원인을 이해하는 것은 임상가로 하여금 기구를 제거하거나 우회(by–passing)하기 위한 적절한 술식을 고르는 데 도움을 준다(**Table 3.8**).[100, 101] 기구 파절편이 작고, 치근단 부위에 위치한다면 비틀림 저항(tortional strss)으로 인한 파절이 의심된다. 이 경우에는 파일은 팁(tip) 사이즈보다 더 좁은 근관을 만났을지도 모르고, 그 결과 팁이 근관에 꽉 물린 채 치관부 쪽은 계속 회전함으로써 기구 파절이 일어나게 된다. 동일한 파절 기전은 파일의 경사도(taper)에 의한 방해를 받을 때도 일어나는데, 이 경우는 기구 파절편이 크고, 치근단 1/3이 아닌 곳에서 일어난다. 만약 부러진 기구 파절편이 4–5 mm보다 길고, 만곡 근처 혹은 바로 위에 존재한다면, 특히 만곡 정도가 완만한 경우라면, 우리는 피로 파절을 가정할 수 있다.[102] 이 경우, 만곡 부위에서 회전하는 기구는 수축과 이완, 두 종류의 힘을 받게 된다. 결과적으로 이러한 힘이 지속된다면 힘을 받는 부위의 치관부 쪽에서 파절이 일어나게 되는 것이다.

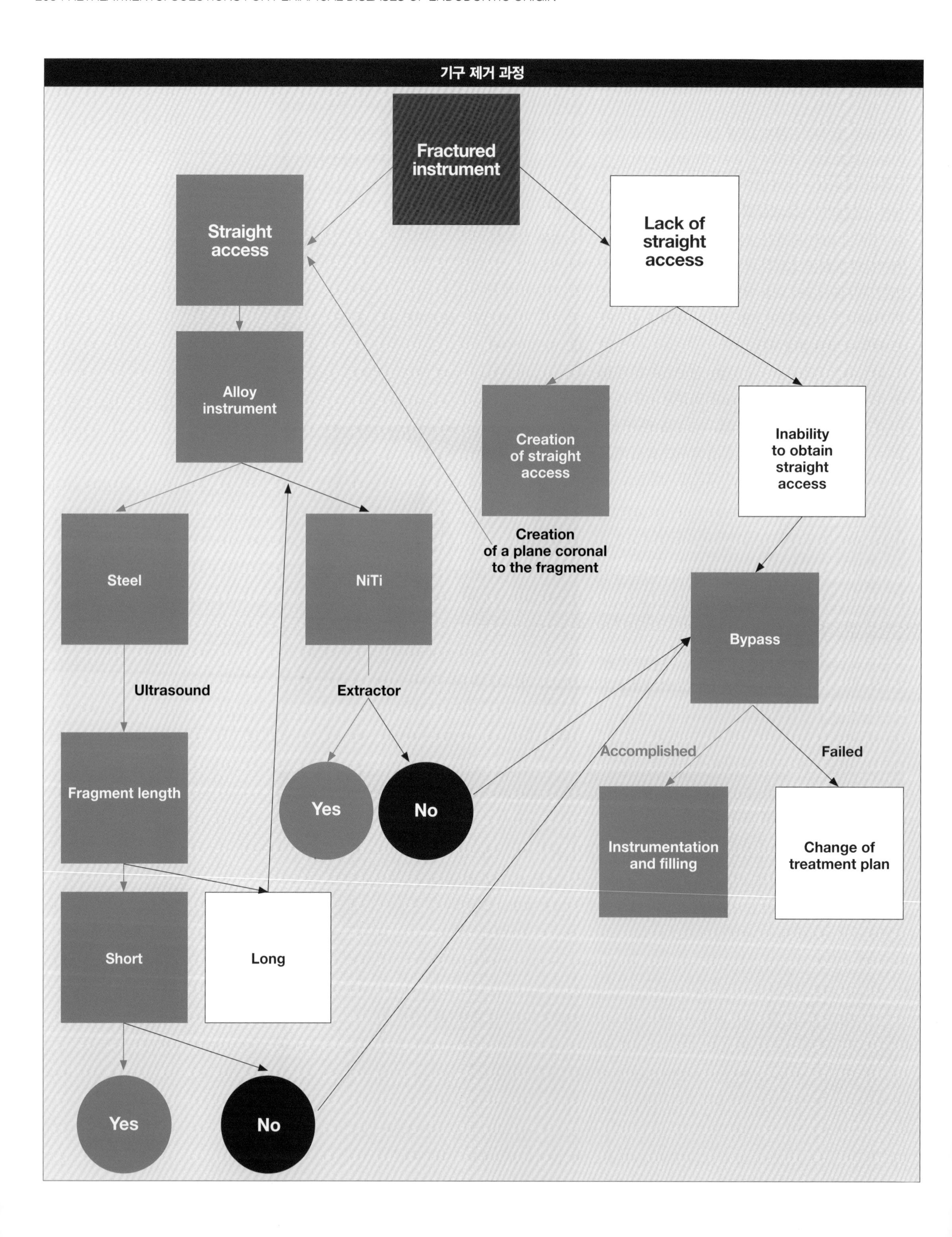

기구 제거 과정
Fractured instrument
Straight access
Lack of straight access
Alloy instrument
Creation of straight access
Inability to obtain straight access
Steel
NiTi
Creation of a plane coronal to the fragment
Bypass
Ultrasound
Extractor
Accomplished
Failed
Fragment length
Yes
No
Instrumentation and filling
Change of treatment plan
Short
Long
Yes
No

근관에서 파절된 기구의 제거 여부는 여러가지 요소를 고려해야 한다.

1. 근관의 해부학적 구조
2. 파절편의 위치
3. 기구의 종류

1. 근관의 형태(도표 참조)

기구의 제거 혹은 우회(by-passing) 가능성은 다음의 요소에 의존한다.

1. 근관의 모양과 직경
2. 만곡, 오목함(concavities)
3. 파절편이 위치한 곳의 상아질 두께

2. 파절편의 위치(도표 참조)

근관내 파절된 기구의 위치는 술자의 선택에 영향을 준다. 만약 파절 기구가 치관부 쪽에 위치하여, 직선적 접근을 얻을 수 있으면 제거 가능성은 높다.[103]

만약 파절 기구가 근관의 중간에 위치하고, 만곡이 시작되기 전에 존재한다면, 제거 가능성은 파절편의 상부에 접근할 수 있는지의 여부에 달려있다. 만일 기구에 도달하기 어렵다고 판단될 경우 파절 기구를 우회하는(bypassing) 것이 좋은 전략이 될 수 있다. 반면에 기구가 근관의 만곡부위 아래에 존재한다면 유일한 옵션은 우회를 시도하는 것이다.[104, 105]

근관내 파절 기구를 제거할 가능성은 기구의 종류에 따라 달라진다. 예를 들어, 스테인리스 스틸 파일은 NiTi 파일보다 제거가 쉬운데, NiTi 파일은 근관 벽에 단단하게 박혀있기 때문이다. 파절편의 길이 또한 고려해야 하는 부분이다. 제거 방법에 영향을 줄 수 있기 때문이다. 제거 술식은 임상 환경에 따라 다양할 수 있다.

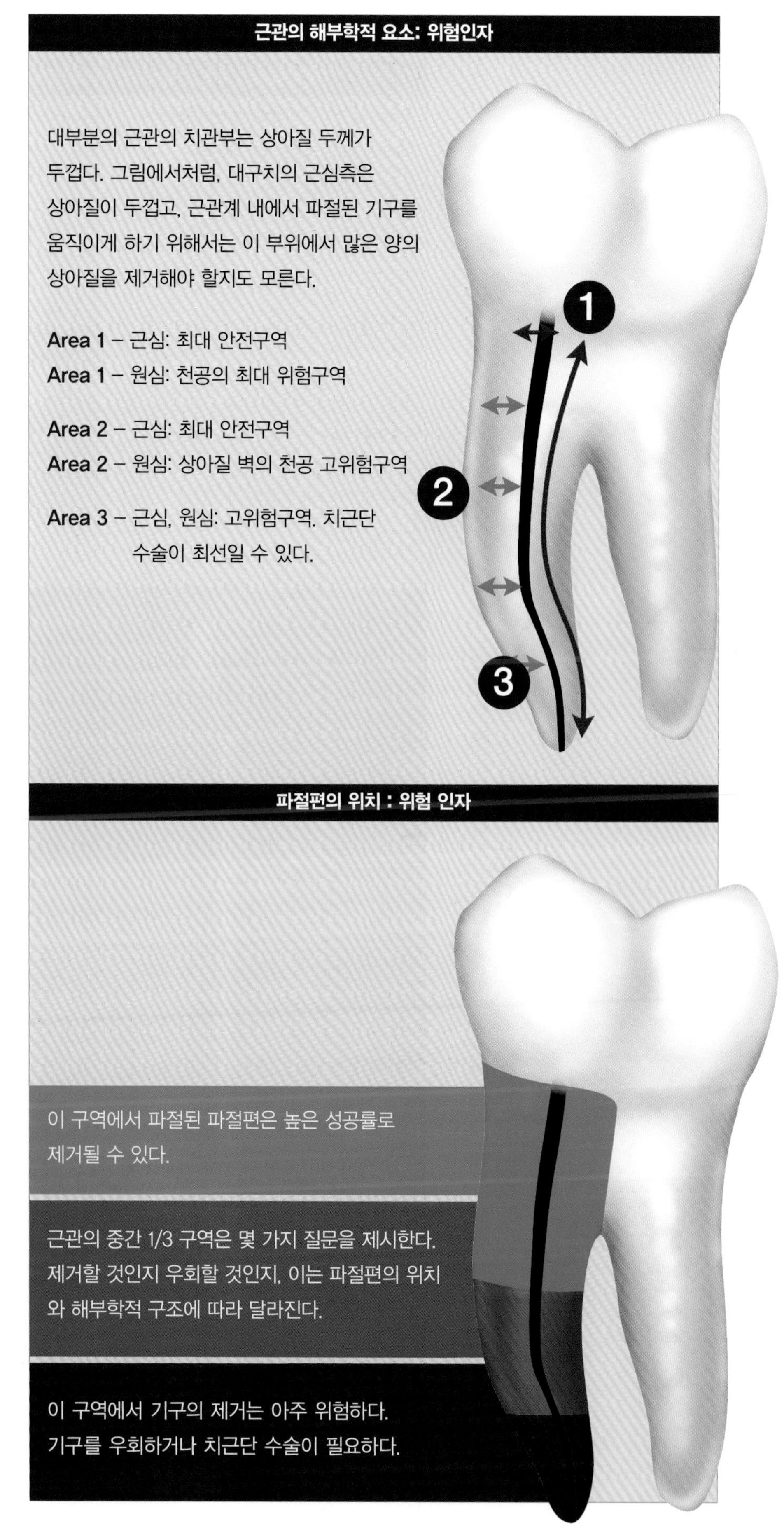

3. Type of instrument (Table 3.8)

Table 3.8 **REMOVAL OF FRACTURED INSTRUMENTS BASED ON THEIR TYPE**

Type of fractured instruments	Means of removal	Clinical procedures
Hand-tools such as a k-file or reamer	Ultrasound Delicate tools	Difficulties vary according to the location, the length, and the anatomy of the tooth.
Hand-tools such as a Hedström file (H-file)	Ultrasound Delicate tools	The difficulties are similar to those indicated for k-files or reamers, but must take into account the particular morphology of the H-file.
Ni-Ti mechanical tools	Ultrasound Delicate tools	Removal can be more difficult because the instrument is flexible and always tends to rest against the root walls, making a grip difficult.
Lentulo spirals	Ultrasound	Removal can be very complex.
Ultrasonically-activated instrument parts (tips, k-files)	Ultrasound	Difficulties vary according to the location, the length, and the anatomy of the tooth.

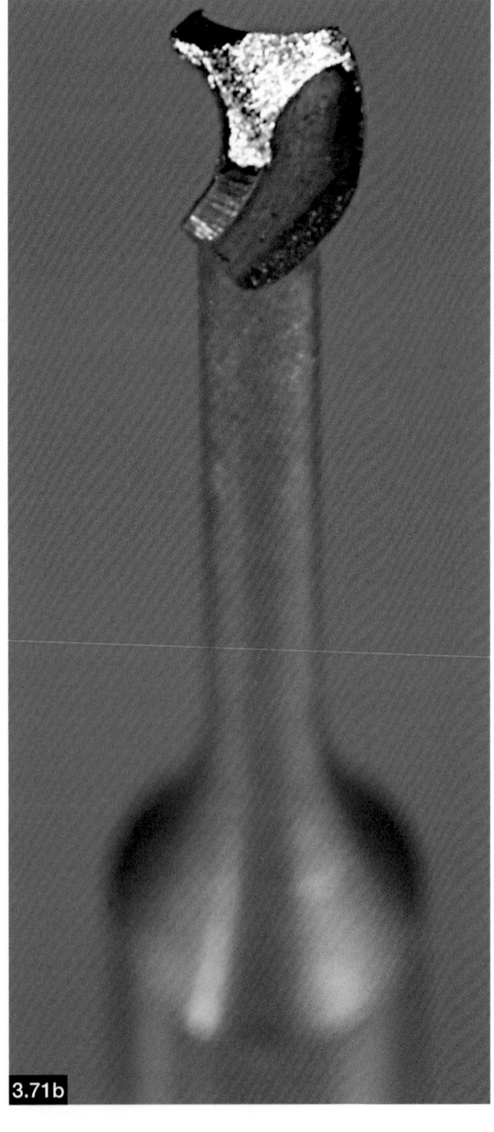

Fig. 3.71a-b: (a) 깊은 부분까지 효율적인 삭제를 위해 팁 끝을 변형시킨 GG 버. **(b)** 변형된 버의 단면

파절 기구 제거를 위한 임상 팁

임상적 경험에 더해서 근관으로부터 파절된 기구를 제거하기 위해서는 여러 기구가 필요한데, 이 기구들이 없다면 이후 과정이 의미가 없거나, 장기적인 관점에서 치아의 예후가 좋지 않을 수 있다. 이러한 기구들 중 몇몇은 재근관치료 술식에도 흔히 사용되는 것으로 임상 술식에서 필수적이다. 기구 제거를 위해 필요한 기구들은 다음과 같다.

- **게이츠 글리든(Gates Glidden, GG) 버**(Maillefer; Switzerland)는 1번에서 6번으로 구성되어 있고, 최대 직경은 0.5, 0.7, 0.9, 1.1, 1.3, 그리고 1.5 mm이다. 치근으로 접근 통로를 만들고, 장애물이 있는 위치까지 균일한 경사로 길을 만든다. GG 버는 변형해서 사용하기도 하는데, **Fig. 3.71**에서처럼 팁 끝을 수평으로 잘라서 삭제 효율을 높일 수도 있다.
- **전용 초음파 팁(Dedicated ultrasonic tips)**은 스테인리스 스틸로 만들어졌고, 삭제력을 높이고 수명을 늘리기 위해 지르코니아(Zirconium nitride)로 코팅된 제품도 있다. 이는 초음파 팁 혹은 제거 시스템 사용을 위한 추가적인 공간을 만들기 위해서 파절편 상부를 넓히는 데 사용된다. 더 좁은 직경을 가진 티타늄 팁(insert)도 사용할 수 있는데, 낮은 파워에서 주수없이 사용하여 깊은 치근단 쪽에 위치한 파절편에 움직임을 준다(161 페이지의 초음파 팁 종류 참조).
- **스트롭코 3 방향 시린지(Stropko three-way adapter)** (Vista Dental, Racine, Wisconsin)는 압력이 좋으면서도 과하지 않은 압축 공기를 만들어 낸다. 잘 사용한다면, 필요한 부위에 선택적으로 직접 공기를 분사할 수 있다.
- **확대경과 조명(Magnification and lighting)** 현미경은 임상 환경에 따라 다양한 확대상을 제공한다. 동일한 방향에서 비추는 조명은 방해되는 그림자를 만들지 않으면서 완벽하게 밝은 작업 환경을 제공할 수 있다.

전용 제거 시스템

여기에는 부러진 근관치료 기구들을 맞물리게 해서 근관 밖으로 제거하는 데 효과적인 모든 액세서리 장비가 포함된다. 다양한 시스템들이 있다.

- **iRS** (Dentsply Tulsa Dental, Tulsa, Oklahoma)는 파절기구의 물리적인 맞물림(engagemnet)을 위해 고안된 두 부분으로 이루어진 시스템이다. 작은 플라스틱 핸들과 측면 창을 가진 마이크로 튜브, 머리부분이 금속 핸들로 되어 있는 나사(wedge screw)로 이루어져 있다. 작은 플라스틱 핸들은 기구를 위치시킬 때 시야를 개선시키고, 측면 창은 기구의 맞물림을 향상시킨다. 그리고 나사의 끝이 45도로 경사져 있어 기구의 맞물림에 유리하다(**Fig. 3.72**).
- 팁과 빈 튜브로 이루어져서 시아노아크릴레이트(cyanoacrylate) 접착제를 그 안으로 넣어 기구에 접착시켜 제거하는 제거 시스템이 유용할 수 있다(**Fig. 3.73**).
- **파일 제거 키트**(Terauchi, Japan) (**Fig. 3.74**)

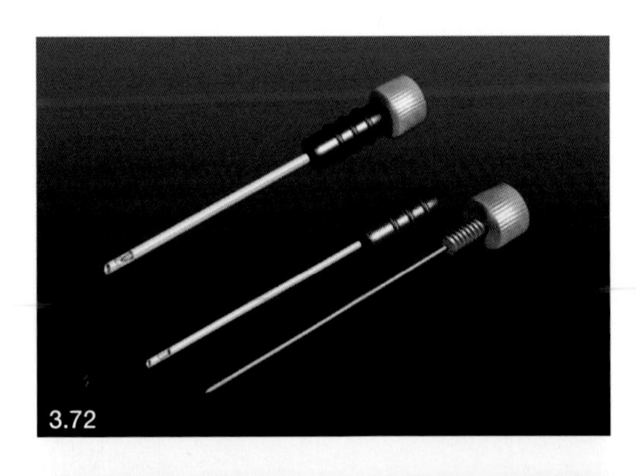
3.72

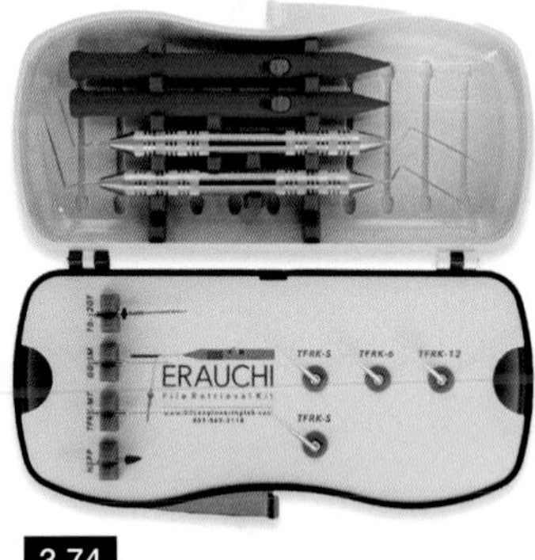

3.74

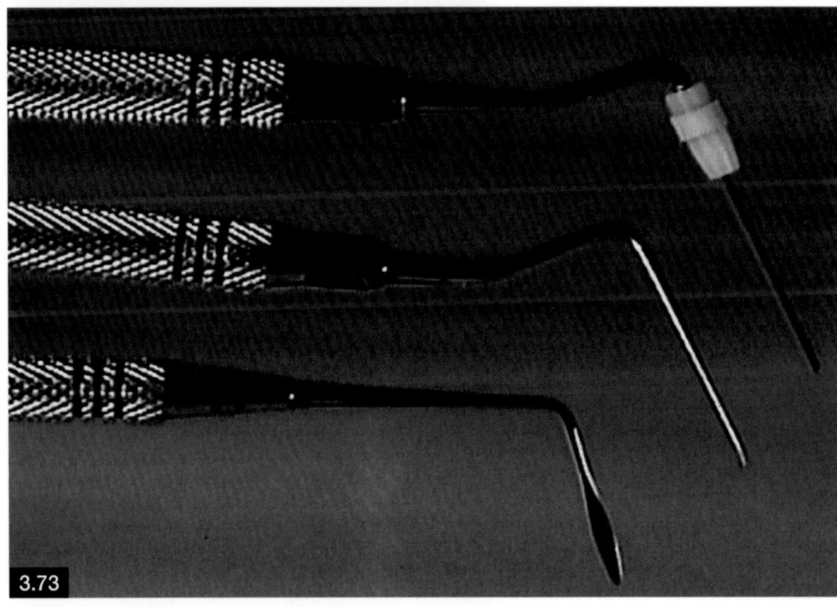
3.73

파절기구 제거 술식

파절편의 제거는 5단계로 나눌 수 있다.

❶ 파절편의 치관부 1/3로의 접근

술자는 적절한 접근과 시야확보를 위해 파절편 상부로 직선적 접근 경로를 형성한다. GG 버 혹은 초음파 팁을 조심스럽게 사용하면 파절편을 건드리지 않고 와동을 형성할 수 있다.

❷ 파절편의 부분적인 동요도

작은 ISO 08 혹은 10번 K 파일을 사용하여 파절편을 우회할 수 있다. 파절편이 타원형의 근관에 존재하거나 근관벽과 기구 상부에 적절한 공간이 존재할 경우 이 방법은 간단하다. 반대로 근관이 원형이고, 파절편이 근관에 꽉 끼어있다면 이 방법은 굉장히 어려울 수 있다.

Fig. 3.75: 각각 ISO 06, 08, 10 직경을 가진 파일로, 파절된 기구와 근관벽 사이의 좁은 공간을 우회하는 데 유용하다.

❸ 초음파를 이용하여 파절편 제거

근관벽과 파절편의 상부 사이에 공간이 존재하고 더이상 막혀있지 않다면, 초음파에 연결한 ISO 15번 K 파일을 넣고 주수하에서 진동을 주게 되면 기구의 상부에 도달하게 된다. 대부분의 경우, 움직이는 파절편은 근관밖으로 나온다. 다근관 치아의 경우에는 근관에서 제거된 기구가 다른 근관 안으로 떨어지지 않도록 다른 근관의 입구를 솜이나 테플론 펠렛으로 보호해주는 것이 좋다.

❹ 기구의 치관부 1/3을 느슨하게 함

기구의 치관부를 우회할 수 없고, 근관 전체를 꽉 막고 있다면, 직접적인 접근을 얻기 위해 적어도 일부를 느슨하게 할 필요가 있다. 이 경우 전용 초음파 팁(ProUltra, ET20–ET25 Satelec)이 사용되는데, 이는 꽉 끼인 파절편의 상부에서 적어도 2–3 mm 정도 떨어진 지점의 상아질 벽에 적용해야 한다. 일단 파절편의 느슨해진 상부에 접근이 가능하면, 3단계 술식을 진행해 볼 수 있다.

❺ 제거시스템의 이용

초음파로 활성화된 K 파일을 이용했으나 치관부만 느슨해지고 근관에서 기구가 움직이지 않을 경우, 술자는 제거 시스템의 사용을 고려해야 한다. 대부분의 제거 시스템은 튜브와 튜브 내부에 삽입하는 plunger로 구성된다. IRS 시스템(Maillefer, Switzerland) 은 사이즈가 다른 두개의 튜브로 구성된다(검정 1 mm, 빨강 0.8 mm 직경). 튜브의 끝 부분은 둥글고 구멍(window)이 나 있는데, plunger를 조여주게 되면 이 부분에서 파절편이 맞물리게 되어 제거할 수 있다. 이러한 방식의 제거 기구를 사용하려면 적어도 파절편의 상부 3 mm는 움직임이 있어야 한다. 정확한 크기의 마이크로튜브를 파절편 상부가 측면의 구멍(window)으로 빠져나올 때까지 부드럽게 삽입한다. 이때, plunger를 마이크로튜브의 반시계 방향으로 조여주면, 점점 아래로 내려가면서 파절된 기구가 측면 구멍으로 빠져나가고 plunger에 꽉 물리게 된다. 이 단계에서 튜브를 제거하면 파절된 기구와 함께 빠져나오는 것이다. 이 시스템은 lentulo spiral 혹은 실버콘의 제거에 적합하다.

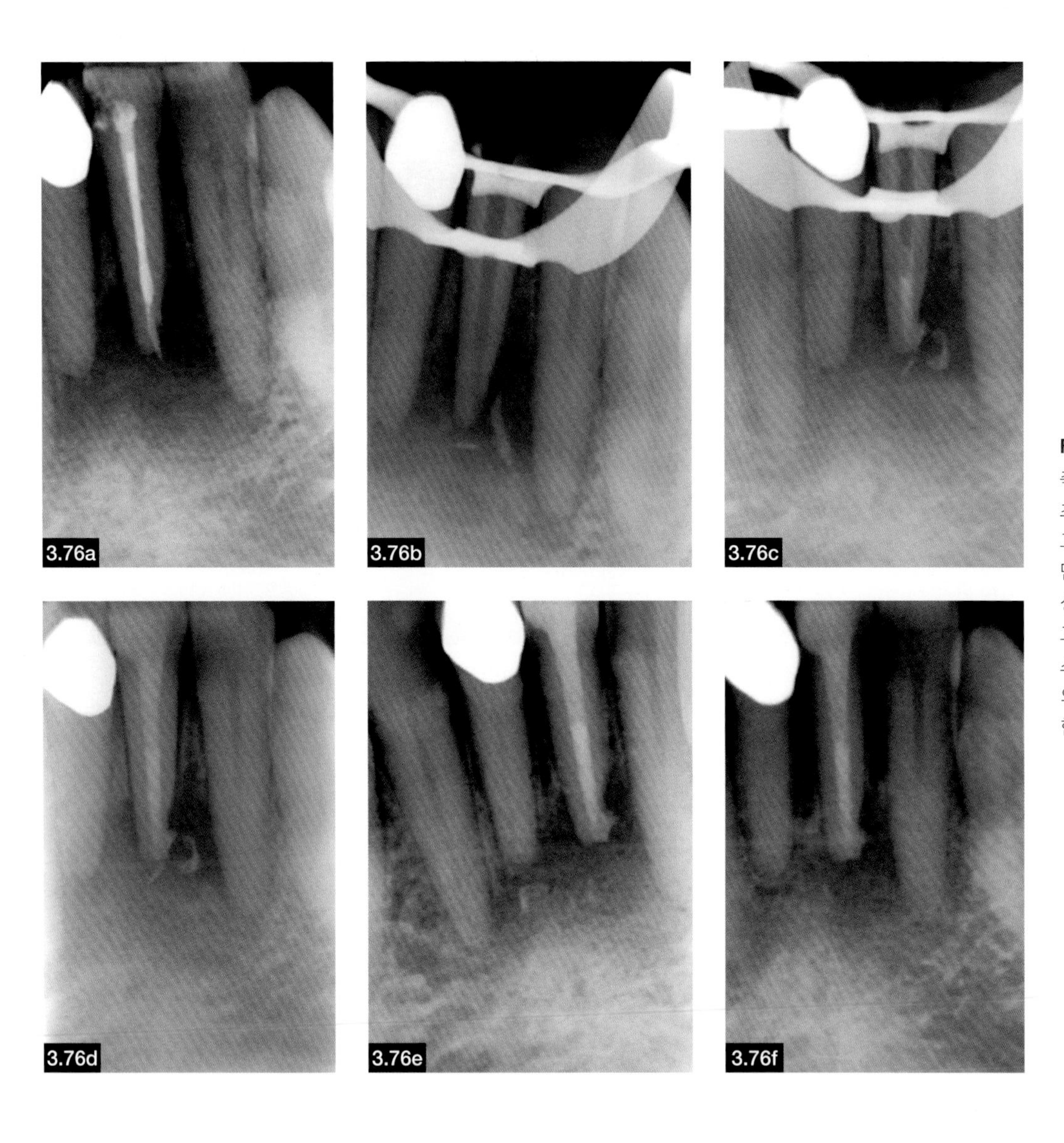

Fig. 3.76a-f: (a) GG 버가 파절된 하악 측절치의 재치료. **(b)** 버는 다이아몬트 초음파 팁을 이용하여 어렵게 제거되었고, 근관이 명확하게 확인된다. **(c)** 치근단 1/3 부위의 충전은 'apical plug'를 형성하기 위해 MTA로 충전하였다(5장 참고). **(d)** 충전을 완료하고 섬유 컴포짓 포스트를 이용하여 수복하였다. **(e)** 1년 후의 변화. **(f)** 3년 후 염증성 병소의 완전한 치유를 보인다.

파절기구의 우회 술식

파절된 기구의 위치, 혹은 다른 요소로 인해 기구 제거가 어렵다면 술자는 파절된 기구를 우회하는 데 목적을 두고 전략을 수립할 필요가 있다. 실제로 이러한 증례에서는 작은 ISO 06, 08, 10번 K 파일의 끝에 만곡을 주어(precurved) 조심스럽게 'watch-winding' 동작으로 남아있는 파절편을 우회할 수 있는데(**Fig. 3.72**), 파일이 부러지지 않도록 자주 새 것으로 교체해주는 것이 좋다. 정확한 작업장까지 도달했다면, 수작업으로 근관을 성형해야 한다. 즉, taper가 작은 NiTi 파일 혹은 SS 파일을 손으로 조작하는 것이다.

Lentulo spiral의 제거

술전 방사선 사진에서 근관내에 lentulo의 존재가 확인된다면, 기구가 서로 물리지 않게 해야 한다. 실제로 상부에서 동요도가 있어도, lentulo spiral은 치근단 쪽으로 더 꽉 끼어 있을지도 모른다. 와동 형성 후 K 파일이 lentulo spiral의 측면으로 우회할 수 있도록 진동을 주면서 근관내로 킬레이터를 넣는다. 이때 와동이 잘 형성되었다면 제거 시스템이 파절된 기구의 상부에 잘 맞물릴 수 있기 때문에 제거 시스템을 사용할 수도 있다.

근관 석회화와 ledge를 우회하기 위한 술식

가장 높은 실패율을 보이는 경우는 근관 충전이 실제 작업장보다 몇 mm 짧게 충전된 증례이다.[111, 112] 이러한 경우에 재치료를 하게 된다면 존재하는 충전재의 제거와 더불어 이전 치료에서 야기된 근관의 변형,[113] 막혀있건, ledge가 형성되어 있건, 이를 해결한 후 근관장을 다시 설정하고 근단공 개방 여부를 확인해야 한다. 술전 방사선 사진을 분석할 때, 왜 작업장 길이가 실제 치근단까지 도달하지 못했는지 그 이유를 이해하려고 노력해야 한다.

Box 3.5 근관내 파절된 기구를 남겨놓는 것의 법의학적 의미 *(Prof. Marco Scarpelli)*

저자의 소견으로는 근관치료는 치과의 전문분야 중에서 소송 위험이 낮은 범주에 속한다. 대규모의 보험청구(ANDI/Cattolica convention, 대략 13,000명 회원) 자료를 참고하고 장기간의 효과를 고려했을 때, 근관치료 영역은 '보존/근관치료' 그룹에 할당된 13.4%에 해당된다. 따라서 만약 이 중 50%를 가정한다면(근관치료 증례가 절반을 넘지 않는다는 가정하에) 우리는 6.7%의 청구를 처리한다.

한 단위 기간동안 발생한 5,040건의 클레임 중에서 45%에 해당하는 피해보상 클레임이 발생하는데(약 17년 동안 5,040건의 클레임 중 6.7%), 이 중 45%는 국가 수준에서 연간 9건이 처리된다. 여기에서 특정 정보를 얻을 수는 없지만, 근관치료 영역의 사고 대부분은 근관치료의 성공/실패를 확인하기 전에 조기 보철하중을 특징으로 하는 치료/재치료와 관련이 있다는 점도 고려해야 한다. 따라서 분쟁의 주요 원인이 근관치료 실패가 아닐 수 있다. 실제로 명확한 원인은 보철치료까지 끝난 후의 재치료 필요성와 관련있다. 따라서 근관치료는 '낮은 위험' 영역이다. 그러나 몇몇 예방적 수단, 간단하지만 필수적인 예방적 수단은 반드시 지켜져야 함을 명심해야 한다. 재치료의 경우, 특히 파절된 기구를 포함하는 치아를 재치료할 때는 환자에게 재치료의 의미를 사진으로 설명하는 것이 필수적이다. 확실한 결과를 보장하지 않고 치료를 '시도'한다는 것의 의미 즉, 기구를 제거해야 하는가? 제거에 실패해도 근관을 잘 충전할 수 있는가? 등의 의미를 설명해야 한다. 그 다음 단계는 환자의 동의서를 받는데, 이때에도 하나 이상, 설명에 도움되는 그림이 포함되어야 한다.

만약 근관치료 전문의들이 환자의 치아에 파절된 기구가 있다는 것을 알게 된다면 환자에게 알려야 할까? 답은 '예'이다. 이는 단지 윤리적인 측면이나 동일한 기회와 공정성에 근거하는 것이 아니라, 좋은 의사/환자 관계를 유지하기 위한 주요하고 근본적인 요소로 강조되어 온 치료적 동맹의 측면에서도 필요하다. 환자는 정보를 제공받을 권리가 있다.

물론, 문제가 해결될 가능성, 예를 들어, 숙련된 근관치료 전문의가 현미경을 보면서 치료함으로써 해결될 수 있다는 것 또한 설명해야 하는데, 이는 환자의 비용이 없음을 의미한다(이 경우, 잘 해결되면 보험금이 청구된다).

Claims data from Oris Broker
(ANDI/Cattolica Convention (1 January 2001 - 20 February 2018)

Claims reported in total:	5,040
Outstanding claims:	807
Claims settled:	4,233
Claims paid:	2,299 (55%)

Types of claims (%)	
ORTHODONTICS:	9.4
CONSERVATIVE DENTISTRY:	13.4
ORAL SURGERY:	17.5
IMPLANTOLOGY:	30.9
PROSTHETICS:	25.1
ANESTHESIA:	1
OTHER DAMAGES:	2.7

대부분의 이유는 근관의 만곡도, 특히 좁은 근관과 같은 해부학적 특성과 관련이 있다.[114, 115] 따라서 적절한 기구를 이용해서 올바른 경로를 찾아가는 것이 중요하다. 필요한 기구들은 가늘고 만곡시킨(precurved) K 파일, 적절한 확대경, 기구가 근관내로 잘 들어가도록 도와주는 킬레이팅 용액 등이 있다.

몇몇 증례에서는 만곡시킨(precurved) NiTi 파일을 작업장까지 수동으로 삽입할 수도 있다. 이때는 사용했던 파일을 재사용하지 않도록 해야한다. 일반적으로 직선 근관에서 장애물을 만나면 근관이 '막혀있는' 것이다. 반면에, 장애물이 만곡 근처에 있거나 혹은 충전재가 치근의 형태와 일치하지 않고 한쪽으로 치우쳐져 있다면 아마도 'ledge'일 것이다. 이 두 종류의 장애물을 만났을 때 근관계로 접근하기 위한 술식은 명확하게 구분된다.[116]

우리는 또한 임상가들에게 발생할 수 있는 잠재적 부작용에 대해 기록하도록 조언하고 있는데, 이는 치과의사가 이미 환자에게 설명했고, 그 상황을 해결하기 위해 적절한 조치가 취해질 것이라는 것을 설명했다는 것을 확실하게 하는 것이다. 방사선 사진의 증례에서 치과의사는 46번 치아의 근관에 파절된 기구가 있다는 사실을 알아차리지 못했다. 대신에 그는 환자가 통증을 호소했기 때문에 보철치료를 진행했다. 환자는 약물 치료를 받았으나 다른 전문의를 찾아가서 진단을 받을 때까지 통증은 지속되었다. 결국 환자는 외과적 근관치료를 받기 위해 전문의에게 의뢰되었다.

보철치료가 진행되었고, 기구파절이 존재하는 상황에서 근관치료 전문의는 역방향의 수술을 선택했다. 실패할 경우, 치과의사와 환자는 치아가 발치될 수 있다는 사실에 동의했다(신중한 선택으로). 사례는 아직 진행 중이나 근관치료 중 기구가 파절되었을 때 그 치과의사의 책임을 면제해주는 정책을 가진보험회사에 의해서 잘 진행되고 있다. 동의서와 관련해서는 완전히 작성되어야 함을 유의해야한다. 만일, 동의서가 완전히 작성되지 않았다면, 추가적인 counter-productiveness가 필요할 것이다. 파절된 기구가 있는 치아를 수술할 때 우리는 파절된 기구를 보여주는 방사선 사진을 부착하고, 그것을 제거하는 시도가 이루어질 것이고 대체 치료방법에 대해서도 제안하는 것을 조언하고 있다.

In short

- 동의서는 기구가 파절될 수 있음을 명시해야 한다(2장 참고).
- 파절을 인지하고 기록하라.
- 기구 파절에 대한 조치를 취하라.
- 기구가 남아있거나 우회되었다면 추적관찰이 요구된다.

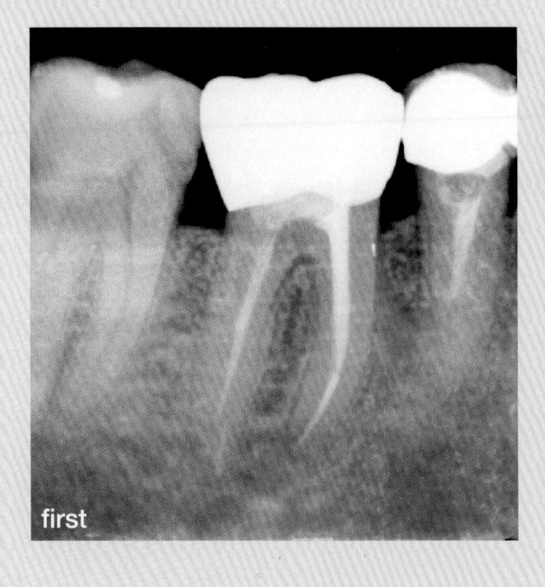
first

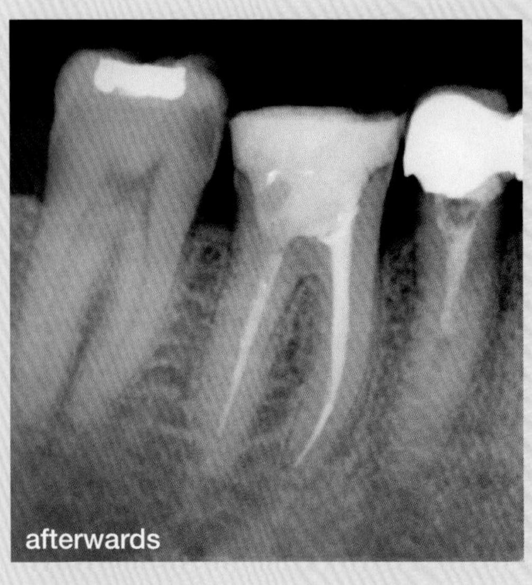
afterwards

CASE
REPORT 20

치근단 부위에서 파절된 기구의 우회

치근단 부위의 기구 파절은 아주 다루기 복잡한데, 근관의 길이와 크기가 기구 제거를 더 어렵게 할 수 있다. 따라서 임상가는 기구를 우회함으로써 문제를 해결해야하는 데, 주변 공간을 성형하고 파절된 기구 위로 충전이 잘 되도록 해야 한다.

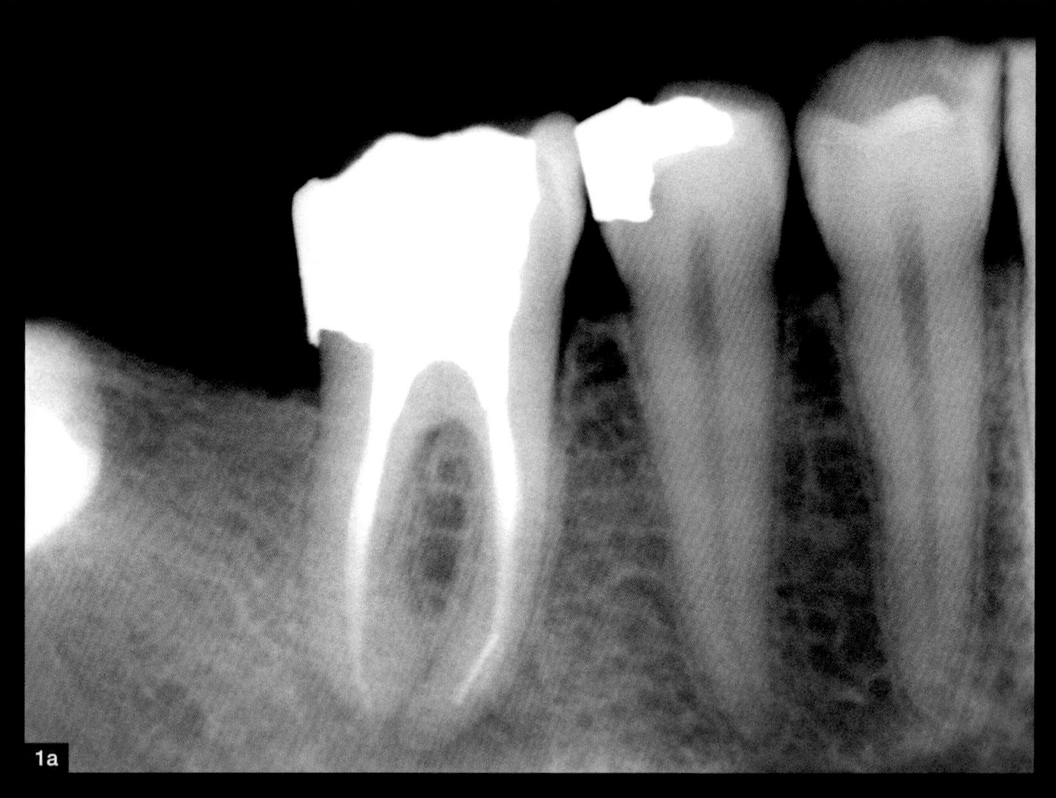

재치료가 필요한 치근단 병소를 가진 대구치

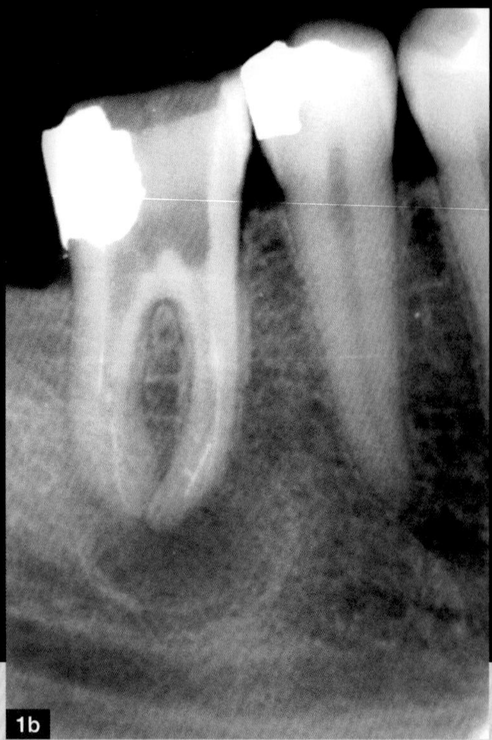

근관내 충전재를 제거하고 나자 제거하기 어려운 기구의 존재가 확인되었다.

이 과정은 섬세하지만 위험이 없는 것은 아니다. 이 하악 대구치의 경우, 성공의 열쇠는 적절한 충전이 시행되기 전 치근단 부위의 강력한 소독을 위한 충분한 세정 작업이다.

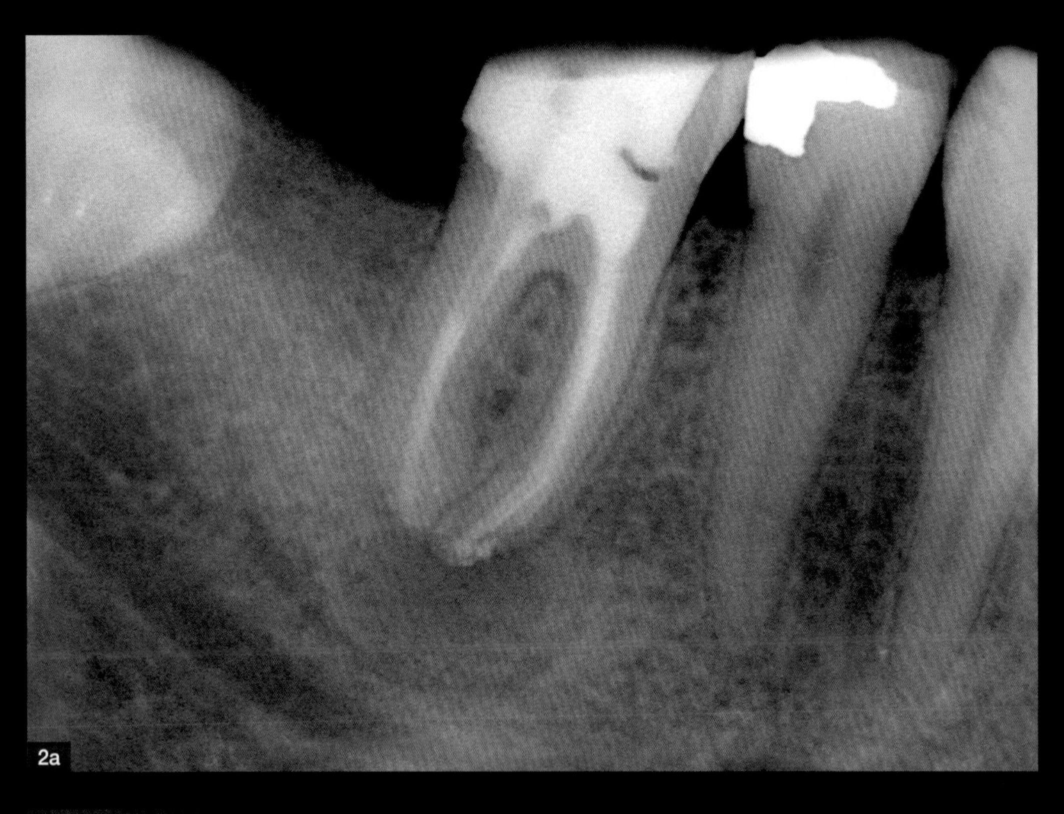

Figure 2a: 기구의 우회는 근관의 적절한 소독과 충전을 가능하게 한다.

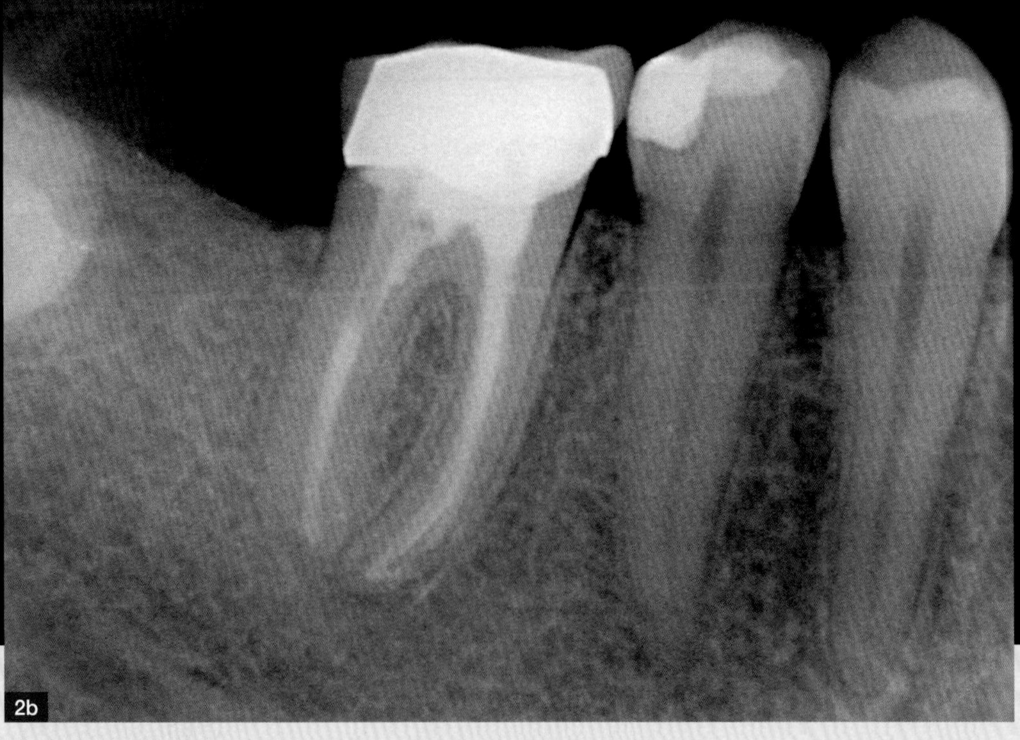

Figure 2b: 6개월 추적관찰

CASE
REPORT 21

'초강력 접착제'를 이용한 파절 기구의 제거

58세 여자 환자가 의뢰되었다. 방사선 검사에서 상악 우측 제2소구치에서 협측 근관의 치관부에서 중앙 1/3까지 위치한 파절된 기구를 확인했다. 파절된 기구를 제거하기로 계획을 세웠다.
27게이지(BD Microlance™ 3 Needles 27G × 3/4 "– 0.4 × 19 mm) 세척 니들과 시아노아크릴레이트 접착제(Cobra Pacific Super Glue)를 포함하는 여러가지 시스템을 사용하여 파일을 제거할 수 있다.

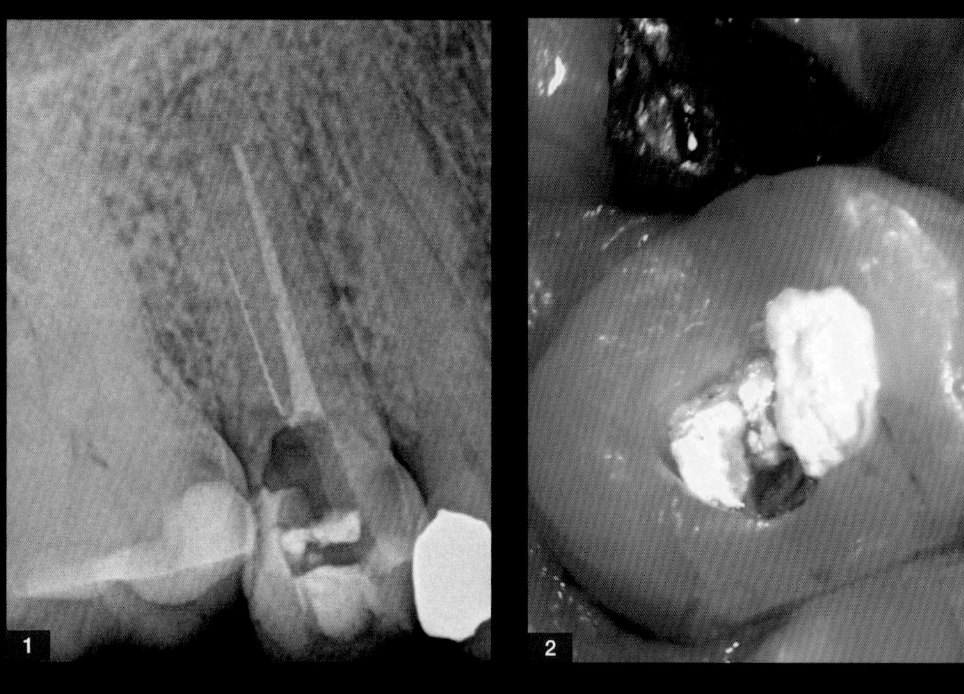

Figure 1: 술전 방사선 사진은 협측 근관의 파절된 기구와 구개측 근관의 불완전한 충전을 보여준다.

Figure 2: 불량한 임시수복재는 초음파 기구로 쉽게 제거된다. 구개측 근관의 불완전한 충전을 보여준다.

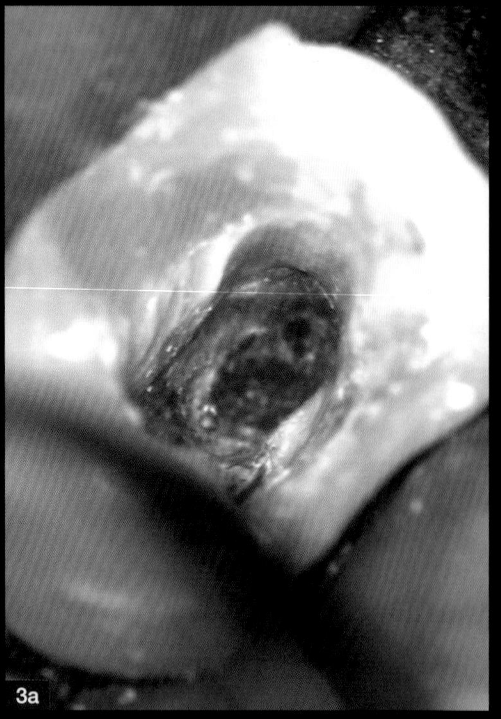

Figure 3a–b: 파절된 기구를 확인하기 위해 더 넓게 치수강 개방을 시행하고**(Fig. 3)**, 파절된 기구를 붙잡기 위해 전용 접착제를 묻힌 니들(needle)을 근관으로 삽입했다.

치아는 완전하게 성형, 소독하고 거타퍼챠 충전 후 복합레진을 이용하여 직접법으로 확실하게 수복했다. 이번 증례에서처럼 세척 니들과 시아노아크릴레이트 접착제를 이용한 방법은 다른 방법들에 비해 경제적이고 적절한 대안으로 고려될 수 있을 것이다.

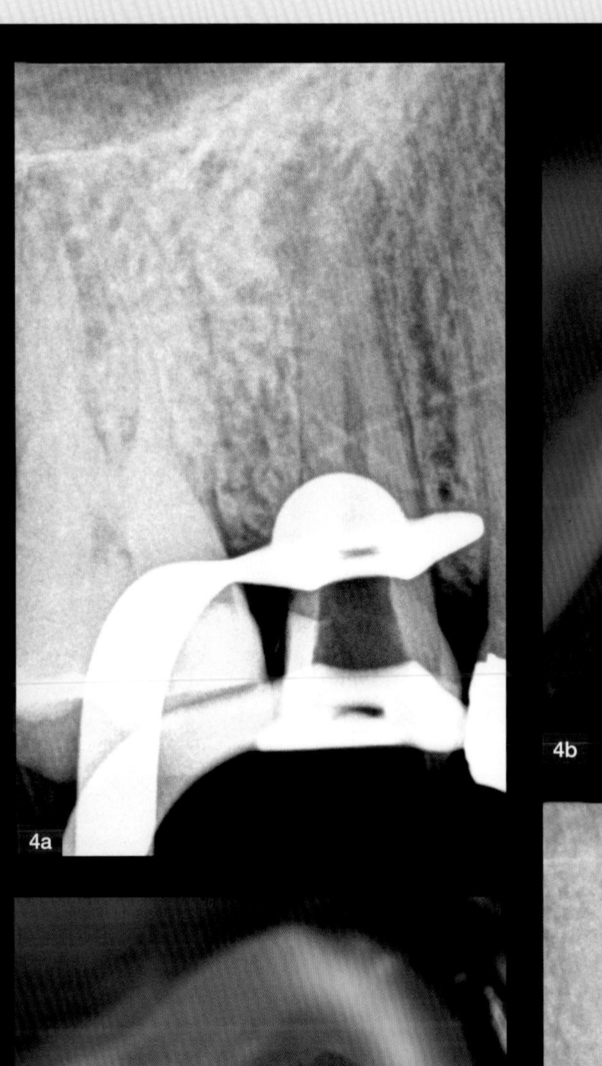

4a

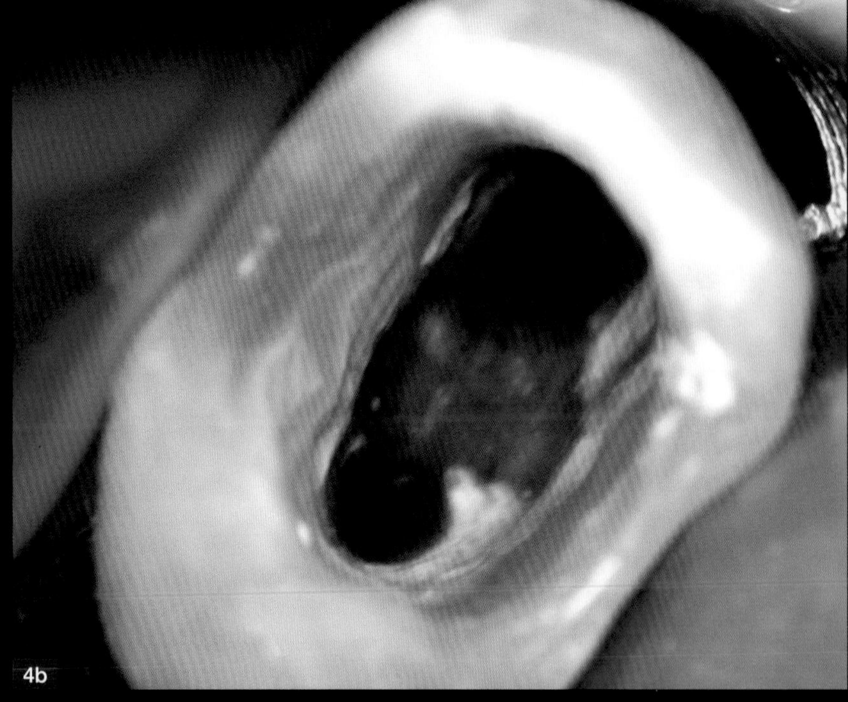

4b

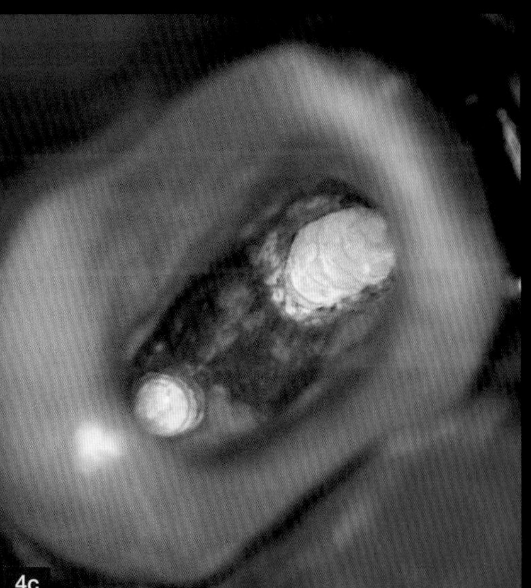

4c

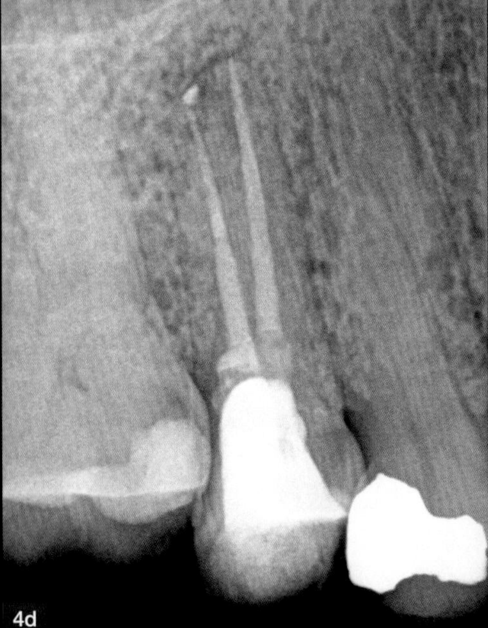

4d

Figure 4a-d: 두 근관의 완벽한 세척을 확인하기 위해 치료 중간에 방사선 사진을 촬영했고**(Fig. 4)**. 협측, 구개측 근관의 확실한 잔사제거와 완전한 충전을 위해 적절한 세척제로 충분한 세정을 시행했다.

CASE REPORT 22

파절된 기구: 가능한 해결책

근관치료 기구의 파절은 치료 과정을 방해하고 치료 결과에 부정적 영향을 주는 불행한 일이다. 파절된 기구 그 자체는 치료의 실패를 야기하지 않을지도 모른다. 그러나 근관내 파절편의 존재는 적절한 근관 성형을 방해할 수 있다.

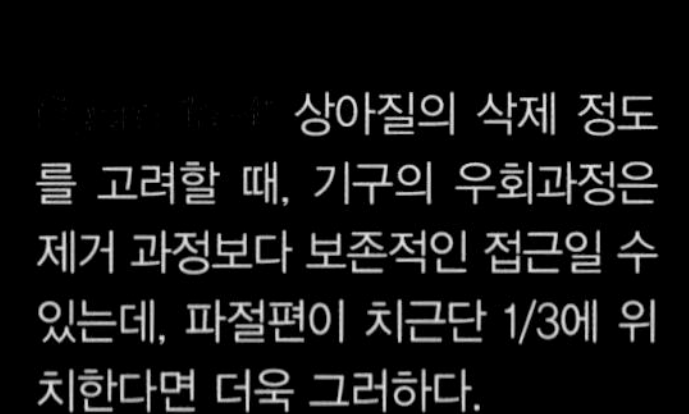

상아질의 삭제 정도를 고려할 때, 기구의 우회과정은 제거 과정보다 보존적인 접근일 수 있는데, 파절편이 치근단 1/3에 위치한다면 더욱 그러하다.

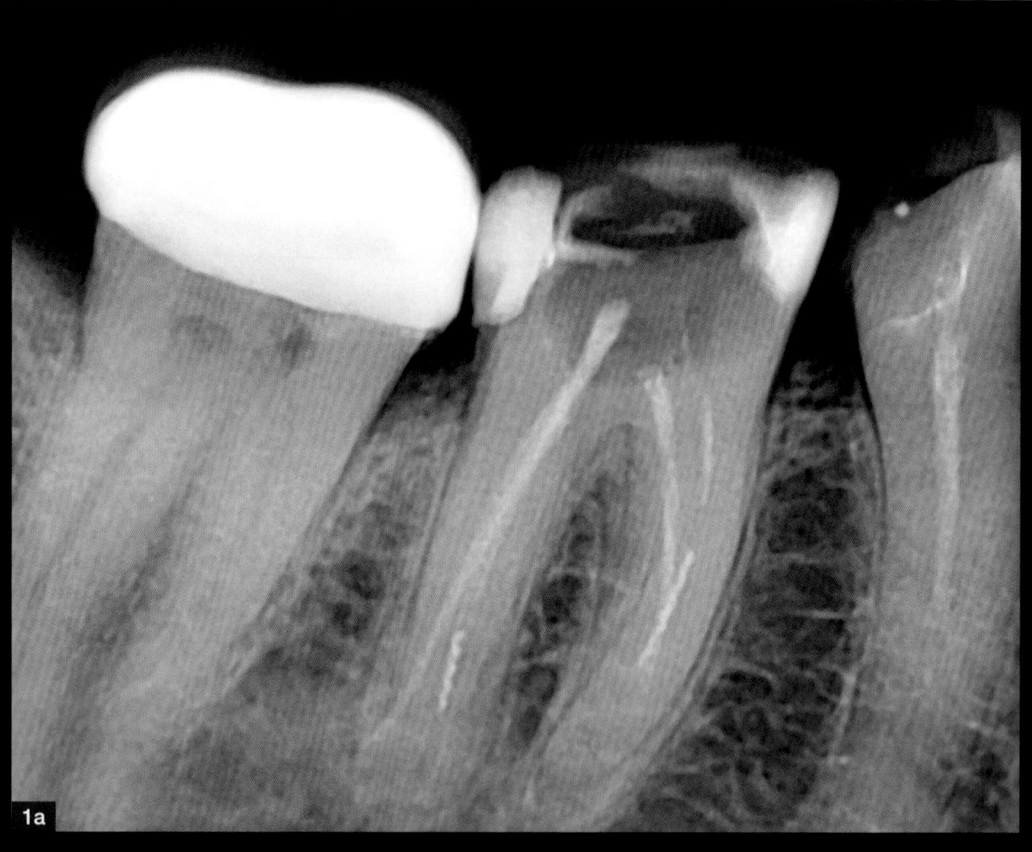

1a

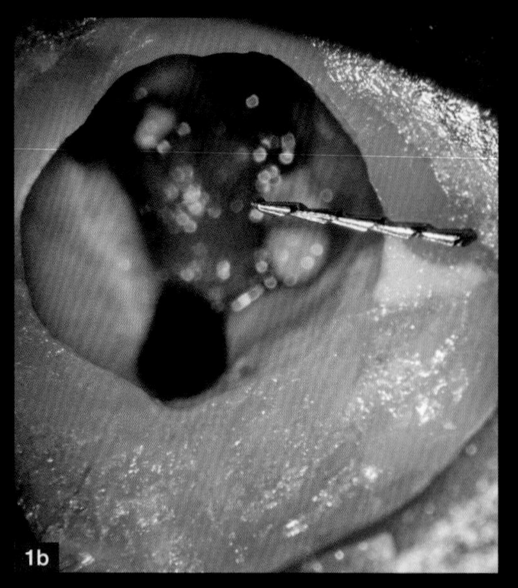

1b

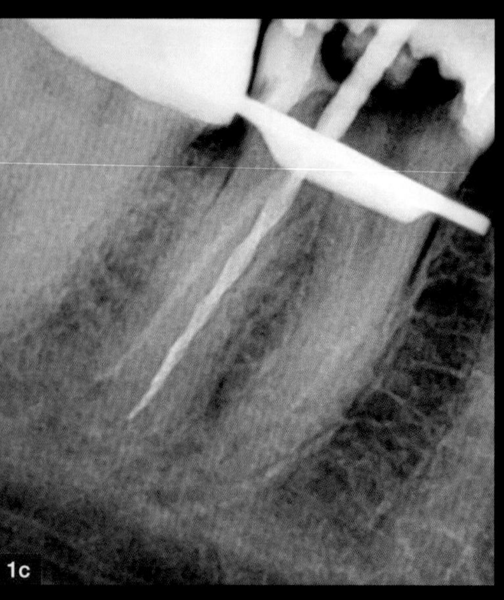

1c

기구 파절에 따르는 전반적인 근관치료 예후는 기구 파절 시점에서의 근관 성형 및 세정 정도에 따라 달라질 수 있는데, 이 경우 주요한 예후 인자는 술전 치근단 상태로 알려져 있다. 이번 챕터의 본문에 언급한 것처럼 파절된 기구가 있는 경우, 적절하게 근관치료를 하기 위해서는 두 가지 방법이 있는데, 기구의 우회(by-passing) 혹은 제거이다.

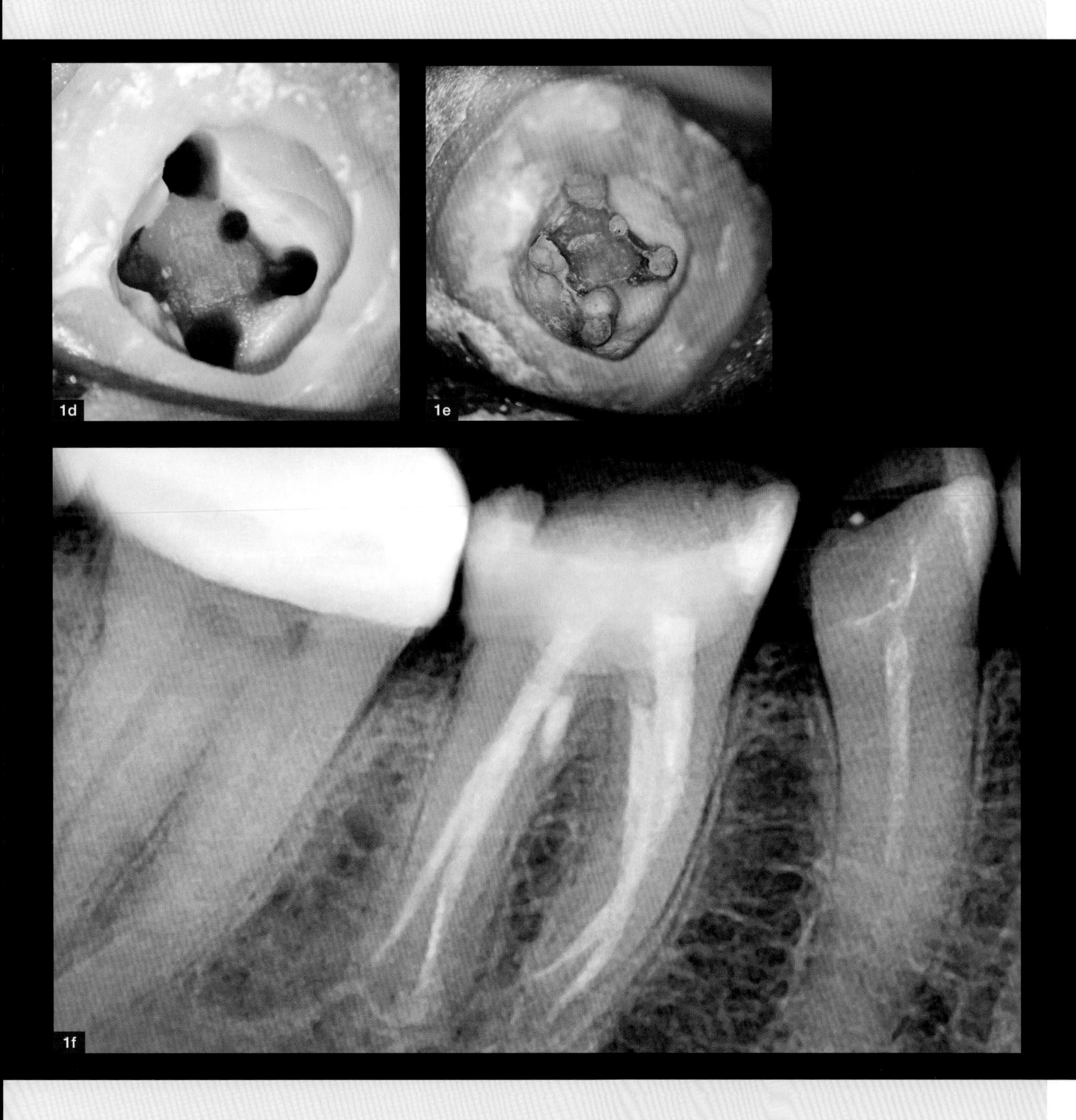

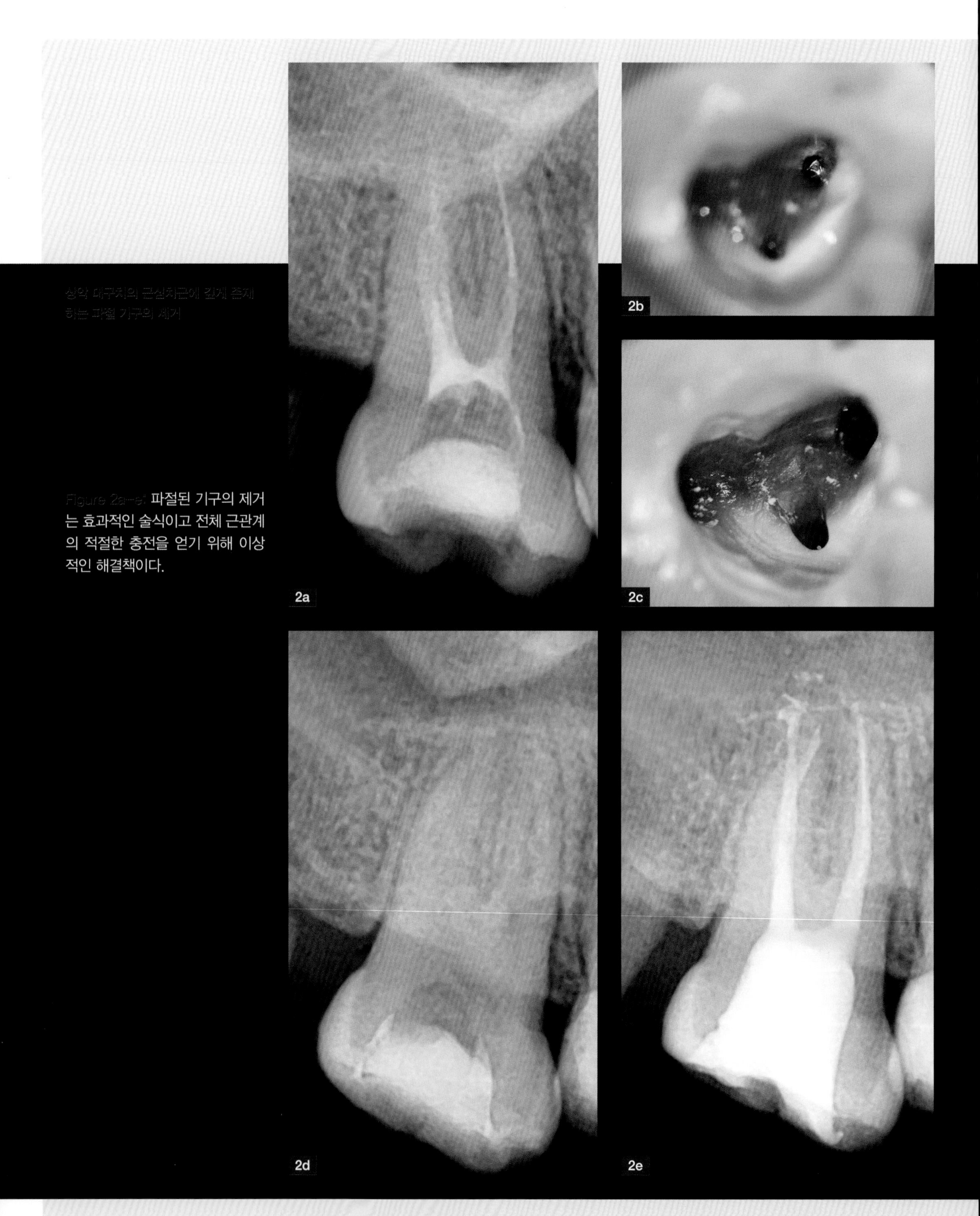

상악 대구치의 근심치근에 깊게 존재하는 파절 기구의 제거

Figure 2a–e: 파절된 기구의 제거는 효과적인 술식이고 전체 근관계의 적절한 충전을 얻기 위해 이상적인 해결책이다.

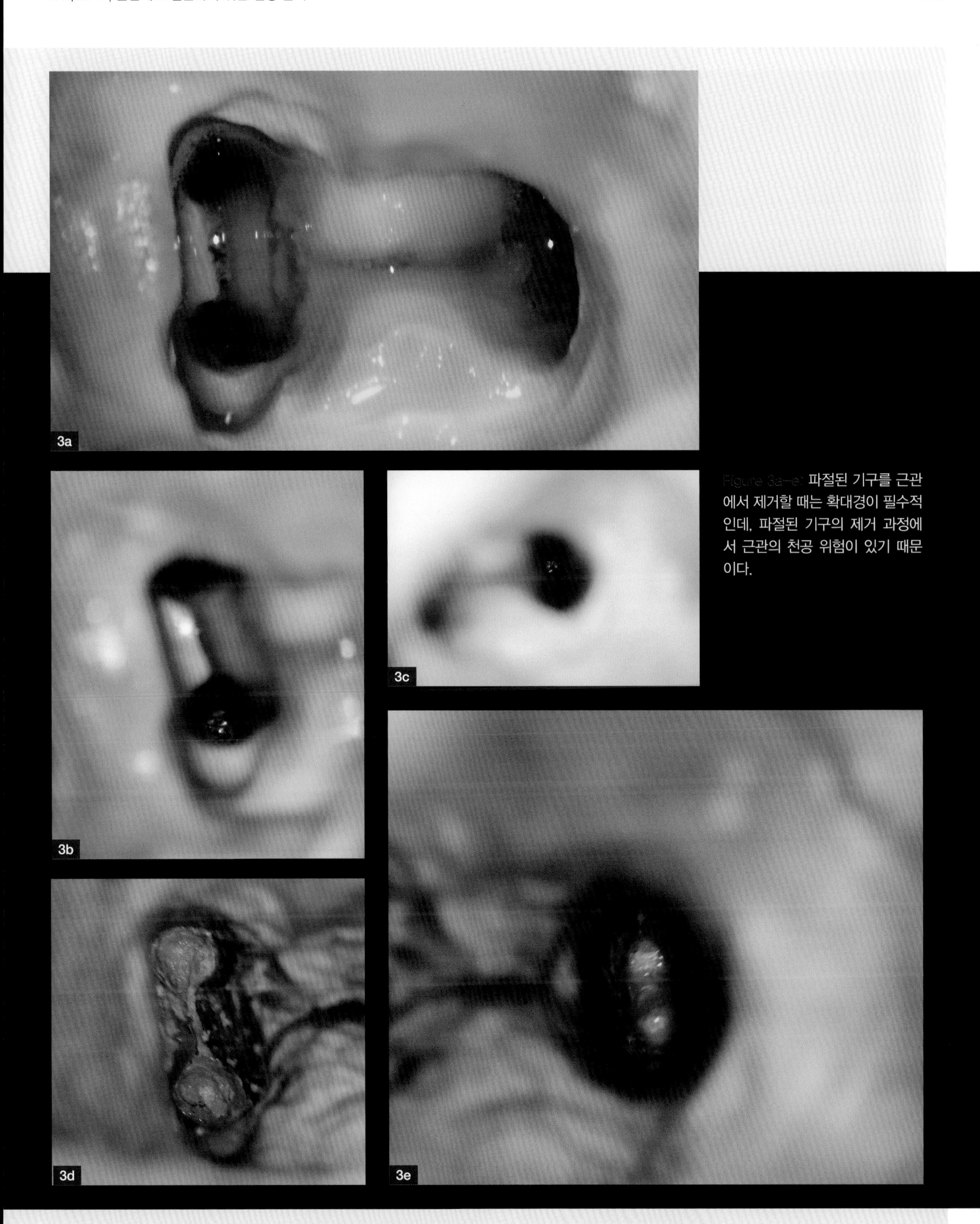

Figure 3a–e: 파절된 기구를 근관에서 제거할 때는 확대경이 필수적인데, 파절된 기구의 제거 과정에서 근관의 천공 위험이 있기 때문이다.

만곡이 있는 근관내에 존재하는 파절 기구의 제거

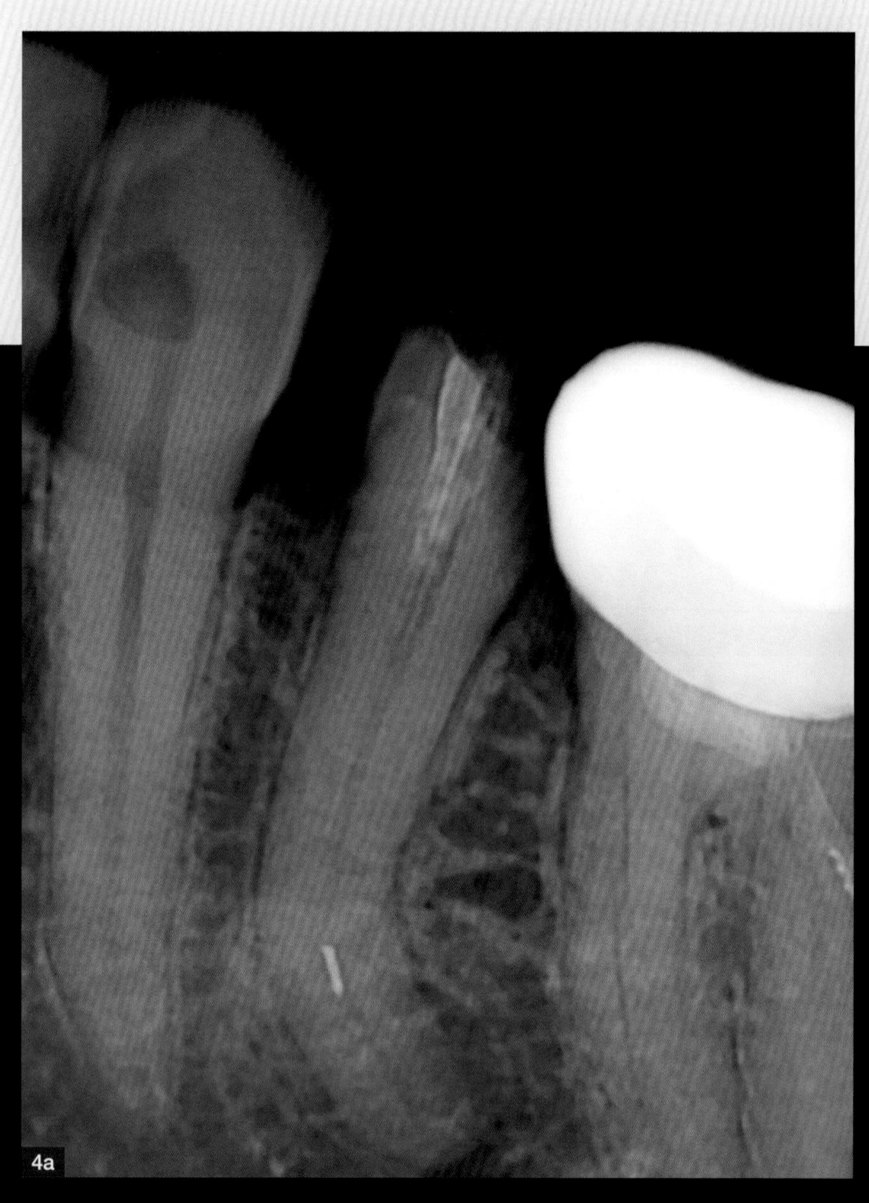

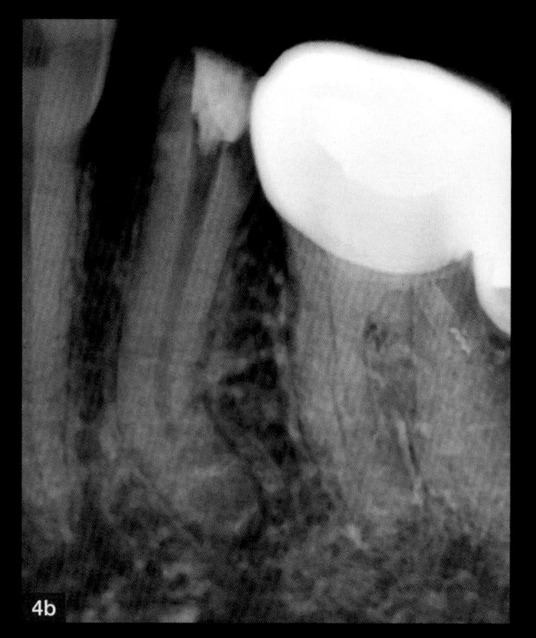

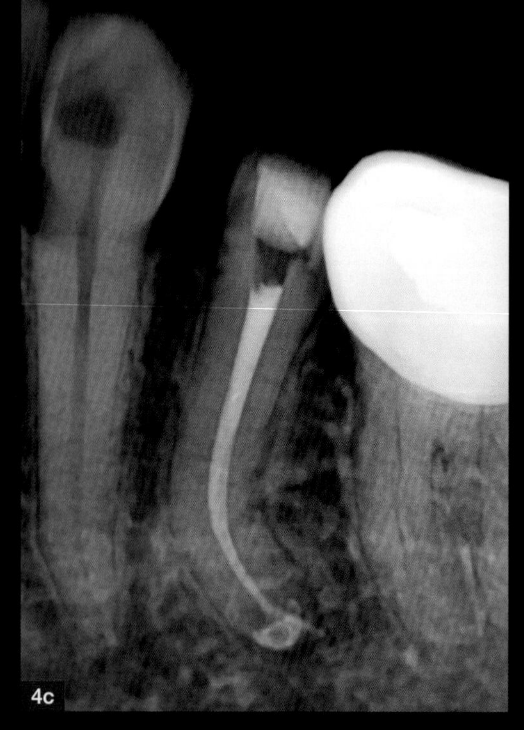

Figure 4a-c: 기구 제거를 위해 다양한 방법을 사용할 수 있는데, 초음파 기구의 사용이 가장 보편적이다. 이때 파일 조각을 움직이기 위해서는 근관 만곡 상부의 확대가 전제되어야 한다.

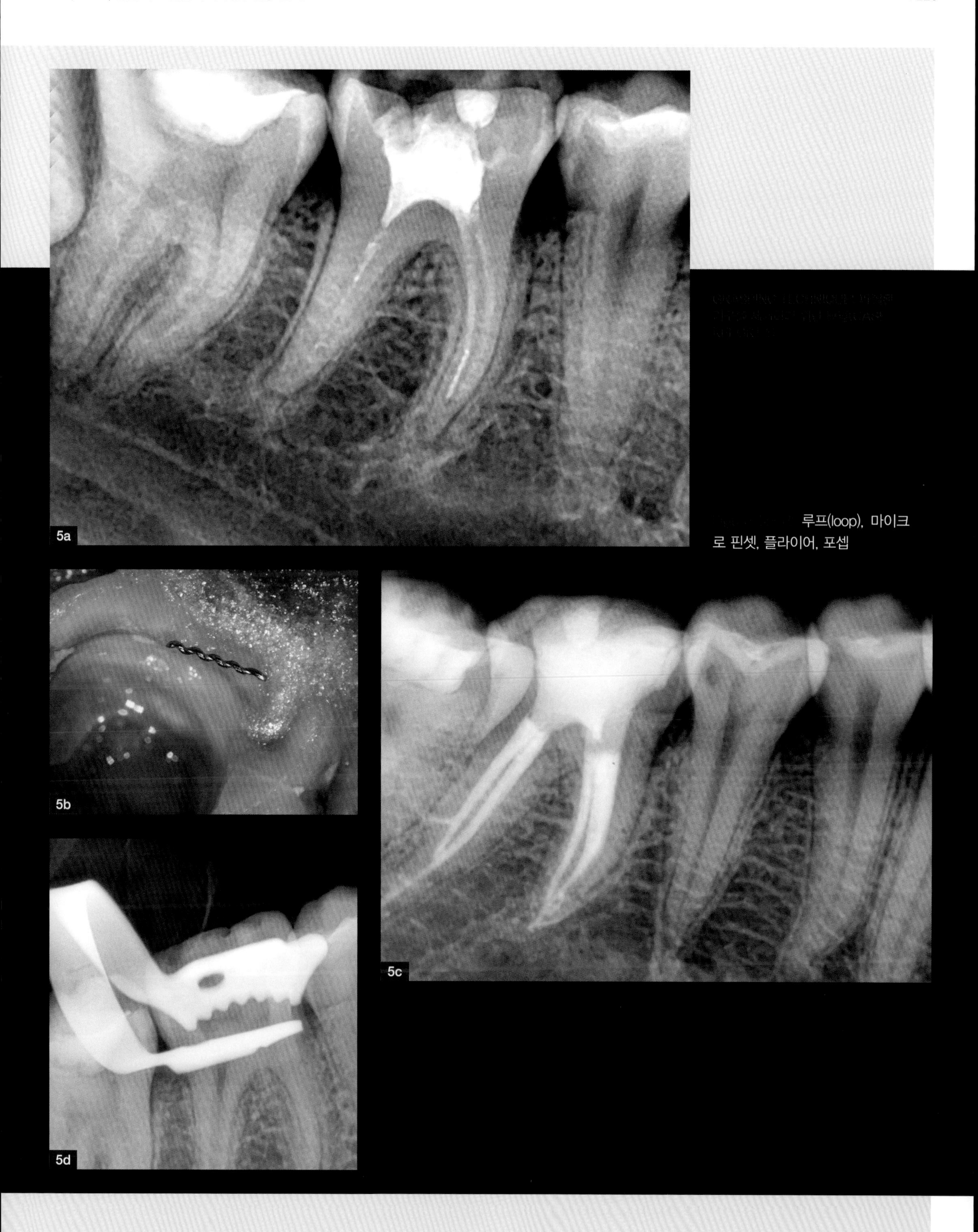

루프(loop), 마이크로 핀셋, 플라이어, 포셉

GRASPING TECHNIQUE: 분리된 기구를 제거하기 위한 방법(CASE REPORT 2)

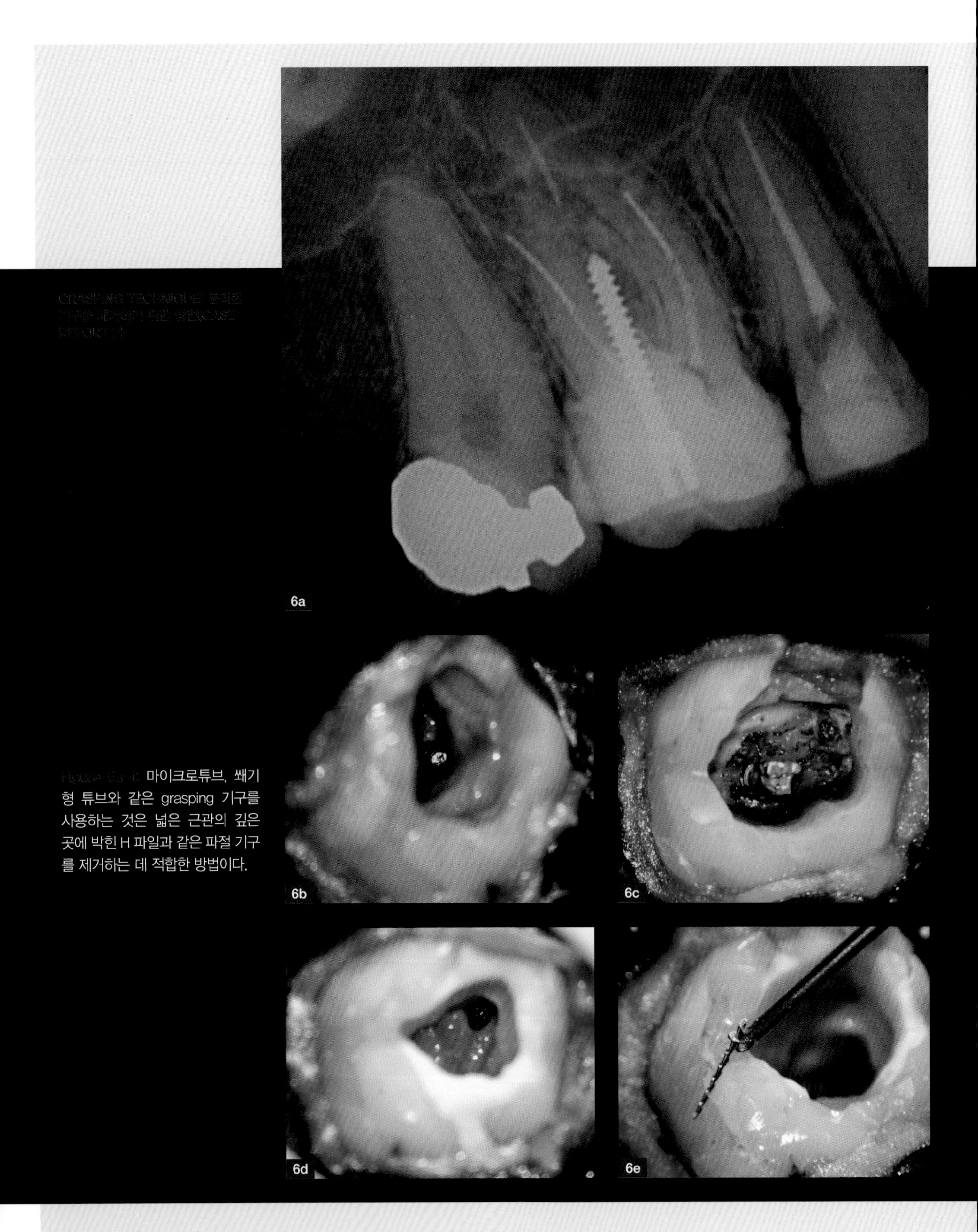

Figure 6a-e 마이크로튜브, 쐐기형 튜브와 같은 grasping 기구를 사용하는 것은 넓은 근관의 깊은 곳에 박힌 H 파일과 같은 파절 기구를 제거하는 데 적합한 방법이다.

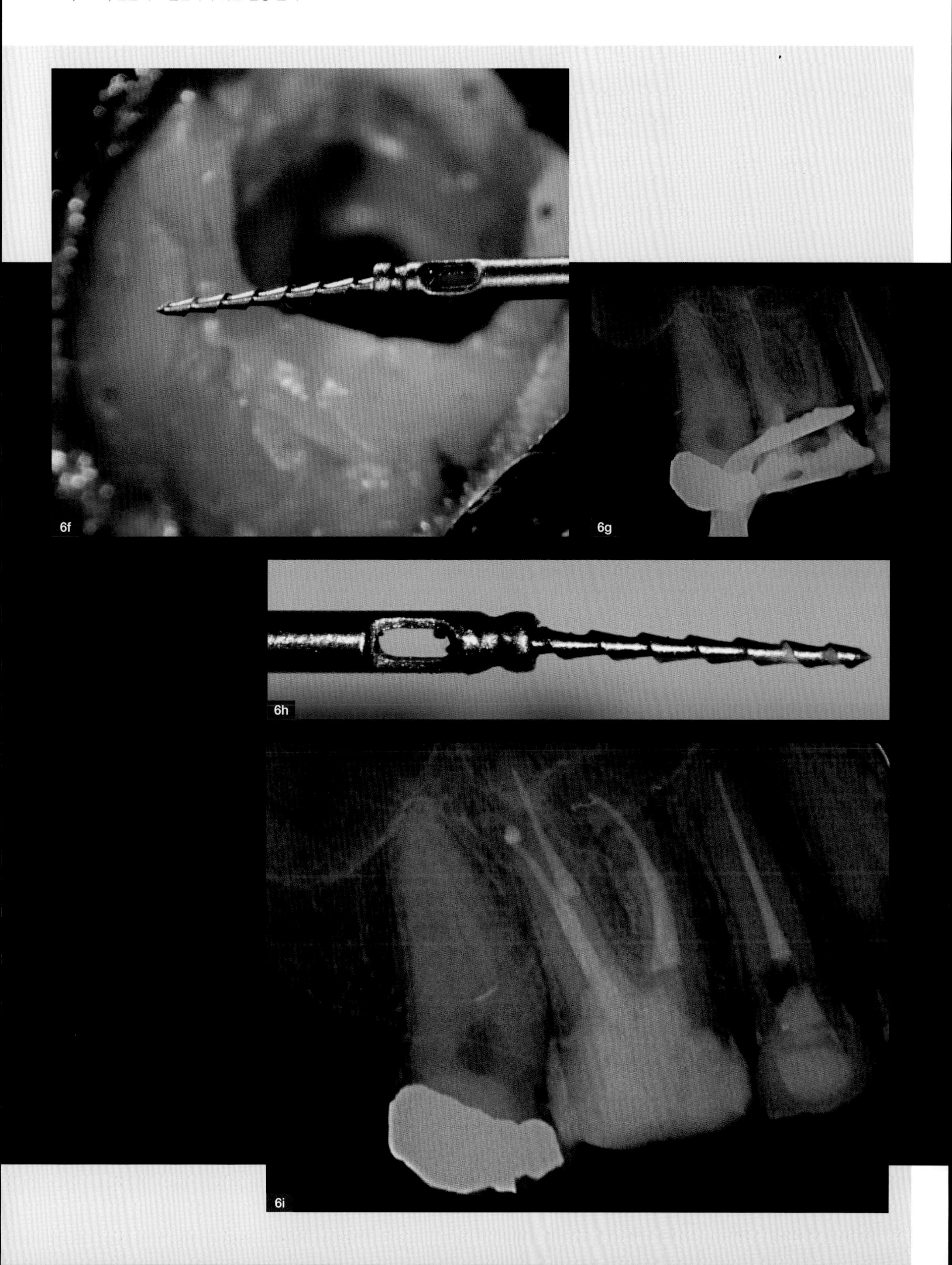
6f
6g
6h
6i

CASE
REPORT 23–25

Ledge, 천공, 파절된 기구, 큰 치근단 병소와 같은 복잡한 재치료 증례

재치료의 난이도는 치아가 가진 문제점의 가짓수에 따라 대략적으로 정해지는데, CBCT 촬영은 이를 진단하기 위한 기본적인 출발점이다. 3차원적인 방사선 검사가 없다면 파절된 기구, 치근단 병소의 크기, (다근

CASE REPORT 23

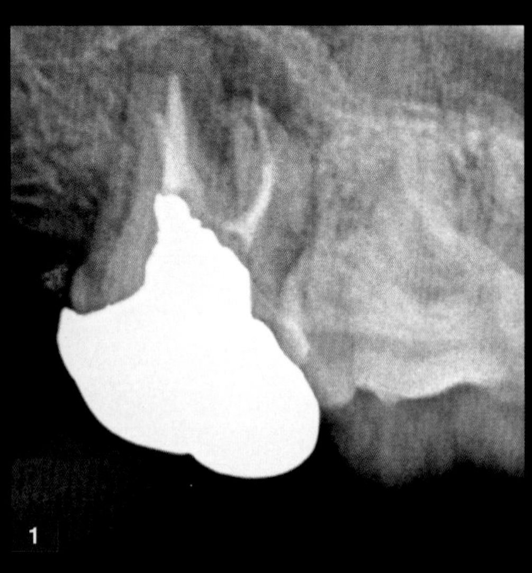

치근단 병소가 있는 근심협측 근관에 정출된 충전 콘(빨간 화살표)을 보여주는 술전 방사선 사진

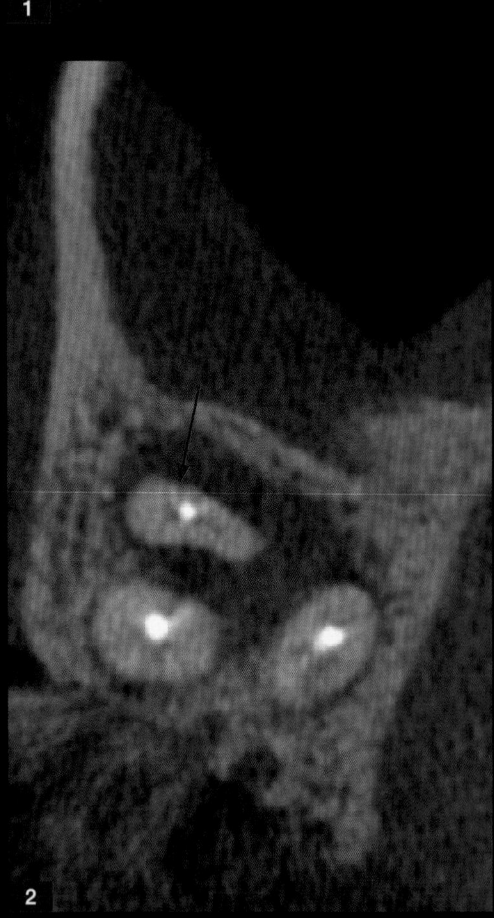

치아의 중간 1/3 부위의 술전 axial CBCT 이미지는 큰 치근단 병소를 가진 근심협측 치근(빨간 화살표)의 타원형 근관을 보여준다.

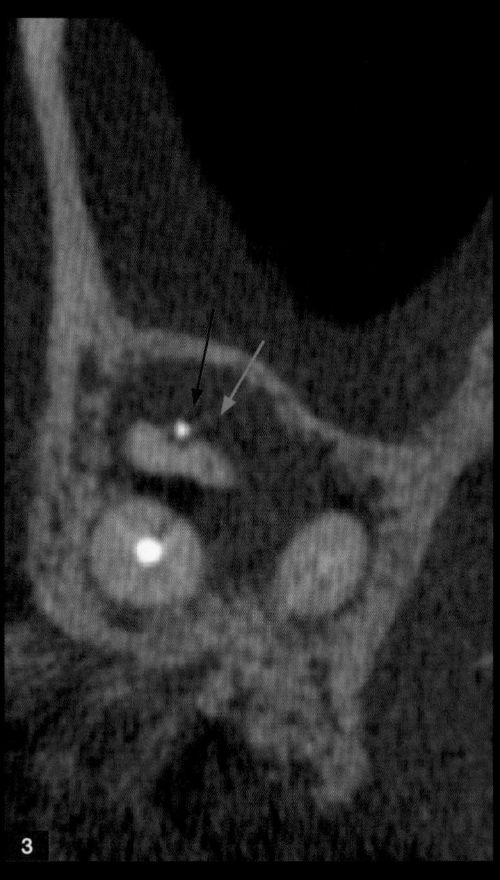

Figure 3: 치근단 1/3 부위의 술전 axial CBCT 이미지는 근심협측 치근(빨간 화살표)의 주 근관으로부터 변위된 충전과 구개측으로 존재하는 또 다른 근관(파란 화살표)을 보여준다.

치에서) 병소가 있는 치근, 파절 혹은 천공 등의 여러 가지의 중요한 문제점들이 드러나지 않을 수 있다. 때로 방사선 불투과상의 충전 재료는 파절된 기구를 감춤으로써 CBCT 이미지에서 그 존재를 평가하기 어렵게 한다. 몇몇 증례에서는 이러한 재료가 근관내에 국한되어 있지 않다. 근관 외부에 존재하는 부분은 치료를 시작하기 전에 계획한 술식과 전략을 이용하여 조심스럽게 제거되어야 한다.

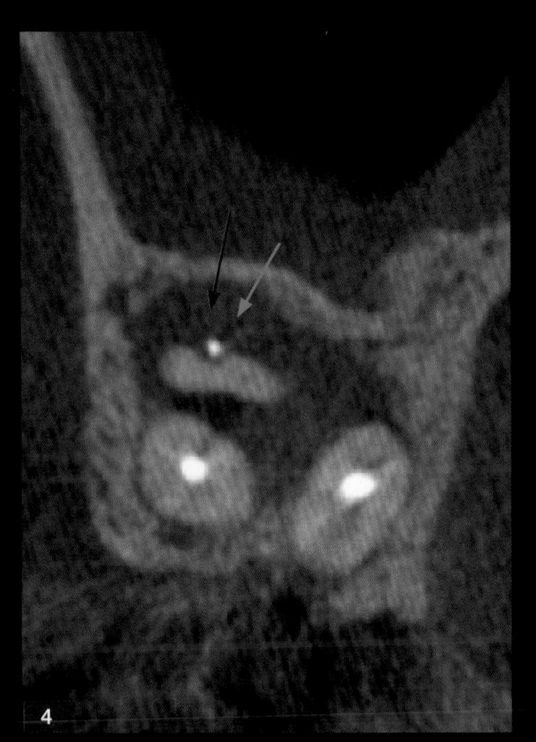

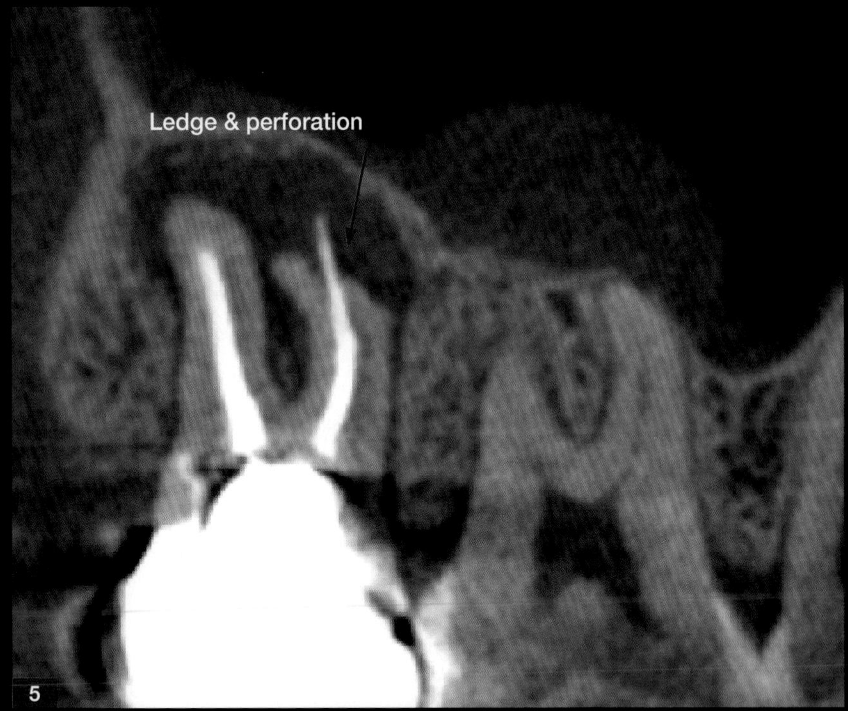

Figure 4: 치근단공 바로 윗부분의 술전 axial CBCT 이미지는 근심협측 치근의 바깥쪽 충전(빨간 화살표)과 남아있는 다른 근관(파란 화살표)을 보여준다.

Figure 5: 술전 sagittal CBCT 이미지에서 협측치근에 큰 병소가 있고, 근심협측 치근의 충전이 치근첨으로부터 변위되어 정출된 것(빨간 화살표)을 알 수 있다.

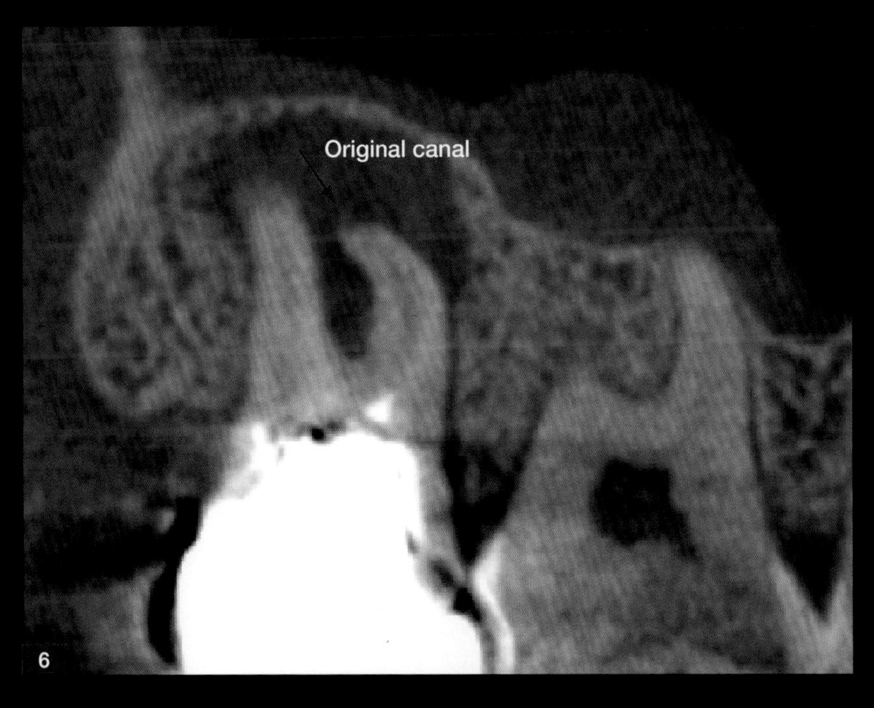

Figure 6: 술전 sagittal CBCT 이미지는 큰 병소를 가진 근심협측 치근의 가운데에 본래의 근관(MB2)의 존재를 보여준다.

환자는 근관치료적 관점에서만 평가되지 않으며, 이들 치아의 치주낭 깊이도 정상 범주안에 있어야 한다. 증상은 자발통 없이 종종 타진에 미약한 반응을 나타낸다. 이 경우 근관 세척제는 5.25%의 NaOCl과 17% EDTA를 사용하고 TFRK-S 초음파 팁을 적용해 줄 수 있는데, 근관 세척제로 5.25% Qmix 2in1 (Dentsply Sirona, USA)을 사용할 수도 있다. 현미경 하에서 파절된 기구를 찾기 위해서는 시야 향상을 위해 Stropko 기구의 사용 혹은 건조 환경이 도움이 될 지도 모른다.

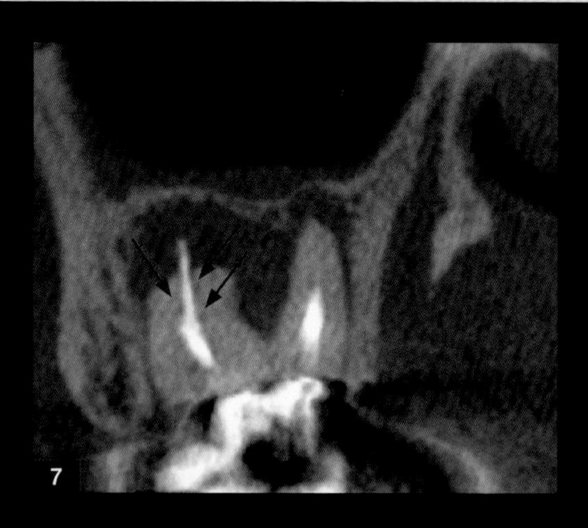

Figure 7: 술전 coronal CBCT 이미지는 치근단 조직으로 근심협측 치근의 충전이 정출되었고, 충전재와 근관벽 사이에 작은 기포(빨간 화살표)의 존재를 보여준다.

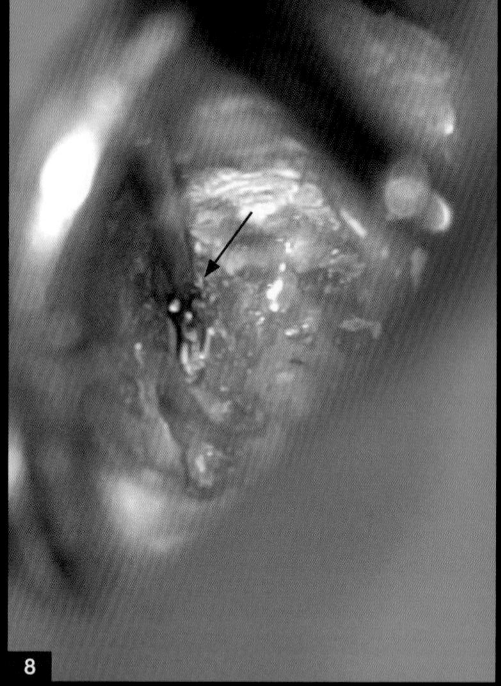

현미경의 확대 이미지는 근심협측 근관에서 거타퍼챠 콘과 협측 근관벽 사이의 공간에 위치하는 GPR 수기구(빨간 화살표)를 보여준다.

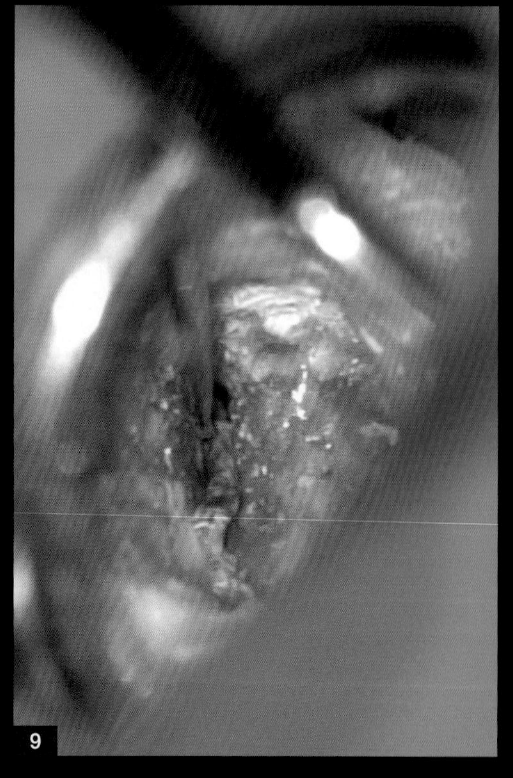

현미경의 확대 이미지는 GPR 수기구로 근심협측 근관으로부터 거타퍼챠를 제거하는 것을 보여준다.

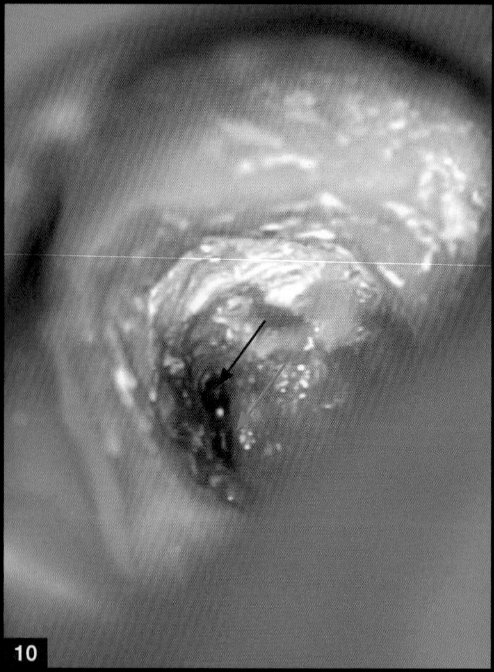

현미경의 확대 이미지는 근심협측 근관의 천공(빨간 화살표)과 거타퍼챠 콘을 제거한 후 구개측으로 존재하는 원래 근관(파란 화살표)을 보여준다.

초음파 팁은 파절된 기구와 내측 근관벽 사이의 좁은 공간에 위치할 수 있도록 brownie 버로 날카롭게 연마되어야 한다. 뾰족한 TFRK-S 초음파 팁은 근관의 만곡에 적합하도록 미리 구부려놓고, 끈적한 촉감이 느껴지는 곳에 위치시킨다. 초음파가 작동하는 동안 근관은 17% EDTA로 채워진 상태여야 하고 초음파 팁은 내측 벽을 따라서 공간으로 미끄러져 들어가게 된다. 초음파 팁은 0 에서 20까지의 파워 중에서 4에 맞춰놓고 짧은 업/다운 stroke로 지속적으로 작동시켜야 한다.

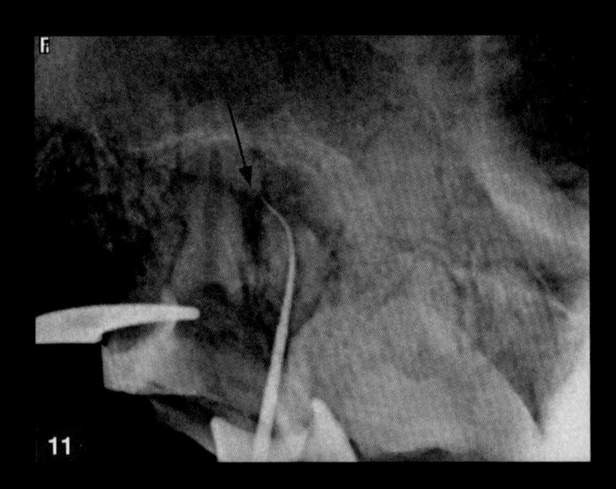

Figure 11: 술중 방사선 사진에서 ProTaper S1 파일로 원래의 근관을 성공적으로 찾았다(빨간 화살표).

Figure 12: 술후 방사선 사진에서 원심협측, 구개측 근관을 포함하여 원래의 근관(MB2)뿐 아니라 천공되었던 근심협측 근관(파란 화살표)도 MTA로 잘 충전되어 있다.

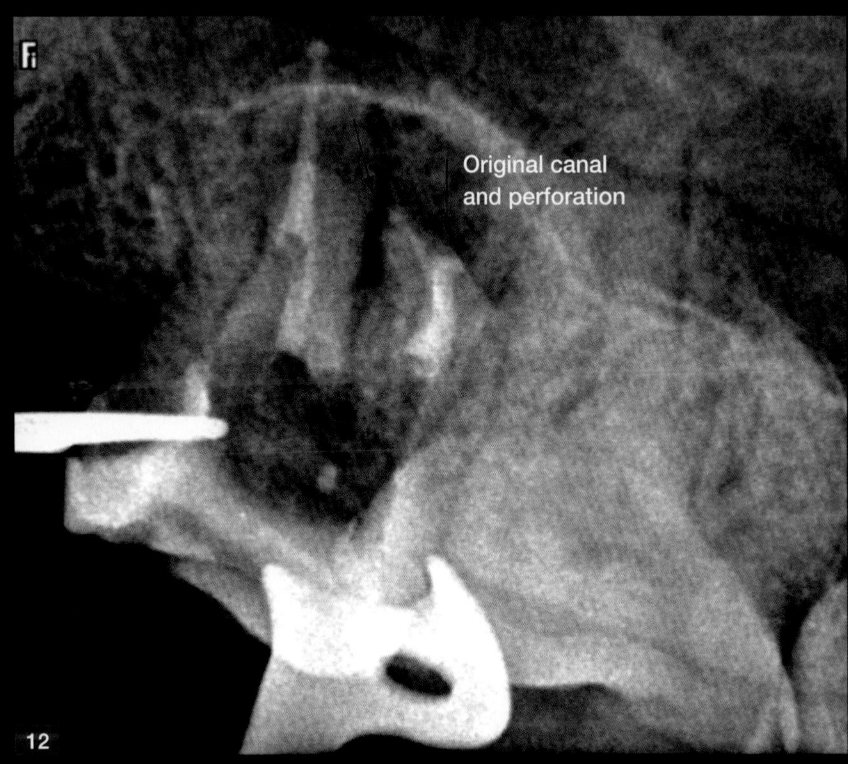

Figure 13: 3개월 후의 방사선 사진에서 술전과 비교했을 때 치근단 병소의 감소가 확인된다.

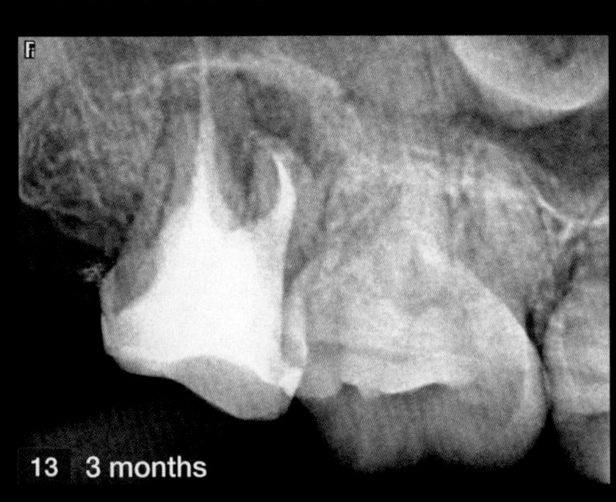

14 6 months

Figure 14: 6개월 후의 방사선 사진에서 술전과 비교했을 때 병소가 눈에 띄게 감소했다.

Figure 15: 6개월 후의 sagittal CBCT이미지는 협측 치근의 결손부위에 골 재생을 보여준다(빨간 화살표).

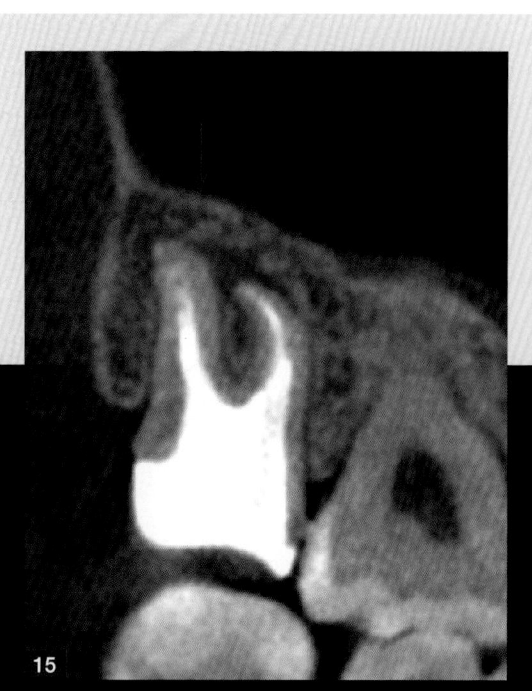

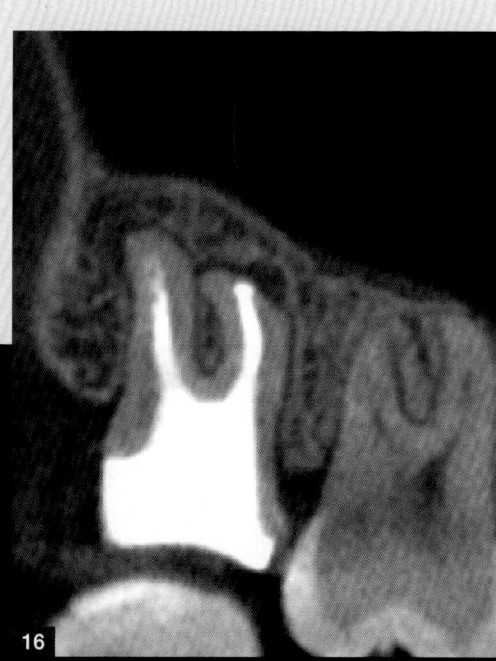

6개월 후의 sagittal CBCT 이미지는 근심협측 치근의 천공 주변에 생긴 결손 부위에 골 재생을 보여준다(빨간 화살표).

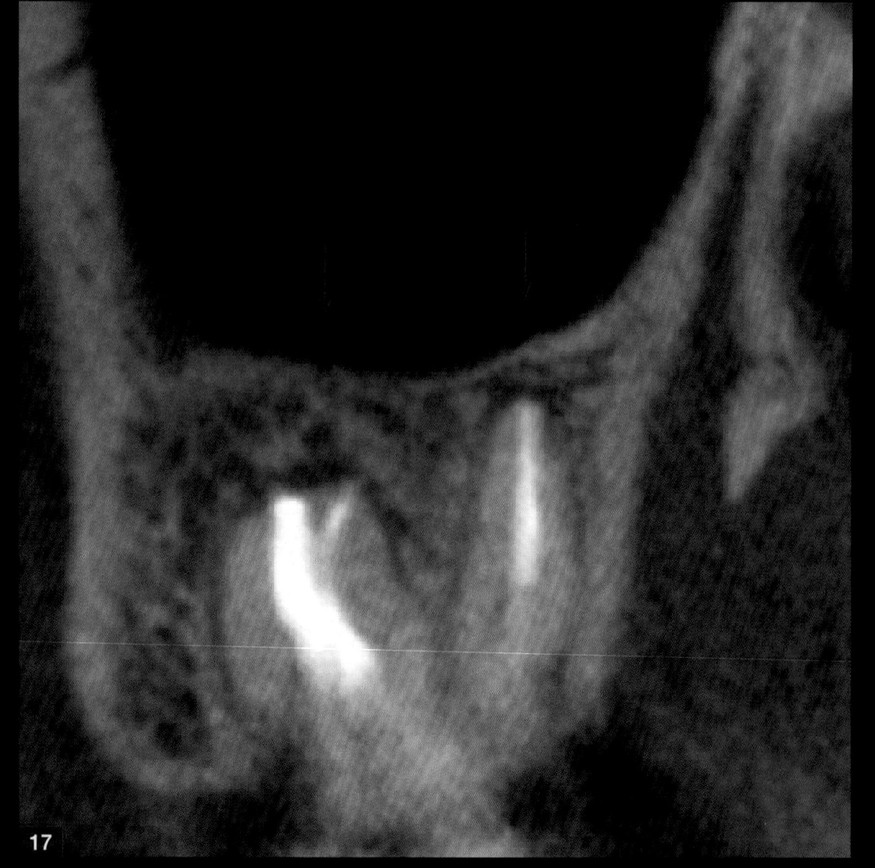

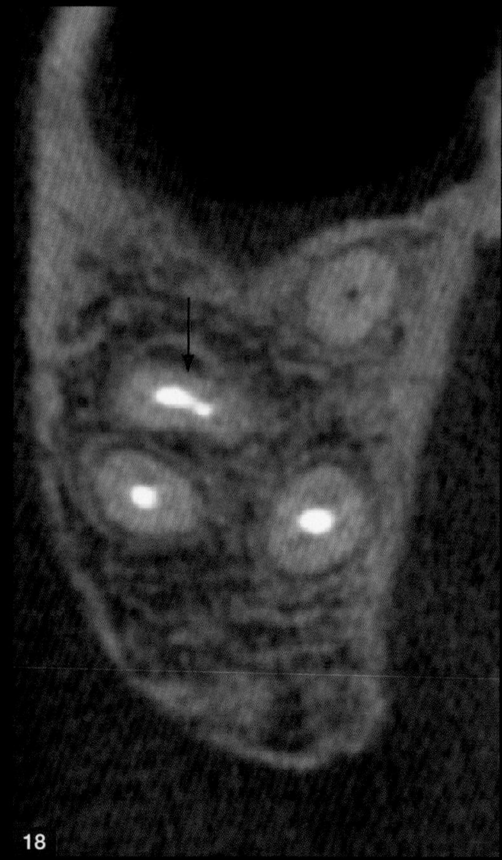

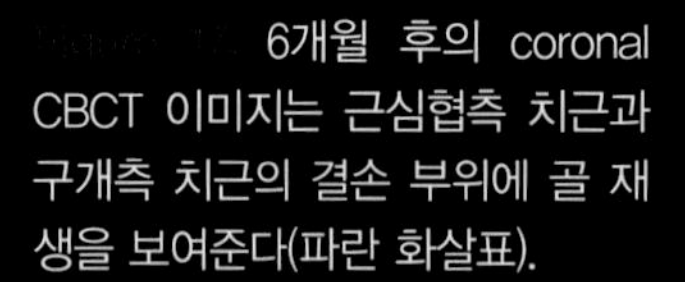

6개월 후의 coronal CBCT 이미지는 근심협측 치근과 구개측 치근의 결손 부위에 골 재생을 보여준다(파란 화살표).

6개월 후의 중간 1/3 부위의 axial CBCT 이미지는 타원형 근관에서 MTA 충전 상태(파란 화살표)를 보여준다.

몇몇 증례에서, TFRK-S 초음파 팁은 근관충전재를 제거하고 근관벽과 충전재 사이에 작은 공간을 형성하기 위해 사용되는데, 형성된 공간에 거타퍼챠 제거기구(GPR)(DELabs, Santa Barbara, CA)를 위치시키기 위해서이다. 이 과정이 조심스럽게 마무리되었다면, 특히 상악 대구치의 근심 협측 근관의 천공부위로부터 정출된 충전재는 GPR 기구를 사용하여 한 덩어리로 제거될 수 있다.

이러한 치아들은 다량의 세균으로 오염된 상태로 보이기 때문에 추가적인 기계적 세정이 추천되는데, 각

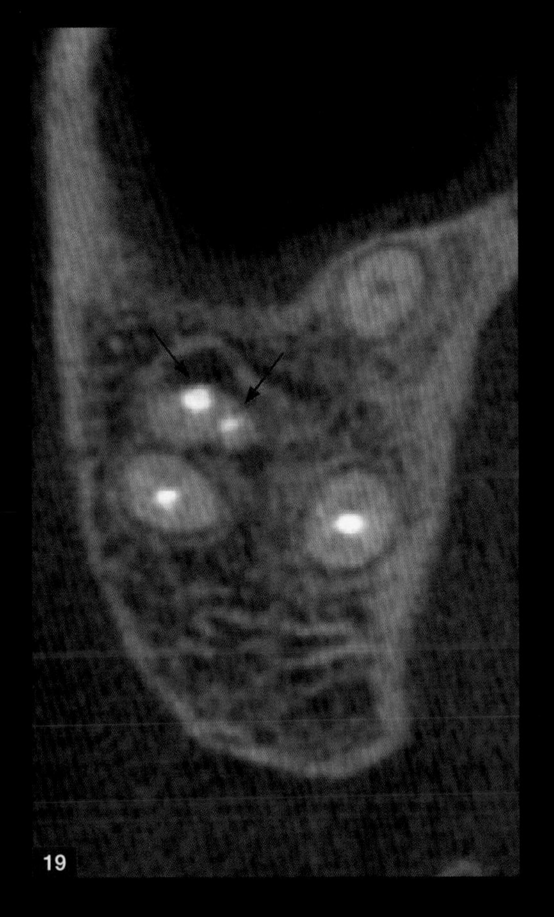

Figure 19 6개월 후의 치근단 1/3 부위의 axial CBCT 이미지는 근심협측 근관과 놓쳤던 원래의 근관에 MTA 충전을 보여준다(파란 화살표).

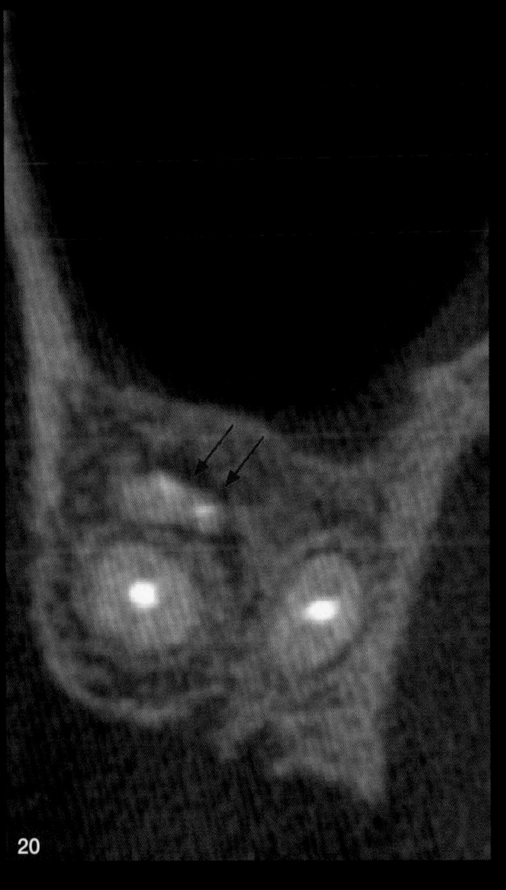

Figure 20 6개월 후의 치근단공 바로 윗부분의 axial CBCT 이미지는 천공이 있는 근심협측 치근과 원래의 근관(파란 화살표) 주위로 골재생을 보여준다.

각의 근관에 30초 동안 5.25% NaOCl을 채운 상태에서 1,000 rpm으로 XP-Endo Finisher를 사용하고 이어서 30초 동안 17% EDTA를 사용하는 것이 좋다.

이러한 근관, 특히 천공이 있는 경우에 충전재료는 ProRoot MTA (Dentsply, Tulsa, OK)를 사용해야 한다. 충전을 확인하기 위해 술후 방사선 사진을 촬영하고 재치료 후 3개월, 6개월 시점에서 검진 약속을 잡아야 한다.

CASE REPORT 24

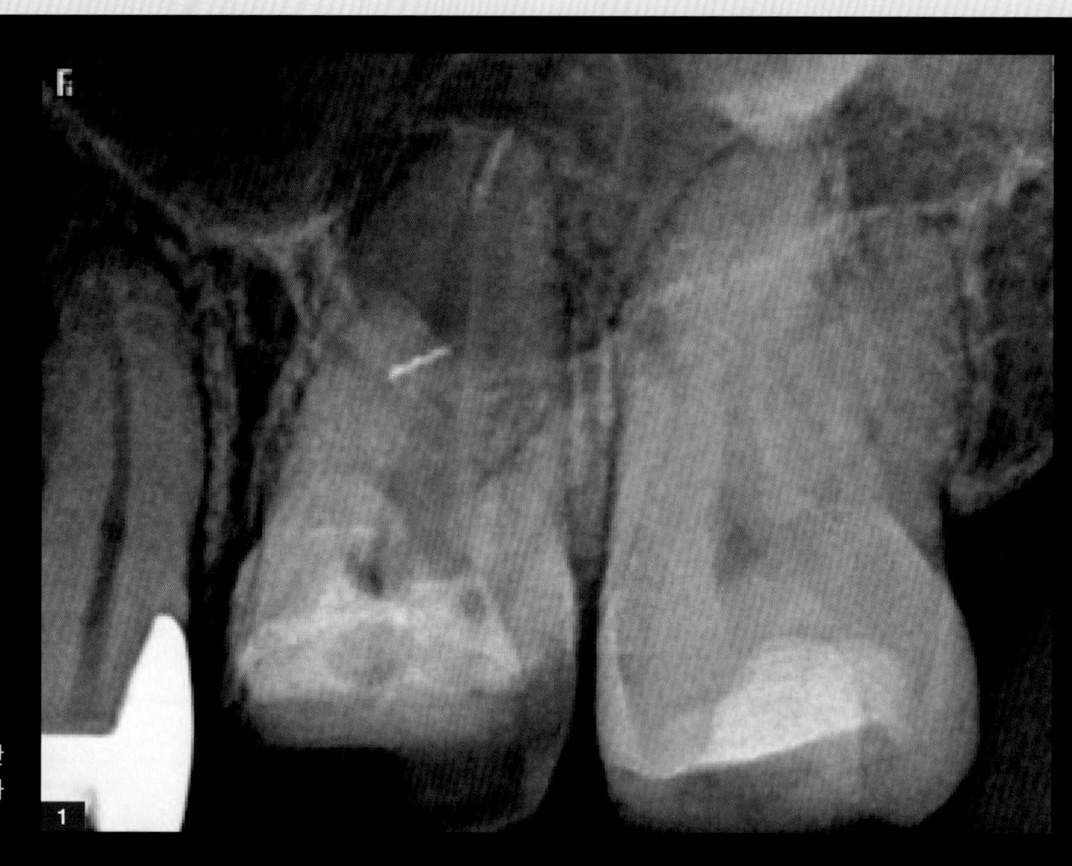

Figure 1: 술전 사진. 근심협측근관의 만곡 주변에 파절기구(빨간 화살표) 관찰된다.

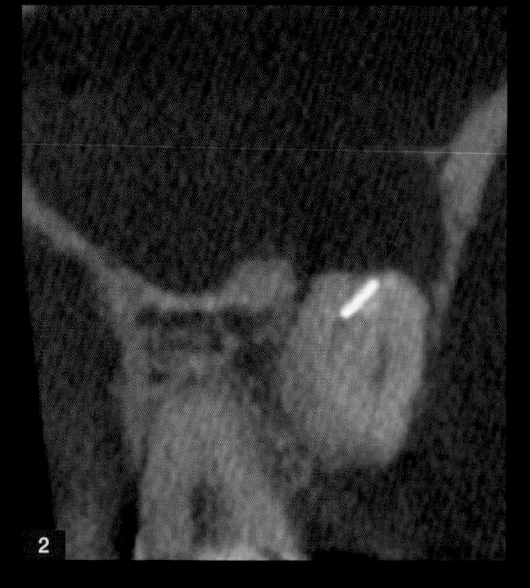

Figure 2: 술전 coronal CBCT 이미지. 상악동 바닥을 밀어올리고 있는 치근단 병소가 있는 제2근심협측근관의 협측으로 존재하는 파절 기구(빨간 화살표)가 관찰된다.

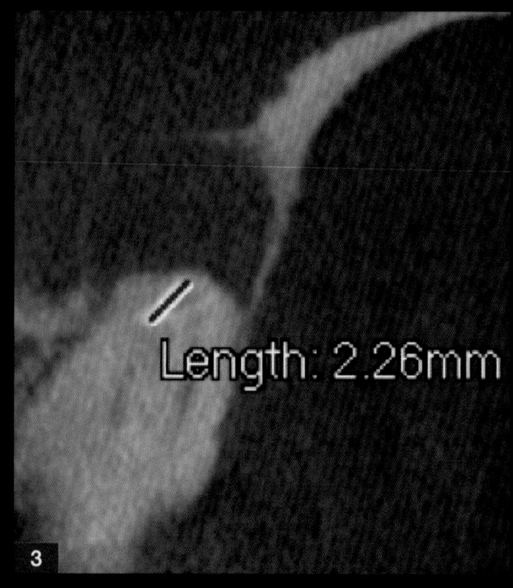

Figure 3: 술전 coronal CBCT 이미지. 파절 기구는 2.26 mm 길이이다.

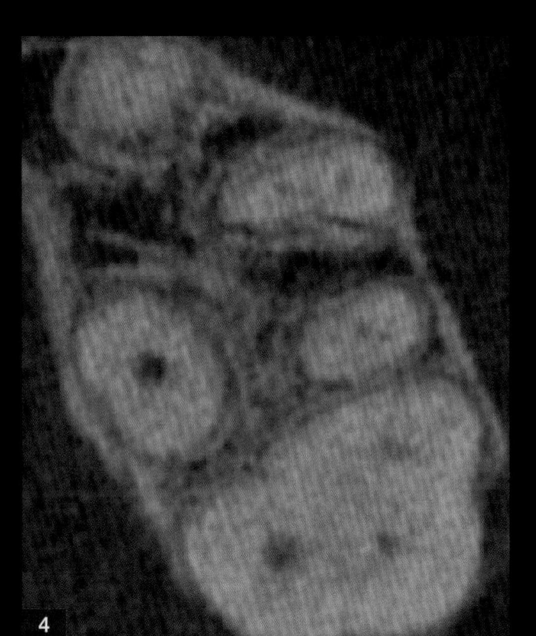

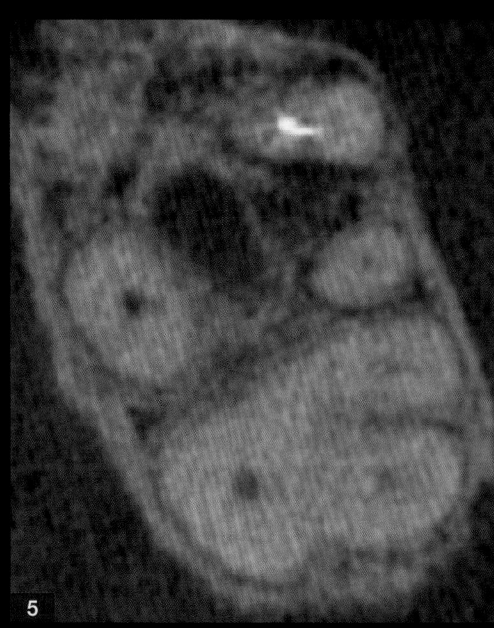

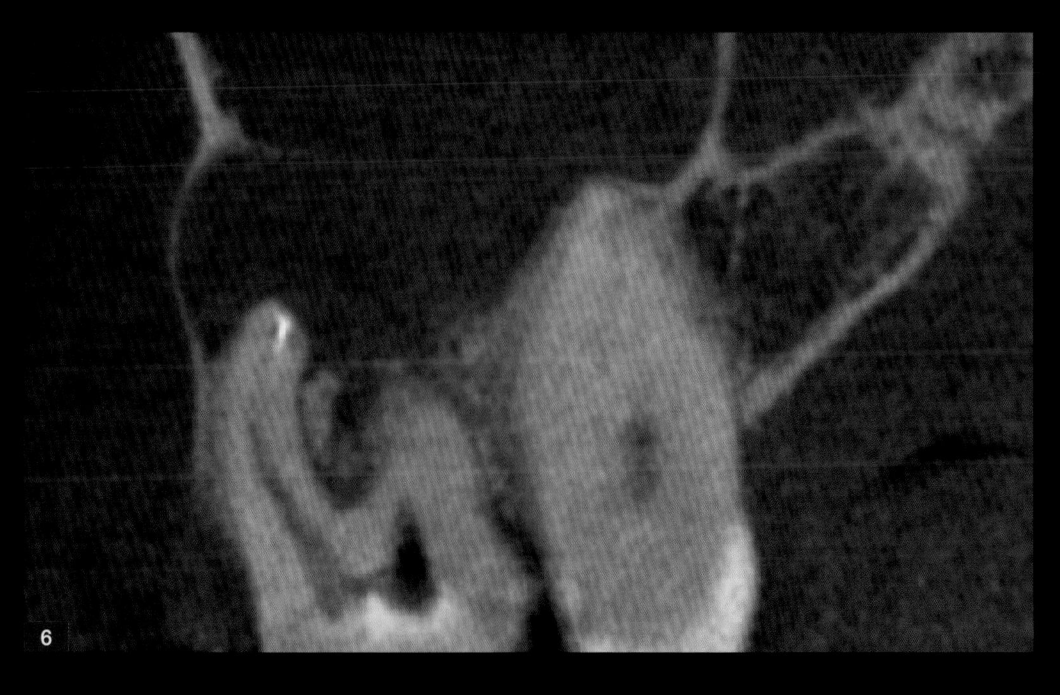

Figure 4: 술전 axial CBCT 이미지. 근심협측치근 중앙 1/3 부위에서 두 개의 근관(빨간 화살표)이 관찰된다(제1, 2근심협측근관).

Figure 5: 술전 axial CBCT 이미지. 치근단 1/3 부위에서 제2근심협측근관에 파절 기구가 관찰된다.

Figure 6: 술전 sagittal CBCT. 치근단 1/3 부위에서 상악동 공간으로 진행되는 커다란 치근단 병소를 가진 근심협측치근의 원심 쪽으로 존재하는 파절 기구가 관찰된다.

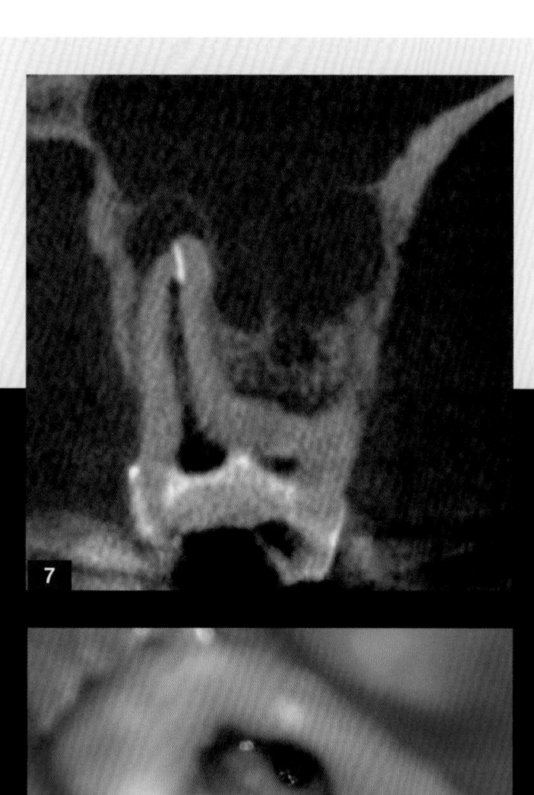

Figure 7. 술전 coronal CBCT. 상악동저를 밀어올리는 구개측 치근의 치근단 병소가 관찰된다.

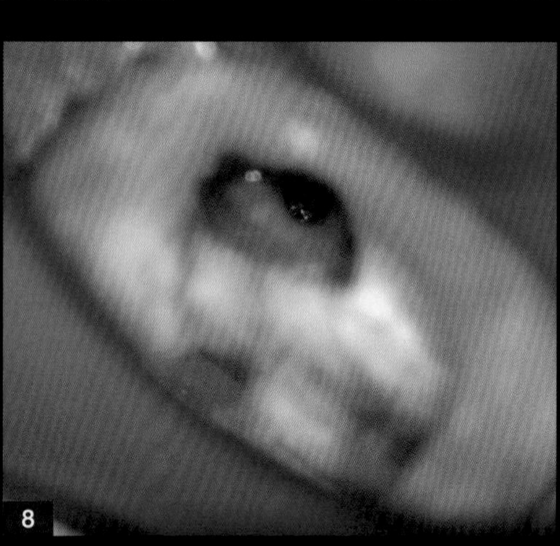

Figure 8. 현미경의 확대 이미지. 제2근심협측근관(화살표)에서 파절된 기구의 머리 부분이 관찰된다.

Figure 9. TFRK-6 초음파 팁을 긴 장검 모양으로 변형하여 90도의 반원 공간을 만든다.

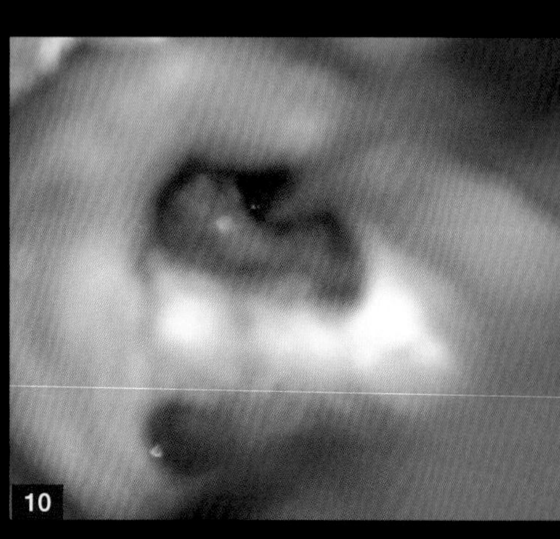

Figure 10. 현미경 확대 이미지. 제2근심협측근관(화살표)에서 미리 만곡시킨 TFRK-S로 근관 내벽을 성형하여 반원 공간을 만든다.

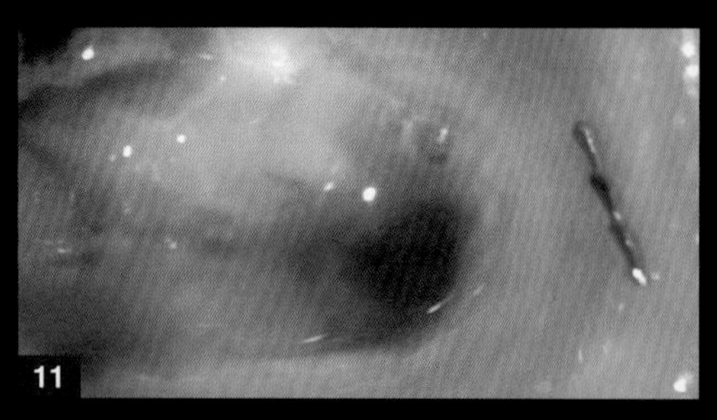

Figure 11. 현미경 확대 이미지. 초음파를 이용하여 제2근심협측근관에서 제거된 파절 기구

Figure 12. 현미경 확대 이미지. 2.3 mm의 제거된 파절 기구

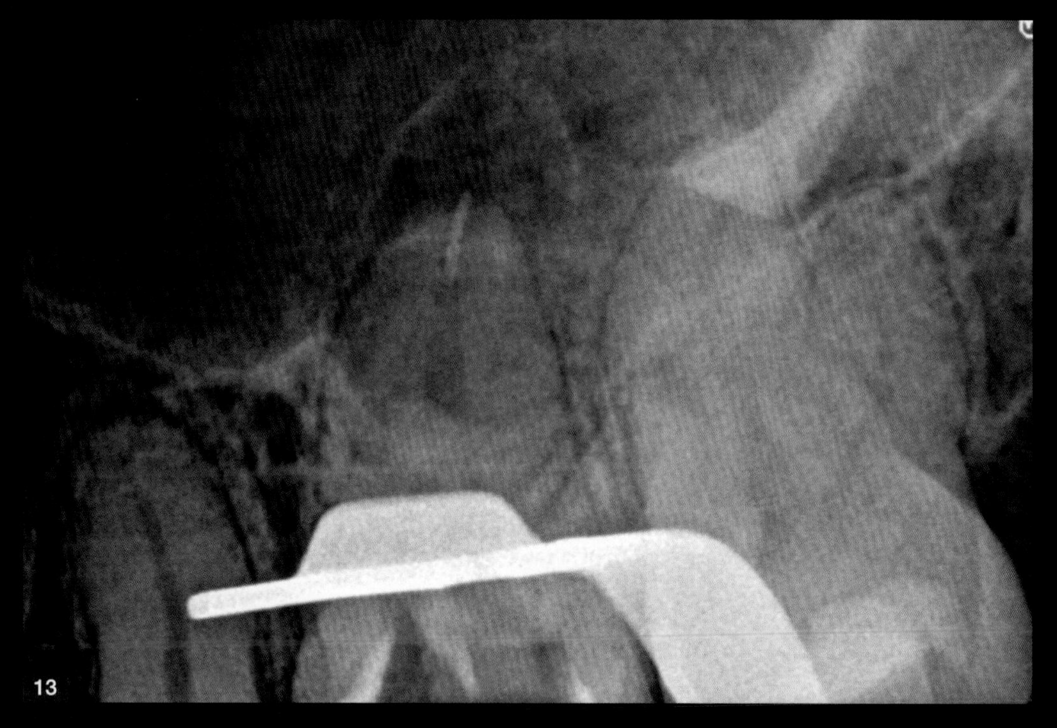

Figure 13. 술전 방사선 사진. 제2근심협측근관(파란 화살표)으로부터 파절기구가 제거된 것을 확인

Figure 14. 현미경 확대 이미지. 기구 제거 후 배출되는 다량의 고름을 제거하기 위해 석션 시린지(빨간 화살표)를 제2근심협측근관에 위치시킨다.

Figure 15. 술후 방사선 사진. 모든 근관에서 기구 제거 및 MTA 충전을 위한 최소한의 침습적인 근관성형을 보여준다.

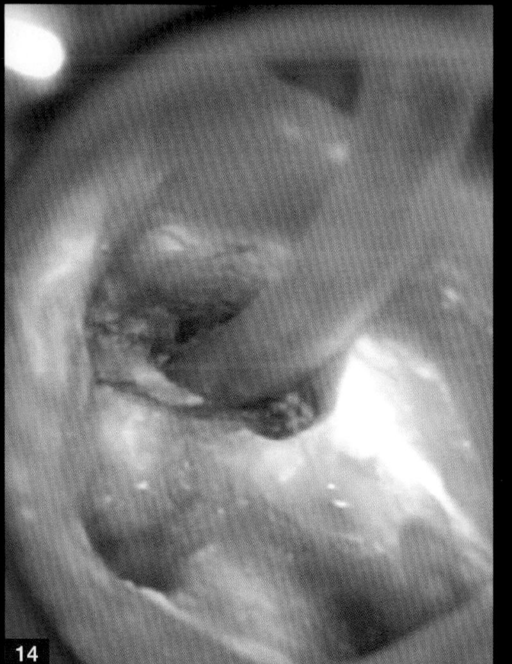

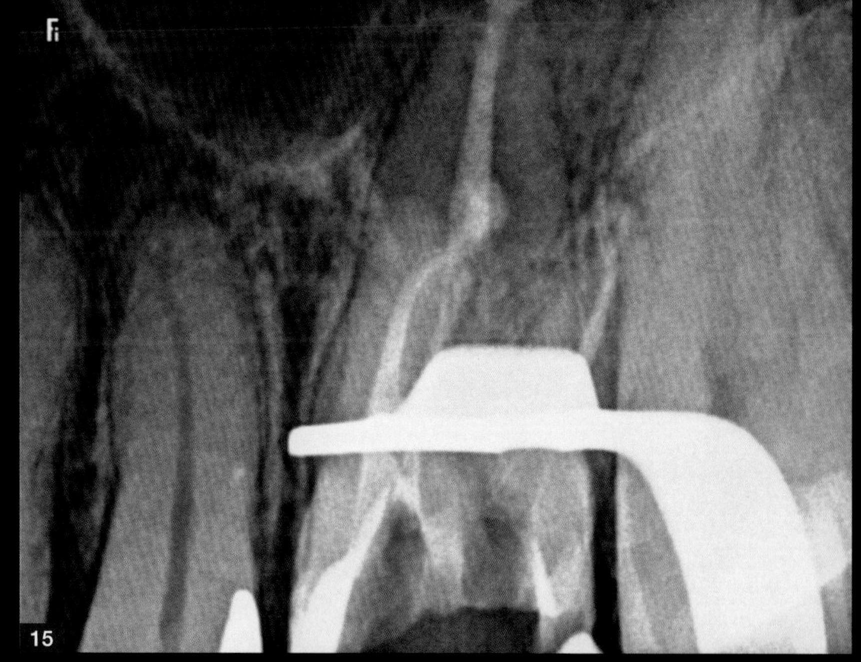

Figure 16: 3개월 후 방사선 사진. 모든 근관에서 기구 제거 및 MTA 충전을 위한 최소한의 침습적인 근관 성형을 보여준다.

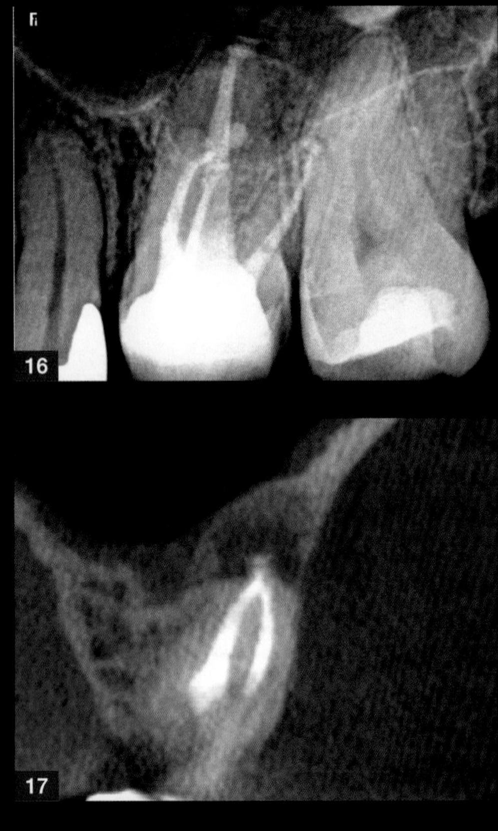

Figure 17: 3개월 후 coronal CBCT 이미지. 근심협측치근(파란 화살표)의 결손부위에 골 재생을 보여준다.

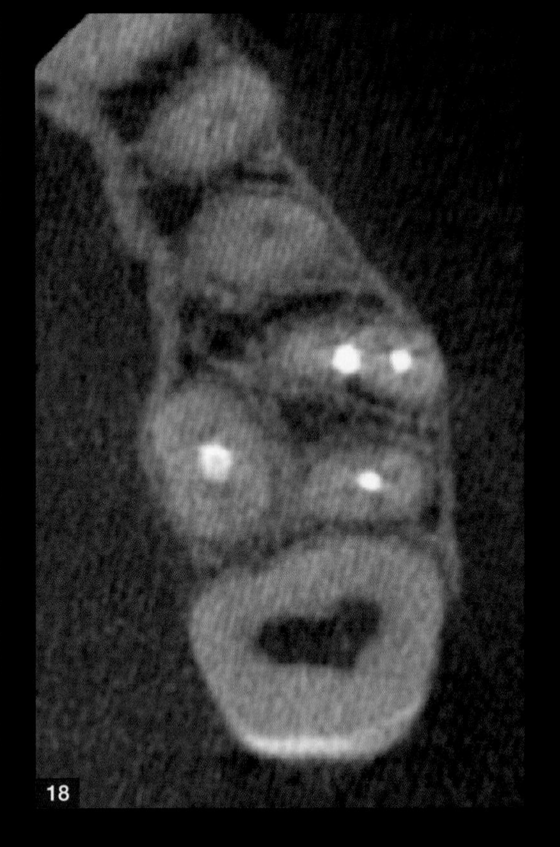

Figure 18: 3개월 후 axial CBCT 이미지. 제1, 2근심협측근관(파란 화살표) 모두 MTA로 충전된 상태

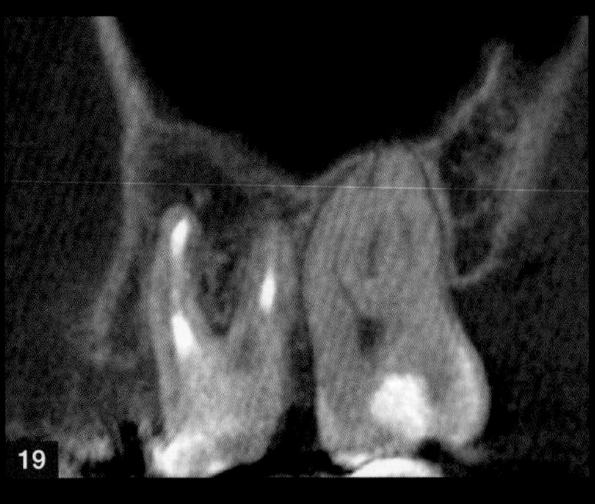

Figure 19: 3개월 후 sagittal CBCT 이미지. 근심협측 및 원심협측치근의 결손 부위에 골재생(파란 화살표)이 관찰된다.

Figure 20: 3개월 후 coronal CBCT 이미지. 구개측치근(파란 화살표)의 결손 부위에 골재생이 관찰된다.

21세 여자환자가 하악 우측 제1대구치에 파절된 기구 제거 및 재근관치료를 위해 개인치과에서 의뢰되었다. 자발통은 없었고, 타진에 미약한 반응을 보였다. 해당 치아의 치주낭은 정상 범주였다.
2D 치근단 방사선 사진**(Fig. 1, 2)**과 술전 CBCT 이미지에서 근심 근관의 파절된 기구와 치근단 병소가 확인되었다. 그러나 근심근관의 방사선 불투과성 물질이 존재하여 CBCT 이미지에서 파절기구를 명확히 계측하기 어려웠다.

CASE REPORT 25

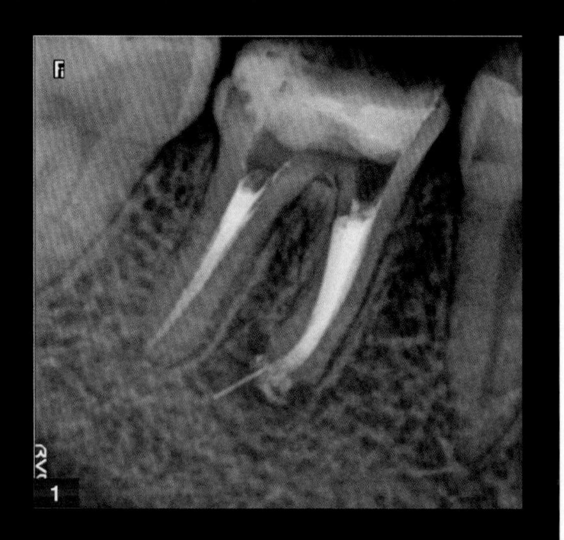

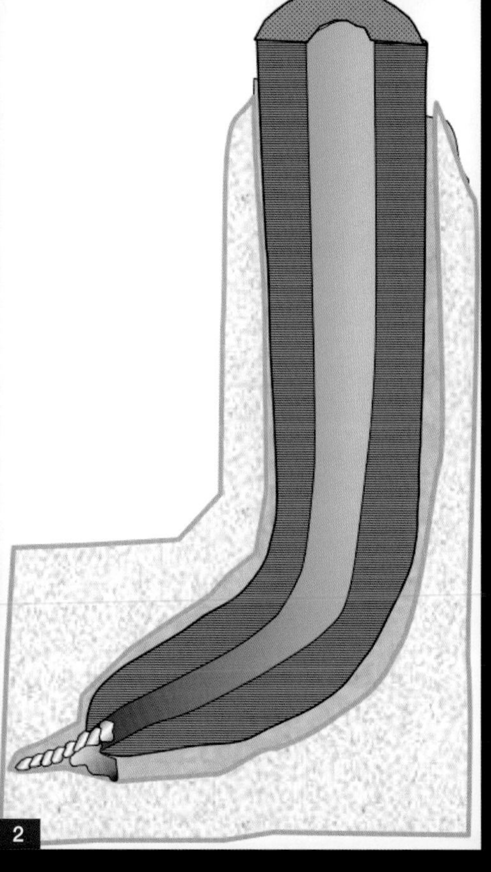

Figure 1: 술전 방사선 사진. 근심 치근에서 만곡 하방에 위치한 파절기구(빨간 화살표) 확인

Figure 2: 근심 치근에서 만곡을 지나 존재하는 기구의 90% 이상이 치근 밖에 존재함을 보여주는 모식도

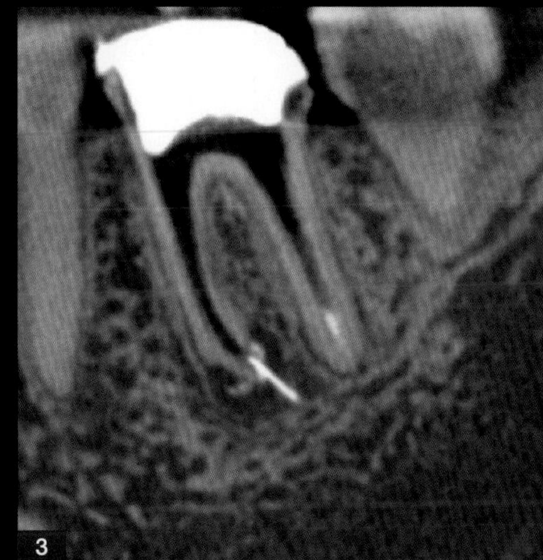

Figure 3: 술전 sagittal CBCT 이미지. 파절기구(빨간 화살표)가 작은 병소가 있는 근심치근의 원심쪽으로 위치해 있고, 대부분이 치근단공 밖으로 밀려나 있는 상태이다.

Figure 4: 술전 coronal CBCT 이미지. 파절기구 길이는 3.10 mm

임시충전물을 제거한 후, 근관 내에 첩약되어 있던 칼슘하이드록사이드를 제거했는데, 제거할 때는 TFRK-S 초음파 팁을 이용하여 5.25% NaOCl과 17% EDTA로 근관을 세척하였다. 이후 파절된 기구를 명확히 식별하기 위해 다른 CBCT 이미지(**Fig. 3-7**)와 추가 방사선 사진을 촬영했다. CBCT상에서 파절 기구의 90%가 치근단 병소가 있는 치근단공 밖으로 밀려나 있었고, 치근단 치주염으로 진단되었다.

CBCT를 근거로 치료계획을 세웠는데, 파절 기구의 길이는 3.10 mm, 근관입구에서 파절 기구까지 연결한 선에 대한 근관의 만곡은 20도였으며, 이는 초음파만으로 제거 가능하다고 판단되었다.

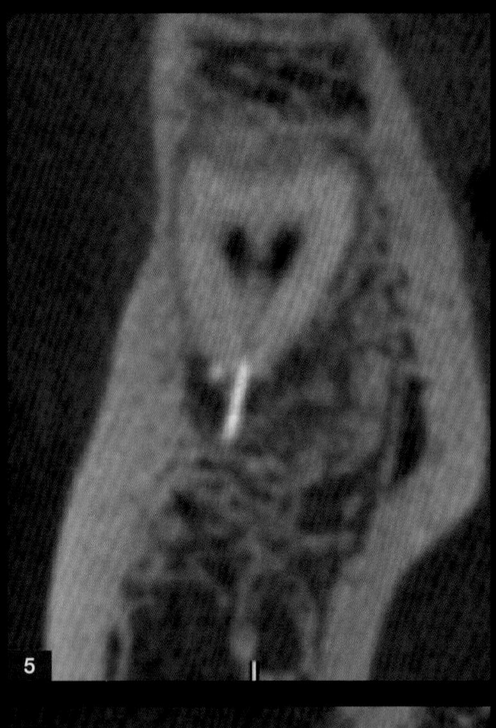

Figure 5: 술전 coronal CBCT 이미지. 근심협측 및 근심설측 근관이 치근단 1/3에서 하나의 근관으로 만나고 파절 기구는 두 근관이 만나는 지점을 지나서 존재한다.

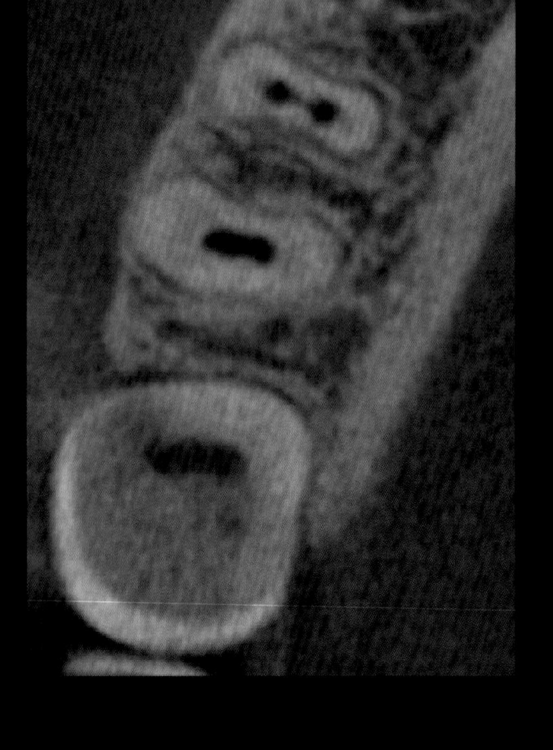

Figure 6: 술전 axial CBCT 이미지. 원심치근에 하나의 근관, 근심치근에 두 개의 근관이 확인된다.

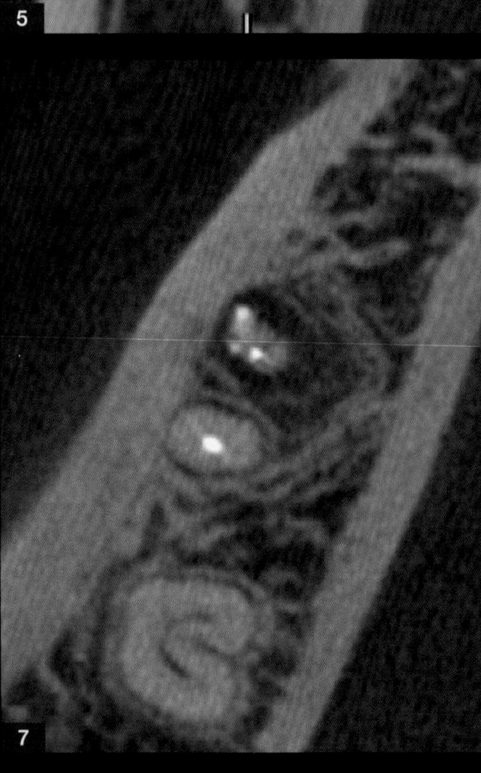

Figure 7: 술전 axial CBCT 이미지. 근심 근관의 파절 기구(빨간 화살표)는 치근단공 직전에 존재한다.

이 기구의 끝 부분은 근심치근의 원심 쪽에서 발견되었다. 먼저, 근관을 5.25% Qmix 2in1(Dentsply Sirona, USA)로 세척하고 스트롭코 기구로 건조시킨 후 현미경하에서 파절 기구의 위치를 확인했다. 그러나, 잘 보이지 않았고, 술전 CBCT 이미지에서 보여진 것처럼 파절 기구의 상부가 만곡을 훨씬 넘어서 존재하는 것(**Fig. 9**) 같았다.

따라서 EDTA를 채워놓은 상태에서 임상가 손끝의 감각을 이용하여 파절된 기구를 찾기 시작했다. 초음파 팁은 브라우니 버로 날카롭게 다듬어서 파절 기구와 근관의 내벽 사이의 좁은 공간에 들어갈 수 있도록 해야한다.

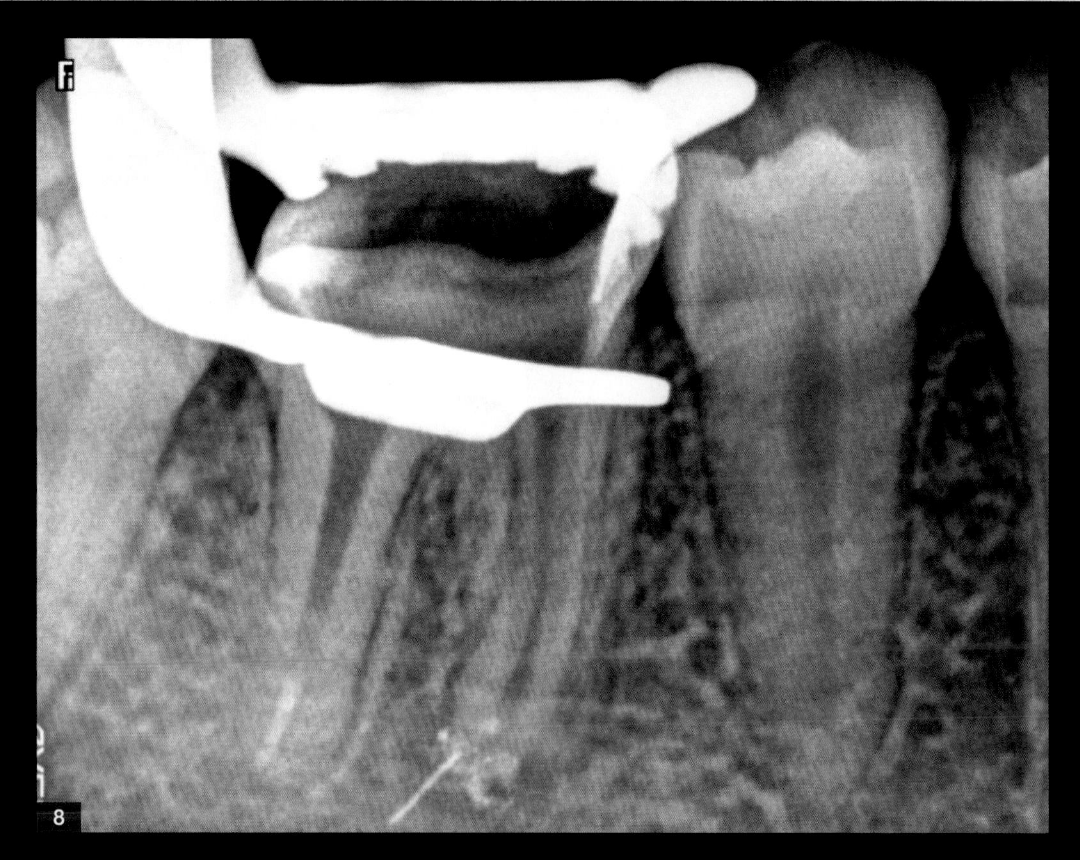

칼슘하이드록사이드 제거 후 촬영한 방사선 사진은 파절 기구(빨간 화살표)가 만곡을 훨씬 지나 존재하고, 기구 대부분이 치근단 조직으로 정출되어 있음을 보여주었다.

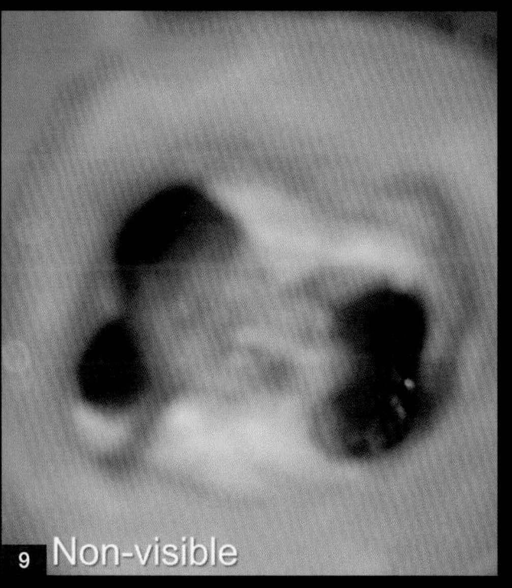

현미경으로 관찰한 근심치근에서 파절 기구가 보이지 않았다.

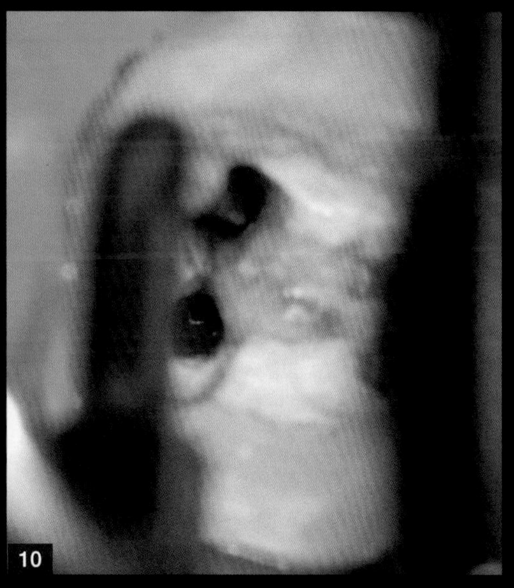

현미경하에서 근심설측근관의 내벽 공간으로 만곡시킨 TFRK-S를 적용시켰다.

날카롭게 연마된 TFRK-S 초음파 팁을 근관의 만곡에 맞게 구부려 끈적한(sticky) 느낌이 얻어지는 곳에 위치시켰다(Fig. 10). 근관의 내벽 공간에 위치한 초음파 팁이 확인될 때까지 여러 장의 방사선 사진을 촬영하였다(Fig. 11, 12). 17% EDTA를 근관에 다시 채워 넣고 초음파 팁이 내벽을 따라 미끄러져 내려가게 했다. 초음파 팁은 0에서 20까지의 파워 가운데, 파워 4에서 짧은 업/다운 스트로크로 연속적으로 활성화시켰다. 초음파를 활성시키고 수초 내에 파절 기구는 근관 밖으로 나왔다(Fig. 13). 제거된 파절 기구는 3.1 mm

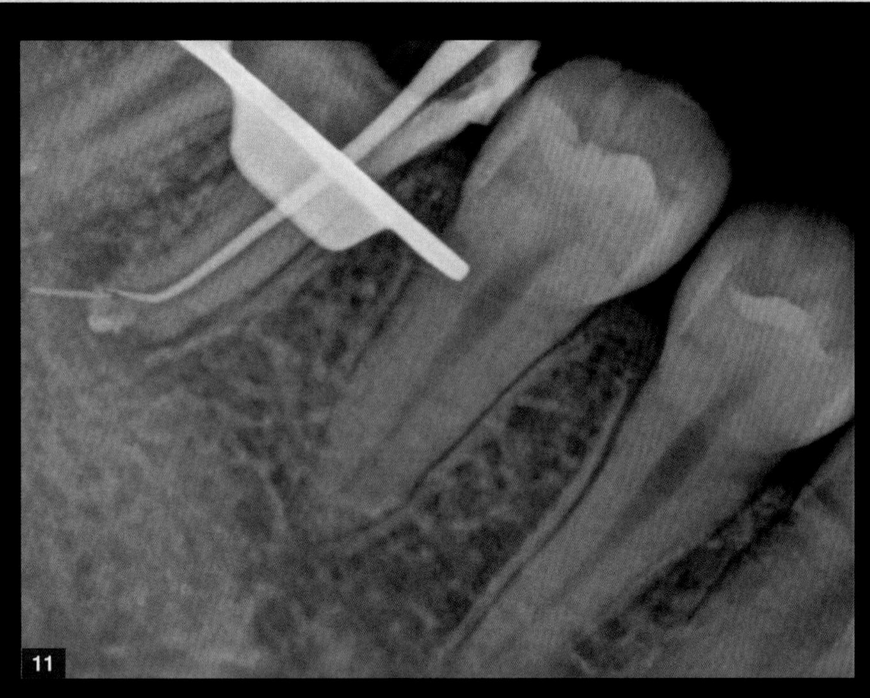

Figure 11: 초음파 기구(빨간 화살표)를 위치시킨 후 촬영한 방사선 사진에서 근관 내벽과 파절 기구 사이의 공간에 위치한 팁을 확인한다.

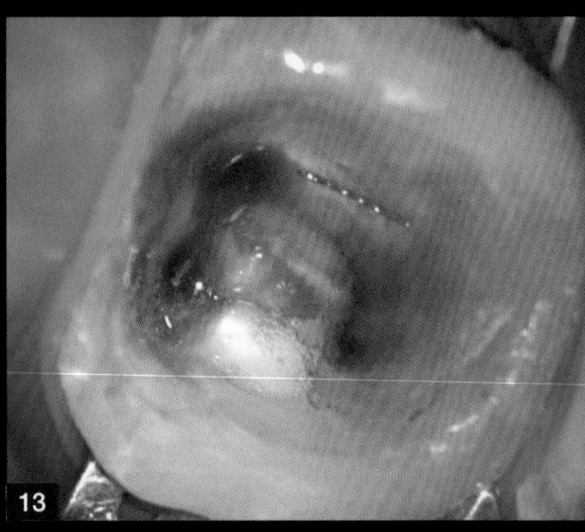

Figure 13: 초음파의 사용으로 파절 기구가 근심설측 근관 밖으로 나온 것을 확인한다.

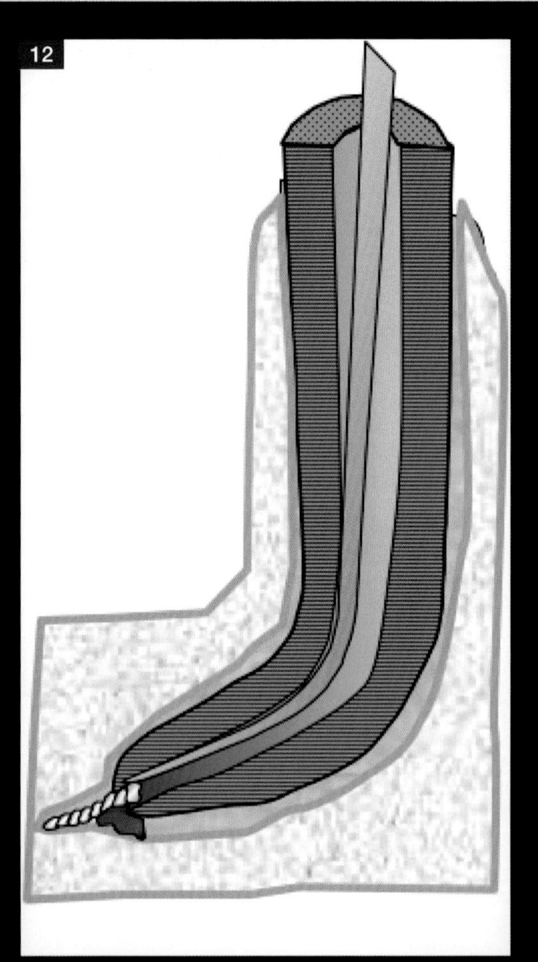

Figure 12: 근심 치근에서 초음파 팁이 파절 기구의 안쪽에 위치함을 보여주는 모식도

였고, CBCT 이미지에서 측정된 파절 기구 길이와 일치했다(Fig. 14).

방사선 사진에서 파절 기구가 제거된 것을 확인했다(Fig. 15). 모든 근관은 세정, 성형되었고, MTA로 충전되었다(Fig. 16). 술후 방사선 사진은 성형 과정에서 상아질의 추가 삭제가 거의 없었음을 보여준다. 3개월 후 방사선 사진은 술전 사진과 비교하여 치근단 병소의 치유가 진행되고 있음을 보여주었다(Fig. 17).

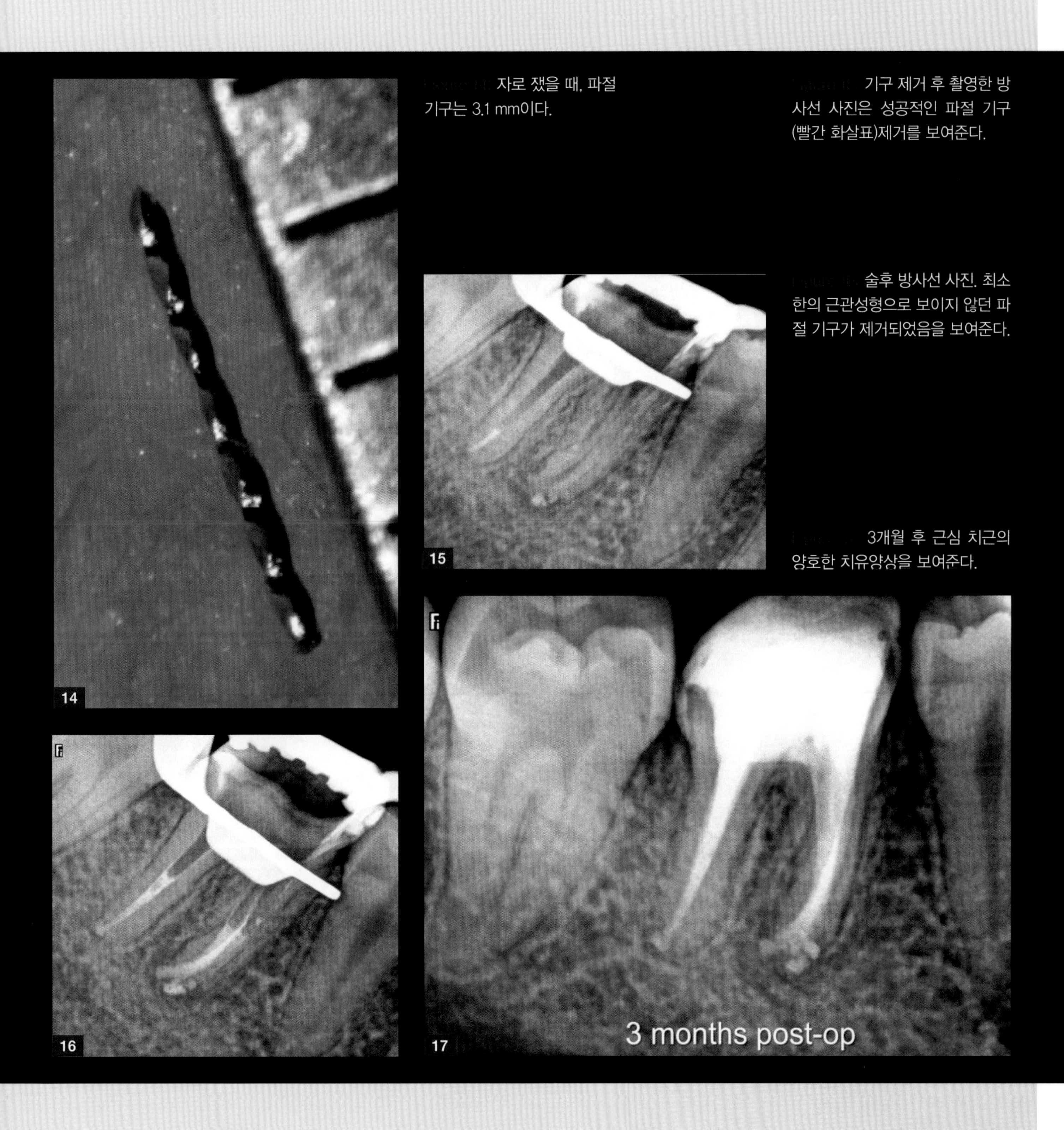

자로 쟀을 때, 파절 기구는 3.1 mm이다.

기구 제거 후 촬영한 방사선 사진은 성공적인 파절 기구(빨간 화살표)제거를 보여준다.

술후 방사선 사진. 최소한의 근관성형으로 보이지 않던 파절 기구가 제거되었음을 보여준다.

3개월 후 근심 치근의 양호한 치유양상을 보여준다.

치근단 ledge의 우회

기구에 대한 저항이 느껴지면서 ledge의 존재를 인지하게 되는데, 이를 해결하기 전에 근관의 해부학적 구조와 관련하여 그 위치를 평가할 필요가 있다. 실제로, ledge가 만곡 부위에 존재하거나 충전재가 치근 중간에서 벗어나 비대칭적으로 존재하는 경우도 있다.[117] 어떤 경우든 ledge를 우회하기 위해서는 다음의 단계를 거쳐야 한다.

- 그림에서 보여지는 것처럼, 실제 근관은 ledge의 바닥에서 몇 mm 위쪽으로 위치하는데, 근관 만곡의 안쪽으로 주행하고 있다.
- 미리 구부린 08 또는 10 K 파일을 넣고, 시계방향으로 조금씩 돌리면서 치근단 방향으로 넣는다. 그리고 기구의 팁이 원래 근관과 만날 때까지 점성의 킬레이트를 근관에 넣어준다.
- 설정한 작업장에 도달할 때까지 watch-winding 테크닉으로 근관을 계속 찾아 내려가는데(probing technique), 이때 전자 근관장 측정기가 도움이 될 수 있다. 일단 장애물을 우회하게 되면 파일을 계속 움직이면서 치근단공 넘어 0.5 mm까지 진행한다.
- 작업장을 찾았던 파일보다 작은 K 파일을 넣고 작업장까지 성형함으로써 기구가 치근단 1/3에 쉽게 도달하도록 한다.
- ISO 10, 15 K 파일로 동일한 과정을 진행한다.

치근단 폐쇄(block)의 우회

근관을 찾아가는 첫 단계에서 block이 형성되는 근본적인 이유는 완전히 제거되지 않은 치수 조직의 콜라겐의 일부가 압착되어 있거나, 혹은 성형 단계에서 기구 조작(회전 혹은 역회전)에 의해 생긴 상아질 잔사가 치근단 쪽으로 쌓여서일지도 모른다. 근관내 block이 생기는 주요한 이유는 다음과 같다.

- 부적절한 와동 형성
- 치관부 근관의 불충분한 성형
- 불충분한 세정
- 근관보다 더 큰 직경을 가진, 유연성이 떨어지는 기구의 사용 혹은 부정확한 기구조작

EXAMPLE OF A STEP

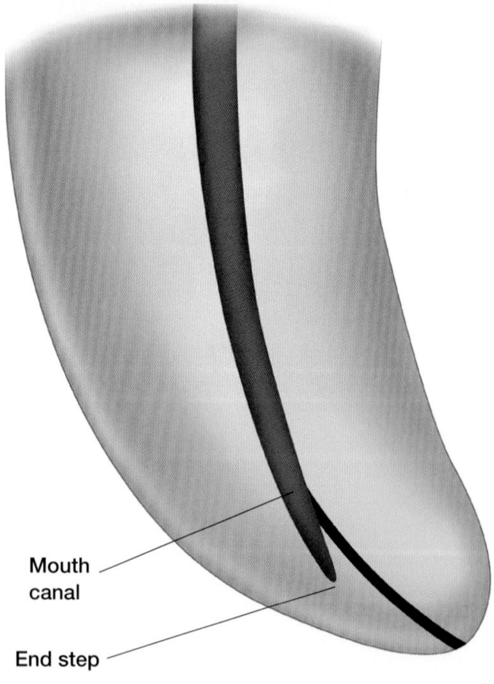

EXAMPLE OF BLOCK

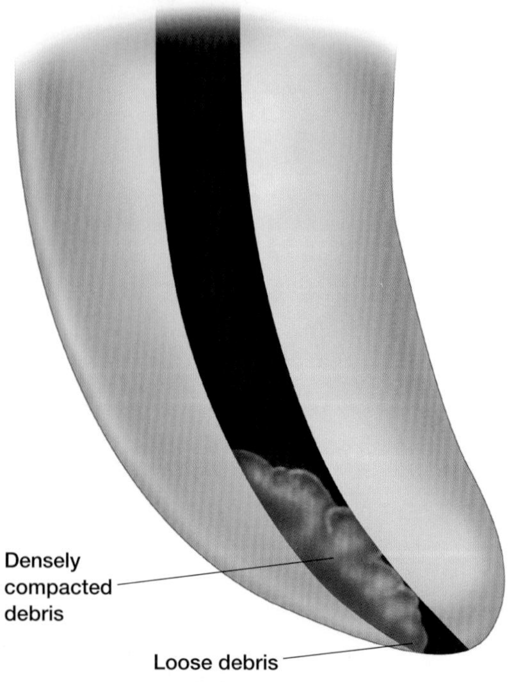

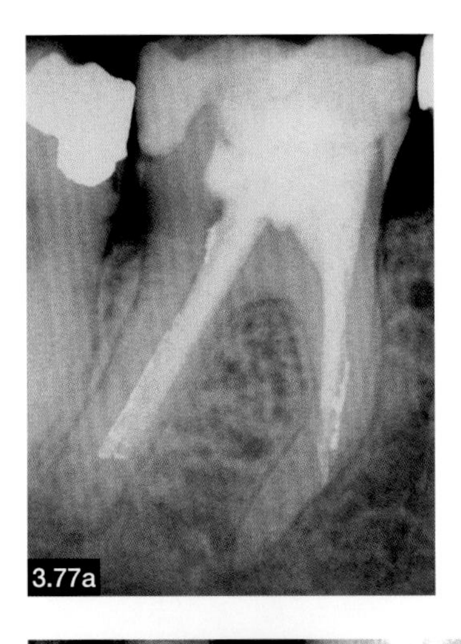

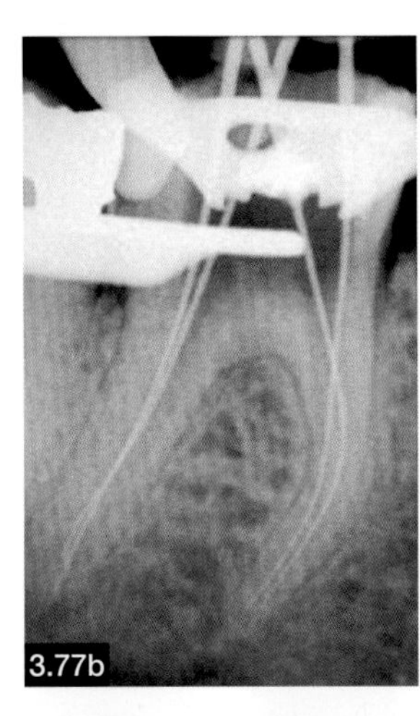

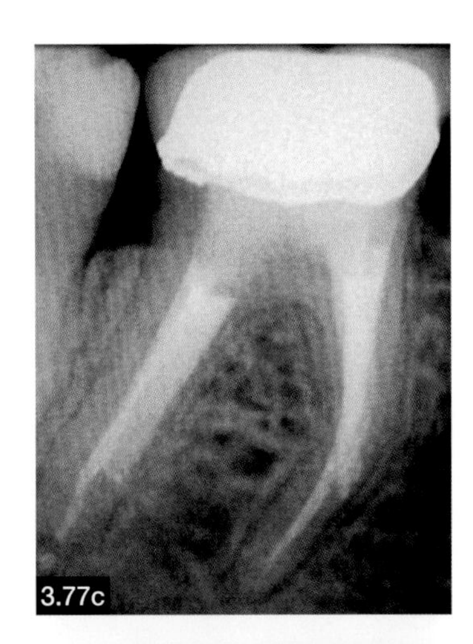

Fig. 3.77a: 근심치근의 천공이 발생하여 근관에 스텝(step)이 생긴 재치료 증례

Fig. 3.77b: 얇은 기구를 미리 구부려 사용하면 스텝(step)을 우회하여 작업장을 측정할 수 있다.

Fig. 3.77c: 재치료가 완료되었다.

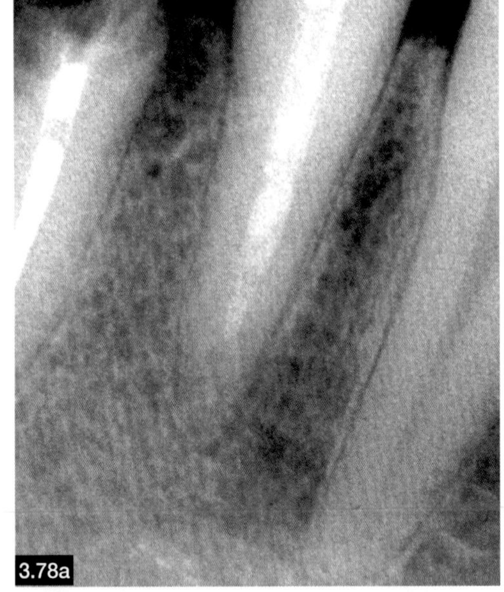

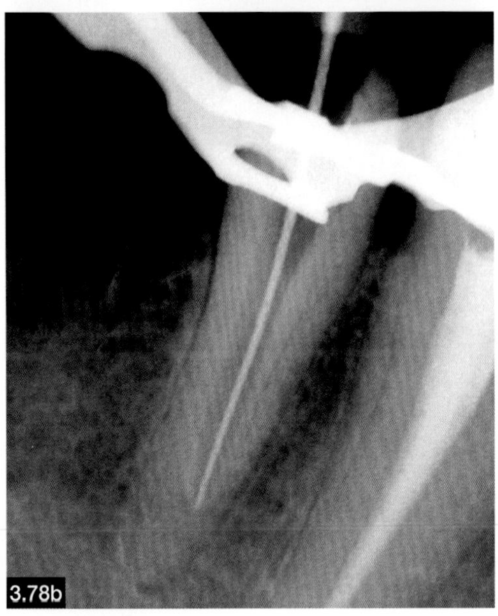

Fig. 3.78a: 명확하게 짧은 페이스트 충전 상태. 원심에 위치한 치아는 재치료 전에 발치되었다.

Fig. 3.78b: 근관내에서 파일의 경로가 쉬워 보이지 않는다.

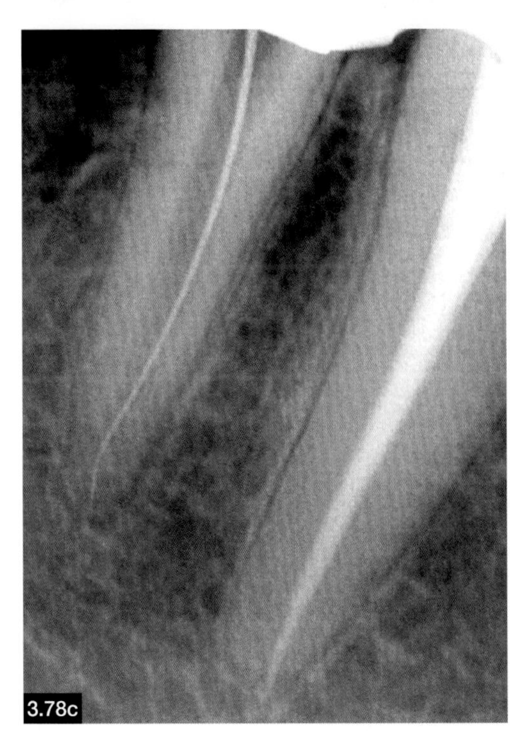

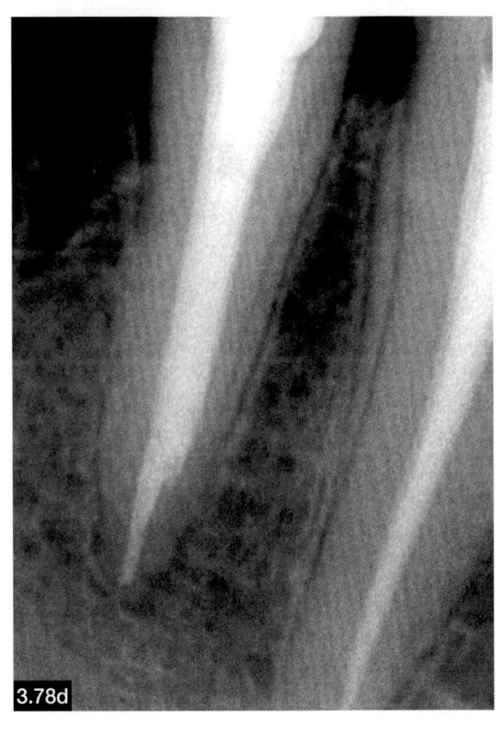

Fig. 3.78c: 미리 만곡시켜 둔(pre-curved) 기구를 사용하면 장애물을 우회하여 치근단까지 도달할 수 있다.

Fig. 3.78d: 완벽하게 충전된 근관

Fig. 3.79a: 근관 형태의 부적절한 이해로 이전의 근관치료가 제대로 완료되지 못했다.

Fig. 3.79b: 치료되지 않고 남은 근관 길이가 어려워 보인다.

Fig. 3.79c: 작은 직경의 기구를 구부려서 스텝(step)을 우회할 수 있다.

Fig. 3.79d: 거타퍼차 콘이 잘 적합됨을 보여준다.

Fig. 3.79e: 충전이 만족스럽게 완료되었다.

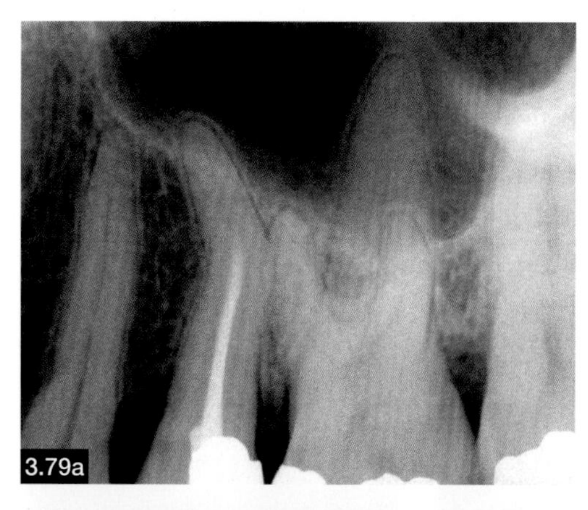

3.79a

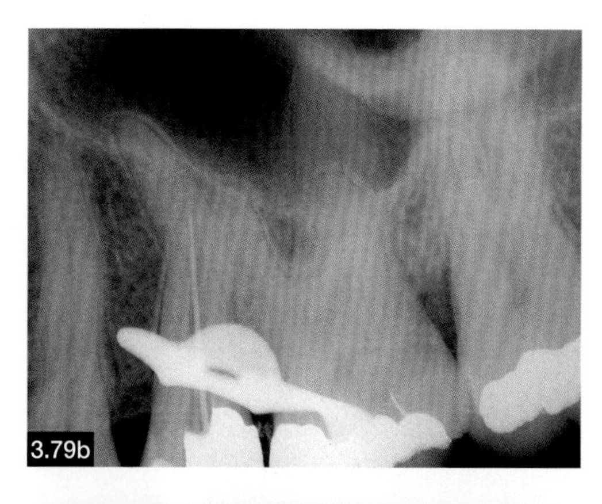

3.79b

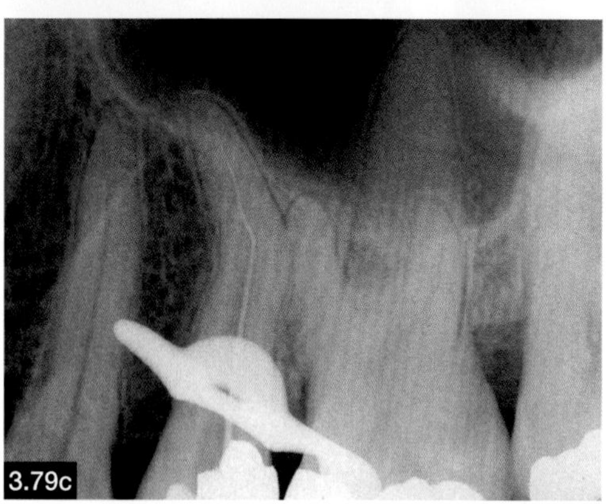

3.79c

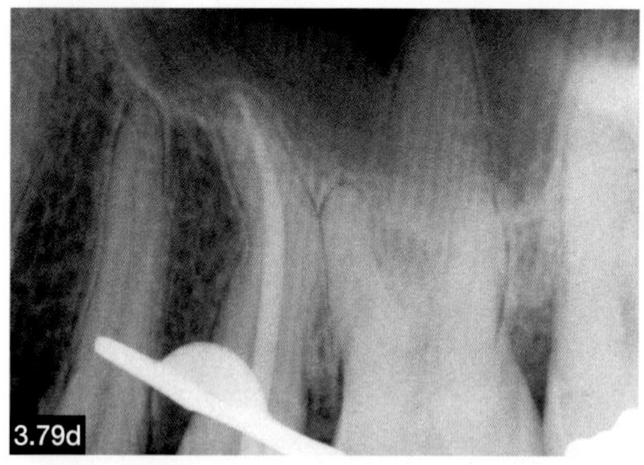

3.79d

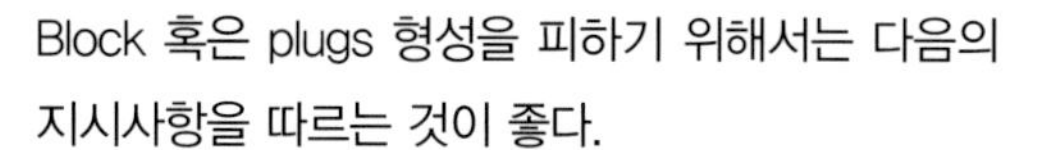

Block 혹은 plugs 형성을 피하기 위해서는 다음의 지시사항을 따르는 것이 좋다.

- 기구의 부드러운 움직임을 위해 점성의 킬레이터를 사용하여 근관을 탐침할 때는 치근단 1/3 부위로 치수와 상아질 잔사가 축적되지 않도록 한다.
- 성형과정 동안 적절한 세척액을 사용하여 세정하고, 작은 크기의 파일을 작업장 근처까지 넣어 치근단 개방을 확인하도록 한다.
- Stop 혹은 block이 생긴 경우, 먼저 큰 기구로 block의 상부까지 넓히고 세정한 후, 작은 경사도를 가진 기구에 점성의 킬레이터를 묻혀서 근관 내로 작업하도록 한다.

Block의 표면은 대개 단단한데, 이는 콜라겐이든 상아질이든 그 잔사가 압착되기 때문이다. 따라서 기구가 통과하기 어렵고, 다른 부위를 탐침하게 한다. 그러나 block의 아래쪽은 잔사가 성기게 배열되어 있어서 관통하기 쉽다. 대부분의 경우, 기구가 첫 번째 층을 통과하고 나면 빈 공간으로 떨어지는 느낌이 들 것이다.

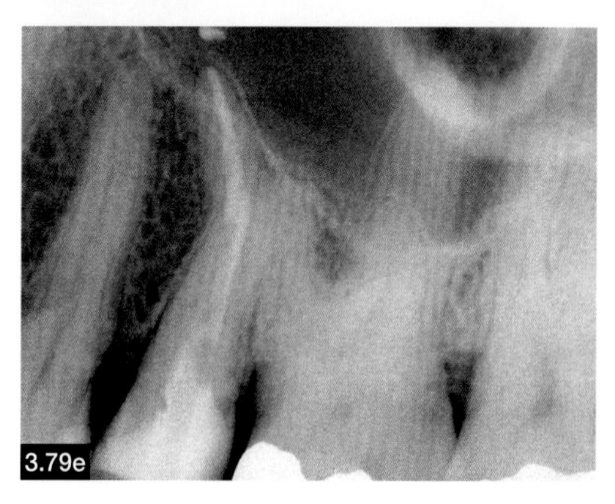

3.79e

콜라겐 혹은 상아질 block을 우회하기 위한 방법을 unlocking이라고 한다. 결과적으로 최선의 시나리오는 다음과 같다.

1. 점성의 킬레이터를 묻힌 ISO 08 또는 ISO 10과 같은 작은 파일을 watch-winding 움직임으로 삽입하고, 치근단 방향으로 가벼운 압력으로 전진시킨다.
2. 기구가 block 안으로 진입했다고 느껴지면 설정했던 작업장의 길이를 회복하도록 한다.
3. 일단 설정했던 작업장까지 도달하고 나면 0.5 mm 정도의 짧은 움직임으로 기구를 움직인다.
4. 작업장에 도달하기 위해 사용한 기구보다 작은 기구를 넣는다.

5. 작업장까지 도달하기 위해 ISO 10 K 파일을 사용하고 원하는 길이까지 자유롭게 도달할 수 있을 때 다음 단계의 파일로 넘어간다.

상아질 크랙: 치근단 파절을 예방할 수 있을까?

한 번 이상의 근관성형 과정을 거친 치아에서는 상아질의 구조가 심하게 손상된 것처럼 보인다.[118] 따라서 초음파의 사용과 NiTi 회전 기구의 사용이 어느정도 위험요소를 지니게 된다.[119] 많은 연구들이 힘이 집중되는 상아질 특정 부위에서 높은 빈도로 다양한 크기의 크랙이 발생한다고 보고했는데, 근관치료 후 치아가 교합력을 받게되면 쉽게 치근 파절을 일으키게 된다는 것이다.[120] 말할 것도 없이 이 현상은 예측하기 어렵다. 그러나 파일과 초음파 기구를 적절히 사용한다면 피할 수 있다. 완전하든 불완전하든 상아질 파절을 예방하기 위한 특정 요소를 제시하는 연구는 없다.

천공에 대해

천공은 근관치료 과정에서 생긴 과실로 근관계와 치주조직 사이의 개통을 말한다. 천공은 기계적 외상과 세균의 감염으로 치주조직의 염증을 일으킬 수 있다. 이에 대해 7장에서 자세히 다룰 것이므로 여기서는 요점만 짚고 넘어가겠다. 천공이 인지되었을 때 고려해야할 요소는 다음과 같다.

1. **천공위치.** 치근단 1/3, 중간 1/3에 위치한 천공은 다근치의 치수강저에 위치한 천공보다 예후가 불량하다. 이러한 천공은 치료하기 복잡하기 때문이다.
2. **크기와 형태.** 천공은 둥글고 유지력이 있는 형태여야 한다. 즉, 재료가 안정적으로 유지될 수 있는 최소한의 상아질 두께가 필요하다.
3. **시간.** 천공이 방치되면 치주 조직에 손상을 주기 때문에 적시에 수복할 것을 추천한다.
4. **치주낭.** 치주낭이 존재한다면 일반적으로 예후는 나빠진다.

천공을 수복해야 한다면, 근관치료를 완료하기까지 필요한 내원 횟수를 줄이는 것이 좋다.[121]

방사선학적으로 확인하기 위해서는 생체친화적이고 방사선 불투과성인 재료를 이용하여 안정적인 방법으로 천공을 밀폐하는 것이 중요하다.

적절한 확대와 조명은 필수적이므로 수술용 현미경의 사용이 강력히 권고된다. 천공부위는 또다른 근관인 것처럼 깨끗하게 세정되어야 하는데, 초음파 드릴이나 작은 카바이드 버가 도움이 될 수 있다.

몇몇 증례에서는 충전재가 치주조직으로 밀려나가는 것을 예방하기 위해 골결손 부위에 생체친화적인 흡수성 매트리스(예: fibrin 스폰지)를 위치시켜 생체친화적인 재료가 매트리스 위로 충전되도록 할 수 있다.[122]

문헌들에 따르면 천공 부위 충전을 위해 다음의 재료를 선택할 수 있다.

- 강화산화아연유지놀(Reinforced ZOE) (SuperEba, Bosworth Co., Skokie, Illinois, USA)
- Mineral Trioxide Aggregate (MTA; ProRoot, Maillefer, Switzerland)
- Calcium silicate sealer (Biodentine, Septodont, France)
- 접착제와 컴퍼짓

Fig. 3.80: 크랙은 NiTi 기구를 치근단 부위에서 과도한 힘으로 사용할 때 생길 수 있다.

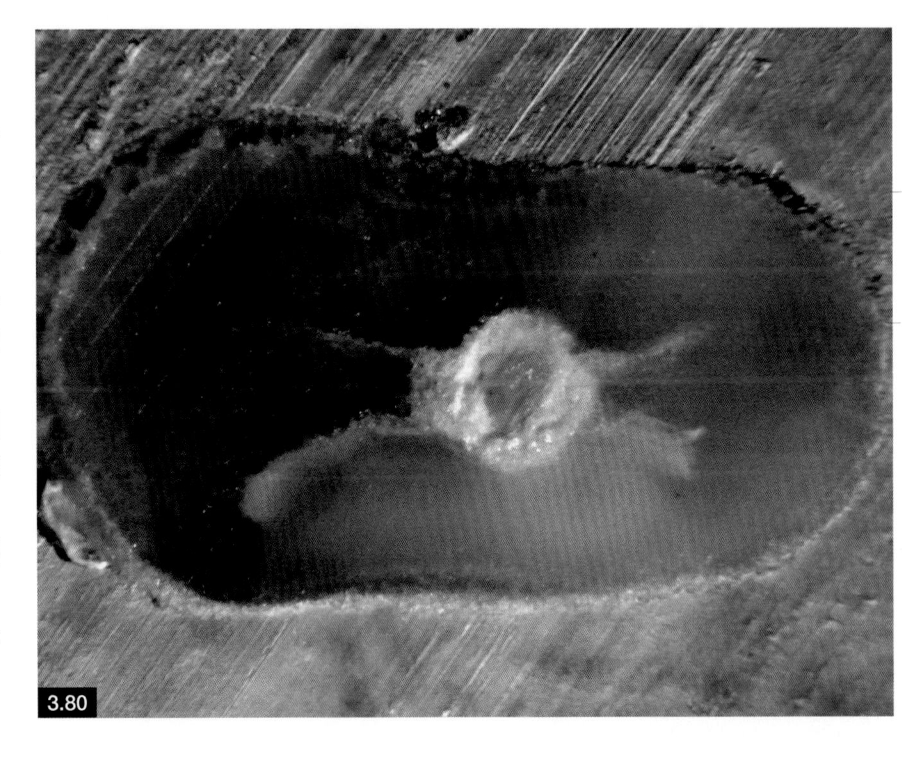

3.81a

Fig. 3.81a: 근심측 작은 치주병소를 제외하고는 다른 문제가 보이지 않는 근관치료된 치아

Fig. 3.81b-c: **(b)** 탐침 시의 방사선 사진, **(c)** 10여 년 후 방사선 사진

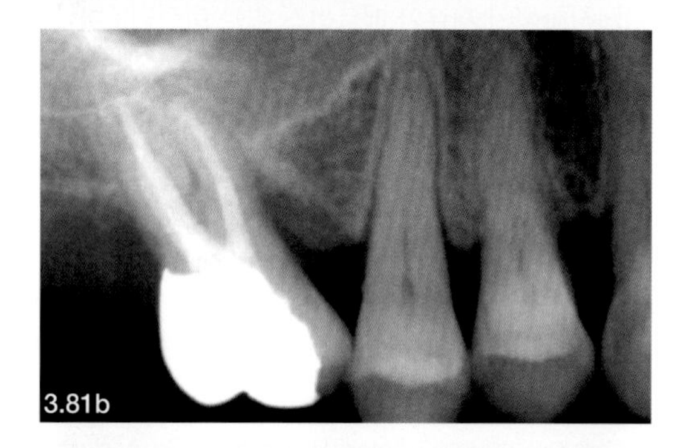

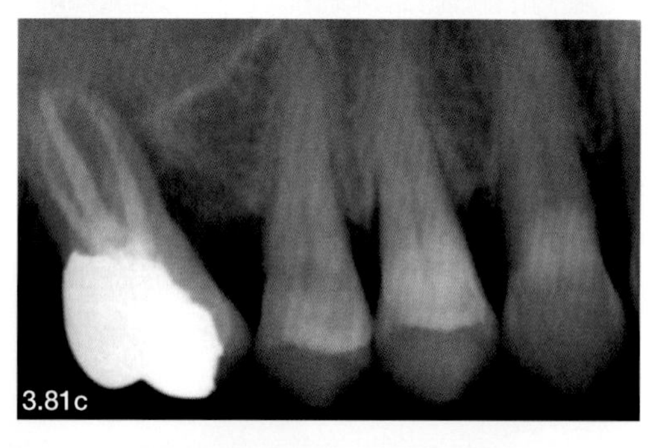

Fig. 3.82: 발치된 치아. 치주병소가 명확하고 이는 치근파절이 원인이다.

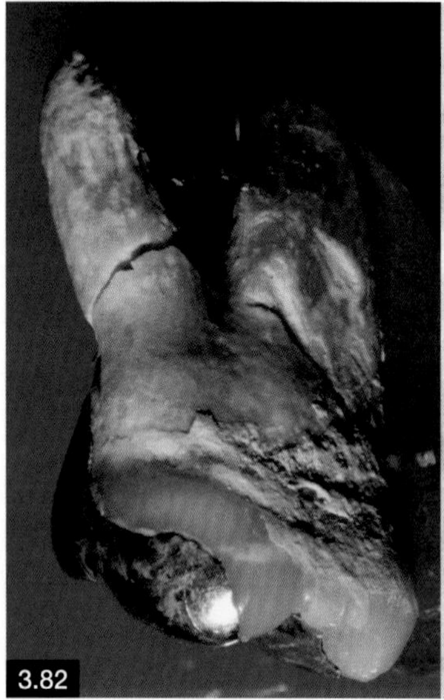

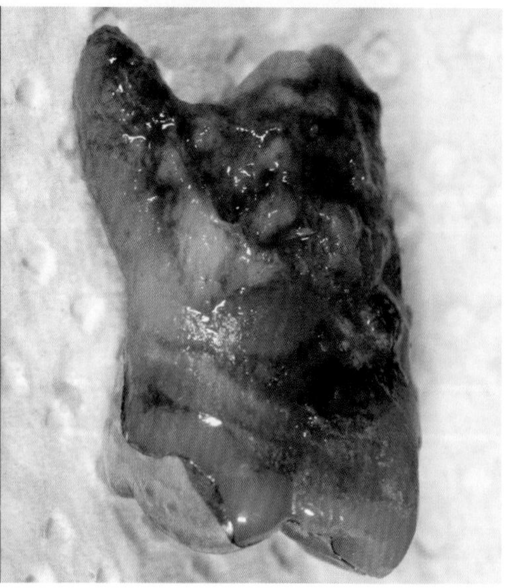

가장 적절한 재료의 선택은 앞서 언급한 요소에 따른다.

- 천공의 위치
- 천공의 크기
- 수분 조절 가능성
- 지혈가능성

천공이 치은 근처에 위치해서 치조골 상부에 존재한다면 통상적인 술식의 변화 없이 접착제와 컴포짓 레진으로 수복 가능하다. 일단 천공이 수복되면 근관치료를 다시 진행하면 된다.
치수강저 혹은 근관벽에 천공이 있는 경우, MTA의 사용이 아주 적절하다.[126–129] 최근, 다른 재료들도 천공 수복에 우수한 결과를 보이고 있고, 그 성분도 MTA와 유사하다.[123, 129] 특정 환경, 수분이 조절될 수 있는 부위에 작은 천공인 경우에는 SuperEBA와 같은 sealer의 사용이 가능한 대안이 될 수 있다. 관련 임상 술식의 자세한 내용은 7장을 참고하기 바란다.

참고문헌

1. Derhalli M and Mounce RE. *Clinical decision making regarding endodontics versus implants*. Compend Contin Educ Dent. 2011; 32(4):24-26, 28-30, 32-35.
2. Azarpazhooh A, Dao T, Ungar WJ et al. *Clinical decision making for a tooth with apical periodontitis: the patients' preferred level of participation*. J Endodont. 2014; 40(6):784-789.
3. Chercoles-Ruiz A, Sanchez-Torres A and Gay-Escoda C. *Endodontics, Endodontic Retreatment, and Apical Surgery Versus Tooth Extraction and Implant Placement: A Systematic Review*. J Endodont. 2017; 43(5):679-686.
4. Burns LE, Visbal LD, Kohli MR et al. *Long-term Evaluation of Treatment Planning Decisions for Nonhealing Endodontic Cases by Different Groups of Practitioners*. J Endodont. 2018; 44(2):226-232.
5. Torabinejad M, Salha W, Lozada JL et al. *Degree of patient pain, complications, and satisfaction after root canal treatment or a single implant: a preliminary prospective investigation*. J Endodont. 2014; 40(12): 1940-1945.
6. Peikoff MD. *Treatment planning dilemmas resulting from failed root canal cases*. Aust Endod J. 2005; 31(1):15-20.
7. Gillen BM, Looney SW, Gu LS et al. *Impact of the quality of coronal restoration versus the quality of root canal fillings on success of root canal treatment: a systematic review and meta-analysis*. J Endodont. 2011; 37(7):895-902.
8. Chandra A. *Discuss the factors that affect the outcome of endodontic treatment*. Aust Endod J. 2009; 35(2):98-107.
9. Del Fabbro M, Corbella S, Sequeira-Byron P et al. *Endodontic procedures for retreatment of periapical lesions*. Cochrane Db Syst Rev. 2016; (10):Art no. CD005511.
10. Castellucci A. *Compendio di Endodonzia*. 1 ed. Bologna: Martina; 2018.
11. Oliveira MT, Constantino HV, Molina GO et al. *Evaluation of mercury contamination in patients and water during amalgam removal*. J Contemp Dent Pract. 2014; 15(2):165-168.
12. Vermelho PM, Reis AF, Ambrosano GMB et al. *Adhesion of multimode adhesives to enamel and dentin after one year of water storage*. Clin Oral Invest. 2017; 21(5):1707-1715.
13. Tartari T, Wichnieski C, Bachmann L et al. *Effect of the combination of several irrigants on dentine surface properties, adsorption of chlorhexidine and adhesion of microorganisms to dentine*. Int Endod J. 2018.
14. Pisacane C e Gerosa R. *Le fasi iniziali del ritrattamento endodontico*. In: Berutti E, Gagliani M, editors. *Manuale di Endodonzia*. Milano: EDRA; 2013; 144-149.
15. Addy LD, Bartley A and Hayes SJ. *Crown and bridge disassembly – when, why and how*. SADJ. 2008; 63(8):432, 434-438.
16. Rhodes JS. *Disassembly techniques to gain access to pulp chambers and root canals during non-surgical root canal re-treatment*. Endodontic Topics. 2011; 19(1):22-32.
17. Gorni F. *La chirurgia endodontica*. In: Berutti E, Gagliani M, editors. *Manuale di Endodonzia*. Milano, EDRA; 2013; 144-149.
18. Martin H. *Ultrasonic disinfection of the root canal*. Oral Surg Oral Med Oral Pathol. 1976; 42(1):92-99.
19. Martin H and Cunningham W. *Endosonics – the ultrasonic synergistic system of endodontics*. Endod Dent Traumatol. 1985; 1(6):201-206.
20. Laird WR and Walmsley AD. *Ultrasound in dentistry. Part 1 – Biophysical interactions*. J Dent. 1991; 19(1):14-17.
21. Walmsley AD, Laird WR and Lumley PJ. *Ultrasound in dentistry. Part 2 – Periodontology and endodontics*. J Dent. 1992; 20(1):11-17.
22. Lea SC, Walmsley AD and Lumley PJ. *Analyzing endosonic root canal file oscillations: an in vitro evaluation*. J Endodont. 2010; 36(5):880-883.
23. Plotino G, Pameijer CH, Grande NM et al. *Ultrasonics in endodontics: a review of the literature*. J Endodont. 2007; 33(2):81-95.
24. Johnson WB and Beatty RG. *Clinical technique for the removal of root canal obstructions*. J Am Dent Assoc. 1988; 117(3):473-476.
25. Hulsmann M. *Methods for removing metal obstructions from the root canal*. Endod Dent Traumatol. 1993; 9(6):223-237.
26. Fors UG and Berg JO. *Endodontic treatment of root canals obstructed by foreign objects*. Int Endod J. 1986; 19(1):2-10.
27. Weisman MI. *The removal of difficult silver cones*. J Endodont. 1983; 9(5):210-211.
28. Chenail BL and Teplitsky PE. *Orthograde ultrasonic retrieval of root canal obstructions*. J Endodont. 1987; 13(4):186-190.
29. Meidinger DL and Kabes BJ. *Foreign object removal utilizing the Cavi-Endo ultrasonic instrument*. J Endodont. 1985; 11(7):301-304.

30. Hulsmann M. *Retrieval of silver cones using different techniques*. Int Endod J.1990; 23(6):298-303.
31. Spriggs K, Gettleman B and Messer HH. *Evaluation of a new method for silver point removal*. J Endodont. 1990; 16(7):335-338.
32. Masseran J. *The extraction of posts broken deeply in the roots*. Actual Odontostomatol (Paris). 1986; 75:392-402.
33. Roig-Greene JL. *The retrieval of foreign objects from root canals: a simple aid*. J Endodont. 1983; 9(9):394-397.
34. Gettleman BH and Deemer JP. *Removal of solid intracanal fragments and silver points: technique survey and evaluation*. Endod Rep. 1991; 6(2):15-18.
35. Gettleman BH, Spriggs KA, ElDeeb ME et al. *Removal of canal obstructions with the Endo Extractor*. J Endodont. 1991; 17(12):608-611.
36. Suter B. *A new method for retrieving silver points and separated instruments from root canals*. J Endodont. 1998; 24(6):446-448.
37. Shahabinejad H, Ghassemi A, Pishbin L et al. *Success of ultrasonic technique in removing fractured rotary nickel-titanium endodontic instruments from root canals and its effect on the required force for root fracture*. J Endodont. 2013; 39(6):824-828.
38. Ling JQ, Wei X and Gao Y. [*Evaluation of the use of dental operating microscope and ultrasonic instruments in the management of blocked canals*]. Zhonghua kou qiang yi xue za zhi = Zhonghua kouqiang yixue zazhi = *Chinese journal of stomatology*. 2003; 38(5):324-326.
39. Castrisos T and Abbott PV. *A survey of methods used for post removal in specialist endodontic practice*. Int Endod J. 2002; 35(2):172-180.
40. McLaren JD, McLaren CI, Yaman P et al. *The effect of post type and length on the fracture resistance of endodontically treated teeth*. J Prosthet Dent. 2009; 101(3):174-182.
41. Soares JA, Brito-Junior M, Fonseca DR et al. *Influence of luting agents on time required for cast post removal by ultrasound: an in vitro study*. J Appl Oral Sci. 2009; 17(3):145-149.
42. Brady E, Mannocci F, Brown J et al. *A comparison of cone beam computed tomography and periapical radiography for the detection of vertical root fractures in nonendodontically treated teeth*. Int Endod J. 2014; 47(8):735-746.
43. Mota de Almeida FJ, Knutsson K and Flygare L. *The impact of cone beam computed tomography on the choice of endodontic diagnosis*. Int Endod J. 2015; 48(6):564-572.
44. Caputo BV, Noro Filho GA, de Andrade Salgado DM et al. *Evaluation of the Root Canal Morphology of Molars by Using Cone-beam Computed Tomography in a Brazilian Population: Part I*. J Endodont. 2016; 42(11):1604-1607.
45. Dixon EB, Kaczkowski PJ, Nicholls JI et al. *Comparison of two ultrasonic instruments for post removal*. J Endodont. 2002; 28(2):111-115.
46. Smith BJ. *Removal of fractured posts using ultrasonic vibration: an in vivo study*. J Endodont. 2001; 27(10):632-634.
47. Scotti N, Bergantin E, Alovisi M et al. *Evaluation of a simplified fiber post removal system*. J Endodont. 2013; 39(11):1431-1434.
48. Romeiro K, de Almeida A, Cassimiro M, Gominho L, Dantas E, Chagas N, et al. *Reciproc and Reciproc Blue in the removal of bioceramic and resin-based sealers in retreatment procedures*. Clin Oral Invest. 2019:1-12
49. Gound TG, Marx D and Schwandt NA. *Incidence of flare-ups and evaluation of quality after retreatment of resorcinol-formaldehyde resin ("Russian Red Cement") endodontic therapy*. J Endodont. 2003; 29(10):624-626.
50. Lenherr P, Allgayer N, Weiger R et al. *Tooth discoloration induced by endodontic materials: a laboratory study*. Int Endod J. 2012; 45(10):942-949.
51. Krastl G, Allgayer N, Lenherr P et al. *Tooth discoloration induced by endodontic materials: a literature review*. Dent Traumatol. 2013; 29(1):2-7.
52. Cavenago BC, Ordinola-Zapata R, Duarte MA et al. *Efficacy of xylene and passive ultrasonic irrigation on remaining root filling material during retreatment of anatomically complex teeth*. Int Endod J. 2014; 47(11):1078-1083.
53. Arslan H, Akcay M, Capar ID et al. *Efficacy of needle irrigation, EndoActivator, and photon-initiated photoacoustic streaming technique on removal of double and triple antibiotic pastes*. J Endodont. 2014; 40(9):1439-1442.
54. Schwandt NW and Gound TG. *Resorcinol-formaldehyde resin "Russian Red" endodontic therapy*. J Endodont. 2003; 29(7):435-437.
55. Hoen MM and Pink FE. *Contemporary endodontic retreatments: an analysis based on clinical treatment findings*. J Endodont. 2002; 28(12):834-836.
56. Duncan HF and Chong B.S. *Removal of root filling materials*. Endodontic Topics. 2008; 19(1):33–57.
57. Iqbal A. *The Factors Responsible for Endodontic Treatment Failure in the Permanent Dentitions of the Patients Reported to the College of Dentistry, the University of Aljouf, Kingdom of Saudi Arabia*. J Clin Diagn Res. 2016; 10(5):ZC146-148.

58. Hülsmann MT and Tulus G. *Non-surgical retreatment of teeth with persisting apical periodontitis following apicoectomy: decision making, treatment strategies and problems, and case reports*. Endodontic Topics. 2016; 34(1):64-89.
59. Dincer AN, Er O and Canakci BC. *Evaluation of apically extruded debris during root canal retreatment with several NiTi systems*. Int Endod J. 2015; 48(12):1194-1198.
60. Kasikci Bilgi I, Koseler I, Guneri P et al. *Efficiency and apical extrusion of debris: a comparative ex vivo study of four retreatment techniques in severely curved root canals*. Int Endod J. 2016.
61. Topcuoglu HS, Akti A, Tuncay O et al. *Evaluation of debris extruded apically during the removal of root canal filling material using ProTaper, D-RaCe, and R-Endo rotary nickel-titanium retreatment instruments and hand files*. J Endodont. 2014; 40(12):2066-2069.
62. Yilmaz K and Ozyurek T. *Apically Extruded Debris after Retreatment Procedure with Reciproc, ProTaper Next, and Twisted File Adaptive Instruments*. J Endodont. 2017; 43(4):648-651.
63. Yuruker S, Gorduysus M, Kucukkaya S et al. *Efficacy of Combined Use of Different Nickel-Titanium Files on Removing Root Canal Filling Materials*. J Endodont. 2016; 42(3):487-492.
64. Zanettini PR, Barletta FB and de Mello Rahde N. *In vitro comparison of different reciprocating systems used during endodontic retreatment*. Aust Endod J. 2008; 34(3):80-85.
65. Pirovano AM, Grassi M, Colombo M et al. *Strumenti rotanti in lega nichel-titanio per il ritrattamento: un'analisi pre-clinica*. Giornale Italiano di Endodonzia. 2011; 25(3):145-151.
66. de Siqueira Zuolo A, Zuolo ML, da Silveira Bueno et al. *Evaluation of the Efficacy of TRUShape and Reciproc File Systems in the Removal of Root Filling Material: An Ex Vivo Micro-Computed Tomographic Study*. J Endodont. 2016; 42(2):315-319.
67. Fruchi Lde C, Ordinola-Zapata R, Cavenago BC et al. *Efficacy of reciprocating instruments for removing filling material in curved canals obturated with a single-cone technique: a micro-computed tomographic analysis*. J Endodont. 2014; 40(7):1000-1004.
68. Kfir A, Tsesis I, Yakirevich E et al. *The efficacy of five techniques for removing root filling material: microscopic versus radiographic evaluation*. Int Endod J. 2012; 45(1):35-41.
69. Ma J, Al-Ashaw AJ, Shen Y et al. *Efficacy of ProTaper Universal Rotary Retreatment system for gutta-percha removal from oval root canals: a micro-computed tomography study*. J Endodont. 2012; 38(11):1516-1520.
70. Silva E, Belladonna FG, Zuolo AS et al. *Effectiveness of XP-endo Finisher and XP-endo Finisher R in removing root filling remnants: a micro-CT study*. Int Endod J. 2018; 51(1):86-91.
71. Nevares G, de Albuquerque DS, Freire LG et al. *Efficacy of ProTaper NEXT Compared with Reciproc in Removing Obturation Material from Severely Curved Root Canals: A Micro-Computed Tomography Study*. J Endodont. 2016; 42(5):803-808.
72. Ozyurek T and Demiryurek EO. *Efficacy of Different Nickel-Titanium Instruments in Removing Gutta-percha during Root Canal Retreatment*. J Endodont. 2016; 42(4):646-649.
73. Gergi R and Sabbagh C. *Effectiveness of two nickel-titanium rotary instruments and a hand file for removing gutta-percha in severely curved root canals during retreatment: an ex vivo study*. Int Endod J. 2007; 40(7):532-537.
74. Yadav P, Bharath MJ, Sahadev CK et al. *An in vitro CT Comparison of Gutta-Percha Removal with Two Rotary Systems and Hedstrom Files*. Iran Endod J. 2013; 8(2):59-64.
75. Guess GM. *Predictable Therma-fil removal technique using the system-B heat source*. J Endodont. 2004; 30(1):61.
76. Hwang JI, Chuang AH, Sidow SJ et al. *The effectiveness of endodontic solvents to remove endodontic sealers*. Mil Med. 2015; 180(3 Suppl):92-95.
77. Rehman K, Khan FR and Aman N. *Comparison of orange oil and chloroform as gutta- percha solvents in endodontic retreatment*. J Contemp Dent Pract. 2013; 14(3):478-482.
78. De Deus G, Belladona FG, Zuolo AS, Simoes-Carvalho M, Santos CB, Oliveira DS, et al. *Effectiveness of Reciproc Blue in removing canal filling material and regaining apical patency*. Int Endod J. 2019;52:250–7.
79. Delai D, Pompermayer Jardine A, Boldrin Mestieri L, Boijink D, Camargo Fontanella VR, Soares Grecca F, et al. *Efficacy of a thermally treated single file compared with rotary systems in endodontic retreatment of curved canals: a micro-CT study*. Clin Oral Invest. 2019; 23:1837-1844.
80. Machado AG, Guilherme BP, Provenzano JC, Marceliano-Alves M, Goncalves LS, Siqueira JFJ, et al. *Effects of preparation with the Self-Adjusting File, TRUShape and XP-endo Shaper systems, and a supplementary step with XP-endo Finisher R on filling material removal during retreatment of mandibular molar canals*. Int Endod J. 2019; 52,:709-715.
81. Neelakantan P, Ahmed HMA, Chang JWW, Nabhan MS, Wei X, Cheung GSP, et al. *Effect of instrumentation systems on endotoxin reduction from root canal systems: A systematic review of clinical studies and meta-analysis. Australian endodontic journal*: the journal of the Australian Society of Endodontology Inc. 2018.
82. Hayakawa T, Tomita F and Okiji T. *Influence of the diameter and taper of root canals on the removal efficiency of Thermafil Plus plastic carriers using ProTaper Retreatment Files*. J Endodont. 2010; 36(10):1676-1678.
83. Pirani C, Pelliccioni GA, Marchionni S et al. *Effectiveness of three different retreatment techniques in canals filled with compacted gutta-percha or Thermafil: a scanning electron microscope study*. J Endodont. 2009;

35(10):1433-1440.

84. Beasley RT, Williamson AE, Justman BC et al. *Time required to remove guttacore, thermafil plus, and thermoplasticized gutta-percha from moderately curved root canals with protaper files*. J Endodont. 2013; 39(1):125-128.
85. Cantatore GB, Berutti E and Castellucci A. *Missed anatomy: frequency and clinical impact*. Endodontic Topics. 2006; 15(1):3-31.
86. Gorni F e Cerutti F. *Il ruolo degli ultrasuoni nel ritrattamento ortogrado*. Dentista Moderno. 2013; 17(1):86-93.
87. Mirmohammadi H, Mahdi L, Partovi P et al. *Accuracy of Cone-beam Computed Tomography in the Detection of a Second Mesiobuccal Root Canal in Endodontically Treated Teeth: An Ex Vivo Study*. J Endodont. 2015; 41(10):1678-1681.
88. Reis AG, Grazziotin-Soares R, Barletta FB et al. *Second canal in mesiobuccal root of maxillary molars is correlated with root third and patient age: a cone-beam computed tomographic study*. J Endodont. 2013; 39(5):588-592.
89. Hasan M and Raza Khan F. *Determination of frequency of the second mesiobuccal canal in the permanent maxillary first molar teeth with magnification loupes (x 3.5)*. Int J Biomed Sci. 2014; 10(3):201-207.
90. Karabucak B, Bunes A, Chehoud C et al. *Prevalence of Apical Periodontitis in Endodontically Treated Premolars and Molars with Untreated Canal: A Cone-beam Computed Tomography Study*. J Endodont. 2016; 42(4):538-541.
91. Ramos Brito AC, Verner FS, Junqueira RB et al. *Detection of Fractured Endodontic Instruments in Root Canals: Comparison between Different Digital Radiography Systems and Cone-beam Computed Tomography*. J Endodont. 2017; 43(4):544-549.
92. Rosen E, Azizi H, Friedlander C et al. *Radiographic identification of separated instruments retained in the apical third of root canal-filled teeth*. J Endodont. 2014; 40(10):1549-1552.
93. Madarati AA, Hunter MJ and Dummer PM. *Management of intracanal separated instruments*. J Endodont. 2013; 39(5):569-581.
94. Ungerechts C, Bardsen A and Fristad I. *Instrument fracture in root canals - where, why, when and what? A study from a student clinic*. Int Endod J. 2014; 47(2):183-190.
95. Nevares G, Cunha RS, Zuolo ML et al. *Success rates for removing or bypassing fractured instruments: a prospective clinical study*. J Endodont. 2012; 38(4):442-444.
96. Suter B. *Separated Root Canal Instruments - An overview of incidence, localisation, treatment strategies and outcome*. Swiss Dent J. 2017; 127(3):233-237.
97. Suter B, Lussi A and Sequeira P. *Probability of removing fractured instruments from root canals*. Int Endod J. 2005; 38(2):112-123.
98. Panitvisai P, Parunnit P, Sathorn C et al. *Impact of a retained instrument on treatment outcome: a systematic review and meta-analysis*. J Endodont. 2010; 36(5):775-780.
99. Agrawal V, Kapoor S and Patel M. *Ultrasonic Technique to Retrieve a Rotary Nickel-Titanium File Broken Beyond the Apex and a Stainless Steel File from the Root Canal of a Mandibular Molar: A Case Report*. J Dent (Tehran). 2015; 12(7):532-536.
100. Heydari A, Rahmani M and Heydari M. *Removal of a Broken Instrument from a Tooth with Apical Periodontitis Using a Novel Approach*. Iran Endod J. 2016; 11(3):237-240.
101. Madarati AA, Qualtrough AJ and Watts DC. *Endodontists experience using ultrasonics for removal of intra-canal fractured instruments*. Int Endod J. 2010; 43(4):301-305.
102. Ormiga F, da Cunha Ponciano Gomes JA and de Araujo MC. *Dissolution of nickel-titanium endodontic files via an electrochemical process: a new concept for future retrieval of fractured files in root canals*. J Endodont. 2010; 36(4):717-720.
103. Ormiga F, da Cunha Ponciano Gomes JA, de Araujo MC et al. *An initial investigation of the electrochemical dissolution of fragments of nickel-titanium endodontic files*. J Endodont. 2011; 37(4):526-530.
104. Aboud LR, Ormiga F and Gomes JA. *Electrochemical induced dissolution of fragments of nickel-titanium endodontic files and their removal from simulated root canals*. Int Endod J. 2014; 47(2):155-162.
105. Al-Sudani D, Grande NM, Plotino G et al. *Cyclic fatigue of nickel-titanium rotary instruments in a double (S-shaped) simulated curvature*. J Endodont. 2012; 38(7):987-989.
106. Adiguzel M and Capar ID. *Comparison of Cyclic Fatigue Resistance of WaveOne and WaveOne Gold Small, Primary, and Large Instruments*. J Endodont. 2017; 43(4):623-627.
107. Testarelli L, Plotino G, Al-Sudani D et al. *Bending properties of a new nickel-titanium alloy with a lower percent by weight of nickel*. J Endodont. 2011; 37(9):1293-1295.
108. Yang Q, Shen Y, Huang D et al. *Evaluation of Two Trephine Techniques for Removal of Fractured Rotary Nickel-titanium Instruments from Root Canals*. J Endodont. 2017; 43(1):116-120.
109. Cheung GS. *Instrument fracture: mechanisms, removal of fragments, and clinical outcomes*. Endodontic Topics. 2007; 16(1):1-26.

110. Cuje J, Bargholz C and Hulsmann M. *The outcome of retained instrument removal in a specialist practice.* Int Endod J. 2010; 43(7):545-554.
111. Lambrianidis T. *Ledging and blockage of root canals during canal preparation: causes, recognition, prevention, management, and outcomes*. Endodontic Topics. 2009; 15(1):56-74.
112. Burklein SS and Schäfer E. *Critical evaluation of root canal transportation by instrumentation*. Endodontic Topics. 2014; 29(1):110-124.
113. Gonzalez Sanchez JA, Duran-Sindreu F, de Noe S et al. *Centring ability and apical transportation after overinstrumentation with ProTaper Universal and ProFile Vortex instruments*. Int Endod J. 2012; 45(6):542-551.
114. Schäfer ED and Dammaschke T. *Development and sequelae of canal transportation*. Endodontic Topics. 2009; 15(1):75-90.
115. Peters OA. *Complications and procedural mishaps during root canal treatment: Part I*. Endodontic Topics. 2006; 15(1):1-2.
116. Hulsmann MD, Drebenstedt S and Holscher C. *Shaping and filling root canals during root canal re-treatment*. Endodontic Topics. 2008; 19(1):74-124.
117. Jafarzadeh H and Abbott PV. *Ledge formation: review of a great challenge in endodontics*. J Endodont. 2007; 33(10):1155-1162.
118. Perez AR, Alves FRF, Marceliano-Alves MF et al. *Effects of increased apical enlargement on the amount of unprepared areas and coronal dentine removal: a micro-computed tomography study*. Int Endod J. 2017.
119. Versiani MS, Souza E and De-Deus G. *Critical appraisal of studies on dentinal radicular microcracks in endodontics: methodological issues, contemporary concepts, and future perspectives*. Endodontic Topics. 2015; 33(1):87-156.
120. Madarati AA, Qualtrough AJ and Watts DC. *Vertical fracture resistance of roots after ultrasonic removal of fractured instruments*. Int Endod J. 2010; 43(5):424-429.
121. Pontius V, Pontius O, Braun A et al. *Retrospective evaluation of perforation repairs in 6 private practices*. J Endodont. 2013; 39(11):1346-1358.
122. Roda RS. *Root perforation repair: surgical and nonsurgical management*. Pract Proced Aesthet Dent. 2001; 13(6):467-472; quiz 474.
123. Dawood AE, Parashos P, Wong RHK et al. *Calcium silicate-based cements: composition, properties, and clinical applications*. J Invest Clin Dent. 2017; 8(2).
124. Balachandran J and Gurucharan. *Comparison of sealing ability of bioactive bone cement, mineral trioxide aggregate and Super EBA as furcation repair materials: A dye extraction study*. J Conserv Dent. 2013; 16(3):247-251.
125. Kakani AK, Veeramachaneni C, Majeti C et al. *A Review on Perforation Repair Materials*. J Clin Diagn Res. 2015; 9(9):ZE09-13.
126. Tawil PZ, Duggan DJ and Galicia JC. *Mineral trioxide aggregate (MTA): its history, composition, and clinical applications*. Compend Contin Educ Dent. 2015; 36(4):247-252; quiz 254, 264.
127. Parirokh M and Torabinejad M. *Mineral trioxide aggregate: a comprehensive literature review – Part III: Clinical applications, drawbacks, and mechanism of action*. J Endodont. 2010; 36(3):400-413.
128. Parirokh M, Torabinejad M. *Mineral trioxide aggregate: a comprehensive literature review- Part I: chemical, physical, and antibacterial properties.* Journal of endodontics. 2010; 36(1):16-27.
129. Torabinejad M, Parirokh M and Dummer PMH. *Mineral trioxide aggregate and other bioactive endodontic cements: an updated overview - part II: other clinical applications and complications*. Int Endod J. 2018; 51(3):284-317.

> **세척제**와 그 성분을 기술한다.

> 재근관치료에 사용되는 세척제의 **활성화 방법**에 대해 기술한다.

> 다양한 병리적 상황에 적용할 수 있는 **임상적 프로토콜**을 정립한다.

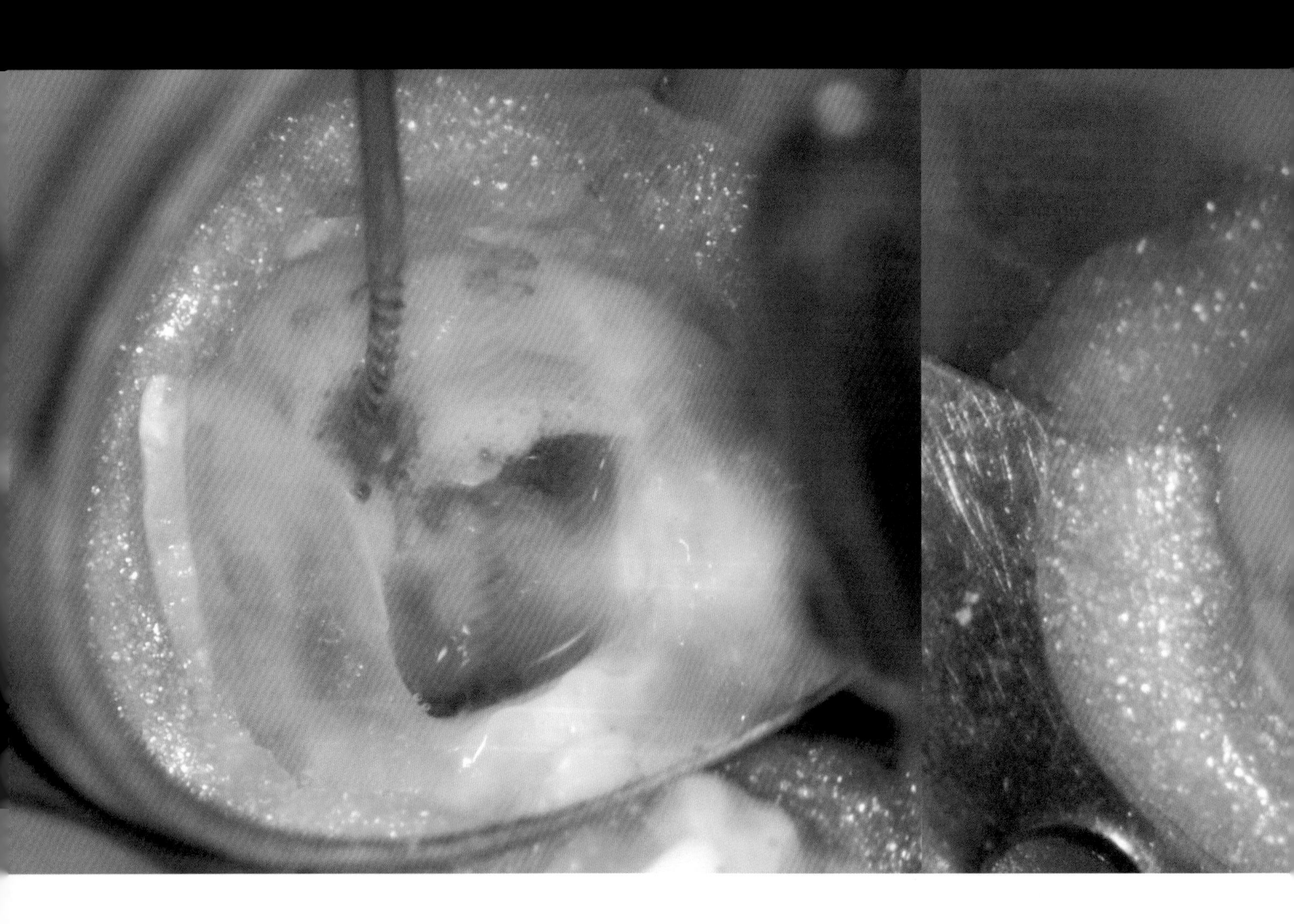

Riccardo Tonini, Francesca Cerutti

04

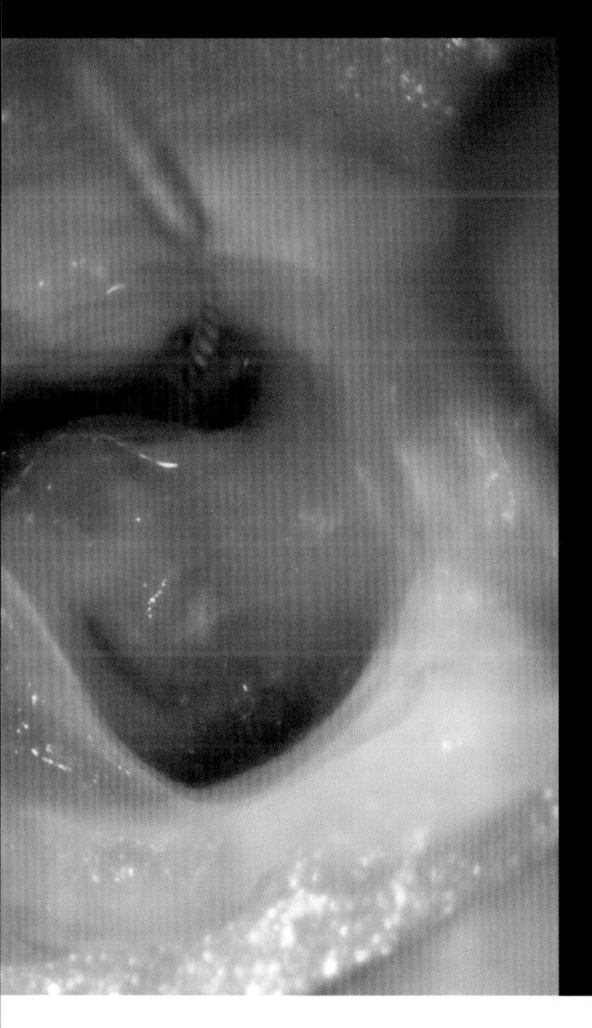

재근관치료에서의 소독과 임상술식

근관내 소독을 위한 임상술식과 기구

서론

근관치료 실패의 주요 원인은 근관계에 잔존하는 세균이다. 근관치료 과정에서 세척을 아무리 열심히 시행한다고 해도 세균이 잔류할 수 있는데, 일부 세균은 3차원적으로 잘 충전된 근관 내부에서도 생존할 수 있다.[1]

다른 실패 원인은 부적절한 치관부 밀폐로 인해 근관계로 세균이 재군집되는 이차 감염이다. 연구에 따르면, 근관치료 결과는 근관충전 시점에 존재하는 박테리아에 의해 결정된다고 한다. 박테리아의 박멸이 근관치료의 성공에 중요한 요소인 것이다.[2, 3]

근관치료에서 소독의 중요성은 문헌에 의해 입증되었는데, 근관치료의 장기적인 성공에 있어서 성형이나 충전과정이 결정적인 세균 수의 감소를 보장하지 않는다.[4] 재근관치료 시 충전재를 제거하기 위한 기구조작은 필수이고, 실패의 원인이 되는 박테리아 제거를 위한 근관의 세정 또한 중요하다 **(Fig. 4.1-4.3)**.

근관계의 특정 부위는 근관치료 기구의 접근이 불가능하다는 점을 고려한다면, 세척제를 근관 내부로 침투시키고 활성화시켜 세정 효과를 증진시키려는 노력이 필요하다. In vitro 연구에 따르면 일반적인 시린지와 니들만을 사용할 때보다 추가적인 방법을 병행할 때 근관벽이 더 깨끗하게 세정됨을 보고하였다.[6]

세척제의 효율을 높이고, 세척제를 근관내로 잘 침투시키기 위한 또다른 요소는 표면 장력[7](액체가 표면에 잘 퍼져서 모세관으로 잘 침투하는 능력)을 조절하는 것이다.[8]

계면활성제는 상아질 벽에 붙어서 상아세관으로 깊게 침투하기 때문에 계면활성제를 사용할 경우 세척액의 표면장력을 줄이고, 근관으로부터 잔사를

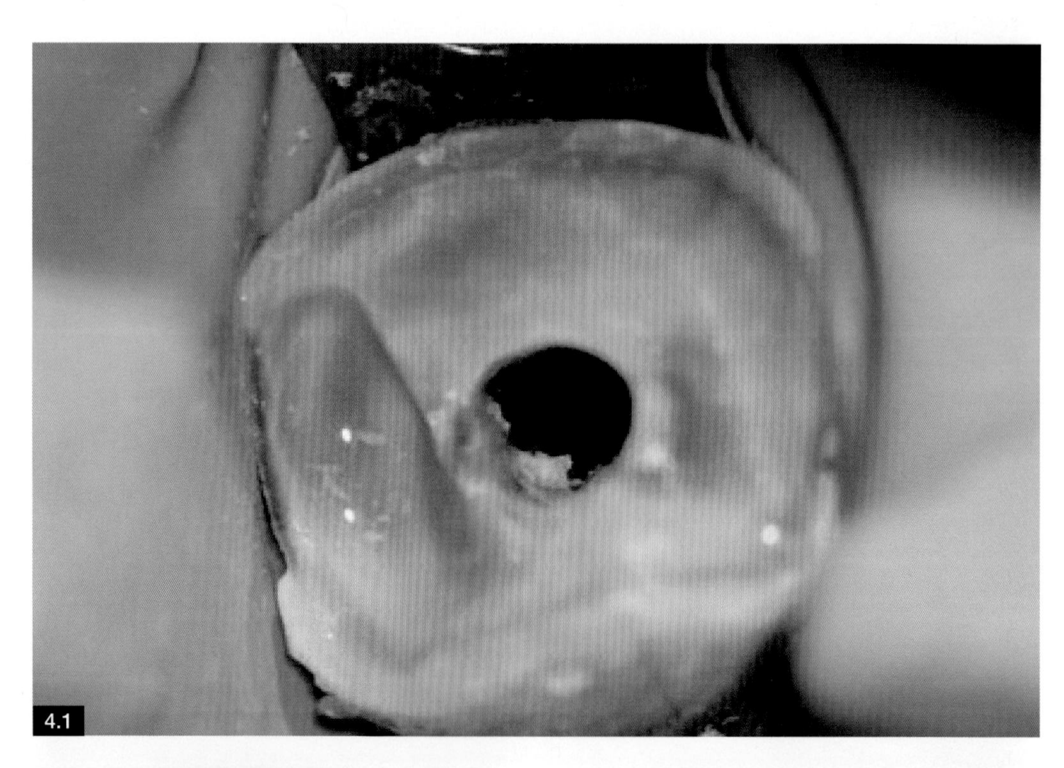

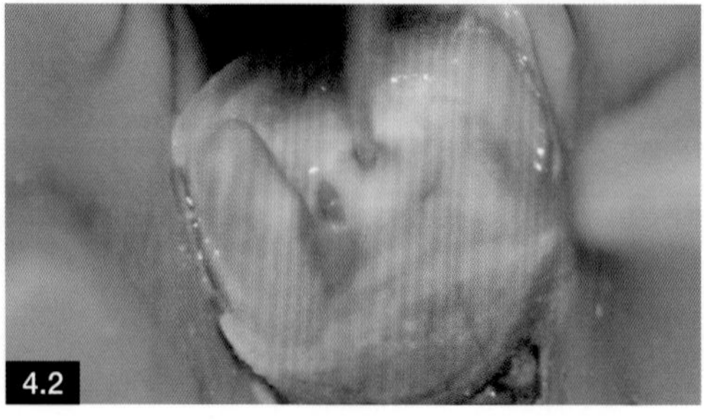

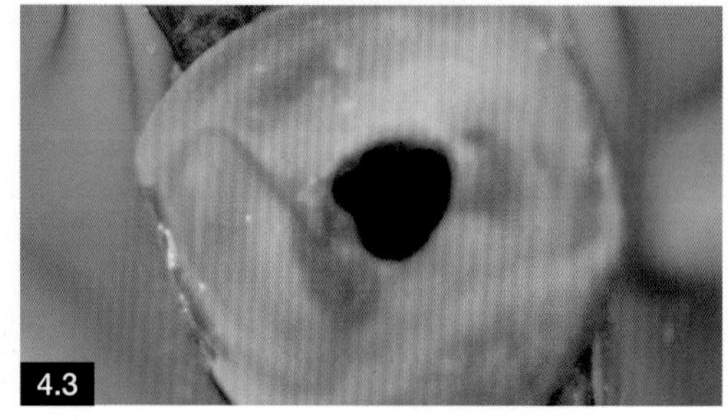

Fig. 4.1-4.3: 재근관치료 시 잔존 거타퍼챠를 제거하는 과정을 보여준다. 기계적인 기구 조작 후에도 거타퍼챠 일부가 벽에 붙어 남아있다**(Fig. 4.1)**. 초음파 기구를 이용하여 거타퍼챠를 근관벽에서 떨어뜨리고, 충전재로 채워져 있던 부위와 기구가 접촉하지 못한 부위로 세척액이 잘 침투하도록 한다 **(Fig. 4.2)**. 세척 과정이 마무리되면, 근관내에는 이전 치료의 잔류물이 존재하지 않게 된다**(Fig. 4.3)**.

보다 잘 제거할 수 있다.[7]

효과적인 세정을 위해서는 프로토콜을 철저히 따라야 하고, 단순히 잔사를 제거하기 위한 작업이라고 생각해서는 안 된다. 세정과정은 규칙이 필요한데, 이는 모든 경우에 반드시 따라야 하고 매 단계 반복되어야 한다. 또한 술자의 능력과 무관해야 한다. 근관치료의 성공은 수학적으로 얻어지는 것은 아니지만 다음의 공식을 따른다.

성공 = 성형 + 세정 + 충전 - X

X는 가장 예측할 수 없고 중요한 외적 요소, 즉, 술자이다.

재근관치료의 세정 프로토콜은 일반적인 근관치료와 유사하지만 시간이 중요한 요소로 작용하는데, 복잡한 재근관치료를 잘 마무리하기 위해서는 여러 번의 내원이 필요하고, 내원 간의 근관 첩약제가 필요하기 때문이다.

무균 혹은 소독?

우리가 근관치료와 관련하여 확실하게 말할 수 있는 것은, 아무리 최신식의 소독방법을 적용한다고 해도 근관계의 완벽한 무균상태는 얻기 힘들다는 것이다.

이는 근관치료, 재근관치료 모두에 적용된다. 따라서 우리가 근관계의 소독에 초점을 둔다는 의미는 무균 상태를 만드는 것이 아니라 박테리아의 수를 특정 역치 아래로 줄인다는 의미이다.[9]

재근관치료에서의 박테리아 수

최근 발표들은 근관치료의 실패율을 14-16%로 보고하고 있다.[10-12]

이러한 실패는 몇몇 박테리아가 기구나 세척제가 도달하지 않는 isthmus, 측방관, 치근단 분지부(apical ramifications)에 둥지를 틀고 있기 때문이다. 지속적인 감염을 일으키는 세균의 종류는 충전하는 시점에 근관내에 존재하는 세균을 동정하여 알 수 있다.

박테리아의 종류는 치근단 감염의 진행 혹은 지속에 있어서 결정적인 요소이다.[13]

감염은 박테리아의 수가 숙주의 방어 역치를 뛰어넘을 때에만 발생하는데, 효과적인 치료는 박테리아 수를 줄이고 치유를 도모하는 것이다**(Fig. 4.4a-b)**.[9]

Fig. 4.4a-b: 박테리아 잔존을 보여주는 이미지. 공초점 레이저 현미경(confocal laser microscope)하에서 살아있는 박테리아(녹색)와 죽은 박테리아(빨강)가 보인다. 첫 번째 이미지에서 샘플은 생리식염수로 세척되었다. 두 번째 이미지에서 차아염소산염(hypoc-hlorite)이 박테리아 수를 감소시켰으나 상아세관 깊이 침투하지는 못함을 알 수 있는데, 이는 향후 박테리아의 재군집 가능성을 남겨놓은 것이다(Dr. Francesca 이미지 제공).

Table 4.1 **IDEAL FEATURES OF A CANAL IRRIGANT**	
Antibacterial	Able to disinfect dentin and dentinal tubules
Non-cytotoxic	Must not interfere with the healing of periapical tissues
Stable solution	Must leave no residue
Prolonged antibacterial effect	Must not modify the dentin
Active in the presence of blood/serum	Economical
Able to remove the smear layer	Easy to use
Low surface tension	

근관 세척제

재근관치료에 사용되는 근관 세척제는 다양한 기능을 수행할 수 있어야 한다(**Table 4.1**).

- 이전 충전재의 제거를 돕는다.
- 잔존한 박테리아와 바이오필름에 대해 생물학적 작용을 한다(**Fig. 4.5-4.6**).
- 근관을 재성형하는 동안 발생되는 상아질 잔사를 화학적으로 제거한다.
- 낮은 조직 독성을 가진다.[14]

재근관치료에서 가장 일반적으로 사용되는 세척제는 항균제, 킬레이팅, 용매제로 분류할 수 있다.

다음은 임상에서 쉽게 적용할 수 있는 세척제들이다.

Fig. 4.5-4.6: NaOCl로 세척한 후에도 도말층의 잔유물이 보인다. 여러가지 세척제를 함께 사용해야만 근관내 잔류물을 완전히 제거할 수 있다.

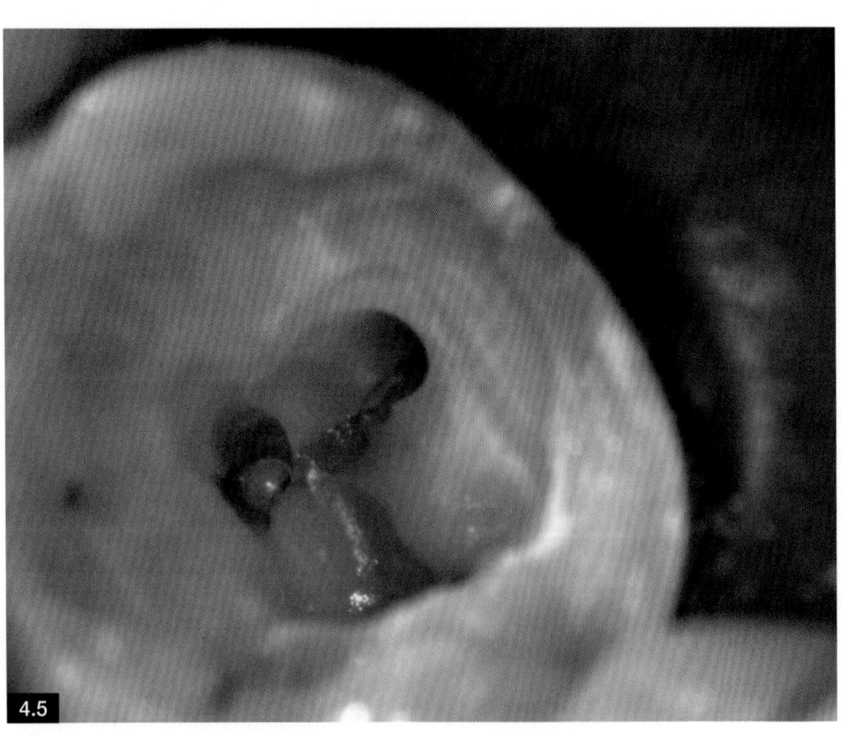

차아염소산나트륨

차아염소산나트륨(NaOCl)은 광범위한 단백질 분해능과 근관계에 잔존하는 유기물질을 용해시키는 능력을 가짐으로써 근관치료 영역에서 가장 널리 사용되는 소독액인데,[15, 16] 표면장력을 감소시킴으로써 그 효과를 증가시킬 수 있다.[17]

차아염소산나트륨은 0.5–15% 범위의 농도를 갖는 수용액으로, 활성부분은 염소이온인데 이는 콜라겐과 박테리아와 반응할 때 빠르게 분해되는 불안정한 이온이다. 임상에서는 수초 안에 용매를 소실하고 항균효과를 잃게 된다. 바이오필름 형태의 박테리아는 치근의 표면, 시멘트의 틈새 등 근관계에서 접근이 어려운 부분에 존재한다.

그들이 살기 어려운 환경에서 자란다는 사실을 고려한다면, 여기에 서식하는 박테리아는 대사활동이 활발하지 않고 항균물질에 저항성이 높음을 알 수 있는데, 이러한 박테리아를 죽이고 바이오필름을 물리적으로 제거할 수 있는 유일한 용액은 차아염소산나트륨(NaOCl)이다(**Fig. 4.7-4.8**).

차아염소산나트륨(NaOCl)의 용해 능력은 농도, 사용량, 상아질 벽에 접촉한 시간, 용액에 노출된 조직의 표면적에 따라 다르다.[18]

In vitro 연구에 따르면 고농도의 NaOCl이 저농도에 비해 Candida albicans와 *Enterococcus faecalis*[19]에 더 효과적이고, 조직 분해능력이 더 우수하다. 저농도의 NaOCl을 사용할 경우, 많은 양을 사용한다면 고농도의 NaOCl과 동일한 효과를 얻을 수 있을 것이다.[18, 20]

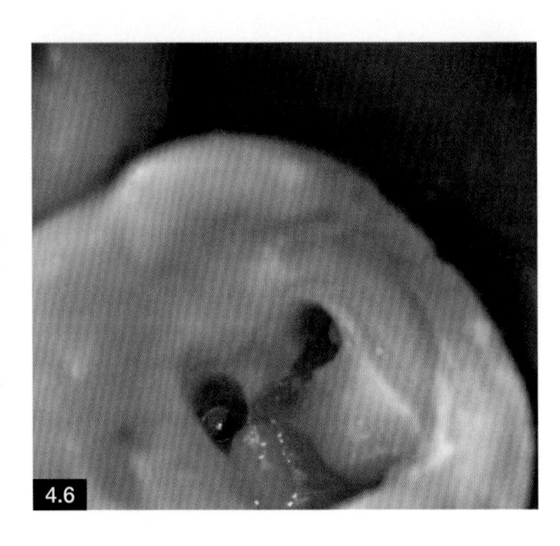

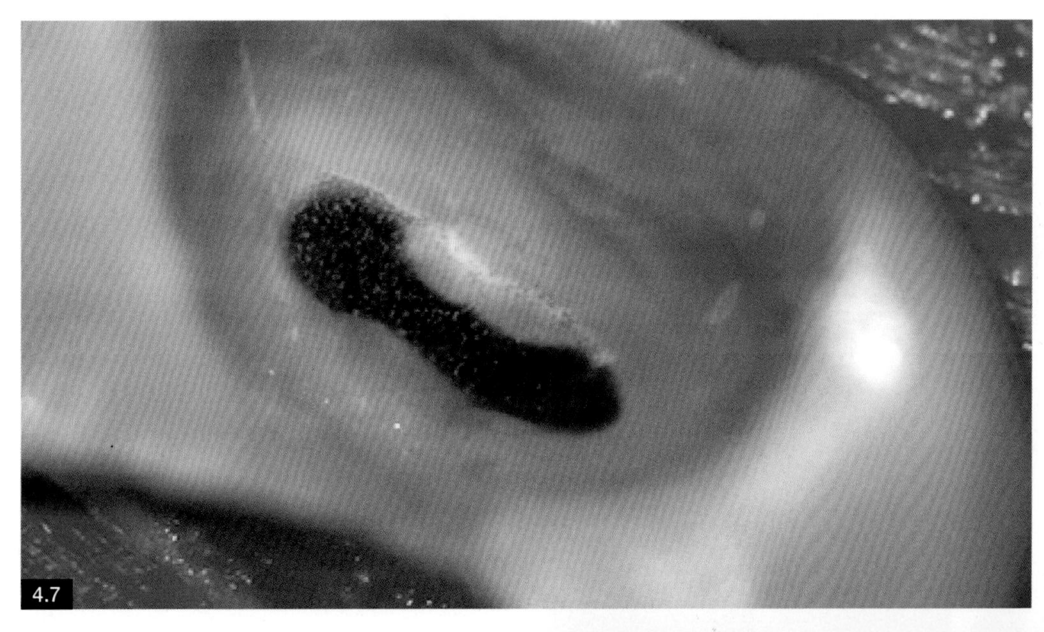

Fig. 4.7-4.8: NaOCl은 강한 산화제로 시간이 가면서 콜라겐, 잔존 치수조직, 박테리아를 분해한다. 그 작용 여부는 표면의 미세기포가 형성됨으로써 눈으로도 확인할 수 있다.

NaOCl은 상아세관을 77–300 마이크론까지 통과한다. 이는 농도, 용액의 온도, 접촉 시간에 따라 달라진다.

그러나 과도한 고농도는 치근단 조직에 독성을 보일 가능성이 있고[21–23] 2.5–5.25%의 NaOCl에 노출된 치근 상아질은 유기성분의 변성, 예를 들어, 펩타이드 사슬의 분절과 단백질 말단 그룹의 염소화로 인해 물리적 특성(높은 표면 거칠기, 낮은 경도)[24]이 바뀔 수 있다.[25, 26]

세척액이 치근단조직으로 정출되지 않는다면 임상적으로는 5–6% 농도가 추천되고, 상대적으로 낮은 독성으로 우수한 효율을 보인다고 알려져 있다. Grossman[27]은 다양한 조건에서 다양한 농도의 NaOCl (0.5%, 1%, 2.5%, 5%)에 의해 소의 치수 조직 분해 과정을 관찰했고, 다음과 같은 결론을 내렸다.

- 5% NaOCl은 20분에서 2시간 사이에 치수를 분해시킨다.
- 치수조직의 분해 속도는 NaOCl의 농도에 정비례하고 계면활성제가 없을 때 더 우수하다.
- 치수가 분해되는 동안 표면 장력의 변화는 NaOCl의 농도에 정비례하고 계면활성제가 없는 용액에서 더 우수하다.
- 용액의 온도 증가는 치수 분해 속도를 증가시킨다.
- 가장 고농도의 용액은 치수조직 분해 후 낮은 pH 감소를 보인다.

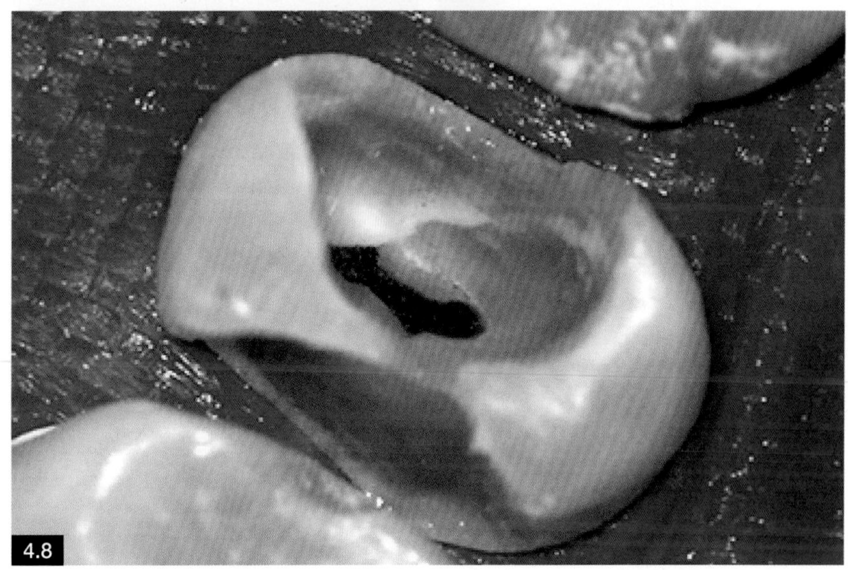

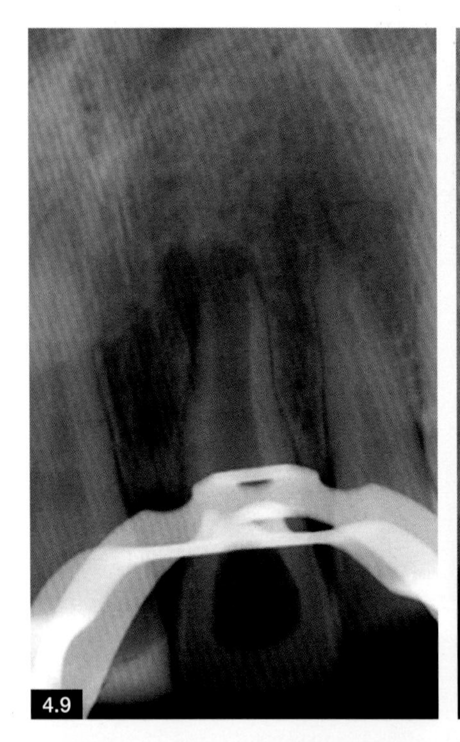
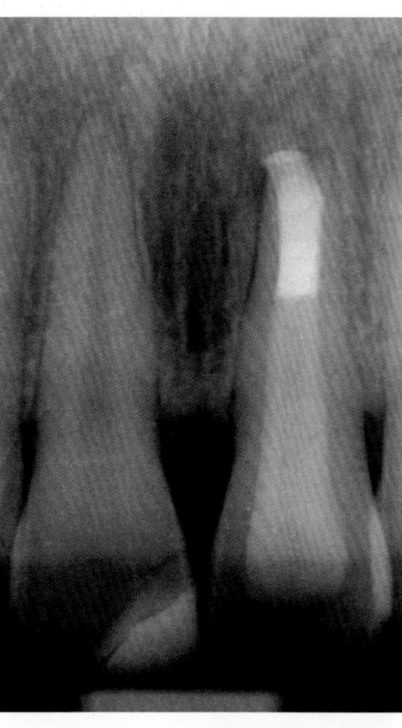

4.9

Table 4.2 ACCIDENTAL INJECTION OF SODIUM HYPOCHLORITE IN PERIAPICAL/PERIRADICULAR TISSUES	
Symptoms	Immediate and intense pain
	Surrounding soft tissue edema
	Bleeding from the root canal
	Interstitial bleeding with skin and mucous membrane bleeding
	Chlorine taste in the mouth and irritation of the throat (after injection of hypochlorite into the maxillary sinus)
	Infection
	Reversible anesthesia
	Paresthesia
Therapy	Immediate irrigation of the canal with physiological adaptation and encourage bleeding
	Therapy with local anesthetics and analgesics
	Frequent rinsing and hot compresses to stimulate local circulation
	Reassure the patient and monitor improvements
Consequences	Hypochlorite damages the spongy bone, dissolving its architecture and causing cellular necrosis and apoptosis, while it has no effect on cortical excitability
Precautions	Insert a stop on the irrigation needle in order to determine the insertion depth
	Use needles designed specifically for irrigation
	Use a low pressure on the syringe plunger to reduce the risk of accidents

NaOCl의 조직 분해 효과는 pH를 증가시키거나, 온도를 높이거나, 초음파로 용액을 활성화시키거나 상아질 벽과의 접촉 시간을 늘릴수록 증가한다.[15] 그러나 이러한 향상 효과가 일어나는 기전이 명확하게 밝혀지지 않았고, 온도, 농도, 용액의 움직임(stirring)의 상대적인 중요도 또한 알려지지 않았다. 온도를 증가시키면 NaOCl의 효과가 증대된다는 공감대가 형성되어 있기는 하지만 몇몇 논문에서만 언급되어 있다.[29–31] 저농도의 NaOCl의 온도를 높이면, 낮은 온도의 고농도 용액과 비교했을 때 분해능이 증가되고, 전신적인 독성은 낮아져야 한다. 물론 동일한 효율을 유지하면서[30] 안정성에도 영향을 주지 않아야 한다.

문헌에서는 NaOCl의 온도를 37도로 올리는 것이 조직 분해능을 증가시키지 않는다고 보고하고 있다. 이상적으로, 치주인대세포에 부작용을 주지 않으면서 항균작용을 향상시키기 위해서는 적용하는 용액의 온도가 체온보다 몇도 높아야 한다.

Moorer과 Wesselink[18]는 조직 분해능을 증가시키는 데 있어 물리적인 움직임(stirring)의 효과를 처음으로 강조했다. 다행히 초음파 장비를 이용해서 용액의 격렬한 흐름과 강한 진동을 일으킬 수 있다. Fabiani[32]는 초음파로 치근단 1/3 부위에서 5% NaOCl 용액의 흐름을 만들어주면 그 효율이 극대화된다고 보고했다.

표면장력을 낮추는 것도 NaOCl의 활성을 증가시켜 주는데, 이러한 이유로 세척제가 계면활성제를 포함하고 있는 것이다.[33]

문헌에 보고된 NaOCl의 표면 장력 값은 실험에 사용된 용액의 농도, 온도, 적용 방법의 다양성 때문에 다양한 값을 보고하고 있다.[29, 34]

최근에는 표면 장력을 감소시키고 상아세관으로 세척제의 침투를 용이하게 하려는 목적으로 NaOCl에 계면활성제를 추가한 제품(Chlor-XTRATM, Vista Dental)들이 나오고 있다.

이들은 pH와 사용가능한 염소 양의 변화 없이 효율을 증가시킨다.[35, 36]

그러나, NaOCl은 도말층 제거 능력이 뛰어나지 않기 때문에 근관계를 적절하게 세정하기 위해서는 여러 세척제를 동시에 사용해야 한다.[37]

이에 대해서는 다음 페이지에서 광범위하게 다룰 예정이다. NaOCl과 다른 근관 세척제의 상호작용은 부작용을 일으킬 수 있는데, NaOCl과 클로르헥시딘이 반응하여 생기는 오렌지색 침전물 같은 것들이 그 예이다.

도말층 제거를 위해 사용하는 산과의 접촉으로 인한 비활성화는 뒤에서 다시 다룰 예정이다.[38]

원하는 세정효과는 적절한 양의 세척제를 사용하여 정확한 세척 순서에 따라 시행할 때 얻어진다.

NaOCl을 잘못 사용하게 되면 원치않는 사고를 야기할 수 있는데, NaOCl은 비특정 산화제로서 그 산화물은 부식성이 있기 때문이다.[39]

이와 관련하여 다양한 부작용이 알려져 있다. 가장 단순하면서도 무해한 부작용은 환자의 구강내로 적용하는 과정에서 액체 방울을 떨어뜨리는 것이다. 만약 적절한 보호 조치가 이루어지지 않는다면 환자의 옷을 손상시키는 일이 빈번하게 일어날 것이다.

NaOCl이 피부와 접촉하면 타는 듯한 느낌을 경험하게 되는데, 물로 씻어내면 그 느낌은 사라지게 된다.

NaOCl이 환자의 눈에 떨어지게 되면 더 심각한 손상을 야기하게 된다. 이는 니들이 시린지에서 빠지면서 생기는 경우도 있기 때문에 Luer-lock 시린지 사용이 추천된다.

마지막으로 **Fig. 4.9**에서 치근단부에 재료의 정출이 보이는데, 이러한 증례에서도 측면으로 분사되는 니들을 사용하여 조심스럽게 세정하면 원치 않은 불편감은 피할 수 있다.

종종 광범위한 표피조직을 침범하는 증례들이 저널에 보고되는데, 이는 정맥층의 해부학적인 분포에 의한 것으로 보인다. 다행히 이러한 케이스는 다수 환자에게서 발견되지는 않는다.

우리는 챕터의 일부**(Box 4.1)**를 할애하여 자세한 정보를 제공하고자 한다.

치주조직에 대한 NaOCl의 정출에 대해서는 **Table 4.2**를 참조할 수 있다.

Box 4.1 **심각한 NaOCl 사고**

치근단부를 통해 세척액이 정출되면서 발생하는 NaOCl 사고는 드문 편으로 생명에 위협을 주는 위해는 아니라 해도 발생하게 되면 다소 병적인 상태를 만든다.

증례들은 독립된 임상사례로만 발표되었다. 여러 연구들이 이러한 임상증례와 관련된 증상을 분석하려고 시도했으나 그 원인에 대해 깊이 있게 규명해 내지 못했다. 리뷰 논문에서 우리는 안면 부종과 멍으로 대표되는 NaOCl 사고의 특징적인 증상을 조사할 수 있었다.

이에 따라 혈관층의 해부학적 구조가 관여한다는 새로운 가설이 등장하게 되었다. 안면 정맥에서 NaOCl이 퍼지게 되면 해면골 내의 비강 정맥을 통해 전달되는데, 이것이 상악-안면부 전체의 광범위한 반응을 불러일으키는 것이다. 따라서 NaOCl의 광범위한 반응은 복잡한 해부학적 구조의 결과로서 소수의 개인에게만 나타나며, 우발적으로 NaOCl이 치근단을 넘어가는 모든 환자에게서 발생하지는 않는 것이다.

Zhu WC, Gyamfi J, Niu LN, Schoeffel GJ, Liu SY, Santarcangelo F, Khan S, Tay KC, Pashley DH, Tay FR. *Anatomy of sodium hypochlorite accidents involving facial ecchymosis - a review*. J Dent. 2013 Nov;41(11):935-48.

EDTA

EDTA (Ethylene diamine-tetraacetic acid)는 기계적인 성형과정에서 생기는 도말층을 제거하는 데 도움을 주는 킬레이팅 용액이다. EDTA는 기계적인 성형이 이득보다는 손실이 더 많다는 역설을 해결하기 위해 도입되었는데, 기계적인 성형으로 생긴 잔사는 기구가 전혀 접촉하지 않은, 접촉할 수 없는 부위로 밀려내려가기 때문이다.

EDTA는 칼슘 이온(Ca^{2+}), 철 이온(Fe^{3+})[16]과 결합하여 상아질의 미네랄 부분과 도말층을 제거하는 산(acid)이다.

EDTA는 5분만에 상아질을 20-30 마이크론 깊이로 탈회시킬 수 있으나,[38] Fraser는 치근단 1/3에서 EDTA의 킬레이팅 효과는 거의 무시할 만하다고 했다.[40]

도말층 제거에 있어서 페이스트 타입이 용액 타입보다 덜 효과적이고, 계면활성제를 추가하더라도 세정효과를 향상시키지 못한다고 알려졌다.[41]

EDTA를 포함하는 다양한 제재의 제품이 소개되었다. 요소산(Urea acid)과 EDTA를 포함하는 가장 대표적인 제품 중 하나는 근관내 잔사의 배출을 용이하게 하기 위해 소개되었다. 그러나 포함하고 있는 왁스 성분이 상아질 표면에 침착되어 다른 세척제나 물리적인 방법으로도 잘 제거되지 않아서 결과적으로 근관계의 완전한 밀폐를 어렵게 한다.

다른 성상의 제재는 항균용액[예를 들어, bis-dequalino-acetate (BDA)] 또는 ethylene-glycol-bis (β-aminoethyl ether)-N, N, N', N'-tetracetic acid (EGTA)를 EDTA에 추가한 것이다.

이러한 제재들이 도말층의 제거 효과를 증가시킬 수도 있으나, 여전히 치근단 1/3에서는 항상 효과가 있는 것은 아니다.

EDTA는 근관내에서 15분 내로 사용을 권하는데, 그 이후에는 시간이 길어진다고 킬레이팅 효과가 증가하지 않기 때문이다.[38]

치근단 1/3에서도 효과적으로 도말층을 제거하기 위해 EDTA를 (초음파 또는 음파를 활용하여) 기계적으로 활성화시키는 것이 추천된다.

EDTA의 적절한 사용 농도는 17%이고, 용액이 근관벽에 닿기만 한다면 1분 이내에 도말층을 제거한다. 킬레이팅 성분이 소모되기 때문에 상아질의 탈회과정은 자기제한적이다.[16]

재근관치료에서 이미 생성된 상아질 막힘을 제거하는 과정은 필요하다. 하지만 연화된 상아질은 ledge나 잘못된 경로를 만들 수 있기 때문에 EDTA를 사용할 때 주의해야 한다.[42]

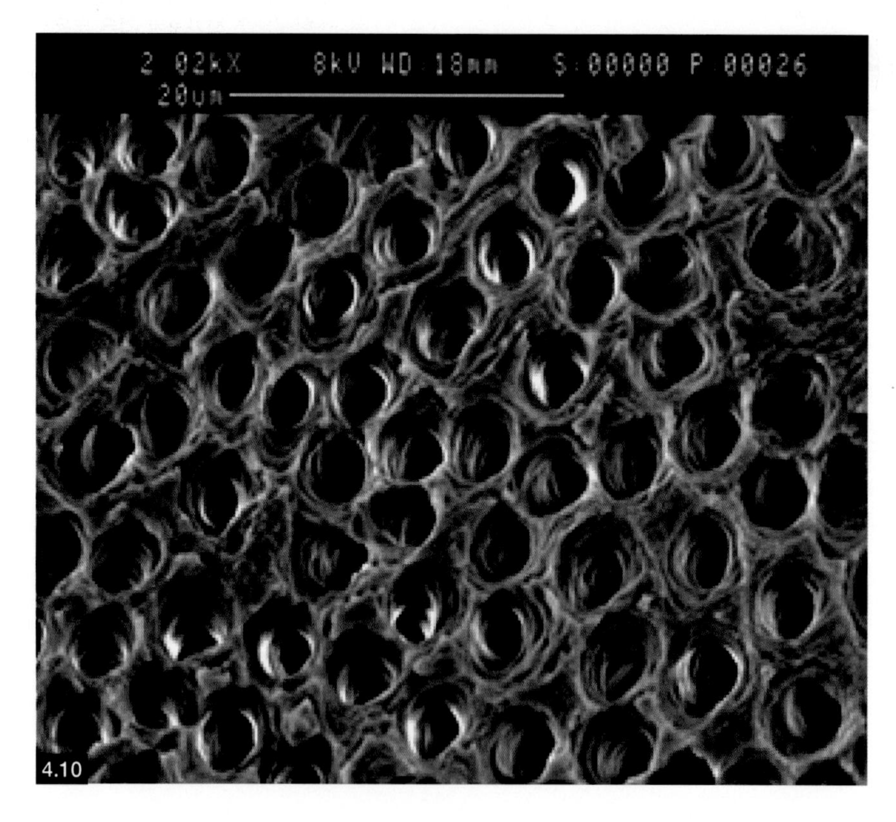

Fig. 4.10: Phytic acid는 상아세관을 뚫어준다. EDTA와 달리 세관의 표면이 부식되지 않고 보존된다(Dr. Diletta Forgione 이미지 제공).

피드산(phytic acid, IP6)

EDTA가 생분해되지 않고, 합성물질이고, 생체친화적이지 않다는 점을 고려할 때, phytic acid (IP6)가 대안으로 소개되었다.

IP6는 천연물질의 킬레이팅제로 쌀에서 쉽게 추출되고 강한 음전하를 가지고 있기 때문에 칼슘이온, 마그네슘, 철과 결합할 수 있다.[43] 특히 IP6는 EDTA보다 칼슘이온과 더 잘 결합하여 낮은 농도에서도 효과적이다.

칼슘이온은 pH가 낮을 때 다량으로 존재하는데, EDTA는 pH 6-10에서 작용하는 반면, IP6는 pH 1.2에서도 효과적으로 작용하기 때문이다.

게다가 EDTA가 칼슘이온과 결합하면 pH가 낮아

지면서 빠르게 불활성화된다(**Fig. 4.10**). 1% IP6는 EDTA와 같거나 더 우수한 활성을 가지면서, 낮은 독성과 상아질에 대한 낮은 침습성(상아세관의 보존)의 특징을 가진다.[44]

구연산(Citric acid)

5–15%의 Citric acid 또한 도말층 제거를 위한 EDTA의 대체제로 고려되었다.[45]
비슷한 농도로 사용하게 되면 citric acid가 EDTA보다 약간 우수한 경향을 보이지만, 두 용액 모두 근관의 중간 1/3, 입구 1/3 부위의 도말층 제거에 효과적이고 상아세관으로 실러가 침투하는 데 도움을 주는 것으로 나타났다.[46, 47]

기타 세척제

시간이 흐르면서 다른 형태의 근관 세척제가 소개되었고 위에서 언급한 것들을 대체하여 사용될 수 있다.
나트륨(Na)과 염소(Cl)는 인체에 필수적인 요소이기 때문에 NaOCl의 알러지반응은 아주 드물지만[48, 49] 과민반응 또는 접촉성 피부염과 같은 알러지 반응을 보고한 문헌들이 있다.[50]
NaOCl에 과민반응을 보이는 경우, 클로르헥시딘도 염소를 함유하고 있기 때문에 근관 세척제로 사용할 수 없다. 대신에 요오드에 알러지가 없다면 IPI (iodine potassium iodide)를 사용할 수 있는데, IPI도 우수한 항균효과를 가지고 있다.
그리고 치수조직을 용해할 수 없고, 항균제로 효과적이지는 않지만, 알콜과 물도 세척액으로 사용할 수 있다.
이러한 경우에는 조직을 용해시킬 수 있는 수산화칼슘을 첩약제로 사용할 수 있다.[51, 52] 최근에는 항생제를 포함하는 세척제가 소개되었다.

테트라사이클린은 우수한 항균효과를 보이는 광범위 항생제이다. 고농도로 적용했을 때 테트라사이클린은 낮은 pH를 갖는데, 칼슘과 결합하여 에나멜과 치근 상아질을 탈회시킨다. 이는 citric acid와 비슷한 방법이지만 탈회 정도는 더 적다.
일부 저자는 독시사이클린[doxycycline hydrochloride (100 mg/ml)]이 근관표면의 도말층을 제거하는 데 효과적이라고 보고했는데, 이는 독시사이클린이 근관 표면에 붙어서 서서히 방출되는 특성을 가지고 있어서, 잔류하는 항균제 성분이 근관계의 재감염을 예방할 수 있기 때문이다.
2003년, Torabinejad와 그 동료들은 도말층을 제거하고 동시에 근관을 소독할 수 있는 세척제를 개발했다. MTAD로 불리는 이 용액은 테트라사이클린의 이성질체, citric acid, 그리고 계면활성제의 혼합물이다. 이는 기계화학적 성형이 끝난 후 최종 세척제로 권고되었다.[53, 54]
유사한 제품으로 시장에 출시된 Tetraclean (Ogna Laboratori Farmaceutici, Muggio, Italy)은 MTAD보다 낮은 항생제 농도(150 mg/5 ml 대신에 50 mg/5 ml 의 doxycycline 사용)를 가지고 있고 다른 계면활성제를 사용한다(Tween 80 대신 polypropylene glycol).[16]
근관계로부터 동정한 박테리아는 대부분 테트라사이클린에 저항성을 가진다는 사실을 고려할 때 NaOCl이나 클로르헥시딘과 같은 살균제(biocides)의 사용 대신 항생제를 사용하는 것은 추천되지 않는다.
과산화수소(Hydrogen peroxide)는 오랫동안 3–5% 농도에서 세척제로 사용되어 왔고 박테리아, 바이러스, 효모 제거에 효과적이다.
Hydroxyl–free radicals은 단백질과 DNA를 파괴한다. 조직분해능력이 NaOCl보다 확실히 떨어지지만 약간의 항균효과를 가지고 있어서 몇몇 국가에서는 여전히 사용되고 있으나 근관치료 세척액으로는 더 이상 추천되지 않는다.[16]

CITRIC ACID
모든 산성 화합물과 마찬가지로 citric acid는 근관내 상아질을 **탈회**시킬 수 있다.

DOXYCYCLINE
낮은 표면장력을 가진 세척제에 특정 항생제를 첨가하는 것은 유용한 대안이 될 수 있다.

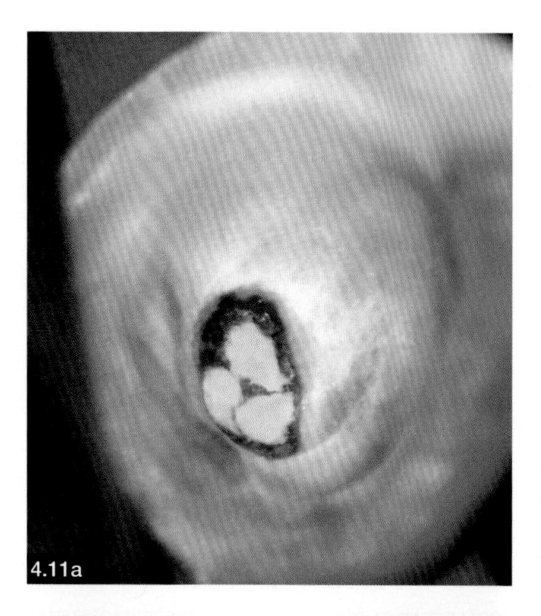

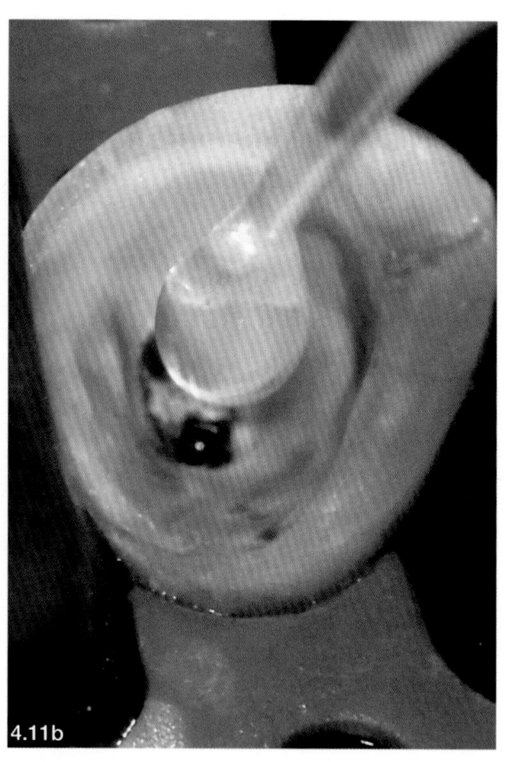

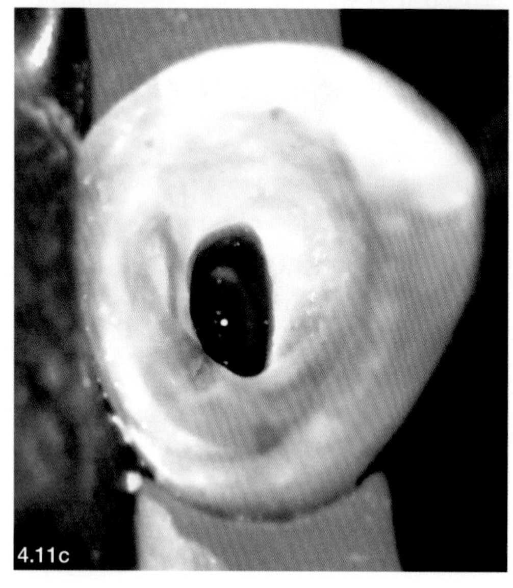

Fig. 4.11a-c: 기계적으로 근관충전재를 제거하는 것이 위험하거나 어려운 경우에 용매제를 사용할 수 있다**(a)**. 치수강내로 마이크로파이펫을 이용하여 용매제를 적용할 수 있다**(b)**. 잠시 후 거타퍼챠는 연화되고 제거는 간단해진다**(c)**.

용매제(Solvents)

근관내 거타퍼챠를 쉽게 제거하기 위해서 거타퍼챠를 연화시키고 실러를 녹여내는 용매제를 사용할 수 있다.

과거에는 효과적인 화학 용매제로 클로로포름(chloroform)이 사용되었으나 치근단 조직과 술자에게 독성을 보인다고 판단하여 FDA는 의약품 및 화장품에서 클로로포름의 사용을 금했다.[55] 그 대신, 자일롤(xylol), 오렌지 에센셜 오일, 유칼립톨과 같은 작용 시간은 다소 느릴 수 있지만 좀 더 안전한 용매제를 사용할 수 있다.

문헌에서는 우수한 생체친화성을 가진 천연 용매제(예: limonene)들이 클로로포름의 대체제로서 소개되었다.

몇몇 문헌에서는 직선 혹은 만곡된 근관에서 기구조작을 시작할 때 용매제를 사용하게되면, 작업장에 도달하는 시간을 줄일 수 있지만 근관의 세정력을 향상시키지는 않는다고 했다.[56] 또 다른 문헌에서는 클로로포름이나 유칼립톨을 사용하더라도 유의차 있게 작업시간을 줄이지 못한다고 한다.

여러 연구들이, 용매제의 사용으로 거타퍼챠와 실러의 잔사가 증가하고, 근관벽과 상아세관에 침착되어 근관의 세정력을 떨어뜨린다는 데 동의하고 있다.[57, 58]

따라서, 용매제는 재근관치료의 프로토콜에서 기본적으로 사용되어서는 안 되고, 용매제 없이 작업장 도달이 어려운 경우에만 적용하는 것이 좋다.[59]

추천되는 적용 방법은 마이크로파이펫(micropipette)을 이용하여 한방울씩 떨어뜨리는 것인데, 이는 용매제가 거타퍼챠에 직접 접촉할 수 있게 해준다.

잠시 후면 충전재의 표면이 부드러워지고 수동 및 전동기구로 쉽게 제거될 것이다**(Fig. 4.11a–c)**.

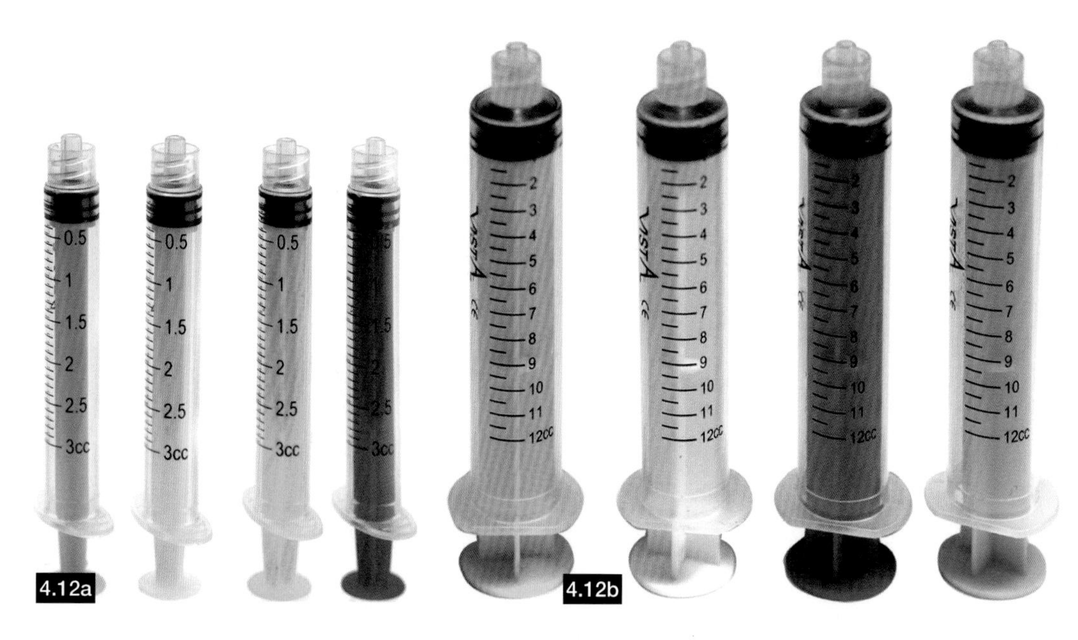

Fig. 4.12a-b: 3 cc와 5 cc의 색깔 있는 시린지를 사용하면 즉각적인 구분이 가능하고 임상 술식을 용이하게 한다.

세척 방법

근관 세정과 소독을 어렵게 만드는 요소는 바이오필름의 저항성, 불량한 세척제의 침투, 아주 복잡한 근관계에서 세척액의 교환 여부이다.
세척제는 근관 표면에 직접적으로 접촉해야 원하는 결과를 얻을 수 있다.
이를 위해, 수년간 여러 시스템이 개발되었고, 그중 일부가 채택되어 단순하면서도 효과적으로 임상술식을 진행하는 데 도움을 주고 있다.

시린지와 니들

평범한 형태의 시린지의 사용은 근관치료 세척과정에서 가장 기본적인 방법으로, 최근에는 다양한 형태의 시린지도 존재한다.
근관치료 영역에서는 5 ml의 루어-락(luer lock) 시린지가 추천되는데, 큰 직경의 시린지는 작은 직경의 시린지에 비해 다루기가 어렵고, 정출되는 세척액의 흐름이 연속적이지 않기 때문이다.
다른 종류의 세척제를 사용한다면, 이를 구분하기 위해 다른 색깔의 시린지를 사용하거나 세척제가 각각 구분되어 있는 개인용 시린지 키트를 사용할 수도 있다(Fig. 4.12a-b). 세척의 효율은 크게 니들과 근관의 상대적인 직경에 의해 결정된다.
니들은 기본적으로 안전한 것을 골라야 하고 세척하는 동안 근관벽에 끼지 않는 크기를 골라야 한다. 그럴 경우 세척제가 치근단 조직으로 정출될 위험이 증가할 수 있기 때문이다.[61, 62]
니들은 전용 개구부가 있어야 하고 끝이 편평하지 않은 개방형(노치형, notched)이거나 혹은 옆으로 열려 있는 폐쇄형(측면 배출형, side vented)일 수 있다.
이러한 특정 형태들은 액체의 흐름을 조절하고, 팁을 빠져나간 세척액이 항상 치관부 방향으로 흘러가도록 하여 팁이 치근단 부위에서 안전하게 작업할 수 있도록 한다(Fig. 4.13a-b).
임상에서 사용되는 니들의 직경은 ISO 9626:199와 1:2001 규격(ISO 96262001)에 의해 정의된다.[63]
근관치료에서 세척용으로 선택하는 니들은 25-30 게이지(G)의 작은 직경을 갖는데, 전문가들은 27G

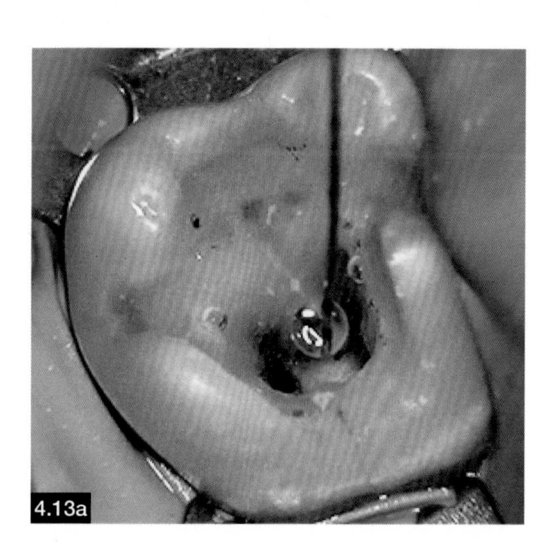

Fig. 4.13a-b: 측면 배출형 니들은 세척액이 치관부로 흘러가도록 측면으로 배출되게 하여 세척액이 근단부로 정출되는 것을 예방할 수 있다. Fig. 4.13b는 두 종류의 측면배출형 니들을 보여준다: 27G(노랑)와 30G(보라)

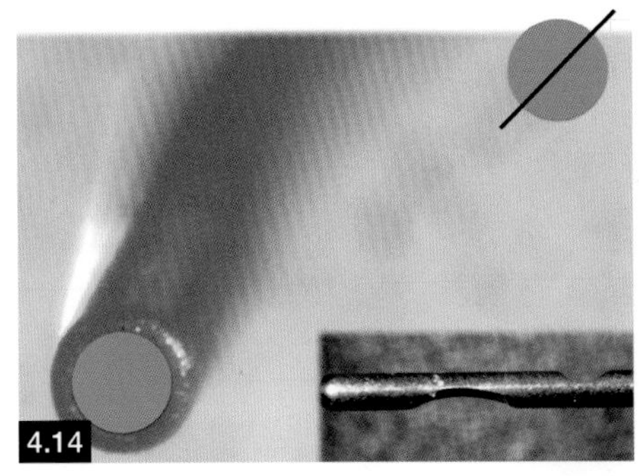

GAUGE	ISO
30	30
27	40
23	60-70
20	70-80

Fig. 4.14: 관의 직경을 측정하는 데 사용되는 범용 단위인 게이지와 ISO 직경의 비교를 보여주는 이미지.

(ISO40)와 30G(ISO35)를 사용하기도 한다(ISO35) **(Fig. 4.14)**.

치근단공 밖의 치주조직은 25 mm/hg의 저항값을 갖는 투과성 조직이다. 만일 이 저항값을 초과하는 압력으로 세척액이 흘러나온다면 이는 치관부로 되돌아 가지 않고 치주조직 밖으로 정출된다.

최근 한 연구에서 26G, 27G, 30G 니들의 평균 유속을 측정하였다. 각각의 평균 속도는 각각 0.27 ml/s, 0.19 ml/s, 0.09 ml/s로 나타났고, 이는 통계적으로 유의하게 차이를 보였다($p<0.001$).

즉, 26G 니들이 다른 두 가지보다 높은 유속을 보였고, 그 다음이 27G, 30G순이었다.

그러나 흐름이 거세질수록 근관계 내에 존재하는 잔사가 치근단 조직으로 정출될 위험은 더 커지고, 개방형 니들이 측면 배출형 니들보다 정출 가능성이 더 크다.[65]

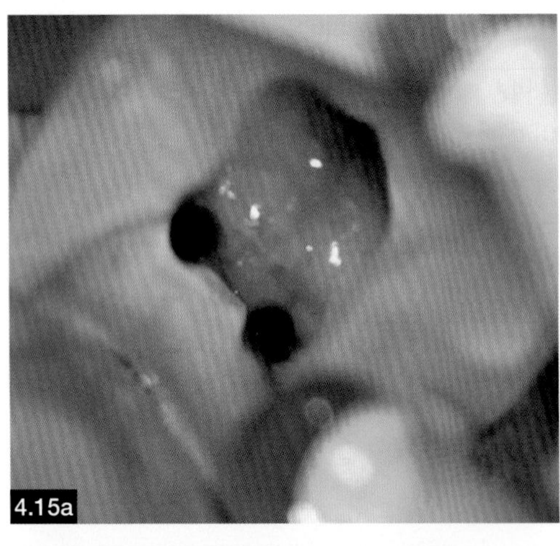

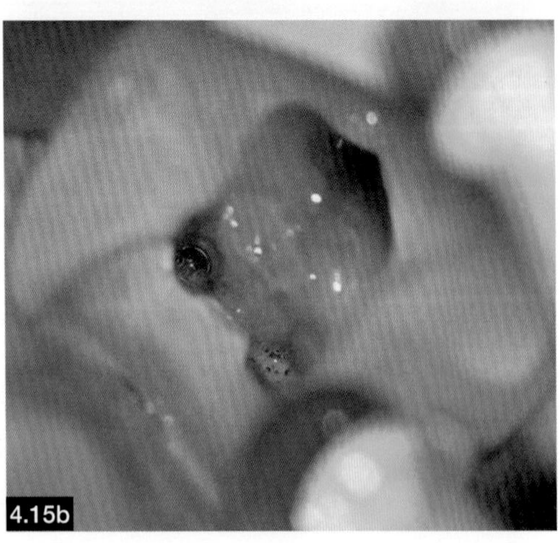

Fig. 4.15a-b: Push-pull 테크닉은 적용하기 쉽고 근관의 합류 여부를 확인하는 데 유용한 방법이다. 또한 세척제 간의 교환이 잘 이루어지는지 쉽게 확인할 수 있다.

Push - pull 테크닉

세척을 할 때, 대부분의 임상가들은 주사기의 날개 아래에 검지, 중지를 잡고, 플런저 위에 엄지 손가락을 얹은 상태에서 세척액을 밀어낸다.

여기, 특별한 기구 없이 음압, 양압을 이용하여 근관계를 더 잘 세척할 수 있는 테크닉을 소개하고자 한다.

충분한 양의 세척제를 주입한 후 엄지를 사용하여 플런저를 아래에서 위로 밀어올리면 근관내로 세척액을 밀어냈던 압력과 반대되는 음압이 발생한다. 이 동작은 근관내에 있는 세척제를 흡입하면서 근관내에서 유체의 움직임을 향상시킨다.

니들 위치는 그대로 두고 플런저를 이용하는 이 방법을 통해 세척액이 빈 근관으로 더 잘 침투하여 효과적으로 작용할 수 있다(세척액이 지속적으로 교체되면서 완충효과가 감소하기 때문이다).[63, 65]

음압이 작용하는 동안 근관내의 (비활성화된) 세척제는 모세관현상에 의해 주사기로 되돌아가서 재활성화되고, 그 과정에서 세균은 세척제에 의해 제거된다.

이 방법은 새로운 세척제가 상아질 표면과 접촉할 수 있도록 이상적인 환경을 제공한다**(Fig. 4.15a-b)**.

이 테크닉은 간단하고 효과적이며, 술자에게 명백하게 분리된 것처럼 보이는 근관이 실제로는 만나고 있음을 보여줄 수도 있다. 이 경우에는 한 근관에서 석션을 하는 동안 인접한 다른 근관에서 세척제가 줄어드는 현상이 관찰될 것이다. 재근관치료에서 push-pull 테크닉을 사용하면, 일반적인 세정과정보다 상아질 잔사 및 기존 충전재 제거에 좀 더 효과적이다.

이 방법을 사용할 때 임상가는 근관내로 공기가 들어가지 않도록 주의해야 한다.

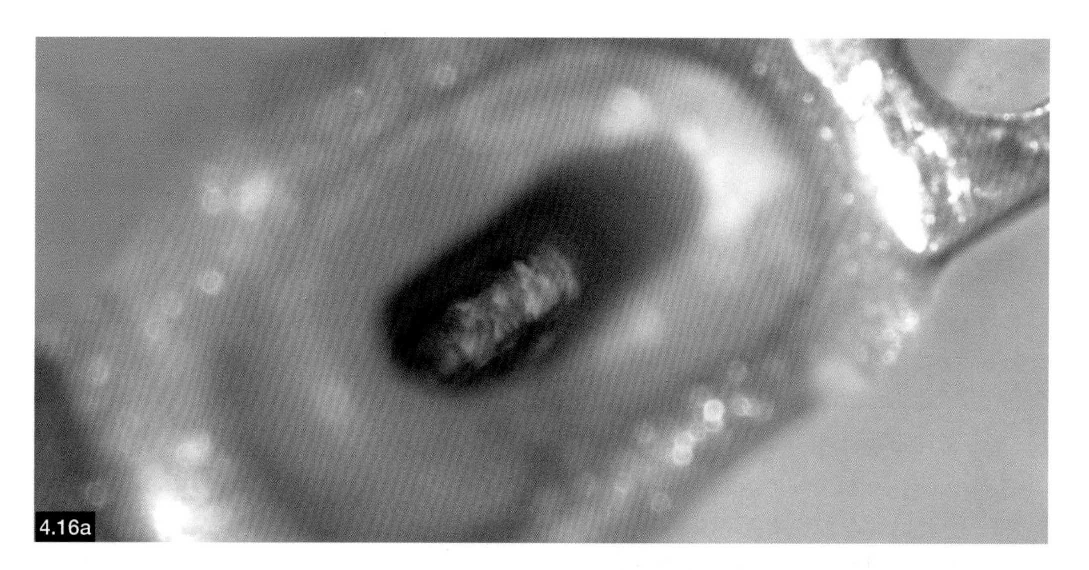
4.16a

세척제의 활성

근관계의 복잡한 해부학적 구조는 근관 모든 부분에서 잔사의 존재를 가능하게 한다. 많은 연구에 의하면 세척제를 근관계 내에 적용하는 것만으로는 적절한 수준의 세척효과를 얻을 수 없다. Isthmus, 측방관, 상아세관은 염증 및 감염이 일어나는 과정에 기여하면서, 세균뿐 아니라 생활치수 및 괴사된 치수조직의 잔사가 방해받지 않고 잔류할 수 있는 공간을 제공한다.[66]

근관계의 세척을 방해하는 대표적인 요소는 기존의 충전재인데, 특히 만곡된 근관에서 그렇다. 충전재는 이차 감염과 관련된 박테리아의 보호층으로 작용할 수 있고, 완전한 소독을 방해한다(**Fig. 4.16a–c**).[67]

불행히도 많은 연구들이 기구조작(수기구, 회전기구)과 통상적인 세척만으로는 거타퍼챠, 실러, 기타 충전재를 완전히 제거하는 것은 거의 불가능하다고 보고했다.[68–70]

이러한 이유로 세척제의 활성화는 근관벽으로부터 기존 충전재 잔사를 분리, 제거하고 세정 효과를 증가시기키 위한 방법으로 제시되었다.[70, 71]

Cunningham[73]에 따르면 NaOCl의 온도를 37도까지 올리면 박테리아 살균효과를 향상시킨다.

Basrani와 동료들은[16] NaOCl의 온도를 올리게 되면 조직분해 효과는 크게 향상되지 않으나 박테리아를 보다 빨리 줄일 수 있는 장점을 갖는다고 했다.

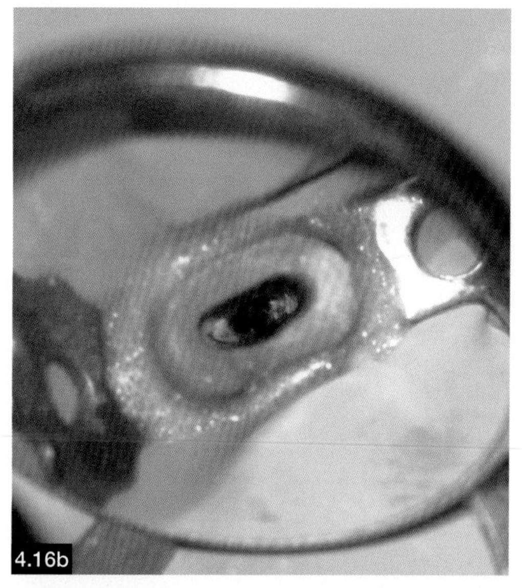
4.16b

Fig. 4.16a-c: 재근관치료를 할 때 기존 충전재는 모두 제거되어야 한다. 잔존 충전재는 박테리아의 잔류를 돕고, 박테리아와 세척제 사이의 장벽으로 작용하여 세척제의 적절한 작용을 방해하기 때문이다. 근관벽으로부터 기존 충전재를 완전히 제거하는 것은 적절한 세척을 얻기 위한 첫 번째 단계이다.

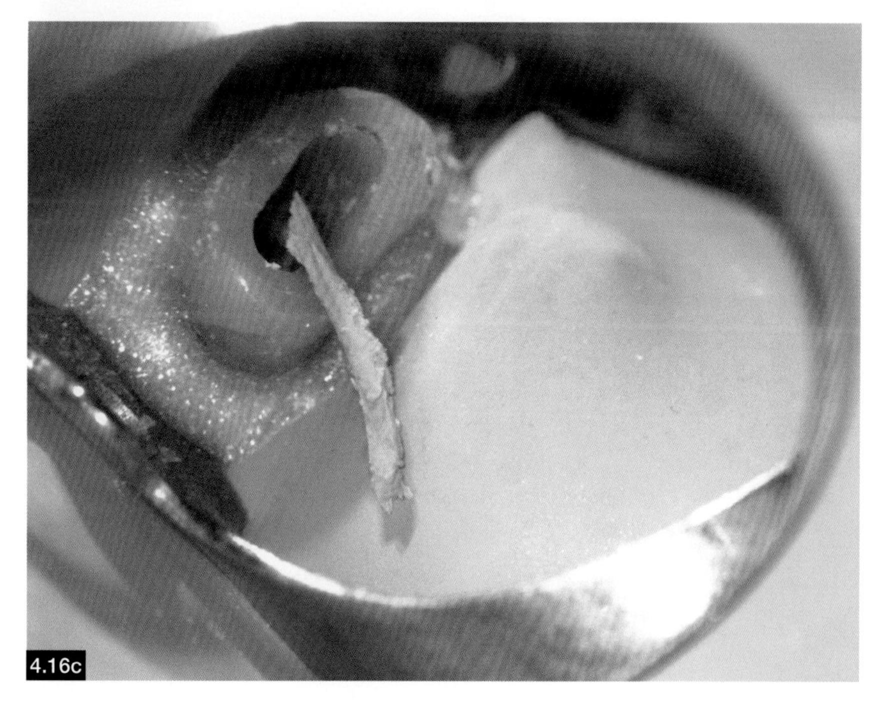
4.16c

과도하게 높은 온도는 치주인대세포에 손상을 줄 수 있기 때문에 체온보다 약간 높은 온도가 이상적인 온도로 간주된다.

다양한 방법을 이용하여 NaOCl의 온도를 높일 수 있다. 주사기를 가열하는 방법은 온도를 일정하게 유지시킬 수 없다는 한계가 있기 때문에, 초음파를 이용하여 NaOCl을 활성화시키는 것이 가장 좋은 방법이다.

최근 연구에서 NaOCl의 조직 분해능력에 대해 농도, 온도, 움직임(stirring)의 효과를 비교했다. NaOCl의 농도와 조직 분해 정도는 정비례의 상관관계가 있었고, 움직임(stirring)의 효과는 온도보다 큰 것으로 나타났다.[18]

NaOCl을 활성화시키기 위해 많은 테크닉이 사용되었으나 초음파를 이용한 활성이 아마도 가장 많이 연구된 방법이고 현재 임상에서 가장 보편적으로 사용되는 방법이다.[74] 초음파의 사용은 치근단 1/3에서 NaOCl의 효율을 5% 증가시킬 수 있다.[32] 임상적으로는 접근하기 쉬우면서 비싸지 않은 전용 기구를 사용하는 것이 좋다.[72, 76]

Stojicic과 그 동료들은[77] 세척제의 지속적인 교환 또한 NaOCl의 효율을 증가시킨다고 했다.

초음파 활성과 수동적 초음파 세척 (passive ultrasonic irrigation, PUI)

초음파를 이용하여 세척하는 경우에는 전용 초음파 팁을 세척제로 채워진 근관에 넣어서 세척제를 활성화시킨다.

Boutsioukis는 최근 들어 초음파 세척–문헌에서는 수동적 초음파 세척(passive ultrasonic irrigation, PUI)이라고 이름 붙여진 용어에 대해 다시 정의했다.

PUI는 매끈한 초음파 팁을 근관내에 '수동적'으로 삽입하여, 근관 벽과 접촉하지 않고 중앙에 위치하면서 cavitation을 생성하는 것이다. 그러나 불행히도 임상환경에서 팁의 수동적 움직임을 기대하기는 어려운데 근관, 특히 만곡된 근관의 경우 팁은 근관벽과 접촉하여 근관표면의 변화를 야기하기 때문이다.

이러한 이유로 이 테크닉은 수동 초음파 세척 또는 세척제의 초음파 활성(ultrasonic activation of irrigants, UAI)으로 정의되어야 한다.[78]

UAI라는 것은 세척제가 채워진 근관에 매끈한 측면을 가진 끝이 뭉툭한 팁을 넣고 활성화시키는 것이다.

일단 활성화되면 팁은 초음파 진동을 통해 근관 내의 세척제로 최소 30 kHz 에너지를 전달하고, 세척제의 화학적 변형(sonochemistry)과 음향 스트리밍(acoustic streaming), 공동현상(cavitation)을 일으킨다**(Fig. 4.17a–b)**.

공동현상은 초음파 진동이 액체로 전달되면서 액체 내에서 음압이 발생하는 것이다. 공동현상은 생성된 음파를 따라 불안정한 버블을 만드는데, 이 버블이 터지면서 acoustic streaming이라불리는 에너지

Fig. 4.17a-b: 초음파 팁: 비활성**(a)**, 활성 상태**(b)**. 팁의 어떠한 움직임도 없이 액체로 에너지가 전달된다.

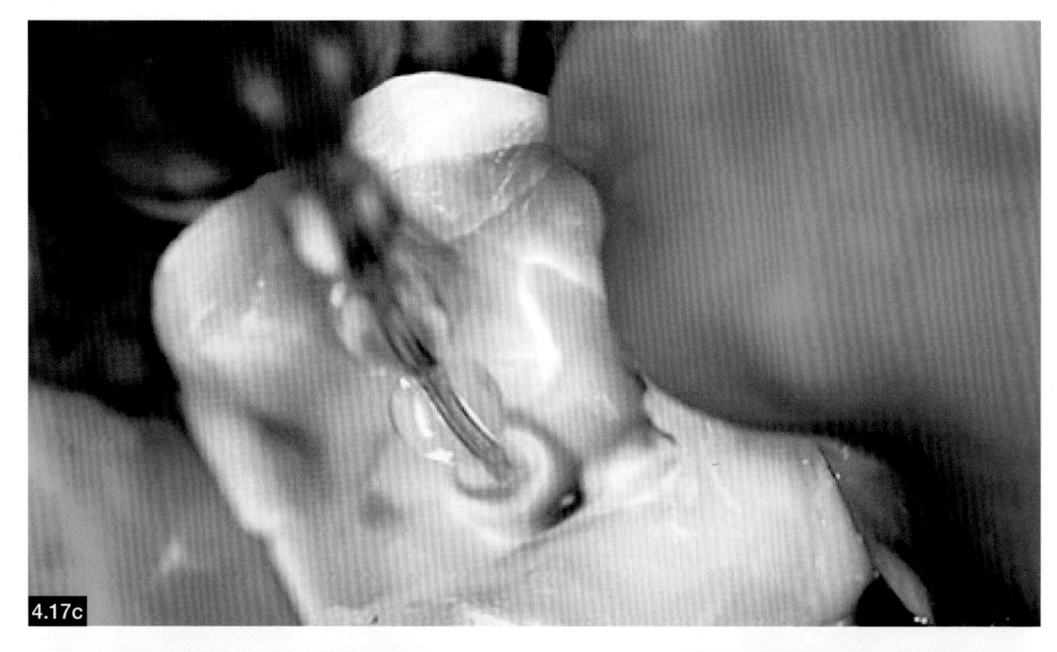

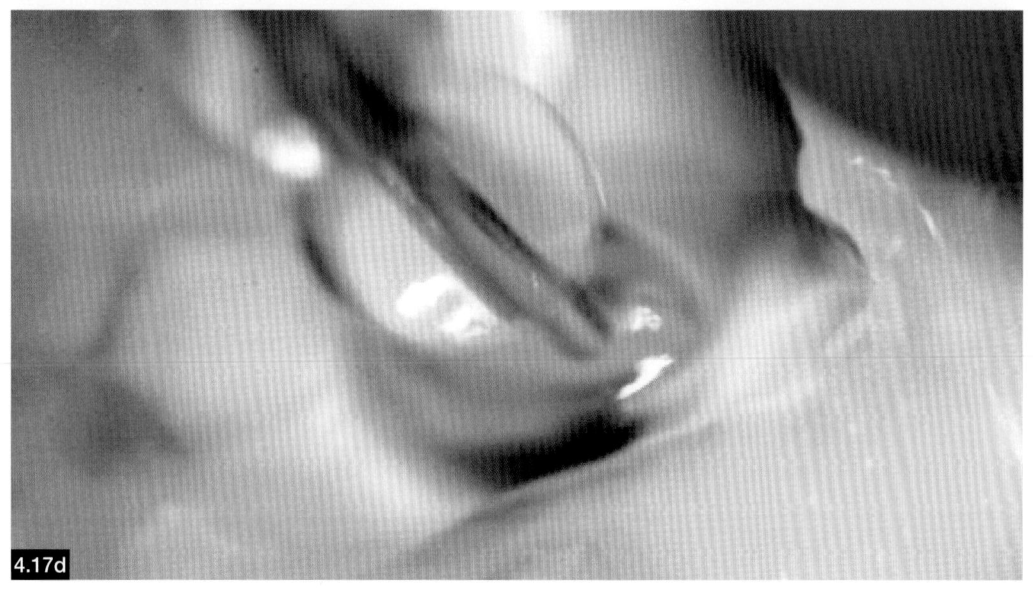

Fig. 4.17c-d: 초음파 팁 주위의 acoustic streaming

파동을 형성한다.

공동현상과 acoustic streaming은 근관에 존재하는 충전재와 잔사를 보다 잘 제거할 수 있게 해 준다 **(Fig. 4.17c–d)**.

초음파 팁이 근관벽과 접촉하게 되면, 낮은 주파수의 이차 파장(6 kHz)이 생기는데, 이는 팁의 파장(30 kHz)에 더해진다.

따라서 근관벽과 팁이 접촉해도 파워가 감소되지 않고 오히려 재근관치료에서는 잔사의 기계적 제거를 유도할 수 있다**(Fig. 4.18a–d)**. 초음파로 활성화되는 동안 세척제의 화학조성 또한 변한다. NaOCl은 염소이온(Cl^-)의 수에 따라 반응하는데, 초음파 활성으로 효과가 증대되는 반면, 그 활성이 빠르게 감소하므로 용액을 더 자주 교체해줘야 한다.

위에서 언급한 대로 UAI는 근관내에서 직접 세척제의 온도를 올려 그 효과를 증가시킬 수 있는데, 미리 예열된 세척제는 근관내로 주입되고 나서 수 초가 지나면 체온과 같은 온도로 내려가기 때문이다 **(Fig. 4.19a-c)**.[79]

임상에서 얇은 팁(20/04)과 연결되는 초음파 모터는 어떤 것이든 세척제를 활성화시킬 수 있는데, 모터의 파워는 팁이 파절될 만큼의(특히 팁의 끝부

Fig. 4.18a-d: 부적절한 이전 근관치료 상태를 보여주는 큰 직경의 근관. 근관 성형만으로는 근관의 충전재를 완전하게 제거할 수 없다. 따라서 주 콘을 제거한 후 초음파를 이용하여 NaOCl 세척을 시행한다. 30초 주기로 여러 사이클을 시행한 후 근관은 완전히 세정되었고, 초음파 팁이 근관벽과 접촉하게 되어도 약해지지 않았다.

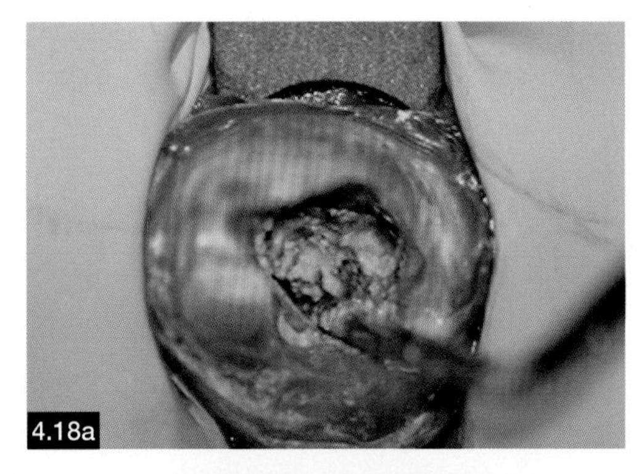

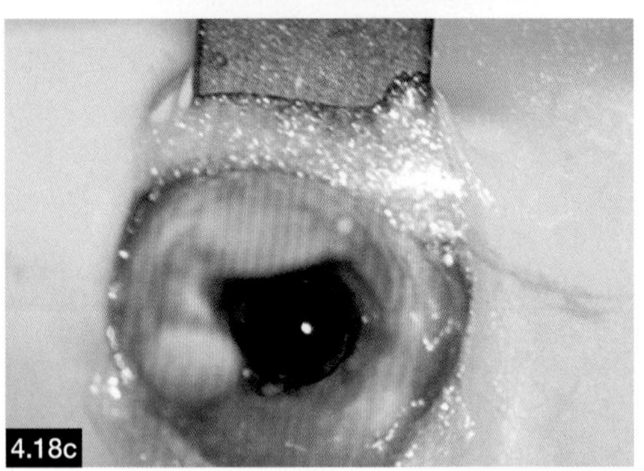

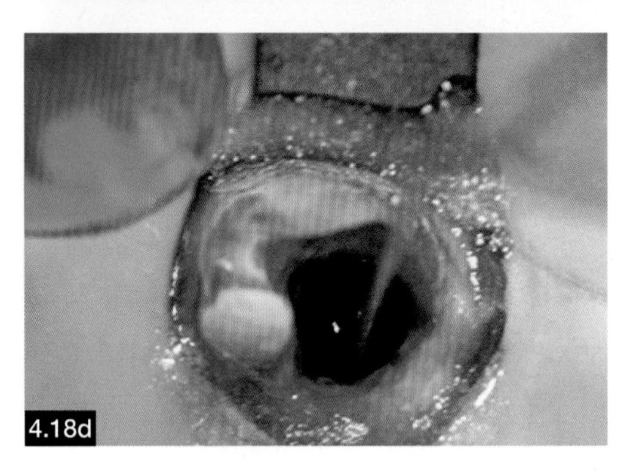

분) 과도한 진동을 피하기 위해 적절하게 조절되어야 한다.

과도한 파워는 건전한 상아질의 제거, step 형성, 의원성 손상을 야기할 수 있기 때문이다.

이러한 문제를 극복하기 위해 최초의 무선 초음파 핸드피스(EndoUltra™, Vista Dental)가 최근 소개되었다(**Fig. 4.20**).

파워는 한 가지(40 kHz)로 고정되어 있고 안전한 티타늄 팁(20/04)과 연결해 사용하도록 되어 있다. 무선의 디자인 또한 사용이 편리하다.[78]

Fig. 4.19a-c: 근관내의 UAI. 메탈 팁은 에너지를 흡수하여 공동 현상과 acoustic streaming을 일으킬 수 있다. 팁은 에너지를 흡수해서 전달하고, 이 과정에서 세척액의 온도를 직접적으로 상승시켜 효과적인 잔사제거를 가능하게 한다 **(c)**.

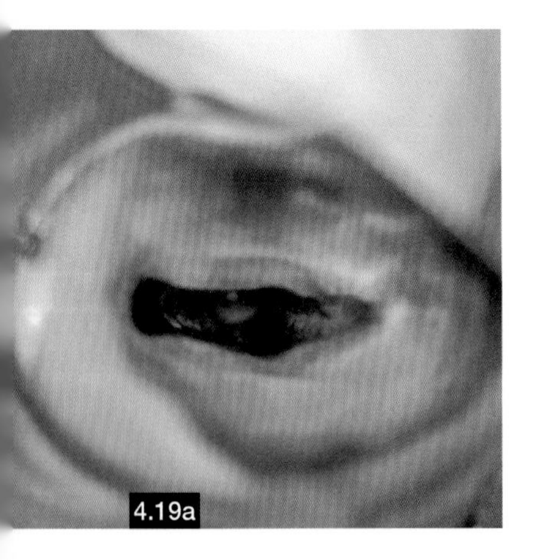

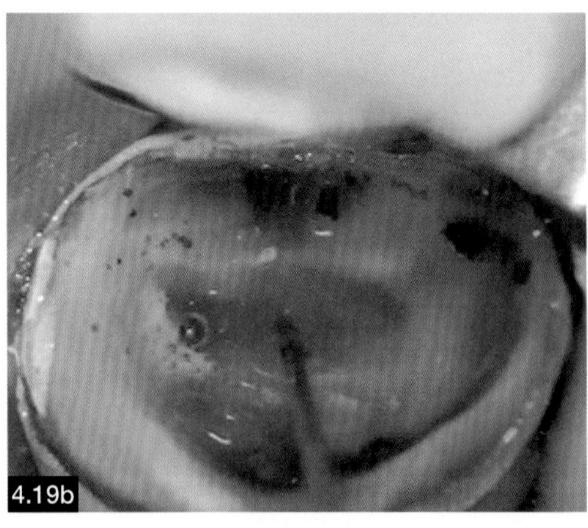

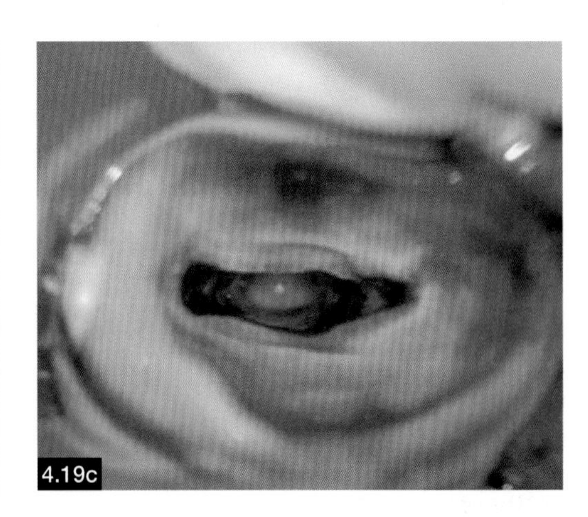

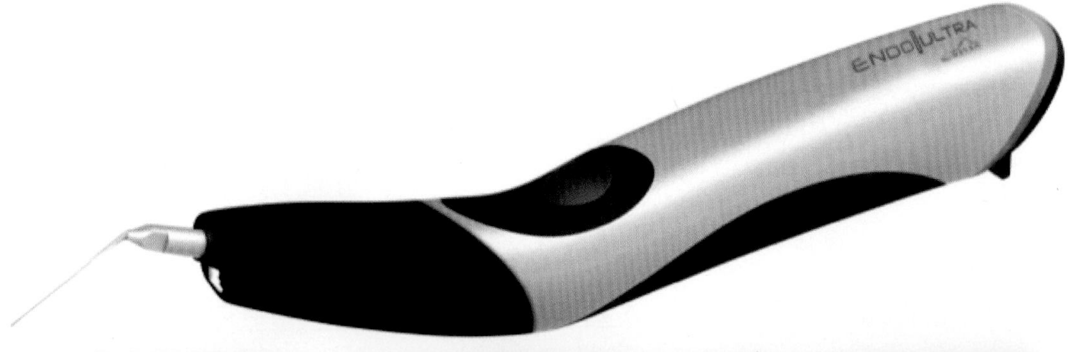

Fig. 4.20: EndoUltra™, 20/02 티타늄 팁과 호환되는 무선 초음파 핸드피스

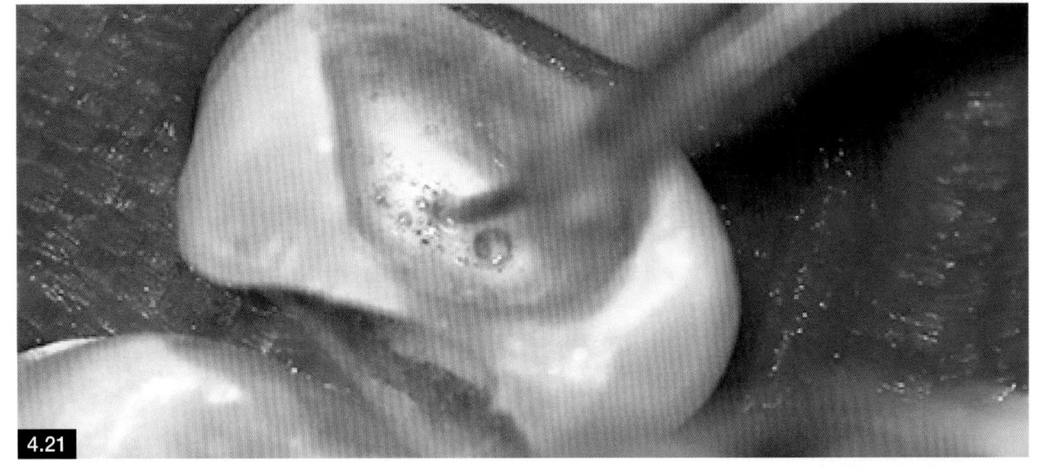

Fig. 4.21: 전형적인 NaOCl의 초음파 세척. 초음파 활성 후 마이크로버블이 생기고 세척제는 즉시 뿌옇게 흐려지는데 이는 세척제를 자주 교체해주어야 함을 의미한다.

근관세척을 위한 부수적인 기구

근관세정 과정에서 부수적인 기구들은 임상 술식을 단순화시켜 도움을 준다. 재근관치료에서 작업 공간은 가능한 한 깨끗해야 하고 종종 근관으로부터 잔사와 수분을 제거할 수 있는 기구가 필요하다. 가장 유용한 기구는 스트롭코(stropko) 시린지와 Elasti-Vac™ 플라스틱 캐뉼라(Vista Dental)**(Fig. 4.22)**이다.

스트롭코 시린지는 작은 니들을 이용하여 공기와 수분을 제거할 수 있다.

단순해 보이지만, 재근관치료의 첫 단계에서 마주하는 지저분한 와동의 청소를 위해 없어서는 안 될 필수요소이다. 또한 초음파 팁을 사용하면서 근관 내에서 축적될 수 있는 잔사를 제거하는 데도 아주 유용할 수 있다.

반면에, 플라스틱 캐뉼라(Elasti-Vac™)는 페이퍼 포인트의 사용을 줄이면서 근관계의 수분을 제거하는 데 사용된다.

투명한 재질로 만들어져서 원하는 대로 구부릴 수 있다. 또 다른 유용한 기구는 회전 브러쉬인데, 낮은 속도로 사용하여 근관 입구 쪽 벽의 거타퍼챠와 실러를 제거한다**(Fig. 4.23)**.

새로운 세대의 폴리머 니들

새로운 미세주입 기술 덕분에, 근관 세정 과정에서 효율과 안정성 모두를 보장하는 새로운 폴리머 니들이 소개되었다. 전통적인 금속 니들은 너무 단단해서 근관의 만곡 바깥쪽 벽에 끼거나 걸리는 경향이 있는 반면, 플라스틱 재질은 적절한 유연성을 가지면서 만곡된 근관 내부로의 접근이 가능하다. 새로운 세대의 니들 중 하나(IrriFlex™, Produits Dentaires SA)는 부드러운 폴리프로필렌 재질로 되어 쉽게 구부려질 수 있다. 이러한 니들은 근관의 구조를 따라 치근첨까지 접근할 수 있고 술자는 니들 측면에 표시된 밀리미터 단위의 노치를 이용하여 세척의 깊이를 조절할 수 있다.

니들 디자인은 독특하다. 30G 직경의 경사도를 가진 팁은 양측으로 배출구멍을 가지고 있는데, 이는 근관벽의 스트레스를 개선하고 한쪽으로 배출구를 가지는 니들과 비교했을 때 뛰어난 세정효과를 보인다.

IrriFlex는 폐쇄형 니들의 안전성을 그대로 가지고 있으면서 근관 내부의 액체 흐름을 향상시킨다.

세척액은 위쪽으로만 흐를 수 있는데, 두 개의 배출구는 액체의 원자화를 유도하고, 액체의 교체를

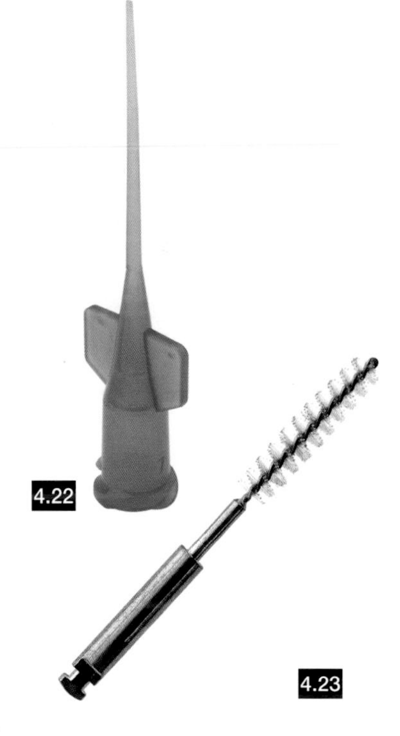

Fig. 4.22: Elasti-Vac™, 근관내의 액체와 잔사를 흡입하는 데 유용한 폴리머 팁

Fig. 4.23: Versa-Brush™, 250 rpm에서 근관벽 잔사를 제거하는 전동 회전 브러쉬

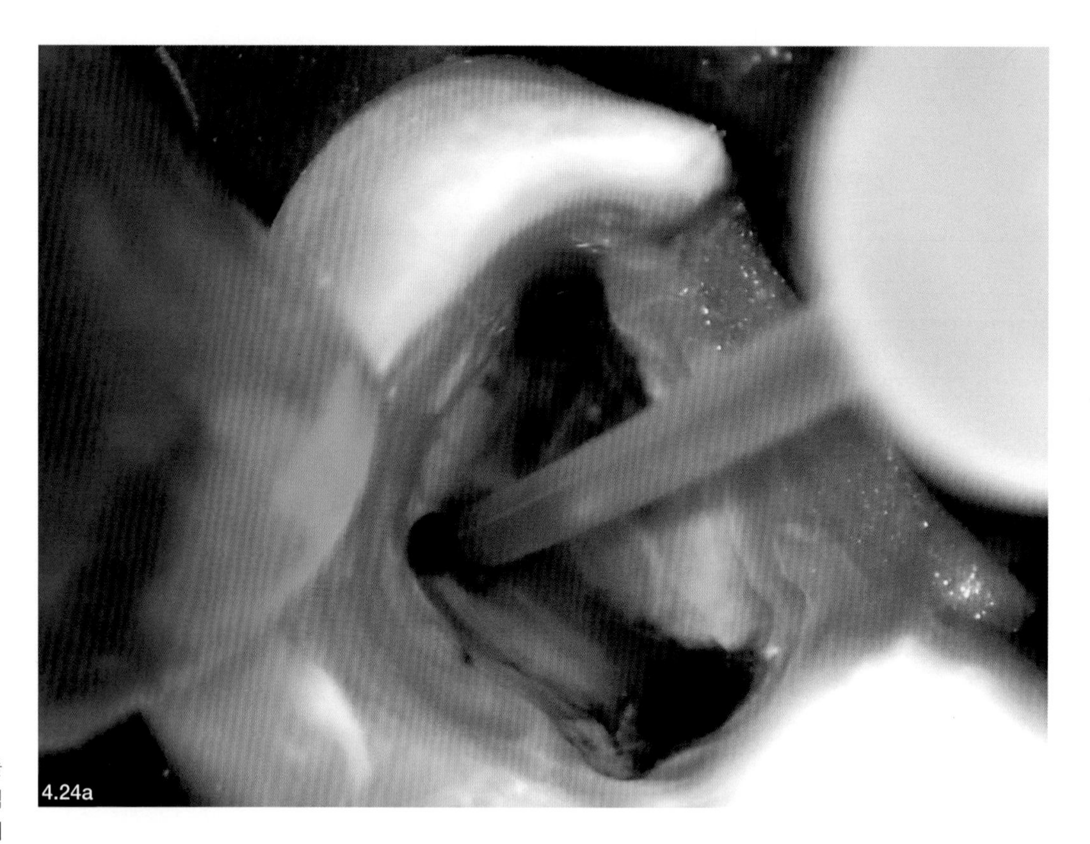

Fig. 4.24a-b: 활성 상태의 IrriFlex®. 폴리머 재질은 니들이 근관 내로 깊게 침투할 수 있게 하고, 양측 배출구는 액체의 안전한 정출을 보장한다.

위한 난류를 생성하여 상아질 잔사의 제거를 향상시킨다(Fig. 4.24a-b).

임상술식

재근관치료 과정에서의 프로토콜은 두 단계로 나눌 수 있다.

1. **충전재의 제거.** 이는 회전 기구와 용매제의 시너지 작용이 도움이 된다. 방울방울 반복적으로 용매제를 적용하면 짧은 시간 안에 대부분의 거타퍼챠와 근관 실러를 제거할 수 있다.
2. **근관벽으로부터의 잔사제거와 소독.** 이 단계는 근관계 깊은 곳까지 소독하기 위해 필수적인 단계로, 잘 정립된 임상 술식이 필요하다. 만일 실제로 거타퍼챠가 제거되었는지 의문이 든다면 거시적인 확인을 위해 방사선 사진을 촬영할 수 있다.

문헌들은 재치료 과정에서 세정 과정의 명확한 가이드라인을 제공하지 않고 있다. 이는 케이스마다 임상 상황이 다양할 수 있고, 고려해야 할 변수가 많기 때문이다(술자의 경험, 근관 구조의 난이도와 다양성, 해결해야 할 이전 치료에서 생긴 문제점 등). 따라서 근관 성형이 완료될 때까지는 효과적인 세척을 위한 프로토콜을 제시할 수 없다. 근관을 찾고, 잔사를 제거하고, 성형하는 과정에서 사용되는 세척제는 효과적이지 않다. 세척제의 활성이 약하고 근관 성형 과정에서 생긴 잔사에 의해 그 효과가 희석되기 때문이다. 이 단계에서는 초음파를 이용한 세척도 효과가 없기 때문에, 초음파 세척은 근관 성형이 완전히 끝난 후에 시행하는 것이 좋다.[80] 따라서 이 단계에서 사용되는 세척제의 양과 적용

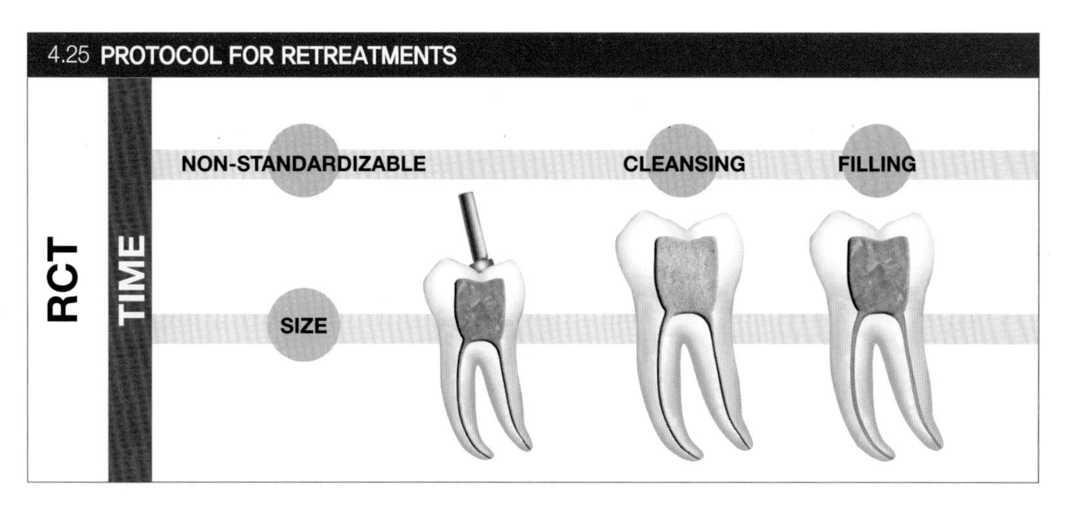

Fig. 4.25: 근관치료의 임상 단계 모식도. 세척제를 사용하는 성형 과정을 기계화학적 성형이라고 한다. 프로토콜을 표준화하기 위해서는 이 과정에서 적용되는 세척제의 양과 적용 시간이 명시되어야 하는데, 불행히도 정량화할 수 없다.

시간은 고려할 필요가 없다. 위에 언급한 변수(예: 술자의 능력과 해부학적 구조)들이 이들 요소의 가치를 변형시킬 수 있기 때문이다(**Fig. 4.25**).

Grawehr[81]는 EDTA와 NaOCl 사이의 상호 작용에 대해 연구했는데, 두 용액이 섞였을 때 EDTA는 칼슘을 킬레이팅하는 능력을 유지하는 반면, NaOCl은 조직을 용해하는 능력을 잃어버린다는 결론을 얻었다. 따라서 임상적으로 이들 세척제는 분리해서 사용해야 한다.

세척과정을 거친 후에는 다음과 같은 상태가 얻어져야 한다. 근관은 유기 잔사, 세균, 도말층이 없어야 하고, 상아세관으로 침투한 박테리아는 중성화되어야 하며, 상아질의 생리적 기계적 특성은 변함없이 유지되어야 한다.[16] (최종 세척 단계에서 1분간 EDTA에 노출될 경우 이미 상아질 부식이 생긴다는 점을 고려한다면) 치근 상아질의 탈회를 조절하면서 이상적인 근관내 환경을 얻기 위해서는 NaOCl과 EDTA의 적절한 사용이 중요하다.

재근관치료의 임상 프로토콜을 정립할 때 그 첫번째는 치료의 시작 단계에서 사용할 용액에 대해서는 고려하지 않는 것이다. 대신 해부학적 구조, 술자, 치아의 상태 등 치료 변수들의 제거에 대한 고려가 필요하다. 대신, 근관 성형의 마무리 단계를 세정의 시작점으로 생각해야 한다.[82]

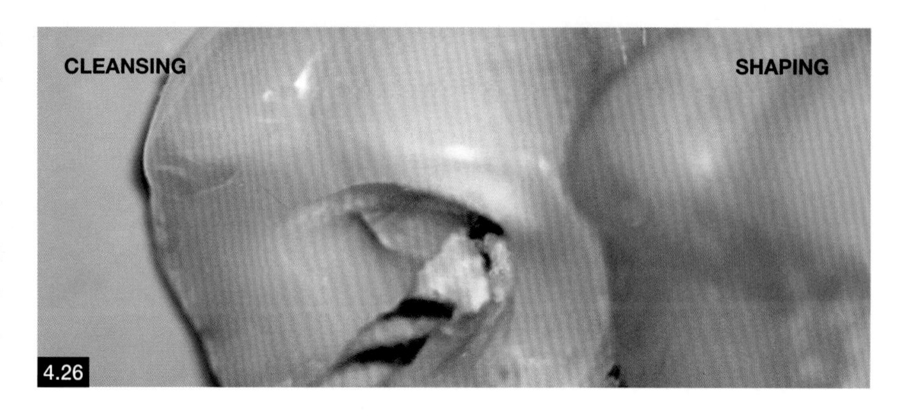

Fig. 4.26: 세척제로 채워진 근관에 NiTi 기구를 사용하는 전형적인 기계화학적 성형과정

논문들의 자료에 따르면, 세정 프로토콜을 정립할 때 세 가지 요소–세척제의 양, 적용 속도, 활성화시키는 시간을 고려해야 한다.

Table 4.3에 가이드라인을 정리했다.

세척제의 적용 속도는 5 ml 주사기와 27/30게이지 니들을 사용할 때 2 ml/min로 정량화할 수 있고, 최적의 안전을 확보하기 위해 방울방울 적용하는 것이 좋다(**Fig. 4.27**).

근관당 이상적인 세척액 사용량은 NaOCl 10 ml와 EDTA 2 ml이고, 근관내의 용액이 교체된 후에 초음

Table 4.3 **INFORMATION FOR IRRIGATION EXECUTION**

Variable	Quantity
Irrigation volume per canal	10 ml NaOCl 2 ml EDTA
Extrusion speed	2 ml/min
Activation time	20-30 s

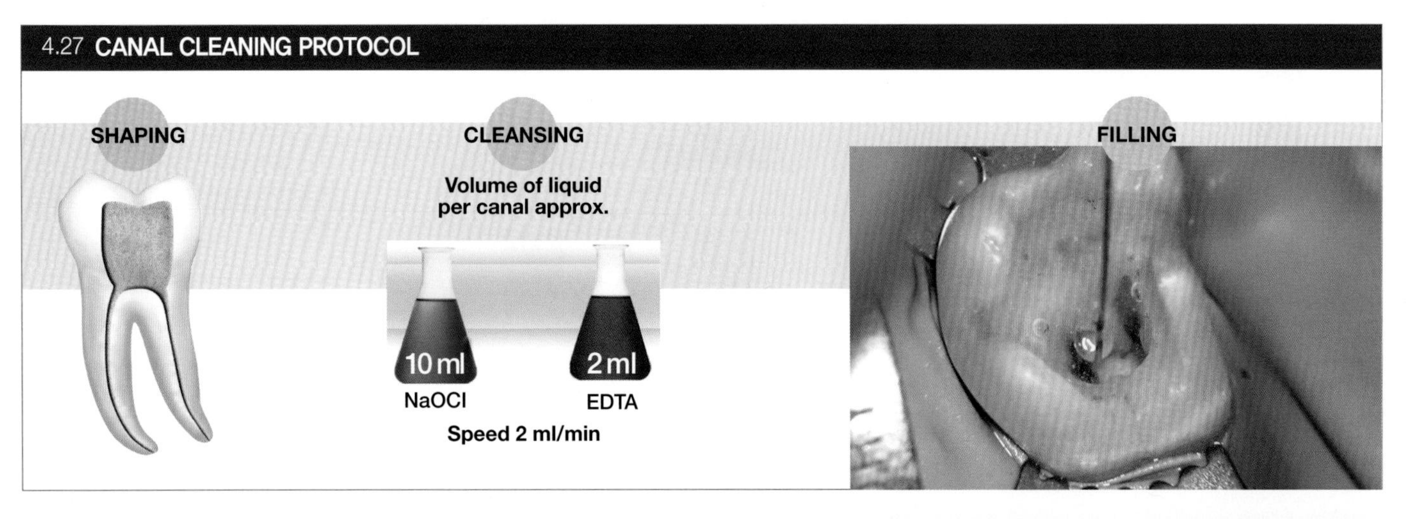

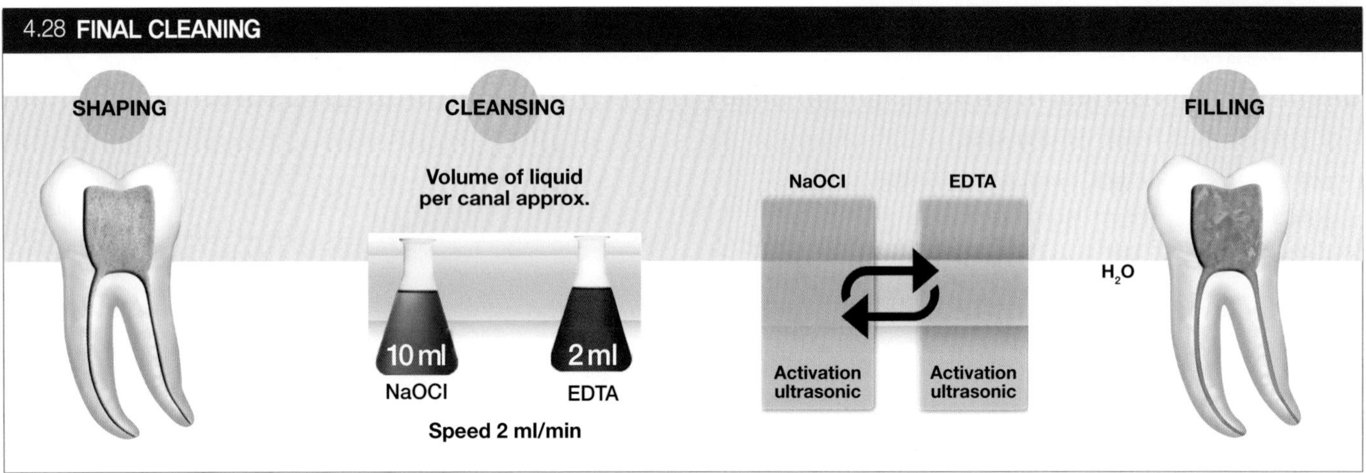

Fig. 4.27: 세정 단계에서 필요한 세척제의 양: 정출 속도는 항상 2 ml/min 속도여야 한다(예: 방울방울 적용).

Fig. 4.28: 세정 과정은 성형의 마지막 단계에서 시작되는데, 사용될 용액의 양과 용액을 주입하는 데 필요한 시간, 매 사이클마다 근관당 최대 20초의 초음파 활성이 필요하다. 필요한 양의 세척제를 적절한 속도로 주입하고, 매 사이클마다 근관당 최대 20초의 초음파 활성을 제공한다.

파기구를 20–30초 정도 적용할 수 있다(**Fig. 4.28**).

이를 통해 우리는 세척 프로토콜을 정립할 수 있을 것이다. 세척과정은 근관내 용액이 정적으로 머물러 있지 않도록 연속적으로 시행되어야 한다.

세척제의 주입과 초음파 활성을 번갈아가면서 6 사이클 정도 실시한다(**Table 4.4**). 치료하는 근관 수가 많아지면 시간도 다양해진다. 그리고 다근관치아에서 30 ml을 사용하는 것이 어려울 경우에는 대신 20 ml 정도를 사용할 수 있다(**Fig. 4.29–4.31**).

다이어그램에 표시한 것처럼 화학용액만으로는 도말층을 제거할 수 없기 때문에 EDTA 또한 활성화시켜 사용해야 한다.

마지막 단계에서는 세척제가 근관에 남아있지 않도록 증류수나 알코올로 세척해야 한다.

근관의 크기, 경사도가 세정 효과에 미치는 영향

치근단 부위로 세척제의 침투 여부는 주로 기구의 리밍 동작에 달려있다.

세정의 효율에 관한 많은 연구들은 적절한 치근단

Table 4.4 **TYPE OF TOOTH AND IRRIGATION METHOD**

Type of tooth	Total time	Extrusion	Ultrasonic activation
Single canal	10 min	1 min	30 s
Bicanalar	12 min	1.2 min	40 s
Multi-canalar	15 min	1.3–1.5 min	60 s

FINAL IRRIGATION PROTOCOL

Monoradicular

NaOCl 1 min
UAI 30 s
NaOCl 1 min
UAI 30 s
NaOCl 1 min
UAI 30 s
NaOCl 1 min
UAI 30 s
NaOCl 1 min
UAI 30 s
EDTA 1 min
UAI 30 s

Fig. 4.29: 하나의 근관에서의 프로토콜

Biradicular

NaOCl 1.20 min
UAI 40 s
NaOCl 1.20 min
UAI 40 s
NaOCl 1.20 min
UAI 40 s
NaOCl 1.20 min
UAI 40 s
NaOCl 1.20 min
UAI 40 s
EDTA 1.20 min
UAI 40 s

12
min

Fig. 4.30: 두 개의 근관에서의 프로토콜

Multiradicular

NaOCl 1.30 min
UAI 60 s
NaOCl 1.30 min
UAI 60 s
NaOCl 1.30 min
UAI 60 s
NaOCl 1.30 min
UAI 60 s
NaOCl 1.30 min
UAI 60 s
EDTA 1.30 min
UAI 60 s

Fig. 4.31: 다근관에서의 프로토콜

크기와 니들의 위치가 치근단 1/3 부위 세척제의 흐름에 직접적인 영향을 준다고 한다.[63]

일반적으로 성형 크기가 증가할수록 세척제의 교체와 근관벽의 세정 효율이 증가하고, 근관 내의 응력 분포가 향상된다.[83, 94]

그러나 근관벽에서 발생한 스트레스가 주로 잔사, 치아조직의 잔류물, 세균, 바이오필름의 제거에 의한 것이라고 할 때, 이전 연구들에서 밝혀진 것처럼 근관의 과도한 확대가 눈에 띄는 세정력의 향상을 가져오는 것 같지는 않다.[85, 86]

치근단부 직경

치근단부의 성형 크기는 도달하는 근관 세척제의 양을 증가시키고 그 효율을 향상시키는 데 중요한 역할을 한다.

치근단 성형의 크기는 세척제의 교환, 근관벽에서 발생하는 응력, 치근단부에 전달되는 압력에 영향을 준다.

연구 결과를 보면 #25보다 큰 직경이 세척 효과를 향상시킨다고 추천하는데, 니들 팁과 근관벽 사이에 충분한 공간을 제공함으로써 근관 입구로 세척액이 역류되어 나올 수 있기 때문이다.[83, 84]

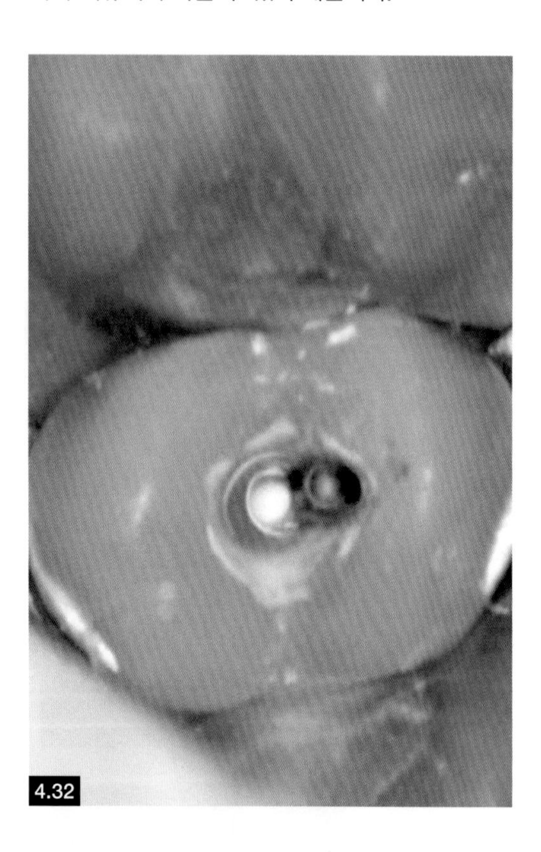

Fig. 4.32: 수산화칼슘은 다양한 방법으로 적용할 수 있다. 가장 널리 사용되는 방법은 페이스트를 근관계에 적절하게 분포시켜주는 렌툴로(lentula)를 사용하는 것이다.

근관내 첩약

근관내 첩약제는 기계화학적 성형 후 박테리아 수를 유의하게 감소시키고 기구조작과 세척과정에서 영향받지 않은 부분에 닿게 하여 근관 소독에 기여한다.[87] 근관내 첩약은, 재근관치료의 대부분이 그렇듯이 근관치료가 일회성으로 완료되지 않을 때, 박테리아의 성장을 억제하는 데 사용된다.

1930년대에 파라포름알데하이드, 페놀, 클로로페놀, 아이오도포름 페이스트 등 치수 조직을 '미라화' 시키는 물질들이 사용되었으나, 독성때문에 최근에는 칼슘하이드록사이드, 항생제, 혹은 페놀계 방부제가 사용된다.

수산화칼슘

수산화칼슘[$Ca(OH)_2$]은 수용성 환경에서 유리되는 OH−이온이 높은 pH를 제공함으로써 우수한 항균효과[16]를 가지기 때문에 근관내 첩약제로 사용된다.

수산화칼슘은 천천히 작용하는데, 적절한 항균활성을 얻기 위해서는 적어도 1주일 이상 근관내에 유지되어야 한다.[88]

충분한 시간 동안 작용하도록 두면, 수산화칼슘은 근관을 소독할 수 있다. 그러나 재근관치료에서는 관여하는 세균 종이 다르기 때문에 수산화칼슘을 사용한 증례의 2/3에서 여전히 박테리아가 존재한다고 한다.[89, 90] 그리고 근관벽에 남겨진 수산화칼슘은 상아세관으로 실러의 침투를 감소시키고 치근단부의 미세누출을 증가시킬 수도 있다.

이러한 이유로, 근관계 내에 존재하는 수산화칼슘은 충전과정 전에 제거되어야 한다(근관의 기구조작 과정, 초음파를 이용하여 NaOCl과 EDTA를 활성화시킨 세척과정에서 제거할 수 있다).[91]

항생제(triple antibiotic paste, TAP)

TAP는 생활치수치료, 재생근관치료, 치수재혈관화 술식에 사용되는 세 가지 항생제[사이프로플록사신(ciprofloxacin), 메트로니다졸(metronidazole), 미노사이클린(minocycline)]의 혼합제이다.[90]
이 조합은 1 mg/ml의 농도로 사용되는데, 그람 양성균과 그람 음성균에 효과적이고 수산화칼슘 대신 근관내 첩약제로 사용된다.

효과

현재 사용하는 근관 첩약제 중에 치수괴사된 근관계로부터 선택적 호기성, 혐기성 세균을 완벽하게 제거하는 데 효과적인 것은 없다.
따라서 여러 번의 세척 과정이 필수적이다. 최근에는 개개의 세균 종과 다수 종의 바이오필름에 대해 효과적인 첩약제의 연구가 진행되고 있다.[92]

일회 혹은 다회 내원 치료

수산화칼슘[93–93]의 첩약은 기구조작, 성형, 소독 등 여러 번의 내원으로 치료가 진행될 때 사용하는 방법이다.[96–98]
상대적으로 짧은 시간 내에 근관내부의 소독을 얻기 쉽지 않은 재근관치료에서 특히 유용하다.[99, 100]
따라서, 재근관치료가 필요한 경우에는 근관 첩약제, 예를 들어 수산화칼슘 첩약과 같은 과정이 필요하다.
일회 혹은 다수의 내원으로 이루어지는 근관치료, 혹은 재근관치료에 관한 문헌들은 다양하고 상반된 결과들을 보고하고 있다.[101–103]
임상적 관점에서 몇 가지 고려요소들이 있다.
첫째, 치료 시간에 대한 고려이다. 복잡한 재근관치료 증례에서는 치관부 수복물, 근관포스트, 근관내 용물을 제거하는 과정이 필요하고, 치료 시간은 1시간 반 이상이 소요된다. 이 시간 동안 술자의 집중력을 유지하고 환자가 입을 벌리고 있는 것은 아주 어려운 일이다. 항상 그렇지는 않지만 종종 임상적 필요에 의해 다수의 내원이 필요하다.
많은 연구가 수행되었지만 결정적인 결론을 제시하는 것은 없다.[104] 몇몇 저자들은 문헌에 근거해서 일회 내원을 선호하고, 또 다른 저자들은 다른 연구 결과를 바탕으로 일회 이상의 내원으로 치료하는 것을 선호한다.[105–108] 비록 수산화칼슘을 사용할 경우 근관내로 첩약하는 시간, 이후에 이를 제거하는 시간이 필요하여 전체 치료 시간이 길어진다는 점을 무시할 수는 없지만, 내원 간의 수산화칼슘 첩약이 나쁜 영향을 주는 것 같지는 않다. 여러 저자들의 리뷰논문에서도 치근단 병소가 있는 치아에서 다수의 내원은 일시적인 술후 합병증의 감소를 가져온다고 보고하고 있다.[105–107]

다수의 내원
수산화칼슘의 사용은 근관이 감염되지 않은 상태로 유지시키는 데 유용하다.

즉각적인 결과로, 환자는 진통제와 항생제 복용 빈도가 적었다. 치료 후 치근단 염증의 악화는 병력에 따라 5–12%로 나타나는데, 이러한 급성기는 항생제의 전신적인 복용으로 조절되어야 한다. 몇몇 저자들은 수산화칼슘의 사용이 박테리아 양을 줄이거나 아예 제거할 수 있다고 보고하고 있다.
여러 연구에서 수산화칼슘의 사용이 감염 근관의 박테리아 수를 감소시킨다는 가설을 뒷받침하고 있다.[109 –113]
결과적으로 수산화칼슘의 사용이 근관치료의 최종 결과를 바꿀수는 없지만 유용한 보조역할을 하는 것으로 보인다.

CASE REPORT 1

브릿지의 지대치인 상악 견치의 큰 병소

치근 파절로 의뢰된 환자를 검사하던 중 근관이 적절히 충전되어 있지 않고 치근단 병소가 존재하는 치아가 관찰되었다. 이 증례에서 치근단 병소는 불완전한 근관충전 때문인 것으로 보인다.

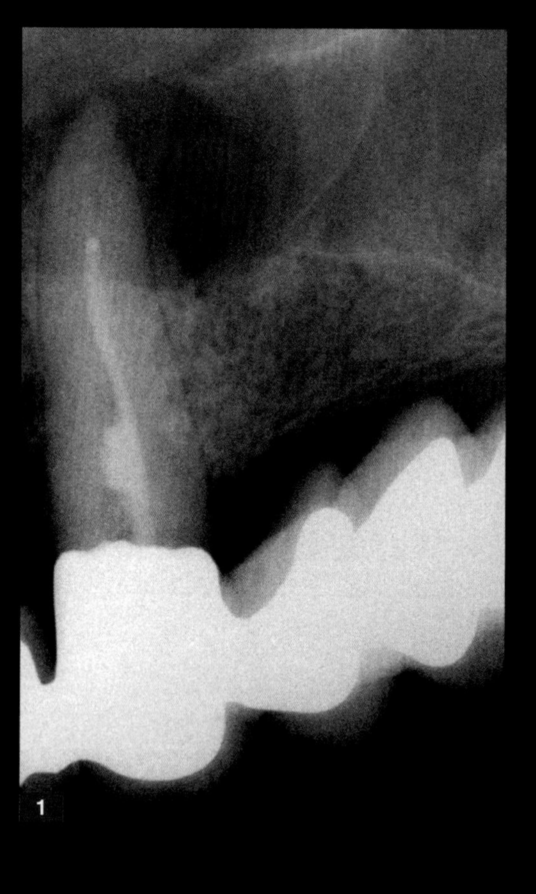

Figure 1. 브릿지의 지대치인 상악 견치는 큰 치근단 병소 및 불완전한 근관치료 상태를 보여준다.

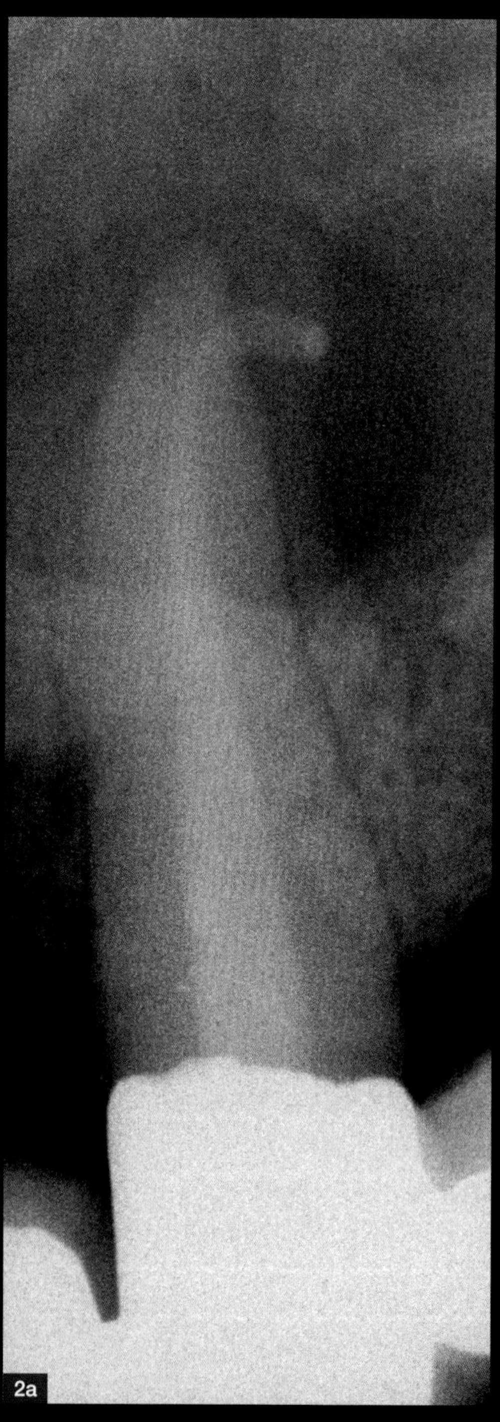

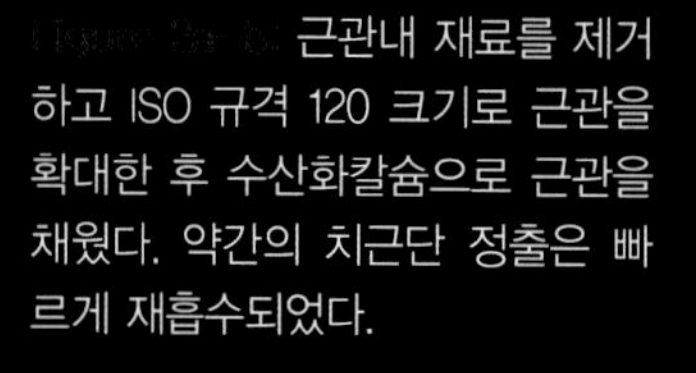

Figure 2a, b. 근관내 재료를 제거하고 ISO 규격 120 크기로 근관을 확대한 후 수산화칼슘으로 근관을 채웠다. 약간의 치근단 정출은 빠르게 재흡수되었다.

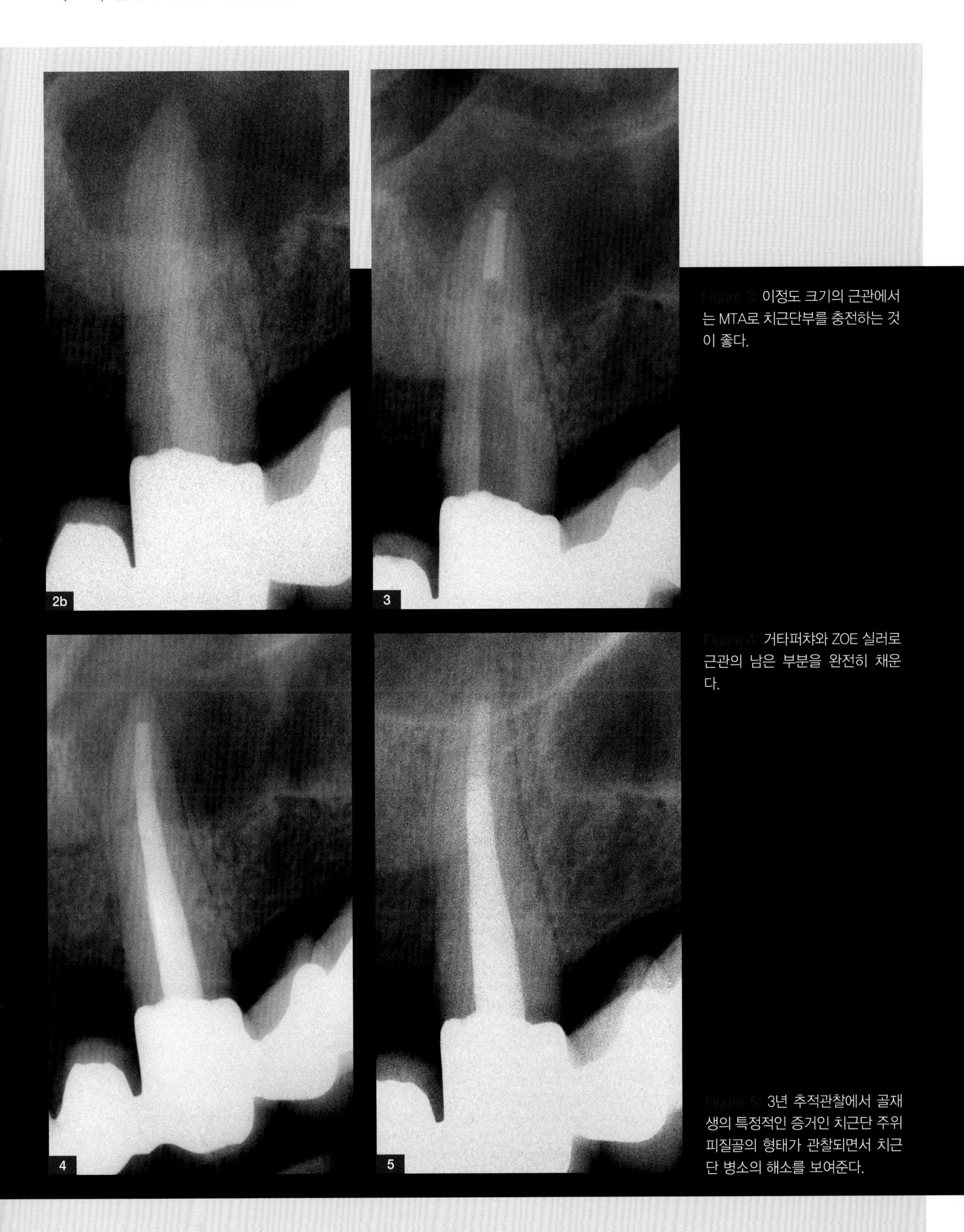

Figure 3: 이정도 크기의 근관에서는 MTA로 치근단부를 충전하는 것이 좋다.

Figure 4: 거타퍼차와 ZOE 실러로 근관의 남은 부분을 완전히 채운다.

Figure 5: 3년 추적관찰에서 골재생의 특정적인 증거인 치근단 주위 피질골의 형태가 관찰되면서 치근단 병소의 해소를 보여준다.

참고문헌

1. Antunes HS, Rocas IN, Alves FR, Siqueira JF, Jr. *Total and Specific Bacterial Levels in the Apical Root Canal System of Teeth with Post-treatment Apical Periodontitis*. J Endod. 2015;41(7):1037-42.
2. Rocas IN, Jung IY, Lee CY, Siqueira JF, Jr. *Polymerase chain reaction identification of microorganisms in previously root-filled teeth in a South Korean population*. J Endod. 2004;30:504-8.
3. Fabricius L, Dahlen G, Sundqvist G, Happonen RP, Möller AJR. *Influence of residual bacteria on periapical tissue healing after chemomechanical treatment and root filling of experimentally infected monkey teeth*. European journal of oral sciences. 2006;114:278-85.
4. Lacerda M, Marceliano-Alves MF, Perez AR, Provenzano JC, Neves MAS, Pires FR, et al. *Cleaning and Shaping Oval Canals with 3 Instrumentation Systems: A Correlative Micro-computed Tomographic and Histologic Study*. J Endod. 2017;43(11):1878-84.
5. Abramovitz I, Relles-Bonar S, Baransi B, Kfir A. *The effectiveness of a self-adjusting file to remove residual gutta-percha after retreatment with rotary files*. Int Endod J. 2012;45(4):386-92.
6. Gu LS, Kim JR, Ling J, Choi KK, Pashley DH, Tay FR. *Review of contemporary irrigant agitation techniques and devices*. J Endod. 2009;35:791-804.
7. Rossi-Fedele G, Prichard JW, Steier L, de Figueiredo JA. *The effect of surface tension reduction on the clinical performance of sodium hypochlorite in endodontics*. Int Endod J. 2013;46(6):492-8.
8. Cameron JA. *The effect of a fluorocarbon surfactant on the surface tension of the endodontic irrigant, sodium hypochlorite*. Aust Dent J 1986;31:364-8.
9. Siqueira JF, Jr., Rocas IN. *Clinical Implications and Microbiology of Bacterial Persistence after Treatment Procedures*. J Endod. 2008;34:1291–301.
10. Ng Y, Mann V, Rahbaran S, Lewsey J, Gulabivala K. *Outcome of primary root canal treatment: systematic review of the literature - Part 1. Effects of study characteristics on probability of success*. Int Endod J. 2007;40(12):921-39.
11. Torabinejad M, Anderson P, Bader J, Brown LJ, Chen LH, Goodacre CJ, et al. *Outcomes of root canal treatment and restoration, implant-supported single crowns, fixed partial dentures, and extraction without replacement: a systematic review*. J Prosthet Dent. 2007;98(4):285-311.
12. Ng YL, Mann V, Rahbaran S, Lewsey J, Gulabivala K. *Outcome of primary root canal treatment: systematic review of the literature - Part 2. Influence of clinical factors*. Int Endod J. 2008;41(1):6-31.
13. Rocas IN, Siqueira JF, Jr. *Identification of bacteria enduring endodontic treatment procedures by a combined reverse transcriptase-polymerase chain reaction and reverse-capture checkerboard approach*. J Endod. 2010;36(1):45-52.
14. Al-Ali M, Sathorn C, Parashos P. *Root canal debridement efficacy of different final irrigation protocols*. Int Endod J. 2012;45(10):898-906.
15. Zehnder M. *Root canal irrigants*. J Endod. 2006;32:389-98.
16. Basrani B, Haapasalo M. *Update on endodontic irrigating solutions*. Endo Topics. 2012;27:74-102.
17. Palazzi F, Morra M, Mohammadi Z, Grandini S, Giardino L. *Comparison of the surface tension of 5.25% sodium hypochlorite solution with three new sodium hypochlorite-based endodontic irrigants*. Int Endod J. 2012;45(2):129-35.
18. Moorer WR, Wesselink PR. *Factors promoting the tissue dissolving capability of sodium hypochlorite*. Int Endod J. 1982;15:187-96.
19. Gomes B, Ferraz C, Vianna M, Berber V, Teixeira F, Souza-Filho F. *In vitro antimicrobial activity of several concentrations of sodium hypochlorite and chlorhexidine gluconate in the elimination of Enterococcus faecalis*. Int Endod J. 2001;34:424-8.
20. Siqueira JFJ, Rôças IN, Favieri A, Lima KC. *Chemomechanical reduction of the bacterial population in the root canal after instrumentation and irrigation with 1%, 2.5%, and 5.25% sodium hypochlorite*. J Endod. 2000;26:331-4.
21. Mehra P, Clancy C, Wu J. *Formation of a facial hematoma during endodontic therapy*. J Am Dent Assoc. 2000;131:67-71.
22. Gernhardt CR, Eppendorf K, Kozlowski A, Brandt M. *Toxicity of concentrated sodium hypochlorite used as an endodontic irrigant*. Int Endod J. 2004;37:272-80.
23. Barnhart BD, Chuang A, Lucca JJ, Roberts S, Liewehr F, Joyce AP. *An in vitro evaluation of the cytotoxicity of various endodontic irrigants on human gingival fibroblasts*. J Endod. 2005;31:613-5.
24. Ari H, Erdemir A, Belli S. *Evaluation of the effect of endodontic irrigation solutions on the microhardness and the roughness of root canal dentin*. J Endod.30:792-5.
25. Stoward PJ. *A histochemical study of the apparent deamination of proteins by sodium hypochlorite*. Histochemistry. 1975;45:213-26.
26. Oyarzun A, Cordero AM, Whittle M. *Immunohistochemical evaluation of the effects of sodium hypochlorite on dentin collagen and glycosaminoglycans*. J Endod. 2002;28:152-6.
27. Grossman L, Meiman B. *Solution of pulp tissue by chemical agent*. J Amer Dent Ass. 1941;28:223-32.
28. Christensen CE, McNeal SF, Eleazer P. *Effect of lowering the pH of sodium hypochlorite on dissolving tissue in vitro*. J Endod. 2008;34:449-52.

29. Abou-Rass M, Oglesby SW. *The effects of temperature, concentration, and tissue type on the solvent ability of sodium hypochlorite*. J Endod. 1981;7:376-7.
30. Sirtes G, Waltimo T, Schaetzle M, Zehnder M. *The effects of temperature on sodium hypochlorite short-term stability, pulp dissolution capacity, and antimicrobial efficacy*. J Endod. 2005;31:669-71.
31. Rossi-Fedele G, De Figueiredo JA. *Use of a bottle warmer to increase 4% sodium hypochlorite tissue dissolution ability on bovine pulp*. J Endod. 2008;34:39-42.
32. Fabiani C, Mazzoni A, Nato F, Tay FR, Breschi L, Grandini S, et al. *Final rinse optimization: influence of different agitation protocols*. J Endod. 2010;36:282-5.
33. Clarkson RM, Podlich HM, Moule AJ. *Influence of ethylenediaminetetraacetic acid on the active chlorine content of sodium hypochlorite solutions when mixed in various proportions*. J Endod. 2011;37(4):538-43.
34. Giardino L, Ambu E, Becce C, Rimondini L, Morra M. *Surface tension of four common root canal irrigants and two new irrigants containing antibiotics*. J Endod. 2006;32:1091-3.
35. Clarkson RM, Kidd B, Evans GE, Moule AJ. *The effect of surfactant on the dissolution of porcine pulpal tissue by sodium hypochlorite solutions*. J Endod. 2012;38(9):1257-60.
36. Baron A, Lindsey K, Sidow SJ, Dickinson D, Chuang A, McPherson JC, 3rd. *Effect of a Benzalkonium Chloride Surfactant-Sodium Hypochlorite Combination on Elimination of Enterococcus faecalis*. J Endod. 2016;42(1):145-9.
37. Violich DR, Chandler NP. *The smear layer in endodontics - a review*. Int Endod J. 2010;43(1):2-15.
38. Arias-Moliz MT, Morago A, Ordinola-Zapata R, Ferrer-Luque CM, Ruiz-Linares M, Baca P. *Effects of Dentin Debris on the Antimicrobial Properties of Sodium Hypochlorite and Etidronic Acid.* J Endod, 2016. 42(5):771-5.
39. Hülsmann M, Rödig T, Nordmeyer S. *Complications during root canal irrigation.* Endo Topics. 2007;16:27-63.
40. Fraser J. *Chelating agents: their softening effect on root canal dentin*. Oral Surg Oral Med Oral Pathol. 1974;37:803-11.
41. Lui J-N, Kuah H-G, Chen N-N. *Effects of EDTA with and without surfactants or ultrasonics on removal of smear layer*. J Endod. 2007;33:472-5.
42. Biesterfeld RC, Taintor JF. *A comparison of periapical seals of root canals with RC-Prep or Salvizol*. Oral Surg Oral Med Oral Pathol. 1980;49:532-7.
43. Jagzap JB, Patil SS, Gade VJ, Chandhok DJ, Upagade MA, Thakur DA. *Effectiveness of three different irrigants - 17% ethylenediaminetetraacetic acid, Q-MIX and phytic acid in smear layer removal: A comparative scanning electron microscope study*. Contemp Clin Dent. 2017;8(3):459-63.
44. Nassar M, Hiraishi N, Tamura Y, Otsuki M, Aoki K, Tagami J. *Phytic acid: an alternative root canal chelating agent*. J Endod. 2015;41(2):242-7.
45. Prado M, de Assis DF, Gomes BP, Simao RA. *Effect of disinfectant solutions on the surface free energy and wettability of filling material.* J Endod. 2011;37(7):980-2.
46. Di Lenarda R, Cadenaro M, Sbaizero O. *Effectiveness of 1 mol L-1 citric acid and 15% EDTA irrigation on smear layer removal*. Int Endod J. 2000;33(1):46-52.
47. Machado R, Garcia LDFR, da Silva Neto UX, Cruz Filho AMD, Silva RG, Vansan LP. *Evaluation of 17% EDTA and 10% citric acid in smear layer removal and tubular dentin sealer penetration. Microscopy research and technique.* 2018;81(3):275-82.
48. Eun H, Lee A, Lee Y. *Sodium hypochlorite dermatitis*. Contact Dermatitis. 1984;11:45-7.
49. Zou L, Shen Y, Li W, Haapasalo M. *Penetration of sodium hypochlorite into dentin*. J Endod. 2010;36(5):793-6.
50. Habets JM, Geursen-Reitsma AM, Stolz E, Van Joost T. *Sensitization to sodium hypochlorite causing hand dermatitis*. Contact Dermatitis. 1986;15:140-57.
51. Hasselgren G, Olsson B, Cvek M. *Effects of calcium hydroxide and sodium hypochlorite on the dissolution of necrotic porcine muscle tissue.* J Endod. 1988;14:125-8.
52. Andersen M, Lund A, Andreasen J, Andreasen F. *In vitro solubility of human pulp tissue in calcium hydroxide and sodium hypochlorite*. Endodontics & dental traumatology. 1992;8:104-8.
53. Torabinejad M, Shabahang S, Aprecio RM, Kettering JD. *The antimicrobial effect of MTAD: an in vitro investigation*. J Endod. 2003;29:400-3.
54. Baumgartner JC, Johal S, Marshall JG. *Comparison of the antimicrobial efficacy of 1.3% NaOCl/Biopure MTAD to 5.25% NaOCl/15% EDTA for root canal irrigation*. J Endod. 2007;33:48-51.
55. Keskin C, Sariyilmaz E, Sariyilmaz O. *Effect of solvents on apically extruded debris and irrigant during root canal retreatment using reciprocating instruments*. Int Endod J. 2017;50(11):1084-8.
56. Rossi-Fedele G, Ahmed HM. *Assessment of Root Canal Filling Removal Effectiveness Using Microcomputed Tomography: A Systematic Review*. J Endod. 2017;43(4):520-6.
57. Ferreira JJ, Rhodes JS, Ford TR. *The efficacy of guttapercha removal using ProFiles*. Int Endod J. 2001;34:267-74.
58. Hülsmann M, Bluhm V. *Efficacy, cleaning ability and safety of different rotary NiTi instruments in root canal retreatment*. Int Endod J. 2004;37:468-76.
59. Horvath SD, Altenburger M, Naumann M, Wolkevitz M, Schirrmeister JF. *Cleanliness of dentinal tubules following gutta-percha removal with and without solvents: a scanning electron microscopic study*. Int Endod J. 2009;42:1032-8.
60. Ram Z. *Effectiveness of root canal irrigation*. Oral Surg Oral Med Oral Pathol. 1977;44:306–12.

61. Lambrianidis TP. *Risk Management in Root Canal Treatment*, 1st edn. Thessaloniki, Greece: University Studio Press; 2001.
62. Ingle JI, Himel VT, Hawrish CEea. *Endodontic cavity preparation*. Endodontics. Ontario, Canada: BC Decker; 2002. p. 502.
63. Boutsioukis C, Lambrianidis T, Verhaagen B, Versluis M, Kastrinakis E, Wesselink PR, et al. *The effect of needle-insertion depth on the irrigant flow in the root canal: evaluation using an unsteady computational fluid dynamics model.* J Endod. 2010;36(10):1664-8.
64. Gopikrishna V, Sibi S, Archana D, Pradeep Kumar AR, Narayanan L. *An in vivo assessment of the influence of needle gauges on irrigation flow rate.* J Conserv Dent JCD. 2016;19(2):189-93.
65. Boutsioukis C, Psimma Z, Kastrinakis E. *The effect of flow rate and agitation technique on irrigant extrusion ex vivo.* Int Endod J. 2014;47(5):487-96.
66. Burleson A, Nusstein J, Reader A, Beck M. *The in vivo evaluation of hand/rotary/ultrasound instrumentation in necrotic, human mandibular molars.* J Endod. 2007;33(7):782-7.
67. Yilmaz F, Koc C, Kamburoglu K, Ocak M, Geneci F, Uzuner MB, et al. Evaluation of 3 Different Retreatment Techniques in Maxillary Molar Teeth by Using Micro-computed Tomography. J Endod. 2018;44(3):480-4.
68. Alves FR, Ribeiro TO, Moreno JO, Lopes HP. *Comparison of the efficacy of nickel-titanium rotary systems with or without the retreatment instruments in the removal of gutta-percha in the apical third.* BMC Oral Health. 2014;14:102.
69. Capar ID, Ozcan E, Arslan H, Ertas H, Aydinbelge HA. *Effect of different final irrigation methods on the removal of calcium hydroxide from an artificial standardized groove in the apical third of root canals.* J Endod. 2014;40(3):451-4.
70. Alves FR, Marceliano-Alves MF, Sousa JC, Silveira SB, Provenzano JC, Siqueira JF, Jr. *Removal of Root Canal Fillings in Curved Canals Using Either Reciprocating Single- or Rotary Multi-instrument Systems and a Supplementary Step with the XP-Endo Finisher.* J Endod. 2016;42(7):1114-9.
71. Akcay M, Arslan H, Mese M, Durmus N, Capar ID. *Effect of photon-initiated photoacoustic streaming, passive ultrasonic, and sonic irrigation techniques on dentinal tubule penetration of irrigation solution: a confocal microscopic study.* Clin Oral Investig. 2017;21(7):2205-12.
72. Barreto MS, Rosa RA, Santini MF, Cavenago BC, Duarte MA, Bier CA, et al. *Efficacy of ultrasonic activation of NaOCl and orange oil in removing filling material from mesial canals of mandibular molars with and without isthmus. Journal of applied oral science: revista FOB*. 2016;24(1):37-44.
73. Cunningham W, Joseph SW. *Effect of temperature on the bactericidal action of sodium hypochlorite endodontic irrigant.* Oral Surg Oral Med Oral Pathol. 1980;50:569-71.
74. Conde AJ, Estevez R, Lorono G, Valencia de Pablo O, Rossi-Fedele G, Cisneros R. *Effect of sonic and ultrasonic activation on organic tissue dissolution from simulated grooves in root canals using sodium hypochlorite and EDTA*. Int Endod J. 2017;50(10):976-82.
75. Bernardes RA, Duarte MA, Vivan RR, Alcalde MP, Vasconcelos BC, Bramante CM. *Comparison of three retreatment techniques with ultrasonic activation in flattened canals using micro-computed tomography and scanning electron microscopy*. Int Endod J. 2015.
76. Jiang S, Zou T, Li D, Chang JW, Huang X, Zhang C. *Effectiveness of Sonic, Ultrasonic, and Photon-Induced Photoacoustic Streaming Activation of NaOCl on Filling Material Removal Following Retreatment in Oval Canal Anatomy. Photomedicine and laser surgery*. 2016;34(1):3-10.
77. Stojicic S, Zivkovic S, Qian W, Zhang H, Haapasalo M. *Tissue dissolution by sodium hypochlorite: effect of concentration, temperature, agitation, and surfactant*. J Endod. 2010;36(9):1558-62.
78. Boutsioukis C, Verhaagen B, Walmsley AD, Versluis M, van der Sluis LW. *Measurement and visualization of file-to-wall contact during ultrasonically activated irrigation in simulated canals*. Int Endod J. 2013;46(11):1046-55.
79. de Hemptinne F, Slaus G, Vandendael M, Jacquet W, De Moor RJ, Bottenberg P. *In Vivo Intracanal Temperature Evolution during Endodontic Treatment after the Injection of Room Temperature or Preheated Sodium Hypochlorite*. J Endod. 2015;41(7):1112-5.
80. Neelakantan P, Herrera DR, Pecorari VGA, Gomes B. *Endotoxin levels after chemomechanical preparation of root canals with sodium hypochlorite or chlorhexidine: a systematic review of clinical trials and meta-analysis.* Int Endod J. 2019;52(1):19-27.
81. Grawehr M, Sener B, Waltimo T, Zehnder M. *Interactions of ethylenediamine tetraacetic acid with sodium hypochlorite in aqueous solutions*. Int Endod J. 2003;36:411-7.
82. Paragliola R, Franco V, Fabiani C, Mazzoni A, Nato F, Tay FR, et al. *Final rinse optimization: influence of different agitation protocols*. J Endod. 2010;36(2):282-5.
83. Boutsioukis C, Gogos C, Verhaagen B, Versluis M, Kastrinakis E, Van der Sluis LW. *The effect of apical preparation size on irrigant flow in root canals evaluated using an unsteady Computational Fluid Dynamics model.* Int Endod J. 2010;43(10):874-81.
84. Boutsioukis C, Verhaagen B, Versluis M, Kastrinakis E, Wesselink PR, van der Sluis LW. *Evaluation of irrigant flow in the root canal using different needle types by an unsteady computational fluid dynamics model*. J Endod. 2010;36(5):875-9.
85. Boutsioukis C, Gogos C, Verhaagen B, Versluis M, Kastrinakis E, Van der Sluis LW. *The effect of root canal taper on the irrigant flow: evaluation using an unsteady Computational Fluid Dynamics model*. Int Endod J. 2010;43(10):909-16.

86. Arvaniti IS, Khabbaz MG. *Influence of root canal taper on its cleanliness: a scanning electron microscopic study*. J Endod. 2011;37(6):871-4.
87. Akcay M, Arslan H, Topcuoglu HS, Tuncay O. *Effect of calcium hydroxide and double and triple antibiotic pastes on the bond strength of epoxy resin-based sealer to root canal dentin*. J Endod. 2014;40(10):1663-7.
88. Martinho FC, Gomes CC, Nascimento GN, Gomes APM, Leite FRM. *Clinical comparison of the effectiveness of 7- and 14-day intracanal medications in root canal disinfection and inflammatory cytokines. Clin Oral Investig*. 2018;22(1):523-30.
89. Spångberg LSW, Haapasalo M. *Rationale and efficacy of root canal medicaments and root filling materials with emphasis on treatment outcome*. Endo Topics. 2002;2:35-58.
90. Parhizkar A, Nojehdehian H, Asgary S. *Triple antibiotic paste: momentous roles and applications in endodontics: a review*. Restor Dent Endod. 2018;43(3):e28.
91. Capar ID, Ozcan E, Arslan H, Ertas H, Aydinbelge HA. *Effect of Different Final Irrigation Methods on the Removal of Calcium Hydroxide from an Artificial Standardized Groove in the Apical Third of Root Canals*. J Endod. 2014;40:451-4.
92. Paikkatt JV, Aslam S, Sreedharan S, Philomina B, Kannan VP, Madhu S. *Efficacy of various intracanal medicaments against aerobic and facultative anaerobic microorganism*. J Indian Soc Pedod Prev Dent. 2018;36(3):268-72.
93. Farhad A, Mohammadi Z. *Calcium hydroxide: a review*. International Dental Journal. 2005;55(5):293-301.
94. Zehnder MP, Paquè F. *Disinfection of the root canal system during root canal re-treatment*. Endodontic Topics. 2008;19(1):58–73.
95. Sjogren U, Figdor D, Spangberg L, Sundqvist G. *The antimicrobial effect of calcium hydroxide as a short-term intracanal dressing*. International Endodontic Journal. 1991;24(3):119-125.
96. Sathorn C, Parashos P, Messer H. Antibacterial efficacy of calcium hydroxide intracanal dressing: a systematic review and meta-analysis. International Endodontic Journal. 2007;40(1):2-10.
97. Sathorn C, Parashos P, Messer HH. *Effectiveness of single- versus multiple-visit endodontic treatment of teeth with apical periodontitis: a systematic review and meta-analysis. International Endodontic Journal*. 2005;38(6):347-355.
98. Orstavik D. *Root canal disinfection: a review of concepts and recent developments*. Australian Endodontic Journal. 2003;29(2):70-74.
99. Haapasalo MS, Shen Y. *Current therapeutic options for endodontic biofilms*. Endodontic Topics. 2010;22(1):79–98.
100. Kishen A. *Advanced therapeutic options for endodontic biofilms*. Endodontic Topics 2010;22(1):99–123.
101. Vera J, Siqueira JF, Jr., Ricucci D, Loghin S, Fernandez N, Flores B, et al. *One- versus two-visit endodontic treatment of teeth with apical periodontitis: a histobacteriologic study*. Journal of Endodontics. 2012;38(8): 1040-1052.
102. Kawashima N, Wadachi R, Suda H, Yeng T, Parashos P. *Root canal medicaments. International Dental Journal*. 2009;59(1):5-11.
103. Huffaker SK, Safavi K, Spangberg LS, Kaufman B. *Influence of a passive sonic irrigation system on the elimination of bacteria from root canal systems: a clinical study*. Journal of Endodontics. 2010;36(8):1315-1318.
104. Kvist T, Molander A, Dahlen G, Reit C. *Microbiological evaluation of one- and two-visit endodontic treatment of teeth with apical periodontitis: a randomized, clinical trial*. Journal of Endodontics. 2004;30(8):572-576.
105. Figini L, Lodi G, Gorni F, Gagliani M. *Single versus multiple visits for endodontic treatment of permanent teeth. The Cochrane database of systematic reviews*. 2007(4):CD005296.
106. Figini L, Lodi G, Gorni F, Gagliani M. *Single versus multiple visits for endodontic treatment of permanent teeth: a Cochrane systematic review. Journal of Endodontics*. 2008;34(9):1041-1047.
107. Manfredi M, Figini L, Gagliani M, Lodi G. *Single versus multiple visits for endodontic treatment of permanent teeth. The Cochrane database of systematic reviews*. 2016;12:CD005296.
108. Paredes-Vieyra J, Enriquez FJ. *Success rate of single- versus two-visit root canal treatment of teeth with apical periodontitis: a randomized controlled trial*. Journal of Endodontics. 2012;38(9):1164-1169.
109. Mohammadi Z, Abbott PV. *Antimicrobial substantivity of root canal irrigants and medicaments: a review. Australian Endodontic Journal*. 2009;35(3):131-139.
110. Mohammadi Z, Dummer PM. *Properties and applications of calcium hydroxide in endodontics and dental traumatology. International Endodontic Journal*. 2011;44(8):697-730.
111. Rocas IN, Siqueira JF, Jr. *Identification of bacteria enduring endodontic treatment procedures by a combined reverse transcriptase-polymerase chain reaction and reverse-capture checkerboard approach*. Journal of Endodontics. 2010;36(1):45-52.
112. Rocas IN, Siqueira JF, Jr. *In vivo antimicrobial effects of endodontic treatment procedures as assessed by molecular microbiologic techniques*. Journal of Endodontics. 2011;37(3):304-310.
113. Schirrmeister JF, Liebenow AL, Braun G, Wittmer A, Hellwig E, Al-Ahmad A. *Detection and eradication of microorganisms in root-filled teeth associated with periradicular lesions: an in vivo study*. Journal of Endodontics. 2007;33(5):536-540.

> 재근관치료에서 **충전**의 중요성을 강조한다.

> 성형과 세정 후 근관을 **충전**하기 위한 가장 효과적인 방법을 알아본다.

> 근관계를 완전히 **밀폐하면서 충전**할 수 있는 방법을 제시한다.

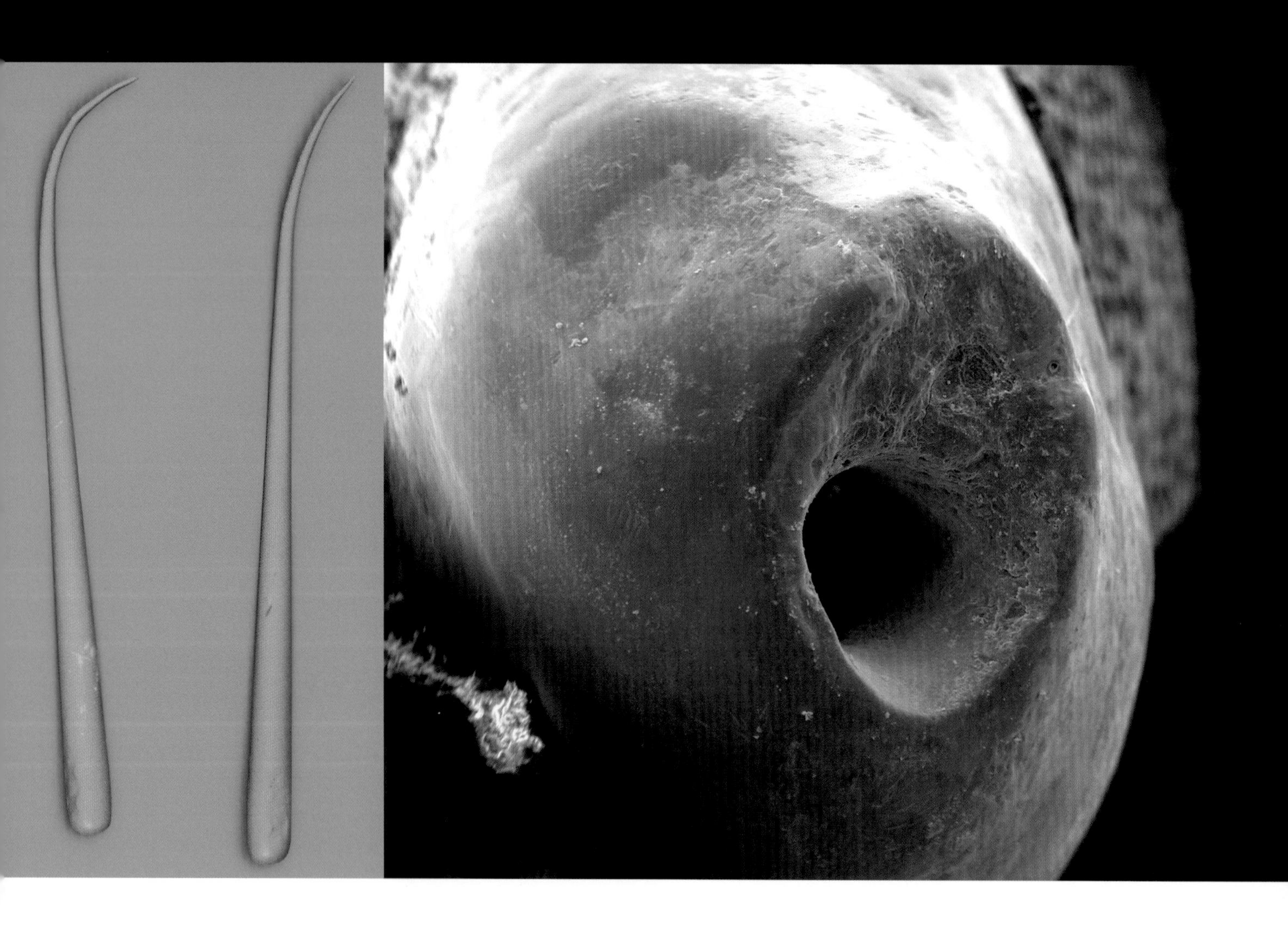

Calogero Bugea, Arnaldo Castellucci

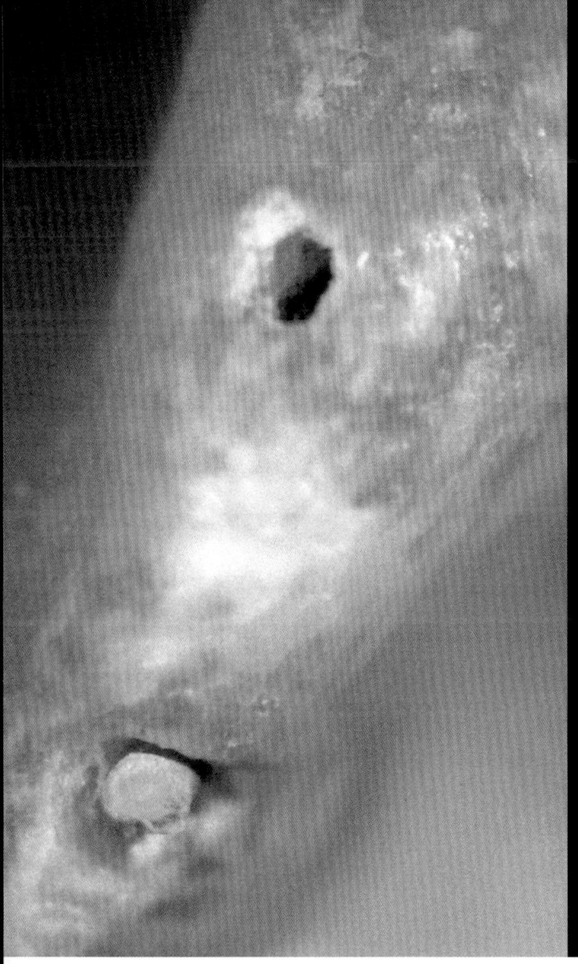

재근관치료의 충전방법

근관계 밀폐를 위한 전통적인 술식과 새로운 술식

근관충전과 근관의 형태

근관충전 과정은 성공적인 근관치료에 있어서 결정적인 단계인데, 오염되어 있는 근관계를 가진 재근관치료의 경우 더욱 그렇다.[1]

근관의 성형상태가 충전의 질을 결정하지만, 재근관치료의 경우에는 근관의 형태가 항상 이상적인 형태가 아니기 때문에 일반적인 기준에 따라 성형을 진행할 수 없을지도 모른다.

이 책의 다른 부분(2장과 3장)에서 언급한 것처럼, 이전의 치료과정에서 발생한 치근단부의 형태적 변형, 특히 그 부분에서 염증이 진행되는 경우는 첫 근관치료에서의 충전과정과는 다른, 특별한 방법이 요구된다.[8–10] 그러므로 치아의 술전 상태와 성형 후의 근관 형태에 대한 평가는 임상가에게 가장 적절한 근관충전 방법을 선택하는 데 도움을 줄 것이다.[11, 12]

결과적으로 보편적인 하나의 방법을 모든 근관에서 두루 사용할 수는 없기 때문에, 적어도 두 가지 이상의 충전 방법에 대한 지식을 가지고 있어야 한다. 충전방법을 보다 쉽게 선택하기 위해서는 다음의 특징적인 요소를 확인해야 한다.

- 성형과 세정을 마쳤을 때 얻어진 치근단부 직경
- 성형과 세정을 마쳤을 때 얻어진 근관의 경사도 **(Box 5.1)**

우리는 임상적으로 유용하다고 생각되는 기준을 가지고 방법을 제시하고자 한다**(Table 5.1)**.

충전방법을 선택할 때 근관의 경사도 또한 고려해야하지만, 치근단 부위를 잘 충전하는 것이 성공의 결정적인 요소이기 때문에 치근단부의 크기가 충전방법을 선택하는 첫 번째 기준이 된다.

Gesi 연구팀과 다른 연구자들은 재근관치료에서 성형을 마친 치근단의 크기는 근관치료를 받은 적이 없는 치아의 치근단 크기보다 훨씬 크다는 것을 발견했다. 재근관치료의 경우, 세균의 제거를 위해 더 많은 양의 치질 삭제가 필요하기 때문에 치근단부의 직경이 커질 수 있는 것이다.[14]

근관의 경사도에 대한 고려도 필요한데, 대개 성형

Box 5.1 TAPER

근관치료, 재치료 과정에서 얻어지는 근관의 형태는 끝이 잘린 원뿔 모양으로 표현할 수 있는데, 원뿔의 바닥이 근관의 입구이고 잘린 끝부분이 치근단 끝부분이 되는 것이다.

근관 입구에서 치근단까지 직경의 점진적인 감소 정도는 아주 완만하거나 가파르게 감소할 수 있다.

ISO 4보다 작거나 ISO 4–8 사이 값을 갖거나 그 이상이 될 수 있다. 경사도는 치근단 직경(원추의 잘린 끝부분)과 상부로 1 mm 떨어진 지점에서의 직경의 차이로 결정된다.

예를 들어, 치근단 크기가 ISO 30이고 치근단에서 1 mm 상부는 ISO 35, 1 mm 더 위의 직경은 ISO 40이라고 한다면, 이 경우의 경사도(taper)는 5가 된다.

경사도가 작을수록 근관벽은 좀 더 직선형일 것이다. 경사도가 증가하면서 근관벽은 근관 입구의 큰 직경에서 치근단부로 갈수록 점점 모아지는 형태를 가진다.

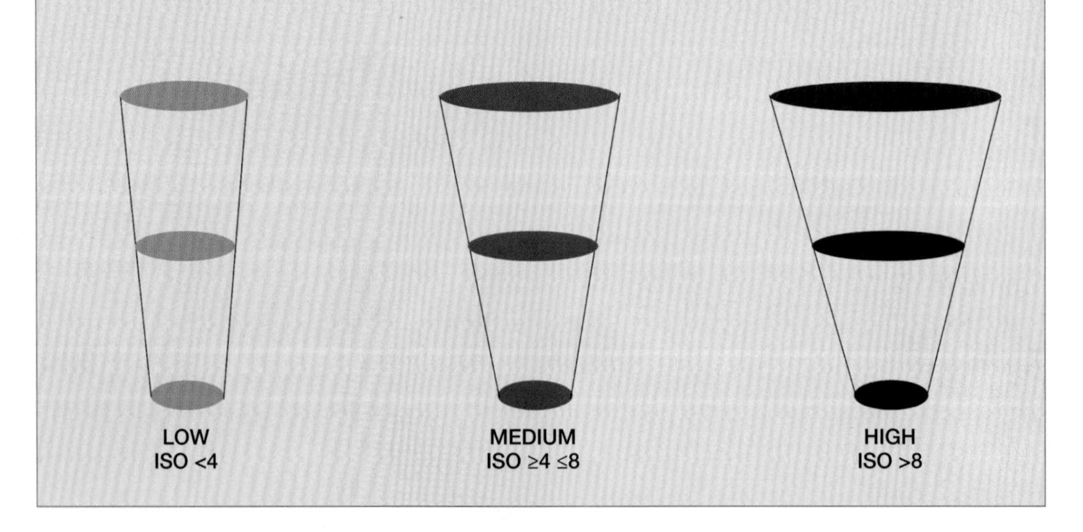

Table 5.1 **CANAL FILLING TECHNIQUE ACCORDING TO CANAL MORPHOLOGY**

Canal anatomy	Apex diameter (ISO)	Type	Recommended filling technique(*)
Preserved	More than 50	Straight(a)	Apical Plug in MTA
		Curvilinear(b)	Warm Gutta-Percha / Single Cone with Bioactive Sealer(*)
	Not exceeding 50	Straight	Warm Gutta-Percha / Single Cone with Bioactive Sealer(*)
		Curvilinear	Warm Gutta-Percha / Warm Gutta-Percha with Carrier
Altered	More than 50	Straight	Apical Plug in MTA
		Curvilinear	Apical Plug in MTA
	Not exceeding 50	Straight	Warm Gutta-Percha / Single Cone with Bioactive Sealer(*)
		Curvilinear	Warm Gutta-Percha / Single Cone with Bioactive Sealer(*)

(*) Bioactive sealer(*)의 사용은 현재에는 이를 뒷받침하는 연구가 많지 않으나 앞으로 그 사용 가능성이 높다. 우수한 결과들이 나오면서 특히 재근관치료에서는 이러한 sealer의 사용을 뒷받침할 것이다.
(a) 직선 근관이라 함은 근관의 장축과 근관벽의 평행 정도로 규정된다. 이는 ISO 5 이하의 경사도를 가진다.
(b) 만곡 근관의 경우에는 치근첨에서 치관 쪽으로 향하는 근관의 장축과 근관입구에서의 장축이 일치하지 않는다. 경사도는 ISO 5보다 크다.

에 사용하는 NiTi 파일에 따라 최종적인 근관 형태의 경사도가 결정된다.
그러나 종종 ISO 50보다 큰 치근단 직경을 가진 경우에는 NiTi 파일이 그 정도 크기의 직경을 제공하지 못한다. 따라서 ISO 60보다 큰 직경을 가진 스테인리스 스틸 파일을 이용하여 치근단 부분을

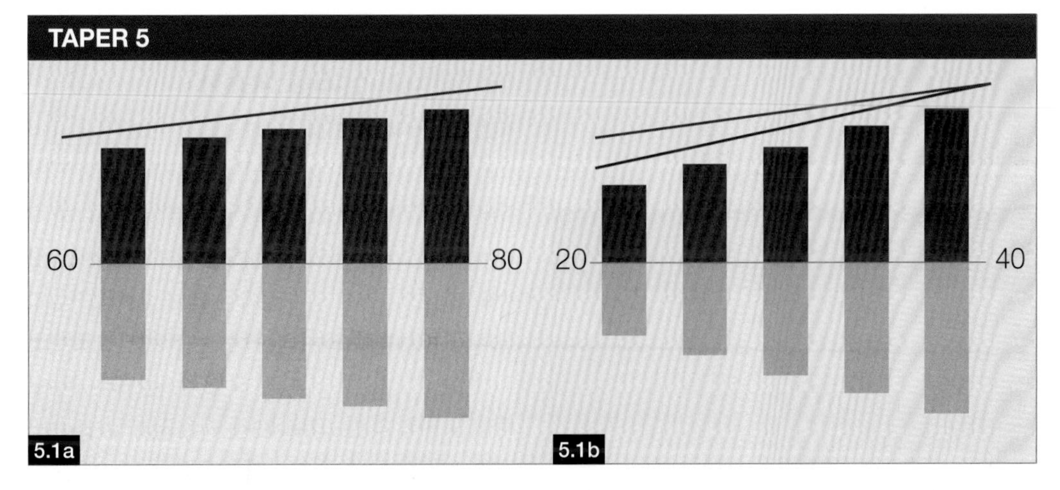

Fig. 5.1a-b:
(a) ISO 60에서 시작하는 ISO 5 경사도, **(b)** ISO 20에서 시작하는 ISO 5 경사도

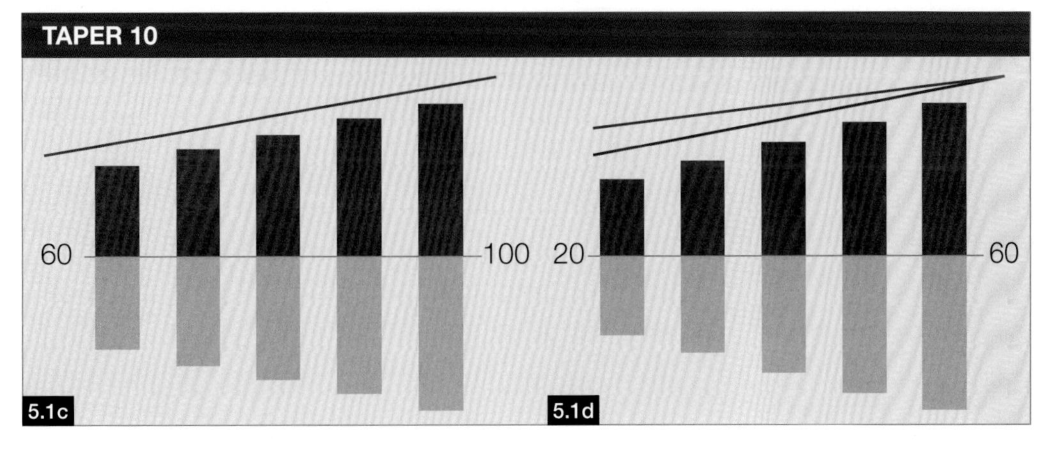

Fig. 5.1c-d:
(a) ISO 60에서 시작하는 ISO 10 경사도, **(b)** ISO 20에서 시작하는 ISO 10 경사도

성형해야 하는데 이때는 매우 조심스럽게 해야 한다. 종종 근관 약화를 방지하기 위해 ISO 5에서 10 사이(**Fig. 5.1a**)의 경사도로 근관을 성형하면, 끝이 잘리지 않은 원기둥 형태가 될 것이다(**Fig. 5.1b**). 따라서 거타퍼차와 실러에 의존하고 있는 현재의 충전방법은 보다 안전한 치근단 밀폐를 보장하는 방법으로 개선되어야 한다. 가장 원기둥형태의 근관은 가장 큰 치근단 직경을 가진 것이다(287 페이지 그림에서 빨간선과 보라색선을 비교하라). 따라서 실러와 거타퍼차를 치근단 방향으로 다져 넣는 충전 방법은 적합하지 않다. 재근관치료에서 성형 후의 근관 형태는 치료받은 적이 없는 치아의 근관 형태와 같지 않다. 병적인 변형과 의원성 손상은 근관 형태의 표준화를 더 어렵고 복잡하게 한다. 따라서 **Table 5.1**에서 제시된 일련의 근관 충전 테크닉들에 익숙해져야 하고, 그 장단점을 인식하여 주어진 증례에 적용할 수 있는지를 확인해야 한다.

근관충전 방법

재근관치료와 관련한 충전방법은 **Table 5.2**에 나열하였다.

Table 5.2. SUITABLE ROOT CANAL FILLING TECHNIQUES IN RETREATMENT

- LATERAL OR VERTICAL CONDENSATION OF THE GUTTA-PERCHA WITH SEALER
- FILLING WITH PREHEATED CARRIER-BASED GUTTA-PERCHA
- APICAL PLUG WITH MTA
- USE OF BIOACTIVE SEALERS ASSOCIATED WITH A SINGLE CALIBRATED GUTTA-PERCHA CONE

Box 5.2 CLASSICAL FILLING MATERIALS

근관충전 과정에 필요한 재료들은 거타퍼차와 실러로 처음 근관충전하는 경우와 다르지 않다. 아래에 간단히 서술하였다.

거타퍼차

거타퍼차는 일반적인 근관충전재로 선택되어 왔다. 치과용으로는 "순수 거타퍼차"가 아니라 이소프렌(isoprene)(18.9–21.8%), 산화 아연(zinc oxide)(59.1–78.3%), 황산 중금속(heavy metal surfates)(2.5–17.3%), 왁스(wax) 및 수지(resins)(1–4.1%), 염료 및 항산화제(antioxidants)(3%), 지방산(fatty acid)을 혼합하여 사용한다. 각 제조사마다 거타퍼차가 조금씩 다른데, 위에 언급된 재료의 비율이 달라지면서 다양한 방사선 투과도, 연화정도, 색상을 가지기 때문이다.

일반적으로 거타퍼차가 단단해질수록 산화아연 함유량이 높아지고, 연해질수록 이소프렌의 농도가 높아진다. 다양한 형태의 콘이 존재하는데 가장 많이 사용되는 콘은 ISO 표준에 따르는 팁의 직경과 경사도를 가진 것이다. 이것은 성형과정에 사용되는 기구의 형태와도 일치한다. 그러나 동시에 경사도만 다르고 적절한 기구로 알맞게 조절할 수 있는 비표준화 콘도 사용된다.

거타퍼차와 실러를 이용한 측방, 수직가압법

우리는 거타퍼차를 이용한 수직가압법(warm vertical condensation)의 특징에 초점을 맞춰서 설명할 것이고, 여전히 유효하고 널리 사용되는 측방가압법(lateral condensation)과 관련된 부분은 생략하고자 한다.[2, 15, 16]

충전할 콘의 특징은 **Box 5.1**에 서술되어 있는데, 근관내 기구 조작 후 얻어진 근관 형태와 일치해야 한다. 성형에 사용되는 기구의 직경과 경사도의 결정은 이후 근관충전 시 정확한 크기의 콘을 쉽게 선택할 수 있게 한다.[20]

근관실러

근관실러는 거타퍼챠의 밀폐력을 향상시키기 때문에 성공적인 충전에 필수적인 요소이다. 많은 sealer들이 입증된 효과를 보여주는데, 가장 일반적으로 사용되는 sealer는 산화아연유지놀 계통이다. 에폭시 레진계열도 널리 쓰이는데, 앞서 언급한 sealer와 비교했을 때 그 장점이 유의한 것 같지는 않다. 파우더-리퀴드 형태로 시장에 판매되는 sealer는 혼합하여 페이퍼 포인트 콘이나 거타퍼챠 콘을 이용하여 근관내로 적용한다.

재근관치료에서는 치근단부 충전에 더더욱 신경 써야 하는 상황이기 때문에 sealer의 혼합과 적용에 주의를 기울여야 한다. Bioactive sealer는 흥미로운 역할을 하는 것으로 보이는데 이 장 뒷부분에서 논의될 것이다.

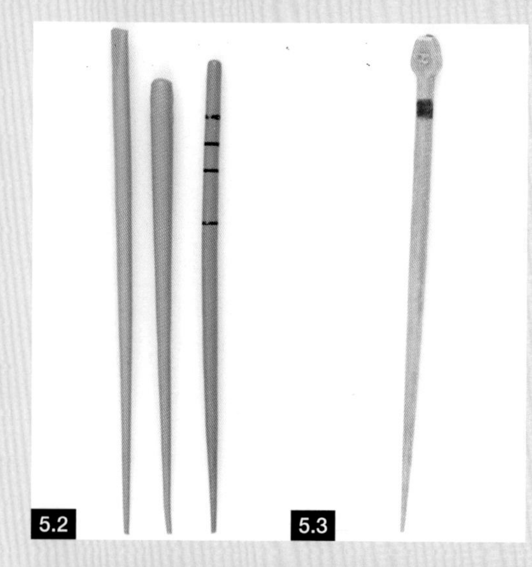

Fig. 5.2: 비표준화 콘의 3가지 예시. 작은 팁 사이즈와 서로 다른 경사도를 가지고 있다.

Fig. 5.3: 잘 알려진 팁 크기(25 ISO)와 정해진 경사도를 가진 콘의 예시. NiTi 파일로 성형한 근관의 수직가압 충전에 이상적인 콘이다.

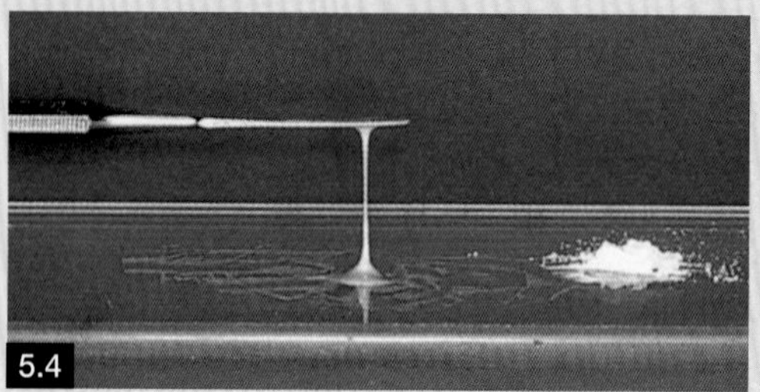

Fig. 5.4: 근관에 적용하기 적절한 상태로 혼합한 ZOE sealer

준비 단계에서는 대충 건조시킨 근관에 페이퍼 포인트를 이용하여 작업장 길이를 확인한다.

이후 NaOCl으로 채운 근관에 거타퍼챠 콘을 시적해 본다. 콘의 시적 단계는 다음과 같다.

- 근관의 치근단 직경과 일치하는 콘의 선택
- 콘을 시적하기 전, 충전하기 전에 콘의 소독
- 근관내 시적
- 길이 확인
- "Tug back" 혹은 치근단 저항감 확인

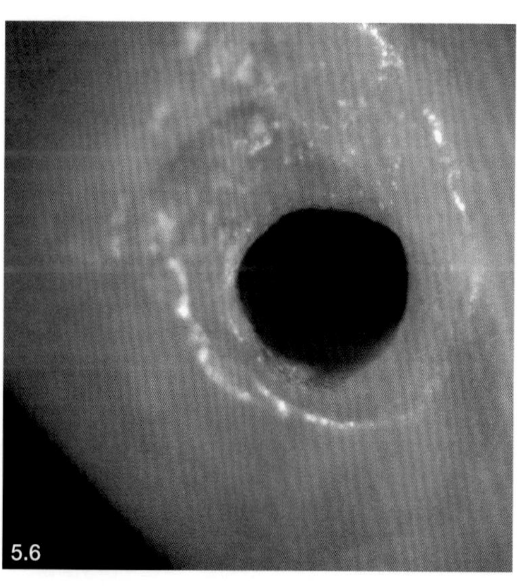

Fig. 5.5: 과하게 석회화된 상악 대구치의 근심 치근의 전자현미경 이미지. 어떤 치근단공도 보이지 않는다.

Fig. 5.6: 주치근단 공은 흡수 소견이 관찰된다. 두 증례는 콘과 치근단 종점의 크기가 일치하는 지점을 찾는 데 있어서 어려움이 있다.

작업장 길이, 충전의 치근단 경계의 확인

Fig. 5.7: 대충 건조시킨 근관에 페이퍼 포인트를 넣으면 근관내와 근관 밖(어두운 부분)의 경계를 확인할 수 있게 해준다.

소독

콘은 페트리 디쉬의 5% NaOCl에 담가둔다. *Bacillus subtilis* 포자를 없애기 위해서는 60초가 충분하다.[21] 콘의 감염을 예방하기 위해 근관내는 NaOCl로 채워둔다.[22]

치근단직경

'비표준화' 콘을 사용할 수 있는데, 거타퍼챠 게이지를 이용하여 끝부분을 잘라낼 수 있다. 자를 때는 정교해야 한다.

치근단 크기와 경사도가 정해진 콘을 사용할 수도 있다. 그러나 이들 콘 역시 거타퍼챠 게이지로 확인되어야 한다.

근관내 시적

근관내 시적은 중요한 단계이다. 이때는 근관내를 세척액으로 채운 상태에서 진행해야 하는데, 습윤한 환경에서 콘이 잘 들어가고 근관 내부의 오염을 피할 수 있기 때문이다.

적절한 콘은 다음과 같다.

- 근관성형 단계에서 결정한 근관의 끝까지 도달하고 이를 넘어서지 않는다.
- 삽입하고 제거하려고 할 때 치근단 부위에서 어떤 저항감을 느낀다(tug back).
- 반복적으로 삽입 가능하다.
- 근관에서 제거했을 때 주름이나 구부러짐이 관찰되지 않는다.

재근관치료에서 근관내 장애물 혹은 무기물질(예: 거타퍼챠 잔류물, 페이스트나 sealer, step, 상아질 막힘)의 존재는 근관내 성형을 복잡하게 하고, 이후 얻어진 근관의 형태는 거타퍼챠 콘이 쉽게 적합되지 않을 수 있다. 이전 근관 성형에서의 문제점을 이해하는 것은 추가적인 기구 조작을 계획하는데 도움을 준다.

이러한 시적 단계에서 장애물이 발견되면, 근관 직경, 치근단부 직경을 조절하여 결과적으로 근관계의 소독을 용이하게 하면서 충전재의 적합도를 증

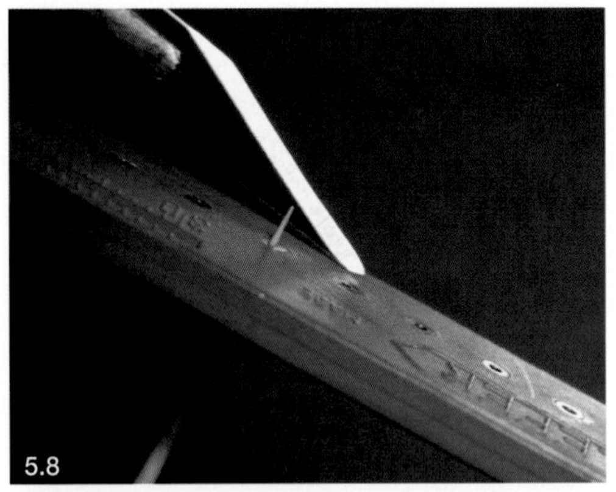

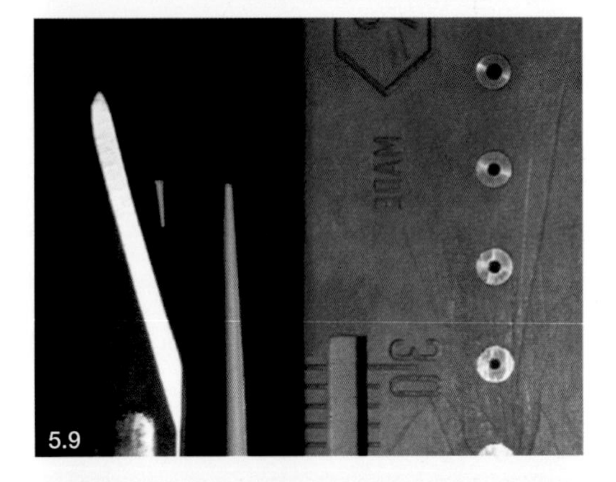

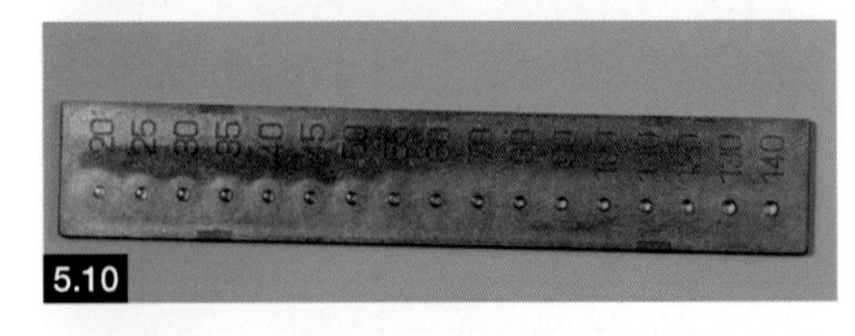

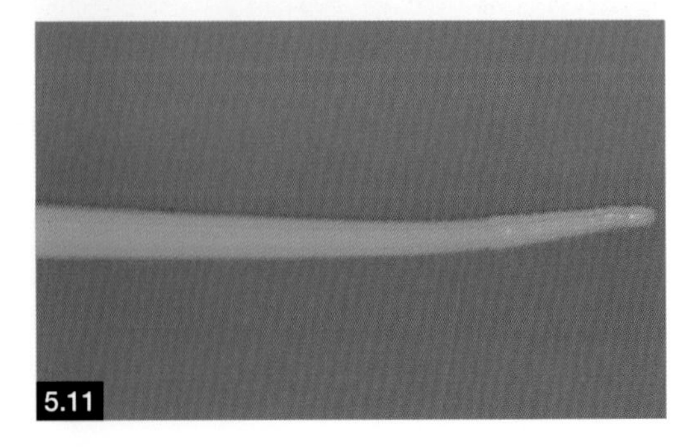

Fig. 5.8: 콘을 자르기 위해 해당 ISO 크기의 구멍에 넣은 콘

Fig. 5.9: 정확한 크기를 위해 콘 절단

Fig. 5.10: 정확한 ISO 직경으로 콘을 자르기 위해 필요한 기구

Fig. 5.11: 치근단부에 정확하게 적합된 콘. 이는 근관의 끝부분과 긴밀한 접합을 보여준다.

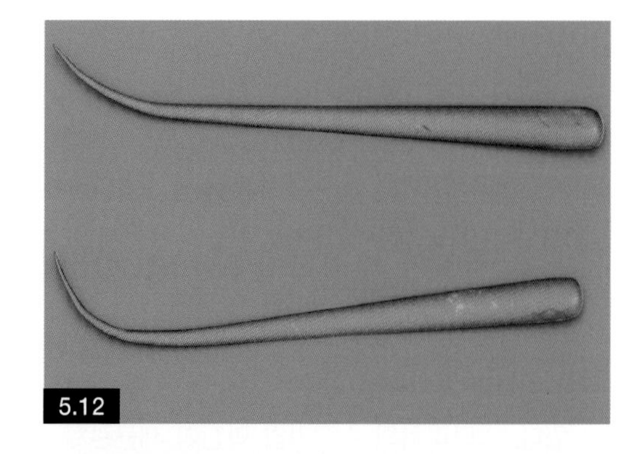

5.12

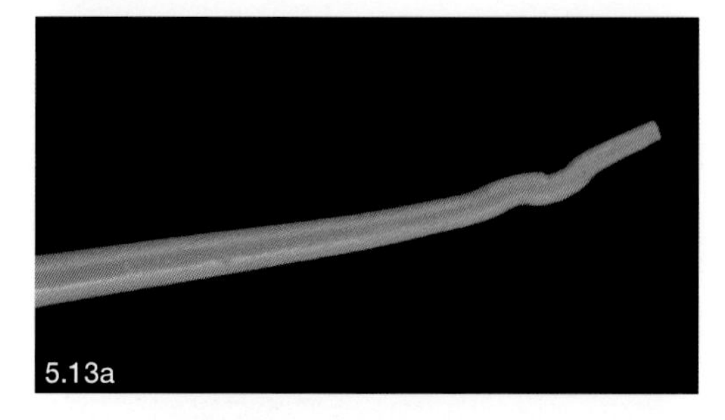

5.13a

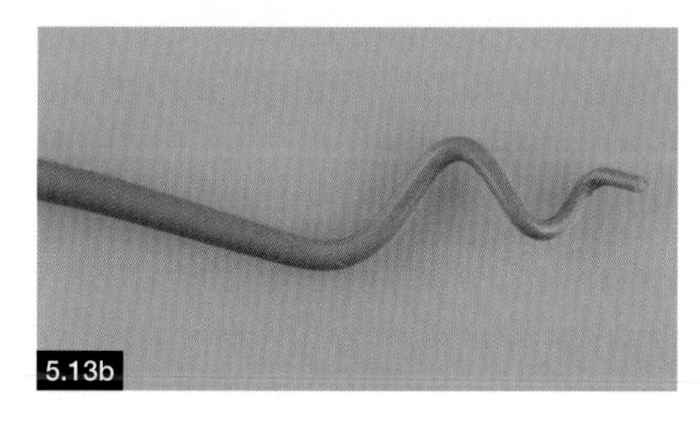

5.13b

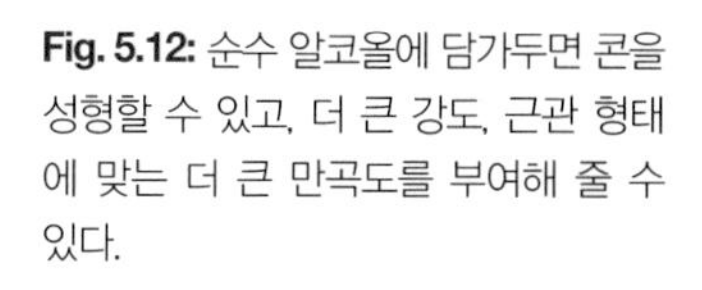

Fig. 5.12: 순수 알코올에 담가두면 콘을 성형할 수 있고, 더 큰 강도, 근관 형태에 맞는 더 큰 만곡도를 부여해 줄 수 있다.

Fig. 5.13a-b: 팁 끝에서 구부러지고 시적의 조건을 만족시키지 못한 콘의 예시

가시킬 수 있는 것이다.

근관내 무기물질이 있는 경우에는 초음파가 유용한데, 특히 현미경과 함께 사용할 때 그렇다. 또한 치아가 과도하게 성형되어 있을 때 추가적인 성형과정은 치근을 약화시키고 파절에 취약하게 하기 때문에 초음파가 특히 유용하다. 이러한 경우에는 다른 경사도와 다른 성질을 가진 거타퍼챠 콘을 사용해야 하는데, 순수 알코올에 1분 동안 담가두면 거타퍼챠 콘의 경도를 증가시킬 수 있다. 경도가 증가하거나 근관 형태에 잘 맞게 준비된 콘은 시적단계에서 복잡한 해부학적 구조를 가진 치근단 부위에 잘 도달할 수 있다.

거타퍼챠가 근관벽에 꼭 맞는다는 것은 근관계의 양호한 충전을 보장해준다는 것을 의미한다. 과충전, 혹은 저충전을 피하고 3차원적으로 잘 충전하기 위해서는 거타퍼챠 콘의 적합은 치관부가 아닌 치근단 부분에서 일어나야 한다.[23, 24]

시적 단계에서 근관벽과 원치 않는 접촉이 생기면 콘의 표면에 작은 줄무의가 생긴다. 그 줄무늬가 치근단 1/3에 위치하면 콘과 근관의 좋은 적합이 확인되는 것이고, 제거할 때 느껴지는 저항감(tug back, Schilder의 개념[25])은 거타퍼챠와 그 부위의 상아질 사이의 꼭 맞는 적합을 의미한다.

치근단 부위에서 콘이 구부러지고 접히는 문제는 근관의 재성형으로 해결해야 하는데, 적절한 기구 혹은 다른 성형 과정으로 근관의 경사도를 증가시키는 방법이 고려될 수 있다. 현미경 혹은 시야와 동일한 방향을 비추는 조명을 동반하는 확대경이 시야 개선을 위해 사용될 수 있고, 치근단 부위의 형태적인 특성을 눈으로 보면서 개선시킬 수 있다.[12–13, 19]

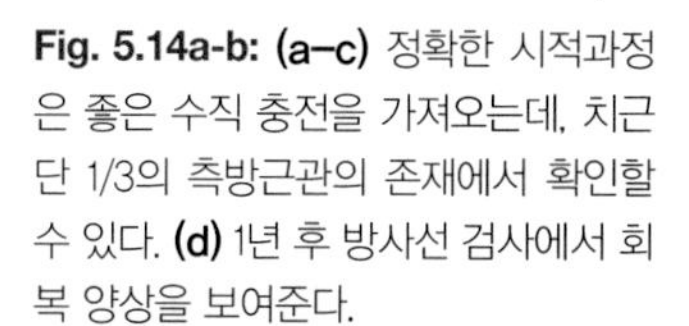

Fig. 5.14a-b: (a–c) 정확한 시적과정은 좋은 수직 충전을 가져오는데, 치근단 1/3의 측방근관의 존재에서 확인할 수 있다. **(d)** 1년 후 방사선 검사에서 회복 양상을 보여준다.

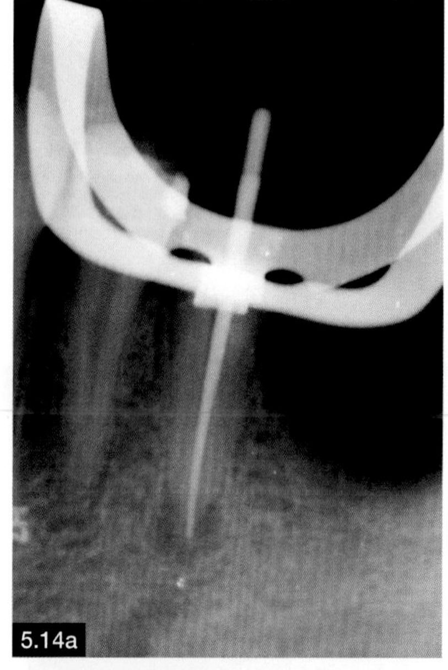

5.14a

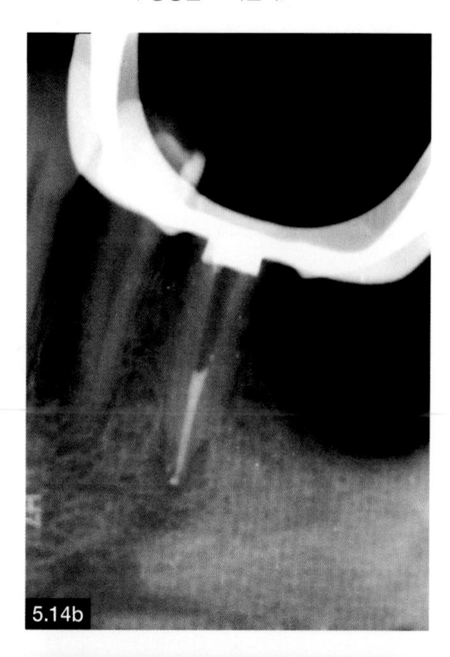

5.14b

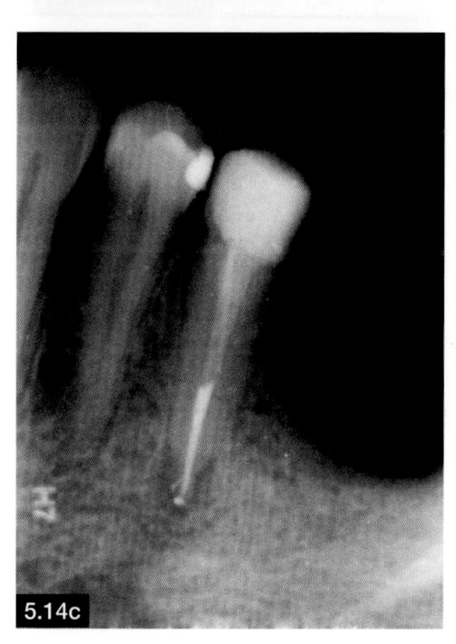

5.14c

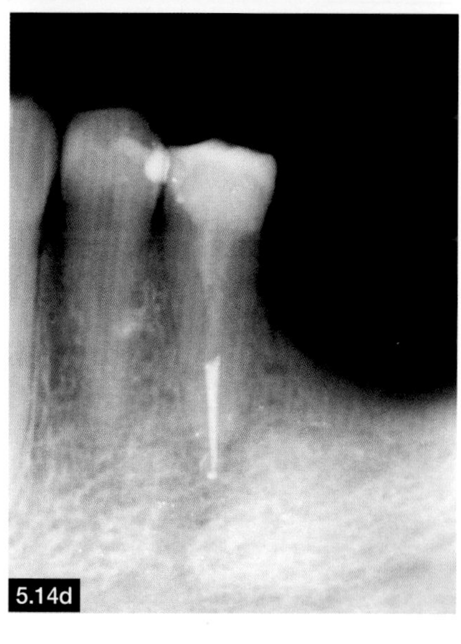

5.14d

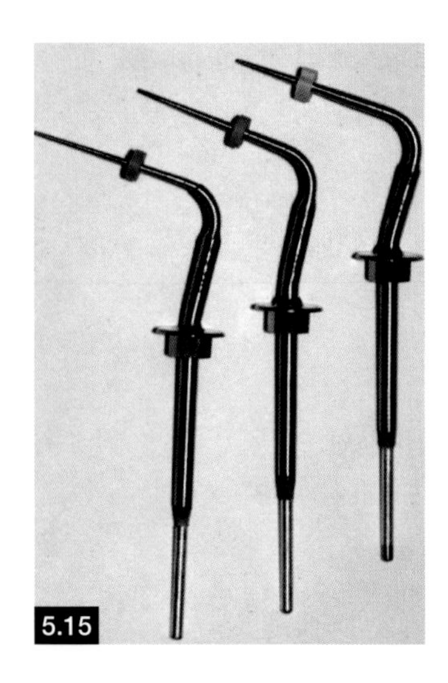

Fig. 5.15: 열전달 기구와 컨덴서. 오늘날에는 거타퍼챠를 충분히 연화시키도록 근관내로 정확한 양의 열 전달을 가능하게 하는 전자 열전달 기구를 사용하고 있다. ISO 30 정도 직경을 가진 얇고 유연한 팁이 복잡한 근관의 깊은 부분까지 도달할 수 있도록 디자인되어 있다.

방사선 사진 촬영

콘을 삽입한 상태로 방사선 사진을 촬영할 수 있는데, 이는 이전 과정을 평가하고, 작업장 길이를 확인하고, 충전상태를 예측해 보기 위함이다. 방사선 사진에서 선택한 콘이 적절하다고 확인되면 최종 근관충전을 할 수 있다.

수직가압법

수직가압법에 몇 가지 기구가 필요하다.

- 근관 깊은 곳의 거타퍼챠를 가열하기 위한 열전달기구(Fig. 5.15)
- 근관의 치근단 부위까지 도달하여 가열된 거타퍼챠를 다지기 위한 compactor (Fig. 5.16)

현재의 시스템은 정해진 크기와 형태를 가진 하나의 기구로 이루어져 있는데, 거타퍼챠를 가열하고 다지는 두 가지 역할을 겸한다. 그러나 이 시스템이 유일한 것은 아니고, 치근단 부위에서 거타퍼챠를 효과적으로 가열하는 다양한 방법들이 문헌에 보고되고 있다.[26–30]

자세한 내용들은 생략했지만, 근관을 잘 밀봉하기 위한 방법과 사용되는 기구는 그림에서 잘 보여주고 있다. 거타퍼챠의 수직가압 과정이 재근관치료에서 고심해야할 마지막 단계이다. 치근단 밀폐는 치근단부의 세심한 성형의 결과이기 때문에, 근관의 형태가 불확실한 상황에서의 충전방법은 적절하게 변형되어야 한다.

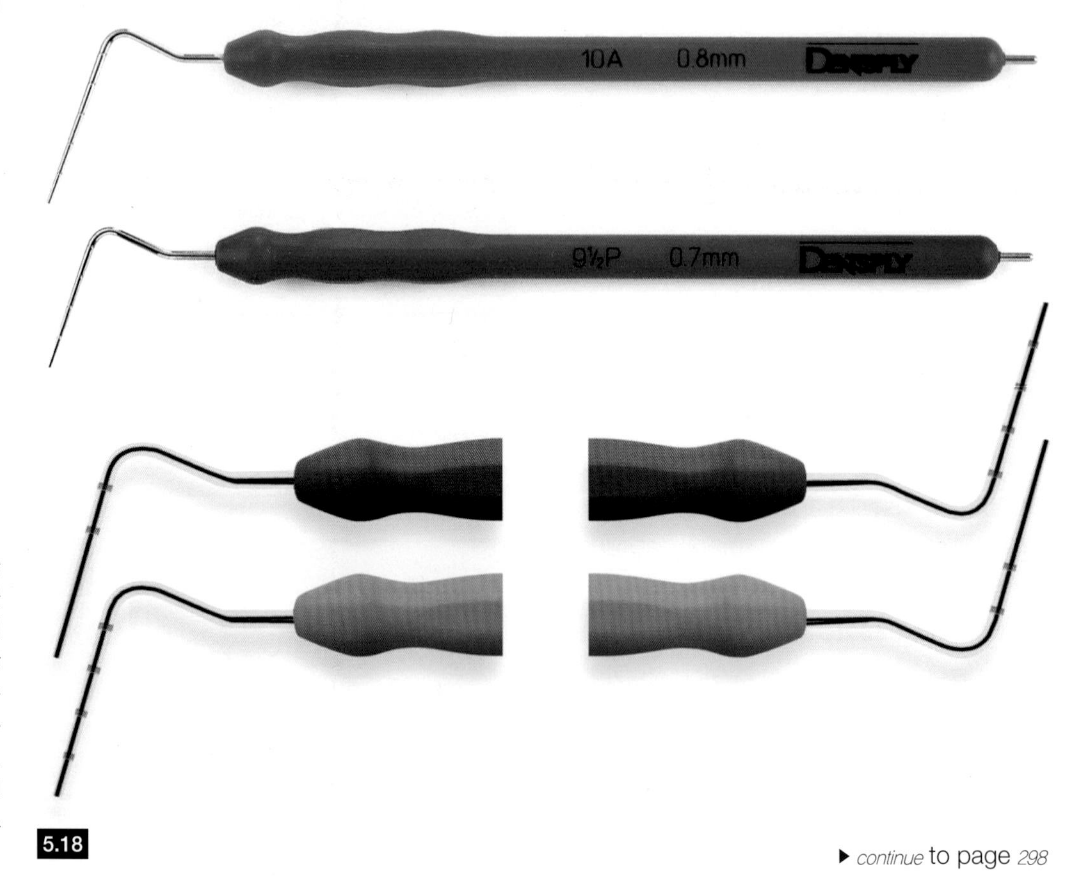

Fig. 5.16: 가열된 거타퍼챠를 위한 플러거 2 종류(Maillefer, Switzerland). 플러거는 5 mm 간격으로 눈금이 표시되어 있는데 근관내로 플러거가 들어간 깊이를 확인하는 가이드로 이용될 수 있어서 적절한 종료지점을 결정할 수 있다. 플러거를 근관내로 적용할 때는, 그 힘이 웨지(Wedge) 효과를 일으켜 치근 파절을 야기하지 않도록 수동적으로 적용해야 한다.

▸ continue to page 298

거타퍼챠 수직가압법을 이용한 재근관치료

CASE REPORT 1

소개된 증례에서의 근관 형태는 자연치의 형태와 유사한데, 이전의 치료로 근관의 해부학적 형태, 특히 치근단 부분이 거의 변하지 않은 것을 알수 있다. 따라서 통상적인 근관 성형과 수직가압법 충전이 가능해 보였다.

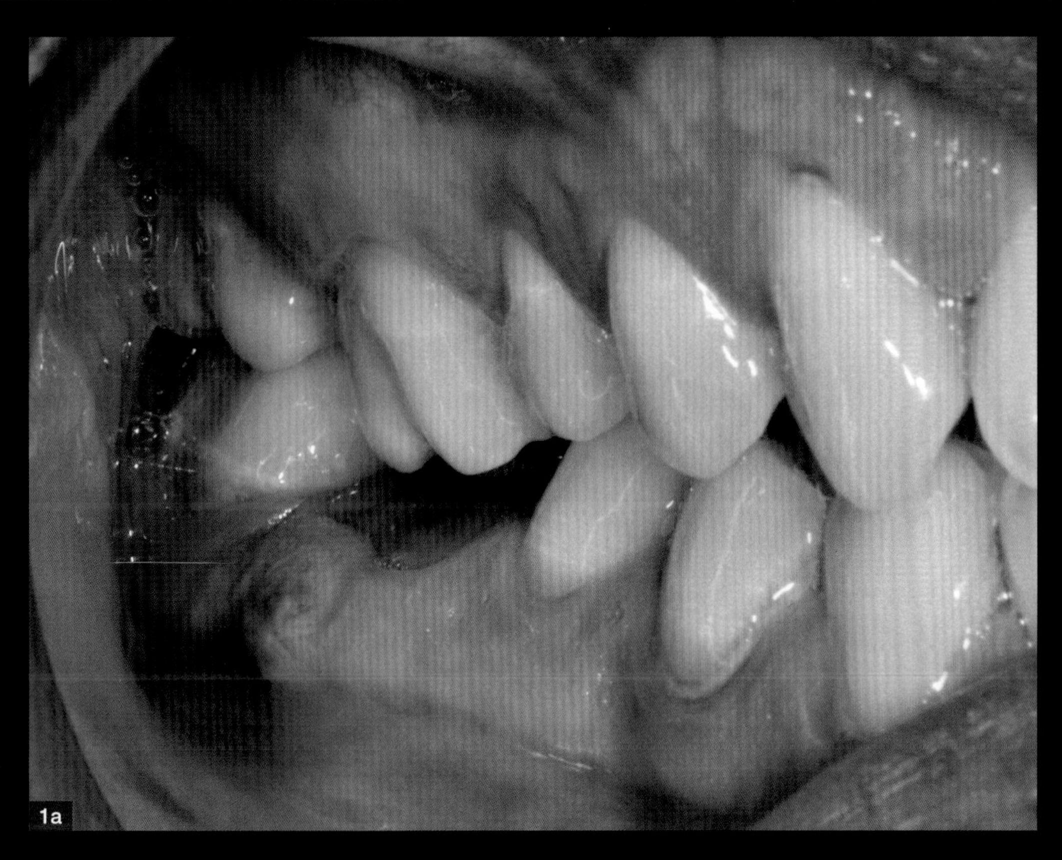

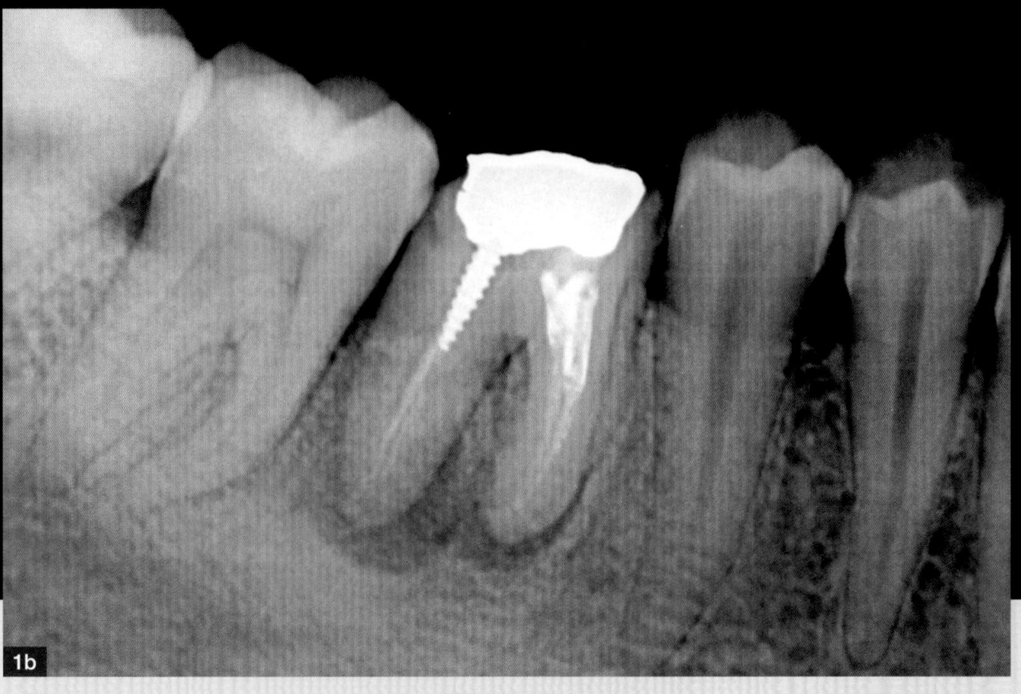

Figure 1a, b 구치부에서 치은연 위치에 누공(**a**)이 확인되었는데 이는 부적절한 근관치료와 관련하여 치주 문제도 연관됨을 보여준다. (**b**) 나사 형태의 포스트 식립 상태를 보여준다.

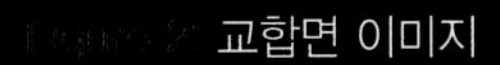
Figure 2: 교합면 이미지

Figure 3: 모든 아말감을 제거한 후의 와동 형태

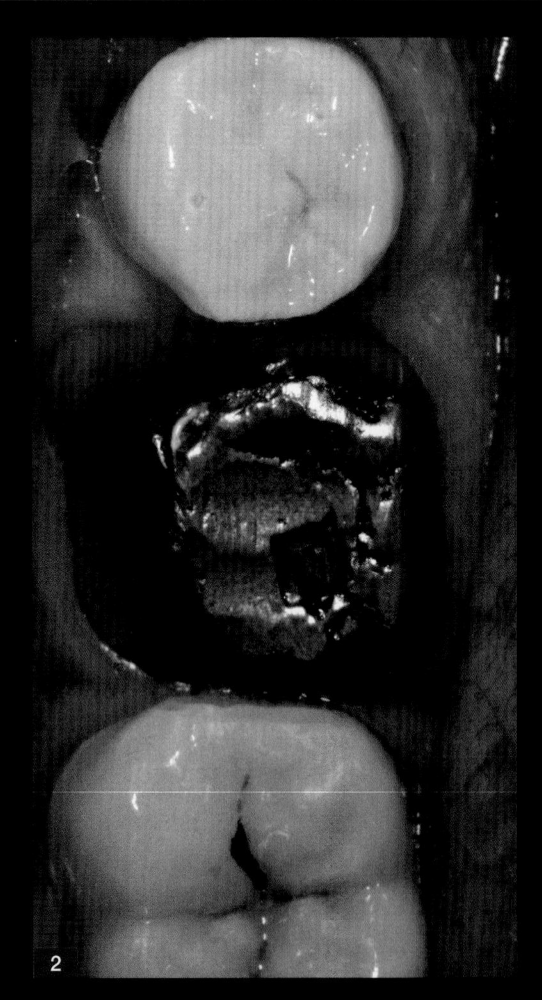

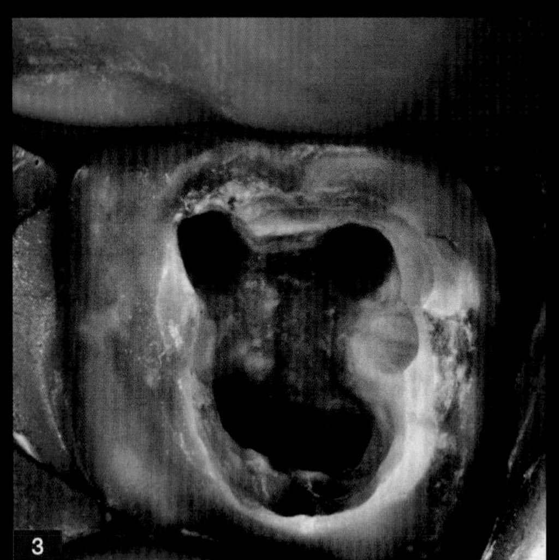

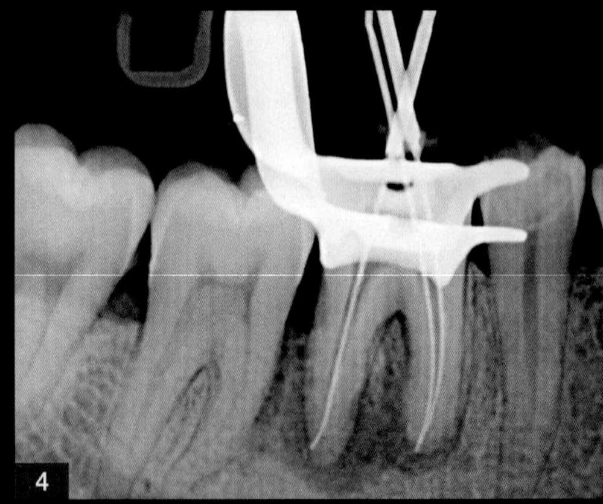

Figure 4: 빈 근관에 파일을 넣고 길이를 확인한다.

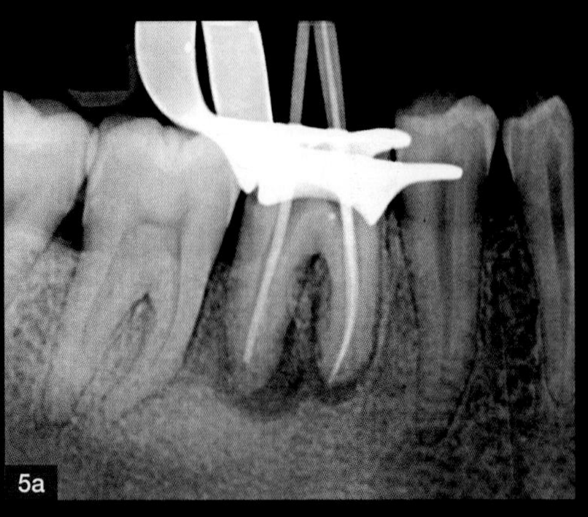

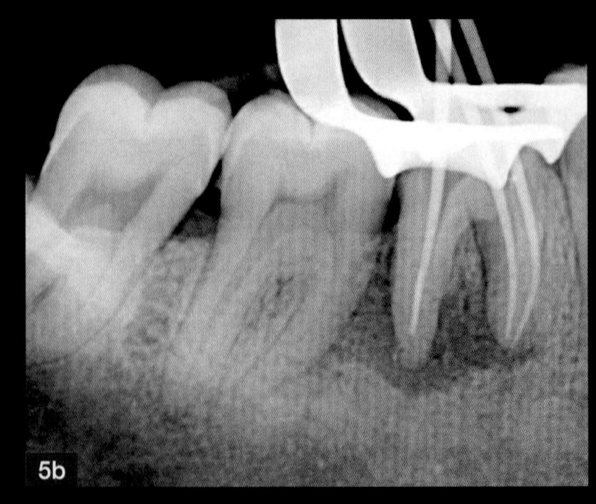

Figure 5a-b: 콘을 시적하고 다른 각도에서 촬영한 사진

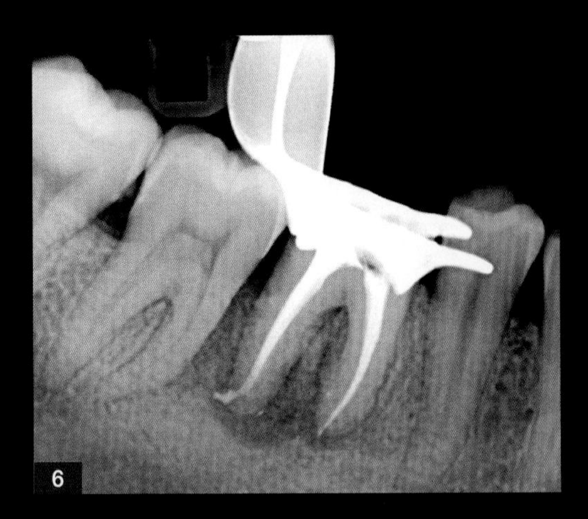

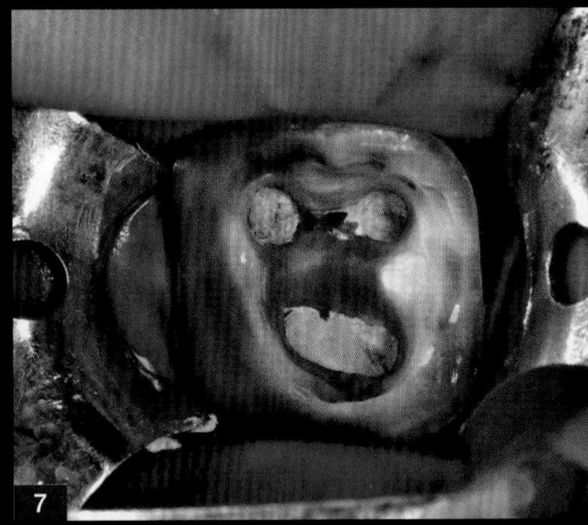

Figure 6: 치근단부의 우수한 적합을 보여주는 최종 방사선 사진

Figure 7: 교합면 이미지

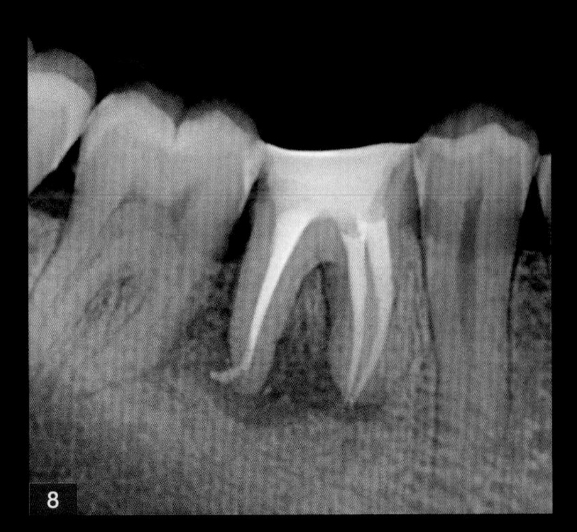

Figure 8: 재근관치료의 마무리 단계에서 방사선 사진

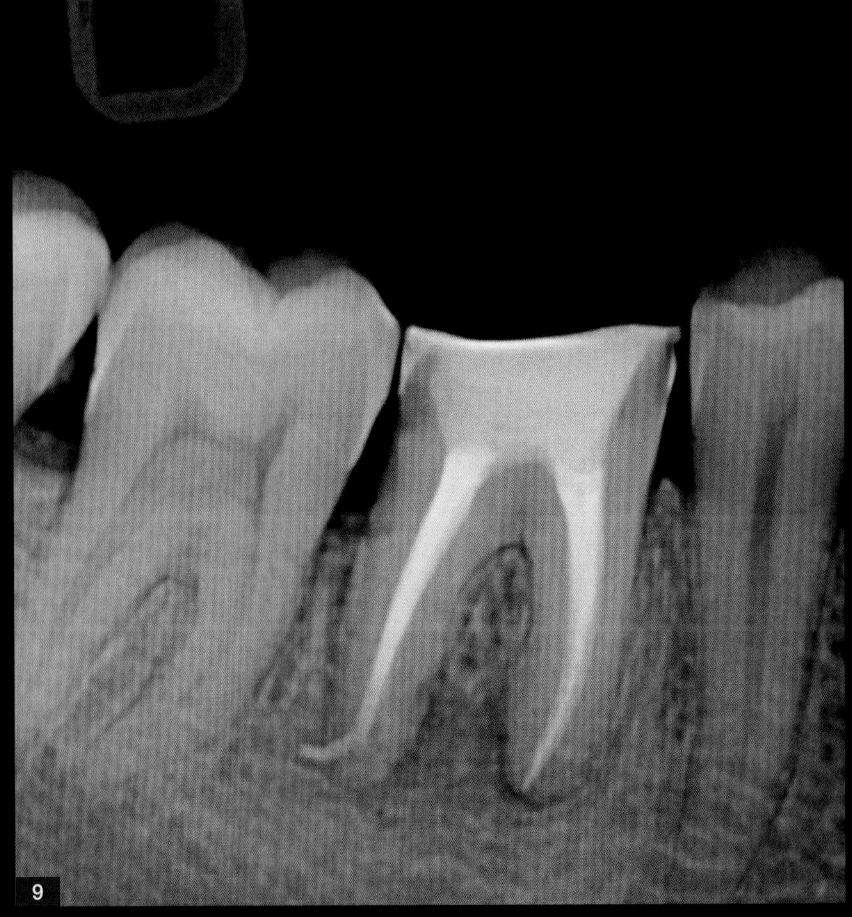

Figure 9: 4년 후 방사선 사진

CASE
REPORT 2

완만한 만곡을 가진 하악 대구치의 재근관치료

근관의 해부학적 형태를 분석할 때, 치료 시작 전의 형태를 이해하는 것은 매우 중요하다. 이는 근관을 성형한 후, 적절한 충전방법을 선택하는 데 도움을 준다. 연속적인 만곡을 가진 근관은 미리 가열된 거타퍼챠 충전방법이 유용할 수 있다.

Figure 1 하악 대구치의 원심 치경부 병소는 광범위한 수복이 필요하다.

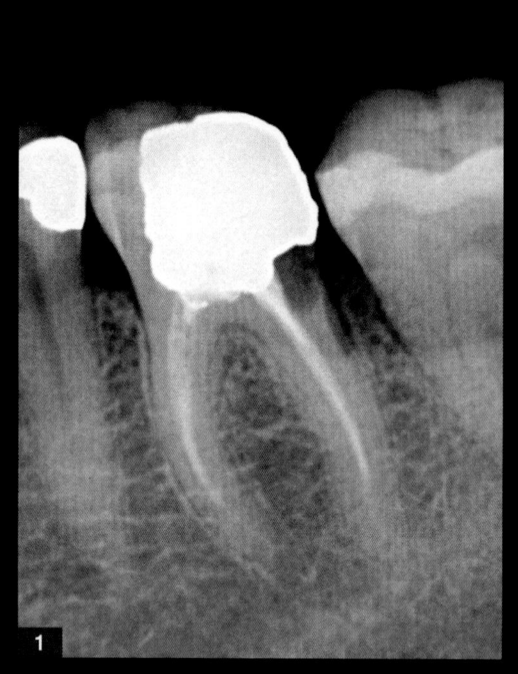

Figure 2 일단 오래된 충전물을 제거하고, 근관충전재들을 제거한 후 근관 형태를 다시 확인한다.

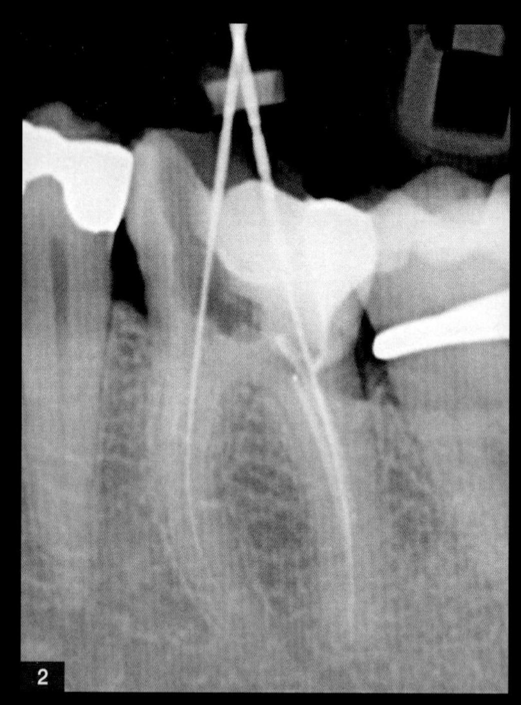

Figure 3 연화된 거타퍼챠를 이용한 시적 과정은 근관, 특히 치근단 부분이 얼마나 잘 성형되었는지 확인시켜준다.

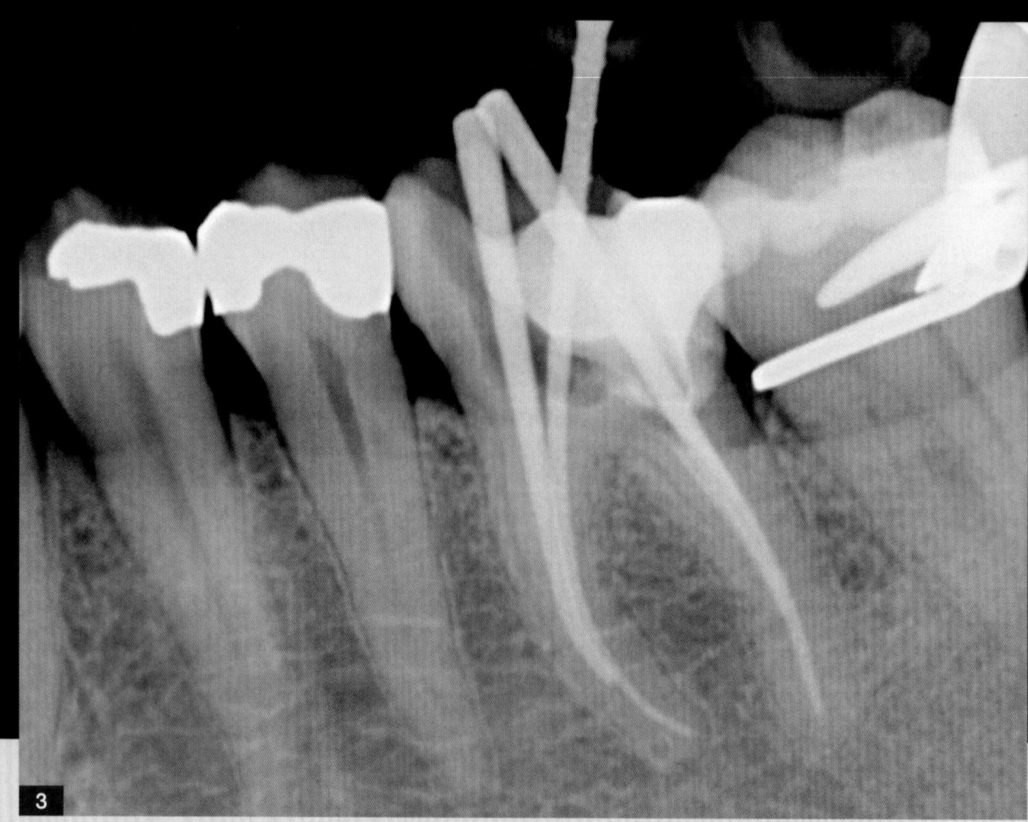

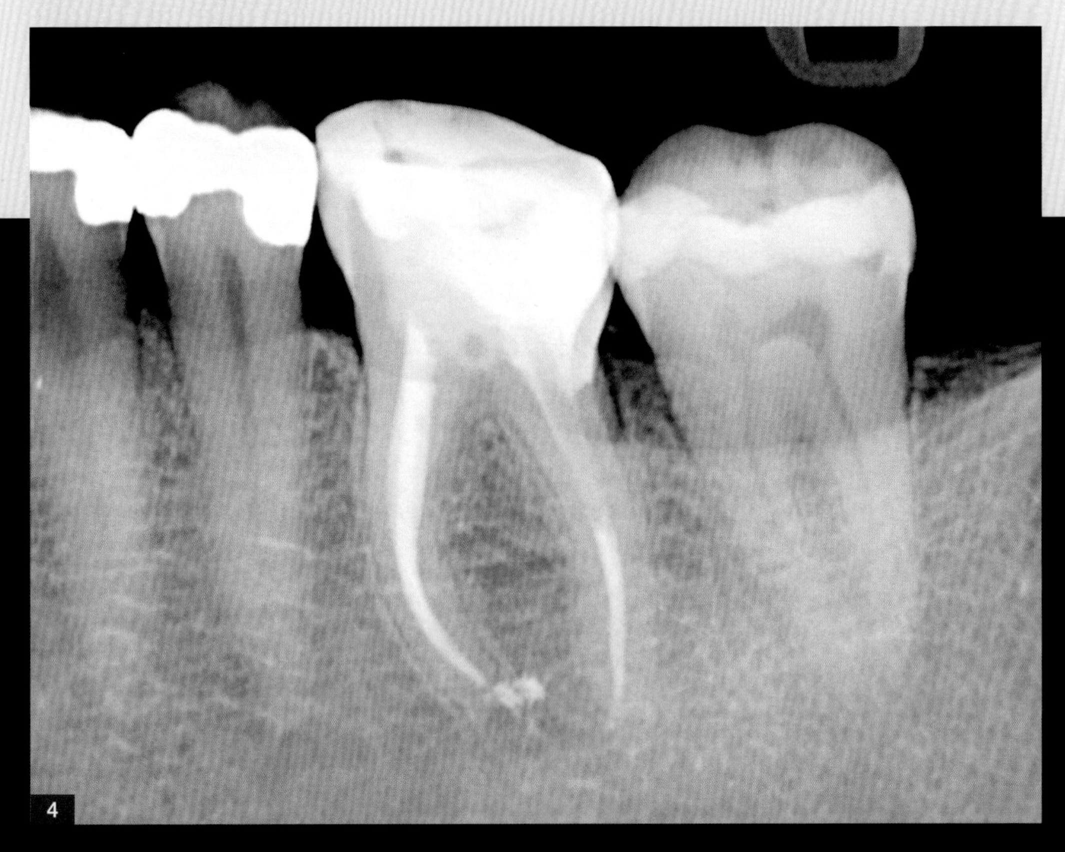

Figure 4: 치료 후의 방사선 사진

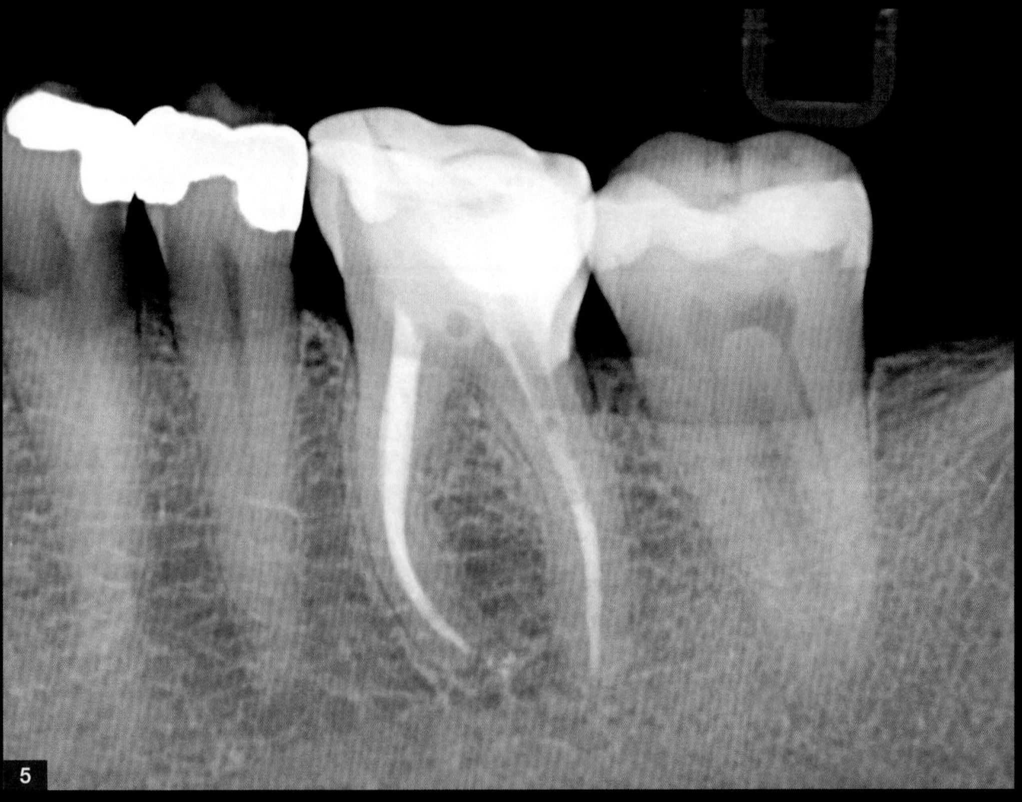

Figure 5: 2년 후 방사선 사진은 재근관치료의 성공을 보여준다.

캐리어와 예열된 거타퍼챠를 이용한 충전법

1970년대 말,[31] 방사선 불투과성의 플라스틱 캐리어와 예열된 거타퍼챠를 이용하는 충전법이 소개된 후 이 시스템은 점차 보편화되었다**(Fig. 5.17a-c)**.[32-34]

캐리어는 색이 다른 핸들을 가지고 있는데, 이는 ISO 표준 규격의 크기과 색상을 따르고 있다.

이 시스템은 과하게 넓은 치근단 직경을 가지지 않는 만곡된 근관의 충전에 이상적이다.[35] 우수한 충전 적합도를 얻기 위해 정확한 순서를 따라야 한다. 거타퍼챠가 없는 캐리어를 사용하여 치근단부 직경보다 약간 큰 크기의 캐리어를 고르도록 한다.[36] 플라스틱 캐리어의 위치와 적합도는 치근단 방사선 사진으로 확인해야 한다. 충전할 때는 아주 소량의 실러가 사용되는데, 소독된 페이퍼포인트로 근관 내에 적용한다. 그리고 과도한 실러는 제거해낸다.

거타퍼챠 캐리어는 전용 오븐에서 가열한 후, 시적 단계에서 확인한 길이에 도달할 때까지 근관내로 천천히 밀어넣는다. 이 방법은 복잡한 근관계를 3차원적으로 충전할 수 있는 간단하고 효과적인 방법으로 보인다.

특히 좁고, 길고 만곡된 근관의 충전에 효과적으로 보이는데, 이런 근관에서는 거타퍼챠 콘에 열을 가해 적절하게 가압하기 위한 근단부 최소 4 mm 지점까지 열전달 기구나 플러거를 적용하기 어렵기 때문이다.

거타퍼챠를 적용할 때 열을 사용하지 않는 'cold'[37, 38] 테크닉과 달리 열가소성의 거타퍼챠는 근관계의 모든 복잡한 구조를 3차원적으로 밀봉할 수 있다.[39]

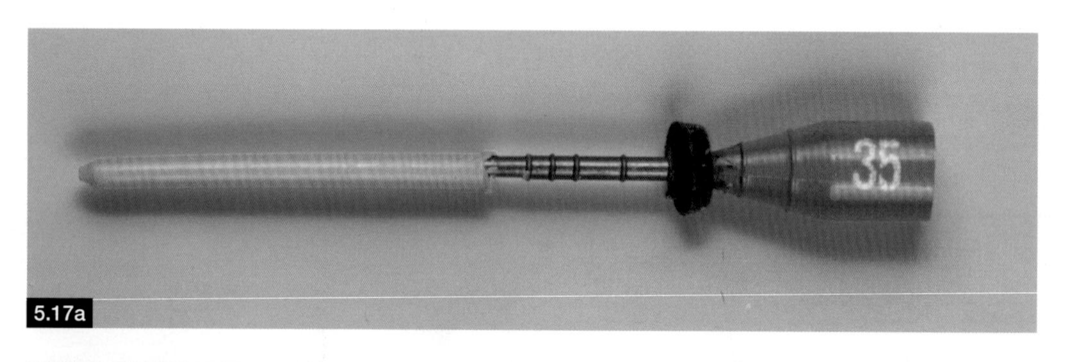

Fig. 5.17a: 열가소성 거타퍼챠를 위한 충전 기구(Thermafil, Maillefer, Switzer-land)

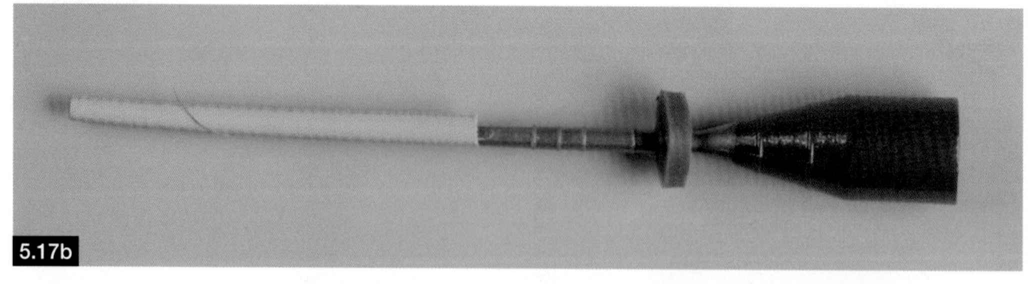

Fig. 5.17b: 다른 크기의 같은 기구(25 ISO)

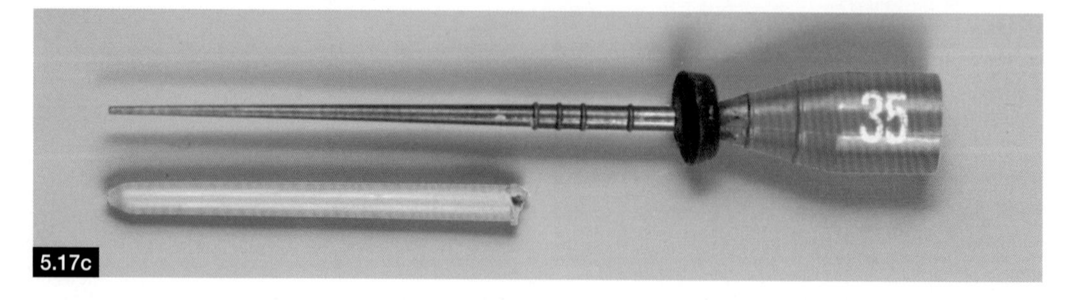

Fig. 5.17c: 거타퍼챠를 벗겨낸 캐리어의 사용은 작업장 길이를 확인하는 좋은 방법이다.

▶ *continue* to page *302*

예열된 거타퍼챠를 이용한 하악 대구치의 충전

CASE REPORT 3

다음 하악 대구치는 재성형 후 캐리어를 사용하여 예열된 거타퍼챠를 삽입하는 방법으로 충전하기 적절한 증례이다. 이 방법을 선택한 데에는 여러 이유가 있는데, 치근단 형태, 근관의 길이와 크기를 고려할 때 수직가압법이 적합하지 않았을 것이다.

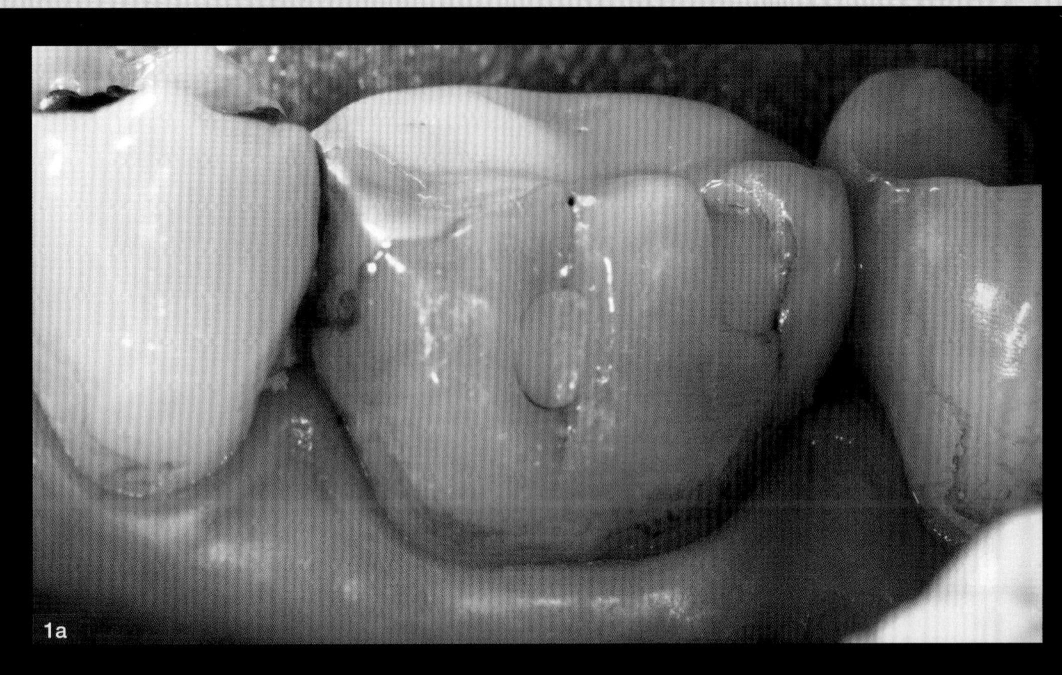

Figure 1a: 잔존 치질이 많은 하악 대구치

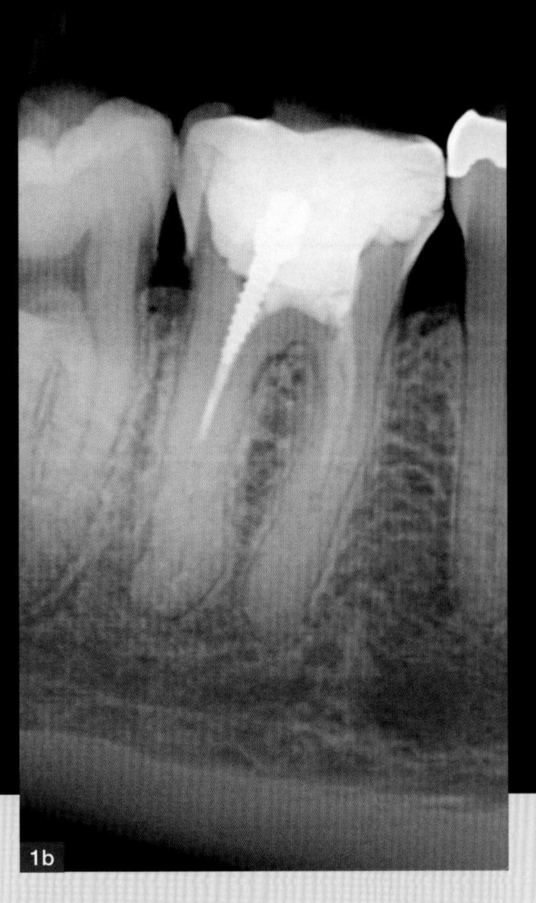

Figure 1b: 부적절한 기구 조작과 치근단 폐쇄를 보여주는 방사선 사진. 현재 충전된 부분 하방으로도 근관의 형태가 관찰되고 있어서 재근관치료의 적응증이다.

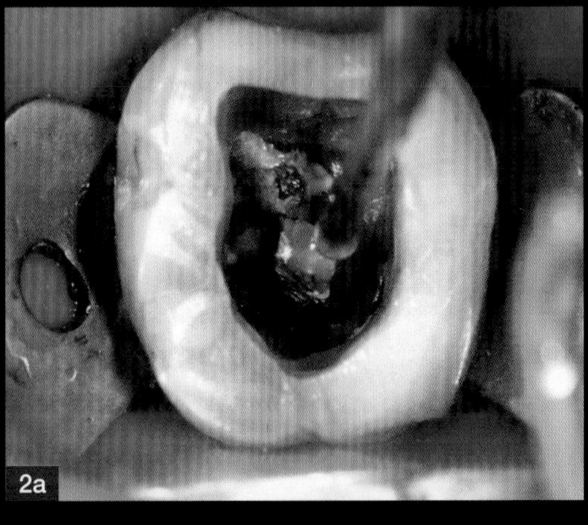

Figure 2a: 치수강 모습

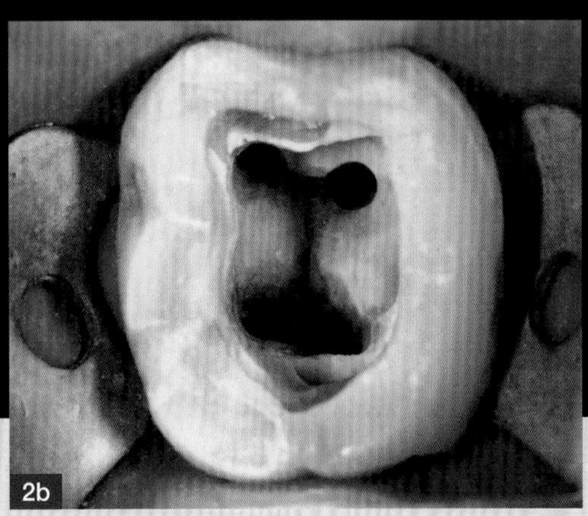

Figure 2b: 적절한 세정 후의 모습

이 경우, 근관 자체가 좁기 때문에 성형은 보다 안전하고 보존적으로 진행해야 한다. 근관 확대가 필요해 보이지만, 치근의 크기가 작기 때문에, 충전재의 완전한 적합을 얻기 위해 필요한 깊이까지 근관벽을 건드리지 않고 열 전달 기구와 compactor를 삽입하는 것이 불가능하다.

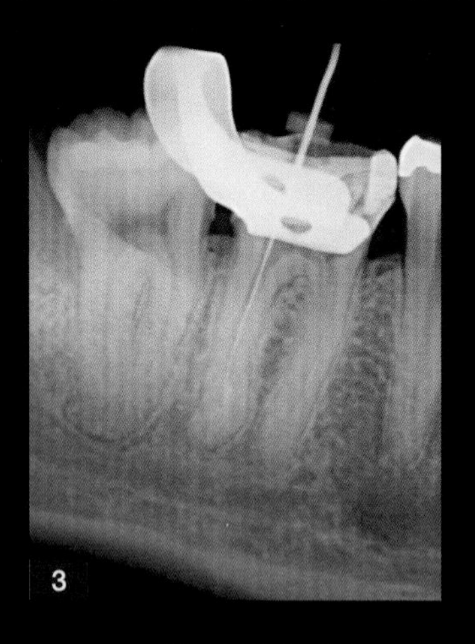

Figure 3: 원심 근관의 확인

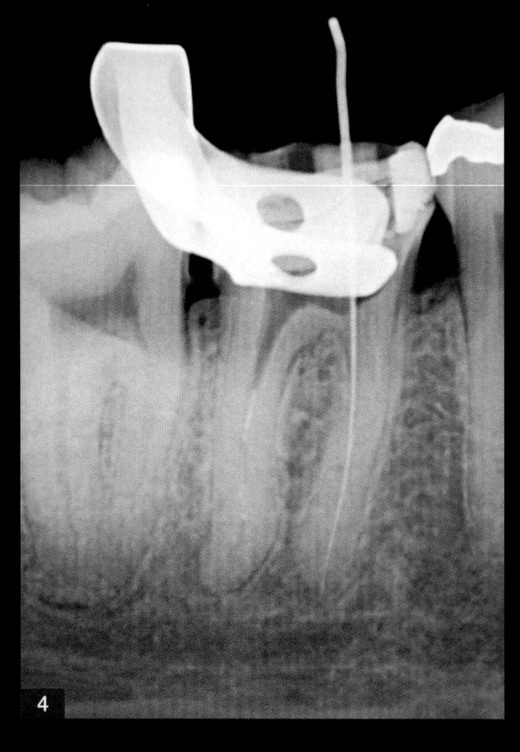

Figure 4: 근심 근관의 확인

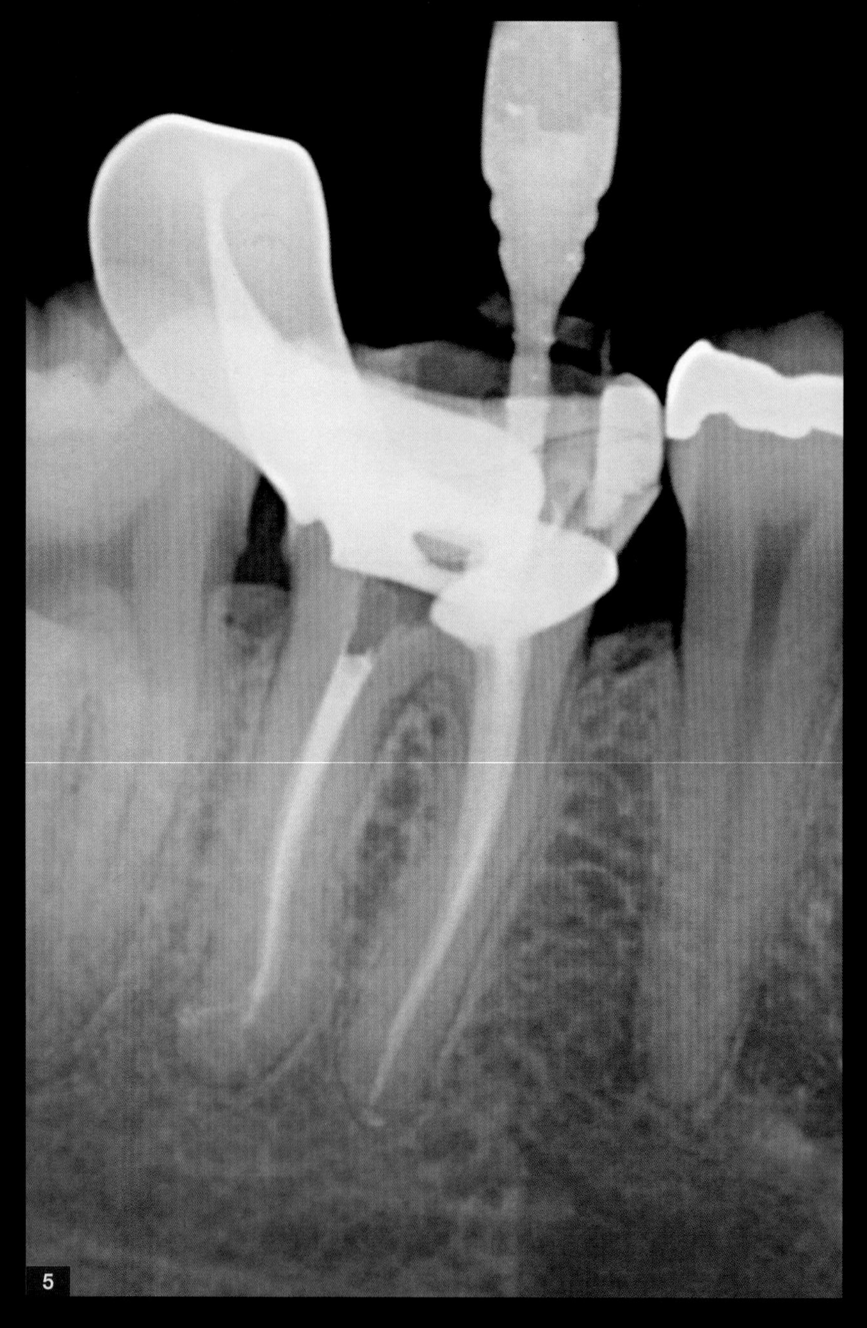

Figure 5: 캐리어를 삽입하여 치근단부 폐쇄 확인

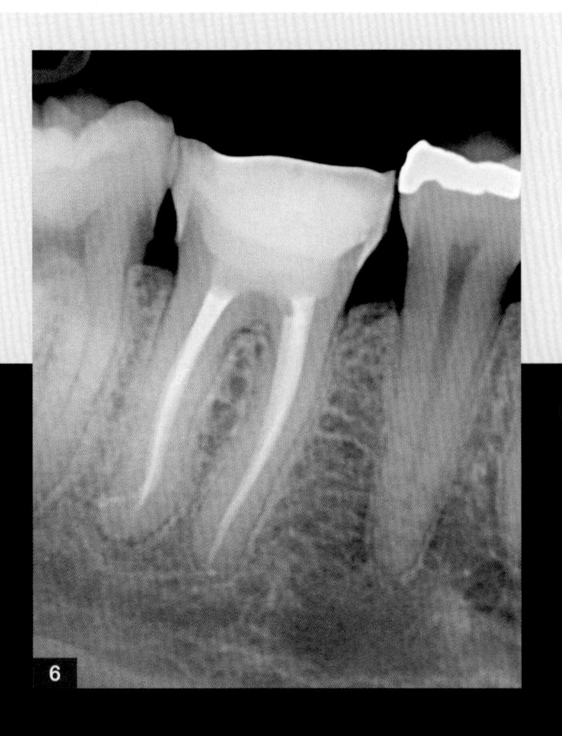

Figure 6 충전 후 즉시 확인한 사진

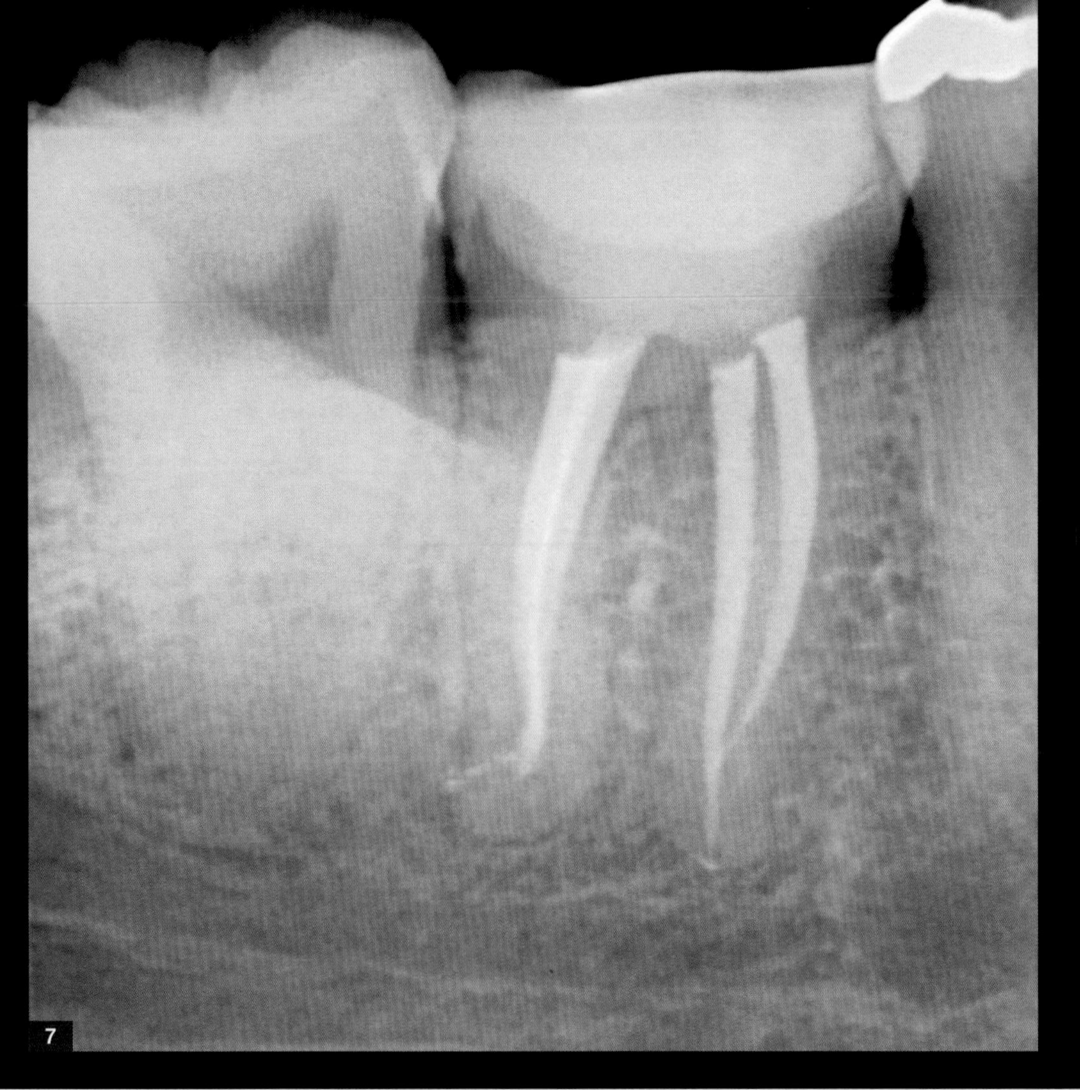

Figure 7 치료 2년 후 방사선 사진

충전법의 비교

이 주제에 대해서는 많은 연구들이 수직가압법과 예열된 거타퍼챠 충전법을 측방가압법과 비교하고 있는데, 측방가압법은 사용의 용이성과 현재 널리 사용되고 있다는 장점만을 가지는 방법이다.

Jarrett 등[41]은 상악 구치의 구개치근을 이용한 연구에서 캐리어를 사용한 열가소성 거타퍼챠와 수직가압법을 이용하는 거타퍼챠 충전법이 우수한 적합도를 보인다고 했다.

Gençoglu[42] 등은 *in vitro* 연구에서 염색침투에 우수한 저항을 보였다고 한다. Gulabivala[43] 등과 Leung[44] 등은 측방가압법과 비교하여 우수한 결과를 보고했는데, Leung 등의 연구에서는 25도 이상의 만곡을 가진 근관에서 가장 우수한 결과를 보였다.

그러나 모든 결과에서 우수한 결과를 보인 것은 아니다. Lares[45] 등은 측방가압법의 효율이 수직가압법보다 우수하다고 보고했다.

FILLING TECHNIQUES

새로운 충전방법은 치료의 성공 관점에서 명확한 장점이 있는 것 같지는 않다.

Bhambhani 등은 측방가압법과 캐리어를 이용한 열가소성 거타퍼챠 충전방법 간에 유의한 차이가 없다고 하였다.[40]

이는 박테리아 침투 연구에서도 유사한 것으로 보인다.[46–48]

2001년, Pommel[49] 등은 용액 여과 시스템을 이용하여 연속가압법, 측방가압법, 캐리어를 이용한 열가소성 거타퍼챠 충전법, 수직가압법의 치근단부 침투효과를 비교하였다. 그들은 캐리어법이 다른 방법들과 비교하여 유사한 정도의 즉각적인 밀폐효과를 나타냈다고 보고했다.

동일한 실험에서 한 달 후 평가에서는 측방가압법에서 침투 정도가 증가한 것을 발견했다.

저자들은 다른 충전법과 비교하여 측방가압법의 경우, 치근단의 마지막 부위에 sealer가 더 많이 존재하기 때문이라고 추측했다. 또 다른 연구는 sealer의 사용 여부에 따른 효과를 평가했는데, sealer를 사용한 경우보다 사용하지 않은 경우에 염료 침투가 더 크다고 했다.[50, 51]

이 결과는 충전과정에서 sealer의 유용성을 확인해준다.

그러나 특정 형태의 근관에서 거타퍼챠의 불완전한 충전은 연화된 거타퍼챠를 가압하여 충전하는 방법이 개발된 이유이다.

몇몇 연구는 캐리어를 이용한 거타퍼챠 충전법이 측방가압법에 비해 근관 내 충전된 공간의 비율이 더 높게 나타난다고 했다.[52, 53]

이 결과는 다른 충전법과 비교하여, 예열된 거타퍼챠를 사용하는 경우에 보여지는 것이다.[54, 55]

유사한 연구로 De-Deus[48] 등은 타원형의 근관을 이용하여 거타퍼챠의 적합을 비교했을 때, 예열시킨 거타퍼챠를 이용한 경우(98.16% ± 0.50%)가 측방가압법을 이용한 경우(82.60% ± 10.67)보다 더 우수한 결과를 보였다고 한다.[48] 많은 연구가 sealer의 역할을 강조했고,[56] 거타퍼챠와 sealer 사이의 시너지효과를 기본적으로 제시했다.[57, 58]

즉, 보편적인 성형과 충전방법이 우선적으로 고려될 수 있는데, 특히 이전 치료로 인해 근관에 유의한 변화가 생긴 재근관치료의 경우에도 마찬가지다.

염증에 의한 치근단 형태의 변화 때문에 예열 혹은 연화된 거타퍼챠를 이용하여 가압하는 충전방법에 대해 숙지하는 것은 근관의 형태가 원형이든 아니든, 좋은 밀폐를 얻기 위해 중요하다.

위의 두 가지 방법은 ISO 50 이상의 치근단 크기 혹은 급격한 경사도를 가진 근관에서 정확하게 근관을 밀폐하는 것이 어려워 보이긴 해도, ISO 50–60보다 작은 치근단 크기를 가진 근관을 충전하는 데는 적합하다. Pirani[59] 등은 전문의 수련 기관 증례에서 캐리어 방법으로 충전한 경우, 다른 충전법을 사용한 치아와 비교했을 때 10년 후에도 건강한 치근단 상태, 생존율을 보인다고 했다. 이러한 경우 bioactive sealer를 사용하는 다른 충전법이 적용되어야 한다.

▶ *continue* to page *310*

치근단부의 cement의 정출은 진짜 문제가 될까?

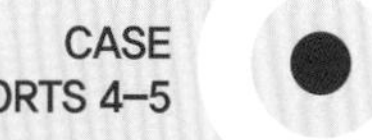

CASE REPORTS 4–5

치근첨 밖 재료의 정출을 항상 부정적으로 해석해서는 안 된다. 면역세포들이 cement와 거타퍼챠를 제거하기 위해 자극을 받겠지만, 기구 조작 지점을 넘어서는 재료의 정출은 근관계 전체가 제대로 충전되었다는 뜻으로도 해석되어야 한다.

CASE REPORT 4

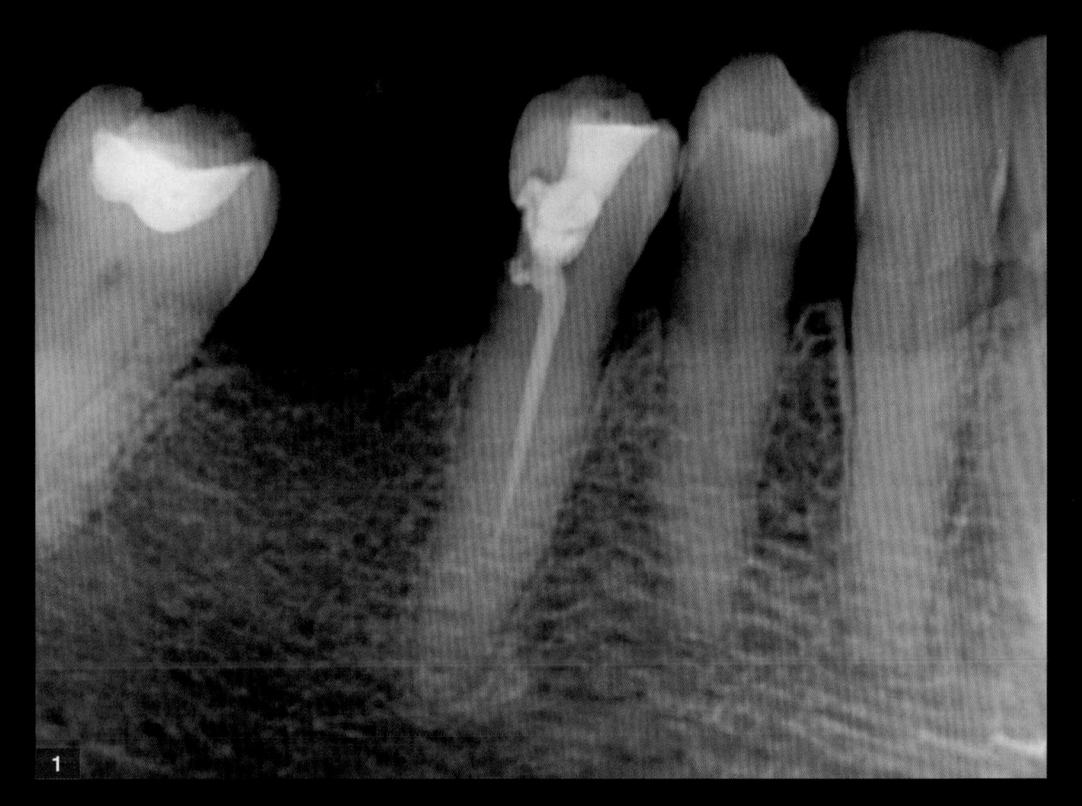

Figure 1: 이전 근관치료에서 명확한 공간이 남겨져 있는 하악 소구치

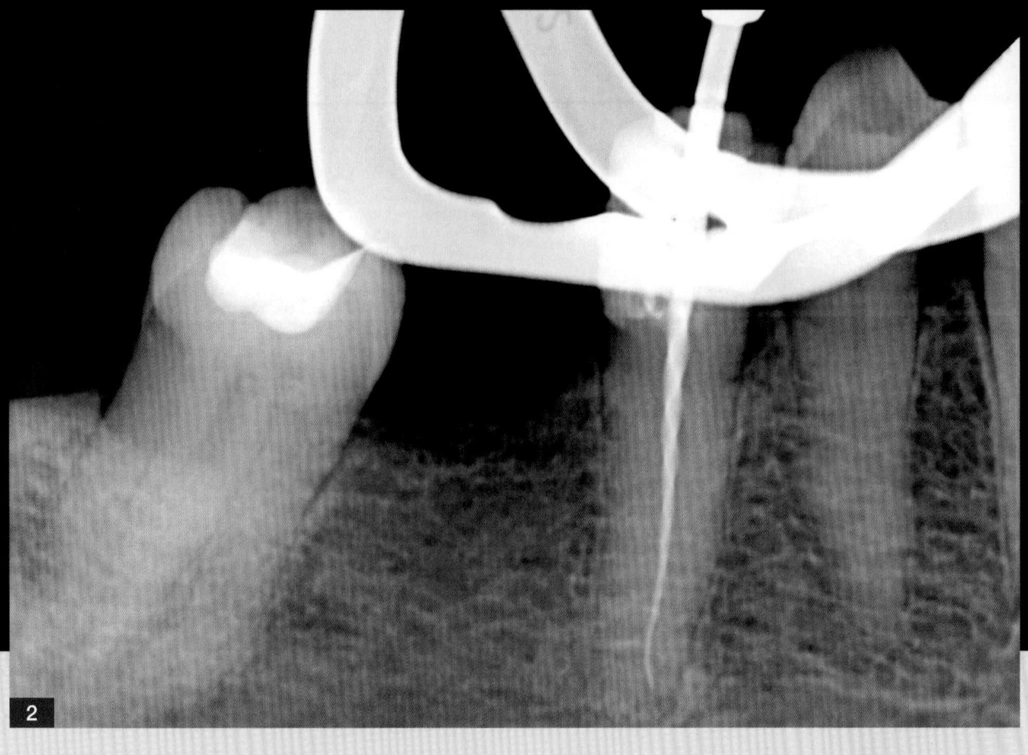

Figure 2: 이전 치료에서는 접근하지 못했던 부분까지 기구조작을 통해 접근하여 근관장을 측정한다.

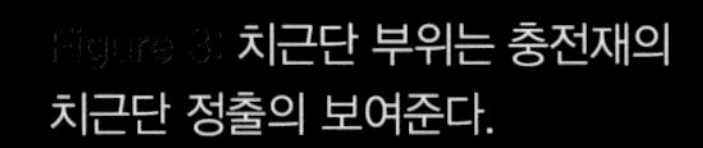

Figure 3: 치근단 부위는 충전재의 치근단 정출의 보여준다.

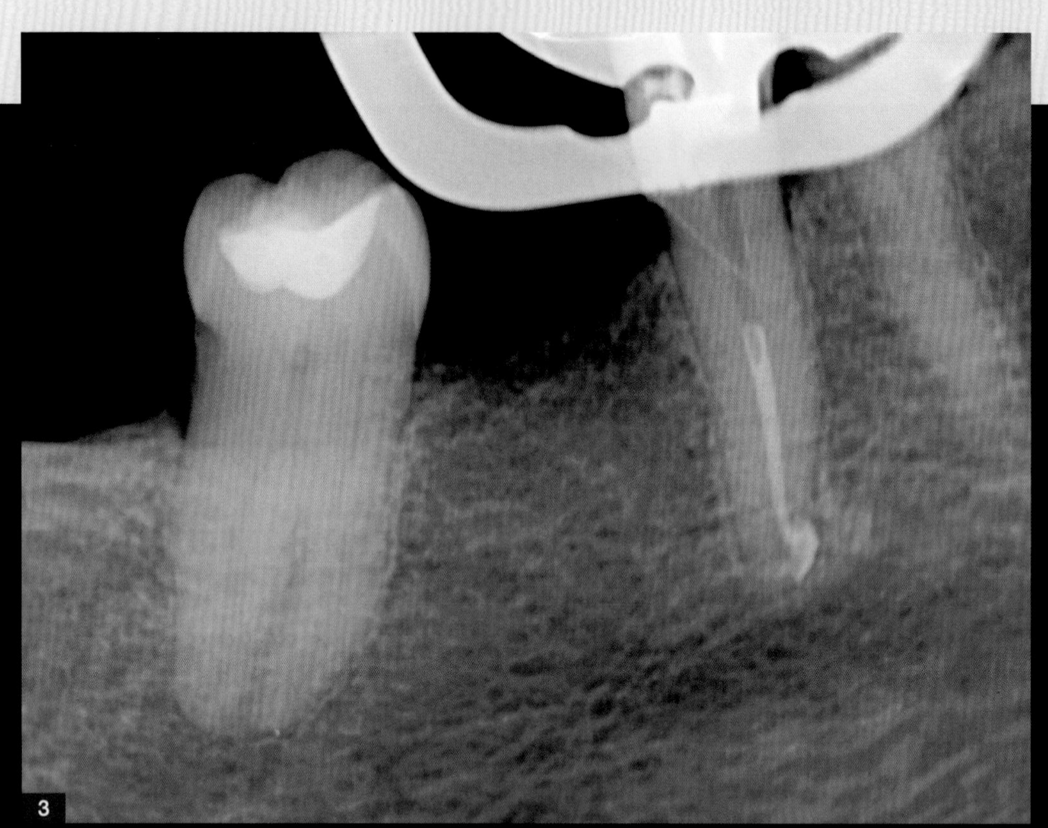

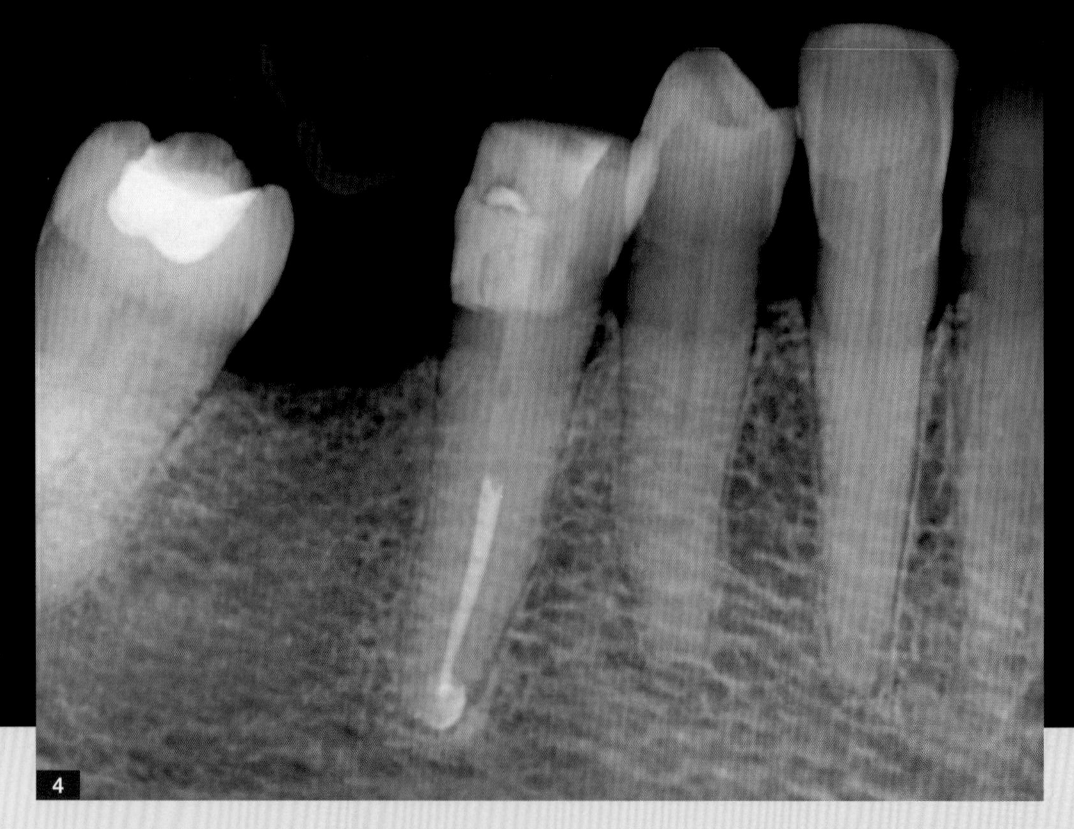

Figure 4: 3년 후 증례의 성공을 보여준다.

CASE
REPORT 5

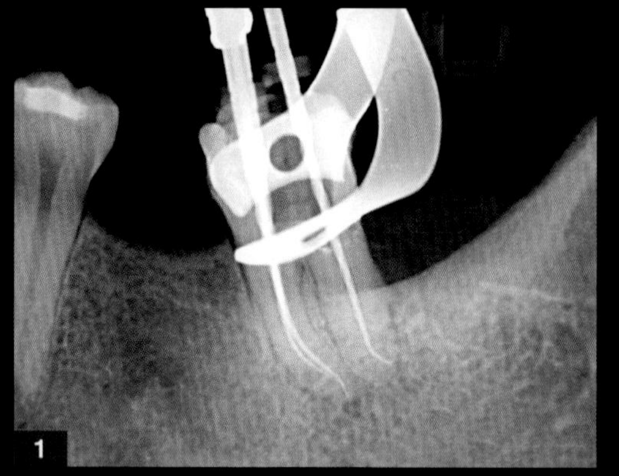

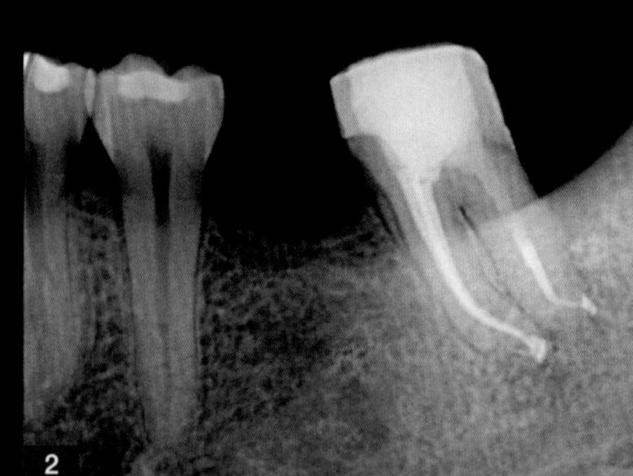

치근단 만곡을 가진 하악 대구치

증례 마무리

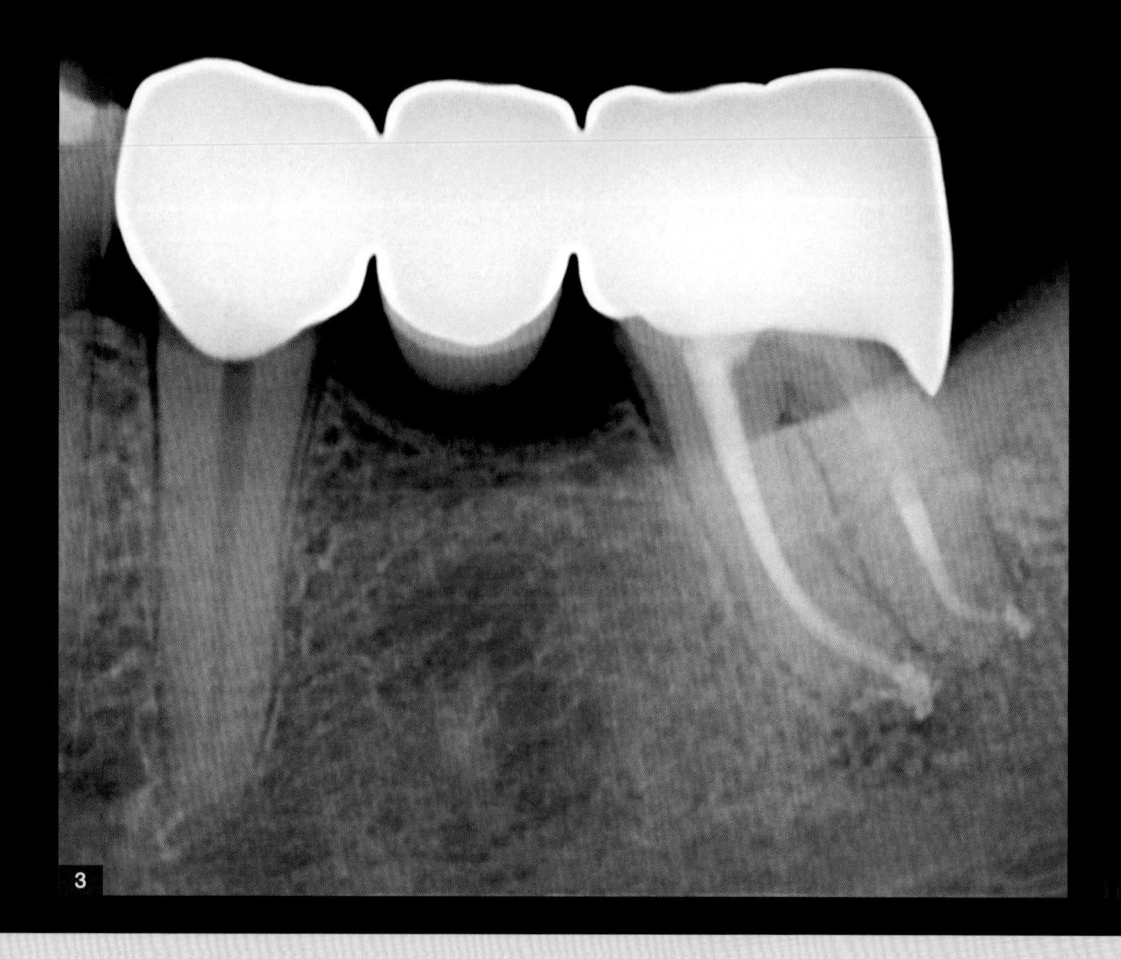

3년 후 추적관찰

Box 5.3 CLINICAL SIGNIFICANCE OF OVERFILLING

과충전은 방사선 사진상 인지되는 치근단부를 넘어서는 과도한 충전을 의미한다. 이는 단순한 근관 sealer, 거타퍼챠 콘, 거타퍼챠를 보함하는 캐리어, 혹은 이 모든 요소의 복합적인 문제일 수 있다. 연구들은 구체적인 이유를 밝히지 않았지만, 과충전된[1-3] 증례에서의 근관치료 성공률 감소를 보여주었다. 다른 연구는 과충전의 용어를 두 가지로 구분했다–과충전과 과연장. 몇몇 학자는 과충전은 근관 밀폐가 완전히 이루어지고 재료가 치근단공을 넘어서 존재하는 경우로 간주하고, 과연장은 충전재의 정출이 있지만 근관의 밀폐가 부족한 것으로 정의했다.[4] 이러한 임상적 결과는 종종 불가피하고,[5, 6] 정출된 재료의 용해도와 식균작용에 따라 결과가 달라지는데 이는 성분의 생체친화성에 따라 다르다. 재료의 독성 또는 이물 반응으로 인한 성공률의 감소 또한 고려할 수 있다.[7-9] 과충전은 부적절한 치근단부 성형으로 인해 치근단부를 제대로 밀폐시키지 못하고 재료가 치근단조직[10]으로 빠져나가면서 치유과정을 느려지게 한다.[11] 재료의 정출은 그것이 신경혈관 구조에 영향을 주는 것이 아니라면 실패[12, 13]의 유일한 원인은 아니다.[14] 그러나 부정확한 기구 조작과 관련된 불완전한 충전은 근관외 박테리아 감염의 원인이 될 수 있고 예후에 결정적인 요소가 된다.[15]

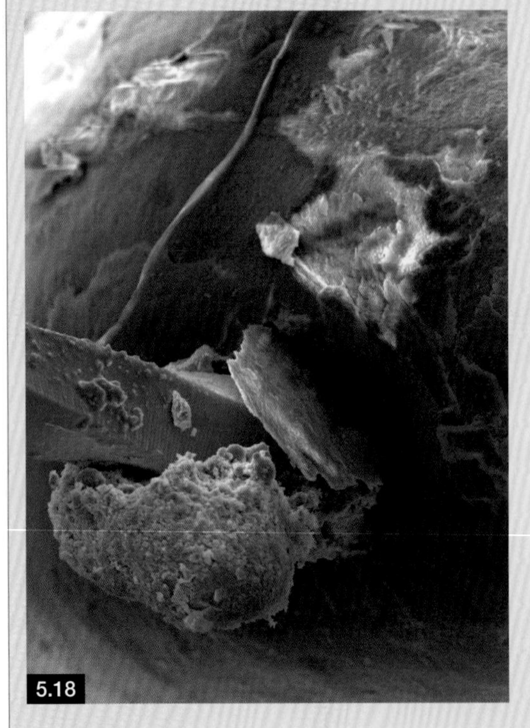

Fig. 5.18: 전자현미경 이미지는 과도한 기구조작과 과충전으로 인한 손상을 보여준다. 상아질 조각은 아마도 감염되어 떨어져 나갔을 것이고, 치근단공의 형태 손상이 보인다. 과도한 기구조작은 대부분 항상 과충전으로 연결된다.

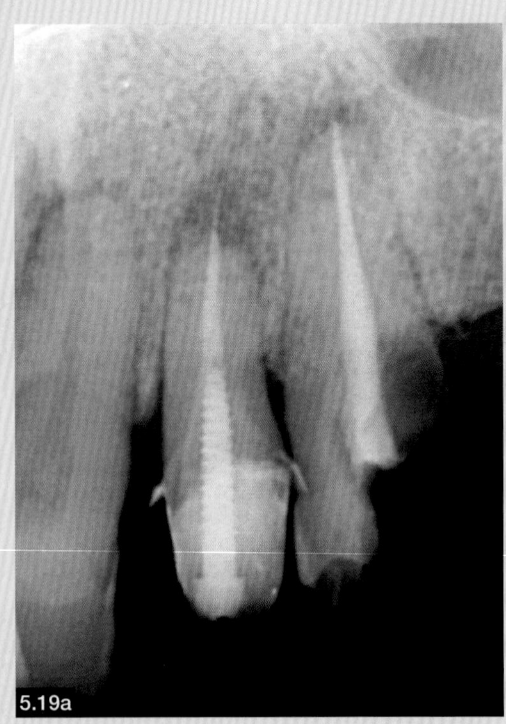

1. Schaeffer MA, White RR, Walton RE. *Determining the optimal obturation length: a meta-analysis of literature*. J Endod. 2005;31:271–4.
2. Sjögren U, Hagglund B, Sundqvist G, Wing K. *Factors affecting the long-term results of endodontic treatment*. J Endod. 1990;16:498–504.
3. Ricucci D, Russo J, Rutberg M, et al. *A prospective cohort study of endodontic treatments of 1,369 root canals: results after 5 years*. Oral Surg Oral Med Oral Pathol Oral Radiol Endod. 2011;112:825–42.
4. American Association of Endodontists. *Glossary of terms used in endodontics*. 4th ed. Chicago (IL): American Association Endodontists. 1984. p 10.
5. Schilder H. *Filling root canals in three dimensions*. Dent Clin North Am. 1967;11: 723–44.
6. Farzaneh M, Abitbol S, Lawrence HP, Friedman S; Toronto Study.*Treatment outcome in endodontics-the Toronto Study*. Phase II: initial treatment. J Endod. 2004 May;30(5):302-9.
7. Muruz Abal M, Erasquin J, DeVoto FCH. *A study of periapical overfilling in root canal treatment in the molar of rat*. Arch Oral Biol 1966;11:373–83.
8. Nair PN, Sjögren U, Krey G, Sundqvist G. *Therapy-resistant foreign body giant cell granuloma at the periapex of a root-filled human tooth*. J Endod 1990; 16:589–95.
9. Ricucci D, Siqueira JF Jr, Bate AL, Pitt Ford TR. *Histologic investigation of root canal treated teeth*

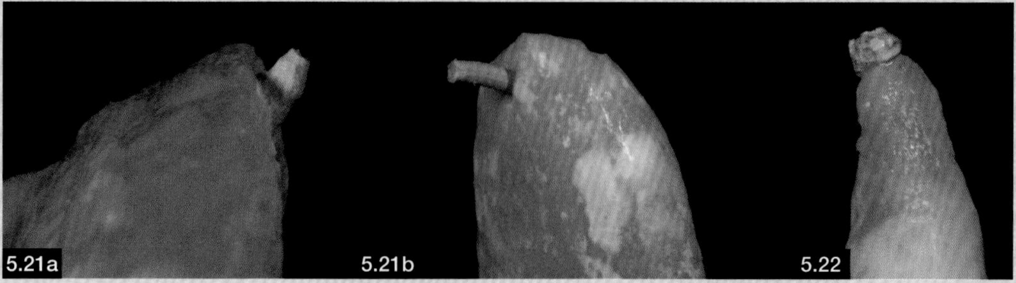

Fig. 5.19a: 치근단 병소를 가진 과충전 상태

Fig. 5.19b-c: 발치된 치아는 치근 흡수와 치근첨 너머로 거타퍼챠 콘을 보여준다.

Fig. 5.20: 염증 조직과 연결되어 있는 연장된 콘

Fig. 5.21a-b: 치근첨의 형태로 인해 가려져서 방사선 사진상에서는 보이지 않았던 전형적인 과충전

Fig. 5.22: 치근단부에 콘을 충전하지 않고 가열된 거타퍼챠를 사용했거나 Thermafil의 부적절한 사용으로 인한 과도한 과충전

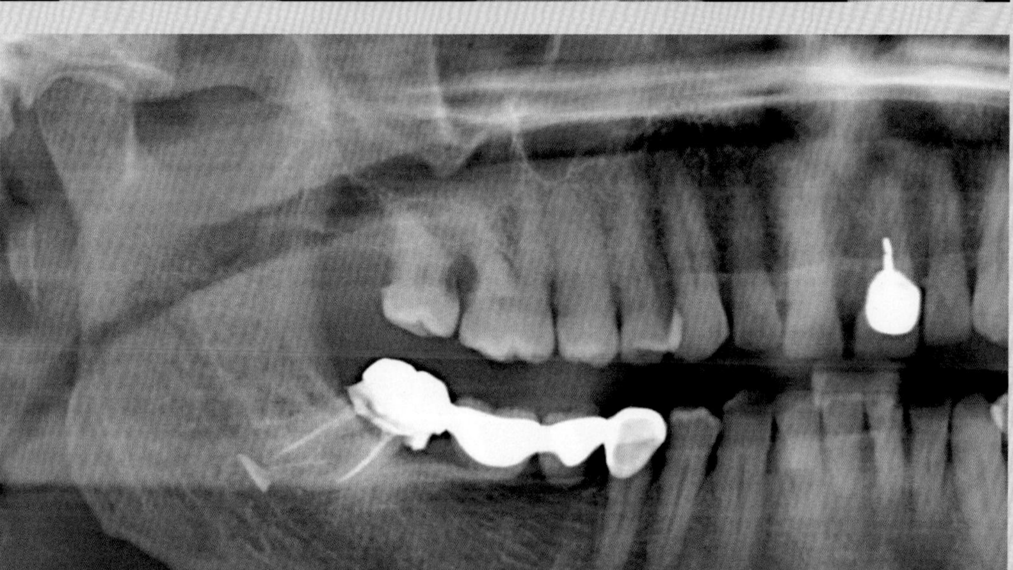

Fig. 5.23: 과도한 과충전. 부주의한 근관 sealer의 사용은 치근단 끝을 지나 하치조신경관까지 재료가 침투하게 된다. 이러한 증례는 조용히 진행되거나 종종 의료분쟁을 초래하는 걱정스러운 신경 변성을 야기할 수 있다.

with apical periodontitis: a retrospective study from twenty-four patients. J Endod. 2009;35:493–502.

10. Siqueira JF Jr, Rocas IN, Ricucci D, Hulsmann M. *Causes and management of post-treatment apical periodontitis*. Br Dent J. 2014;216:305–12.
11. Fristad I, Molven O, Halse A. *Nonsurgically retreated root filled teeth–radiographic findings after 20-27 years*. Int Endod J. 2004;37:12–8.
12. Augsburger RA, Peters DD. *Radiographic evaluation of extruded obturation mate- rials*. J Endod. 1990;16:492–7.
13. Deemer JP, Tsaknis PJ. *The effects of overfilled polyethylene tube intraosseous implants in rats*. Oral Surg Oral Med Oral Pathol. 1979 Oct;48(4):358-73.
14. Kim JE, Cho JB, Yi WJ, Heo MS, Lee SS, Choi SC, Huh KH. *Accidental overextension of endodontic filling material in patients with neurologic complications: a retrospective case series*. Dentomaxillofac Radiol. 2016;45(5):20150394
15. Ricucci D, Candeiro GT, Bugea C, Siqueira JF Jr. *Complex Apical Intraradicular Infection and Extraradicular Mineralized Biofilms as the Cause of Wet Canals and Treatment Failure: Report of 2 Cases*. J Endod. 2016 Mar;42(3):509-15

▶ *continue to page 310*

CASE
REPORT 6

과충전된 경우의 재근관치료

재근관치료는 종종 과충전된 치아에 계획되기도 하는데, 과충전 부분이 항상 제거되는 것은 아니다. 그러나 전반적인 미생물학적 상황을 개선시키고 치근단 병소의 치유를 촉진시키기 위해 성형과 소독과정은 충분히 이루어져야 한다. 여기서 제시된 하악 제2대구치와 같이 복잡한 치아의 경우에도 명백한 실패 이유가 있다.

Figure 1 원심 근관이 과충전된 증례로, 이는 제거가 쉽지 않다. 이러한 증례는 치근단부의 성형을 조절하지 못했거나 치근단부 직경과 충전재 간의 부조화를 의미한다.

Figure 2 충전재료의 제거. 마지막 부분은 여전히 치주조직에 남아 있다.

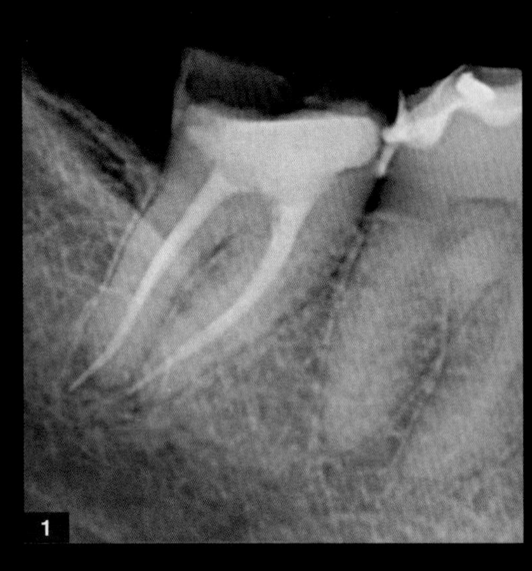

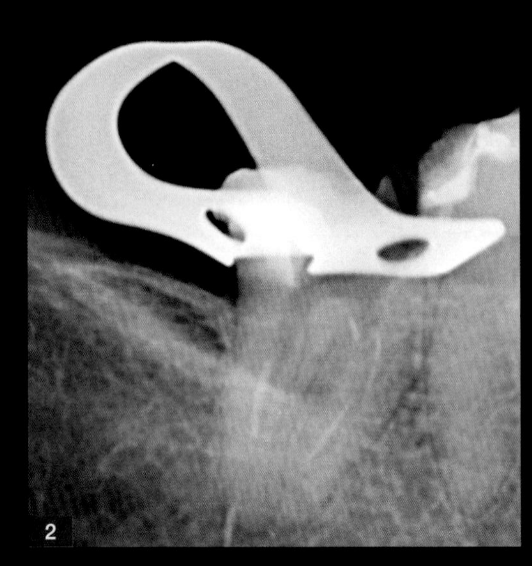

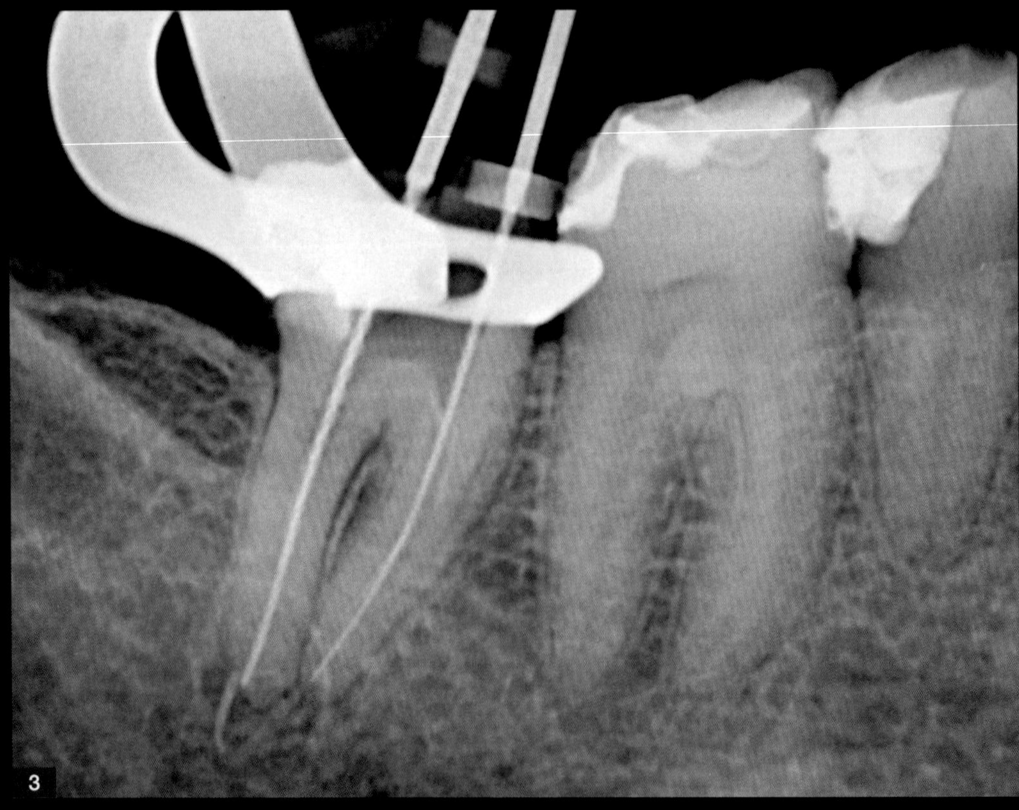

Figure 3 새로운 작업장 측정

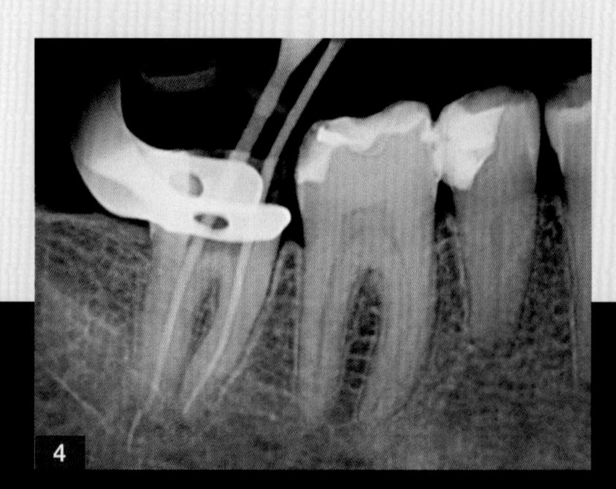

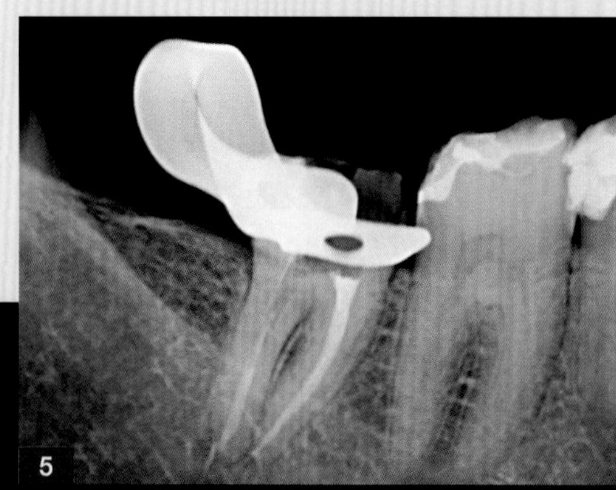

Figure 4: 원심 근관에 캐리어, 근심근관에 거타퍼챠 콘의 시적

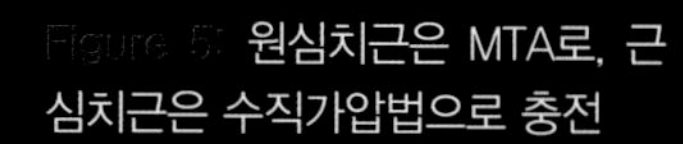

Figure 5: 원심치근은 MTA로, 근심치근은 수직가압법으로 충전

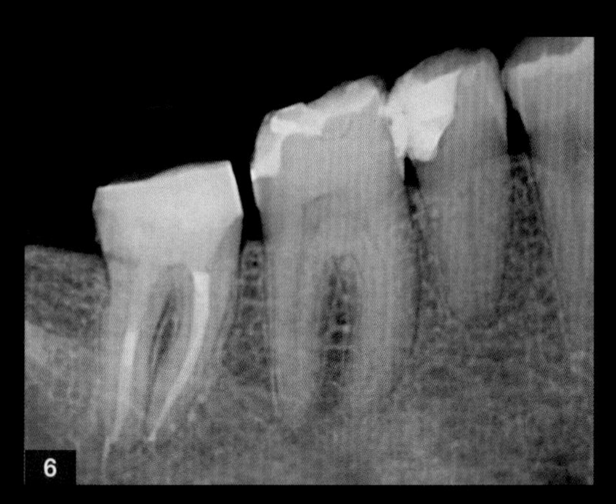

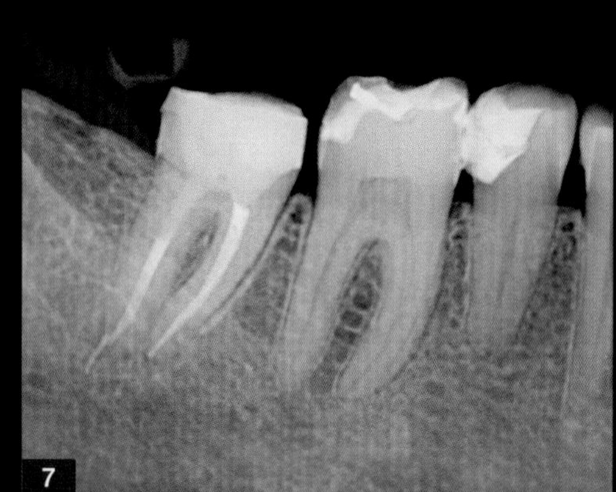

Figure 6: 컴퍼짓과 섬유포스트로 근관치료를 완료하였다.

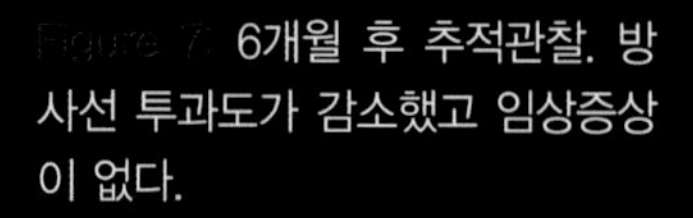

Figure 7: 6개월 후 추적관찰. 방사선 투과도가 감소했고 임상증상이 없다.

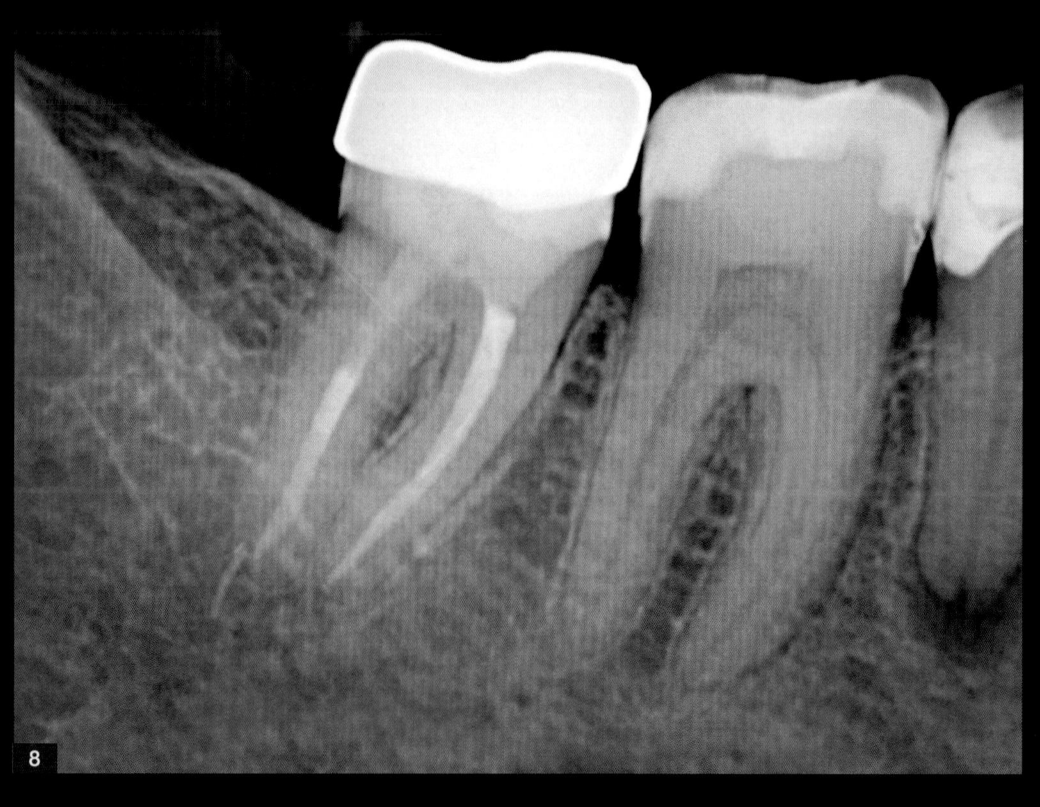

Figure 8: 2년 후 방사선 사진. 환자는 증상이 없었고 좋은 결과를 보여주는데, 비록 치근첨을 지나 충전재가 존재하는 상황이긴 하지만 원심 치근 주위의 치조백선의 경계가 보인다.

Apical plug, 치근단 밀폐를 위한 bioactive sealer의 사용

방향

ISO 80 이상의 근관을 포함해서 ISO 50-60 이상의 치근단 직경을 가진 근관에서는 치근단 부위의 충전을 조절하는 것이 어렵다.

성형 후 얻어진 경사도가 이상적이지 않을 수 있고 치근 흡수로 치근단이 불규칙한 형태와 크기를 가질 수도 있다. 이러한 경우, 현재 사용되는 충전방법은 근관내에 한정되면서 완전한 밀폐를 이루기에는 여러 가지 문제점을 가진다.

다양한 재료, Mineral trioxide aggregate (MTA) **(Box 5.4)** 혹은 칼슘 실리케이트로 구성된 유사한 특성을 가지는 다양한 재료들이 위에서 언급한 근관의 orthograde 충전에 사용되었다.

이러한 재료는 생체 친화적이고 습한 환경에서 경화하므로 위와 같은 증례에서 치근단 부위를 막는데 이상적인 재료이다.

이러한 과정을 'apical plugging'이라 한다.

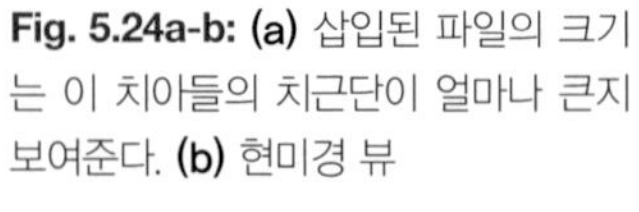

Fig. 5.24a-b: (a) 삽입된 파일의 크기는 이 치아들의 치근단이 얼마나 큰지 보여준다. **(b)** 현미경 뷰

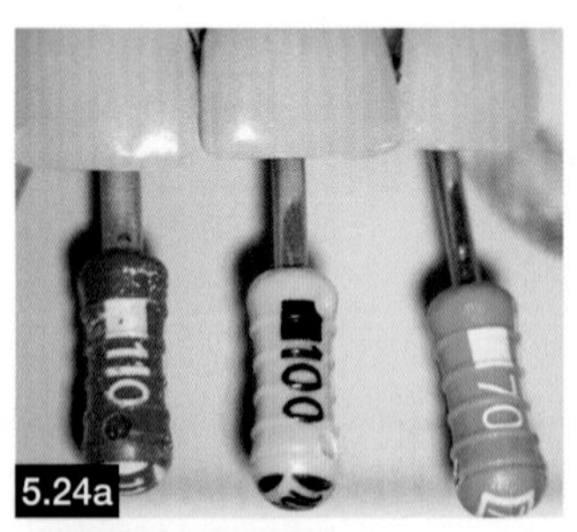

로마린다 대학의[1-3] Torabinejad와 White에 의해 개발된 MTA는 주로 세 가지 산화물로 구성된 근관 실러이다. 칼슘산화물(calcium oxide, CaO), 실리카산화물(silica oxide, SiO_2), 그리고 알루미늄 산화물(aluminum oxide, Al_2O_3). 그것들은 혼합되어 calcium trisilicate, calcium disilicate, 그리고 tricalcium aluminium를 형성한다. 방사선 불투과도를 위한 bismuth oxide, 알루미늄 산화물과 작용하는 석고(gypsum), 그리고 비소(arsenic), 바륨(barium), 카드뮴(cadmium), 염소(chlorine), 크롬(chrome), 구리(copper), 갈륨(gallium), 인듐(indium), 칼륨(potassium), 리튬(lithium), 마그네슘(magnesium), 몰리데늄(molybdenum), 니켈(nickel), 납(lead), 스트론튬(strontium), 티타늄 산화물(titanium oxide), 탈륨(thallium), 그리고 납(zinc) 등과 같은 여러 중금속이 사용된다.[4-9]

화학반응

MTA의 특징적인 화학 반응은 칼슘 다이실리케이트(calcium disilicate)와 트리실리케이트(trisilicate)가 물과 반응하여 칼슘 다이실리케이트(calcium disilicate)와 칼슘 하이드록사이드(calcium hydroxide)를 만들어내는 수화반응이다. 석고, 물과 함께 tricalcium aluminum는 콘크리트 및 monosulfate를 만든다. 경화과정의 마지막 단계에서 균일한 벌집 모양의 구조가 형성되고 규산칼슘(calcium silicate)에 의해 칼슘하이드록사이드 섬이 만들어진다. 다른 금속 산화물은 작업성, 경화시간, 재료의 물성에 영향을 준다.[10-11]

특성

MTA는 강한 염기성 화합물이다. 혼합 직후 초기 pH는 10.2이고 적용 후 수시간 내에 12.5에 도달한다.[12] 제조사는 1:3의 혼수비로 혼합할 것을 추천한다.[13] 경화시간은 다른 첨가물들에 의해 결정되는데, 임상 술식에 적합한 빠른 경화시간을 갖기 위해 변형되기도 했다.

물리적 특성

혼합 24시간 후, MTA의 압축 강도는 40 MPa로 Super-EBA(Bosworth, US)와 IRM® (Dentsplay DeTrey, Germany)보다 낮지만 21일 후에는 모두 유사해진다. MTA는 근관치료된 미성숙 영구치의 파절저항을 증가시키고 metalloproteinase-2 (TIMP-2)[14]를 억제한다. ProRoot MTA의 접착력은 2달 동안 용액에 담가두었을 때 4.7 MPa에서 7 MPa까지 다양하다. 만일 용액을 면구로 덮으면 초기 저항은 더 낮아지고(3 MPa), 2달 후에는 10 MPa까지 증가한다.

Box 5.4 MINERAL TRIOXIDE AGGREGATE (MTA): SEALER FOR ENDODONTICS

이는 MTA가 그 물리적 특성을 나타내기 위해 반드시 수화되어야 함을 보여준다.[15-17] pH는 MTA 경화를 방해할 수 있는 또 다른 요소이다. 여러 연구에서 pH가 높을수록, 접착력이 커진다고 한다. 치아 샘플에 MTA를 적용하고 다른 pH를 갖는 용액에 담가서 실험한 결과, pH가 재료의 접착 측면에서 중요한 역할을 한다는 것을 보여주었다.[18, 19]

미세경도

미세경도는 37.43–53.56까지 다양하다.[20-22] 이 수치는 pH, 재료의 두께, 혼합 방법, 충전 힘, 입자 형태, 혈액, 용액과의 접촉, 온도와 같은 여러 요소에 의해 영향을 받는데, pH, 혈액, 낮은 온도는 미세경도를 감소시키는 경향이 있다. 입자 크기는 중요한 역할을 하며, 입자 크기가 작을수록 재료는 더 단단하게 다져질 것이다.[23-27] 이러한 이유로 많은 저자들은 MTA 충전 후 최소 96시간 후에 치아의 수복을 추천한다.[27]

체적안정성

MTA는 안정적인 재료이지만, pH, 혼합방법, 종류에 따라 체적안정성과 용해도에 영향을 준다. MTA는 경화하는 동안 습도가 존재하면[28, 29] 흡습성 팽창을 하고 건조한 환경에서는 수축을 한다.[28] 경화 과정 동안의 팽창은 밀폐력을 증가시킨다.[30, 31]

용해도

많은 연구에서 MTA의 용해도는 낮거나 아예 용해되지 않는다고 보고하고 있으며, 이는 혼수비에 의해 영향받는다. 흰색의 MTA는 회색의 MTA보다 더 잘 용해된다.[34]

밀폐력

실험실 테스트에서 MTA는 혈액과의 접촉과 무관하게 아말감, 실러, 에톡시벤조산으로 강화된 산화아연유지놀(IRM® or Super EBA)[35, 36]에 비해 침투가 덜한 것이 증명되었다. 이러한 특징은 MTA를 외과적 근관치료와 천공수복을 위한 재료로 선택하는 이유이다.

항균효과

MTA는 항균효과가 있다.[37] EndoSequence BC Sealer는 AH plus sealer에 비해 근관 표면에 부착한 biofilm의 E. faecalis를 더 잘 죽이는 것으로 나타났다. 경화과정 동안 C. albicans에 대한 효과도 있다.

생체적합성

MTA의 뛰어난 생체친화성[39]은 세포 성장을 촉진하고 사이토카인의 수준을 증가시킨다.[40] 조직학적 평가는 MTA에 대한 반응이 SuperEBA나 아말감보다 뛰어남을 보여준다. In vivo 연구에서 MTA 역충전 상부로는 세포층이 성장하는 반면 아말감 역충전 상부로는 성장하지 않음을 보여주었다.[41, 42] Bioceramic은 치주인대세포의 부착, 증식, 생체 광화에 긍정적인 영향을 준다.[43]

상호작용

세척과정은 MTA 물성에 부정적인 영향을 줄 수 있으며, EDTA의 사용은 상기 물성을 감소시킨다.[44, 45]

Fig. 5.25a: 혼합된 재료는 3:1의 혼수비를 갖는 액체가 가지지 않는 점성을 갖는다.

Fig. 5.25b: MTA 캐리어는 색상 코드 손잡이에 표시된 것처럼 팁의 직경이 있다.

Fig. 5.25c: 혼합된 MTA는 다양한 크기의 캐리어로 적용할 수 있다(좌에서 우측으로 1.1, 0.9, 0.7 mm).

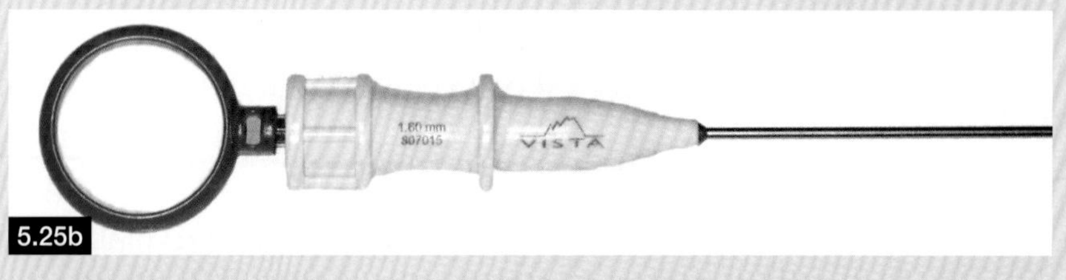

Table 5.3 INDICATIONS FOR THE USE OF BIOLOGICALLY ACTIVE SEALERS FOR APICAL FILLING (APICAL PLUG)

• Apical diameter of more than ISO 50-60	• Parallel-walled canal morphology
• Immature apices	• Internal resorption
• Irregular apical morphologies	

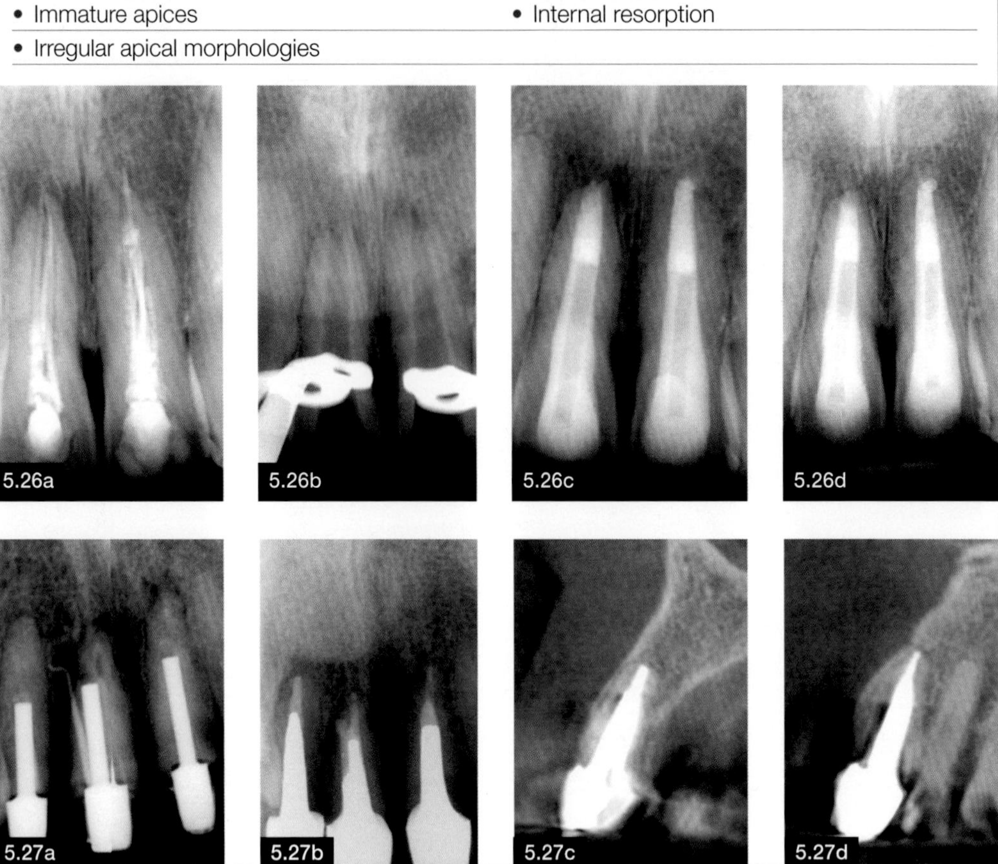

Fig. 5.26a-b: (a) 불완전한 근관치료로 인한 치근단 염증의 대표적인 증례. **(b)** 근관의 형태는 통상적인 충전을 위한 적절한 경사도를 얻기 불가능해 보인다. **(c)** MTA를 이용한 치근단 폐쇄와 섬유포스트의 식립. **(d)** 2년 후 증례의 성공을 확인

Fig. 5.27a-b: (a) 핀과 핀의 잘못된 삽입 경로로 생긴 치근단 병소. **(b)** MTA 치근단 충전과 금속 포스트로 채워진 근관. **(c–d)** 치료의 결과를 확인하기 위해 촬영한 CBCT

Apical plug를 이용한 충전방법

이러한 충전이 필요한 경우는 일반적이지 않지만, 재치료 증례에서는 빈번하다. 선택한 재료가 MTA 혹은 칼슘실리케이트 시멘트라면 재료는 '젖은 모래'의 점성을 가지기 때문에, 이를 근관내로 적용하는 것이 쉽지 않다. 따라서 재료의 조작 어려움에 의한 단점을 고려하는 것이 중요하다.

몇몇 기구들이 고안되었지만 그 사용은 수술에 국한되었다. 그리고 Giovarruscio 등은[60] 외과적 근관치료에 주로 사용되는 MTA 전달 시스템을 만들었는데 이는 플라스틱 Thermafil 캐리어(Maillefer, Switzerland)를 플러거로 사용하는 것과 비슷하다. 비슷하지만 좀 더 다재다능한 시스템은 micro apical placement system (MAP, Produits Dentaires SA, Switzerland)이다.

이 시스템은 orthograde 충전과 외과적 근관치료의 다양한 임상환경에 맞는 팁을 구비하고 있다. MAP 시스템은 재료를 밀어내는 플라스틱 플런저를 삽입하여 맞물리게 되는 부위, 각각의 임상 상황에 특화된 팁을 삽입하는 나사 연결부로 구성된 피스톤을 가진 금속 어플리케이터로 되어있다. 직선 혹은 약간의 만곡된 삽입부가 orthograde 충전을 위해 사용된다.

탄성이 있는 NiTi 팁은 쉽게 손으로 모양을 만들수 있고, 가열하면 다시 원래 모양으로 돌아온다. 삽입부의 외경은 0.9 mm(노랑), 1.10 mm(빨강), 그리고 1.30 mm(파랑)이다. 유연한 폴리머로 된 내부 플런저는 팁 길이보다 더 긴데, 이는 시멘트를 근관내로 밀어 넣고 다져지게 한다.

재료가 MAP 기구에 제대로 준비된다면 원통형의 재료, 약 6 mm 길이의 외경보다 약간 작은 직경을 가진 재료가 MAP 기구에서 나오게 된다. 실제로 이 방법은 MTA뿐 아니라 모든 sealer에 사용할 수 있다.

Fig. 5.28a: 혼합 전의 MTA 파우더

Fig. 5.28b: 혼합을 위해 사용되는 작은 금속 절구

Fig. 5.28c: Thermafil 시스템의 캐리어를 이용하여 'apical plug'의 위치를 보여주는 예시

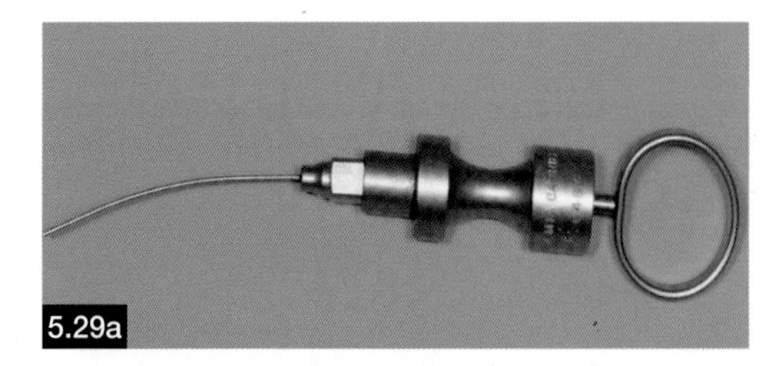

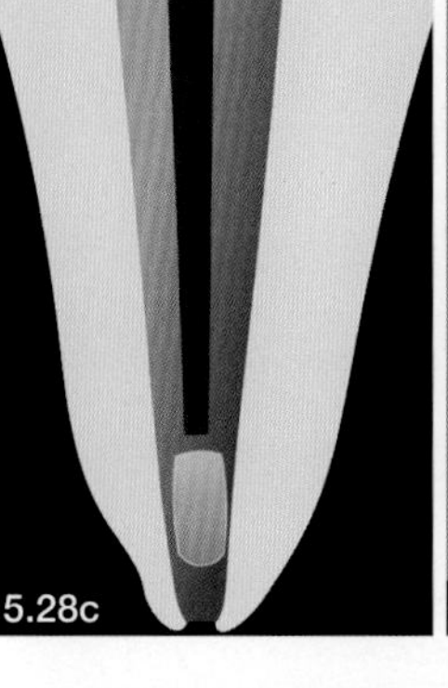

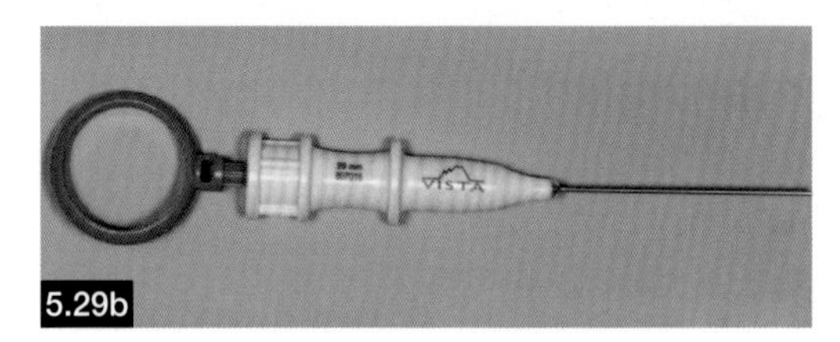

Fig. 5.28d: MAP 시스템의 빨간 팁으로 만든 MTA 기둥

Fig. 5.29a-b: 두 종류의 MTA 캐리어

Fig. 5.29c: MAP 시스템에 사용되는 팁의 직경

Fig. 5.29d: **Fig. 5.29c**의 플런저

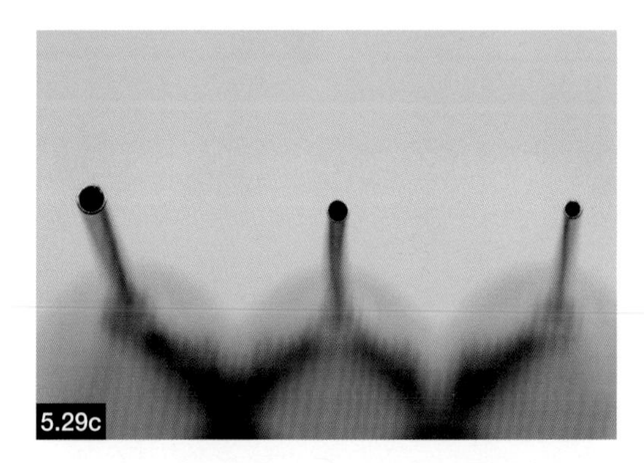

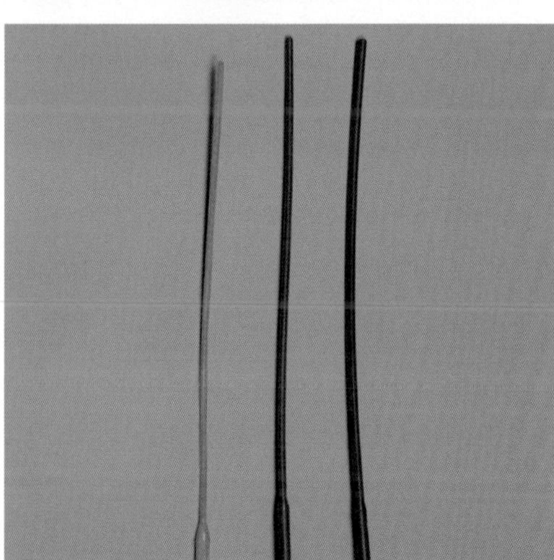

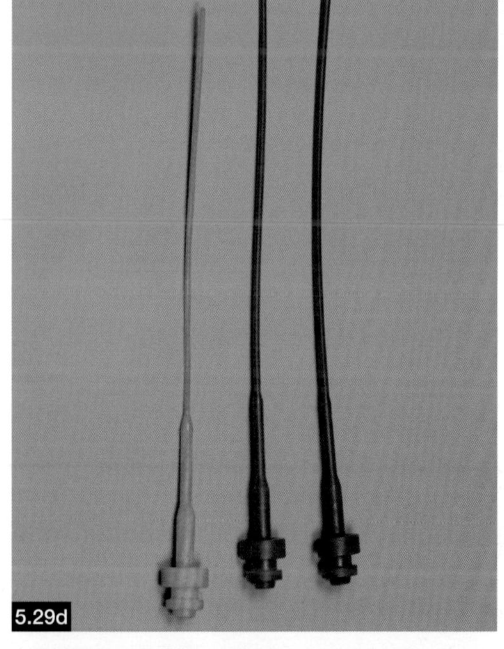

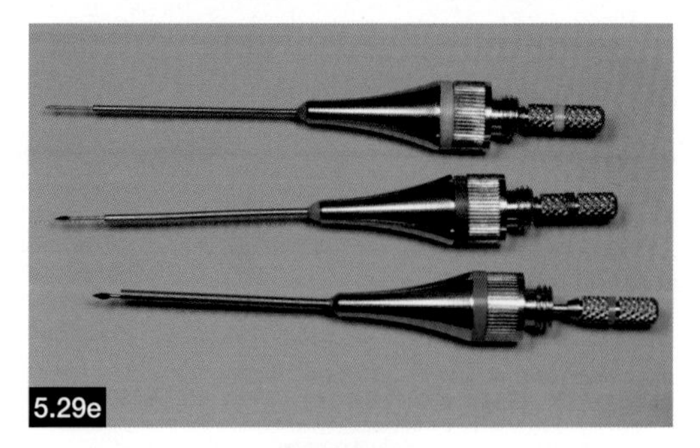

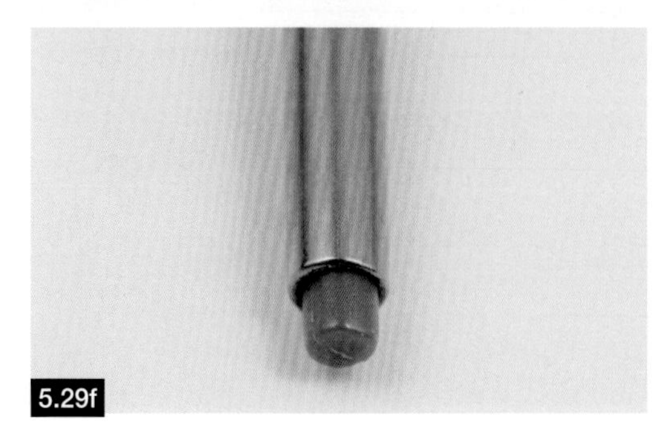

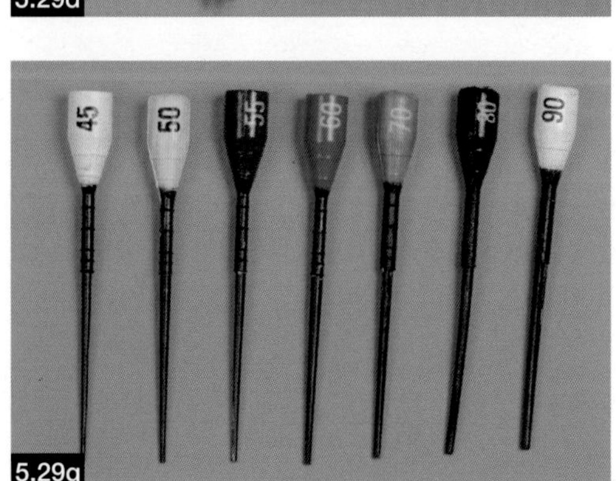

Fig. 5.29e: 세정용 큐렛을 가진 MAP 시스템의 팁

Fig. 5.29f: 시린지에서 약 1 mm 정도 튀어나와서 역할을 하는 플런저

Fig. 5.29g: ISO 50 이상의 치근단 직경을 갖는 Thermafil 시스템의 캐리어(Maillefer, Baillegues, Switzerland). 그들은 근관에 적용되는 MTA의 효율적인 컴팩터 역할을 할 수 있다.

▶ *continue to page 320*

CASE
REPORT 7

중절치의 복합적 재건

근관의 손상이 크다면, 전치부의 기능적 회복은 어려움이 크다. 이 상악 중절치들은 보철물과 근관치료 상태가 좋지 않다. 두 가지 영역에서의 치료로 치유되었고 환자의 삶의 향상을 가져왔다.

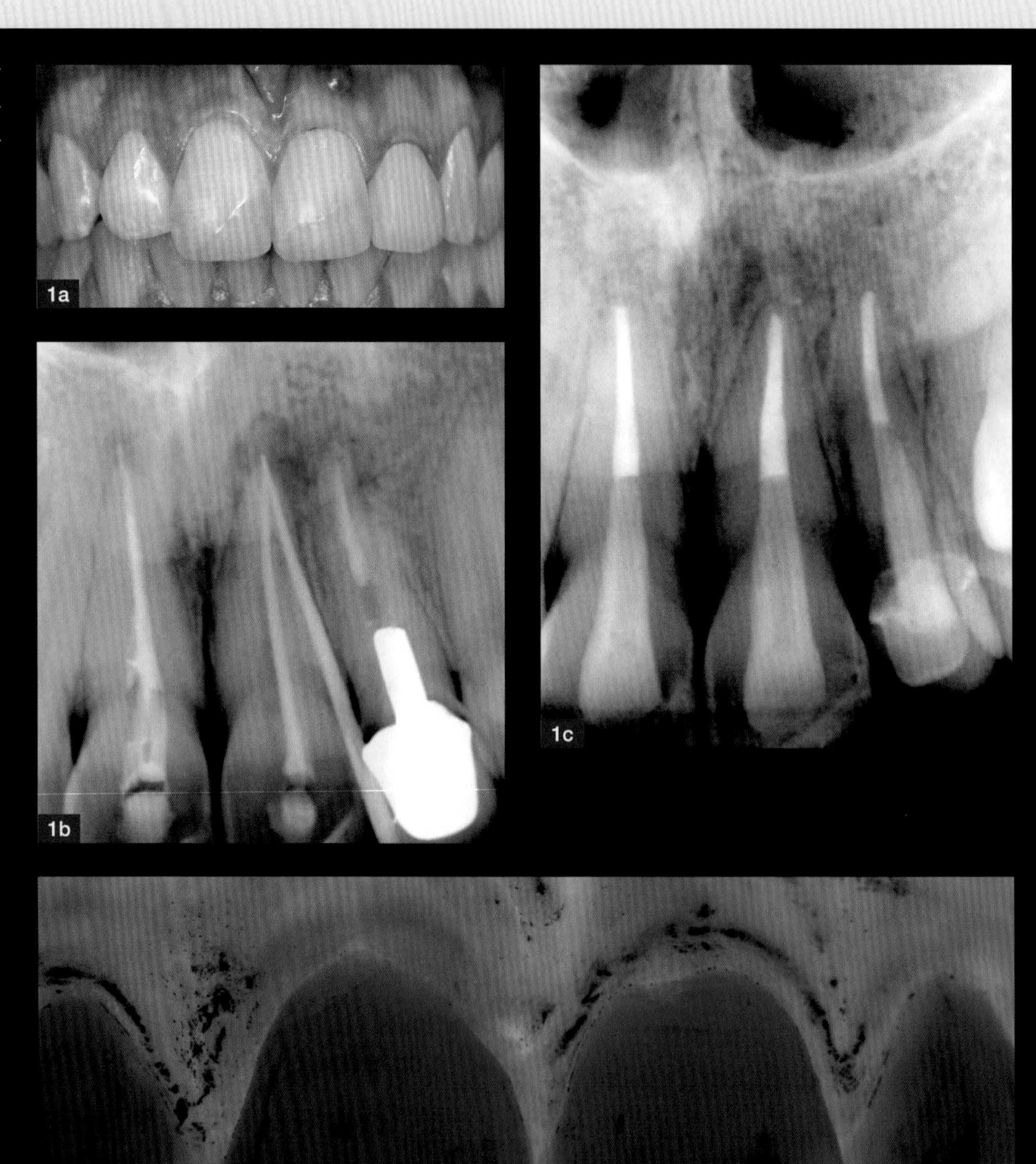

Figure 1a–c: (a) 치료 전, (b) 방사선 사진은 여러 치근단 병소를 보여준다. (c) 수직가압법으로 충전했다.

Figure 2: 잇몸 라인

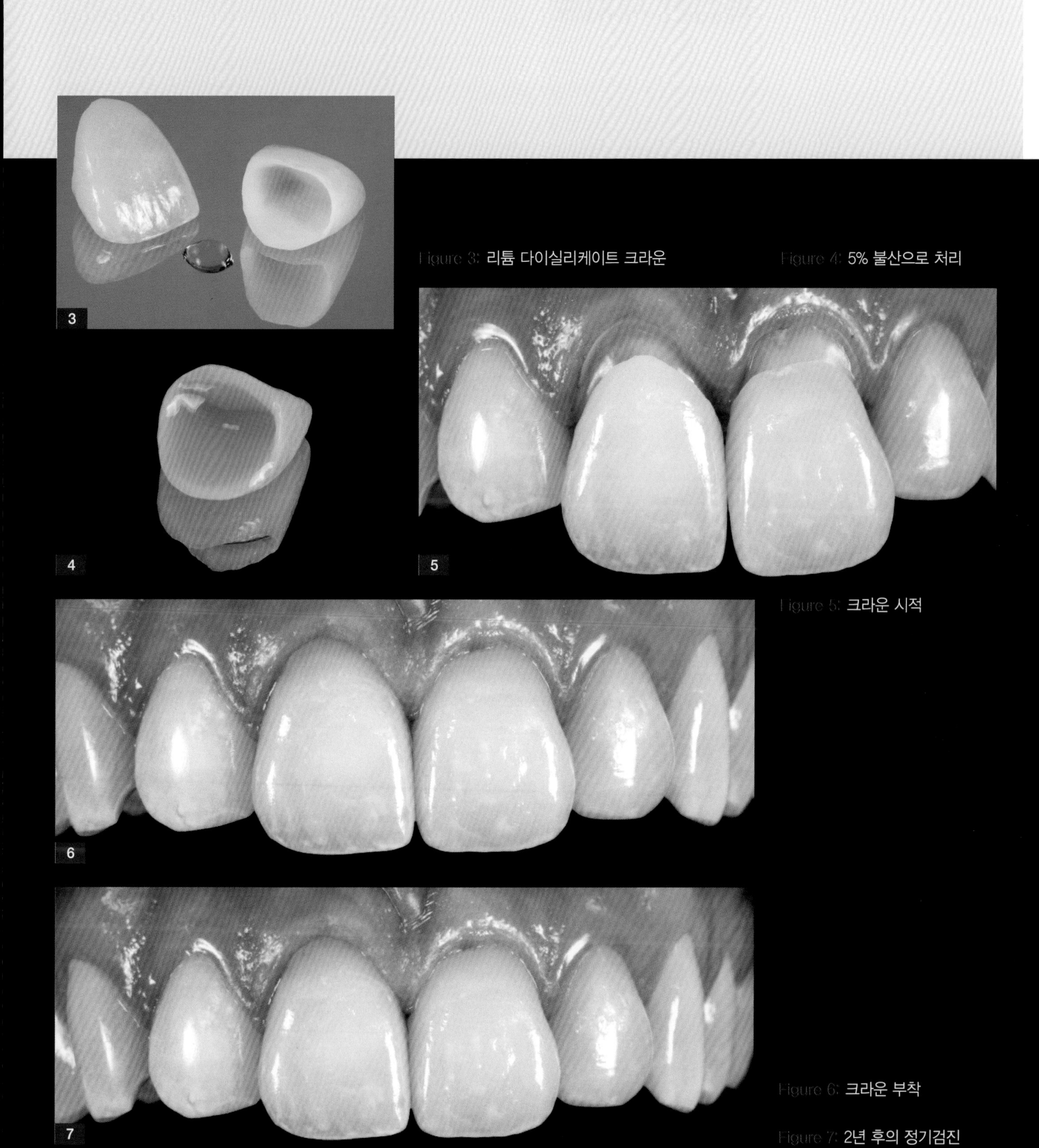

Figure 3: 리튬 다이실리케이트 크라운

Figure 4: 5% 불산으로 처리

Figure 5: 크라운 시적

Figure 6: 크라운 부착

Figure 7: 2년 후의 정기검진

CASE
REPORT 8

하악 대구치의 근관내 천공 증례의 복잡한 재치료

Stripping이라고도 알려진 근관내 천공은 하악 구치부 근심치근의 안쪽 근관벽에 발생하는 주요 합병증이다. 이러한 병소가 치근 사이 분지부에 발견되면 항상 주의 깊게 관찰되어야 한다. 이 증례에서는 천공이 수복되기 전에 근관이 충전되었다.

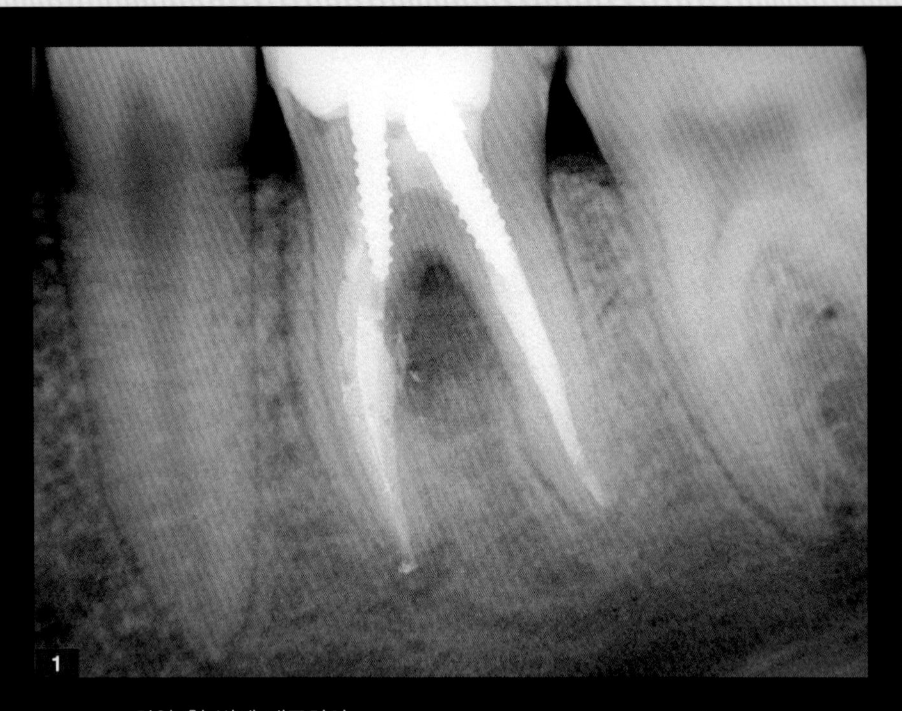

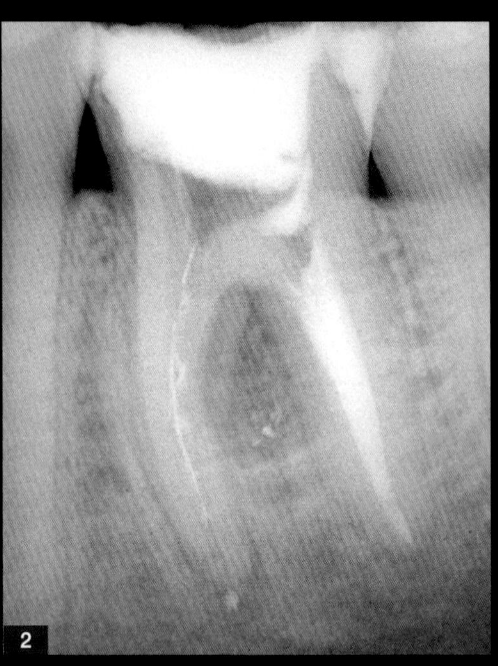

Figure 1: 하악 첫 번째 대구치의 술전 방사선 사진. 근심근관에서 스크류 타입의 포스트 식립은 천공을 야기했다. 분지부의 병소와 전정 부위의 누공이 있다.

Figure 2: 스크류는 제거되었고, 근심 근관은 pH를 회복하기 위해 일주일 동안 칼슘 하이드록사이드로 첩약했다.

Figure 3: 콘 시적. 거타퍼챠 콘은 천공부위의 치근단 쪽에 표시를 해서 부분적으로 잘라둔다.

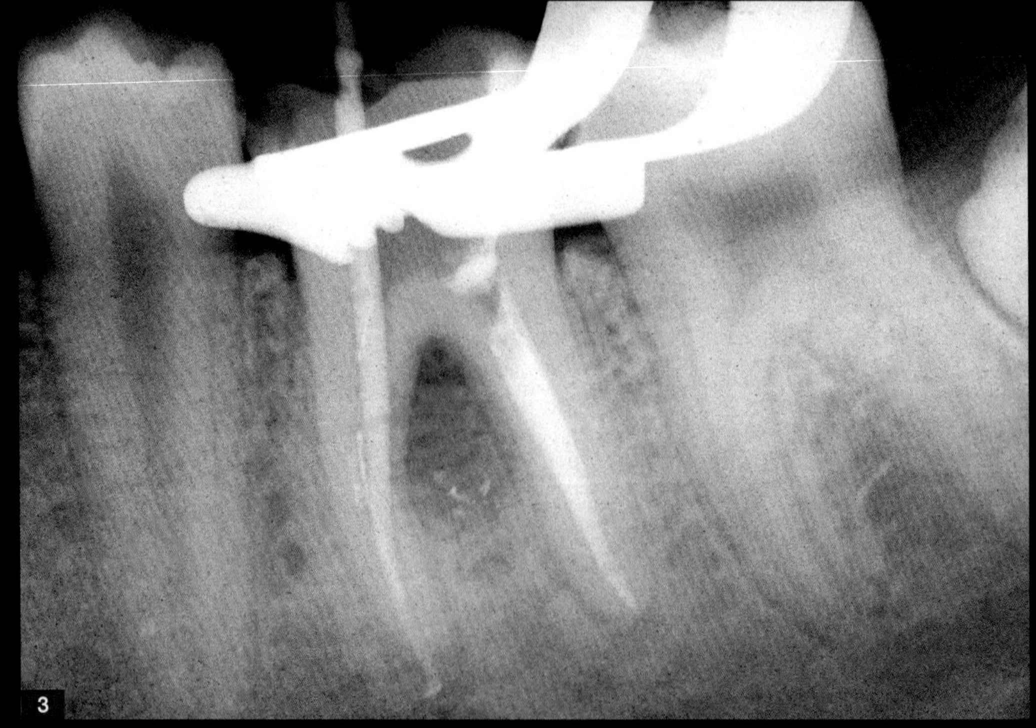

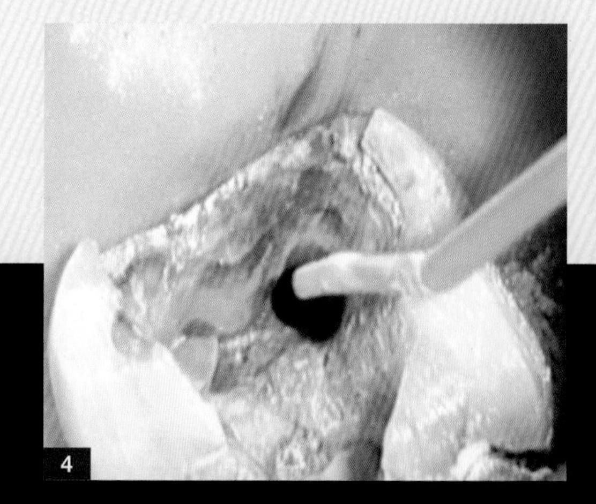

Figure 4: 거타퍼챠 콘의 치근단 쪽에만 근관 sealer를 묻히고 근심 쪽으로 꺾어서 천공 부위를 더럽히지 않도록 했다.

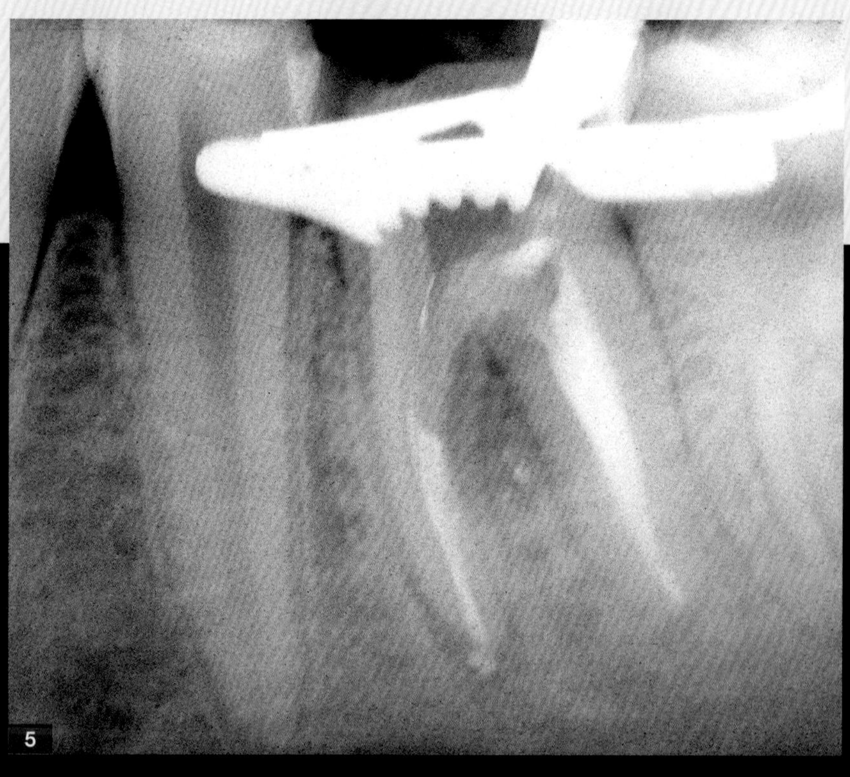

Figure 5: 연화된 거타퍼챠를 이용한 수직가압법(Warm Vertical Compaction, WVC)으로 근심 근관의 천공 아래 부분을 충전하여 sealer나 거타퍼챠가 천공 부위를 덮지 않도록 한다.

Figure 6: 천공된 근관의 상부는 회색 MTA로 전체를 채운다. 우측 이미지는 치료 직후의 방사선 사진이다.

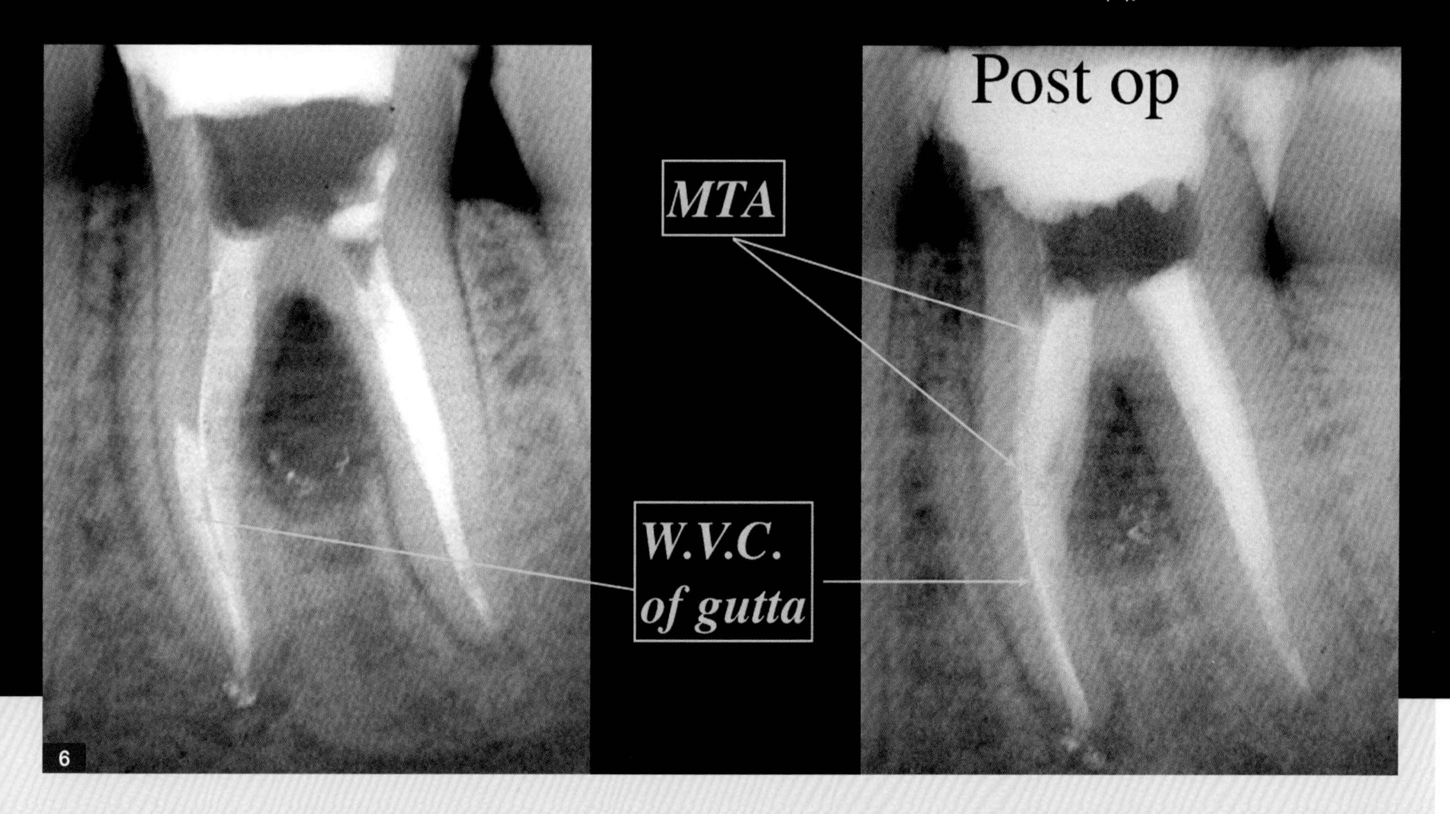

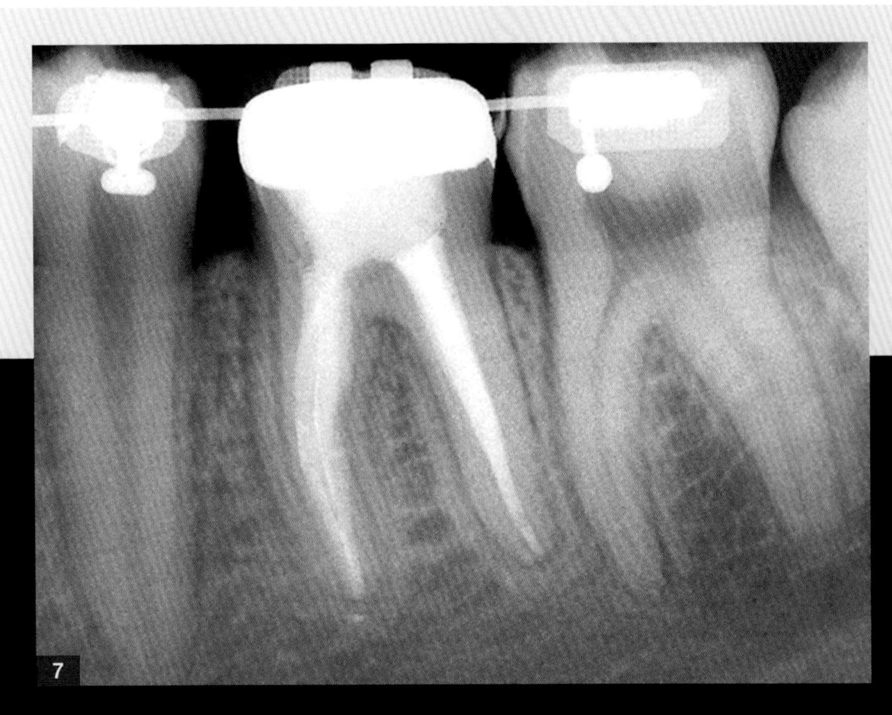

Figure 7: 24개월 후 검진에서 완전한 회복 양상을 보여준다. 그리고 환자는 교정 치료를 시작했다.

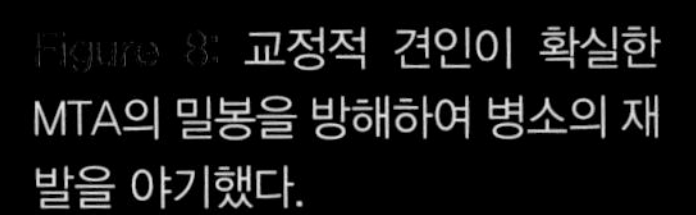

Figure 8: 교정적 견인이 확실한 MTA의 밀봉을 방해하여 병소의 재발을 야기했다.

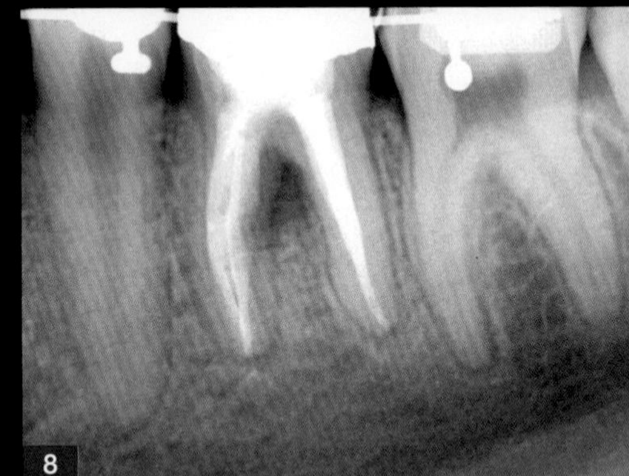

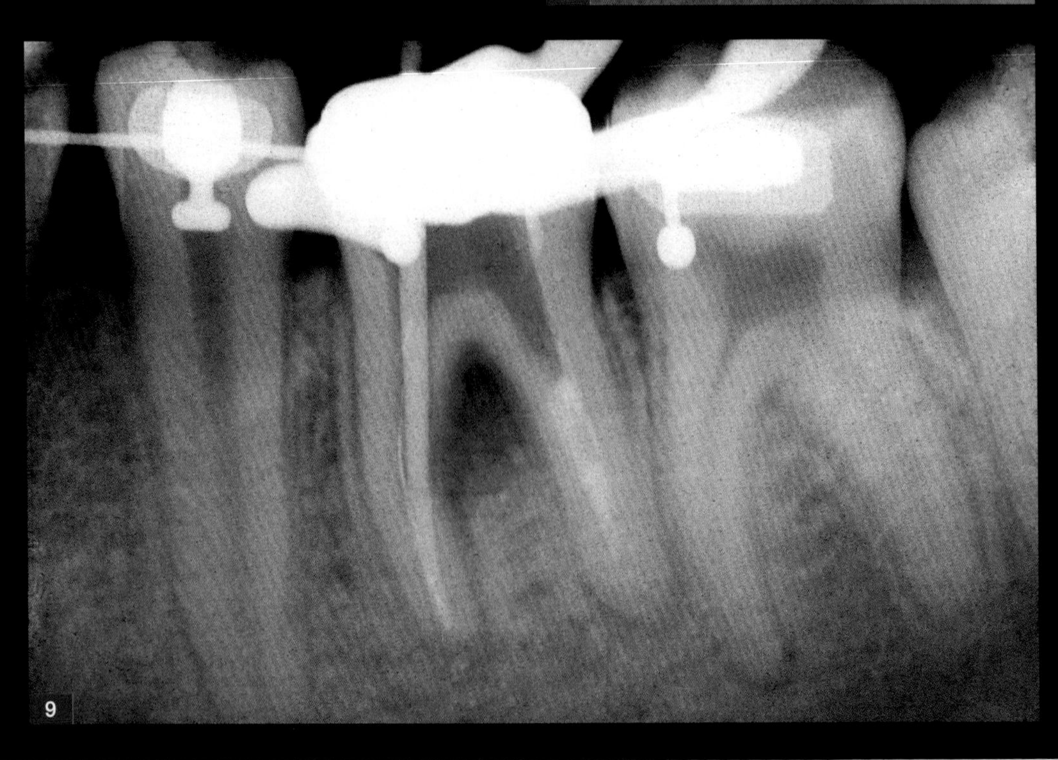

Figure 9: 치아는 재치료를 받았고 일주일간 수산화칼슘을 재첩약했다. 이전 술식이 반복되었다. 방사선 사진은 콘 시적 과정이다.

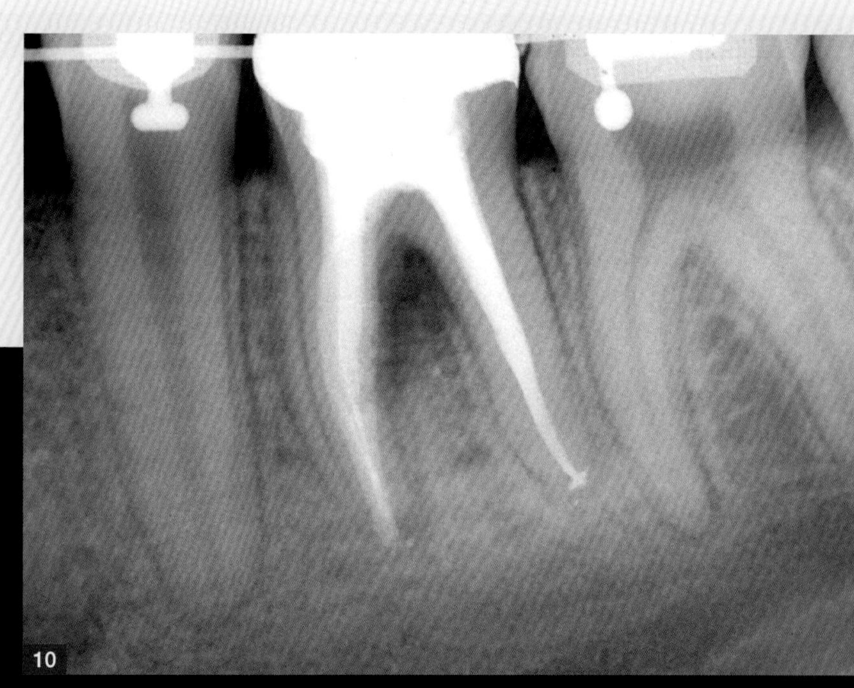

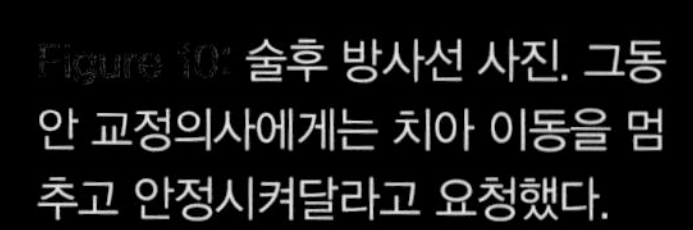

Figure 10: 술후 방사선 사진. 그동안 교정의사에게는 치아 이동을 멈추고 안정시켜달라고 요청했다.

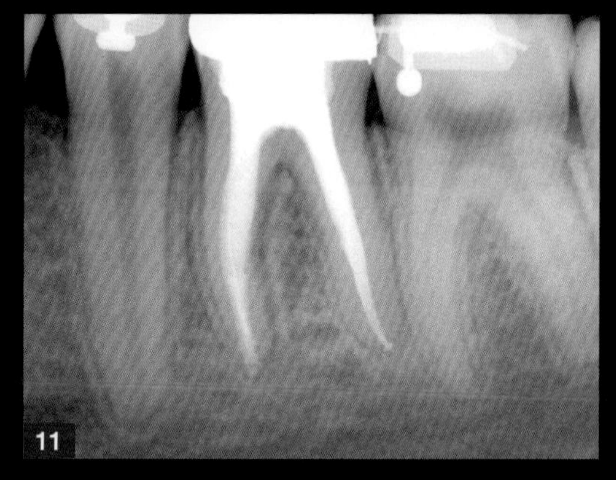

Figure 11: 재치료 2년 후 방사선 사진은 병소의 완전한 회복을 보여준다.

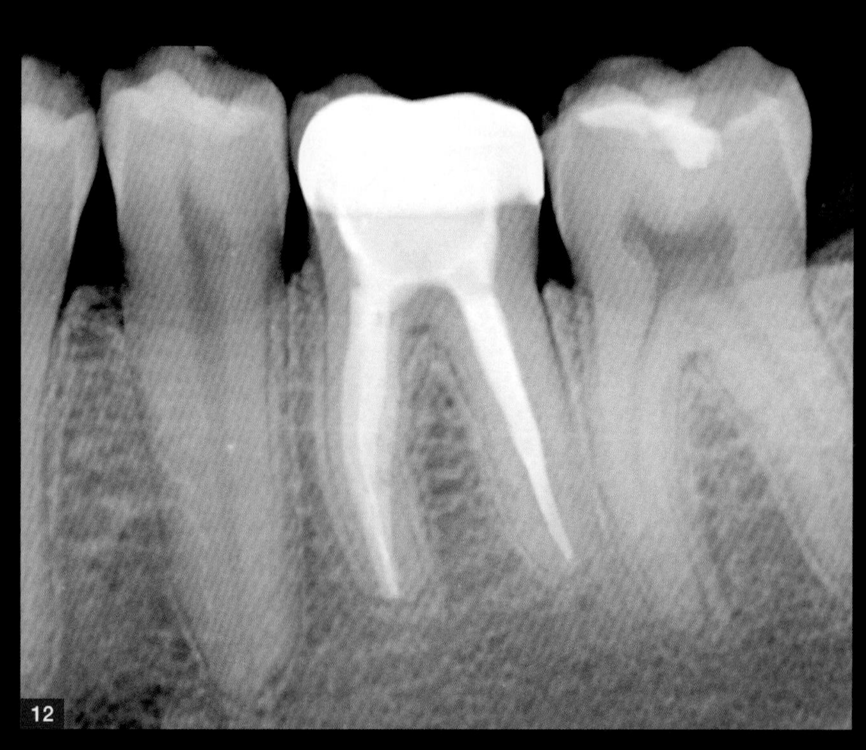

Figure 12: 치료 시작 후 18년 후의 방사선 사진

APPLYING AN APICAL PLUG

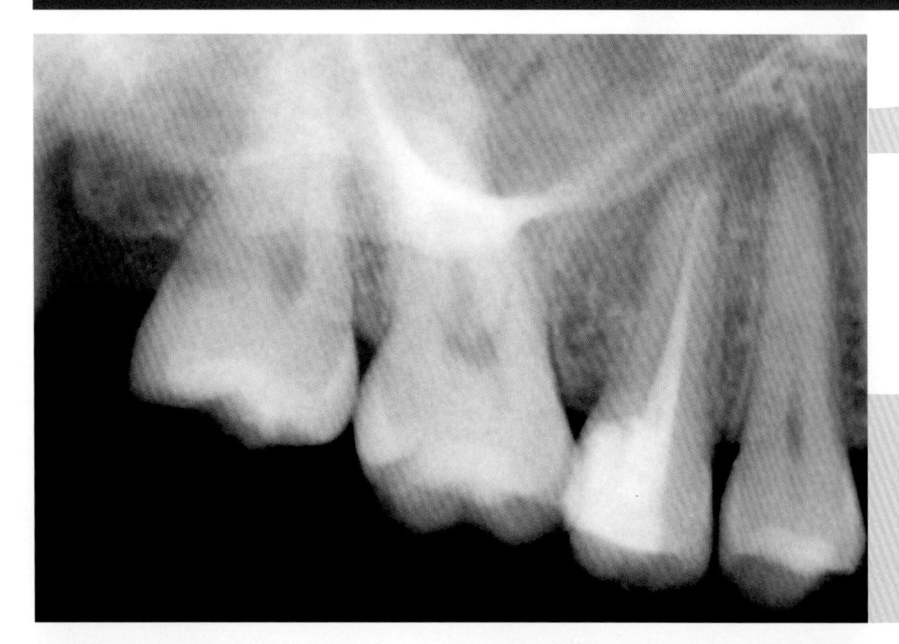

1

불완전한 근관치료로 치근단 병소가 생긴 상악 소구치의 재근관치료 증례. 치근단공 크기가 ISO 50~60보다 클 것으로 예상되며 그로 인해 근단부 폐쇄가 매우 어려울 것으로 예상된다.

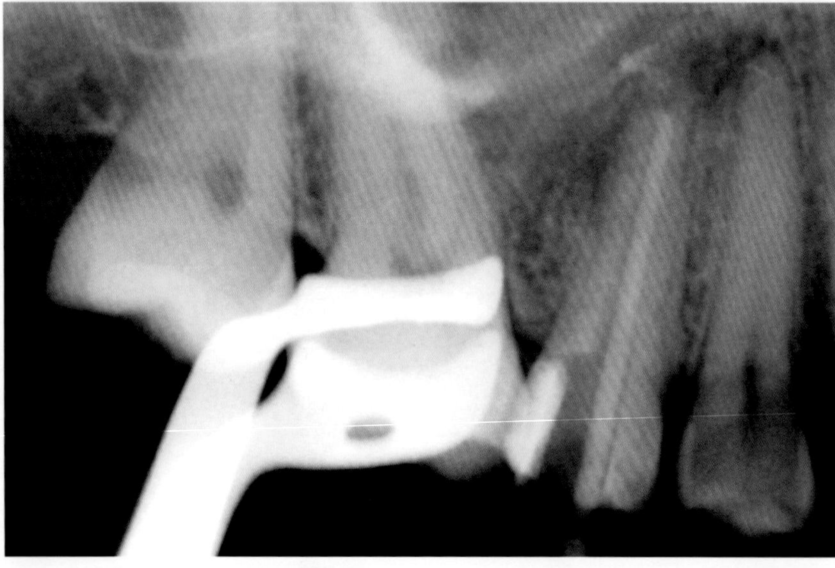

2

기존의 충전재를 모두 제거하고 근관벽을 넓히고 난 후, 치근단부의 크기를 고려해봤을 때 'apical plug'의 사용이 가능하겠다.

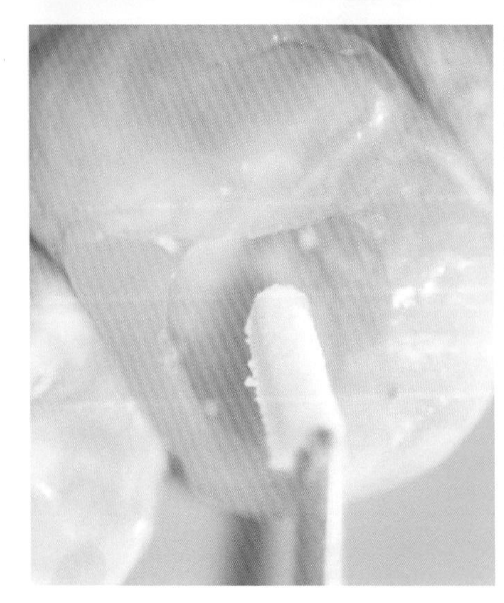

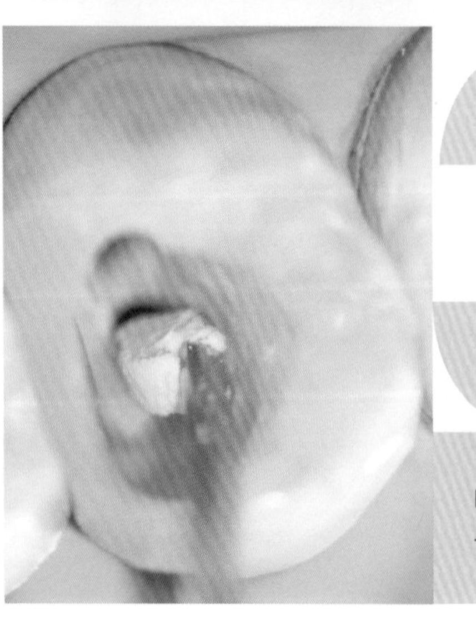

3

MTA의 근관 충전 방법은 간단하다. MTA의 혼합이 중요하며 위의 그림과 같은 혼합 정도를 가져야 한다.

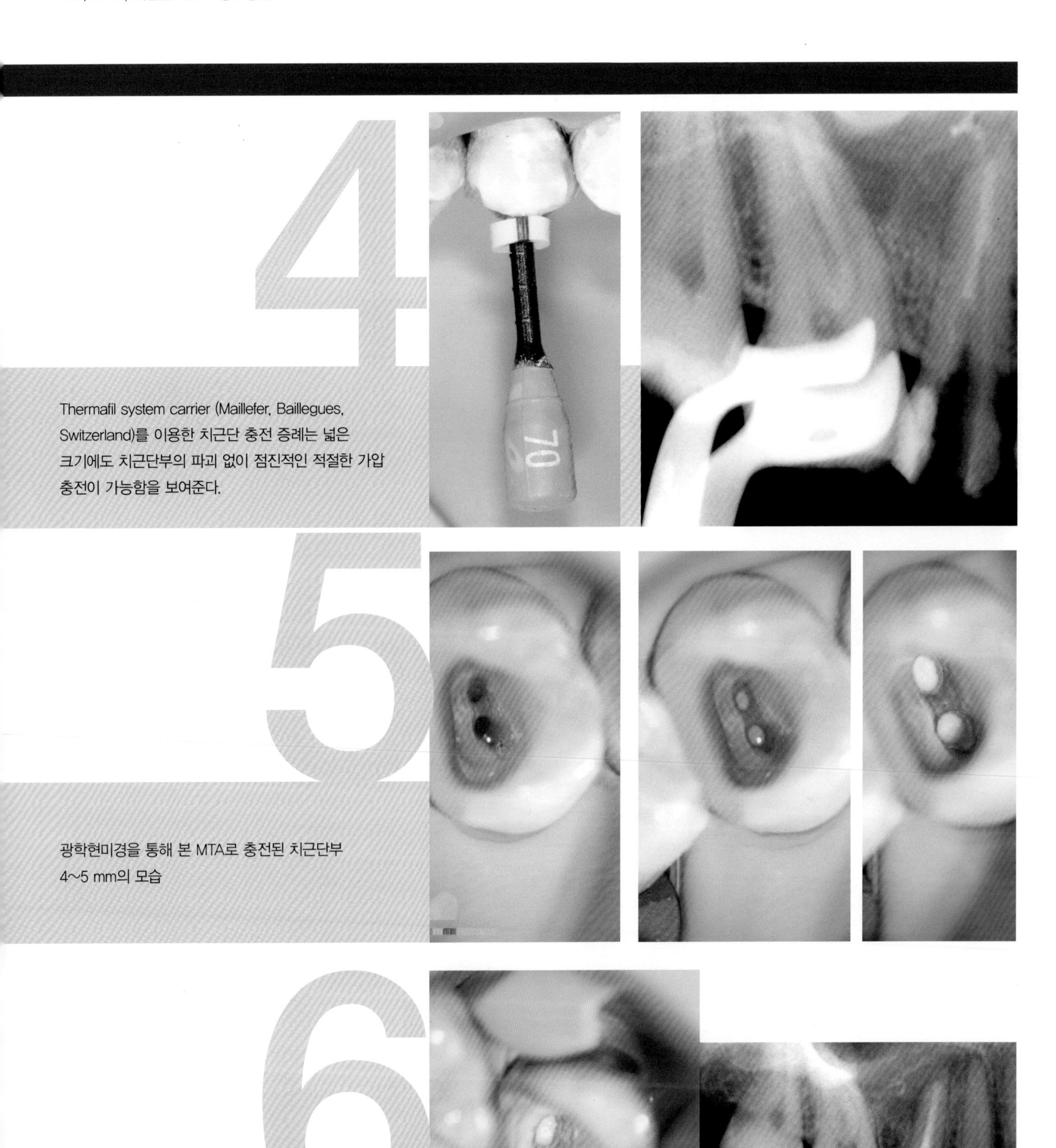

4

Thermafil system carrier (Maillefer, Baillegues, Switzerland)를 이용한 치근단 충전 증례는 넓은 크기에도 치근단부의 파괴 없이 점진적인 적절한 가압 충전이 가능함을 보여준다.

5

광학현미경을 통해 본 MTA로 충전된 치근단부 4~5 mm의 모습

6

치근단부의 완벽한 밀폐와 남은 상부의 근관 충전으로 마무리되었다.

▶ *continue* to page *324*

CASE
REPORT 9

단일 'apical plug'로 마무리하기

근관의 길이가 짧고 치근단공의 크기가 클 경우 MTA 단일 충전이 효과적인 대안이 될 수 있다. 위의 증례와 같이 MTA만으로도 충분한 근단 폐쇄효과를 얻을 수 있다.
브릿지의 전방 지대치에서 명확한 치근단 주위 병변이 관찰된다. 이는 불완전한 근관치료와 연관이 있었으며, 이미 치근단 병소로 인한 증상을 호소하고 있었다.

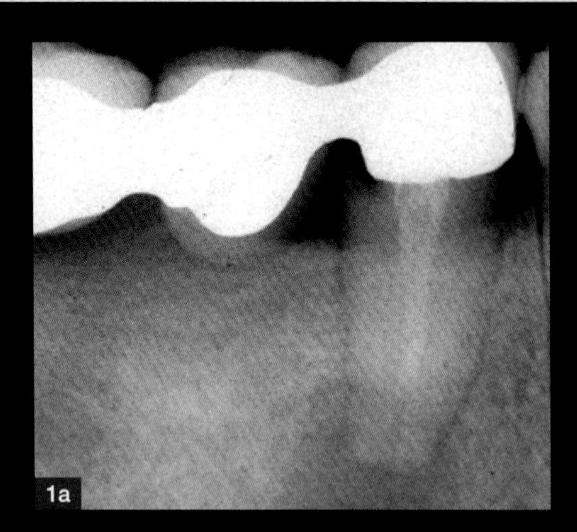

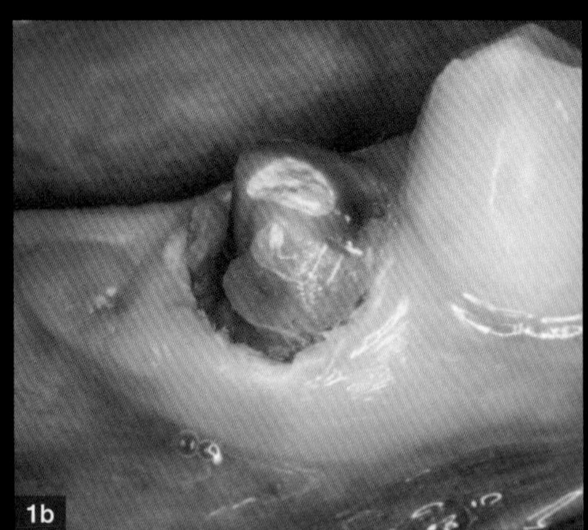

Figure 1a–b: 초진 시 지대치의 방사선 사진과 임상 사진

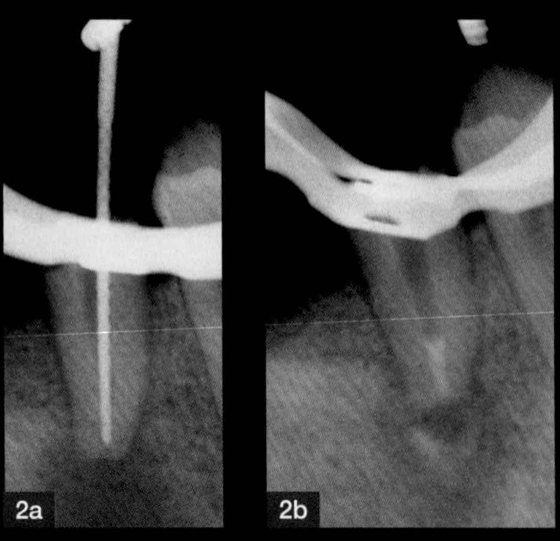

Figure 2a–b: 치근첨으로의 접근 및 'apical plug'로 폐쇄된 모습

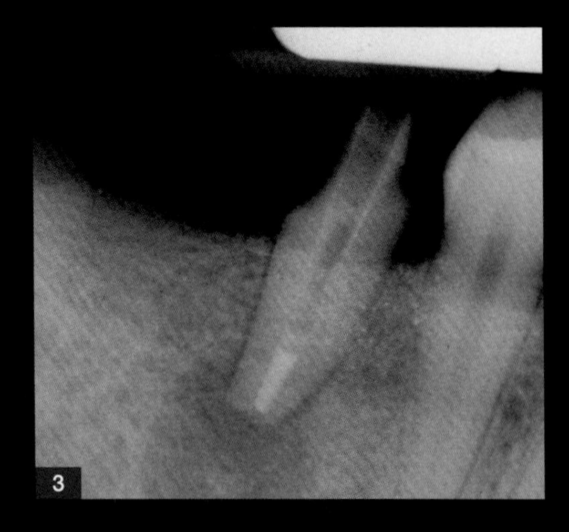

Figure 3: 컴포짓 포스트로 재건된 치아

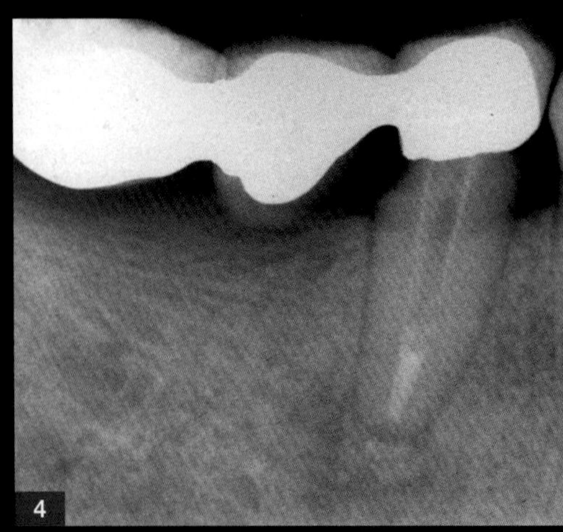

Figure 4: 1년여 후 치유된 병소

'apical plug'를 이용한 상악 견치의 충전

CASE REPORT 10

견치는 근관의 크기 및 길이로 인해 치료하기 복잡한 치아이다. 특히 치근단 주위 병변이 동반되는 경우는 더욱 그러하다.
이번 증례에선 해당 방사선 투과상이 잠재적 치근 파절과 같은 다른 상황들이 수반되어 있는지 확인하기 위해 3차원 방사선 검사를 수행했다.

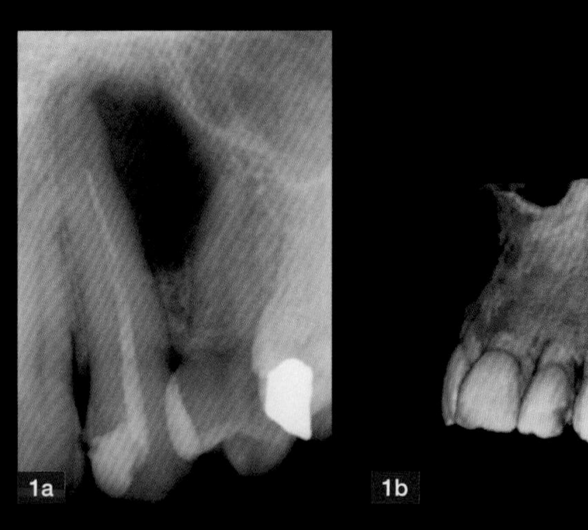

Figure 1a–b: 원심 방향으로 뚜렷한 치근단 주위 병변을 보이는 상악 견치의 방사선 사진. 3차원적 방사선 검사로 병변의 정도를 확인했다.

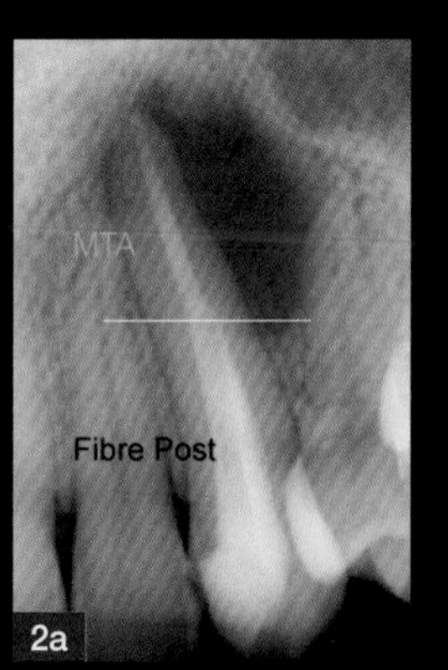

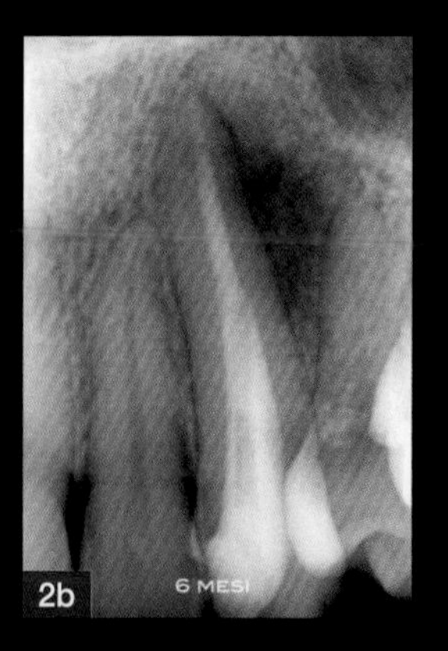

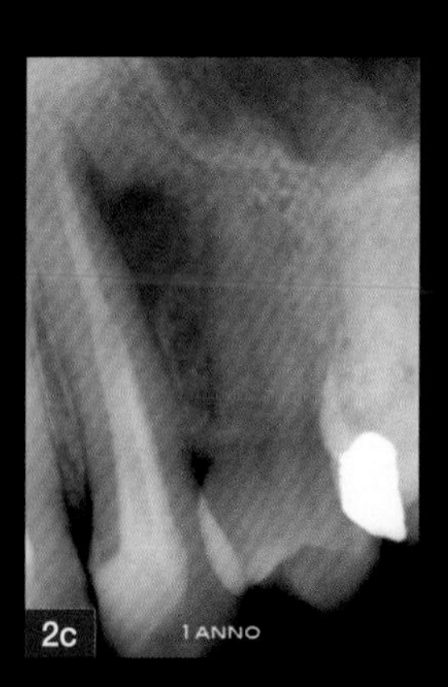

Figure 2a–c: 해당 근관치료는 'apical plug'와 열가소성 가타퍼챠로 상부의 근관을 밀폐하며 마무리됐다.

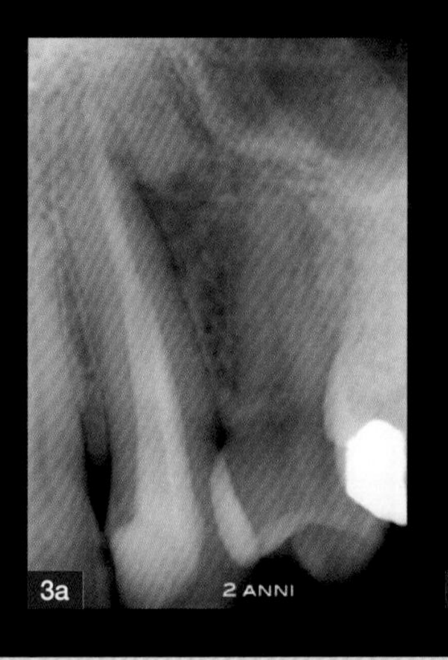

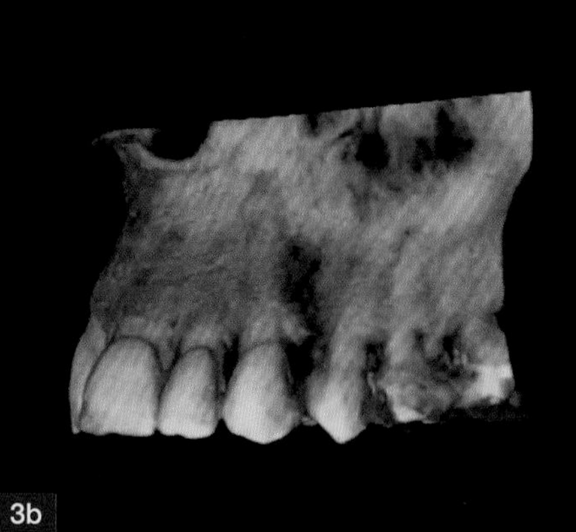

Figure 3a–b: 2년여 후, 2차원 및 3차원 방사선 검사에서 해당 치아는 치근단 주위 치조백선의 재형성과 함께 완전한 치유를 보였다.

Bioactive sealer와 단일 가타퍼챠 콘 사용하기

Bioactive sealer는 지난 20년 동안 가장 유명한 재료 중 하나인 MTA **(Box 5.4)**를 구성하는 기본 물질인 규산칼슘에서 유래된다.[60–63]

근관 충전에 적합한 실러는 가타퍼챠 콘과 함께 사용할 수 있는 화학적 조성을 기반으로 만들어진다.[65]

주요 특징 중 하나는 뛰어난 생체 적합성[66, 67]이다. 이러한 실러는 경화 단계에서 수산화 인회석을 포함한 다양한 화합물을 방출한다.

또한 골전도능이 있어 뼈와 접촉 시 실러 표면을 따라 새로운 골의 형성을 돕는다. 실러의 골전도능은 규산 칼슘과 같은 활성 성분에 따라 결정되며, 이는 염증성 병변 주위 골의 치유에 유리하게 작용할 수 있다.[72–74]

우수한 생체 적합성 외에도 bioactive sealer는 경화되는 동안 pH 12에 해당하는 높은 pH와 박테리아 부착을 방해하는 직경 1~3 nm의 나노 결정, 그

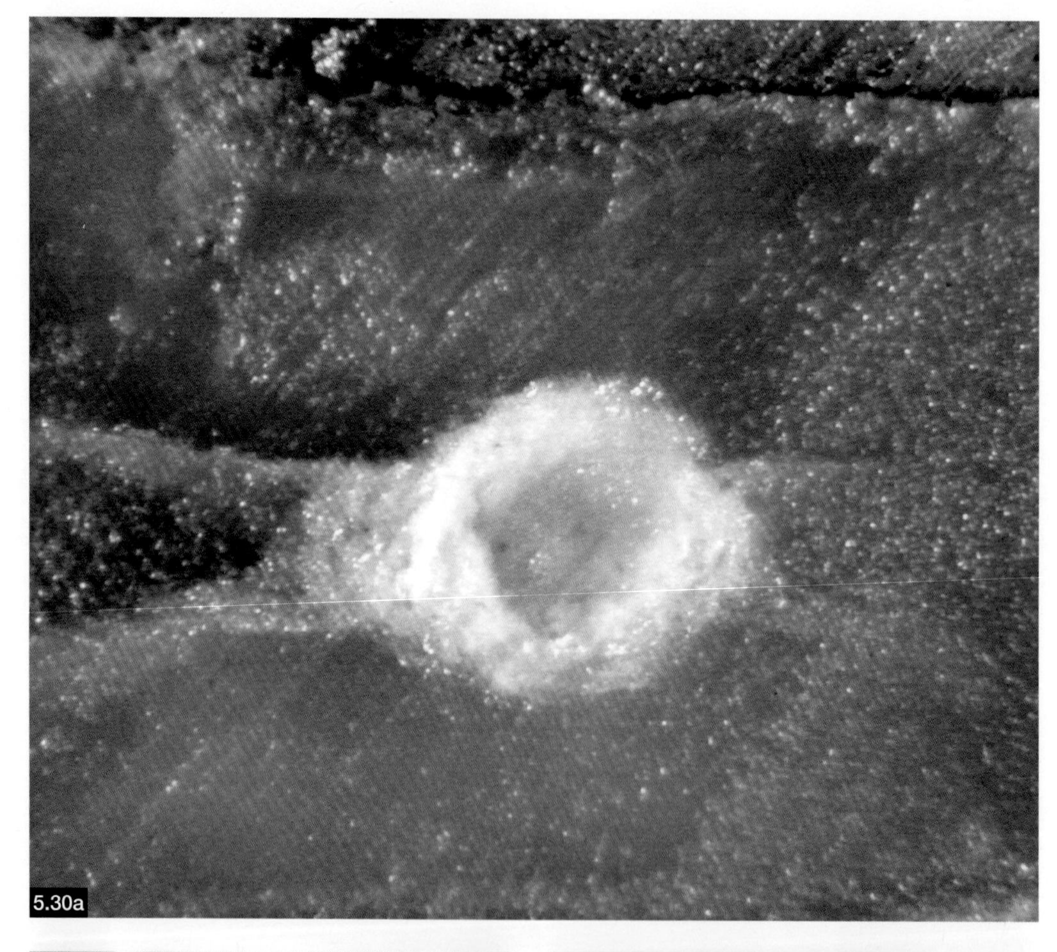

Fig. 5.30a: 매우 좁은 근관에서의 bioactive sealer의 분포

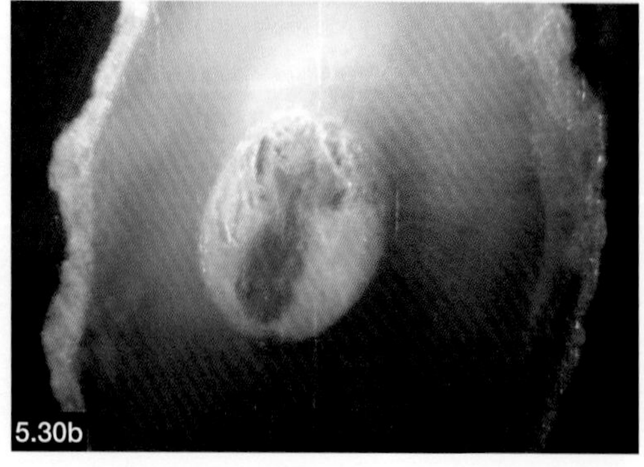

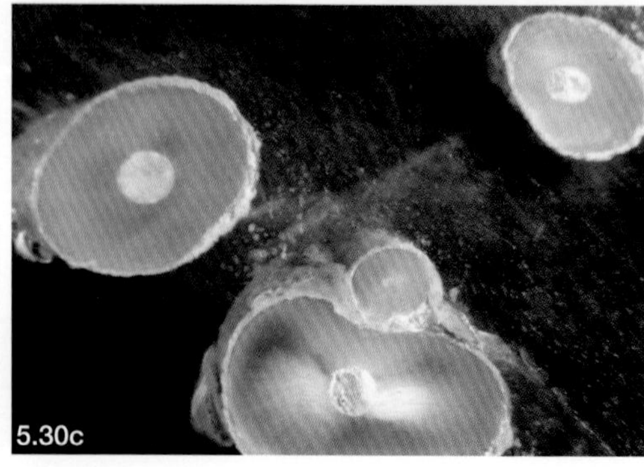

Fig. 5.30b-c: **(b)** c형 근관에서 실러의 분포, **(c)** 근심 근관에서의 매우 좋은 분포, **(d)** 근심 및 원심 협측 근관에서의 매우 좋은 분포

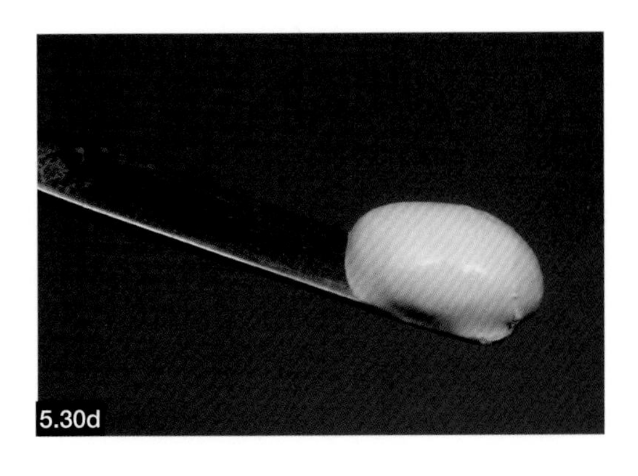

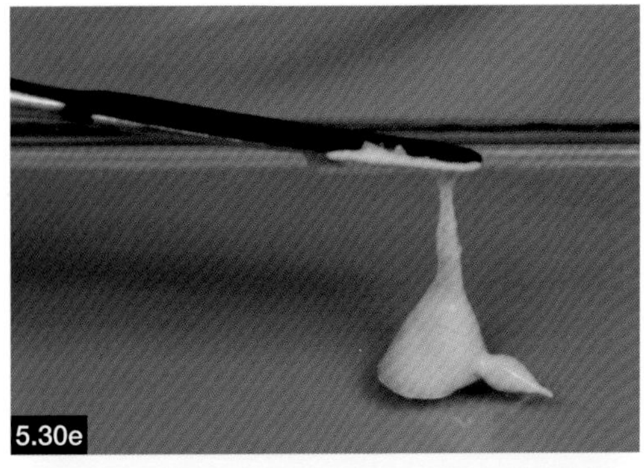

Fig. 5.30d-e: 실러는 조심스럽게 혼합해야 하며 글래스아이오노머 또는 아말감용 믹서를 사용할 수도 있다. 혼합이 끝나면 실러를 기구에 묻혀 들어 올렸을 때 끊어지지 않고 이어지는 응집력을 가져야 한다.

리고 수산화인회석의 결정을 구성하는 강력한 항균성을 가진 일부 불소 이온 때문에 항균성을 가지고 있다.[77–80]

일부 연구에서 이는 *Enterococcus faecalis*에 대해서도 효과적인 것으로 확인되었다.[81]

다양한 연구에[82–84] 의해 이러한 실러는 장기적인

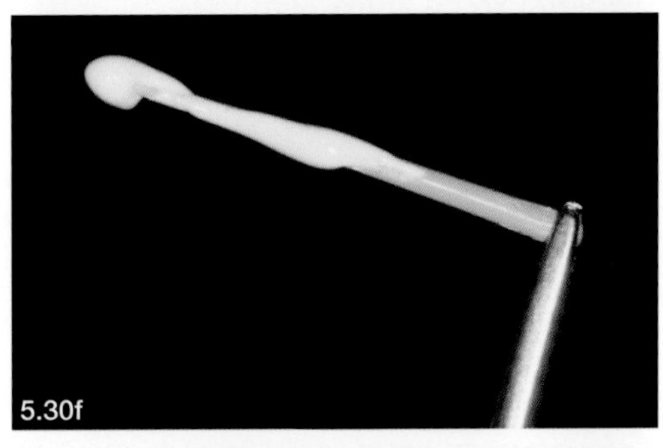

Fig. 5.30f: 실러는 거타퍼챠 콘에 묻혀서 근관 내에 넣을 수도 있다. 이 경우 거타퍼챠 콘을 근관벽에 문지르지 않으며 삽입해야 한다.

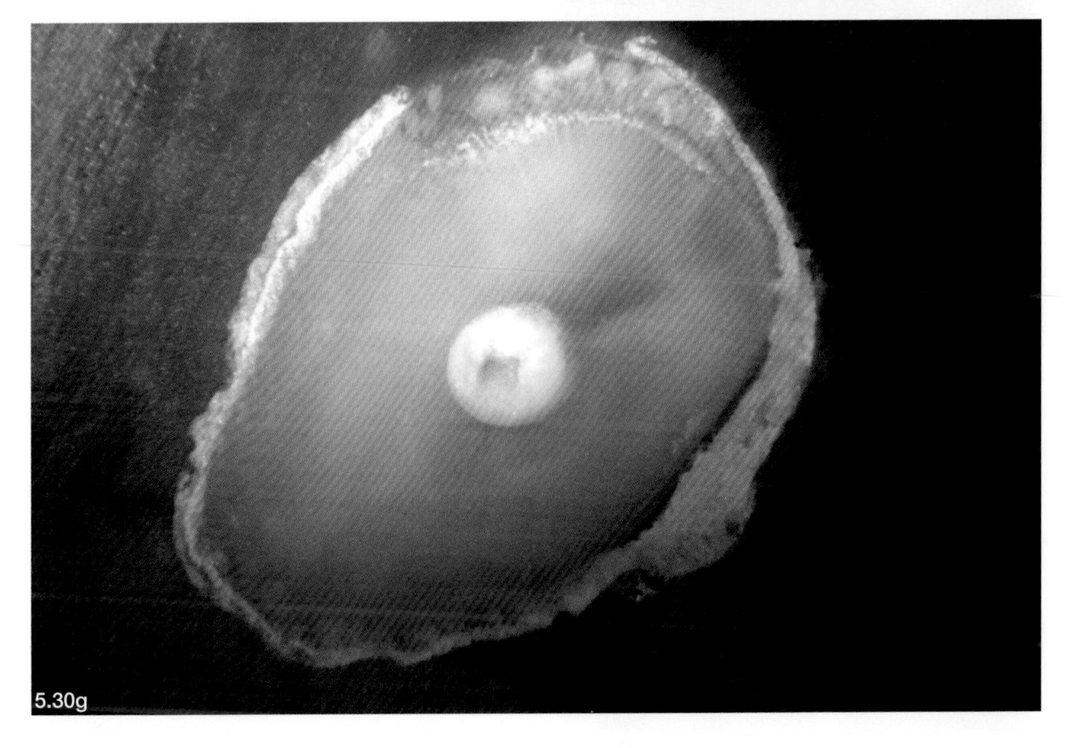

Fig. 5.30g: 실러가 근관에 잘 적합되었다. 거타퍼챠 콘이 근관에 끼지 않도록 주의해야 한다.

밀폐를 유지할 수 있고 화학적으로 안정적이며 부식되지 않음이 밝혀졌다.[85–88]

또한 친수성이므로 수분과 혈액 오염에 민감하지 않으며 시간이 지나도 큰 체적 변화를 보이지 않는다. 경화 단계에서는 일반적인 실러들이 보이는 수축과 반대로 오히려 약간의 팽창을 보인다.[89–93]

수많은 연구에서 bioactive sealer의 특성이 매우 흥미롭게 다뤄지고 있지만, 기존에 사용되던 실러와 비교하여 우수성을 입증하는 높은 수준의 임상 연구는 여전히 제한적이다.

De-Deus 등은[48] bioceramic sealer를 이용한 싱글콘 테크닉은 타원형 근관의 middle 및 coronal 1/3은 효과적으로 충전할 수 있지만 apical 1/3에서 void를 가질 수 있음을 보여줬다.

연구에 따르면 bioceramic sealer를 사용할 경우 치아 파절성에 긍정적인 영향을 가져올 수 있다.[94, 95]

Ghoneim 등은[96] 거타퍼챠 콘과 바이오 세라믹 실러로 밀폐된 후 글래스아이오노머로 수복된 치아의 경우 근관치료를 받지 않은 치아와 비슷한 파괴 저항성을 가질 수 있다고 보고했다.

일부 연구에서 동일한 측방가압법으로 충전된 치아들은 사용된 실러의 종류에 따라 수직 하중 시 파괴 저항성에서 약간의 차이를 보였다.[97]

하지만 Celikten 등은[98] 서로 다른 실러로 충전된 치아들의 파괴 저항성이 거의 차이가 없다고 보고했다.

용해도에 대해선 논란이 있다. 일부 연구에서 bio-active sealer는 시간이 지남에 따라 안정성을 보였고 다른 연구에서는 완전한 재료 경화가 일어나지 않는 등 상충되는 결과를 보고했다.[83]

그러한 차이들은 수분에 대한 다른 분석 방법과 같은 다양한 요인들로 설명할 수 있다. 또한 연구자에 의한 차이일 수 있다. 이러한 상충되는 결과들은 임상적으로 중요하게 고려되지는 않는다.[86, 87]

Bioceramic sealer의 특성은 MTA의 특성과 유사하다. 가장 큰 차이점은 조성인데, bioceramic sealer는 알루미늄, 납, 크롬 및 비소와 같은 중금속을 포함하지 않는다.

Bioceramic sealer는 MTA에서 방사선 불투과성을 위해 이용되는 'apical plug'를 포함하지 않기 때문에 MTA와 같은 실러에 의해 발생하는 착색을 줄일 수 있다.[85]

이는 단독으로 혹은 거타퍼챠 콘과 함께 근관충전을 위해 사용될 수 있다.[81]

또한 Bioceramic sealer는 MTA에 비해 경화 시간이 짧고 일부는 4시간 정도의 경화 시간을 갖는다. 이 특성은 임상적으로 큰 이점을 갖는다.

여러 저자들은 재근관치료를 받는 치아의 근관충전 재료로 선택적 사용을 제안했다. 본서에서 자주 언급되는 바와 같이, 이미 근관치료를 받은 치아의 근관확대 시 종종 ISO 50보다 큰 치근단공을 갖게 된다.

치근단공은 모양은 고르지 않은 경우가 많고, 특히 큰 염증성 치근단 병소를 갖는 경우 두드러지는데, 이는 치근단 병소로 인한 치근흡수 때문이다. 실러는 차가운 상태로 단일의 거타퍼챠 콘과 함께 혹은 측방가압법으로 충전되게 된다. 실러와 거타퍼챠의 비율을 고려해 보았을 때 단일의 거타퍼챠 콘과 충전될 경우 더욱 유리하며, 이때 거타퍼챠 콘은 바이오세라믹 실러를 전달하는 역할을 하게 된다.

임상적으로 부분적인 금기 사항은 당일 즉시 수복을 하는 것인데, 특히 수복 시 근관내에서 유지를 얻어야 할 경우에 특히 그러하다.

연구에 의하면 bioceramic sealer와 접착과정은 부정적인 상호작용을 갖는 것으로 드러났다.[100]

결론적으로 bioceramic sealer를 이용한 근관충전 방법은 전통적인 근관충전법의 훌륭한 대안이 될 수 있다. 현재 제한적이긴 하지만 몇몇 권위 있는 논문들이 이를 뒷받침하고 있다.[101]

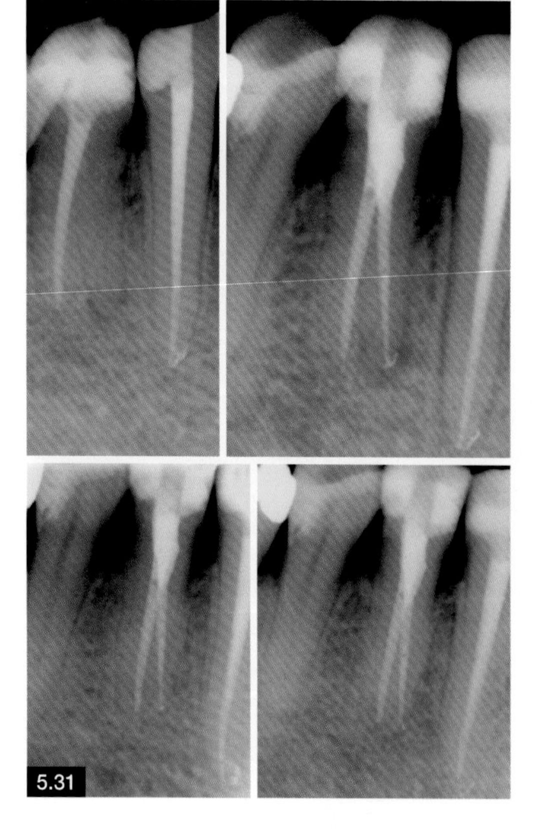

Fig. 5.31: 비정상적인 해부학적 구조를 가진 하악 소구치의 missing canal 증례. 근관을 찾은 후 근관성형 및 bioactive sealer를 이용해 근관충전을 마쳤다. 12개월 후 완전히 치유된 모습을 볼 수 있다.

상악 좌측 중절치의 재근관치료

CASE REPORT 11

39세 남환이 상악 좌측 중절치의 변색을 주소로 내원했다. 환자는 8살 때 외상 병력이 있으나 그 이후로 어떠한 통증도 없었다. 환자는 간헐적으로 입술 쪽에 누공이 있었다고 말했고, 과거의 근관치료는 3번 이상의 내원으로 마무리되었다고 말했다.

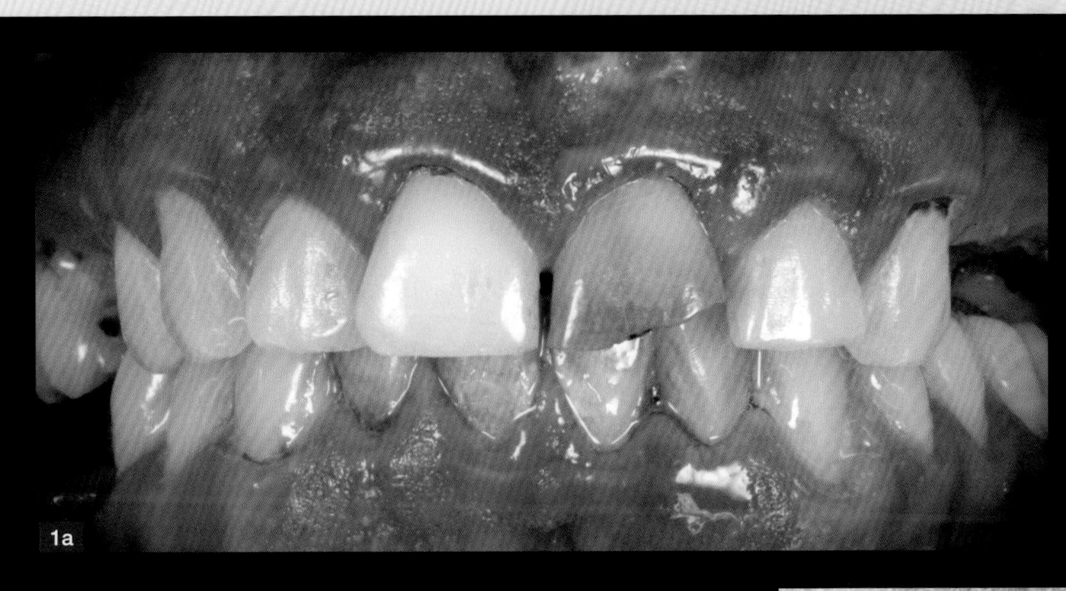

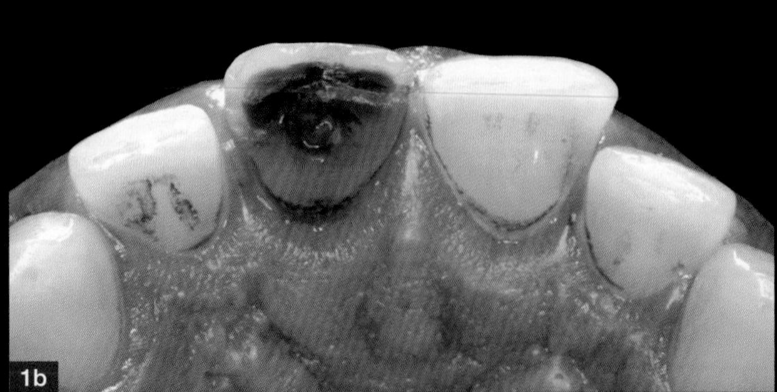

Figure 1a-b: 임상 검사 시 발견된 상악 좌측 중절치의 변색과 class 4 우식. 설측으로 수복물의 파절이 보인다. 치아는 압통에 대해 음성이었고 치주낭 검사 시 정상이었다.

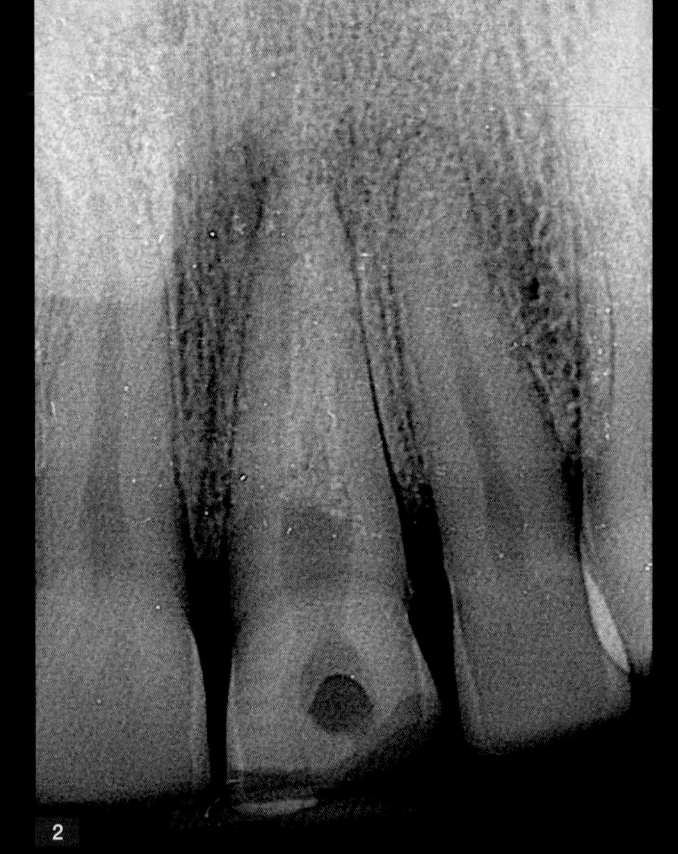

Figure 2: 구강내 치근단 방사선 사진에서 치관부 수복의 파절과 불완전한 근관치료가 보인다.

첫 번째 내원

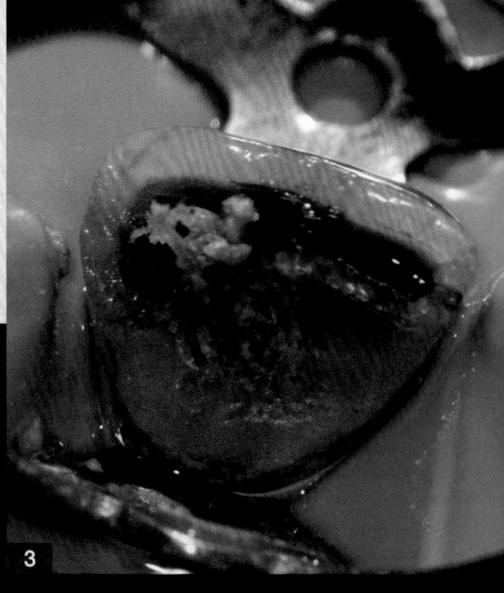

Fig. 3: 치아를 러버댐과 전치부 클램프로 격리했다.

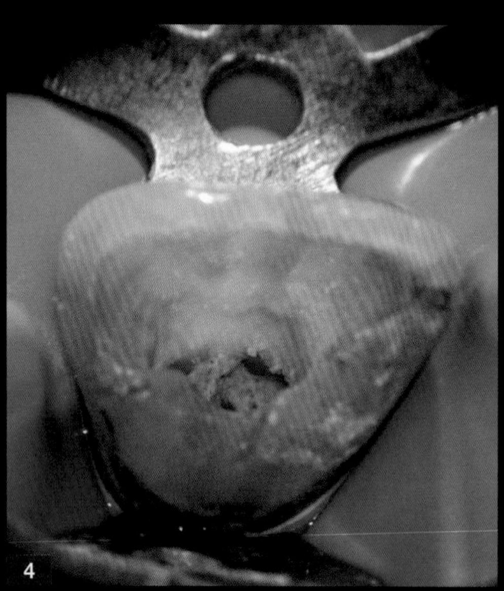

Figure 4: 치관부 우식은 저속 핸드피스와 라운드 버를 이용하여 제거했다. 치수강은 5.25% NaOCl로 세척했다.

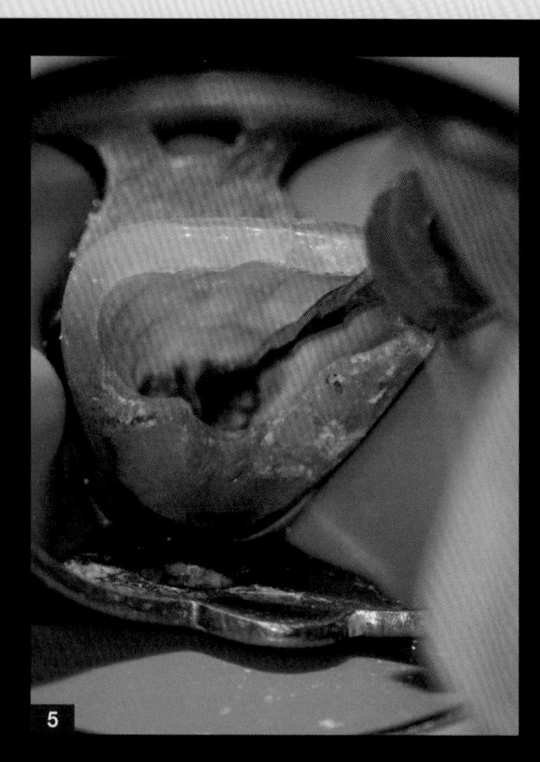

Figure 5: 근관충전재는 Fanta F One file #25/0.06(500 rpm)으로 제거했다.

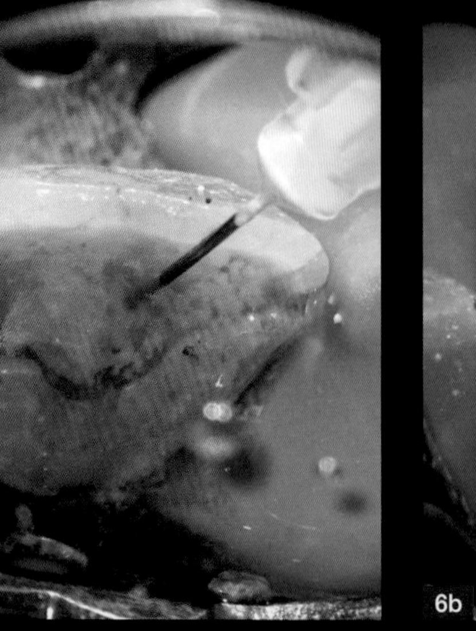

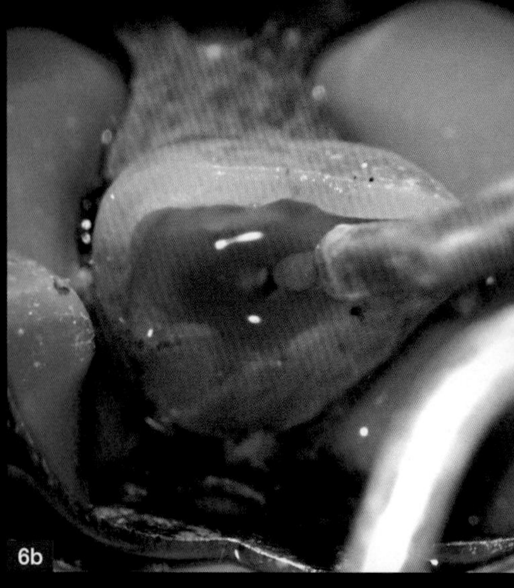

Figure 6a-b: 초음파 기구(Eighteeth Ultra)를 이용하여 많은 양의 생리식염수로 잔사와 괴사조직 및 충전재 잔해를 최대한 제거했다. 치아가 개방된 근단공을 가지고 있고 근관장이 확인되지 않아 생리식염수를 이용했다.

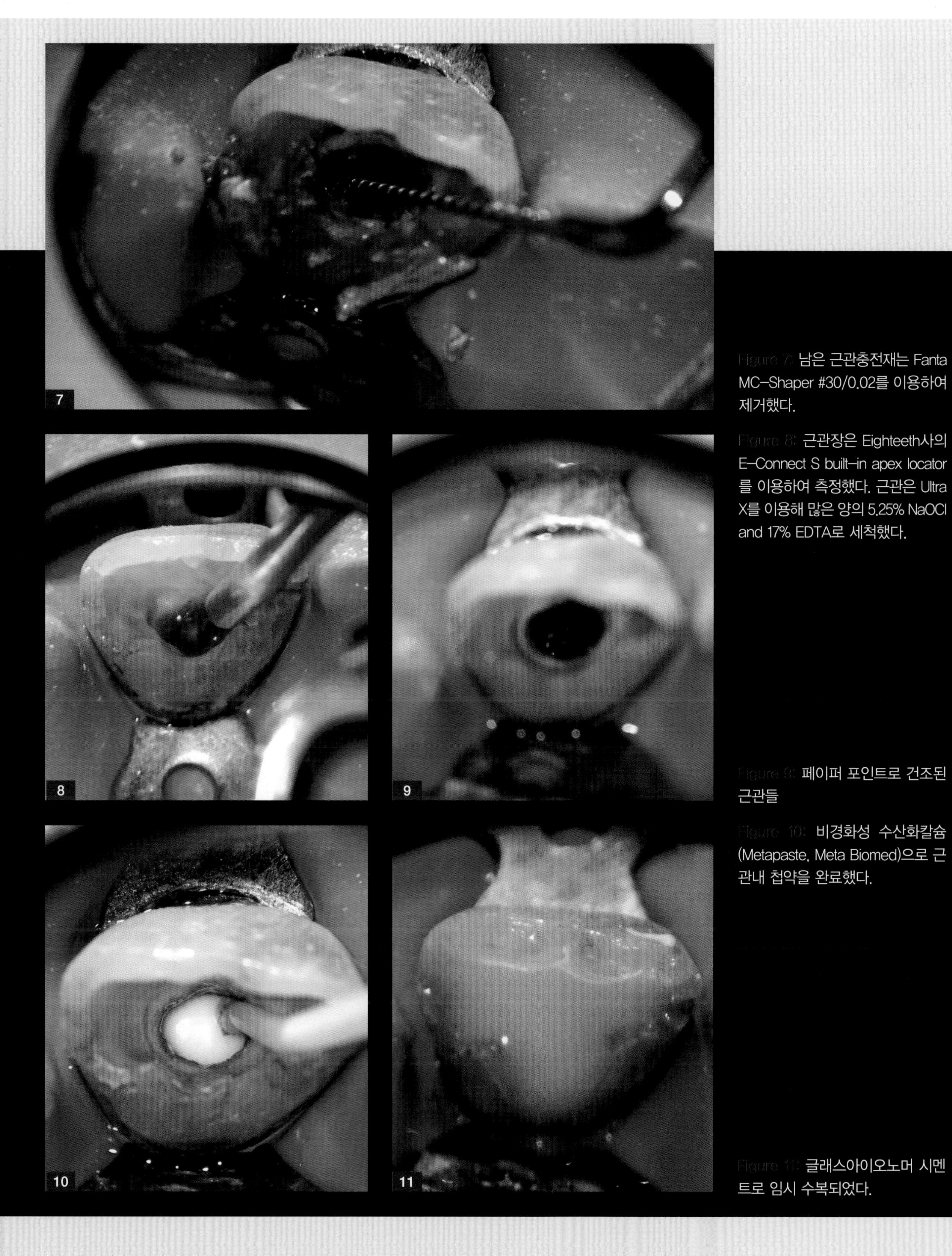

Figure 7: 남은 근관충전재는 Fanta MC-Shaper #30/0.02를 이용하여 제거했다.

Figure 8: 근관장은 Eighteeth사의 E-Connect S built-in apex locator를 이용하여 측정했다. 근관은 Ultra X를 이용해 많은 양의 5.25% NaOCl and 17% EDTA로 세척했다.

Figure 9: 페이퍼 포인트로 건조된 근관들

Figure 10: 비경화성 수산화칼슘(Metapaste, Meta Biomed)으로 근관내 첩약을 완료했다.

Figure 11: 글래스아이오노머 시멘트로 임시 수복되었다.

두 번째 내원 (1주 후)

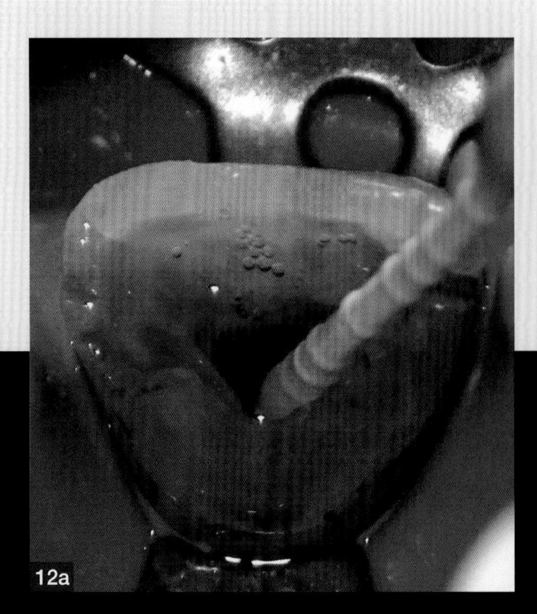

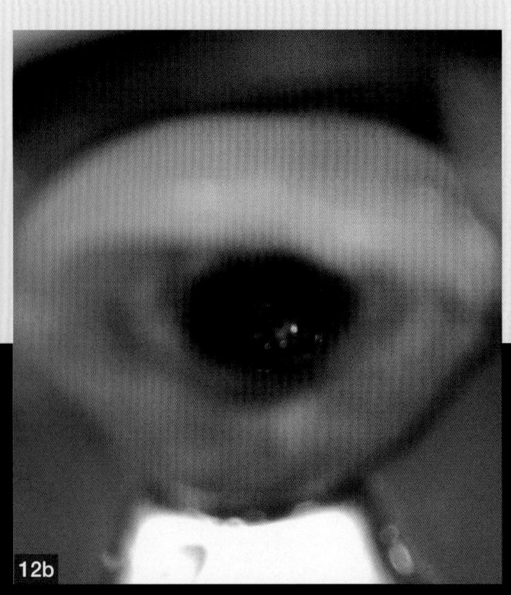

Figure 12a-b: 많은 양의 생리식염수와 초음파 기구를 이용해서 첩약된 수산화칼슘을 제거했다. 마지막 세척은 클로르헥시딘으로 마쳤다.

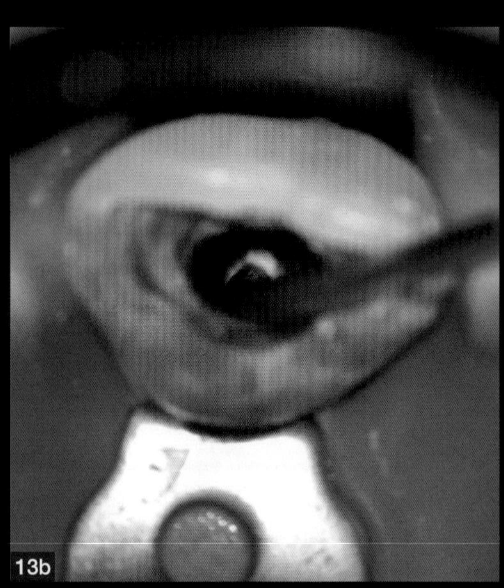

Figure 13a-b: MTA 충전의 바닥 기반을 만들기 위해 플러거를 이용하여 흡수성 젤라틴 지혈 스폰지를 근관 밖으로 밀어넣었다.

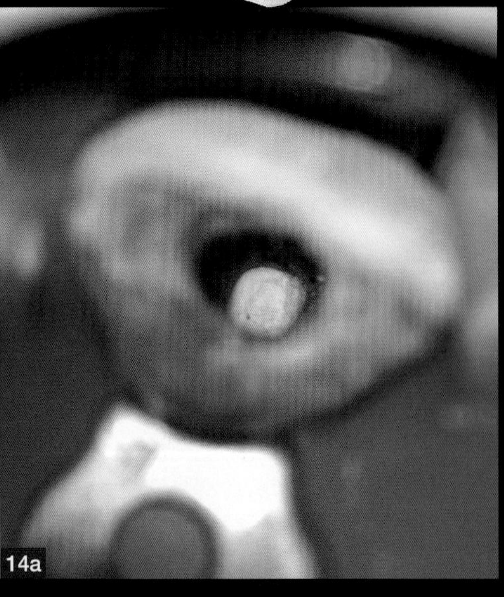

Figure 14a-b: 상부 근관은 거타퍼챠로 충전되었다. 75% 알코올과 마이크로 브러쉬로 치수강을 세척하고 남은 근관 부분은 복합중합형 레진 시멘트로 밀폐했다. 내부 미백제(Opalescence™ Endo, Ultradent)를 치수강내에 넣고 글래스 아이오노머 시멘트로 임시 수복했다.

세 번째 내원 (5일 후)

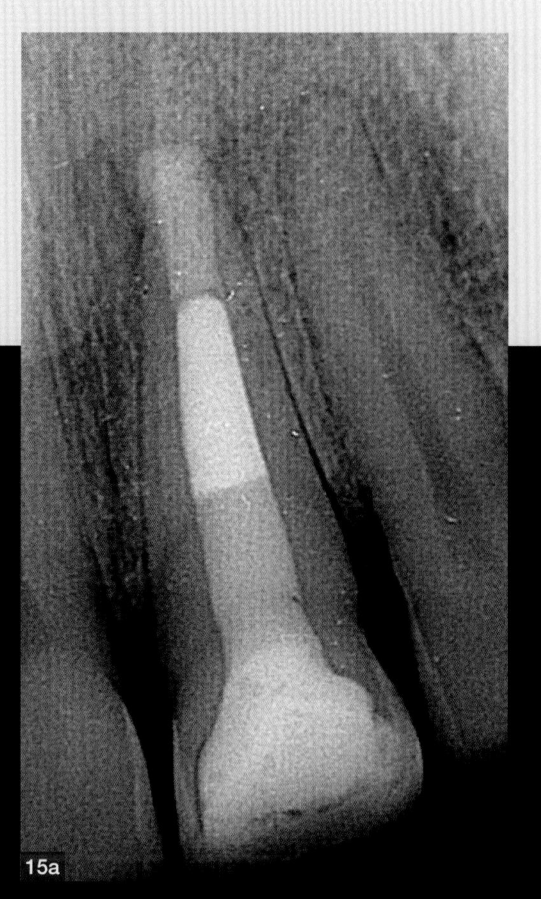

Figure 15a-b: 러버댐으로 격리 후, 임시 수복재와 내부의 미백제를 제거했다. 컴포짓 레진으로 수복한 후 옆 치아와의 심미적 조화를 위해 IPS Empress direct (Ivoclar)로 최종 수복되었다.

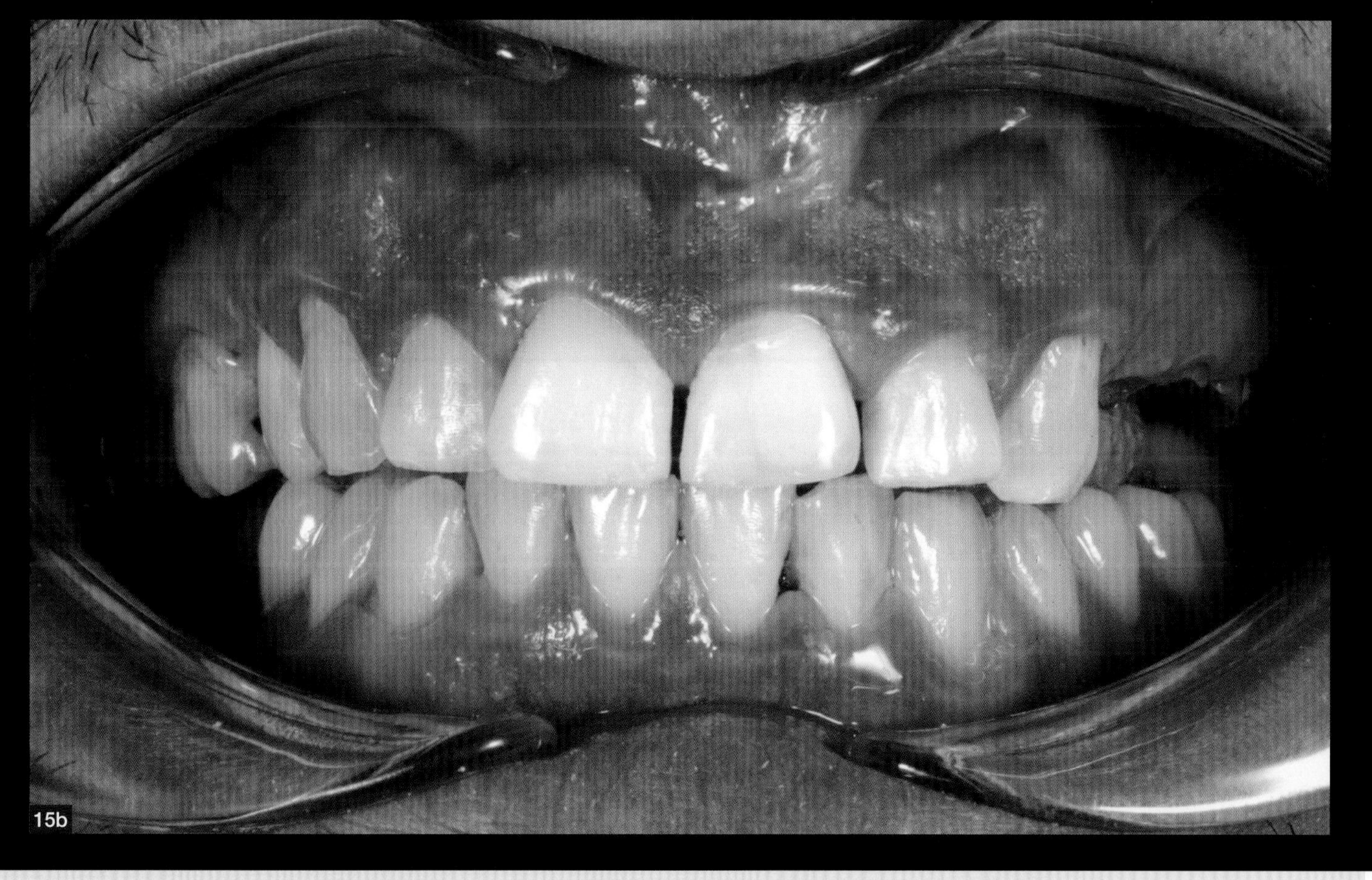

CASE
REPORT 12

큰 치근단부 병소에서의 apical plug

급성 부종과 치아 #12와 #13 사이 협측 누공을 가진 48세 여환의 응급 치료 증례이다. 방사선 검사에서 근관치료를 받은 치아 #12 주위의 커다란 치근단 병소가 발견됐다. 치주낭 깊이는 정상이었다. 환자는 근관치료가 2년 전에 마무리되었고 치료가 끝나고 치아가 매우 민감해졌다고 했다.

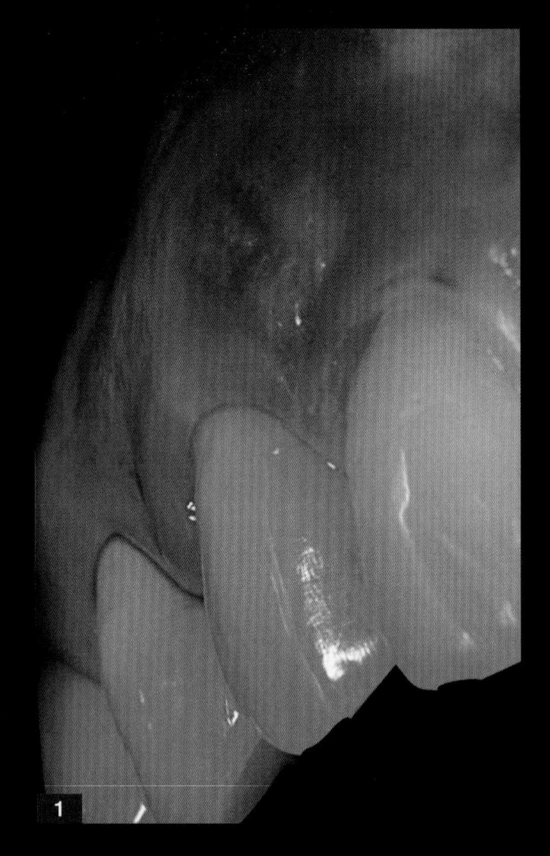

Figure 1: 치아 #12, #13 사이의 협측부 임상사진. 어느 치아에서 기원했는지 정확히 알 수는 없지만 명확한 누공이 관찰된다.

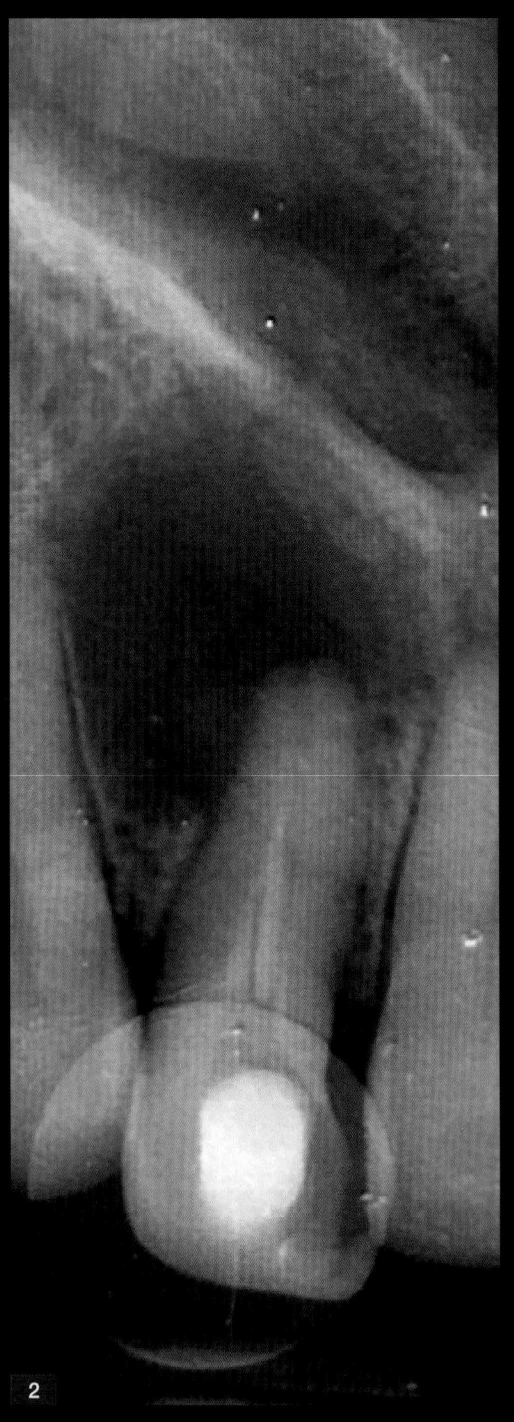

Figure 2: 구강내 방사선 사진에서 상악 우측 절치의 불완전한 근관치료와 명확한 치근단부 병소가 관찰된다.

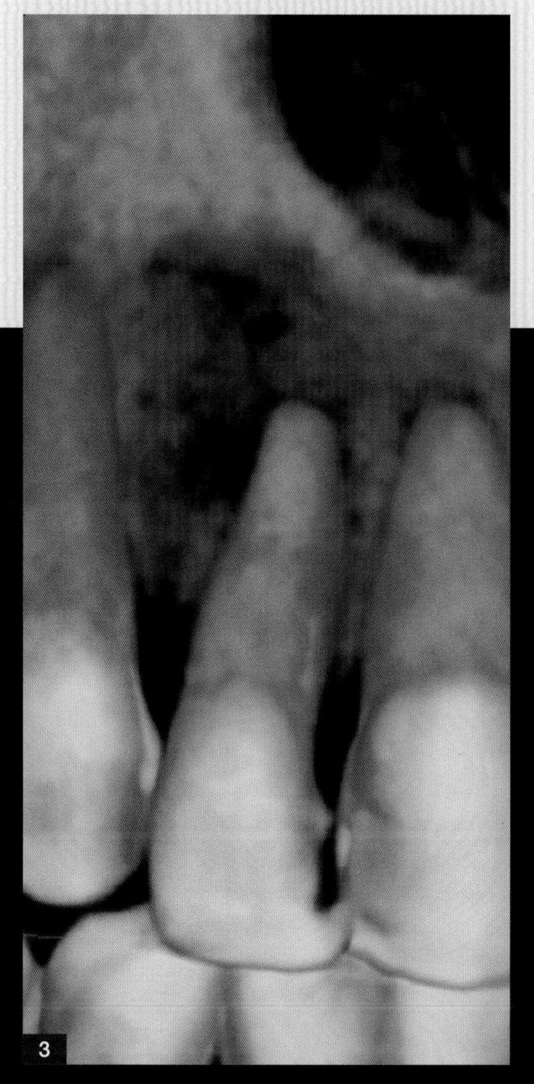

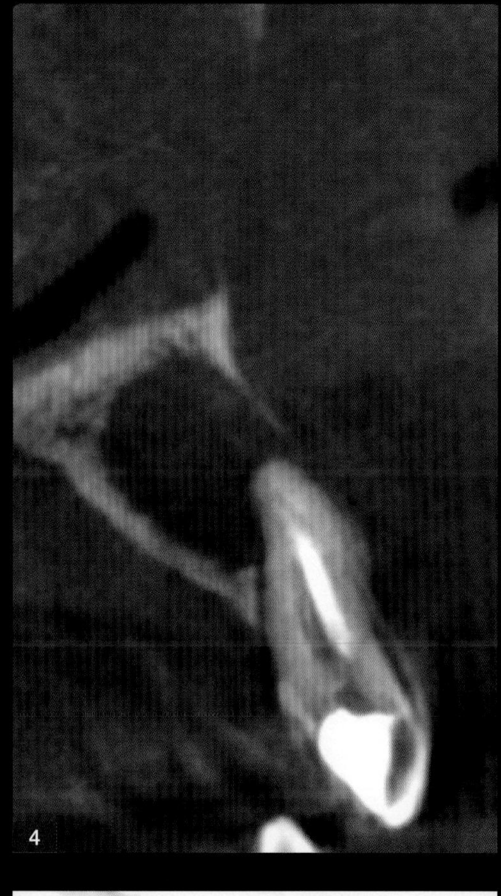

Figures 3–5: 병적 치근흡수와 치근파절의 가능성 배제하기 위해 CBCT를 촬영했다. 이전의 근관치료는 충전 길이와 충전 부피 측면에서 불충분하다.

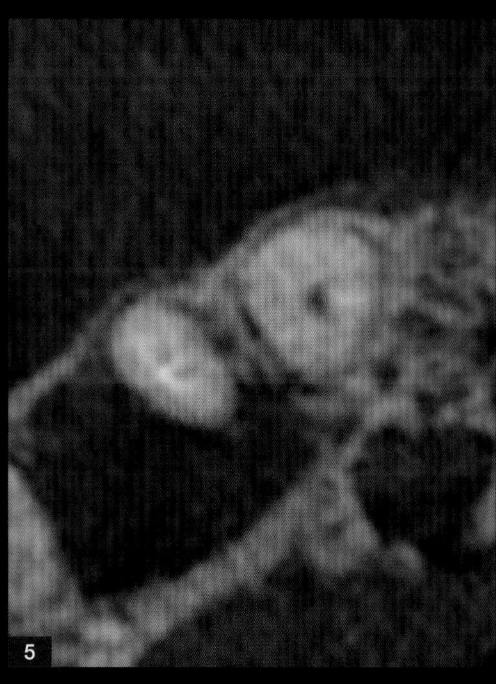

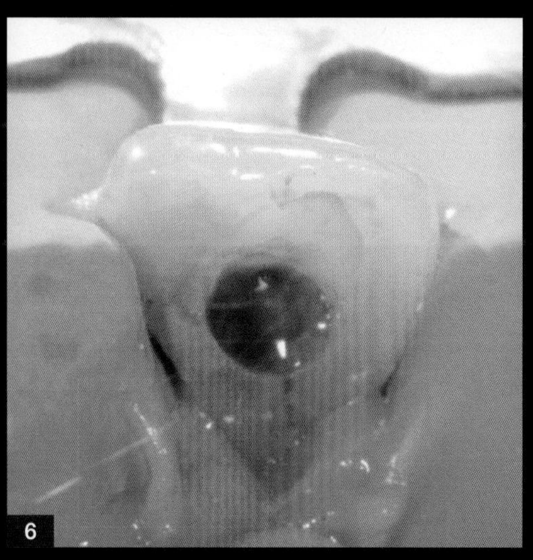

Figure 6: 재근관치료를 시작하자 많은 양의 농이 나와 배농 후 치료는 두 번에 나눠 완료하기로 계획했다.

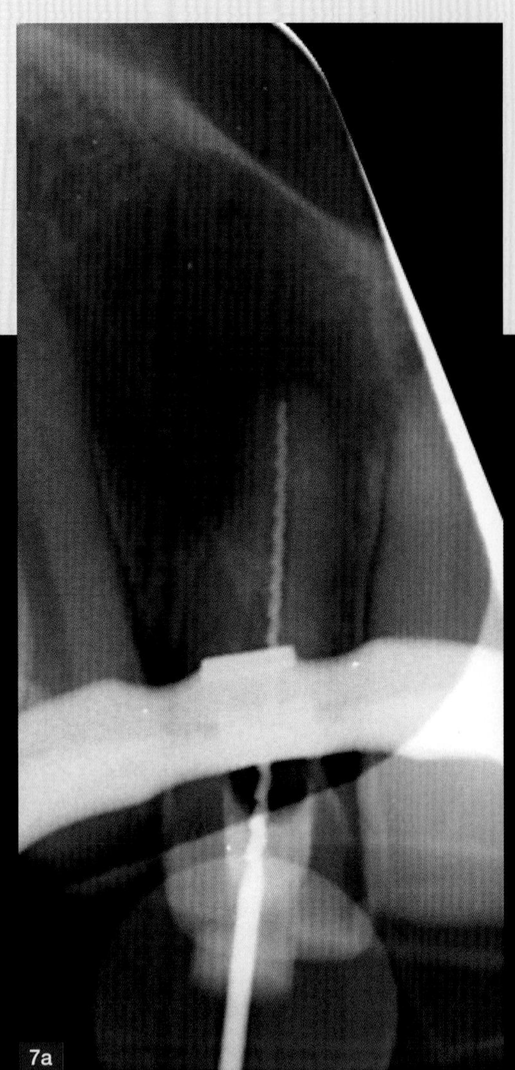

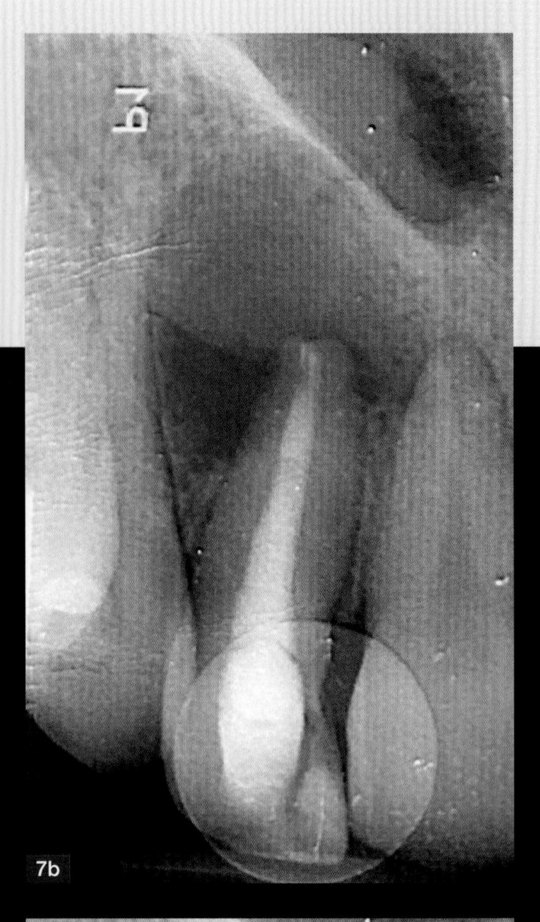

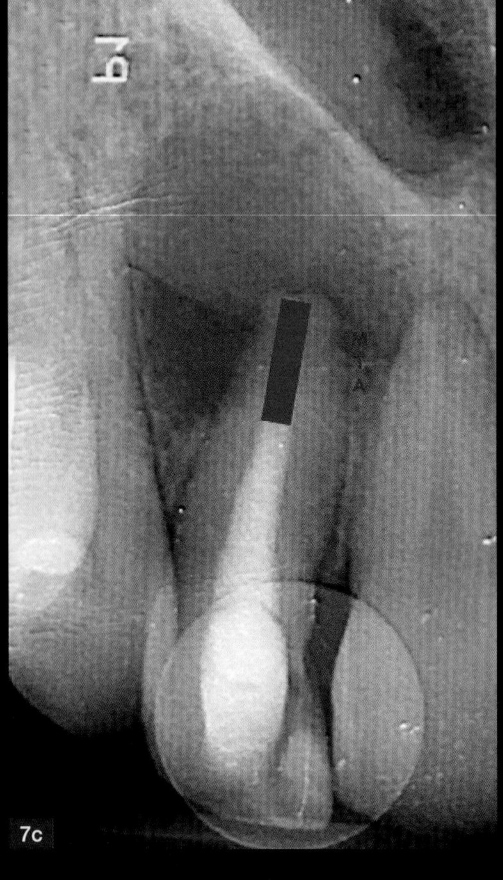

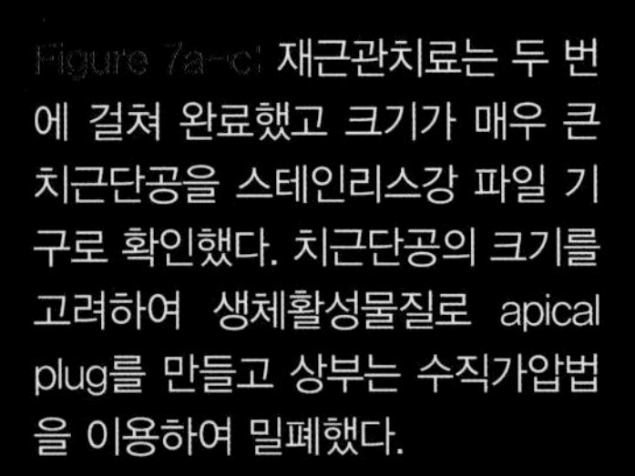

Figure 7a–c: 재근관치료는 두 번에 걸쳐 완료했고 크기가 매우 큰 치근단공을 스테인리스강 파일 기구로 확인했다. 치근단공의 크기를 고려하여 생체활성물질로 apical plug를 만들고 상부는 수직가압법을 이용하여 밀폐했다.

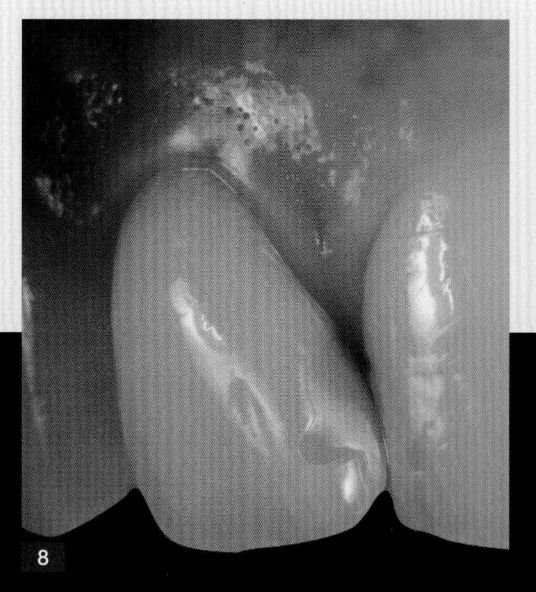

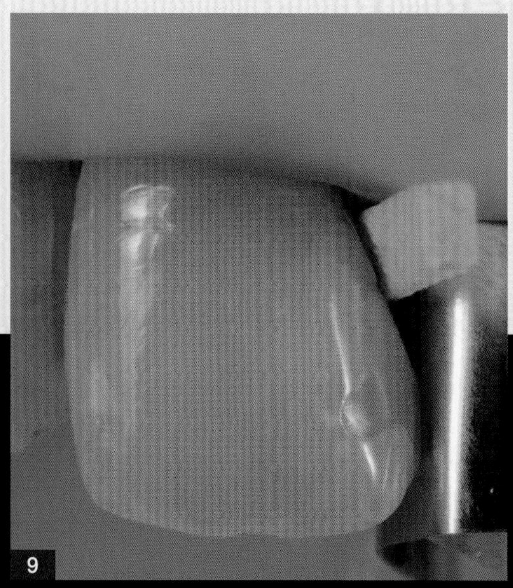

Figures 8-12: 성공적인 재근관치료는 반드시 확실한 수복으로 마무리되어야 한다. 컴포짓 레진으로 수복하여 치아의 외형과 기능을 회복했다.

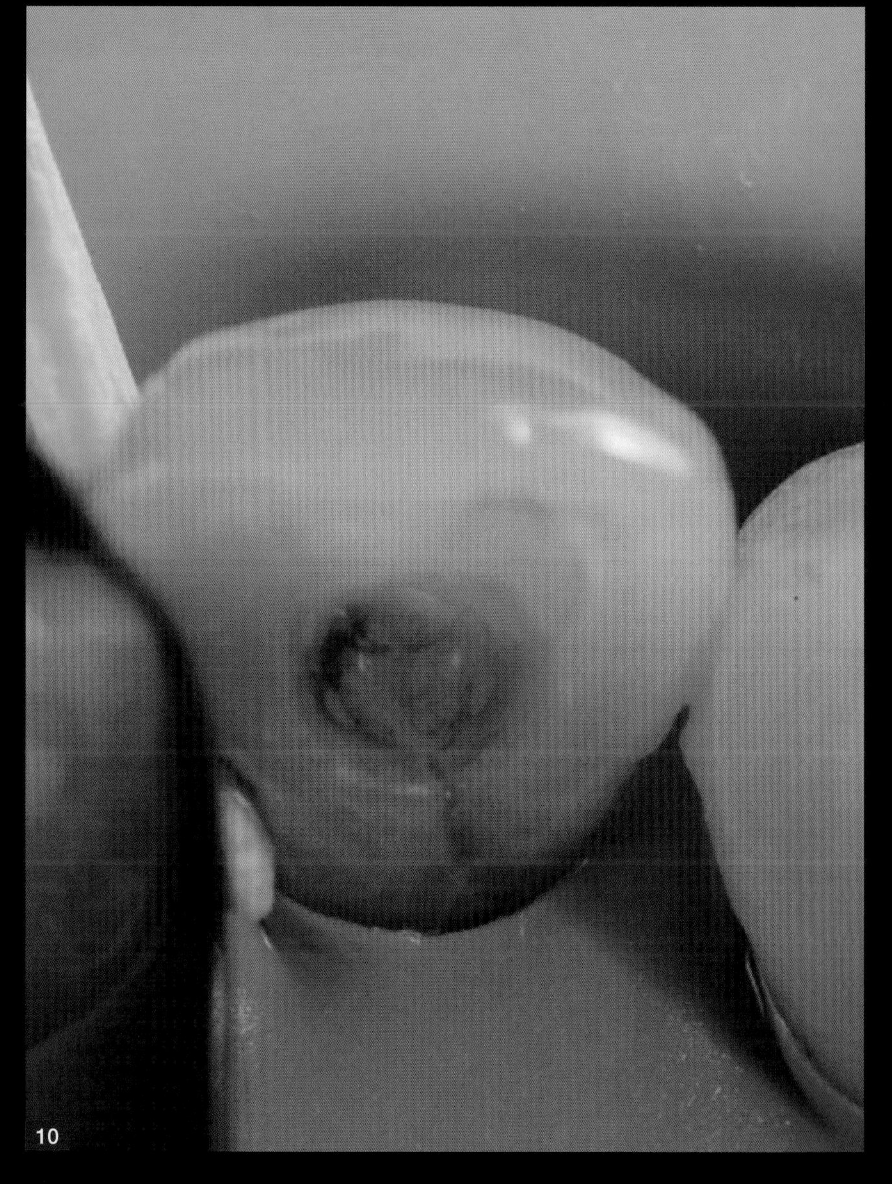

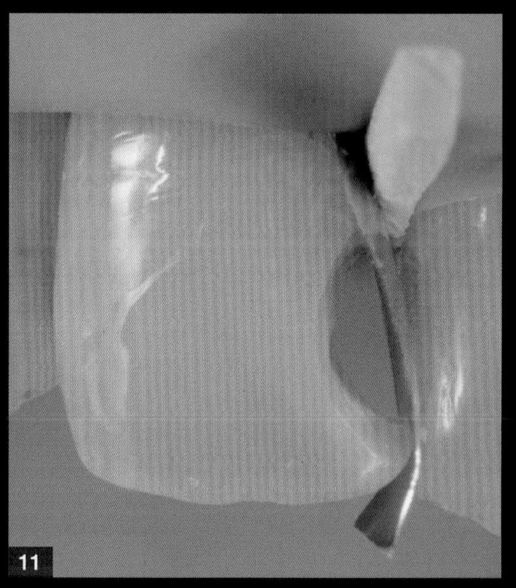

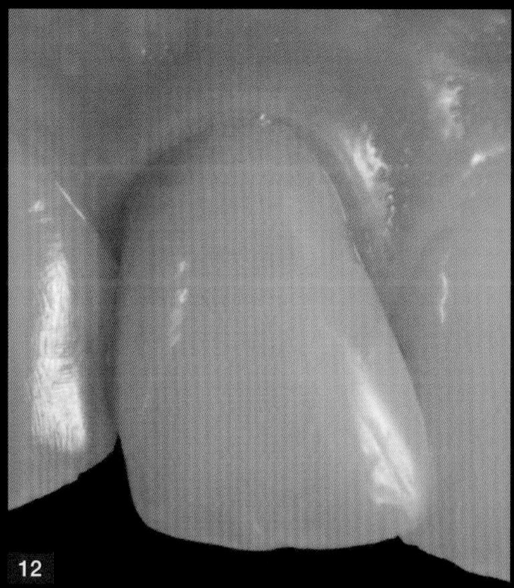

Figure 13a–c: 재근관치료의 시작부터 세 번의 사진을 촬영했다. 재근관치료가 마무리되자마자 호전된 양상을 보였다. 1년 추적관찰 방사선 사진에서 주변골의 완전한 치유가 관찰된다.

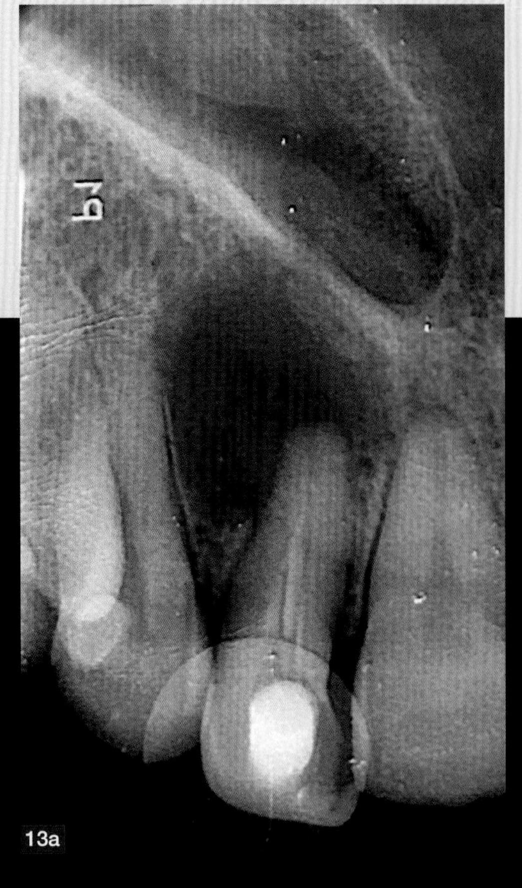

13a

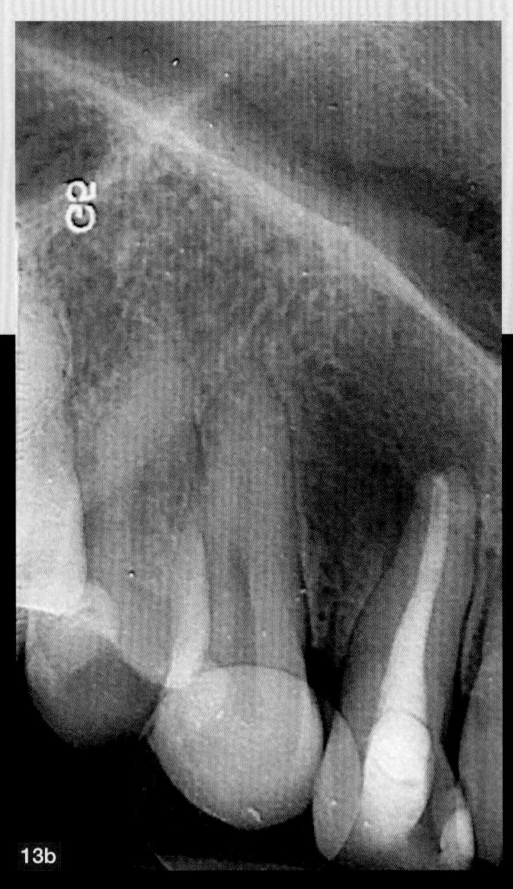

13b

Figure 14: 재근관치료된 상악 측절치의 치아–치주 결합의 모습. 근관치료 후 올바른 수복의 중요성을 보여준다.

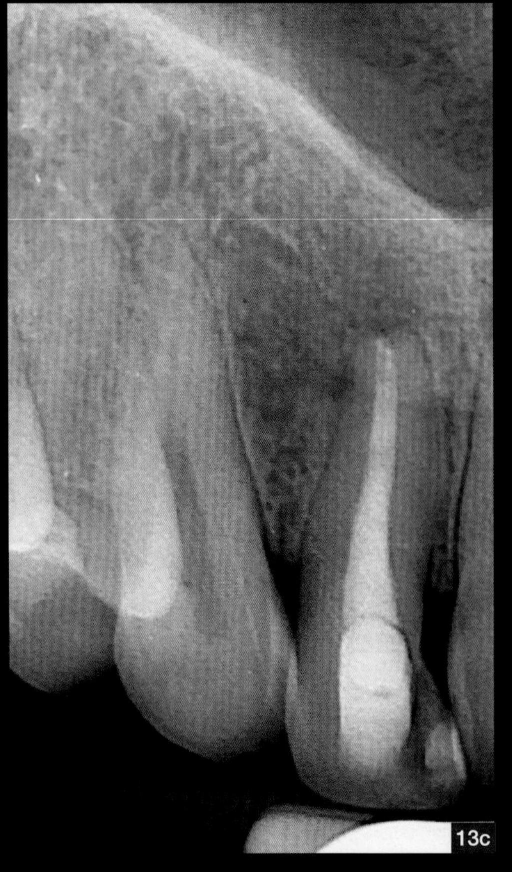

13c

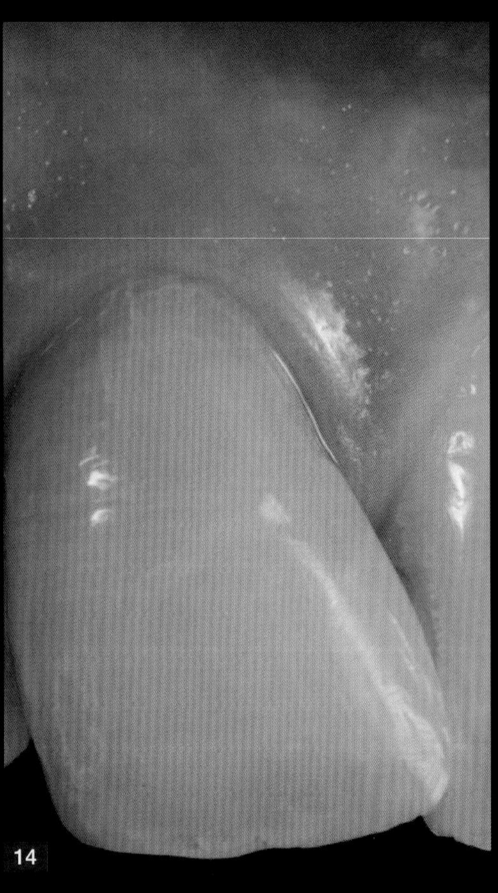

14

생리활성 실러를 이용한 근관 폐쇄 증례들

CASE REPORTS 13–18

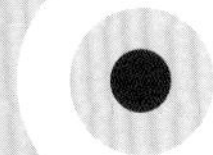

다음 일련의 증례들은 근관 충전 방법에 있어 최고의 전문가 중 한명인 Gilberto Debelian 교수의 증례들이다. 매우 일반적인 임상 상황으로 구성되어 있으며, 근관 충전 방법의 선택은 술자가 치료를 시작하기 전 치아를 먼저 평가하여 결정했다.

CASE REPORT 13

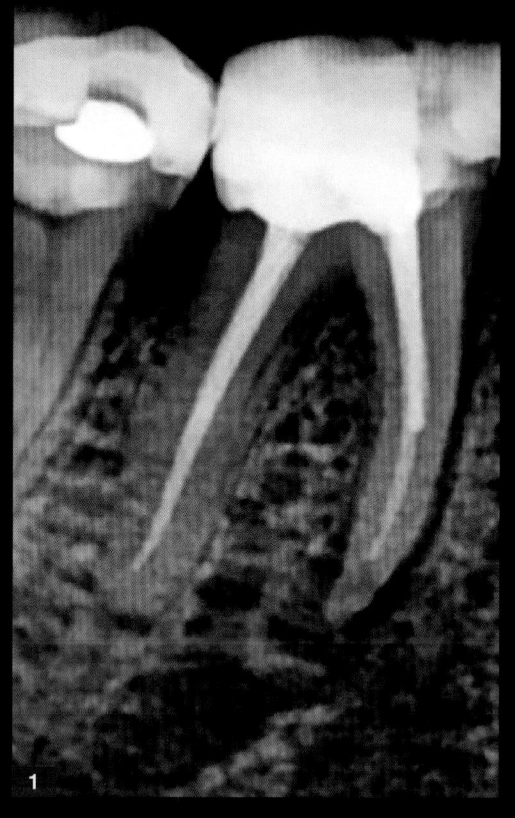

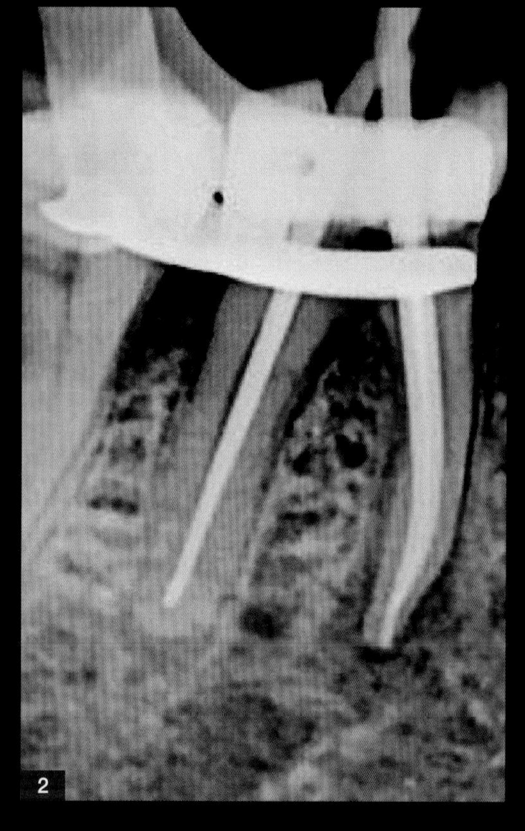

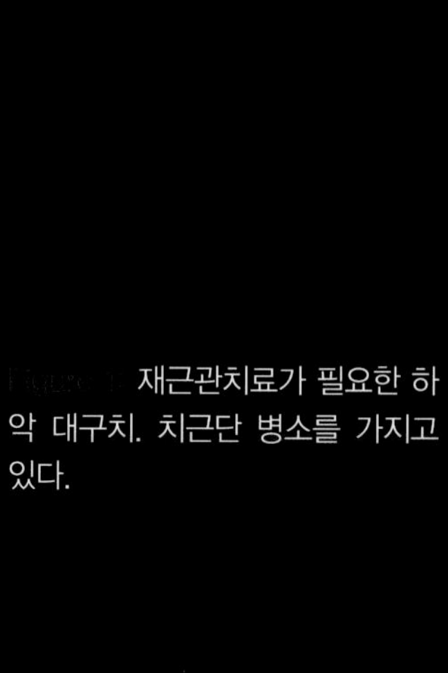

Figure 1: 재근관치료가 필요한 하악 대구치. 치근단 병소를 가지고 있다.

Figure 2: 오래된 근관충전재를 제거하고 근관을 성형한 다음 거타퍼챠 콘의 적합성을 확인했다.

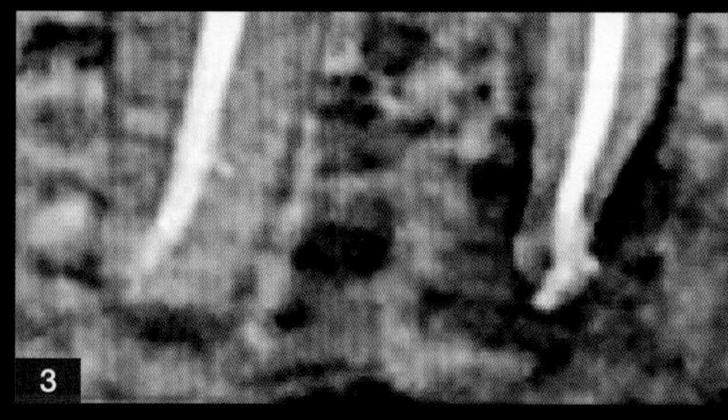

Figure 3: 근단부에서의 bioactive sealer와 콘의 적합. 여러 근단부 분지들이 보인다.

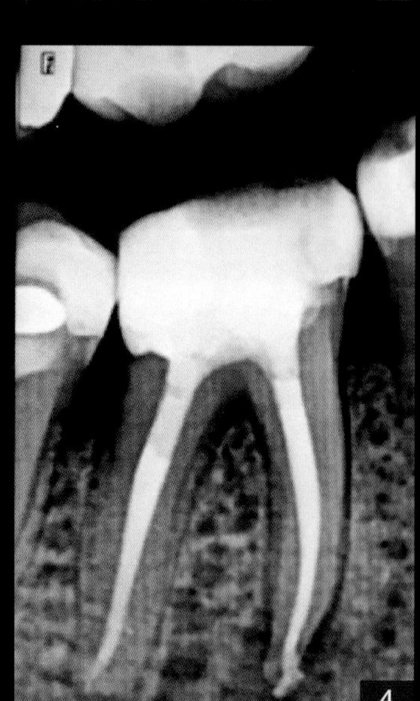

Figure 4: 약간의 과충전으로 근관이 충전됐다.

CASE
REPORT 14

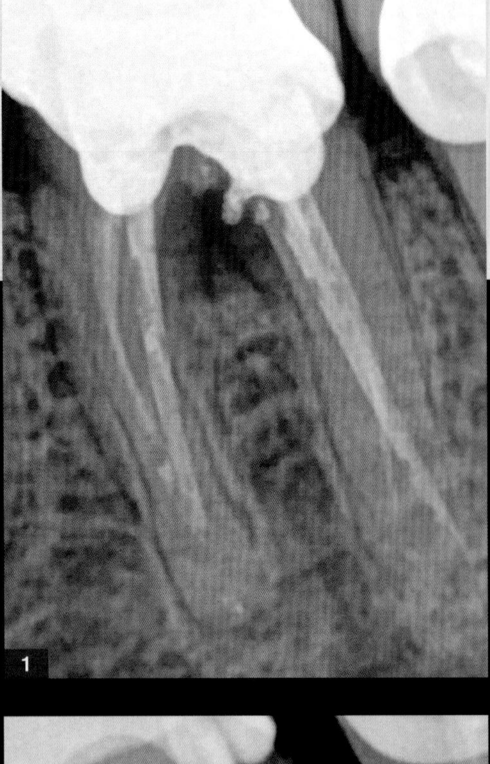

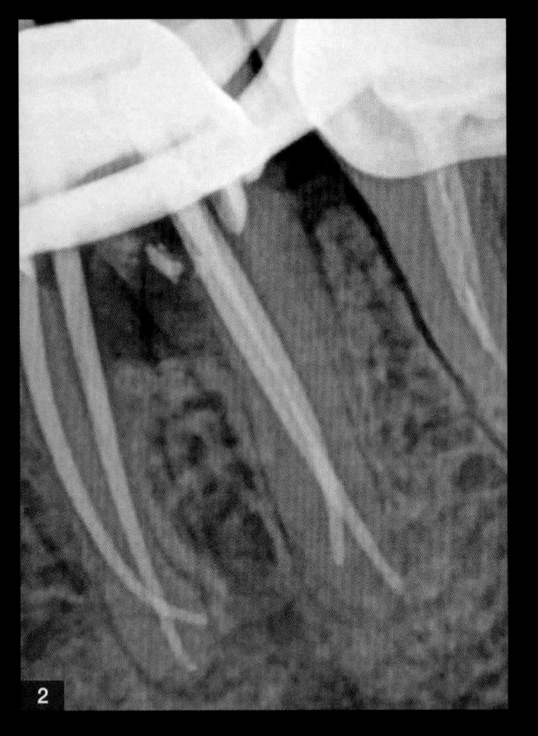

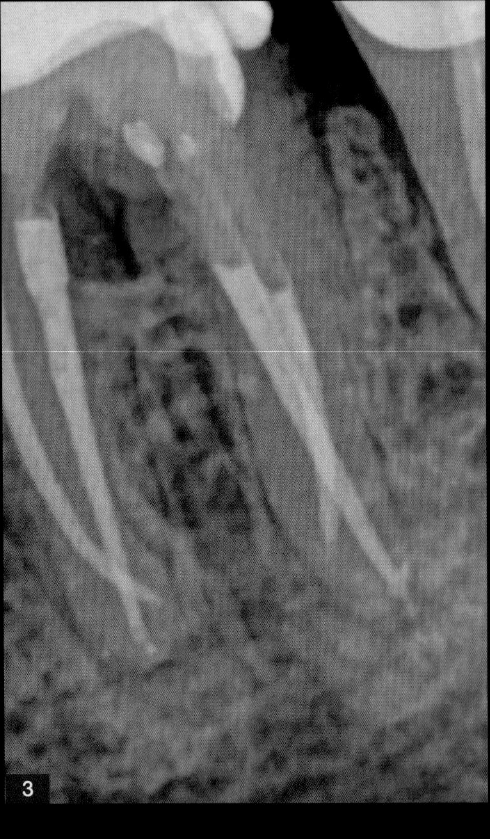

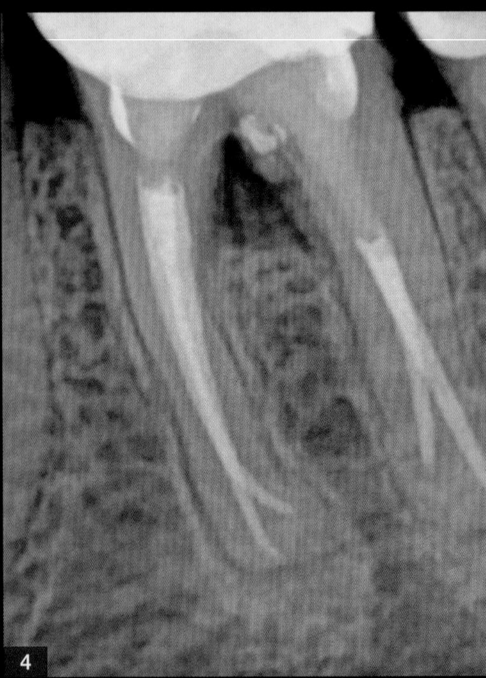

Figure 1: 불완전한 근관치료로 재치료가 필요하다.

Figure 2: 충전재의 제거 및 근관 성형을 잘 마치고 나면, 거타퍼챠 콘은 올바른 방향과 길이로 적합된다.

Figure 3: 근관 충전 사진

Figure 4: 치료 후 성공적인 치료 결과를 보여준다.

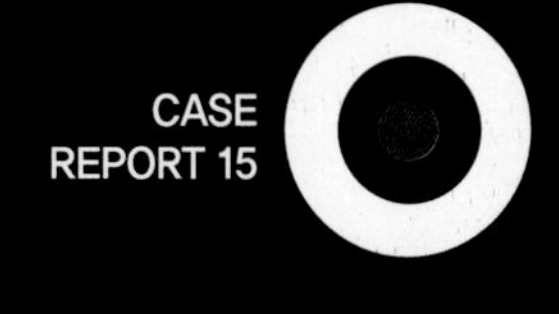

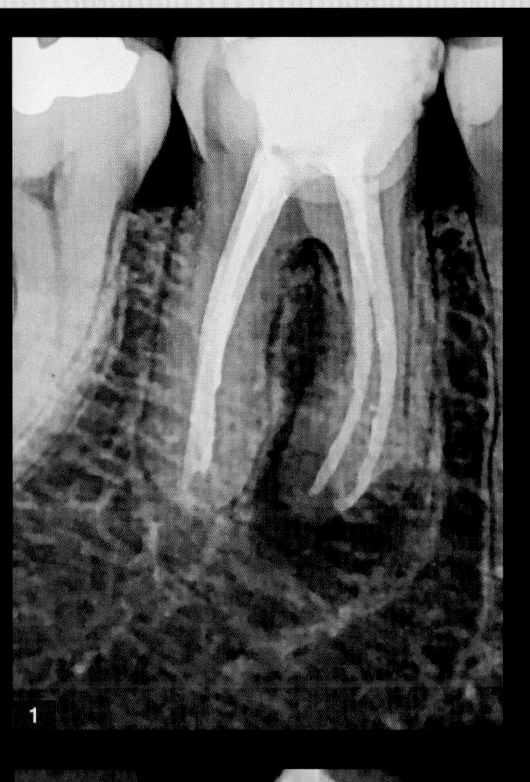

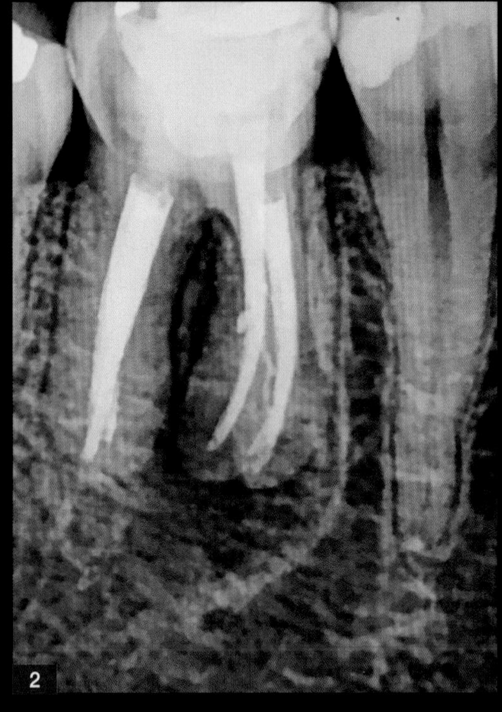

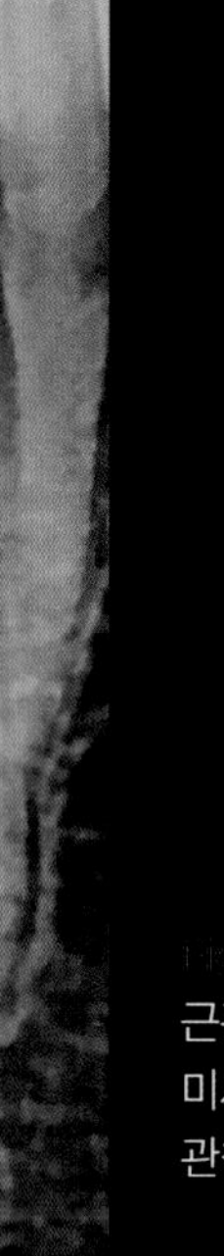

Figure 1. 생리활성 실러를 이용한 근관치료. 실러가 주근관 사이의 미세근관을 침투 및 충전한 모습이 관찰된다.

Figure 2. 다른 각도에서의 사진

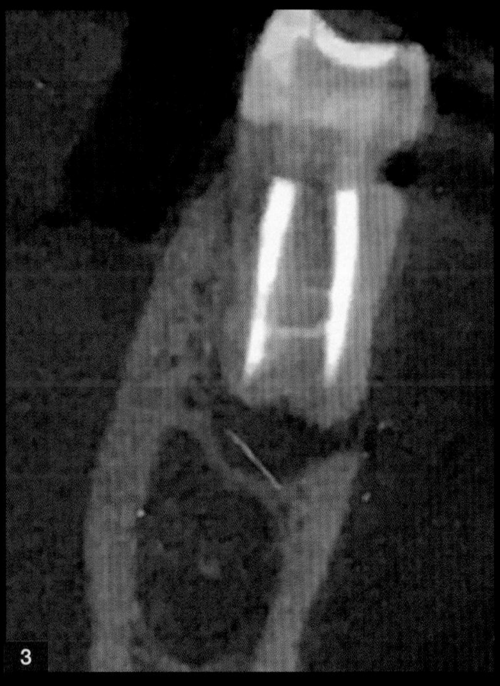

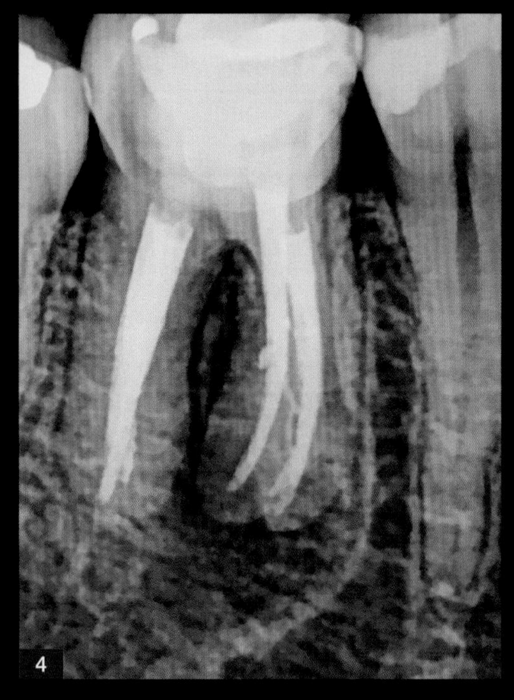

Figure 3. 근원심 사진상에서 보이는 근관 간의 교통로(CBCT)

Figure 4. 8개월 후 병소가 치유되었다.

역충전을 동반 혹은 동반하지 않은 복잡한 근관 충전

어떤 경우에는 일반적인 근관충전만으로는 좋은 결과를 갖기 힘들다.

일부 임상적 상황에서는 천공을 복구하는 방법이 활용될 수 있지만, 최상의 결과를 얻기 위해 근관충전은 수술적 치료 방법을 동반할 수 있다.[109–111] 따라서 임상가는 일반적인 근관치료 후 수술적 치료 방법으로 빠른 치유를 기대할 수 있다.[112]

CASE REPORT 16

중절치의 넓은 치근첨 크기는 종종 수술적 접근을 필요로 한다.

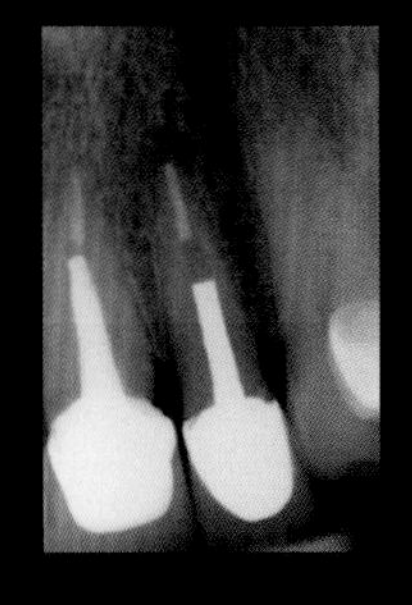
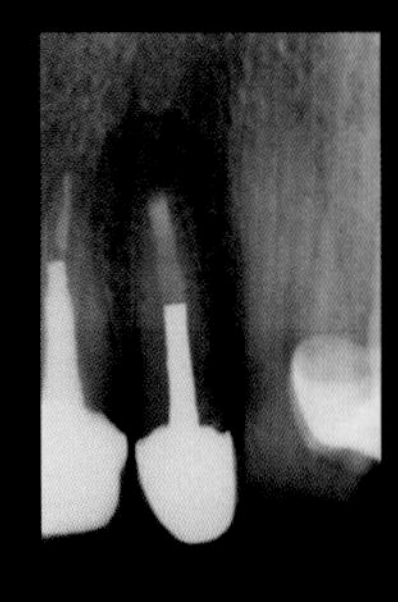
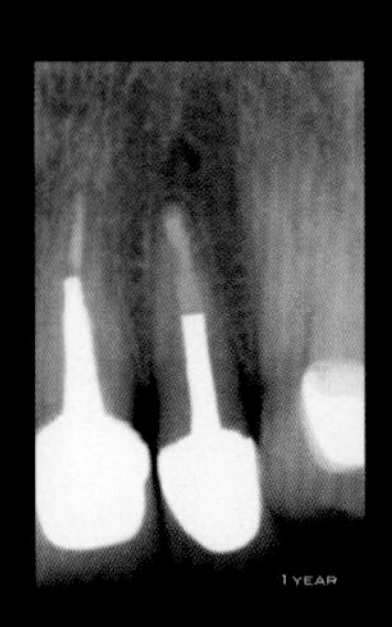

CASE REPORT 17

주로 심미적 이유로 보존하려는 소구치의 경우 일반적 근관치료과 역충전을 병행하여 심미적 욕구를 충족시킨다.

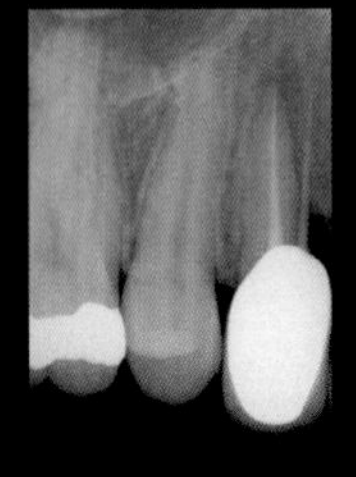
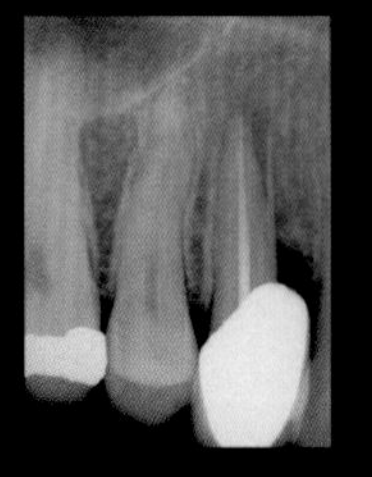
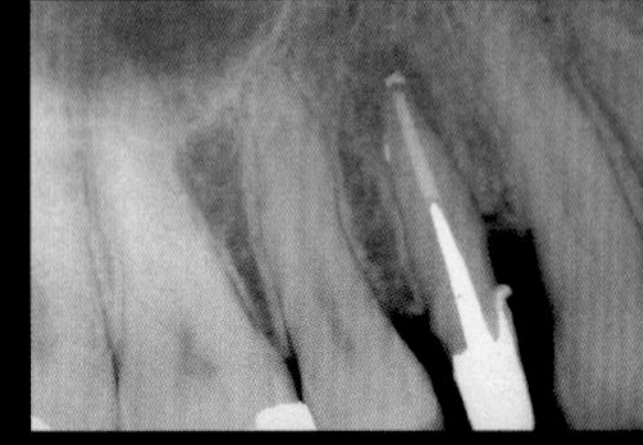
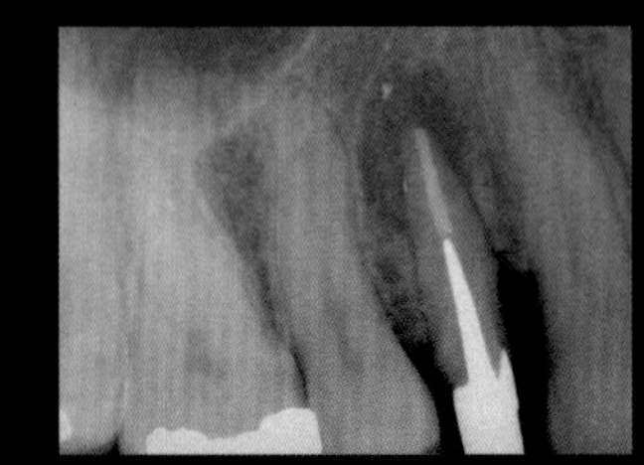

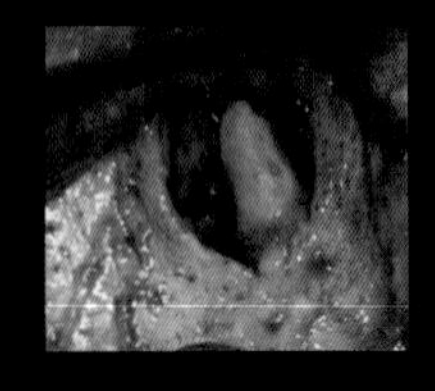
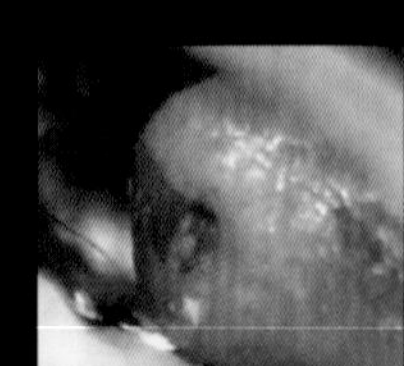
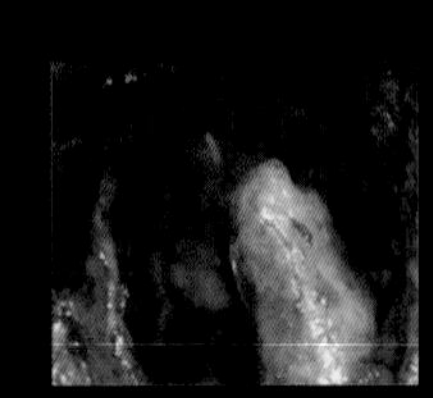

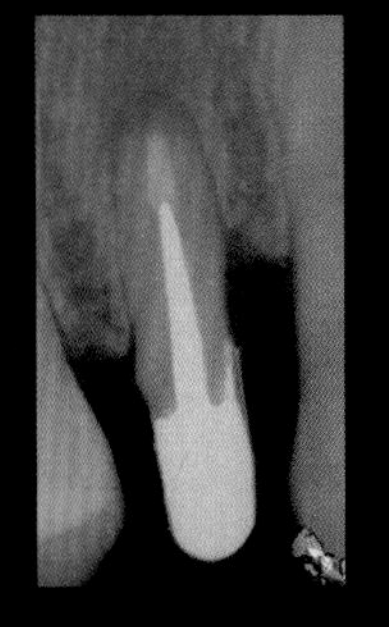
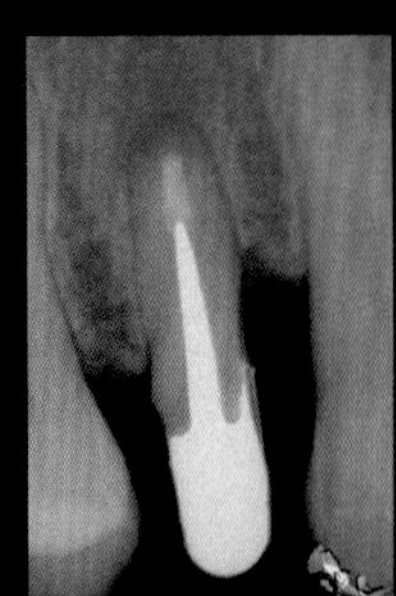
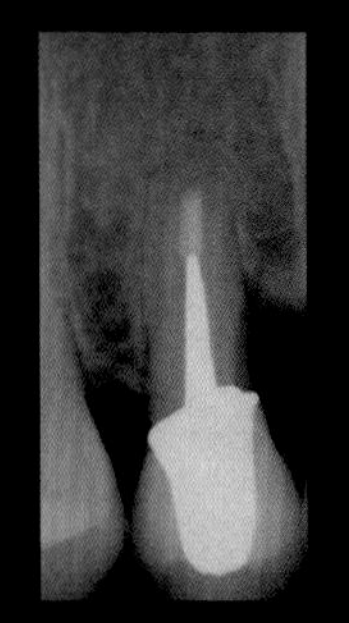
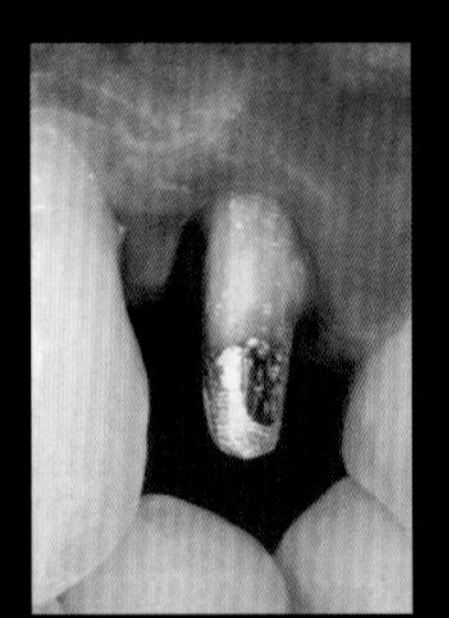
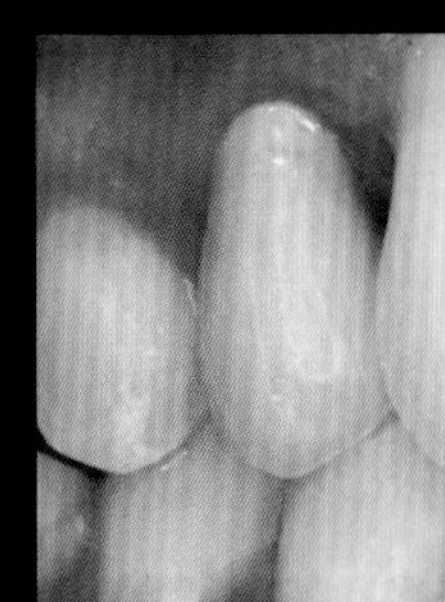

CASE REPORT 18

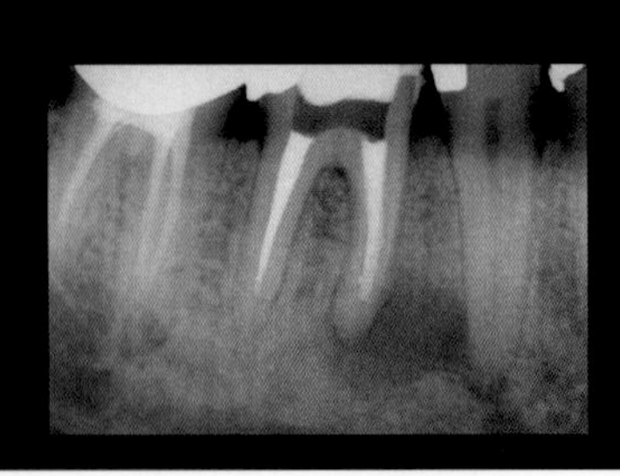
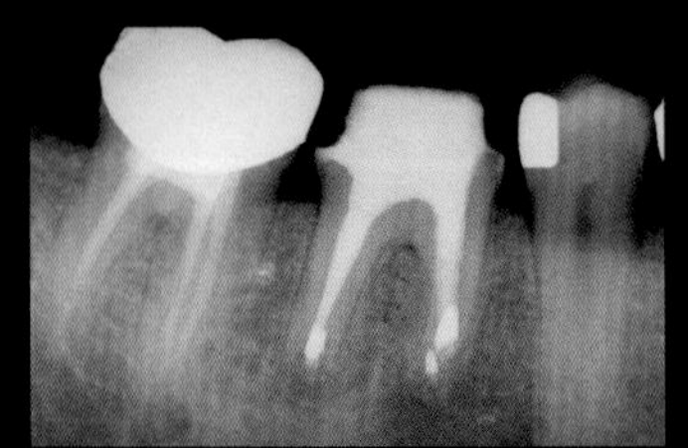

Orthograde & retrograde therapy

근관의 해부학적 구조의 특징과 근관에 국한되지 않은 기타의 이유들의 경우 일반적인 근관치료로는 성공적인 치료가 어려울 수 있다. 그러한 경우 orthograde 근관치료와 retrograde 근관치료를 병행했을 때 원하는 최상의 결과를 얻을 수 있다. 아래의 증례들은 수년이 지나도 성공적인 결과들을 보여주고 있다.

CASE REPORT 19

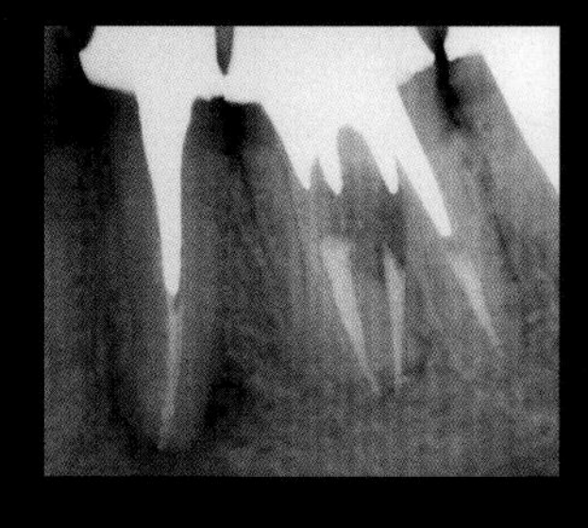
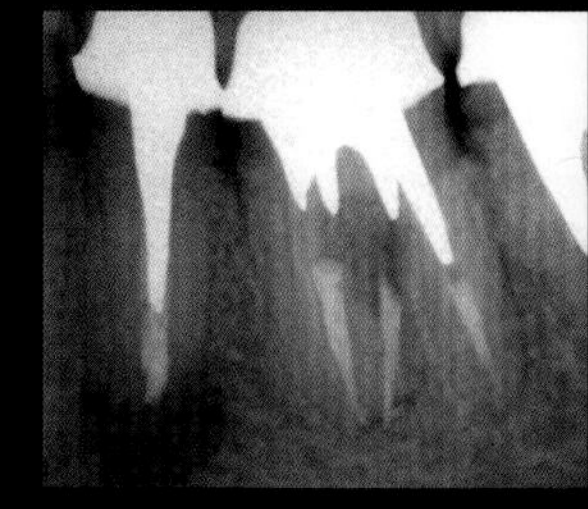
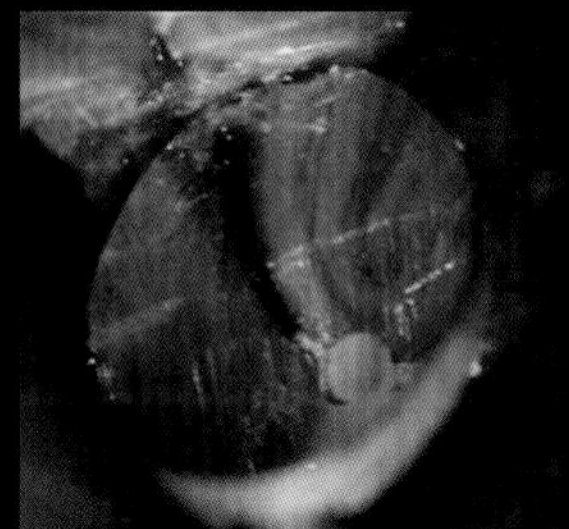
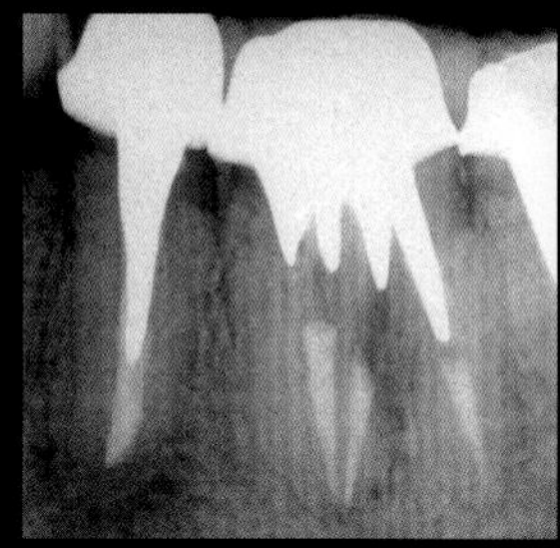
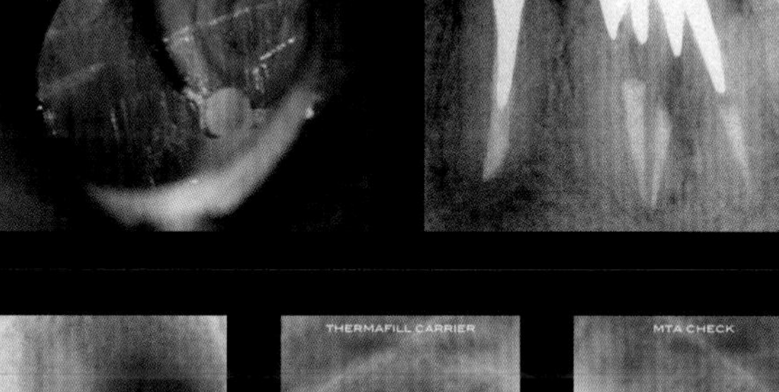

해부학적 구조에 의한 근관치료의 실패. 오직 수술적 접근만으로 치료가 가능하다.

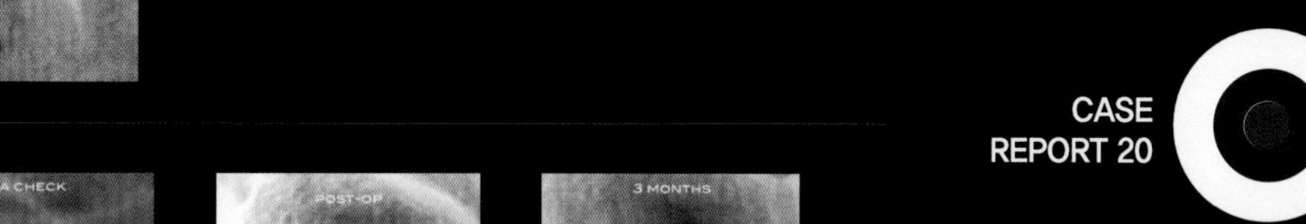

CASE REPORT 20

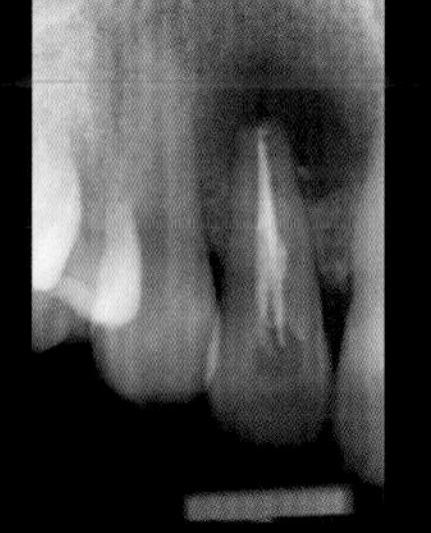
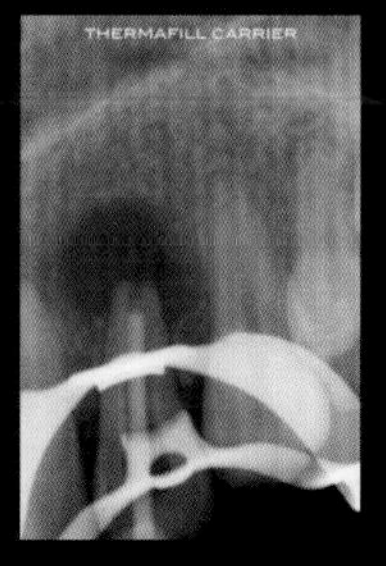

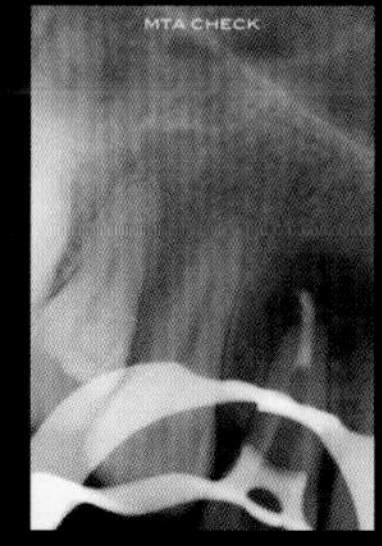

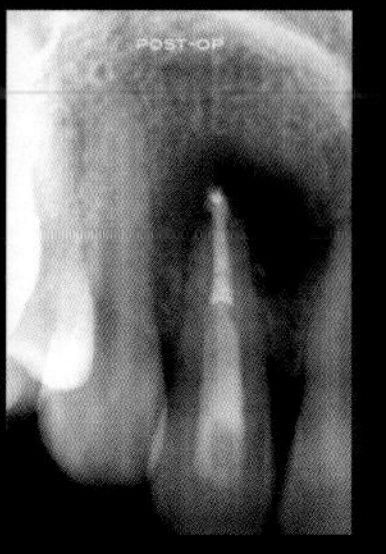

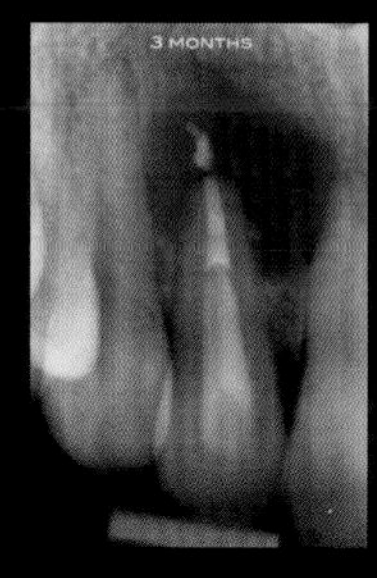

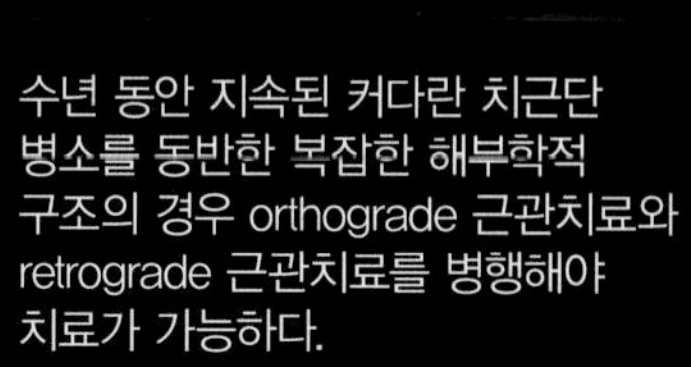

수년 동안 지속된 커다란 치근단 병소를 동반한 복잡한 해부학적 구조의 경우 orthograde 근관치료와 retrograde 근관치료를 병행해야 치료가 가능하다.

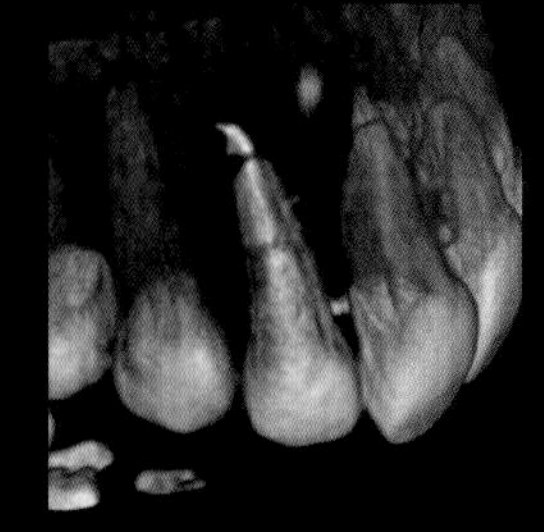
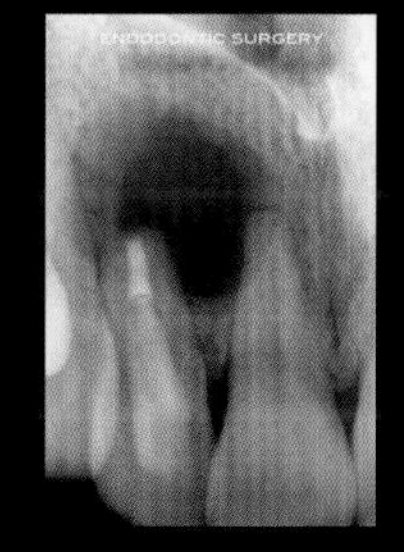

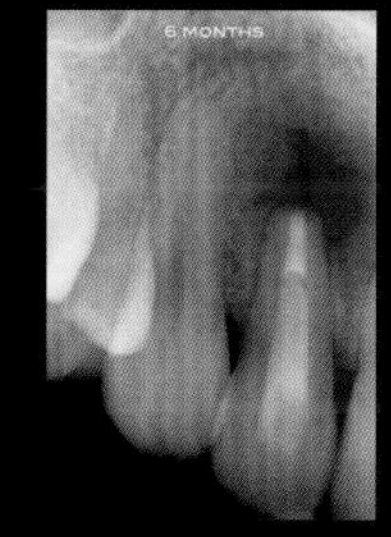

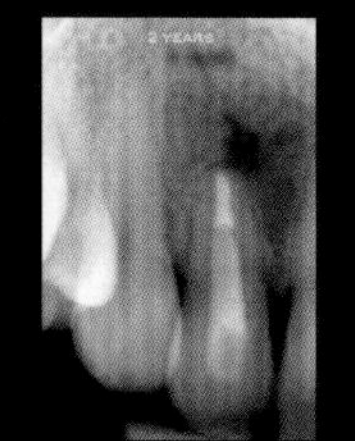

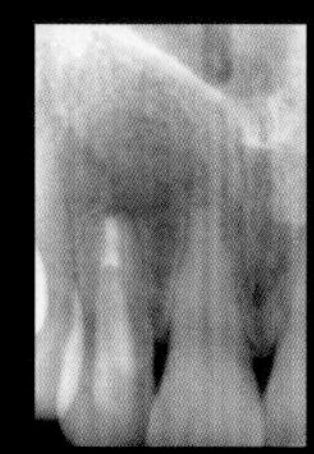
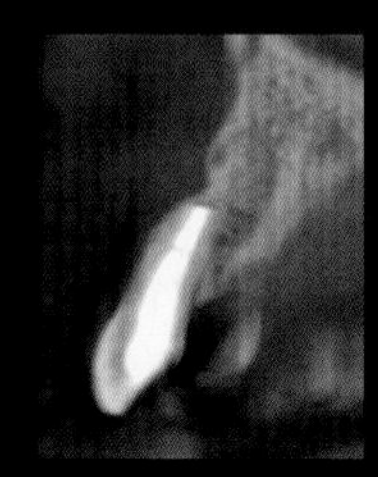
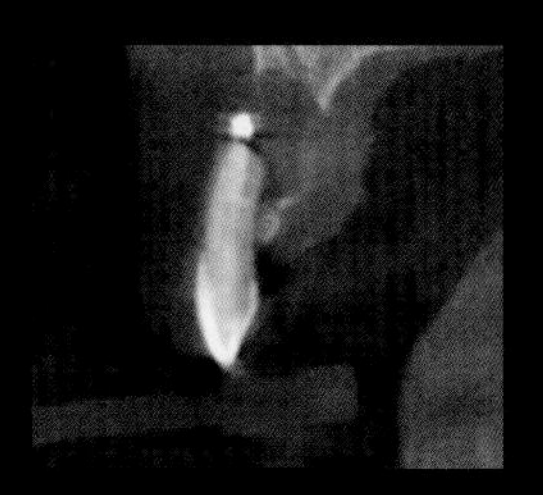

참고문헌

1. Seltzer S. *Long-term radiographic and histological observations of endodontically treated teeth.* J Endod. 1999; 25(12):818-822.
2. Friedman S, Abitbol S and Lawrence HP. *Treatment outcome in endodontics: the Toronto Study. Phase 1: initial treatment*. J Endod. 2003; 29(12):787-793.
3. Gorni FG and Gagliani MM. *The outcome of endodontic retreatment: a 2-yr follow-up*. J Endod. 2004; 30(1):1-4.
4. Farzaneh M, Abitbol S and Friedman S. *Treatment outcome in endodontics: the Toronto study. Phases I and II: Orthograde retreatment.* J Endod. 2004; 30(9):627-633.
5. Farzaneh M, Abitbol S, Lawrence HP et al. *Treatment outcome in endodontics-the Toronto Study. Phase II: initial treatment.* J Endod. 2004; 30(5):302-309.
6. Nair PN. *Pathogenesis of apical periodontitis and the causes of endodontic failures*. Crit Rev Oral Biol Med. 2004; 15(6):348-381.
7. Nair PN. *On the causes of persistent apical periodontitis: a review*. Int Endod J. 2006; 39(4):249-281.
8. Friedman S. *Expected Outcomes in the Prevention and Treatment of Apical Periodontitis*. In: Orstavik D, Pitt Ford TR, editors. *Essential Endodontology*. 2nd ed. Oxford, UK: Blackwell Munksgaard Ltd; 2008. 408-471.
9. Garcia CC, Sempere FV, Diago MP et al. *The post-endodontic periapical lesion: histologic and etiopathogenic aspects*. Med Oral Patol Oral Cir Bucal. 2007; 12(8):E585-590.
10. Philpott R, Gulabivala K, Leeson R et al. *Prevalence, predictive factors, and clinical course of persistent pain associated with teeth displaying periapical healing following non-surgical root canal treatment: a prospective study*. Int Endod J. 2018.
11. Ng YL, Mann V and Gulabivala K. *Tooth survival following non-surgical root canal treatment: a systematic review of the literature.* Int Endod J. 2010; 43(3):171-189.
12. Ng YL, Mann V, Rahbaran S et al. *Outcome of primary root canal treatment: systematic review of the literature - Part 2. Influence of clinical factors*. Int Endod J. 2008; 41(1):6-31.
13. Gesi A, Mareschi P, Doldo T et al. *Apical Dimension of Root Canal Clinically Assessed with and without Periapical Lesions.* Int J Dent. 2014; 2014:374971.
14. Rodrigues RCV, Zandi H, Kristoffersen AK et al. *Influence of the Apical Preparation Size and the Irrigant Type on Bacterial Reduction in Root Canal-treated Teeth with Apical Periodontitis*. J Endod. 2017; 43(7):1058-1063.
15. Blum JY, Esber S and Micallef JP. *Analysis of forces developed during obturations. Comparison of three gutta-percha techniques*. J Endod. 1997; 23(5):340-345.
16. Peak JD, Hayes SJ, Bryant ST et al. *The outcome of root canal treatment. A retrospective study within the armed forces (Royal Air Force).* Br Dent J. 2001; 190(3):140-144.
17. Blum JY, Parahy E and Machtou P. *Warm vertical compaction sequences in relation to gutta-percha temperature*. J Endod. 1997; 23(5):307-311.
18. Blum JY, Parahy E and Micallef JP. *Analysis of the forces developed during obturation: warm vertical compaction.* J Endod. 1997; 23(2):91-95.
19. Friedman CM, Sandrik JL, Heuer MA et al. *Composition and mechanical properties of gutta-percha endodontic points.* J Dent Res. 1975; 54(5):921-925.
20. Buchanan LS. *Continuous wave of condensation technique*. Endod Prac. 1998; 1(4):7-10, 13-16, 18 passim.
21. Siqueira JF Jr., da Silva CH, Cerqueira MdD et al. *Effectiveness of four chemical solutions in eliminating Bacillus subtilis spores on gutta-percha cones*. Endod Dent Traumatol. 1998; 14(3):124-126.
22. Seabra Pereira OL, Siqueira JF Jr. *Contamination of gutta-percha and Resilon cones taken directly from the manufacturer*. Clin Oral Investig. 2010; 14(3):327-330.
23. Zhang C, Huang W, Sun Z et al. *A comparison of two gutta-percha master points consisting of different phases in filling of artificial lateral canals and depressions in the apical region of root canals when using a warm vertical compaction technique*. Int Endod J. 2011; 44(11):1041-1046.
24. Zhang W, Suguro H, Kobayashi Y et al. *Effect of canal taper and plugger size on warm gutta-percha obturation of lateral depressions*. J Oral Sci. 2011; 53(2):219-224.
25. Schilder H. *Cleaning and shaping the root canal*. Dent Clin North Am. 1974; 18(2):269-296.
26. Venturi M, Pasquantonio G, Falconi M et al. *Temperature change within gutta-percha induced by the System-B Heat Source*. Int Endod J. 2002; 35(9):740-746.
27. Venturi M, Prati C, Capelli G et al. *A preliminary analysis of the morphology of lateral canals after root canal filling using a tooth-clearing technique*. Int Endod J. 2003; 36(1):54-63.
28. Venturi M and Breschi L. *Evaluation of apical filling after warm vertical gutta-percha compaction using different procedures.* J Endod. 2004; 30(6):436-440.
29. Collins J, Walker MP, Kulild J et al. *A comparison of three gutta-percha obturation techniques to replicate canal irregularities.* J Endod. 2006; 32(8):762-765.
30. Venturi M. *Evaluation of canal filling after using two warm vertical gutta-percha compaction techniques in vivo: a preliminary study*. Int Endod J. 2006; 39(7):538-546.

31. Johnson WB. *A new gutta-percha technique*. J Endod. 1978; 4(6):184-188.
32. Gutmann JL, Saunders WP, Saunders EM et al. *An assessment of the plastic Thermafil obturation technique. Part 2. Material adaptation and sealability*. Int Endod J. 1993; 26(3):179-183.
33. Weller RN, Kimbrough WF and Anderson RW. *A comparison of thermoplastic obturation techniques: adaptation to the canal walls.* J Endod. 1997; 23(11):703-706.
34. Cantatore G. *Thermafil vs System B*. Endod Prac. 2001; 4(5):30-39.
35. Kytridou V, Gutmann JL and Nunn MH. *Adaptation and sealability of two contemporary obturation techniques in the absence of the dentinal smear layer*. Int Endod J. 1999; 32(6):464-474.
36. Pirani C, Iacono F, Gatto MR et al. *Outcome of secondary root canal treatment filled with Thermafil: a 5-year follow-up of retrospective cohort study.* Clin Oral Investig. 2018; 22(3):1363-1373.
37. Da Silva D, Endal U, Reynaud A et al. *A comparative study of lateral condensation, heat-softened gutta-percha, and a modified master cone heat-softened backfilling technique.* Int Endod J. 2002; 35(12):1005-1011.
38. Clinton K and Van Himel T. *Comparison of a warm gutta-percha obturation technique and lateral condensation.* J Endod. 2001; 27(11):692-695.
39. Neuhaus KW, Schick A and Lussi A. *Apical filling characteristics of carrier-based techniques vs. single cone technique in curved root canals*. Clin Oral Investig. 2016; 20(7):1631-1637.
40. Bhambhani SM and Sprechman K. *Microleakage comparison of thermafil versus vertical condensation using two different sealers*. Oral Surg Oral Med Oral Pathol. 1994; 78(1):105-108.
41. Jarrett IS, Marx D, Covey D et al. *Percentage of canals filled in apical cross sections - an in vitro study of seven obturation techniques*. Int Endod J. 2004; 37(6):392-398.
42. Gençoglu N, Garip Y, Bas M et al. *Comparison of different gutta-percha root filling techniques: Thermafil, Quick-fill, System B, and lateral condensation*. Oral Surg Oral Med Oral Pathol Oral Radiol Endod. 2002; 93(3):333-336.
43. Gulabivala K, Holt R and Long B. *An in vitro comparison of thermoplasticised gutta-percha obturation techniques with cold lateral condensation*. Endod Dent Traumatol. 1998; 14(6):262-269.
44. Leung SF and Gulabivala K. *An in-vitro evaluation of the influence of canal curvature on the sealing ability of Thermafil.* Int Endod J. 1994; 27(4):190-196.
45. Lares C and elDeeb ME. *The sealing ability of the Thermafil obturation technique*. J Endod. 1990; 16(10):474-479.
46. Siqueira JF Jr., Rocas IN, Favieri A et al. *Bacterial leakage in coronally unsealed root canals obturated with 3 different techniques.* Oral Surg Oral Med Oral Pathol Oral Radiol Endod. 2000; 90(5):647-650.
47. De-Deus G, Murad CF, Reis CM et al. *Analysis of the sealing ability of different obturation techniques in oval-shaped canals: a study using a bacterial leakage model.* Braz Oral Res. 2006; 20(1):64-69.
48. De-Deus G, Murad C, Paciornik S et al. *The effect of the canal-filled area on the bacterial leakage of oval-shaped canals.* Int Endod J. 2008; 41(3):183-190.
49. Pommel L and Camps J. *In vitro apical leakage of system B compared with other filling techniques.* J Endod. 2001; 27(7):449-451.
50. De-Deus G, Gurgel-Filho ED, Magalhaes KM et al. *A laboratory analysis of gutta-percha-filled area obtained using Thermafil, System B and lateral condensation*. Int Endod J. 2006; 39(5):378-383.
51. Bertacci A, Baroni C, Breschi L et al. *The influence of smear layer in lateral channels filling*. Clin Oral Investig. 2007; 11(4):353-359.
52. Xu Q, Ling J, Cheung GS et al. *A quantitative evaluation of sealing ability of 4 obturation techniques by using a glucose leakage test.* Oral Surg Oral Med Oral Pathol Oral Radiol Endod. 2007; 104(4):e109-113.
53. Stratul SI, Didilescu A, Grigorie M et al. *How accurate replicates the Thermafil System the morphology of the apical endodontic space? An ex vivo study*. Rom J Morphol Embryol. 2011; 52(1):145-151.
54. Gambarini G, Piasecki L, Schianchi G et al. *In vitro evaluation of carrier based obturation technique: a CBCT study*. Ann Stomatol (Roma). 2016; 7(1-2):11-15.
55. Yilmaz A and Karagoz-Kucukay I. *In vitro comparison of gutta-percha-filled area percentages in root canals instrumented and obturated with different techniques*. J Istanb Univ Fac Dent. 2017; 51(2):37-42.
56. Poggio C, Arciola CR, Dagna A et al. *Solubility of root canal sealers: a comparative study*. Int J Artif Organs. 2010; 33(9):676-681.
57. Siqueira JF Jr., Rocas IN and Valois CR. *Apical sealing ability of five endodontic sealers*. Aust Endod J. 2001; 27(1):33-35.
58. Schafer E and Olthoff G. *Effect of three different sealers on the sealing ability of both thermafil obturators and cold laterally compacted Gutta-Percha*. J Endod. 2002; 28(9):638-642.
59. Pirani C, Zamparini F, Peters OA, et al *The fate of root canals obturated with Thermafil: 10-year data for patients treated in a master's program*. Clin Oral Investig. 2019 Aug. 23(8): p. 3367-77
60. Giovarruscio M, Uccioli U, Malentacca A et al. *A technique for placement of apical MTA plugs using modified Thermafil carriers for the filling of canals with wide apices*. Int Endod J. 2013; 46(1):88-97.

61. Prati C and Gandolfi MG. *Calcium silicate bioactive cements: Biological perspectives and clinical applications.* Dent Mater. 2015; 31(4):351-370.
62. Mohammadi Z, Shalavi S and Soltani MK. *Mineral trioxide aggregate (MTA)-like materials: an update review.* Compend Contin Educ Dent. 2014; 35(8):557-561: quiz 562.
63. Jefferies S. *Bioactive and biomimetic restorative materials: a comprehensive review. Part II.* J Esthet Restor Dent. 2014; 26(1):27-39.
64. Jefferies SR. *Bioactive and biomimetic restorative materials: a comprehensive review. Part I.* J Esthet Restor Dent. 2014; 26(1):14-26.
65. Ree M and Schwartz R. *Clinical application of bioceramics materials in endodontics*. Endod Prac. 2014; 7:32-40.
66. Parirokh M, Torabinejad M and Dummer PMH. *Mineral trioxide aggregate and other bioactive endodontic cements: an updated overview - part I: vital pulp therapy*. Int Endod J. 2018; 51(2):177-205.
67. Torabinejad M, Parirokh M and Dummer PMH. *Mineral trioxide aggregate and other bioactive endodontic cements: an updated overview - part II: other clinical applications and complications*. Int Endod J. 2018; 51(3):284-317.
68. Castro-Raucci LMS, Teixeira LN, Oliveira IR et al. *Osteogenic cell response to calcium aluminate-based cement*. Int Endod J. 2017; 50(8):771-779.
69. Gandolfi MG, Iezzi G, Piattelli A et al. *Osteoinductive potential and bone-bonding ability of ProRoot MTA, MTA Plus and Biodentine in rabbit intramedullary model: Microchemical characterization and histological analysis.* Dent Mater. 2017; 33(5):e221-238.
70. Maeda H, Nakano T, Tomokiyo A et al. *Mineral trioxide aggregate induces bone morphogenetic protein-2 expression and calcification in human periodontal ligament cells.* J Endod. 2010; 36(4):647-652.
71. Oliveira IR, Pandolfelli VC and Jacobovitz M. *Chemical, physical and mechanical properties of a novel calcium aluminate endodontic cement*. Int Endod J. 2010; 43(12):1069-1076.
72. Mohapatra S, Patro S and Mishra S. *Bioactive Materials in Endodontics: An Evolving Component of Clinical Dentistry*. Journal of esthetic and restorative dentistry. 2016; 38(6):376-381; quiz 382.
73. Bartols A, Roussa E, Walther W et al. *First Evidence for Regeneration of the Periodontium to Mineral Trioxide Aggregate in Human Teeth*. J Endod. 2017; 43(5):715-722.
74. Huang XQ, Camba J, Gu LS et al. *Mechanism of bioactive molecular extraction from mineralized dentin by calcium hydroxide and tricalcium silicate cement*. Dent Mater. 2018; 34(2):317-330.
75. Singh G, Elshamy FM, Homeida HE et al. *An in vitro Comparison of Antimicrobial Activity of Three Endodontic Sealers with Different Composition*. J Contemp Dent Pract. 2016; 17(7):553-556.
76. Singh G, Gupta I, Elshamy FM et al. *In vitro comparison of antibacterial properties of bioceramic-based sealer, resin-based sealer and zinc oxide eugenol based sealer and two mineral trioxide aggregates*. Eur J Dent. 2016; 10(3):366-369.
77. Zhang H, Pappen FG and Haapasalo M. *Dentin enhances the antibacterial effect of mineral trioxide aggregate and bioaggregate*. J Endod. 2009; 35(2):221-224.
78. Zhang H, Shen Y, Ruse ND et al. *Antibacterial activity of endodontic sealers by modified direct contact test against Enterococcus faecalis*. J Endod. 2009; 35(7):1051-1055.
79. Candeiro GT, Correia FC, Duarte MA et al. *Evaluation of radiopacity, pH, release of calcium ions, and flow of a bioceramic root canal sealer*. J Endod. 2012; 38(6):842-845.
80. Prestegaard H, Portenier I, Orstavik D et al. *Antibacterial activity of various root canal sealers and root-end filling materials in dentin blocks infected ex vivo with Enterococcus faecalis*. Acta Odontol Scand. 2014; 72(8):970-976.
81. Wang Z, Shen Y and Haapasalo M. *Dentin extends the antibacterial effect of endodontic sealers against Enterococcus faecalis biofilms*. J Endod. 2014; 40(4):505-508.
82. Dawood AE, Parashos P, Wong RHK et al. *Calcium silicate-based cements: composition, properties, and clinical applications*. J Investig Clin Dent. 2017; 8(2).
83. Poggio C, Dagna A, Ceci M et al. *Solubility and pH of bioceramic root canal sealers: A comparative study.* J Clin Exp Dent. 2017; 9(10):e1189-1194.
84. Siboni F, Taddei P, Prati C et al. *Properties of NeoMTA Plus and MTA Plus cements for endodontics*. Int Endod J. 2017; 50 Suppl 2:e83-94.
85. Vasconcelos BC, Bernardes RA, Duarte MA et al. *Apical sealing of root canal fillings performed with five different endodontic sealers: analysis by fluid filtration*. J Appl Oral Sci. 2011; 19(4):324-328.
86. Borges RP, Sousa-Neto MD, Versiani MA et al. *Changes in the surface of four calcium silicate-containing endodontic materials and an epoxy resin-based sealer after a solubility test*. Int Endod J. 2012; 45(5):419-428.
87. Zhou HM, Shen Y, Zheng W et al. *Physical properties of 5 root canal sealers*. J Endod. 2013; 39(10):1281-1286.
88. Antunes HS, Gominho LF, Andrade-Junior CV et al. *Sealing ability of two root-end filling materials in a bacterial nutrient leakage model*. Int Endod J. 2016; 49(10):960-965.
89. Castro-Raucci LM, Oliveira IR, Teixeira LN et al. *Effects of a novel calcium aluminate cement on the early events of the progression of osteogenic cell cultures.* Braz Dent J. 2011; 22(2):99-104.

90. Darvell BW and Wu RC. *"MTA" - an Hydraulic Silicate Cement: review update and setting reaction*. Dent Mater. 2011; 27(5):407-422.
91. Gandolfi MG, Taddei P, Siboni F et al. *Fluoride-containing nanoporous calcium-silicate MTA cements for endodontics and oral surgery: early fluorapatite formation in a phosphate-containing solution.* Int Endod J. 2011; 44(10):938-949.
92. Wang CW, Chiang TY, Chang HC et al. *Physicochemical properties and osteogenic activity of radiopaque calcium silicate-gelatin cements*. J Mater Sci Mater Med. 2014; 25(9):2193-2203.
93. Han L, Kodama S and Okiji T. *Evaluation of calcium-releasing and apatite-forming abilities of fast-setting calcium silicate-based endodontic materials*. Int Endod J. 2015; 48(2):124-130.
94. Butt N, Talwar S, Chaudhry S et al. *Comparison of physical and mechanical properties of mineral trioxide aggregate and Biodentine.* Indian J Dent Res. 2014; 25(6):692-697.
95. Viapiana R, Flumignan DL, Guerreiro-Tanomaru JM et al. *Physicochemical and mechanical properties of zirconium oxide and niobium oxide modified Portland cement-based experimental endodontic sealers*. Int Endod J. 2014; 47(5):437-448.
96. Ghoneim AG, Lutfy RA, Sabet NE et al. *Resistance to fracture of roots obturated with novel canal-filling systems*. J Endod. 2011; 37(11):1590-1592.
97. Cauwels RG, Pieters IY, Martens LC et al. *Fracture resistance and reinforcement of immature roots with gutta percha, mineral trioxide aggregate and calcium phosphate bone cement: a standardized in vitro model.* Dent Traumatol. 2010; 26(2):137-142.
98. Celikten B, Uzuntas CF, Orhan AI et al. *Evaluation of root canal sealer filling quality using a single-cone technique in oval shaped canals: An In vitro Micro-CT study*. Scanning. 2016; 38(2):133-140.
99. Debelian G and Trope M. *The use of premixed bioceramic materials in endodontics*. G Ital Endod. 2016; 30(2):70-80.
100. Scotti N, Rota R, Berutti E. *Otturazione endodontica e restauri adesivi: esiste un legame?* G Ital Endod. 2013; 27(1):59-62.
101. Watson TF, Atmeh AR, Sajini S et al. *Present and future of glass-ionomers and calcium-silicate cements as bioactive materials in dentistry: biophotonics-based interfacial analyses in health and disease*. Dent Mater. 2014; 30(1):50-61.
102. Del Fabbro M, Corbella S, Sequeira-Byron P et al. *Endodontic procedures for retreatment of periapical lesions.* Cochrane Database Syst Rev. 2016; 10:CD005511.
103. Friedman S. *Retrograde approaches in endodontic therapy*. Endod Dent Traumatol. 1991; 7(3):97-107.
104. Molven O, Halse A and Grung B. *Surgical management of endodontic failures: indications and treatment results.* Int Dent J. 1991; 41(1):33-42.
105. Riccitiello F, Stabile P, Amato M et al. *The treatment of the large periradicular endodontic injury*. Minerva Stomatol. 2011; 60(9):417-426.
106. Brito-Junior M, Faria-e-Silva AL, Quintino AC et al. *Orthograde retreatment failure with extruded MTA apical plug in a large periradicular lesion followed by surgical intervention: case report*. Gen Dent. 2012; 60(2):e96-100.
107. Carrotte PV. *Current practice in endodontics: 6. Retreatments and periradicular surgery*. Dent Update. 2001; 28(2):92-96.
108. Hepworth MJ and Friedman S. *Treatment outcome of surgical and non-surgical management of endodontic failures*. J Can Dent Assoc. 1997; 63(5):364-371.
109. Christiansen R, Kirkevang LL, Horsted-Bindslev P et al. *Randomized clinical trial of root-end resection followed by root-end filling with mineral trioxide aggregate or smoothing of the orthograde gutta-percha root filling - 1 year follow-up.* Int Endod J. 2009; 42(2):105-114.
110. Kahler B. *Microsurgical endodontic retreatment of post restored posterior teeth: a case series.* Aust Endod J. 2010; 36(3):114-121.
111. von Arx T. *Frequency and type of canal isthmuses in first molars detected by endoscopic inspection during periradicular surgery*. Int Endod J. 2005; 38(3):160-168.
112. Beck-Broichsitter BE, Schmid H, Busch HP et al. *Long-term survival of teeth in the posterior region after apical surgery.* J Craniomaxillofac Surg. 2018 (e-pub before publication).

References Box 5.4

1. Torabinejad M. Historical and contemporary perspectives on root-end filling materials. J Endod. 1993;19(8):432–3.
2. Torabinejad M, White DJ. Tooth filling material and method of use. US Patent 5415547. 1993.
3. Torabinejad M, White DJ, inventors; Loma Linda University, assignee. Tooth filling material and method of use. United States Patent 5769638; 23rd June 1998.
4. Funteas UR, Wallace JA, Fochtman EW. A comparative analysis of mineral trioxide aggregate and Portland cement. Australian Endodontics Journal. 2003;29:43–4.

5. Monteiro Bramante C, Demarchi AC, De Moraes IG, et al. Presence of arsenic in different types of MTA and white and gray Portland cement. Oral Surgery, Oral Medicine, Oral Pathology, Oral Radiology, and Endodontics. 2008;106:909–13.
6. Comin-Chiaramonti L, Cavalleri G, Sbaizero O et al. Crystallochemical comparison between Portland cements and mineral trioxide aggregate (MTA). Journal of Applied Biomaterials and Biomechanics. 2009;7:171–8.
7. Dammaschke T, Gerth HU, Züchner H., et al. Chemical and physical surface and bulk material characterization of white ProRoot MTA and two Portland cements. Dental Materials. 2005;21:731-8.
8. Schembri M, Peplow G, Camilleri J. Analyses of heavy metals in mineral trioxide aggregate and Portland cement. Journal of Endodontics. 2010;36:1210–5.
9. Chang SW, Shon WJ, Lee W, et al. Analysis of heavy metal contents in gray and white MTA and 2 kinds of Portland cement: a preliminary study. Oral Surgery, Oral Medicine, Oral Pathology, Oral Radiology, and Endodontics. 2010;109:642–6.
10. Camilleri J. Hydration mechanisms of mineral trioxide aggregate. Int Endod J. 2007;40(6):462-70.
11. Camilleri J, Kralj P, Veber M, Sinagra E. Characterization and analyses of acid-extractable and leached trace elements in dental cements. Int Endod J. 2012;45(8):737–43.
12. Torabinejad M, Hong CU, McDonald F, Pitt Ford TR. Physical and chemical properties of a new root- end filling material. J Endod. 1995;21:349–53.
13. Torabinejad M, Watson TF, Pitt Ford TR. Sealing ability of a mineral trioxide aggregate when used as a root end filling material. J Endod. 1993;19:591–5.
14. Hatibovic ğ-Kofman S, Raimundo L, Zheng L, Chong L, Friedman M, Andreasen JO. Fracture resistance and histological findings of immature teeth treated with mineral trioxide aggregate. Dent Traumatol. 2008;24:272–6.
15. Dammaschke T, Gerth HU, Züchner H, Schäfer E E. Chemical and physical surface and bulk material characterization of white ProRoot MTA and two Portland cements. Dent Mater. 2005;21:731–8.
16. Gancedo-Caravia L, Garcia-Barbero E. Influence of humidity and setting time on the push-out strength of mineral trioxide aggregate obturations. J Endod. 2006;32(9):894–6.
17. Reyes-Carmona JF, Felippe MS, Felippe WT. The biomineralization ability of mineral trioxide aggre- gate and Portland cement on dentin enhances the push-out strength. J Endod. 2010;36(2):286–91.
18. Saghiri MA, Shokouhinejad N, Lotfi M, Aminsobhani M, Saghiri AM. Push-out bond strength of mineral trioxide aggregate in the presence of alkaline pH. J Endod. 2010;36(11):1856–9.
19. Shokouhinejad N, Nekoofar MH, Iravani A, Kharrazifard MJ, Dummer PM. Effect of acidic environment on the push-out bond strength of min- eral trioxide aggregate. J Endod. 2010;36(5):871–4.
20. Saghiri MA, Lotfi M, Joupari MD, Aeinehchi M, Saghiri AM. Effects of storage temperature on surface hardness, microstructure, and phase formation of white mineral trioxide aggregate. J Endod. 2010;36(8):1414–8.
21. Namazikhah MS, Nekoofar MH, Sheykhrezae MS, Salariyeh S, Hayes SJ, Bryant ST, Mohammadi MM, Dummer PM. The effect of pH on surface hardness and microstructure of mineral trioxide aggregate. Int Endod J. 2008;41(2):108–16.
22. Giuliani V, Nieri M, Pace R, Pagavino G. Effects of pH on surface hardness and microstructure of mineral trioxide aggregate and Aureoseal: an in vitro study. J Endod. 2010;36(11):1883–6.
23. Namazikhah MS, Nekoofar MH, Sheykhrezae MS, Salariyeh S, Hayes SJ, Bryant ST, Mohammadi MM, Dummer PM. The effect of pH on surface hardness and microstructure of mineral trioxide aggregate. Int Endod J. 2008;41(2):108–16.
24. Nekoofar MH, Oloomi K, Sheykhrezae MS, Tabor R, Stone DF, Dummer PM. An evaluation of the effect of blood and human serum on the surface microhardness and surface microstructure of mineral trioxide aggregate. Int Endod J. 2010;43(10): 849–58.
25. Saghiri MA, Asgar K, Lotfi M, Garcia-Godoy F. Nanomodification of mineral trioxide aggregate for enhanced physiochemical properties. Int Endod J. 2012;45(11):979–88.
26. Matt GD, Thorpe JR, Strother JM, McClanahan SB. Comparative study of white and gray mineral triox- ide aggregate (MTA) simulating a one- or two-step apical barrier technique. J Endod. 2004;30:876–9.
27. Kayahan MB, Nekoofar MH, Kazandağ M, Canpolat C, Malkondu O, Kaptan F, Dummer PM. Effect of acid-etching procedure on selected physical proper- ties of mineral trioxide aggregate. Int Endod J. 2009;42(11):1004–14.
28. Camilleri J. Evaluation of the effect of intrinsic mate- rial properties and ambient conditions on the dimensional stability of white mineral trioxide aggregate and Portland cement. J Endod. 2011;37(2):239–45.
29. Storm B, Eichmiller FC, Tordik PA, Goodell GG. Setting expansion of gray and white mineral trioxide aggregate and Portland cement. J Endod. 2008;34:80–2.
30. Islam I, Chng HK, Yap AU. Comparison of the physical and mechanical properties of MTA and Portland cement. J Endod. 2006;32:193–7.
31. Chng HK, Islam I, Yap AU, Tong YW, Koh ET. Properties of a new root-end filling material. J Endod. 2005;31:665–8.

32. Danesh G, Dammaschke T, Gerth HU, Zandbiglari T, Schäfer E. A comparative study of selected properties of ProRoot mineral trioxide aggregate and two Portland cements. Int Endod J. 2006;39:213–9.
33. Torabinejad M, Hong CU, McDonald F, Pitt Ford TR. Physical and chemical properties of a new root- end filling material. J Endod. 1995;21:349–53.
34. Fridland M, Rosado R. Mineral trioxide aggregate (MTA) solubility and porosity with different water-to-powder ratios. J Endod. 2003;29(12):814–7.
35. Torabinejad M, Watson TF, Pitt Ford TR. Sealing ability of a mineral trioxide aggregate when used as a root end filling material. J Endod. 1993;19:591–5.
36. Torabinejad M, Higa RK, McKendry DJ, Pitt Ford TR. Dye leakage of four root end filling materials: effects of blood contamination. J Endod. 1994; 20(4):159–63.
37. Torabinejad M, Parirokh M. Mineral trioxide aggre- gate: a comprehensive literature review part II: leakage and biocompatibility investigations. J Endod. 2010;36(2):190–202.
38. Bukhari S, Karabucak B. Antimicrobial Effect of Bioceramic Sealer on an 8-Week Matured Enterococcus faecalis Biofilm Attached to a Root Canal Dentinal Surface J Endod. 2019 Aug;45(8):1047-1052.
39. Camilleri J, Pitt Ford TR. Mineral trioxide aggregate: a review of the constituents and biological properties of the material. Int Endod J. 2006;39(10):747–54.
40. Haglund R, He J, Jarvis J, Safavi KE, Spångberg LS, Zhu Q. Effects of root-end filling materials on fibroblasts and macrophages in vitro. Oral Surg Oral Med Oral Pathol Oral Radiol Endod. 2003;95(6): 739–45.
41. Holland R, Filho JA, de Souza V, Nery MJ, Bernabé PF, Junior ED. Mineral trioxide aggregate repair of lateral root perforations. J Endod. 2001;27(4):281–4.
42. Torabinejad M, Pitt Ford TR, McKendry DJ, Abedi HR, Miller DA, Kariyawasam SP. Histologic assessment of mineral trioxide aggregate as a root-end filling in monkeys. J Endod. 1997;23(4):225–8.
43. Luo T, Liu J, Sun Y, Shen Y, Zou L, Cytocompatibility of Biodentine and iRoot FS with human periodontal ligament cells: an in vitro study. Int Endod J, 2018. 51: p. 779–88
44. UyanikMO,NagasE,SahinC,DagliF,CehreliZC. Effects of different irrigation regimens on the sealing properties of repaired furcal perforations. Oral Surg Oral Med Oral Pathol Oral Radiol Endod. 2009;107(3):e91–5.
45. Yildirim T, Oruçoğlu H, Cobankara FK. Long-term evaluation of the influence of smear layer on the api- cal sealing ability of MTA. J Endod. 2008;34(12):1537–40.

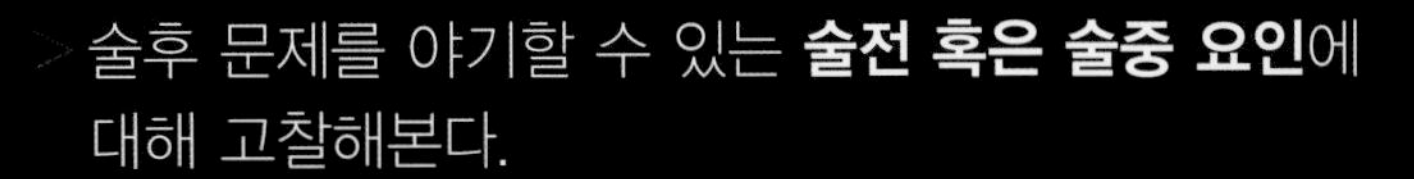

- 술후 문제를 야기할 수 있는 **술전 혹은 술중 요인**에 대해 고찰해본다.
- 재근관치료가 끝날 때 발생하는 경미한 혹은 심각한 합병증과 관련된 **임상 상황**을 알아본다.
- 합병증을 다루는 가장 적합한 **치료 방법**을 알아본다.
- 합병증을 평가하고 재치료의 일반적인 성공 여부를 결정하기 위한 **적절한 시기**를 알아본다.

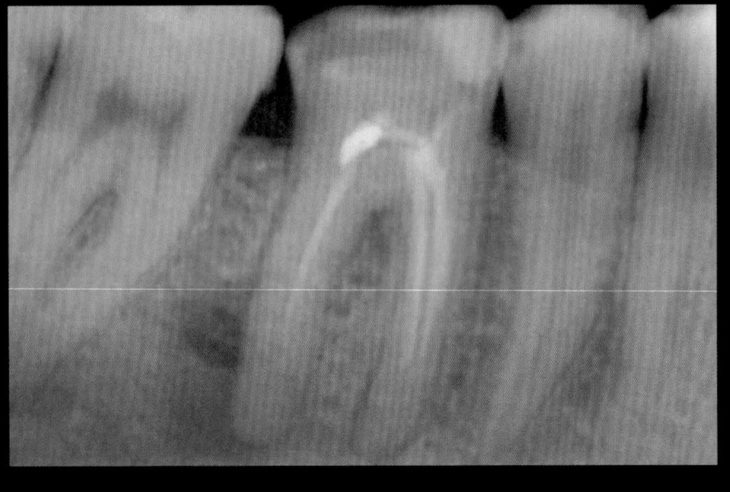

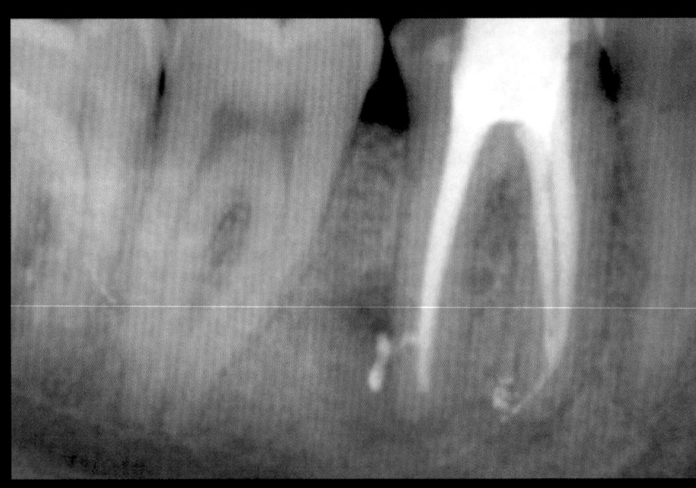

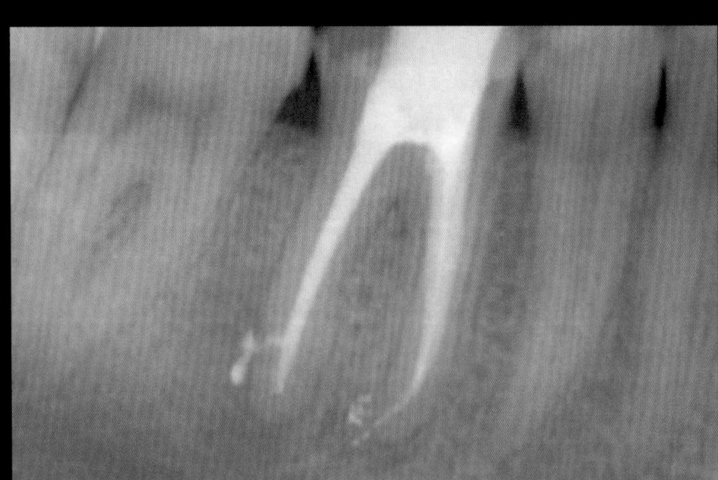

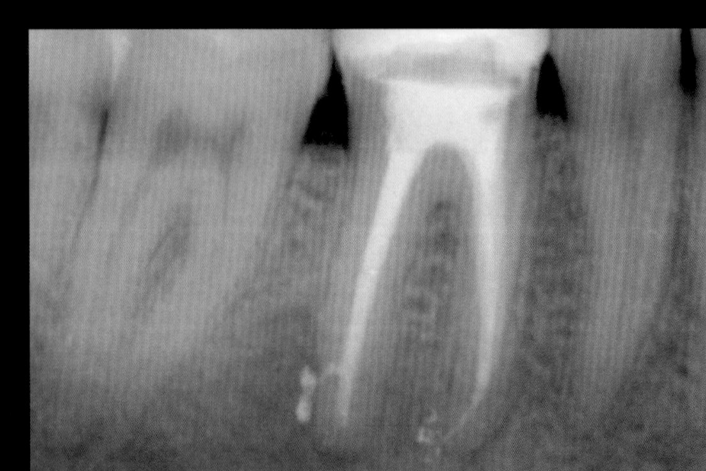

Massimo Gagliani, Fabio Gorni, 06
Marco Martignoni

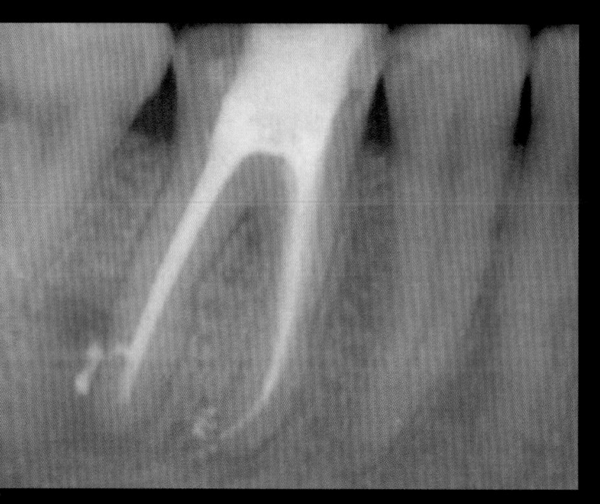

재근관치료 후의 단계 : A guided plan

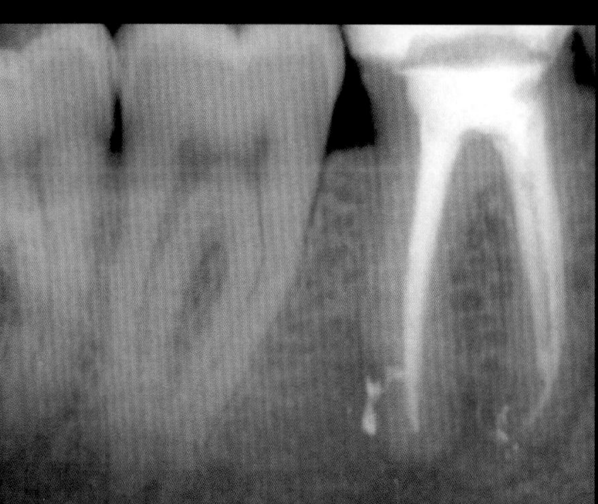

머리말

근관치료는 환자들에게 불편한 경험이 될 수 있다. 재근관치료 또한 어느 정도의 위험성을 수반하고 그 과정도 복잡하지만 본서에서 서술한 바와 같이 일부의 위험 요소들은 예측 가능하다.

치료 후 근단부에 형성된 방사선 투과상 치료의 복잡성, 그리고 임상적 증상 모두 해결되어야 한다.

많은 양의 박테리아가 존재하는 근관충전재나 수복재료를 다루는 치료는 소수이지만 결과적으로 많은 문제를 야기할 수 있다.[3]

이 장에서는 (1) 재근관치료의 실패로 이어지는 경우, (2) 올바른 혹은 잘못된 재근관치료 후에 발생할 수 있는 일반적인 임상적 상황과 같은 다양한 경우를 살펴보겠다.

후자의 경우, 가장 일반적인 상황은 자발통 혹은 자극에 의한 통증[4, 5]과 눈에 띄는 부종 등이 해당되며, 이때 치과의사는 보조적 약물치료를 제공해야 한다.

근관치료 후 생긴 병소의 회복을 위한 치아 재건의 방법 및 전략 등과 같은 위의 임상적 상황에서 비롯되는 모든 문제들을 고려해보았다**(Fig. 6.1a-c).**

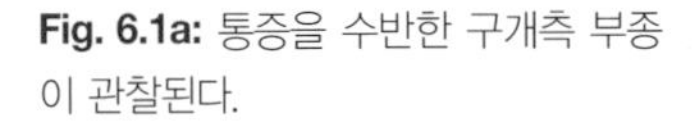

Fig. 6.1a: 통증을 수반한 구개측 부종이 관찰된다.

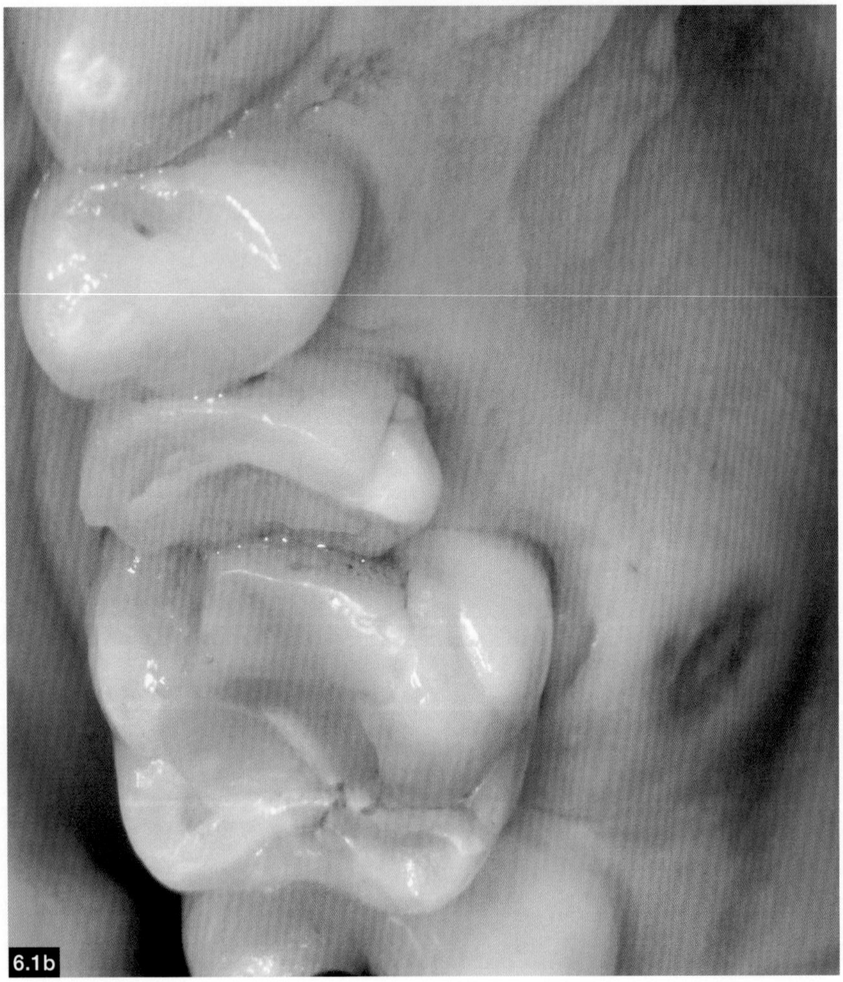

Fig. 6.1b: 수복물의 파절 양상이 고배율에서 관찰된다.

Fig. 6.1c: 방사선 사진상에서 근단부 방사선 투과상이 관찰되지 않으므로, 본 치아는 발치가 필요할 수도 있는 깊은 치관-치근 파절로 진단된다.

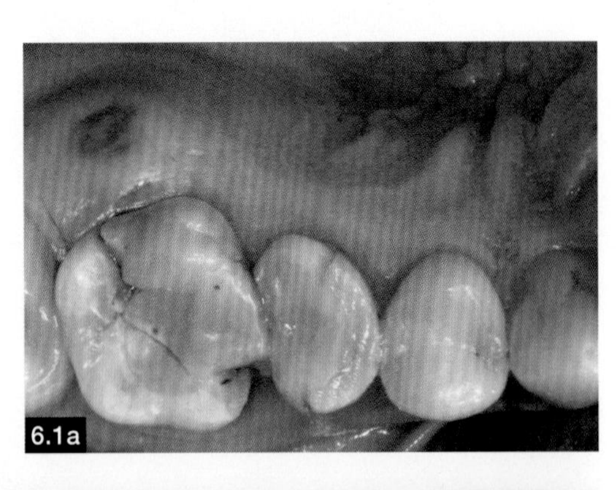

잘못된 재근관치료

간혹 근관내 공간은 치료가 가능하지만 원하는 정도의 재근관치료가 불가능한 경우가 있다.

이러한 상황은 진단 단계에서 예측할 수 있지만 경우에 따라 정확하게 판단되지 않을 수 있다.

아래의 증례는 대표적인 예시이다.

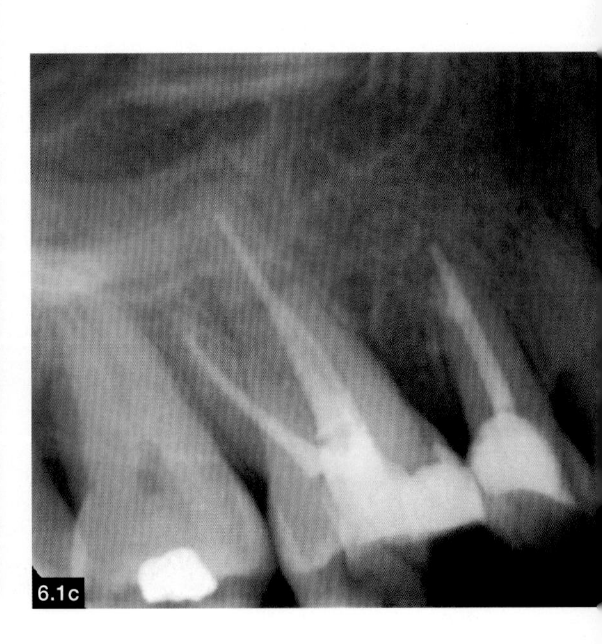

치근첨에서 시작된 파절

치수질환으로 근관치료되었던 치아의 추적관찰에서 협측 및 설측 양쪽에서 누공이 발견됐다. 환자는 저작 시 심한 통증을 호소했다.
방사선 사진상에서 충전재 내부에 조그마한 두 개의 void가 보이지만, 임상적으로 문제되어 보이진 않는다.

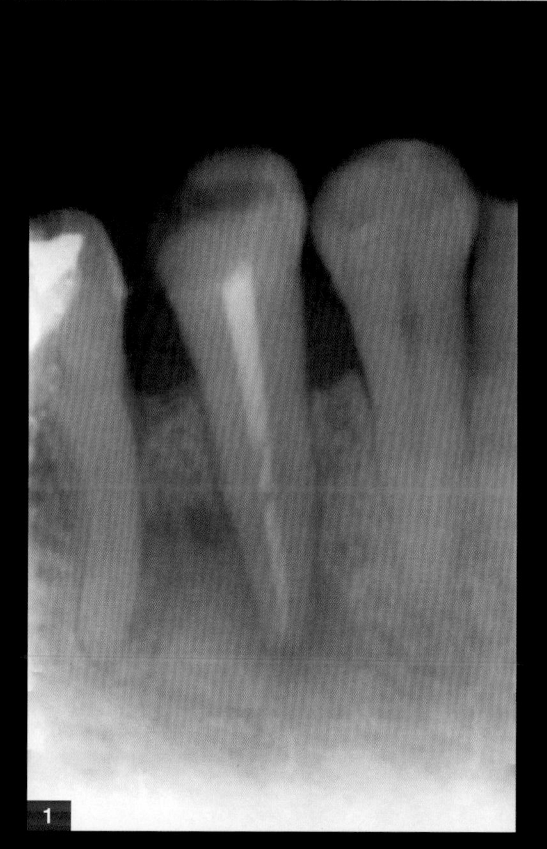
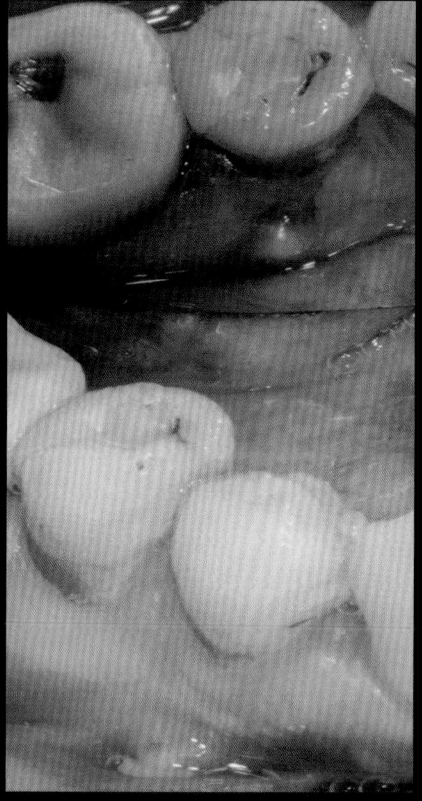

Figure 1: 근관치료된 소구치의 협측과 설측 양쪽에서의 누공은 일반적으로 근관치료의 문제보다는 다른 이유에 대한 의심을 하게 만든다. 방사선 사진은 전체적인 치근 모양을 따라가지만 불균형적으로 넓은 방사선 투과상을 보여준다. 근관치료는 두 개의 조그마한 빈 공간이 보이긴 하지만 질적으로 비교적 잘 마무리되었다.

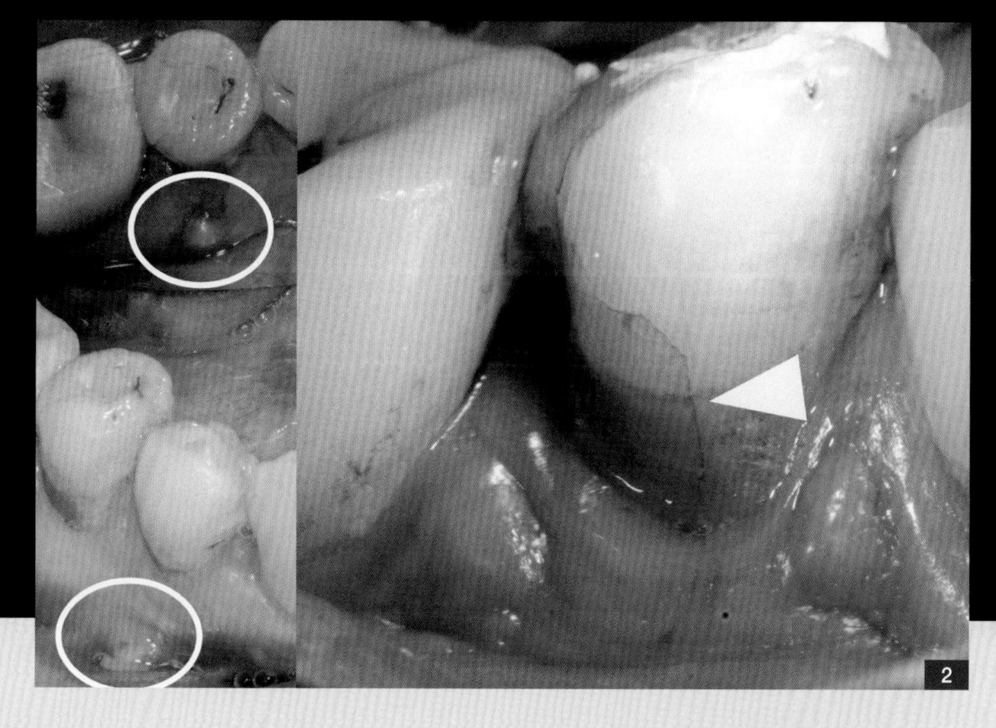

Figure 2: 보다 자세한 검사 후 치아의 협측 및 원심측에서의 수직 파절이 발견됐다.

하지만 근관치료의 질에 비해 매우 큰 치근단 병소가 관찰된다. 치근 주위의 치주낭 검사에서 수직 치근파절의 명확한 증거인 비정상적인 선형의 깊은 치주낭이 발견됐다.
파절은 발치 후 확인되었고, 이는 근단부에서 시작된 파절선이 치관측으로 연장되었을 가능성이 있다.

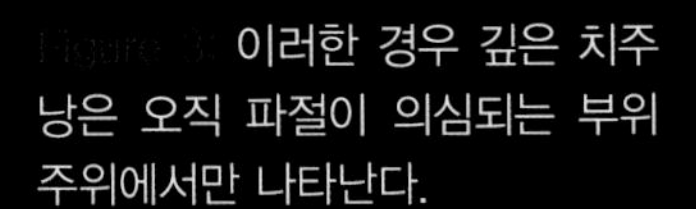

Figure 3: 이러한 경우 깊은 치주낭은 오직 파절이 의심되는 부위 주위에서만 나타난다.

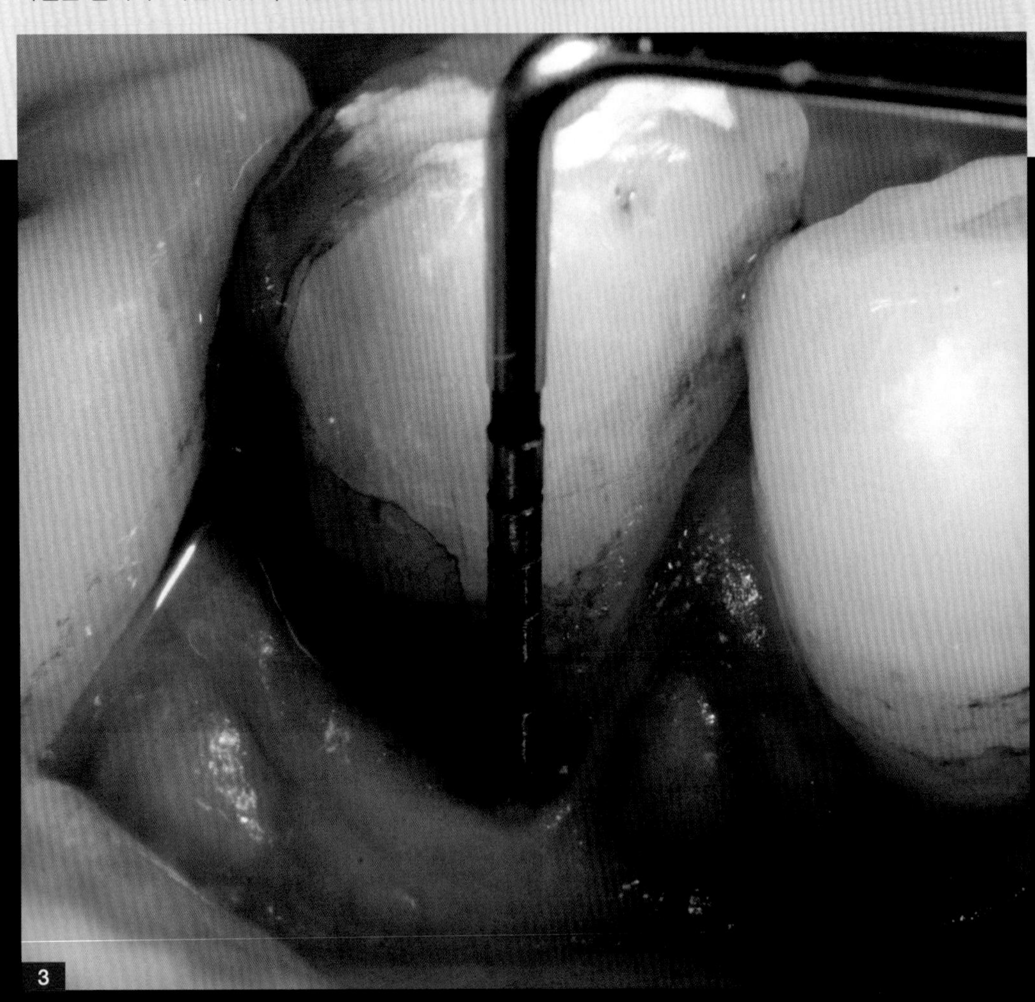

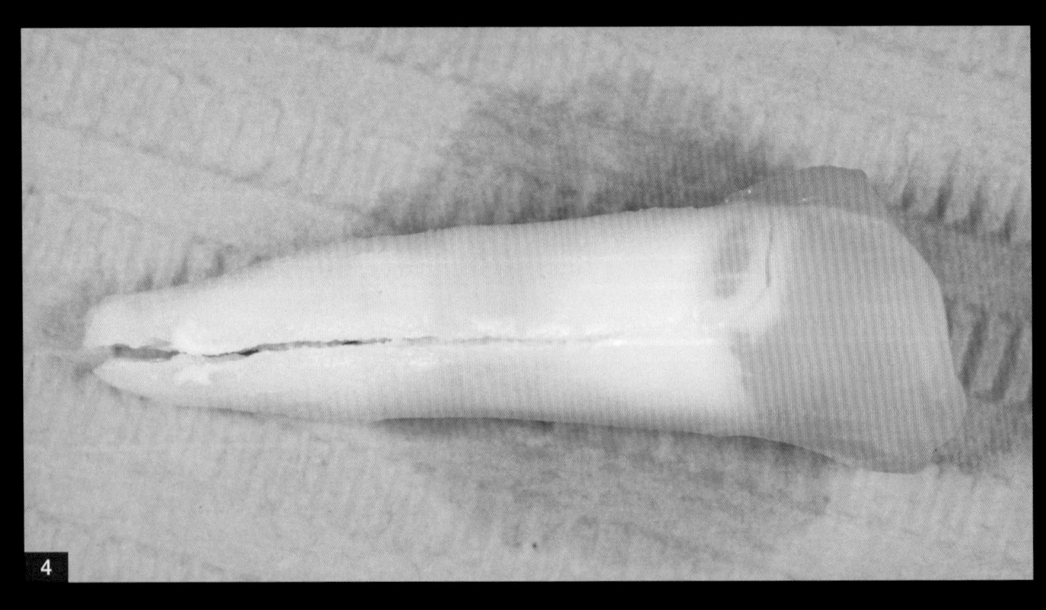

Figure 4: 발치된 치아에서 치근첨에서부터 시작된 수직 파절이 보인다.

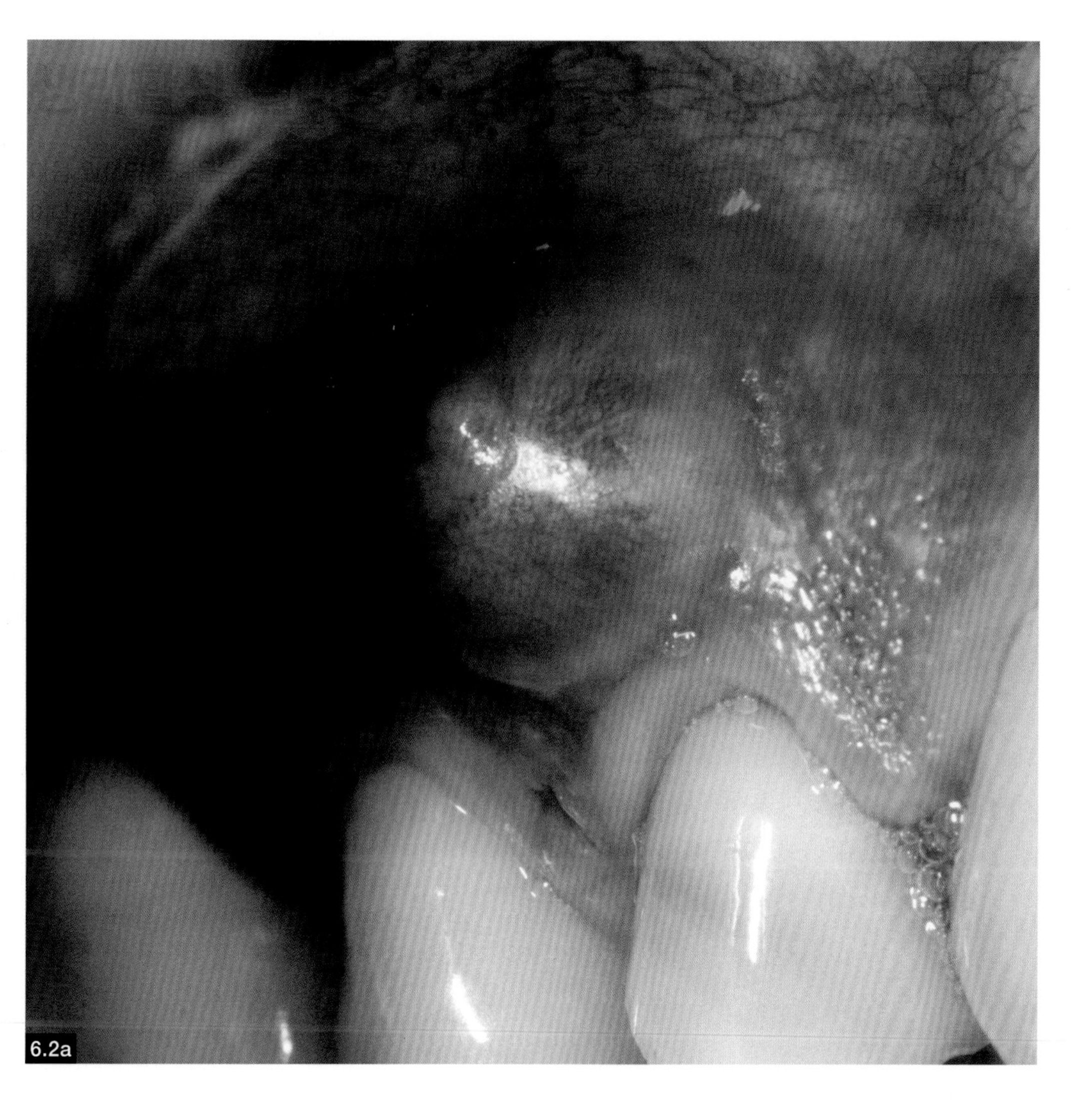

Fig. 6.2a: 근관치료의 부정적 징후 중 가장 특징적인 것은 눈에 띄는 부종을 야기하는 세균성 병소의 재발이다.

Fig. 6.2b: 비복잡성 치관 파절은 타액 내 존재하는 박테리아에 의한 근관의 오염을 야기한다.

치료 후

재근관치료를 마치고 환자는 다소 심한 통증이 며칠 동안 지속될 수 있다.[6]

이러한 경우는 확률적 측면에서 기준에 따라 다르지만 재근관치료의 10%를 초과하지는 않는다.

일부[7]는 재근관치료 후 통증을 유발할 수 있지만 최종 결과에는 영향을 미치지 않는 과충전 때문에 이러한 통증이 야기된다고 추측한다. 치료 후 통증은 종종 부종과 함께한다.

Alves[7]는 술전 양상이 임상가에게 술후 통증에 대한 단서를 제공하고 이러한 상황을 피하기 위해 치료 횟수를 조절해야 한다고 주장했다(Fig. 6.2a–b).[8, 9]

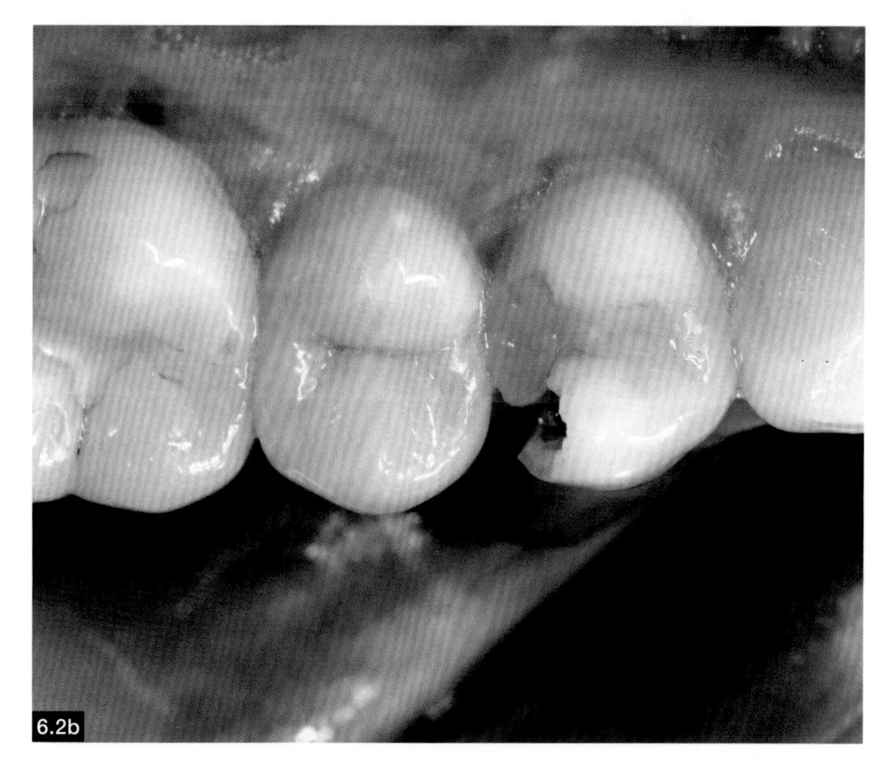

이유

기구과조작
술후 통증은 종종 치근단공을 넘어선 기구조작에서 기인한다.

재근관치료 후 후유증은 과도한 근관 성형 또는 박테리아에 의해 오염되어 있는 상아질 파편이나 근관 충전재가 치근단 밖으로 나가게 되는 경우와 연관될 수 있다.
이와 관련하여 많은 예방적 조치가 취해질 수 있지만, 과도한 근관 성형에 의한 영향은 피할 수 없다.[10]

증상

염증 반응은 재근관치료가 끝나면 피할 수 없는 결과이다. 염증은 치근 주위 부위에만 국한되어 저작 시 경미한 통증을 유발하지만 혹은 특정 치료가 필요한 full-blown periodontitis을 의미할 수도 있다.
치료 후 초기에 치아의 교합 접촉을 제거하는 것은 이러한 염증을 방지하는 데 효과적이지는 않다.[11]

예방

통증 예방
술후 통증의 발생률은 근관 상부의 적절한 개방에 좌우된다.

술후 통증을 예방하기 위해 많은 연구가 수행되었으며 통증의 수많은 원인에 대해 연구되었다. 감염된 근관의 성형은 감염된 상아질 파편을 치근단공 밖으로 나가게 하여 결과적으로 치근단 인대에 염증을 일으킬 수 있다.[6]
따라서 많은 연구들이 이러한 현상을 줄일 수 있는 요인들에 대해 조사했다.

Arora 등[12]은 apical patency의 유지가 술후 통증과 관계없다는 것을 증명했다.
Pasqualini 등[13]은 apical patency를 유지하며 NiTi rotary 파일과 스테인리스 스틸 파일을 비교해본 결과 NiTi rotary 파일이 덜 파괴적임을 보여주었고, 이는 Kherlakian[14] 등의 연구에서도 확인되었다.
그러나 Pasqualini[15] 등은 reciprocation 움직임과 함께 NiTi rotary 파일로 치료한 환자의 경우 스테인리스 스틸 파일로 치료한 환자보다 더 큰 술후 통증을 보고했다.
Comparin[16] 등은 일반적인 NiTi rotary 파일과 reciprocating motion을 갖는 파일 간의 차이가 없다고 보고했다. Saumya-Rajesh[17] 등은 NiTi rotary 파일이 아닌 다른 기구를 사용했을 때도 비슷한 결과를 갖는다고 보고했다.
술후 통증은 치근단공에서의 치료의 정확성과 관련된 다른 요소에 의해 영향을 받을 수 있다. 이러한 이유로 근관장 길이의 전자식 제어가 활성화된 상태에서 근관치료를 할 경우 술후 통증 발생을 줄일 수 있다.[18]
근관치료를 받지 않은 치아의 근관을 reciprocating NiTi 파일로 ISO 40 크기까지 확대할 경우 드물게 술후 통증을 보이지만, 재근관치료의 경우 치근단공의 확대 크기가 술후 통증의 중요한 인자가 될 수 있다.[19]
이에 Silva 등[20]은 비슷한 의견을 보였지만, Saini 등[21]은 반대의 의견을 피력했다. 근단공 확대 시의 주의사항은 여러 가지 이유로 다를 수 있으며, 이는 사용하는 기구나 술자의 차이와 관련이 있다.
EndoVac (Kerr Endo, CA, USA)을 사용한 냉동 요법도 제안되었다. 2.5℃의 생리적 용액으로 세척하는 이 술식의 예비 임상 결과는 매우 성공적이었다.[22] 또 다른 방법으로 재근관치료의 마무리 단계에서 저강도의 레이저 조사 시 술후 통증 증상이 현저하게 감소했다.[23]

상악 측절치에 가해진 힘에 의해 악화된 부상

CASE REPORT 2

자주 언급한 바와 같이 농양의 존재를 의미하는 부종은 의심할 여지가 없이 잘못된 근관치료의 후유증이라 말할 수 있다. 아래는 매우 광범위한 골파괴 양상을 보이는, 근관치료가 되어 있는 측절치 증례이다. 이러한 치아는 발치를 결정하기 전 기능적, 심미적인 면에서 주의 깊게 평가되어야 한다. 치료 계획은 근관의 입구를 기술적으로 수정하고 해당 치아의 해부적 특성들을 고려하게 된다.

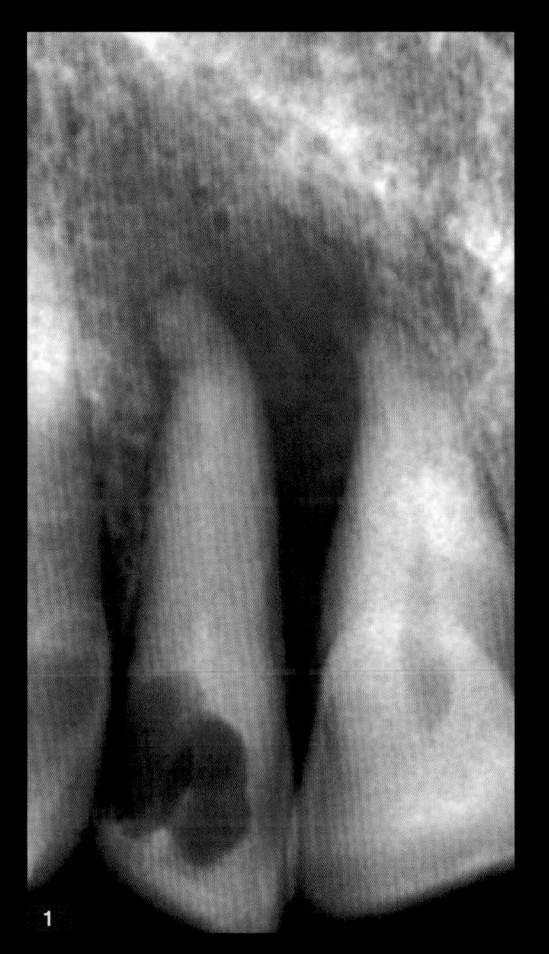

Figure 1 구개측 우식을 가진 상악 측절치. 부적절한 근관 충전의 결과로 치료를 받은지 몇 년 후 매우 큰 농양이 생겼다.

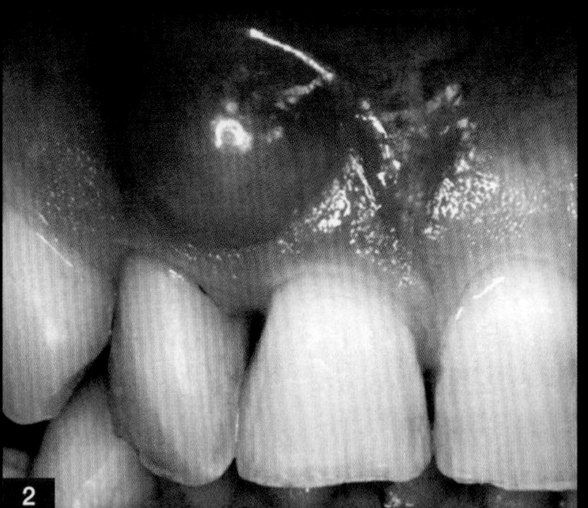

Figure 2 농양이 측절치에서 기인했음을 쉽게 추측할 수 있다.

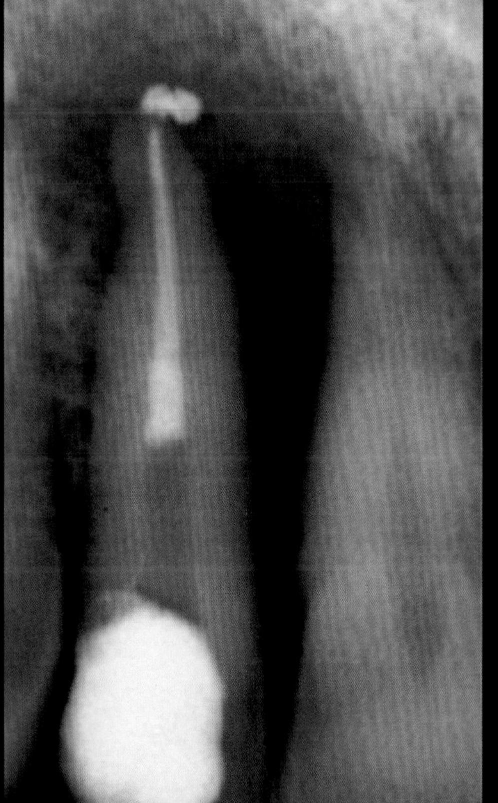

Figure 3 약간의 과충전으로 마무리된 근관치료

본 증례의 경우 약간의 과충전으로 밀폐된 만곡된 근단부를 확인할 수 있다. 14년 후의 방사선 사진은 치유된 치아 주변 골조직을 보여준다.

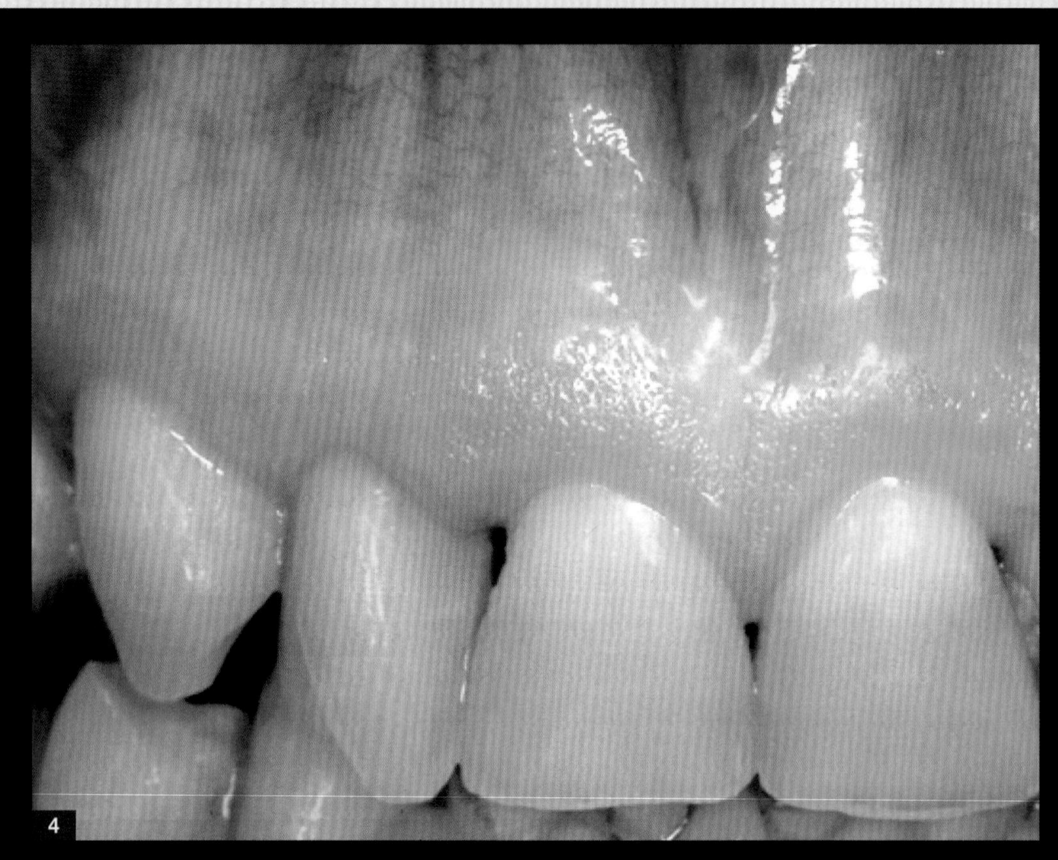

농양이 사라지고 연조직 또한 완전히 회복되었다.

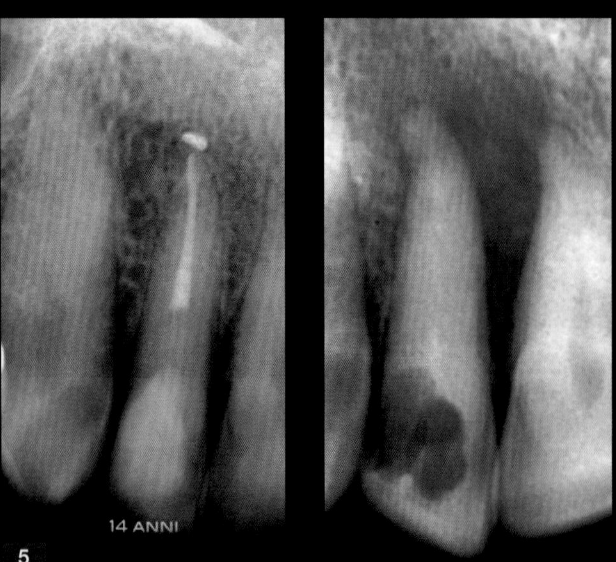

14년 후 방사선 사진은 치근단 염증이 완전히 사라졌음을 보여준다.

Multisession treatments

4장에서 다루어졌듯이 술후의 후유증을 예방하기 위해 근관치료는 근관 성형부터 근관 충전과 같이 여러 단계로 나누어져야 한다.

근관 내 첩약은 박테리아에게 갖는 직접적인 효과뿐만 아니라 근관을 비어있게 만들어 술후 통증을 줄일 수 있다.

후자의 경우 근관 밖 부종에 대한 배출 공간의 역할을 할 수 있어 부종이 치주 인대의 풍부한 신경들을 압박하지 않게 할 수 있다. 이러한 효과는 오로지 첩약의 항균작용에 의한 것이라 볼 수 없으나 사실 근관치료의 최종 결과에 미치는 영향은 미미하다.

체계적 문헌고찰에 따르면 진통 효과는 약물의 종류에 상관없이 이러한 근관을 비우는 효과에서 기인한다.[24]

치료과정의 여러 단계들은 4장에서 논의되지만, 일시적 치료가 술후 통증에 미치는 영향을 평가한 연구 결과를 논의해보자.

Figini[25]와 Manfredi[26]의 체계적 문헌고찰에 따르면 치료를 여러 번 나누어 받은 환자의 경우가 항생제와 진통제의 사용이 더 적은 것으로 나타났다. 따라서 치료를 나누어 받는 것이 근관치료의 결과적 측면에서 single-visit 치료보다 추천된다. El Mubarak[27] 등은 200명이 넘는 환자군을 조사한 결과 9% 정도의 환자들이 술후 통증을 가진다고 보고했다.

상대적 비교에서는 근관치료 전에 이미 통증이 있던 환자가 그렇지 않은 환자에 비해 더 높은 확률로 술후 통증을 가졌다. 그러나 이 논문에서는 술후 통증 측면에서 multi-visit 과 single-visit 간의 차이를 찾지 못했다.

Su[28] 등은 술후 통증에 관련된 연구들을 체계적으로 분석한 후, 두 치료 방법 간의 실질적인 동등성을 보고했다.

그러나 multi-visit의 경우 치료 직후의 통증이 좀 더 높은 것으로 나타났다.

약물적 치료

술전 약물

술후 통증을 개선시키기 위해 많은 임상가들이 치료 전 약물을 처방하고 있다.

이와 관련하여 Jalalzadeh[29] 등은 치료 30분 전 30 mg의 prednisolone 복용을 제안했다. Cortisone의 사용은 술후 통증을 현저하게 감소시켰다. 이러한 결과는 기타 다른 연구에 의해 확인되었으나, 치근단 병소를 가지고 이전에 근관치료를 받지 않은 치아에 국한되어 있다.[30] 한 가지 흥미로운 해결책이 술후 통증에 대한 답이 될 수도 있다. 오래된 이 방법은 실제로 술후 통증을 줄이는 데 효과적인 것으로 입증되었다.[31]

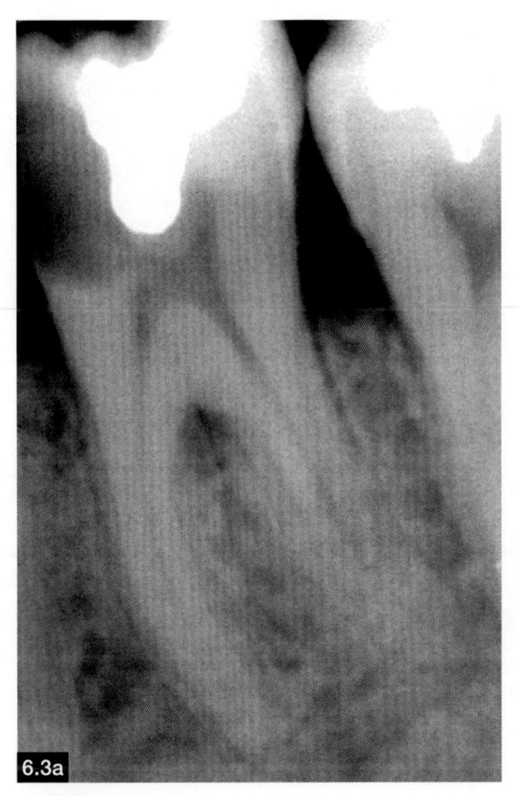

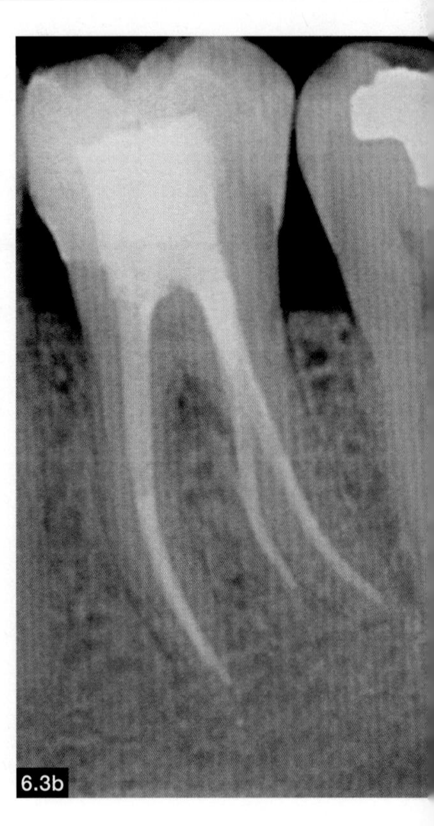

Fig. 6.3a-b: 복잡한 재근관치료의 경우 여러 번의 내원을 필요로 한다. 이전의 치료는 *radix entomolaris*의 복잡한 근관 형태를 고려하지 못했다.

CASE
REPORT 3

근관 기원의 심각한 근단 병소 및 치주조직의 파괴를 동반한 구치

본 치아는 근원심 부위 모두 치근단 병소를 가지고 있고 이전에 근관치료를 시도했던 양상이 보인다. 발치가 계획되었던 이 치아는 환자의 연령이 어리고 치아 주변의 상태가 양호하므로 재근관치료를 시작했다.

Figures 1, 2: 방사선 사진(**Fig. 1**) 및 임상 사진(**Fig. 2**)은 근관치료가 잘 마무리되지 않은 대구치를 보여준다. 치관이 수복되어 있지 않고 근원심 치근에 치근단 병소가 있다.

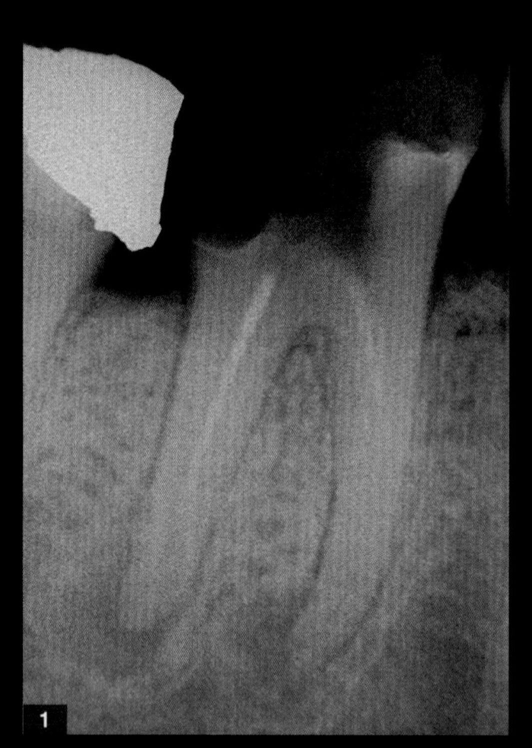

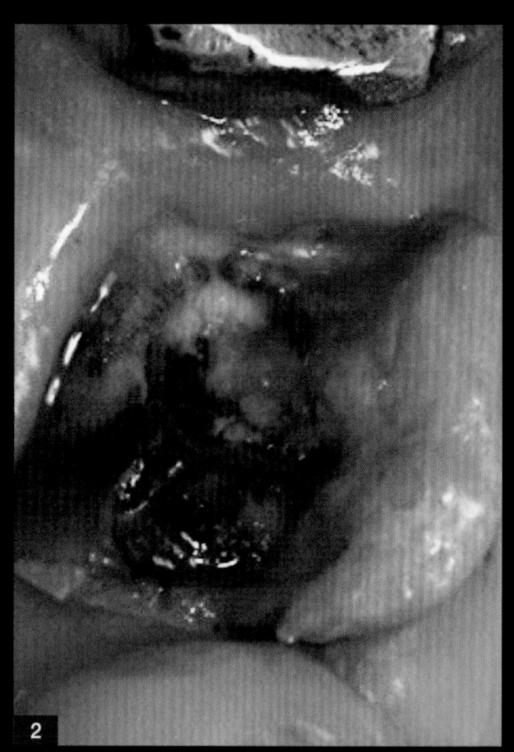

Figure 3: 치조전정부를 촉진하자 보이는 화농성 삼출물

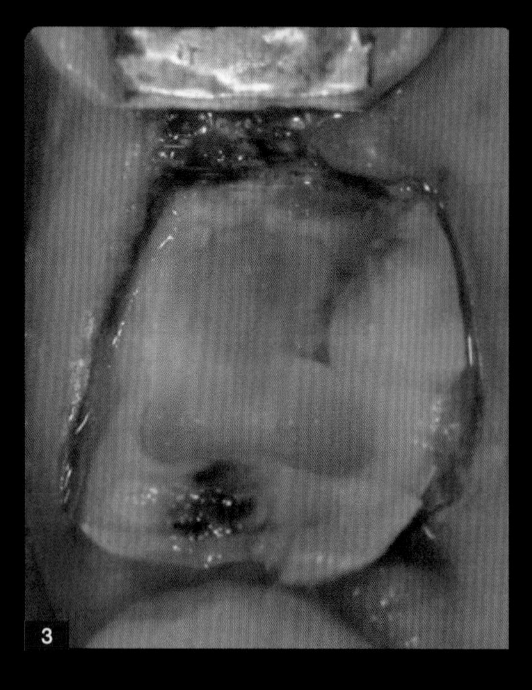

Figure 4: 치아를 레진 재료를 이용하여 완벽히 격리했다.

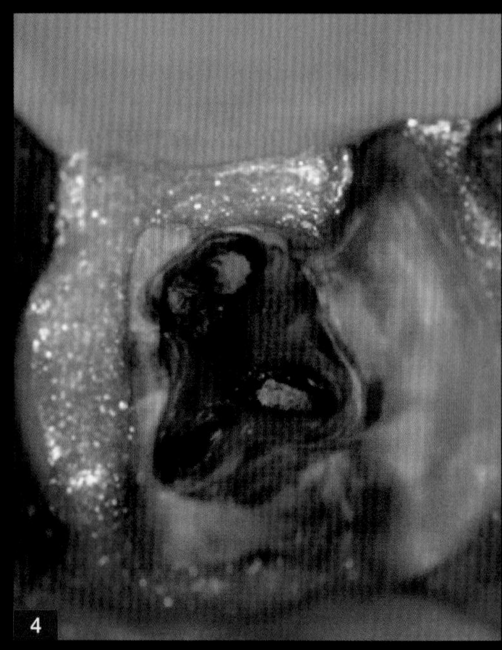

치은 피판을 근단부로 이동시키고 러버댐 클램프 주위를 광중합형 폴리머로 좀 더 밀폐시켜 치아를 효과적으로 격리시켰다. 재근관치료 7년 후 치아는 방사선 투과상이 사라지고 선명한 치조백선을 보인다.

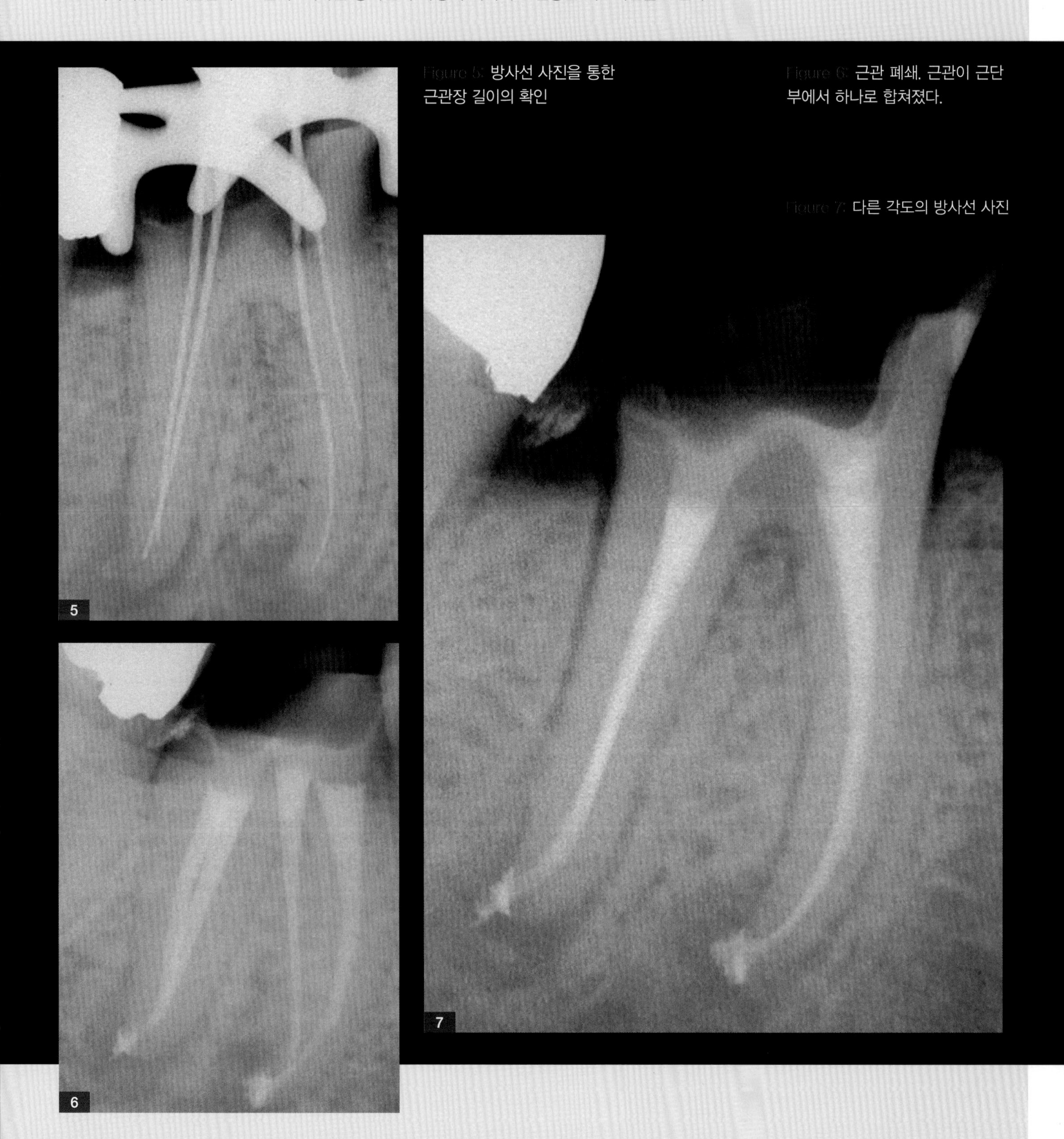

Figure 5: 방사선 사진을 통한 근관장 길이의 확인

Figure 6: 근관 폐쇄. 근관이 근단부에서 하나로 합쳐졌다.

Figure 7: 다른 각도의 방사선 사진

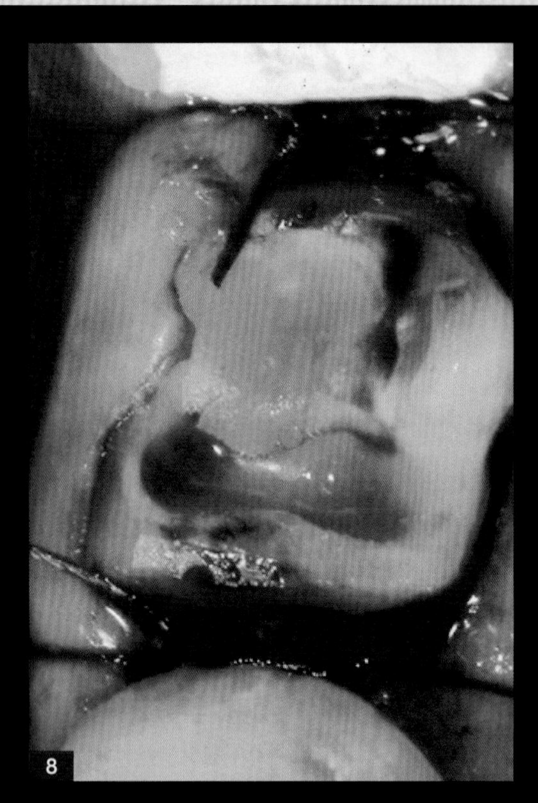

Figure 8. Apical repositioned flap을 통해 마진을 드러냈다.

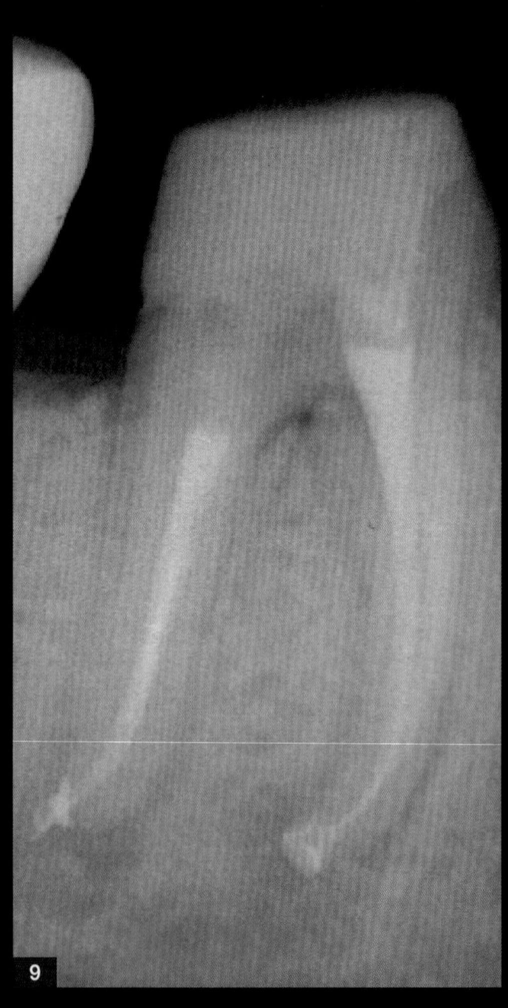

Figure 9. 6개월 방사선 사진에서 크기가 확연히 줄은 근단 병소가 보인다. 환자 또한 아무런 증상이 없었다.

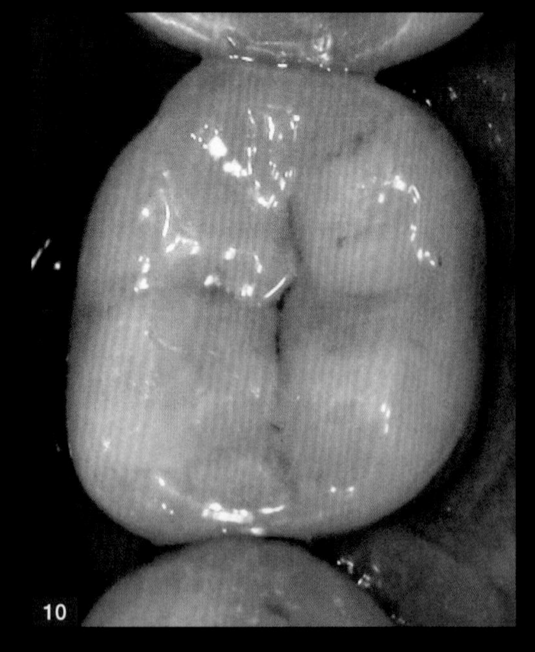

Figure 10. 크라운으로 수복한 치아의 교합면

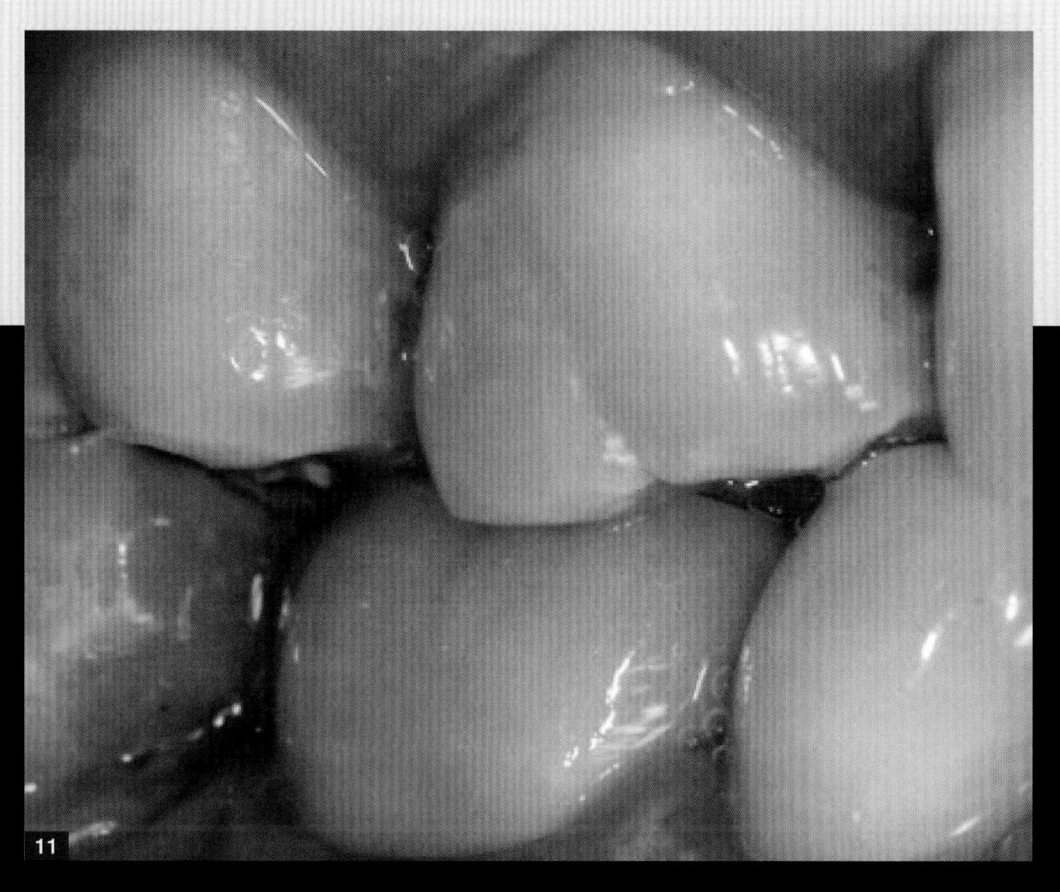

Figure 11: PFM 크라운의 협측 사진

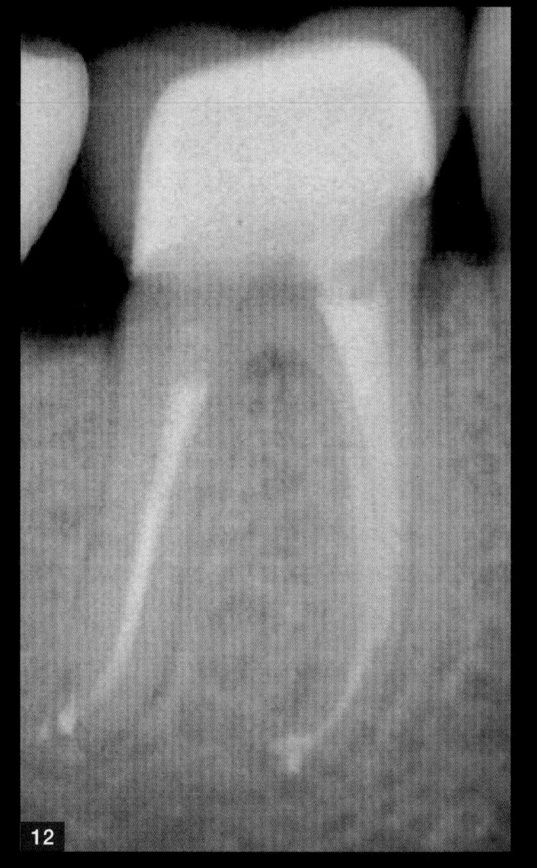

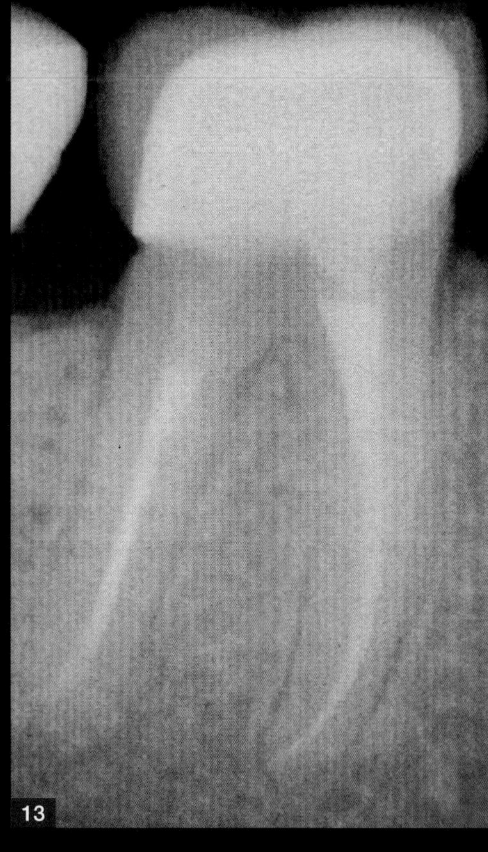

Figure 12–13: 1년, 9년 추적관찰 방사선 사진. 어려운 케이스였지만 성공적으로 치료되어 완전히 치유된 치아가 보인다.

치료 후 약물

술후 통증

비스테로이드성 진통제는 치료 후에 처방된다.

몇몇 저자들은 근관치료 근관치료 직후의 통증을 완화하기 위해 비스테로이드성 진통제의 사용을 제안했다.

예시로, Elzaki[32] 등은 paracetamol과 ibuprofen의 병용을 제안했다. Naproxen은 paracetamol과 ibuprofen의 조합과 비슷하게 효과적이다.[33]

Smith[34] 등은 체계적인 검토를 통해 분석한 결과 ibuprofen 600 mg과 paracetamol 1,000 mg을 함께 사용할 경우 치료 후 통증 완화에 가장 효과적임을 보고했다.

최상의 접근법은 약물의 표적치료이다. Paracetamol의 유무에 관계없이 비스테로이드성 항염증제는 기본적인 투여제로 고려될 수 있다.

치료 후 통증을 줄이기 위해서는 적절한 전치료와 근관 와동의 형성이 필요하다(예: 교합 접촉의 제거 및 교합면 삭제). 이를 통해 근관의 접근이 쉬워지고 치료 전반적으로 큰 이점을 얻을 수 있다.

항생제 사용

항생제

올바른 항생제 복용은 균의 내성을 증가시키지 않는다.

항생제의 사용은 조금 다른 문제이다.

균주의 내성은 어떠한 경우에라도 피해야 하므로 항생제는 통증이나 부종의 징후가 있는 경우에만 처방되어야 한다(1장 참조).

맥박성 통증은 구분지을 수 있는 첫 번째 신호이다. 교합접촉의 제거는 반드시 치관부 수복의 계획과 병행되어야 한다. 다만 이미 치관이 교두를 피개하여 수복된 경우는 교합접촉의 제거가 불가능하다 (9장 참조).

연구에 따르면 급성 치조골 농양과 같이 항생제에 의해 치료된 감염성 질환의 경우들이 있다. 이는 다양한 사례에서 다른 비율로 보고되고 있다.[5, 15]

광범위한 항생제를 사용하는 것이 최선의 선택이지만, 복용량은 케이스마다 다르다. 항생제의 일반적인 투약법은 24페이지의 **Box 1.3**에 요약되어 있다.[35, 36]

미국 신경치료 전문의들을 대상으로 실시한 연구에 따르면 전문의의 약 41%가 치근단 수술 후 주로 amoxicillin 또는 이와 유사한 항생제를 처방하는 것으로 나타났다.

통증의 악화

통증의 악화 시 부종이 동반된 경우와 동반되지 않은 경우는 다른 방식으로 접근해야 한다. 부종은 재근관치료로 해결되지 않은 또는 새로운 질병의 시작으로 인한 병원성 균의 독소에 의해 생긴다.

가장 흔한 예로는 치근의 부분 또는 전체 파절로, 근관 성형의 방법과 초음파 기구 사용에 관련이 있다. 이는 상아질의 균열을 초래하고 균열은 반복되는 저작압에 의해 결국 파절에 이르게 된다.

이러한 경우, 교합면에서의 균열은 발견될 경우 진단이 가능하나 치근에서의 균열은 발견할 수 없으므로 정확한 진단이 어렵다**(Fig. 6.4a-c)**.

결국 근관치료의 질이 최종 진단에 가장 큰 영향을 미치는데, 성공적인 근관치료의 경우 매우 드물게 부종을 동반한 심한 통증을 보이기 때문이다(1, 2장의 치근파절 참조)**(Fig. 6.4 a-c)**.

치유의 진행 정도나 치근단 주위 조직의 방사선 사진상의 변화 등도 진단에 보조적인 역할을 할 수 있다. 예를 들면, 증상은 나아지나 치근단 병소의 치유가 보이지 않는 경우 균열을 의심해 볼 수 있다.[38]

그러한 경우 급성 통증을 위한 응급처치를 제외한 모든 경우에서 외과적 근관치료는 가장 최선의 접근법이다. 약물치료로 증상이 호전되길 기다리는 것은 효과적이지 않다.

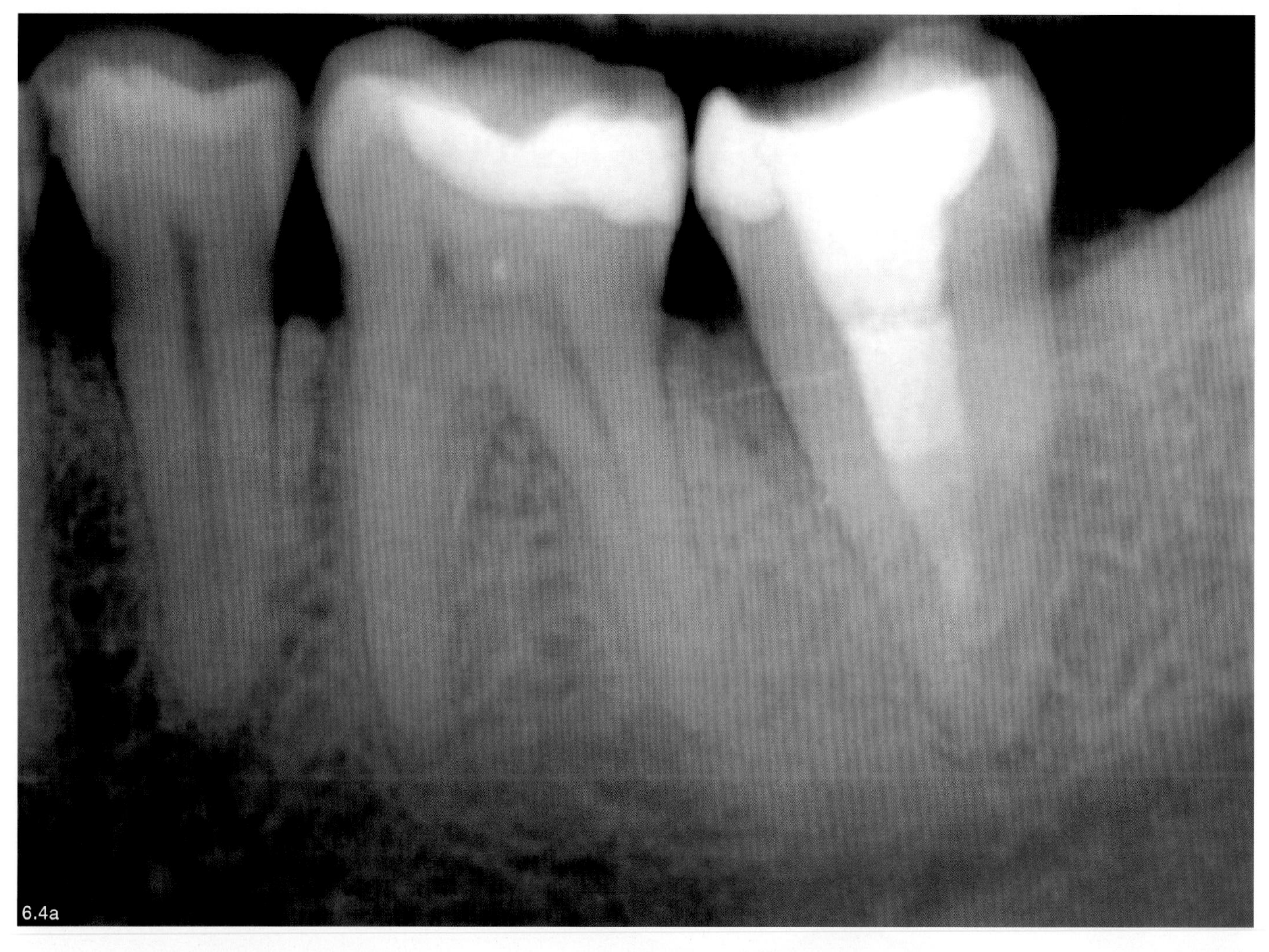

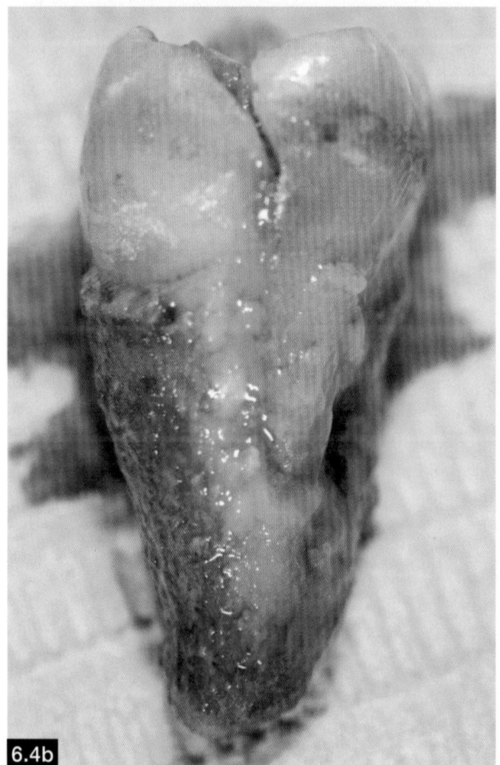

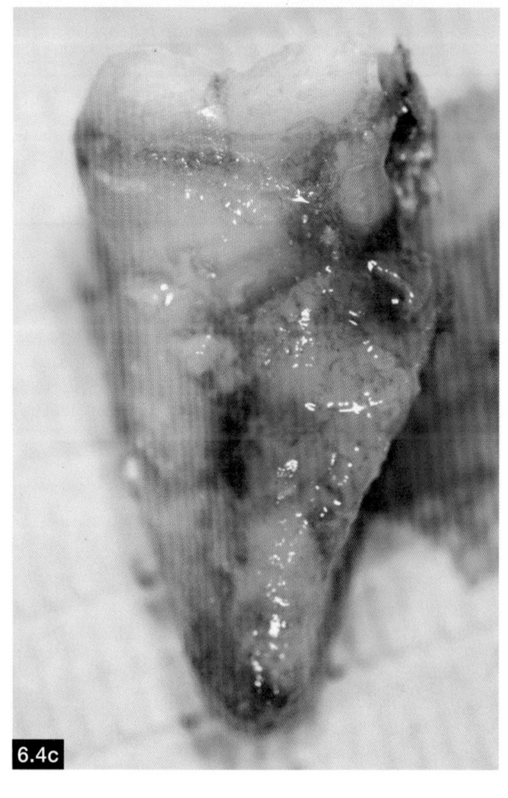

Fig. 6.4a: 저작 시 종종 느꼈던 통증으로 내원한 환지의 방사선 사진. 구강내 검사와 방사선 검사에서 조금 짧은 근관 충전을 제외하고는 특별한 문제를 발견할 수 없었으나 mesial coronal 부분에 약간의 골소실이 관찰된다.

Fig. 6.4b-c: 치관에서 시작된 파절이 apical 1/3까지 진행되어 있어 발치를 결정했다.

이러한 치아 파절이나 균열의 경우 일반적으로 4년을 초과하지 않지만, Kirkevang[39] 등이 보고한 바와 같이 발생 후 1년 정도면 이미 방사선 검사에서 최종 결정을 위한 변화를 관찰할 수 있다.
그러므로 12개월 기준으로, 그 후로는 최종적인 결정을 내릴 수 있다.

Fig. 6.5a: 불완전한 근관치료와 변색을 보이는 중절치

Fig. 6.5b: 치료 후 2년 추적관찰 방사선 사진

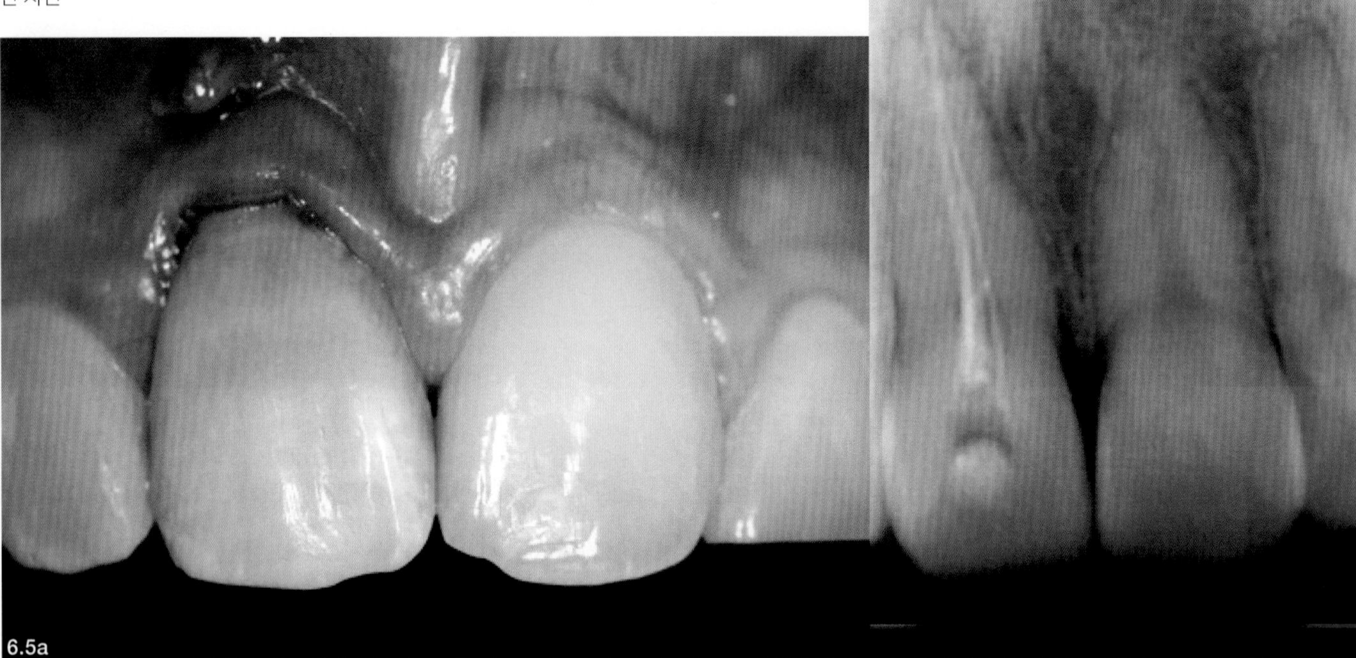

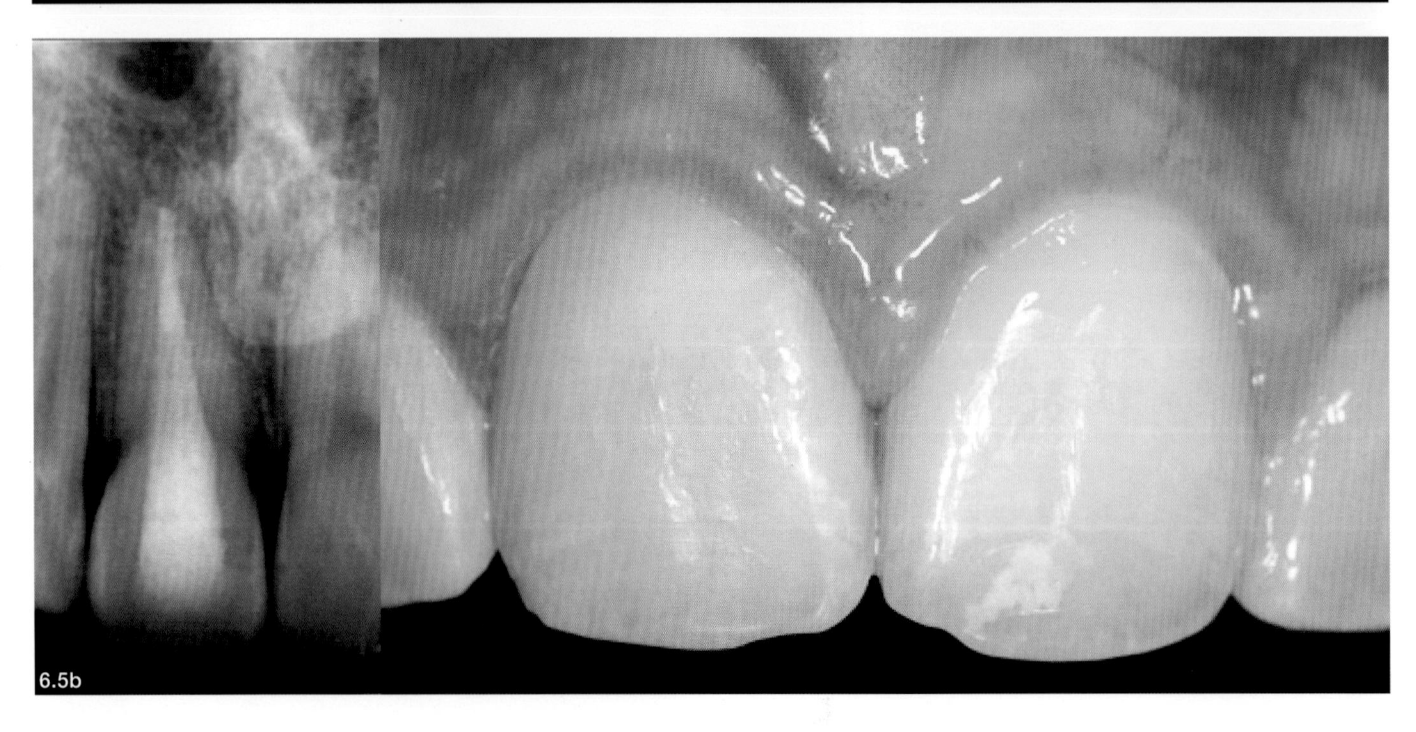

언제 재근관치료의 성공을 판단해야 하는가

치료 후 증상이 생리적 반응인지 비생리적 반응인지 결정할 수 있는 시기는 아직 명확하지 않다.

치료 후 1~2주 정도면 어느 정도의 결과를 결정할 수 있는 시간이며, 이 이후에 항염증제와 항생제 처방으로도 나아지지 않는 증상이 있다면 이는 재근관치료의 실패를 의미한다.

상황에 따른 조치를 취할 수 있도록 환자에게 재근관치료가 가질 수 있는 결과에 대해 미리 설명해야 한다.

재근관치료의 성공과 실패를 명확히 정의하는 데 한계가 있으므로, 임상증상이 치료 후의 상황 판단을 위한 핵심 요소이다.

많은 요인들이 치료 후 변화에 영향을 주며 이러한 모든 요인들을 치아와 치근단 조직의 "preoperative state"라고 말한다(**Table 6.1**).

명백히 세균에 의한 오염 및 누공이 있는 치근단 병소의 경우, 오랜 치유 과정이 필요할 수 있고 이는 더 불확실한 예후로 이어진다. 때문에 환자에게 상황에 따라 재근관치료 후 수술적 접근이 필요할 수 있음을 미리 알려야 한다.

증상의 지속은 치료의 실패를 의미한다. Vena[40] 등은 일부 환자가 겪는 지속적인 통증에 대해 설명했다. 이 중 소수의 경우는 정상적인 저작에서도 여전히 불편함을 갖는다.

이러한 경우, 치료 후 일정 기간 동안 기다려보는 것은 매우 중요한 요소이다. 특히, 일부 케이스의 경우 치료 후 변화가 매우 느릴 수 있고 이는 3개월에서 1년까지도 걸릴 수 있다. 그러나 1년 이상 기다리는 경우, 임상가는 다른 대체 방안을 생각해 보아야 한다. 오랜 기간 동안 치근단 병소의 크기가 전혀 변화가 없는 경우도 그러하다.[41]

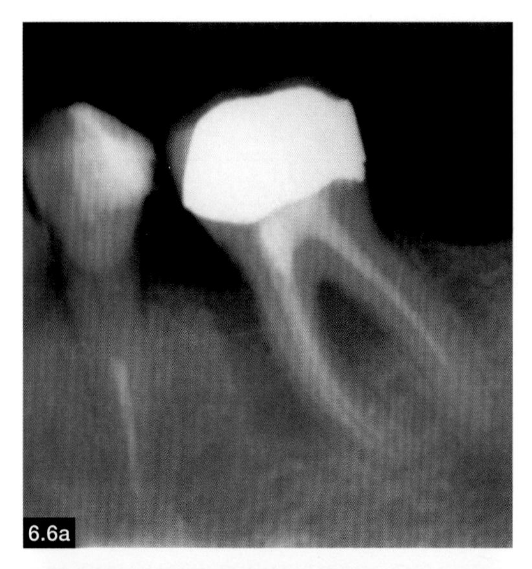

6.6a

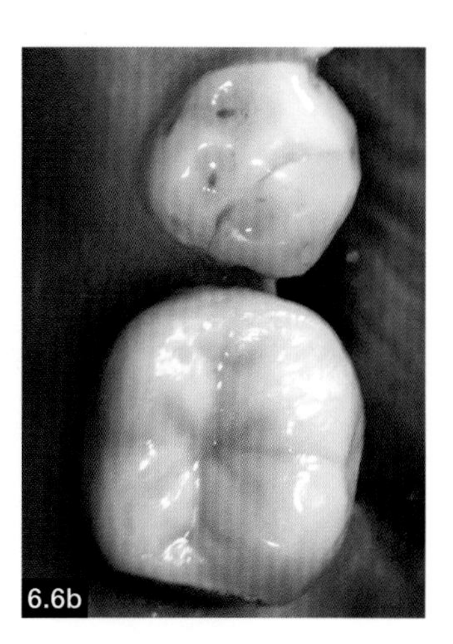

6.6b

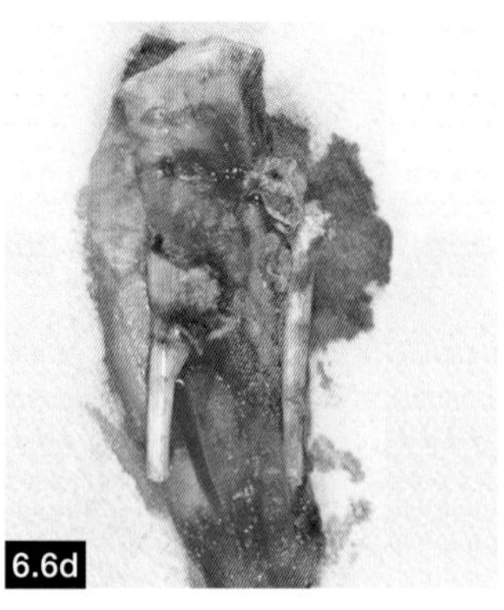

6.6d

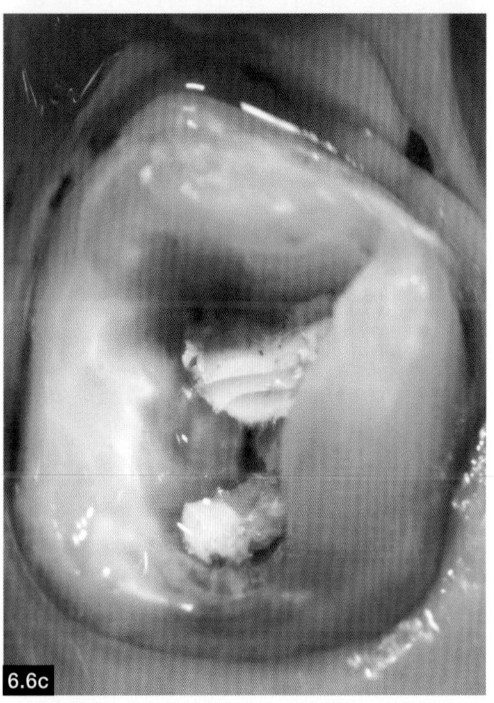

6.6c

Fig. 6.6a-d: **Fig. 6.4a–c**와 비슷한 케이스. 크라운 때문에 진단이 어려웠다. 방사선 사진에서 방사선 투과상은 근심치근의 coronal 1/3에 국한되어 보인다. 파절선이 거의 보이지 않으나(**c**), 치근이 두 개로 갈라져 회복이 불가능하다(**d**).

Table 6.1	**ELEMENTS FOR DEVISING A POST-RETREATMENT FOLLOW-UP PLAN**
A	**Analysis of the dental and periodontal health status of the treated element**
a1	Clinical aspect: periodontal tissue observation, fissure probing at follow-up appointments scheduled for 3, 6, and 12 months after the procedure
a2	Radiological aspect: X-rays 3, 6, and 12 months after surgery and 1-year CBCT when necessary
a3	Annual analysis until radiographic resolution of the disease, using CBCT in strategically relevant cases
B	**Fitting of the coronal restoration (provisional/definitive) within 15-20 days of surgery**
C	**Estimation of the alternative fate of the tooth within 1 year of retreatment**

재근관치료 후의 과정

방사선 추적관찰

디지털 방사선 사진은 적은 양의 방사선을 조사하지만 너무 자주 사진을 찍을 필요는 없다. 평가는 재근관치료 후 3~6개월 후에 이루어져야 하며, 그 다음 추적관찰은 1년여 후가 적절하다.[41]

치료 후 치아 수복 계획에 따라 추적관찰은 4년까지 이어질 수 있다

흔한 질문 중 하나는 치근단 병소의 장기적 평가를 위한 CBCT의 사용이다.

Patel[42] 등은 구강 내 2차원적 방사선 사진은 병소의 정도를 낮게 평가하게 하고, 이로 인해 아직 염증 양상이 발전 중인 경우에도 임상의가 치유된 경우로 오인할 수 있게 한다고 보고했다.

미래의 CBCT는 더 낮은 선량의 방사선을 필요로 해야할 것이다.

현재의 CBCT는 점점 선량이 감소하고 있긴 하지만, 환자의 전신 건강이나 근본적인 재건 목적으로 계획된 경우를 제외하고는 일반적인 관찰의 목적으로는 부적절하다.[43] 환자를 다소 제한적인 방법으로 추적관찰하는 것은 임상의의 판단이다.

최종 수복물의 접합

Gillen[44] 등은 근본적인 체계적 문헌고찰을 통해 좋은 수복물 또한 성공적인 근관치료의 중요한 요소임을 밝혔다. 따라서 근관치료 후 적절한 변연 봉쇄를 가진 수복물로 치아를 최대한 빠르게 수복하는 것은 필수적이다.

수복 재료는 임시 수복재와 영구 수복재에 따라 차이가 있을 수 있고 보통 비용이 품질과 관련이 있으나, 그와 관계없이 적절한 수복을 해야 한다.

수복물은 임시재료일 수 있고, 보통 직접 복합레진 또는 간접 복합레진이 사용된다.

레진 재료로 만들어진 임시 크라운은 효과적인 대안이 될 수 있다.

최종 수복에 대한 명확한 원칙은 아직 정해지지 않았다.

이러한 수복은 이후의 치료 과정에 큰 영향을 미치지 않는다. 재근관치료가 최신 술식에 의해 잘 마무리되었다면 이후의 치료 방법은 치근단 수술 혹은 발치일 것이다.

테이블의 **phase 1**의 경우, 최종 수복은 미뤄질 수 있다. **Phase 2**의 경우 최종 수복에 환자가 좀 더 쉽게 동의할 수 있다. 재근관치료를 시작하기 전 충분한 설명과 환자와의 합의를 통해 치료 후 문제가 되지 않도록 해야 한다.

Table 6.2 **NEXT STEPS AFTER RETREATMENT**

Phase 1	Phase 2
What to tell the patient and how to tell him/her	Radiographic monitoring
Pharmacological prescription	Carrying out a temporary restoration or a final restoration
Instructions at home	Performing surgical endodontics or extraction

근관치료를 받은 대구치 원심부의 방사선 투과상

CASE REPORT 4

이번 증례는 오른쪽 아래 대구치에서 통증을 호소하는 30세 남환이다.
검진을 통해 하나의 치아가 근관치료 이력이 있음을 발견했다. 방사선 사진에서 하악 제1대구치 원심치근에서의 방사선 투과상과 근심 치근의 치근단 병소가 보인다.

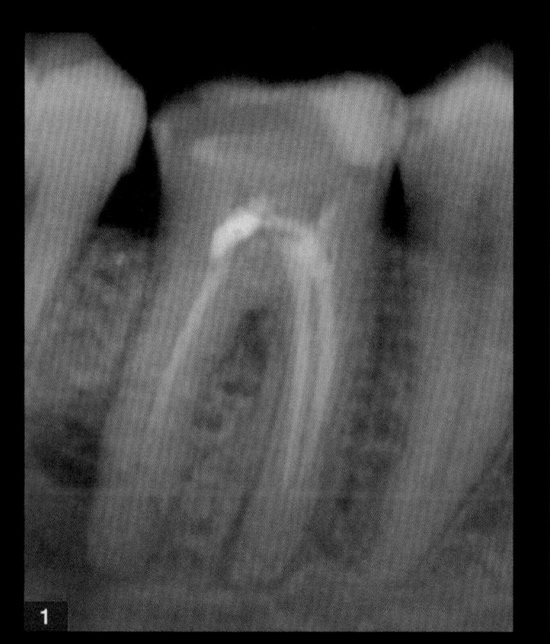

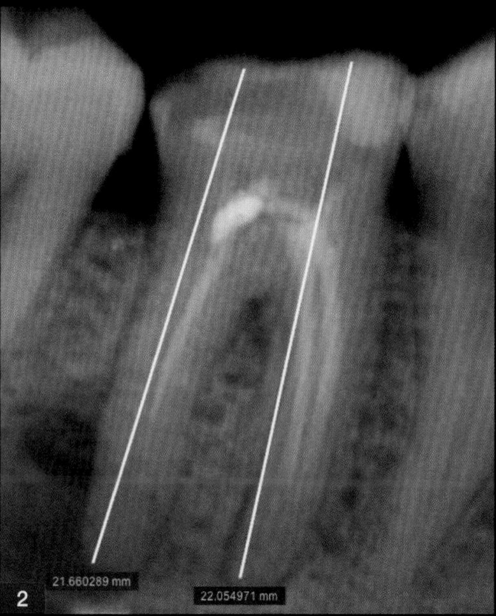

Figure 1: 첫 내원 시의 방사선 사진. 검사 결과 충분하지 않은 근관 확대와 부적절한 근관 충전길이가 관찰된다. 원심 치근의 치근단 병소가 middle 1/3까지 관찰된다.

Figure 2: 근관치료 전 방사선 사진상에서의 계측. 적절한 구도를 사용한 경우 생각보다 믿을만한 계측치를 얻을 수 있다.

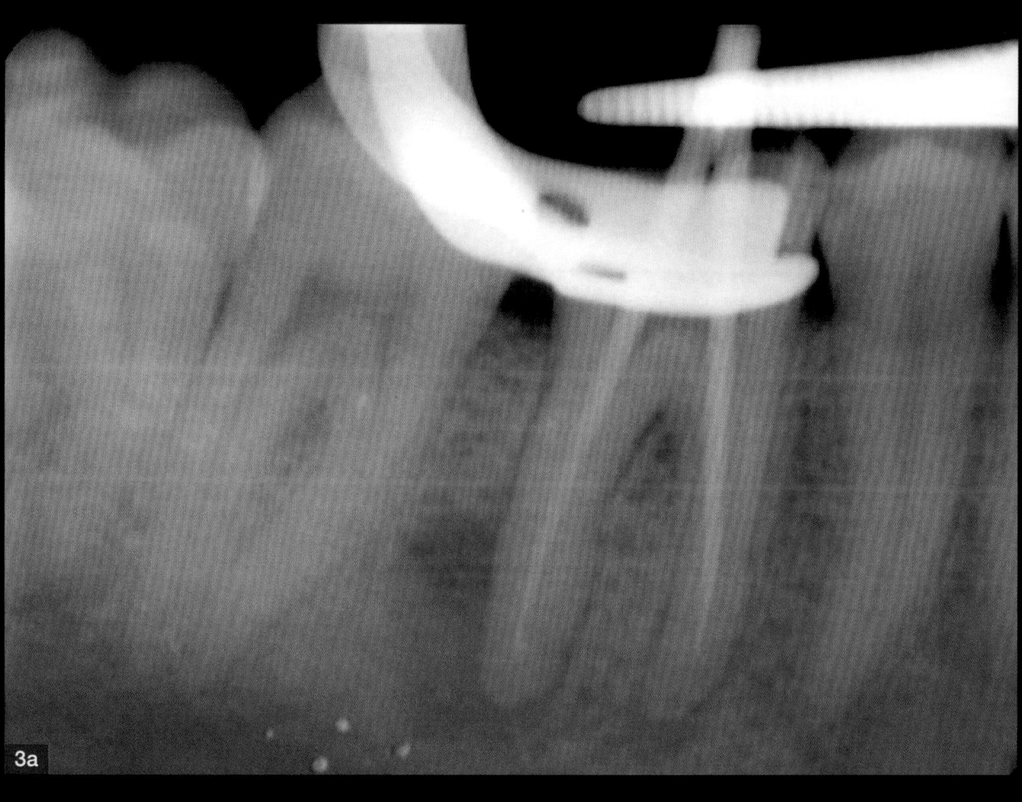

Figure 3a: 거타퍼차콘 테스트는 근심 치근에서 근관의 연결을 보여준다.
이전의 근관치료가 이 부분에서 마무리되었었다. 다시 patency를 확보하는 데 어려움이 있었다.

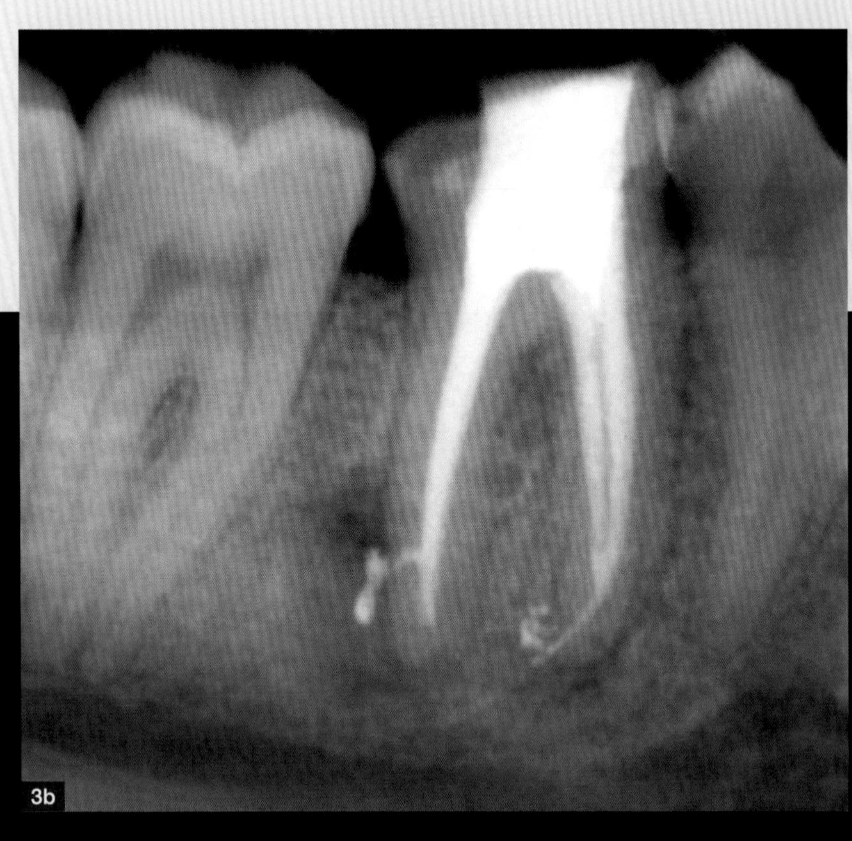

Figure 3b: 치료를 마무리한 후 근심치근에서 원심 쪽으로의 매우 긴 측방근관이 보인다.
이러한 근관에서 약간의 과충전은 근관의 완벽한 밀폐를 의미하므로 허용 가능하다.

Figure 4a-c: 이 케이스의 추적관찰은 철저하게 이루어졌다. 추적관찰은 1개월, 3개월, 6개월, 9개월, 1년, 1년 6개월, 그리고 2년에 행해졌다. 밀링된 글라스-세라믹 재료를 이용한 수복은 마지막 추적관찰을 마치고 몇 달 후 이루어졌으며, 이후의 마지막 검사는 세라온레이 수복 후 1년 뒤, 근관 충전 후 약 3년 뒤였다. 치근단 부위의 재형성은 여전히 이루어지고 있고, 임상적으로 정상이다.

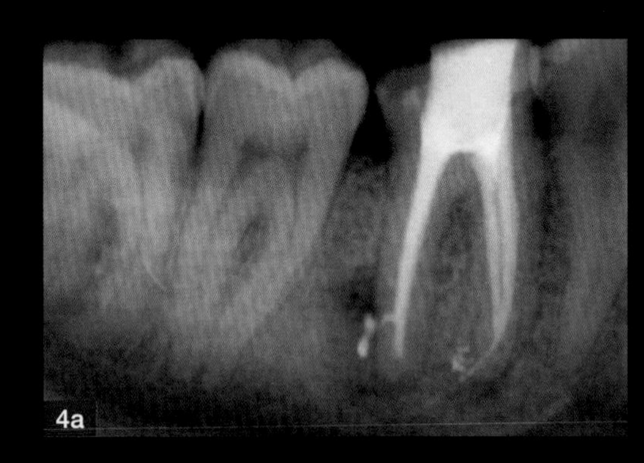

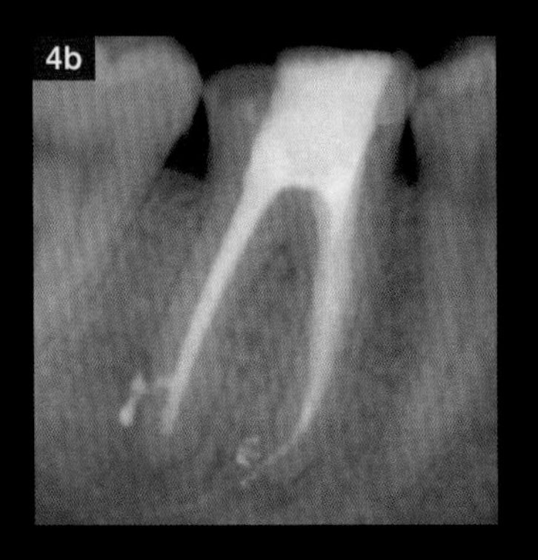

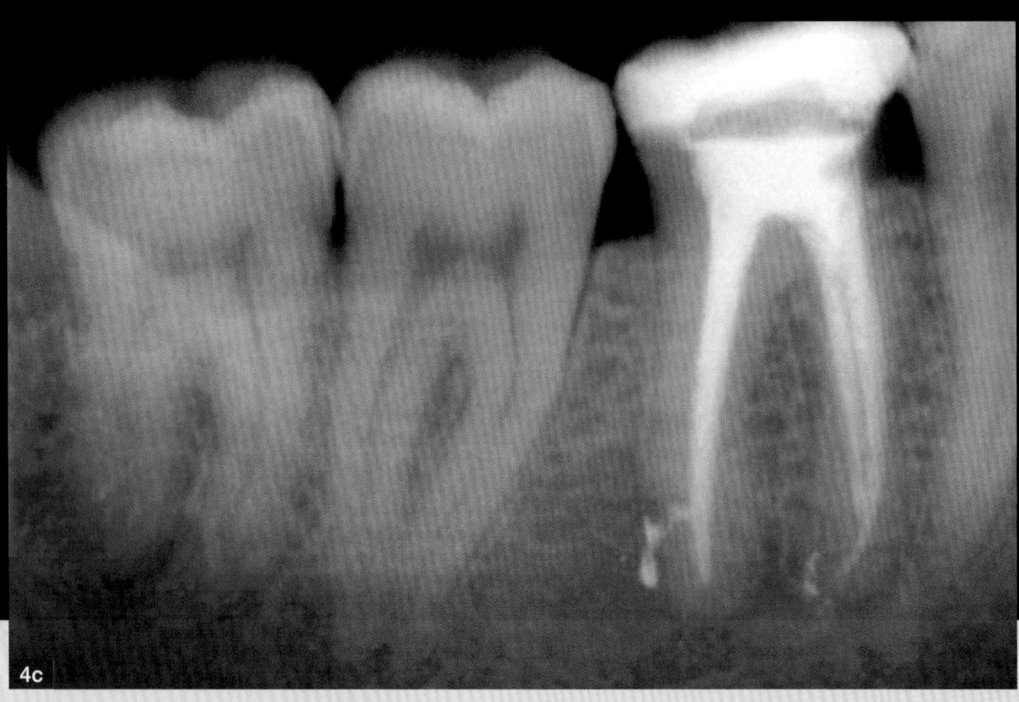

발치 또는 임플란트

비수술적 근관치료의 효과가 없는 경우 환자에게 새로운 치료적 접근을 권장하기는 매우 까다롭다. 치료 전 정확한 평가가 이루어지지 않았거나, 부가적인 근관의 존재에 대해 환자가 충분히 인지하지 못할 경우 더욱 그러하다. Toure[45] 등은 전향적 연구를 통해 근관치료를 실패한 치아의 절반이 결국 발치되었음을 보고했다.

어느 케이스든 이러한 임상적 질문은 여전하다. 언제 치아가 치유되었다고 판단할 수 있는가? 재근관치료 후 치유되기까지 얼마나 기다려야 하는가? 이 질문에 대한 답은 본서의 1장과 같이 진단을 하고 치료 계획을 세우도록 하는 과정과 동일하다. 치료적 관점만이 바뀔 뿐이다. 앞의 케이스의 경우 재근관치료로 더욱 나은 치료를 제공해야 한다. 뒷케이스의 경우 몇 가지 예외를 제외하고는 재근관치료가 첫 번째 선택이 될 수 없다. 치근단 수술, 발치, 또는 골유착성 임플란트와 고정성 보철물 등을 먼저 고려해야 한다.
무작위 임상 시험(B)은 외과적 접근과 비교하여 비수술적 재근관치료의 성공률에 유의한 차이가 없다고 보고했다. 전체 비율은 약 76%였다. 포스트의 제거가 필요한 재근관치료의 경우 치근파절로 인한 다소 높은 실패율이 보고되었다.
종합적으로, 치료에 대한 선택이 매우 어려우므로 많은 관점에서 임상적 상황이 선택에 대하여 결정적으로 작용한다. 통증이 없는 경우 임상의는 이미 수행한 치료 이외의 또 다른 치료를 하기가 매우 부담스러울 것이다.

10장에서는 의사결정 과정이 보다 광범위하게 설명되었지만 과도한 개입은 해당 단계의 근관치료에 있어서는 적합하지 않다. 하지만 치료의 선택은 치근단 병소의 정도가 치아의 기능적 회복을 허용하지 않을 경우 불가피하다.

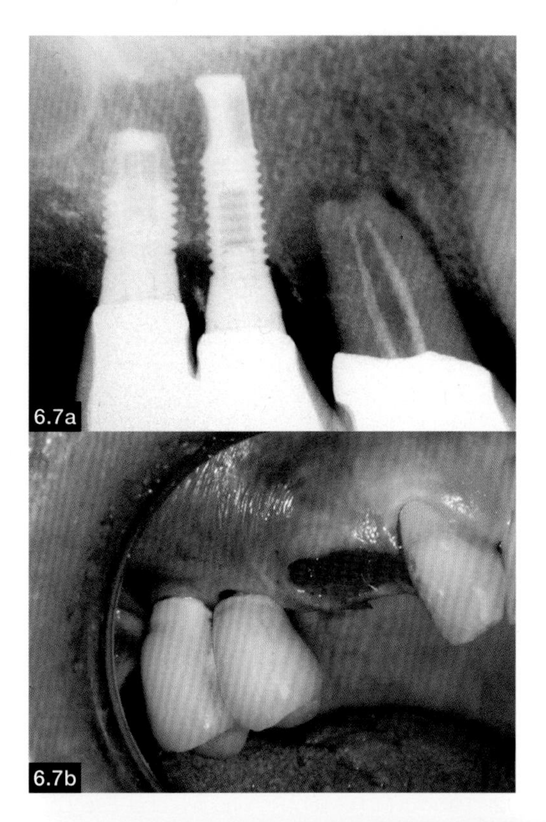
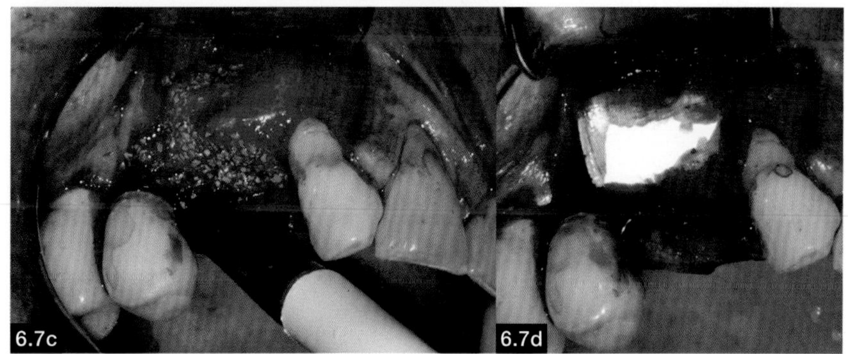

Fig. 6.7a-d: 상악 소구치의 광범위한 손상으로 발치를 결정했다. 골조직의 투과상으로 골이식 후 멤브레인을 사용했다.

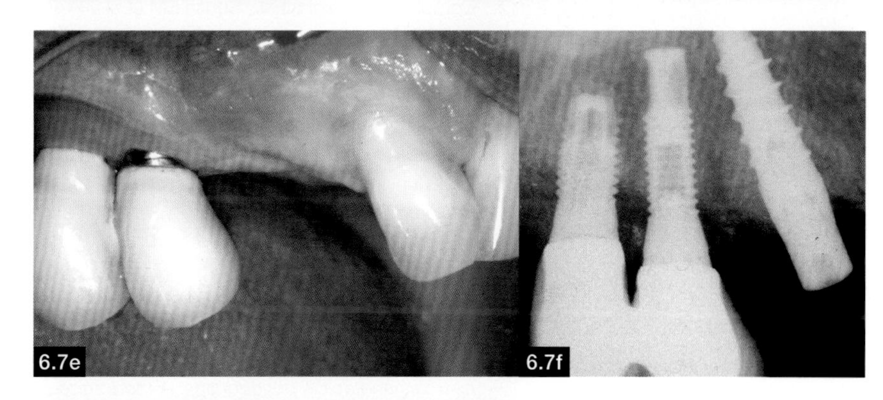
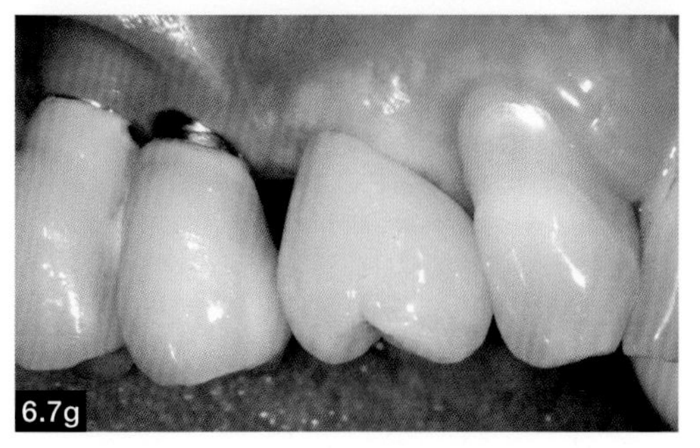

Fig. 6.7e-g: 6개월 후 적절한 때에 저작압을 허용하고 저작기능을 회복할 수 있도록 골유합성 임플란트를 식립할 수 있다.

참고문헌

1. MonteroJ, Lorenzo B, Barrios R et al. *Patient-centered Outcomes of Root Canal Treatment: A Cohort Follow-up Study.* Journal of endodontics 2015;41(9):1456-1461.
2. Arias A, de la Macorra JC, Hidalgo JJ et al. *Predictive models of pain following root canal treatment: a prospective clinical study.* International endodontic journal 2013;46(8):784-793.
3. Liu P, McGrath C, Cheung G. *What are the key endodontic factors associated with oral health-related quality of life?* International endodontic journal 2014;47(3):238-245.
4 Pak JG, White SN. *Pain prevalence and severity before, during, and after root canal treatment: a systematic review.* Journal of endodontics 2011;37(4):429-438.
5. Gomes MS, Bottcher DE, Scarparo RK et al. *Predicting pre- and postoperative pain of endodontic origin in a southern Brazilian subpopulation: an electronic database study.* International endodontic journal 2017;50(8):729-739.
6. Nixdorf DR, Law AS, John MT et al. *Differential diagnoses for persistent pain after root canal treatment: a study in the National Dental Practice-based Research Network.* Journal of endodontics 2015;41(4):457-463.
7. Goldberg, F et al. *Relationship between unintentional canal overfilling and the long-term outcome of primary root canal treatments and nonsurgical retreatments: a retrospective radiographic assessment.* Int Endod J 2020;53(1): 19-26.
8. Alves Vde O. *Endodontic flare-ups: a prospective study. Oral surgery, oral medicine, oral pathology, oral radiology, and endodontics* 2010;110(5):e68-72.
9. Walton R, Fouad A. *Endodontic interappointment flare-ups: a prospective study of incidence and related factors.* Journal of endodontics 1992;18(4):172-177.
10. Matusow RJ. *The flare-up phenomenon in endodontics: a clinical perspective and review. Oral surgery, oral medicine, and oral pathology* 1988;65(6):750-753.
11. Tanalp J, Gungor T. *Apical extrusion of debris: a literature review of an inherent occurrence during root canal treatment.* International endodontic journal 2014;47(3):211-221.
12. Parirokh M, Rekabi AR, Ashouri R et al. *Effect of occlusal reduction on postoperative pain in teeth with irreversible pulpitis and mild tenderness to percussion.* Journal of endodontics 2013;39(1):1-5.
13. Arora M, Sangwan P, Tewari S et al. *Effect of maintaining apical patency on endodontic pain in posterior teeth with pulp necrosis and apical periodontitis: a randomized controlled trial.* International endodontic journal 2016;49(4):317-324.
14. Pasqualini D, Mollo L, Scotti N et al. *Postoperative pain after manual and mechanical glide path: a randomized clinical trial.* Journal of endodontics 2012;38(1):32-36.
15. Kherlakian D, Cunha RS, Ehrhardt IC et al. *Comparison of the Incidence of Postoperative Pain after Using 2 Reciprocating Systems and a Continuous Rotary System: A Prospective Randomized Clinical Trial.* Journal of endodontics 2016;42(2):171-176.
16. Pasqualini D, Corbella S, Alovisi M et al. *Postoperative quality of life following single-visit root canal treatment performed by rotary or reciprocating instrumentation: a randomized clinical trial.* International endodontic journal 2016;49(11):1030-1039.
17. Comparin D, Moreira EJL, Souza EM et al. *Postoperative Pain after Endodontic Retreatment Using Rotary or Reciprocating Instruments: A Randomized Clinical Trial.* Journal of endodontics 2017;43(7):1084-1088.
18. Saumya-Rajesh P, Krithikadatta J, Velmurugan N et al. *Post-instrumentation pain after the use of either Mtwo or the SAF system: a randomized controlled clinical trial. International endodontic journal 2017*;50(8):750-760.
19. Arslan H, Guven Y, Karatas E et al. *Effect of the Simultaneous Working Length Control during Root Canal Preparation on Postoperative Pain.* Journal of endodontics 2017;43(9):1422-1427.
20. Cruz Junior JA, Coelho MS, Kato AS et al. *The Effect of Foraminal Enlargement of Necrotic Teeth with the Reciproc System on Postoperative Pain: A Prospective and Randomized Clinical Trial.* Journal of endodontics 2016;42(1):8-11.
21. Silva EJ, Menaged K, Ajuz N et al. *Postoperative pain after foraminal enlargement in anterior teeth with necrosis and apical periodontitis: a prospective and randomized clinical trial.* Journal of endodontics 2013;39(2):173-176.
22. Saini HR, Sangwan P, Sangwan A. *Pain following foraminal enlargement in mandibular molars with necrosis and apical periodontitis: A randomized controlled trial.* International endodontic journal 2016;49(12):1116-1123.
23. Vera J, Ochoa J, Romero M et al. *Intracanal Cryotherapy Reduces Postoperative Pain in Teeth with Symptomatic Apical Periodontitis: A Randomized Multicenter Clinical Trial.* Journal of endodontics 2018;44(1):4-8.
24. Arslan H, Doganay E, Karatas E et al. *Effect of Low-level Laser Therapy on Postoperative Pain after Root Canal Retreatment: A Preliminary Placebo-controlled, Triple-blind, Randomized Clinical Trial.* Journal of endodontics 2017;43(11):1765-1769.
25. Figini L, Lodi G, Gorni F et al. *Single versus multiple visits for endodontic treatment of permanent teeth:*

a Cochrane systematic review. Journal of endodontics 2008;34(9):1041-1047.
26. Figini L, Lodi G, Gorni F et al. *Single versus multiple visits for endodontic treatment of permanent teeth. The Cochrane database of systematic reviews* 2007(4):CD005296. Chapter 6 | Post-processing: a guided tour 319
27. Manfredi M, Figini L, Gagliani M et al. *Single versus multiple visits for endodontic treatment of permanent teeth. The Cochrane database of systematic reviews* 2016;12:CD005296.
28. El Mubarak AH, Abu-bakr NH, Ibrahim YE. *Postoperative pain in multiple-visit and single-visit root canal treatment.* Journal of endodontics 2010;36(1):36-39.
29. Su Y, Wang C, Ye L. *Healing rate and post-obturation pain of single- versus multiple-visit endodontic treatment for infected root canals: a systematic review.* Journal of endodontics 2011;37(2):125-132.
30. Jalalzadeh SM, Mamavi A, Shahriari S et al. *Effect of pretreatment prednisolone on postendodontic pain: a double-blind parallel-randomized clinical trial.* Journal of endodontics 2010;36(6):978-981.
31. Praveen R, Thakur S, Kirthiga M. *Comparative Evaluation of Premedication with Ketorolac and Prednisolone on Postendodontic Pain: A Double-blind Randomized Controlled Trial.* Journal of endodontics 2017;43(5):667-673.
32. Turner CL, Eggleston GW, Lunos S et al. *Sniffing out endodontic pain: use of an intranasal analgesic in a randomized clinical trial.* Journal of endodontics 2011;37(4):439-444.
33. Elzaki WM, Abubakr NH, Ziada HM, Ibrahim YE. *Double-blind Randomized Placebo-controlled Clinical Trial of Efficiency of Nonsteroidal Anti-inflammatory Drugs in the Control of Post-endodontic Pain.* Journal of endodontics 2016;42(6):835-842.
34. Mehrvarzfar P, Abbott PV, Saghiri MA et al. *Effects of three oral analgesics on postoperative pain following root canal preparation: a controlled clinical trial.* International endodontic journal 2012;45(1):76-82.
35. Smith EA, Marshall JG, Selph SS et al. *Nonsteroidal Anti-inflammatory Drugs for Managing Postoperative Endodontic Pain in Patients Who Present with Preoperative Pain: A Systematic Review and Meta-analysis.* Journal of endodontics 2017;43(1):7-15.
36. Segura-Egea JJ, Gould K, Sen BH et al. *European Society of Endodontology position statement: the use of antibiotics in endodontics. International endodontic journal 2018*;51(1):20-25.
37. Segura-Egea JJ, Gould K, Sen BH et al. *Antibiotics in Endodontics: a review.* International endodontic journal 2017;50(12):1169-1184.
38. Germack M, Sedgley CM, Sabbah W, Whitten B. *Antibiotic Use in 2016 by Members of the American Association of Endodontists: Report of a National Survey. Journal of endodontics 2017*;43(10):1615-1622.
39. Yu VS, Messer HH, Shen L et al. *Lesion progression in post-treatment persistent endodontic lesions.* Journal of endodontics 2012;38(10):1316-1321.
40. Kirkevang LL, Orstavik D, Wenzel A et al. *Prognostic value of the full-scale Periapical Index.* International endodontic journal 2015;48(11):1051-1058.
41. Vena DA, Collie D, Wu H et al. *Prevalence of persistent pain 3 to 5 years post primary root canal therapy and its impact on oral health-related quality of life: PEARL Network findings.* Journal of endodontics 2014;40(12):1917-1921.
42. Sathorn C, Parashos P. *Monitoring the outcomes of root canal re-treatments.* Endodontic Topics 2011;19(1):153-162.
43. Patel S, Wilson R, Dawood A et al. *The detection of periapical pathosis using digital periapical radiography and cone beam computed tomography - part 2: a 1-year post-treatment follow-up.* International endodontic journal 2012;45(8):711-723.
44. Patel S, Durack C, Abella F et al. *Cone beam computed tomography in Endodontics - a review.* International endodontic journal 2015;48(1):3-15.
45. Gillen BM, Looney SW, Gu LS et al. *Impact of the quality of coronal restoration versus the quality of root canal fillings on success of root canal treatment: a systematic review and meta-analysis.* Journal of endodontics 2011;37(7):895-902.
46. Toure B, Faye B, Kane AW et al. *Analysis of reasons for extraction of endodontically treated teeth: a prospective study.* Journal of endodontics 2011;37(11):1512-1515.
47. Riis, A., et al., *Tooth Survival after Surgical or Nonsurgical Endodontic Retreatment: Long-term Follow-up of a Randomized Clinical Trial* J Endod, 2018. 44(10): pp. 1480-1486.

재치료 시 항생제 예방

https://www.aae.org/specialty/wp-content/uploads/sites/2/2017/06/aae_antibiotic-prophylaxis-2017update.pdf
https://www.aae.org/specialty/wp-content/uploads/sites/2/2017/06/aae_antibiotic-prophylaxis.pdf

근관치료에서의 항생제

https://www.aae.org/specialty/wp-content/uploads/sites/2/2017/06/aae_systemic-antibiotics.pdf

- **비정상적인 위치**의 치근단 병소의 검사에 대해 알아본다.
- 근관기원의 병소와 의원성 오류로 인한 **병소의 구별**에 대해 알아본다.
- 위의 임상적 상황 시 **가장 적절한 대처 방법**에 대해 알아본다.

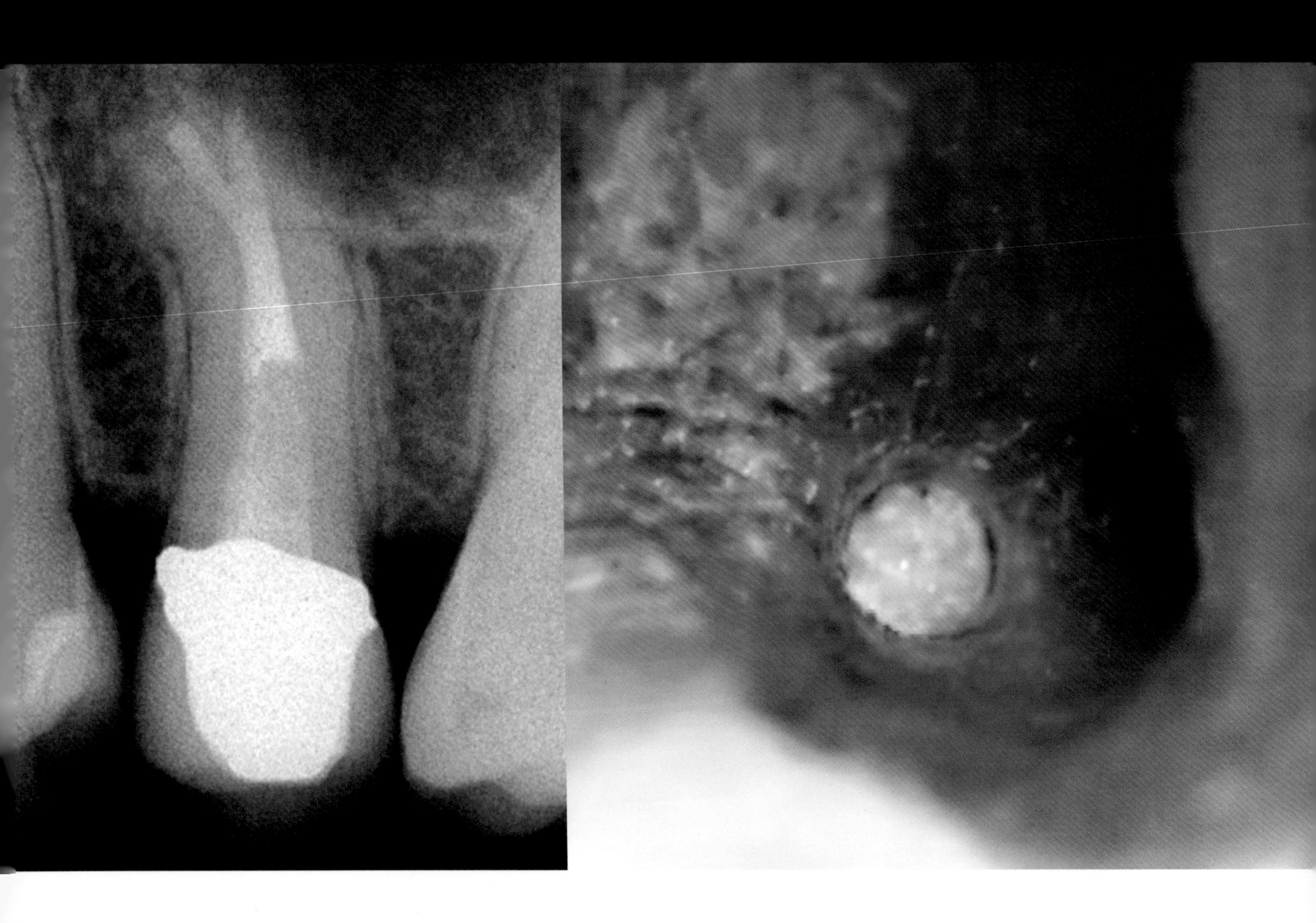

Davide Guglielmi, Riccardo Tonini, Fabio Gorni

07

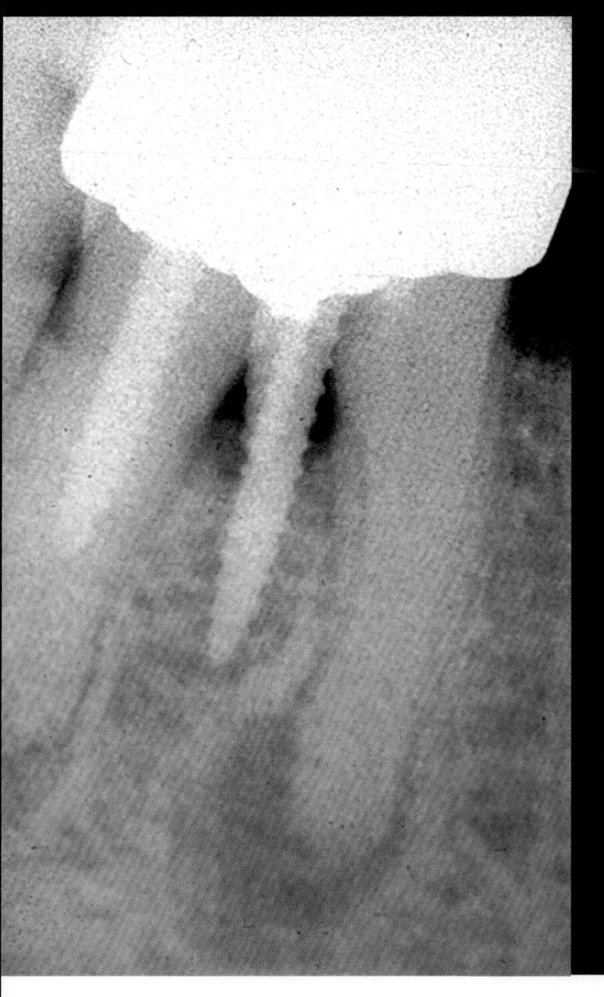

치수-치주 병소 및 천공

근관과 치주조직의 연결
: 해부학적 경로와 의원성 오류

머리말

치주 및 또는 근관 병소의 치료와 그의 예후는 병소의 대한 원인, 기전, 및 인식에 따라 달라질 수 있다. 이 경우 임상의는 정확한 진단과 예후를 판단하기까지 많은 고민을 하게 된다. 또한 치수–치주 병소에 대한 적절한 치료방법의 결정은 매우 복잡하다. 근관 병소와 치주 질환의 상호 관계를 이해하면, 정확한 진단을 내리고 예후를 평가하며 증거 기반의 논문을 근거로 치료 계획을 선택할 수 있는 능력이 향상된다.

치수–치주의 연결

치수와 치주는 세 가지 주요 경로로 연결된다.

- 노출된 상아세관
- 부근관
- 치근단공

노출된 상아세관

백악질이 없는 부위의 노출된 상아 세관은 치수와 치주인대를 잇는 경로가 될 수 있다. 치근의 상아세관은 치수에서 백악–상아 경계까지 이어지며 비교적 직선 형태를 가지고 있고 직경은 1–3 um 정도이다. 세관의 직경은 나이가 들어감에 따라 또는 관주 상아질의 침착을 유발하는 만성적인 낮은 강도의 자극에 의해 감소한다.[1] 상아세관의 수는 상아–법랑 경계 근처에서 약 8,000/mm^{2}이며, 치수 근처에서는 약 57,000/mm^2 정도이다.[2, 3]

부근관

부근관은 치수의 신경 혈관계와 치주인대의 신경 혈관계를 연결하는 근관계 측면에 위치한 분지이다. 부근관은 치근 표면 어디에나 존재할 수 있고**(Fig. 7.1a-f)**, 치수와 치주인대의 순환계를 연결하는 결합조직과 혈관을 포함하고 있다.
추정치에 따르면 부근관은 약 27% 정도 발견되며, 그 중 17%는 apical 1/3, 9%는 middle 1/3, 2%는 coronal 1/3에 분포한다.[4] 특히 치근 분지부는 부근관이 가장 많이 발견되는 해부학적 영역이다. 발생률은 23%에서 76%까지 다양하다.[5, 7] 2005년 Vertucci는 하악 구치의 치근 분지부에서 부근관이 다양한 방향으로 존재함을 보여줬다.[8]
여러 연구에서 부근관의 존재가 증명되었지만, 부근관와 치근 분지부 근관에 의한 근관 병소의 유병률은 낮다고 밝혀졌다. 하지만 부근관도 큰 직경(약 720 um)[8]을 가진 경우 병소가 발생할 확률이 더욱 높다.[9]

Fig. 7.1a-f: 근관충전된 주근관 이외에 부근관이 관찰된다.

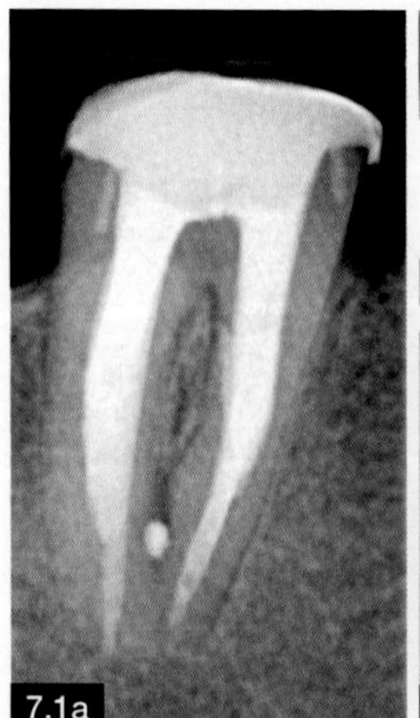

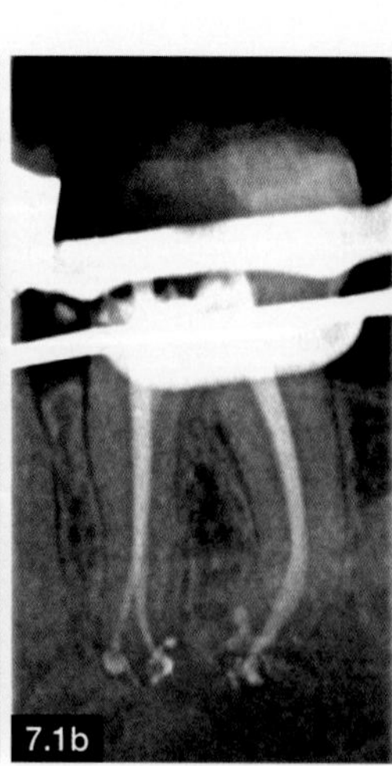

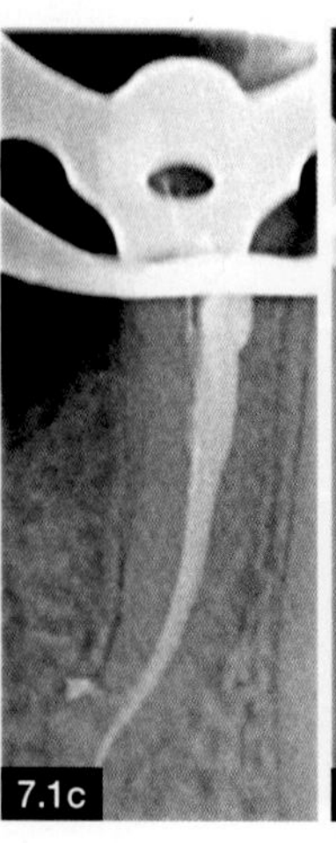

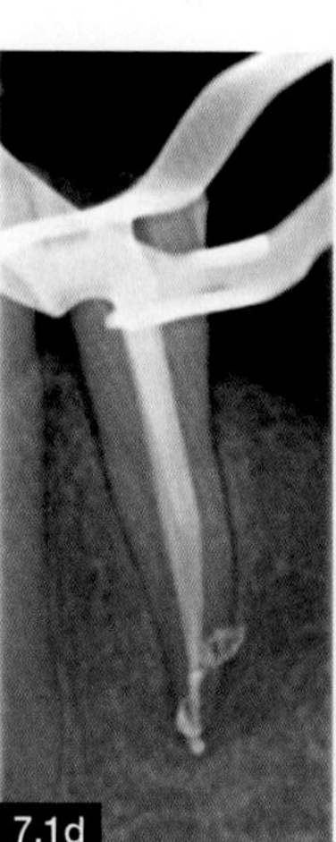

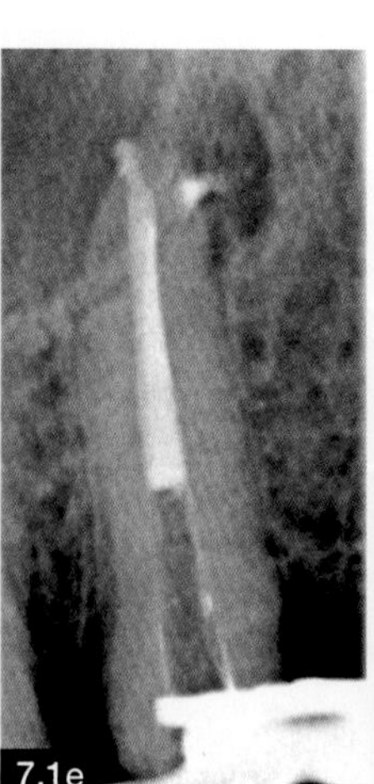

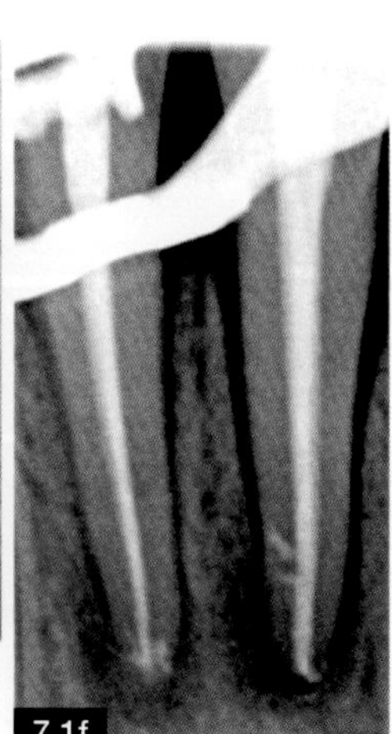

치근단공

치근단공은 치수와 치주의 주요한 연결 통로이다. 세균의 대사 물질과 염증 물질은 치근단공을 통해 쉽게 빠져나가 치근단 주위에 병소를 만들 수 있다. 치근단공은 또한 깊은 치주낭에서의 염증물질이 치수로 갈 수 있는 통로이기도 하다**(Fig. 7.2a-b)**.[10]

치수–치주 병소의 원인

치주와 치수가 해부학적으로 서로 연결되어 있다는 사실은 상호적으로 유해 물질이 오고갈 수 있음을 의미한다. 이러한 상태의 전제조건은 일반적으로 정상적인 치주조직에 의해 보호되고 있는 연결 통로가 노출되는 것이다(치근단공, 상아세관 및 부근관).[11–13]

치주질환이 치수에 미치는 영향은 논란이 있다. 이에 대한 수많은 상충되는 연구가 보고되어 왔다.[14]

일부 연구에 따르면 치주질환이 치근단까지 이환되지 않은 경우 치수에 영향을 미치지 않는다.[15]

다른 연구에서는 치주질환의 영향으로 치수의 석회화, 콜라겐 재흡수 및 염증이 증가하는 것으로 나타났다.[16]

하지만 중등도의 부착 손실이 있는 경우에서도 치수는 심하게 손상되지 않는 것으로 보인다.

치근단공의 미세 혈관들이 손상되지 않는 한, 치수는 생활력을 유지한다.[15]

치주치료 또한 치수에 영향을 줄 수 있다. 여러 동물 연구[9, 17]에서 치은연하 스케일링 및 치근 활택술이 치수의 생활력에 영향을 미치지 않음을 보여주었지만, 국소적인 염증이 치근 표면 근처에서 발생할 수 있고 근관벽의 경조직 침착으로 이어질 수 있다.

치수–치주 병소의 분류

"Endo–perio lesion"은 1972년 Simon 등에 의해 다음과 같이 분류되었다. (1) Primary endodontic lesions, (2) Primary endodontic lesions with secondary periodontal involvement, (3) Primary periodontal lesions, (4) Primary periodontal lesions with secondary endodontic involvement, (5) "True" combined lesions **(Table 7.2)**.[18, 19]

해당 분류와 최근에 제안된 수정안의 단점은 분류 항목이 일차 감염원(근관 또는 치주낭)을 기반으로 만들어졌다는 것이다. 치주 기원의 병소가 근관 기원의 병소보다 예후가 더 나쁠 수 있기 때문에 이러한 분류는 적절한 접근으로 보였다. 그럼에도 불구하고 "질병의 이력"을 진단의 주요 기준으로 사용하는 것은 실용적이지 않았다. 대부분의 경우 임상의가 질병의 완전한 이력을 알 수 없기 때문이다.[19]

이후 1999년, 치주질환 및 상태에 대한 분류에 처음으로 "endo–perio lesion"이 "Periodontitis Associated with Endodontic Lesion"의 항목에 "Combined Periodontal–Endodontic Lesions"이라는 단일 범주로 포함되었다. 이 분류는 질병의 이력을 주요 기준으로 하는 이전 분류에 비해 장점이 많다.

병의 원인을 이해함으로써 임상의는 예후를 평가하고 적절한 치료 계획을 제안할 수 있다. 이러한 병소의 감별 진단을 위해 고려해야 할 주요 요인은 치아의 치수 상태와 치주조직 결손의 유형 및 범위이다. 원발성 근관 병소 및 원발성 치주 병소의 진단은 일반적으로 어렵지 않다. 원발성 근관 병소에서 치수의 상태 평가는 진단의 중요한 요소이다.

반대로 원발성 치주병소의 경우, 치수의 상태가 아닌 치주낭의 깊이가 핵심 요소이다.

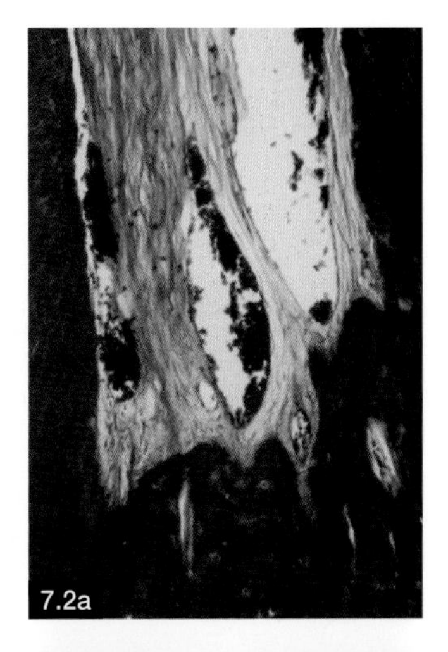

Fig. 7.2a-b: 치근단부의 신경 혈관 다발과 치근단 조직의 조직학적 이미지 (Prof. M. de Sanctis 제공)

마지막으로 치주병소나 치수병소에 의해 치수나 치주가 이차적으로 이환된 경우 임상적으로나 방사선학적으로 서로 유사하며 복합 병소와 같이 진단이 어렵다. 이러한 임상적 상황은 임상의가 모호한 해석을 내리기 쉬우며, 표적 진단 및 치료만이 효과적일 것이다(**Table 7.1**).

이것이 미국 치주 학회와 유럽 치주 학회에 속한 전문 임상의들이 2017년 World Workshop에서 Classification of Periodontal and Peri-Implant Diseases and Conditions[21]에 대한 합의에서 분류 체계의 문제에 초점을 맞춘 이유이다. (1) "Periodontitis Associated with Endodontic Lesion"이라는 단일 섹션에서 모든 치수-치주 병소를 그룹화하는 것은 이상적이지 않다. 이러한 병변은 치주염이 있는 환자뿐만 아니라 치주염이 없는 환자에서도 발생할 수 있기 때문이다. (2) "Combined Periodontal- Endodontic Lesions"은 너무 일반적이고 임상의가 특정 병변에 대해 효과적인 치료법을 결정하는 데 도움이 되지 않는다.

마지막으로, 치수-치주 병소는 병변이 발견됐을 때 골절 및 천공의 유무, 치주염의 유무와 감염된 치아 주변의 치주 파괴 정도와 같은 임상적으로 평가가 가능한 치료에 직접적인 영향을 미치는 징후 및 증상에 따라 분류되어야 한다.[19]

<table>
<tr><th colspan="3">Table 7.1 치수-치주 병변 분류를 위한 제안</th></tr>
<tr><td colspan="2" rowspan="3">치근 손상을 동반 한 치주 내 병변</td><td>치근 파절 또는 균열</td></tr>
<tr><td>근관 또는 치수강 천공</td></tr>
<tr><td>치근의 외흡수</td></tr>
<tr><td rowspan="6">치근 손상이없는 치수-치주 병변</td><td rowspan="3">치주염 환자의 치주 내 병변</td><td>1등급 - 1개의 치아 표면에 있는 좁은 깊은 치주낭</td></tr>
<tr><td>2등급 - 1개의 치아 표면에 넓고 깊은 치주낭</td></tr>
<tr><td>3등급 - 1개 이상의 치아 표면에 깊은 치주낭</td></tr>
<tr><td rowspan="3">비 치주염 환자의 치주 내 병변</td><td>1등급 - 1개의 치아 표면에 있는 좁은 깊은 치주낭</td></tr>
<tr><td>2등급 - 1개의 치아 표면에 넓고 깊은 치주낭</td></tr>
<tr><td>3등급 - 1개 이상의 치아 표면에 깊은 치주낭</td></tr>
</table>

<table>
<tr><th colspan="4">Table 7.2 치수-치주 병변의 분류</th></tr>
<tr><td colspan="4">원발성 근관 병변</td></tr>
<tr><td colspan="4">원발성 치주 병변</td></tr>
<tr><td>결합된 병변</td><td>2차 치주 침범이 있는 1차 근관 병변(천공)</td><td>2차 근관 침범이 있는 1차 치주 병변</td><td>복합 병변(true combined)</td></tr>
</table>

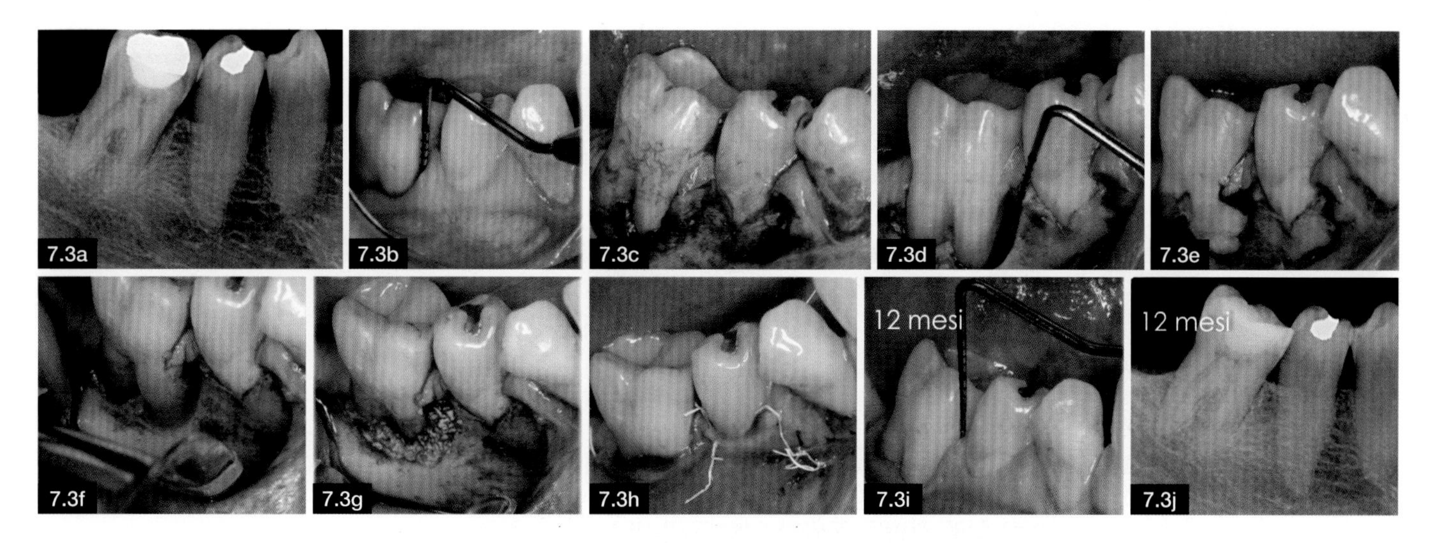

Fig. 7.3a-j: **(a)** 초기 치근단 방사선 사진. 제1대구치는 생활력을 보였다.
(b) 비수술적 치주치료 후 치주낭 깊이 검사
(c) 일차 피판의 절개
(d) 육아 조직을 제거한 후 골하방 결손부의 깊이 검사
(e) 120초 동안 EDTA를 포함한 킬레이트 겔의 적용
(f) 법랑질에서 유래된 단백질로 구성된 재흡수성 생체 물질의 적용
(g) 흡수를 늦추기 위한 이종골(bovine bone)을 이식했다.
(h) 봉합
(i) 수술 12개월 후 치주낭 깊이 검사
(j) 12개월 방사선 사진. 아말감 수복물이 복합 레진으로 바뀌었다.

원발성 근관 병변

괴사성 치수가 있는 치아의 만성 치근단 병소는 때로는 급성으로 치주인대를 통해 치은구로 농이 나올 수 있다. 이러한 상태는 임상적으로 치주농양과 비슷할 수 있다.

원발성 치수 병소에서는 치수가 감염되고 생활력이 손상된다.

진단을 위해 누공에 거타퍼챠 콘을 삽입하고 하나 이상의 방사선 사진을 촬영하는 누공조영술이 필요하다.

방사선 불투과성을 갖는 거타퍼챠 콘은 병변의 원인을 결정하는 데 도움이 된다(2장 81페이지 참조).

전반적인 치주낭 깊이 검사에서 probe는 치주인대의 공간을 통한 누공 경로로 인해 한 지점에서만 깊게 삽입된다. 이러한 근관 병소는 일반적으로 근관치료 후 치유된다.[22]

2장에서 설명된 치근 파절과는 주의 깊은 감별진단이 필요하다.

원발성 치주 병소

이 병소는 주로 치주 병원균에 의해 발생하며, 단독으로 깊은 치주낭을 보이지 않는다. 병변이 되면서 만성 치주염은 치근 표면을 따라 치근단을 향해 내려간다.

대부분의 경우 치주염은 생활 치수를 가진 치아에서 일어나며, 임상적으로 치수 진단 검사에서 정상적인 반응을 보인다.

치주낭 깊이 검사에서는 여러 지점에서 깊은 치주낭을 보이는 치주 질환의 전형적인 특징을 갖는다.

예후는 치주 질환의 단계와 치주치료의 효과에 따라 다르게 나타난다**(Fig. 7.3a-j)**

결합 병소

Table. 7.2의 분류에서 설명되어 있듯이 결합 병소는 세 가지 유형을 갖는다. 치수에서 시작되어 치주에 영향을 주는 것, 치주에서 시작되어 치수에 영향을 주는 것, 동시에 서로 영향을 주는 것; 마지막의 복합병소는 앞의 두 유형보다 훨씬 드물게 발생한다.[22]

두 번째와 세 번째 유형의 구분은 매우 복잡하나 본서에선 다루지 않을 것이고, 첫 번째 유형을 진단하는 것이 임상적 치료에 있어 매우 중요하다.

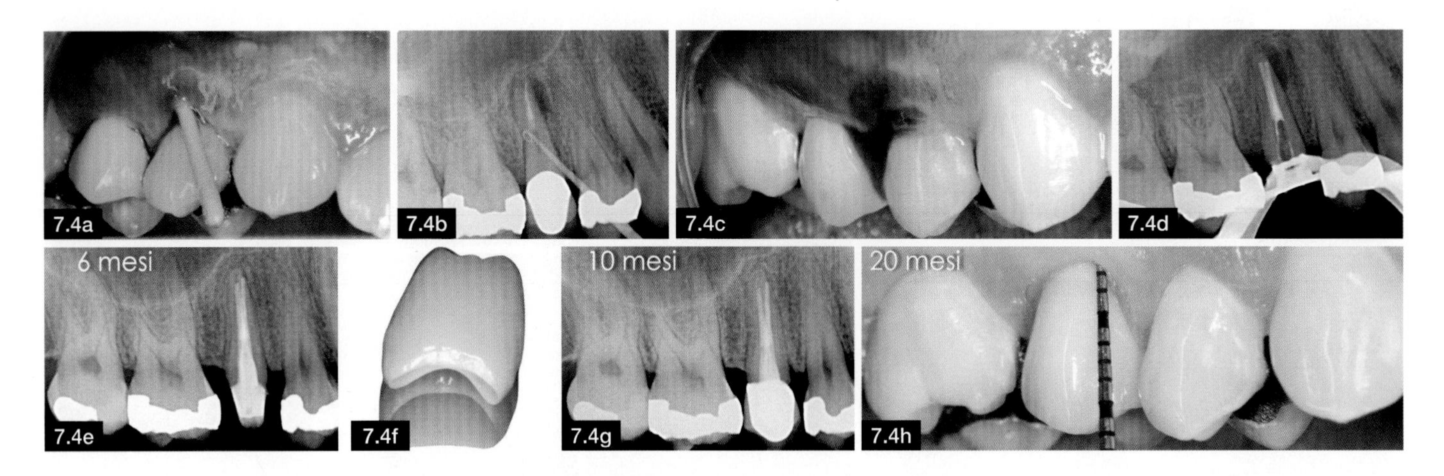

Fig. 7.4a-h: 원발성 치수 병소
(a) 농루로 삽입된 거타퍼챠 콘
(b) 병소의 기원을 보여주는 누공 조영술
(c) 치주 농양
(d) 재근관치료 직후 방사선 사진
(e) 재근관치료 6개월 후 방사선 사진
(f) 세라믹 지르코늄 보철물
(g) 접착 후 보철 수복물의 방사선 사진
(h) 재근관치료 20개월 후 치주낭 깊이 검사

이차 치주 침범을 동반한 일차 근관 병소

화농성인 원발성 치수질환이 일정 기간 동안 치료되지 않은 상태로 유지되면 이에 의해 이차적으로 치주질환이 발생할 수 있다. 이러한 경우 병원성 치태와 치석이 쌓여 치주질환이 생기고 치수 및 치주 치료 모두 필요하다.

일부 저자는 일차적 원인을 우선적으로 치료할 경우 최상의 치료 결과를 얻을 수 있다 보고했다.

근관치료가 적절할 경우, 치주 변연부의 손상 정도와 후속 치주치료의 효과에 따라 달라질 수 있지만 예후는 더 유리해 보인다.[22]

따라서 2차 치주 침범이 있는 1차 치수 병소의 치료는 2–3개월 후에 재평가되어야 하며, 방사선 사진상에서는 병소가 치유되었으나 증상이 있는 경우 부가적인 치주치료의 가능성을 고려해야 한다.

이렇게 근관치료를 먼저 하고 2–3개월 후 재평가하는 치료방법은 치아의 지지조직 복합체의 초기 치유에 충분한 시간을 제공하고, 실제의 치주 상태를 평가할 수 있도록 한다.[23]

일반적으로 2차 치주 침범이 있는 1차 치수 병소는 치근 천공 후 발생할 수 있다. 이에 대해서 좀 더 자세히 다뤄보도록 하겠다**(Fig. 7.4a–h)**.[22]

천공

치근의 천공은 근관치료의 실패로 이어질 수 있는 모두가 원하지 않는 문제이다. 본서에서 반복적으로 언급한 바와 같이 사실 근관치료는 그 치료 자체에서 야기될 수 있는 문제들이 많다

천공의 발생은 치수 및 치근단 질환을 위한 치료 횟수에 따라 증가하는 것으로 나타난다. 본서에서 여러 번 언급했듯이(3장 참조), 잘못된 성형으로 인한 근관의 변형(steps, stops)과 근관치료용 파일의 파절이 근관치료 실패의 주요 원인이다. 또한 천공은 가장 흔한 합병증 중 하나이다.[24] 이와 관련하여 명확한 데이터는 없지만, 근관치료의 약 20%에서 천공이 발생한다고 추정된다. 그러나 무증상인 경우 대부분은 확인되지 않고 시간이 지나도 별다른 증상을 보이지 않는다.[25, 26]

한 연구에 따르면 1차적인 근관치료가 적절하지 않아 비수술적 재근관치료를 한 경우, 12%의 경우에서 천공이 발견되었다.[27] 2010년의 체계적인 문헌고찰에서 비수술적 재근관치료 시 12–20%의 천공 발생률을 보고했다.[28] 이는 Gorni와 Gagliani[29]가 보고한 결과와 일치한다. 이들은 비수술적 재근관치료를 받은 치아에서 약 12%의 천공 발생률을 보고했다.

천공은 근관치료 도중 또는 이후에도 발생할 수 있다. 치아를 수복하는 과정에서 또한 발생할 수 있다. Clauder와 Shin[30]은 post 식립 중에 높은 비율(53%)로 천공이 발생하고, 1차 근관치료 중 47%의 천공이 발생한다고 보고했다**(Fig. 7.5a-k)**.

천공의 정의 및 분류

치근 천공은 근관과 치주조직간의 비자연적인 연결로 정의될 수 있고, 다음과 같이 분류된다.

- 병리적 천공[예: 상아질 구성 요소의 침식과 관련된 경우(광범위한 충치 또는 치근 흡수)]
- 의원성 천공[예: 근관 성형 또는 치관수복(포스트 식립을 위한 근관의 성형)] 도중의 잘못된 작업
- 두 번째 범주인 의원성 천공의 경우 크게 두 가지로 분류할 수 있다.

1. 근관 개방이나 근관 성형 시 사용되는 근관치료용 파일이나 드릴에 인한 천공
2. 근관의 해부학적 구조와 관련하여 무리한 기구 사용으로 야기된 근관벽의 천공(stripping)

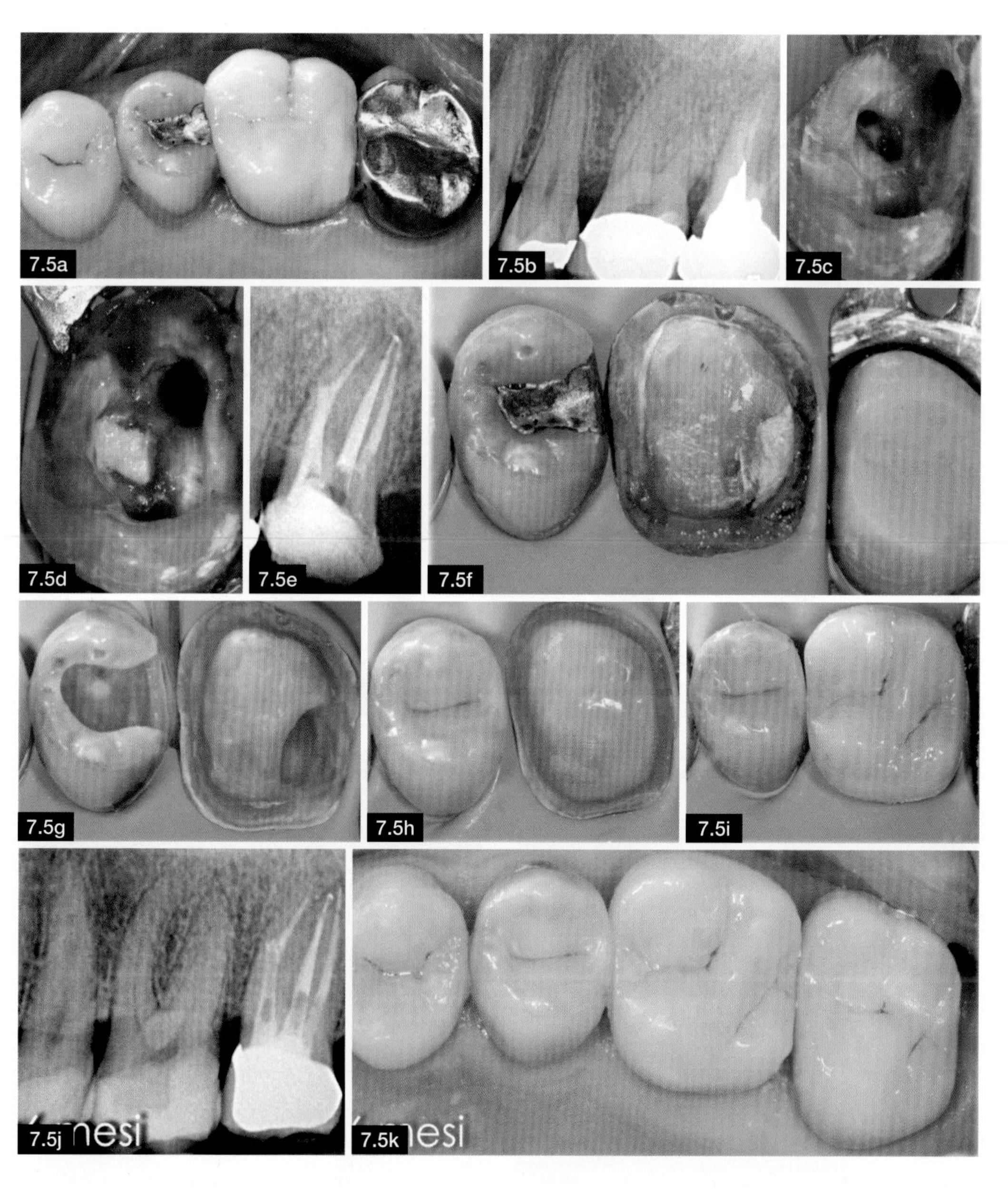

Fig. 7.5a-k: 2차 치주 침범이 있는 1차 치수 병소
(a) 환자는 저작 시나 치아 부위에 압력이 가해질 때 통증을 호소했다. Furcation grade II A와 PSR = 4를 보였다.
(b) 초기 방사선 사진
(c, d) 치수저에 천공이 확인된다. 천공 부위는 MTA로 repair 했다.
(e) 비수술적 재근관치료 후 방사선 사진
(f) #25, #26 치아에서 우식이 관찰된다.
(g) #25, #26 치아의 와동 사진
(h) #25 치아의 복합 레진 수복 및 #26 치아의 레진 코어 후 사진
(i) 4일 후 composite overlay 접착
(j) #25 치아의 직접 수복, #26 치아의 composite overlay, #27 치아의 지르코니아-세라믹 크라운 시적 후 6개월 추적관찰 방사선 사진
(k) 6개월 추적관찰 임상사진. 정상적인 치주 상태를 보인다.

Table 7.3 **FACTORS INFLUENCING THE RESOLUTION OF PERIRADICULAR DISEASE ASSOCIATED WITH A PERFORATION**[31]

• EARLY DIAGNOSIS	• CHOICE OF TREATMENT
• DIMENSIONS	• MATERIALS USED FOR FILLING
• SHAPE	
• POSITION	• HOST RESPONSE
• NATURE OF PERFORATION	• PROFESSIONAL EXPERIENCE

첫 번째의 경우 천공은 직경과 윤곽이 분명하다. 하지만 두 번째의 경우 천공은 직경과 윤곽 모두 균일하지 않고 명확하지 않다.

위의 두 유형과 관계없이 천공 부위는 그 즉시 세균으로 채워지고 이로 인해 치아를 지지하는 주위 골의 염증반응과 치주부착의 국소적 손실이 일어난다. 장기적으로 이는 치아 자체의 기능을 상실할 때까지 치근 주위 조직을 손상시킨다. 천공의 유무를 판단하는 것은 쉽지 않은 일이다. 하지만 2장의 내용과 같이, 자세한 임상검사와 3차원 방사선 사진을 이용하여 대부분의 경우 진단이 가능하다.

사실 많은 경우의 천공은 재근관치료 도중 발견이 되는데, 이러한 천공이 항상 잘 해결될 수 있는 것은 아니다.

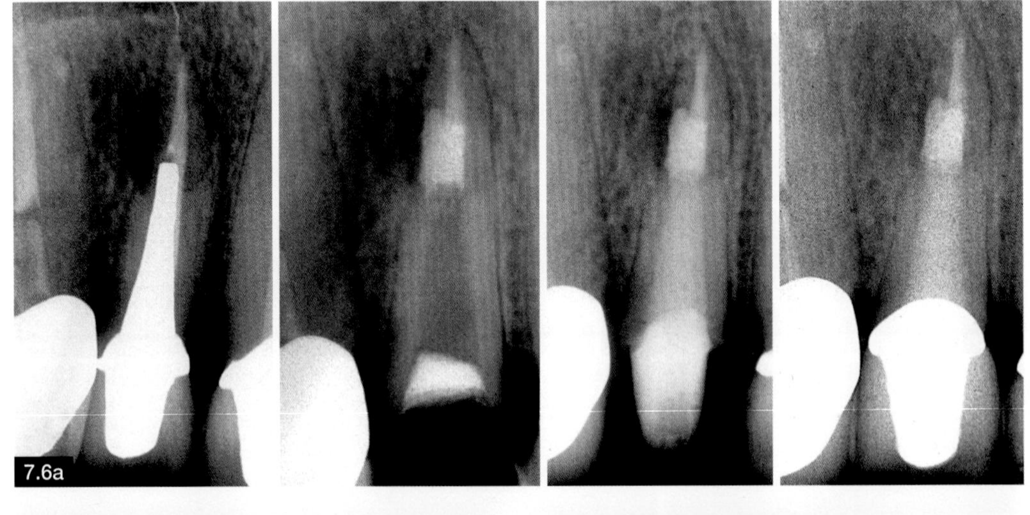

Fig. 7.6a: 상악 측절치 apical 1/3의 천공. 금속 포스트의 공간을 확보하다 생긴 것으로 추측된다. 포스트를 제거하고 적절한 재료로 천공부를 repair 해야 치아의 기능적 회복을 기대할 수 있다.

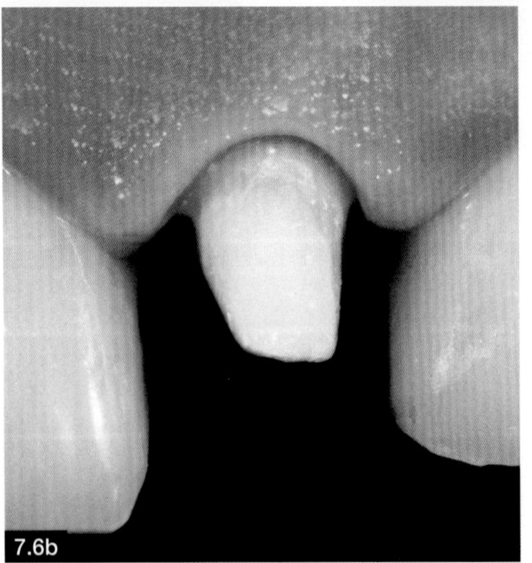

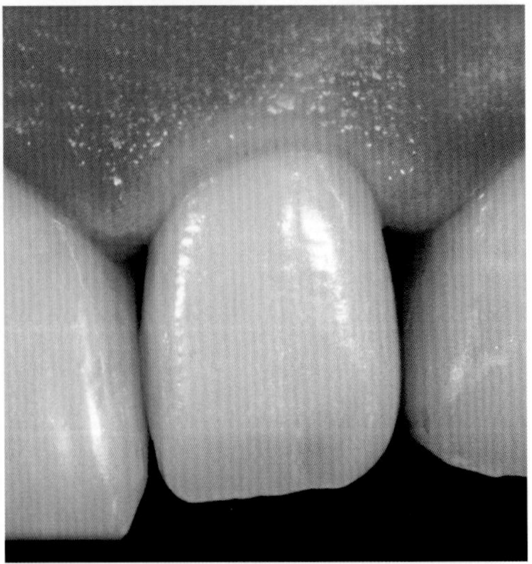

Fig. 7.6b: 해당 케이스에 좀 더 적합한 fiber 포스트를 이용한 코어 빌드업

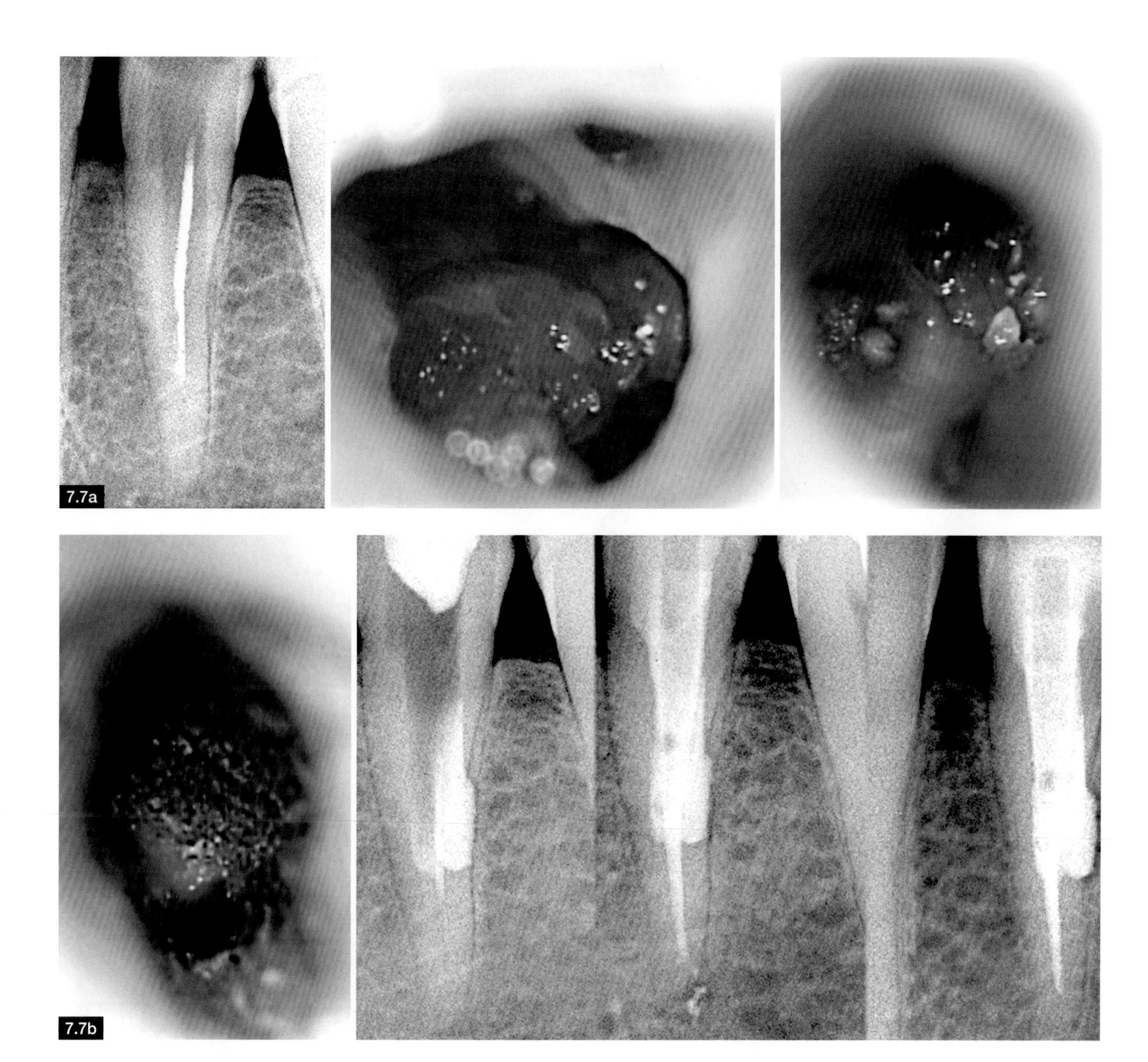

Fig. 7.7a: 하악 소구치 middle 1/3에서의 천공. 육아조직의 증식이 눈에 띈다. 천공 부위의 출혈을 방지하고 repair 재료로 잘 밀폐하려면 육아조직의 제거가 필수적이다.

Fig. 7.7b: 7년 추적관찰 사진

천공의 예후

치료 전 진단과정 중에 천공을 발견할 시 천공 repair의 성공 여부를 결정할 수 있는 몇몇 요소들을 미리 염두에 두어야 한다(**Table 7.3**).

Fuss와 Trope는 천공의 위치가 예후에 매우 중요하다 보고했는데, 크레스탈 부위의 천공 시 상피 이동과 치주조직의 부착상실을 동반한 병적 치주낭 형성에 더 취약하기 때문이다.

시간, 즉 천공의 즉각적인 폐쇄를 통해 감염을 제어하고 높은 생체적합성을 지닌 재료로 의원성으로 또는 병리적으로 생성된 치수와 치주 사이의 연결 통로를 봉인하는 것은 세균의 침투를 막고 양호한 치료 결과로 이어질 수 있다.[32]

수많은 연구에 의해 repair 재료로 가장 잘 알려진 mineral trioxide aggregate (MTA, 306페이지)와 같은 calcium silicate 기반의 제품들이 어떻게 염증 없이 조직 재생을 촉진하고 우수한 밀폐력을 갖는지, 또한 무독성의 생체친화성을 갖는지 밝혀졌다.[33–40]

Box 7.1 천공의 유형 및 치료 술식

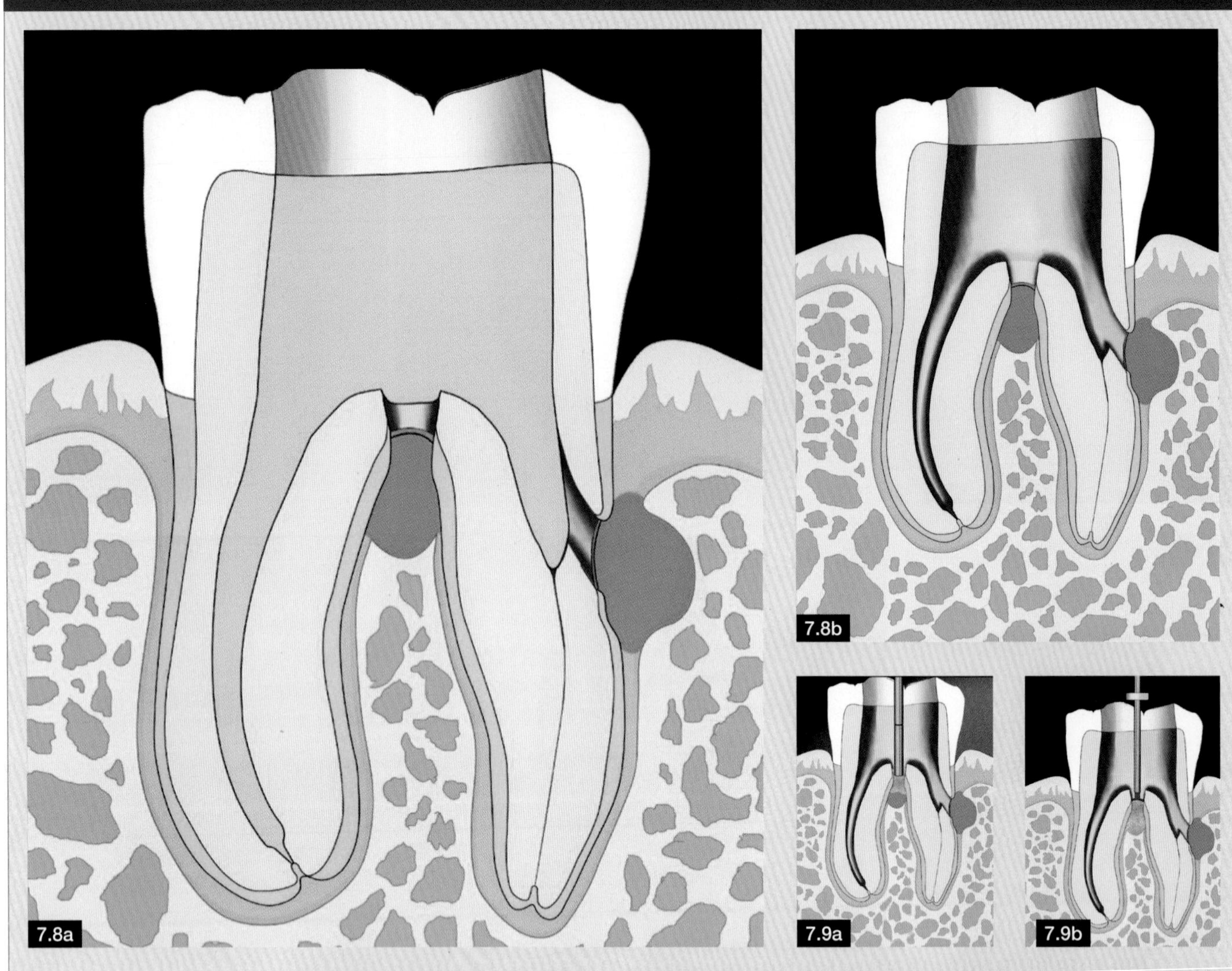

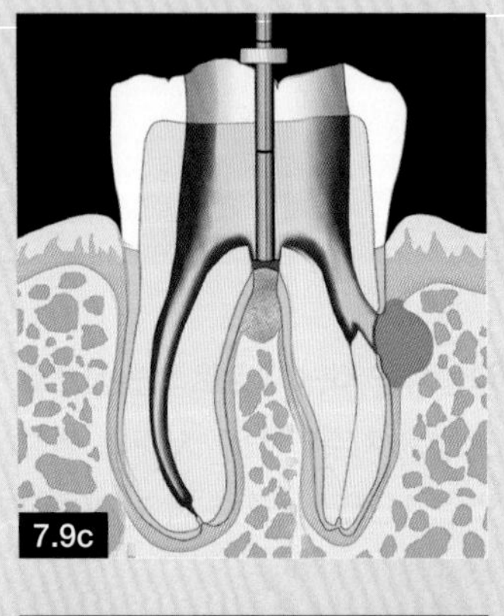

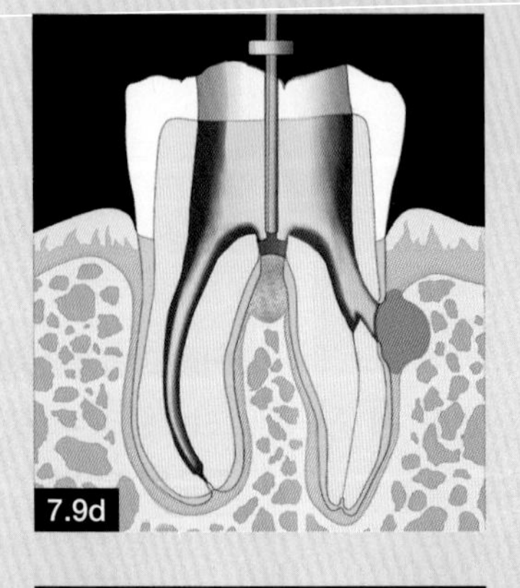

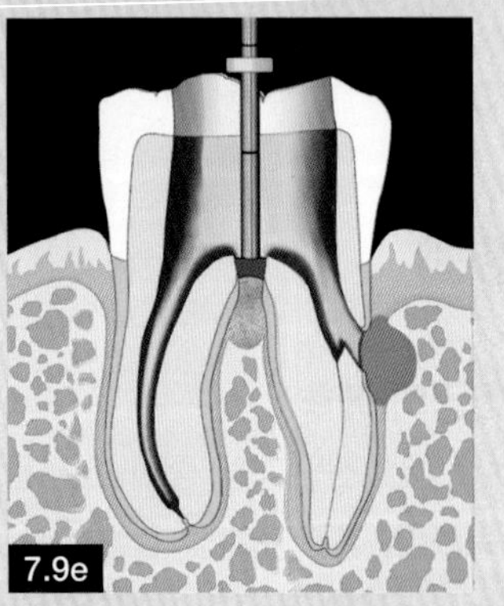

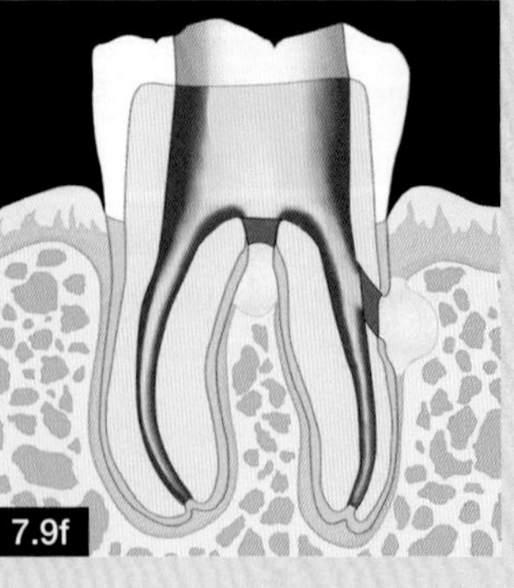

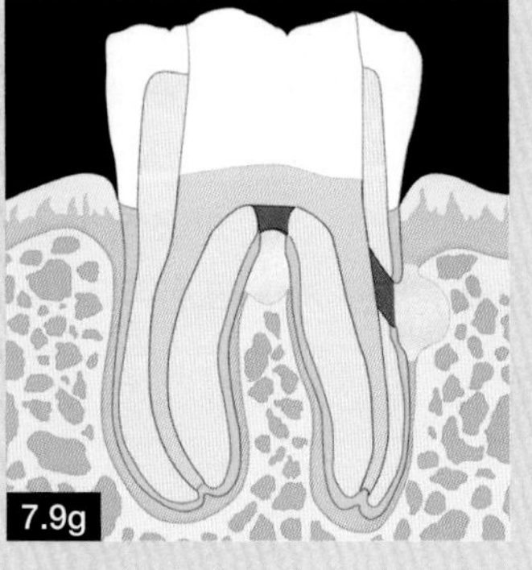

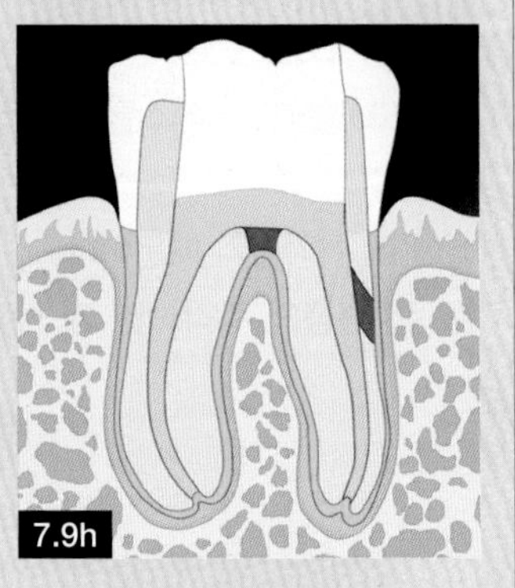

Fig. 7.8a: 치수강저의 천공 유형

Fig. 7.8b: 천공을 repair 하기 위한 적절한 근관 성형

Fig. 7.9a-h: Barrier 위치 및 천공의 밀폐

(a) 천공에 의한 병소에 콜라겐 물질을 채워 넣는다.

(b) 천공 부위를 적층적으로 충전한다.

(c) 위치시킨 재료를 압력을 줘서 채워 넣는다.

(d) 첫 번째 층 위에 repair 재료를 위치시키다.

(e) 다시 한번 압력과 함께 충전한다.

(f) 근관 충전 단계 전에 완료된 측방 천공의 repair

(g) 근관 충전

(h) 치유

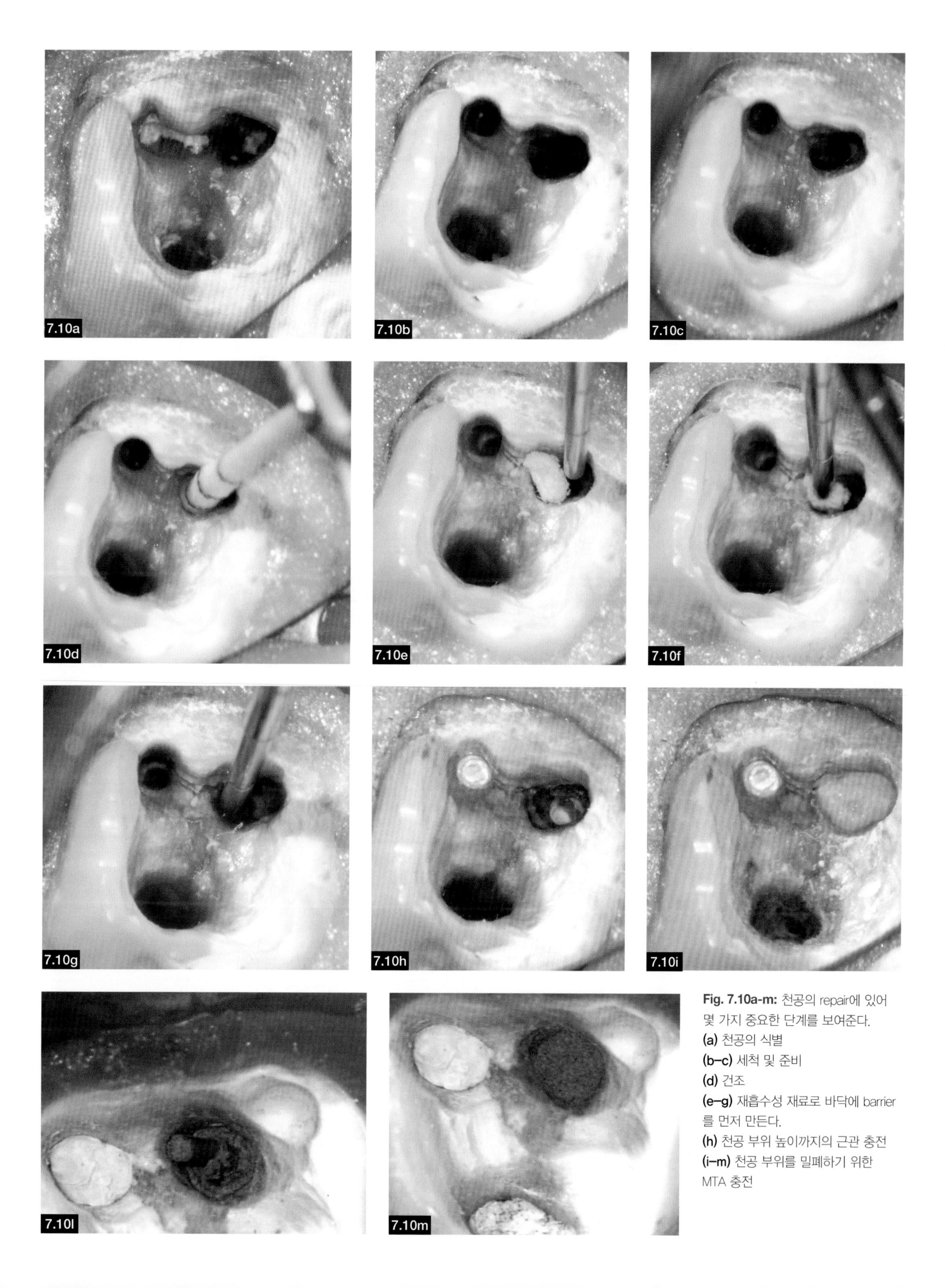

Fig. 7.10a-m: 천공의 repair에 있어 몇 가지 중요한 단계를 보여준다.
(a) 천공의 식별
(b–c) 세척 및 준비
(d) 건조
(e–g) 재흡수성 재료로 바닥에 barrier를 먼저 만든다.
(h) 천공 부위 높이까지의 근관 충전
(i–m) 천공 부위를 밀폐하기 위한 MTA 충전

Box 7.2 천공 치료의 성공률에 대한 장기적 연구

최근의 연구에서 Gorni 등은 MTA로 천공을 repair한 경우의 성공률과 이와 관련된 변수들을 관찰했다.[43] 그는 이전 연구에서 다근치 혹은 단근치의 stripping 및 치수강저 천공의 치료 실패 가능성이 50%에 이른다고 보고했다.[29] 하지만 최신 술식으로 치료된 110명 환자를 대상으로 한 전향적 코호트 연구의 결과는 이와 달랐다.

해당 연구에서 치료 전의 정보는(치주조직의 임상사진 및 치주낭 깊이) 임상 및 방사선 사진으로 기록되었다. 천공은 치료 중 직접 눈으로 발견한 경우 혹은 페이퍼포인트에 의한 출혈 부위의 확인을 통해 진단되었다.

그런 다음 천공의 위치(coronal, middle, and apical 1/3) 및 크기(≤1, 2.3, and 〉3 mm)를 periodontal probe로 계산하여 기록했다.

단일 병변이 있는 110명의 환자 중 101명(92%)이 치유를 보였고, 치료 후 첫 번째 내원에서(n = 98.89%)에서 89명, 두 번째 내원에서(n = 3.3%)에서 3명을 치료했다.

해당 연구에서는 오직 9명(8%)만이 천공 부위가 치유되지 않았다**(Table 7.4)**.

다양한 요인들이 천공에 인한 병소의 1차 치유 가능성과 관련이 있다.[43]

- 여성은 남성보다 재발 위험이 더 높았다(HR, 3.1; P = .03)**(Table 7.4)**.
- 치주낭 검사에 양성을 보인 치아는 음성인 경우보다 훨씬 더 높은 재발을 보였다(HR, 21; P 〈.001)**(Fig. 7.11a)**.
- Apical 1/3 또는 middle 1/3에서의 천공은 coronal 1/3 부위의 천공보다 치유되지 않을 가능성이 더 높았다(HR, 3.0; P = .04)**(Fig. 7.11b)**.
- 천공의 크기는 병소의 발전과 상관관계를 보였다. 크기가 3 mm를 초과하는 천공의 경우 3 mm보다 작은 천공보다 재발하거나 치유되지 않을 가능성이 더 높았다(HR, 3.6; P = .01)**(Fig. 7.11c)**.

이러한 결과는 천공의 위치와 크기가 가장 중요한 예후

Table 7.4 **FEATURES RELATED TO THE HEALING OF THE ENTIRE COHORT OF 110 TEETH TREATED FOR PERFORATIONS FROM 1999 TO 2009**

	Healing N (%)	Non-healing N (%)	Total N (%)	Fisher test P-value
Age (yrs)				.61
≤50	87 (93)	7 (7)	94 (85)	
>50	14 (88)	2 (12)	16 (15)	
Gender				1
Male	55 (92)	5 (8)	60 (54)	
Female	46 (92)	4 (8)	50 (46)	
Tooth localization				.29
Front	15 (100)	0 (0)	15 (14)	
Premolar	11 (85)	2 (15)	13 (12)	
Molar	75 (91)	7 (9)	82 (74)	
Test				.003
Negative	65 (98)	1 (2)	66 (60)	
Positive	36 (82)	8 (18)	44 (40)	
Perforation site				.29
Coronal	50 (96)	2 (4)	52 (47)	
Intermediate	48 (87)	7 (13)	55 (50)	
Apical	3 (100)	0 (0)	3 (3)	
Perforation size (mm)				.16
≤1	10 (100)	0 (0)	10 (9)	
2–3	65 (94)	4 (6)	69 (63)	
>3	26 (84)	5 (16)	31 (28)	
TOTAL	**101 (92)**	**9 (8)**	**110**	

인자라고 보고했던 Fuss and Trope의 결론과 일치한다.[32]

해당 연구는 또다른 예후인자를 보고했는데, 바로 치료 전 치주낭 깊이이다.

Fig. 7.11a와 같이 4 mm 이상의 치주낭 깊이를 갖는 경우, 성공률이 낮아 치료를 권하지 않는다.

천공의 위치와 관련된 실패율 중 주목해야 할 것은 치근의 middle 1/3에 위치한 천공의 13%가 긍정적인 결과를 얻지 못했다는 것이다.[43]

직경이 3 mm를 초과하는 천공의 실패율은 16%였고, 직경이 2–3 mm인 천공의 경우 6%였으며, 직경이 2 mm 미만인 천공의 경우 모두 성공했다.

Mente et al.는 단근치 천공의 성공률(92%)이 다근치 천공의 성공률(75%)보다 높음을 보고했다. 또한 직경이 3 mm 이상인 천공의 경우 성공률(67%)이 3 mm 미만(88%)과 1 mm 이하에 (90%)에 비해 훨씬 낮다고 보고했다.[41]

이러한 결과는 후속 연구에서 재확인되었다.[42]

이러한 연구들을 종합해보면, 천공 부위의 repair 후 이에 따른 병소의 치유 가능성은 분명히 높다.

그러나 치료 전 치주낭 검사, 천공의 위치 및 크기는 성공률을 감소 또는 증가시키는 요소일 수 있다.

병소가 발전되지 않을 가능성

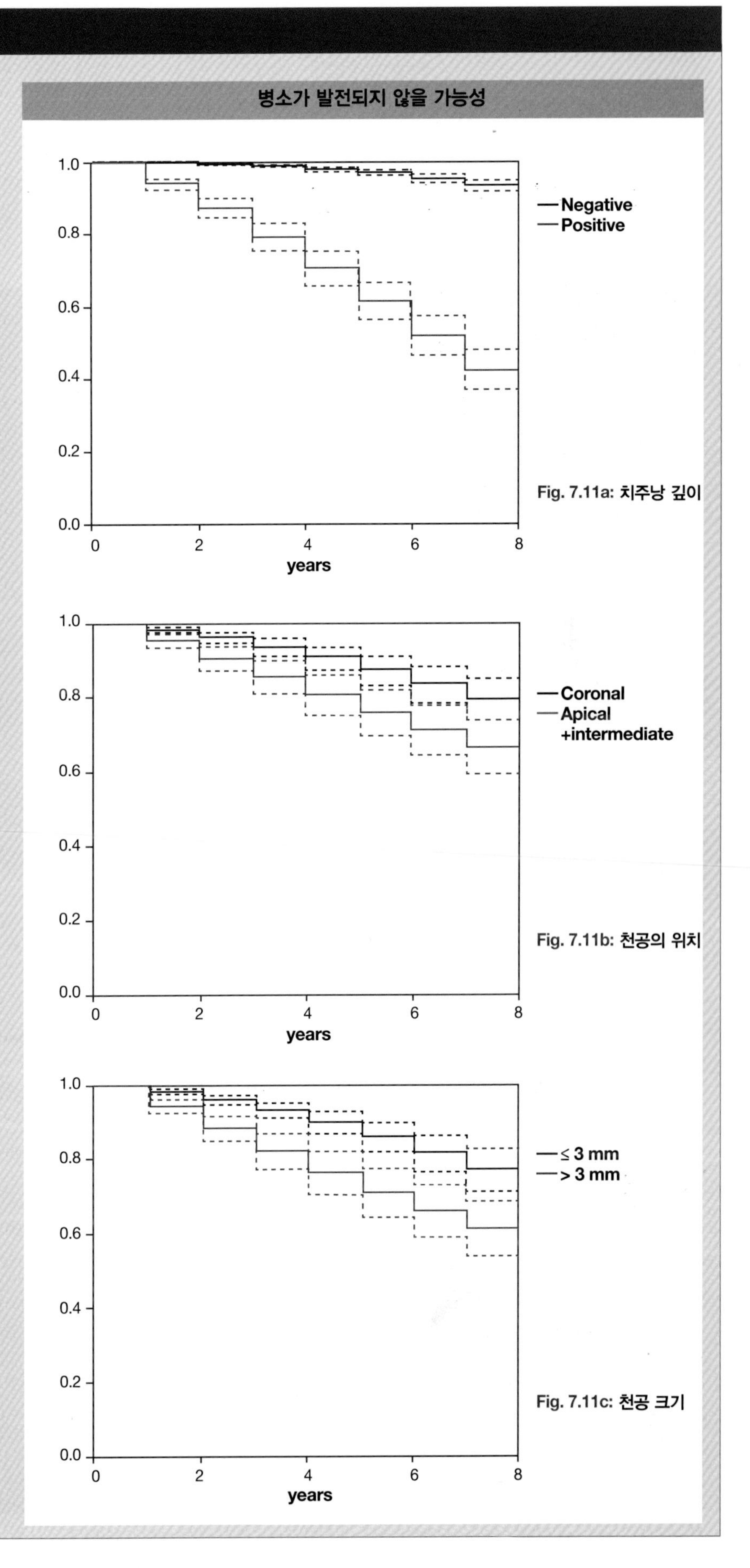

Fig. 7.11a: 치주낭 깊이

Fig. 7.11b: 천공의 위치

Fig. 7.11c: 천공 크기

CASE
REPORT 1

파절된 기구가 위치한 의원성 천공

분류에 명시된 바와 같이, 의원성 천공은 근관과 치주조직의 교통로를 만들며, 드물지 않게 복구하기 어려운 치주 손상을 유발한다. 이번 증례는 두 가지 임상적 어려움을 갖고 있다: 치근 표면을 손상시키지 않고 기구를 제거하는 것과 적절한 재료로 천공 부위를 repair 하는 것.

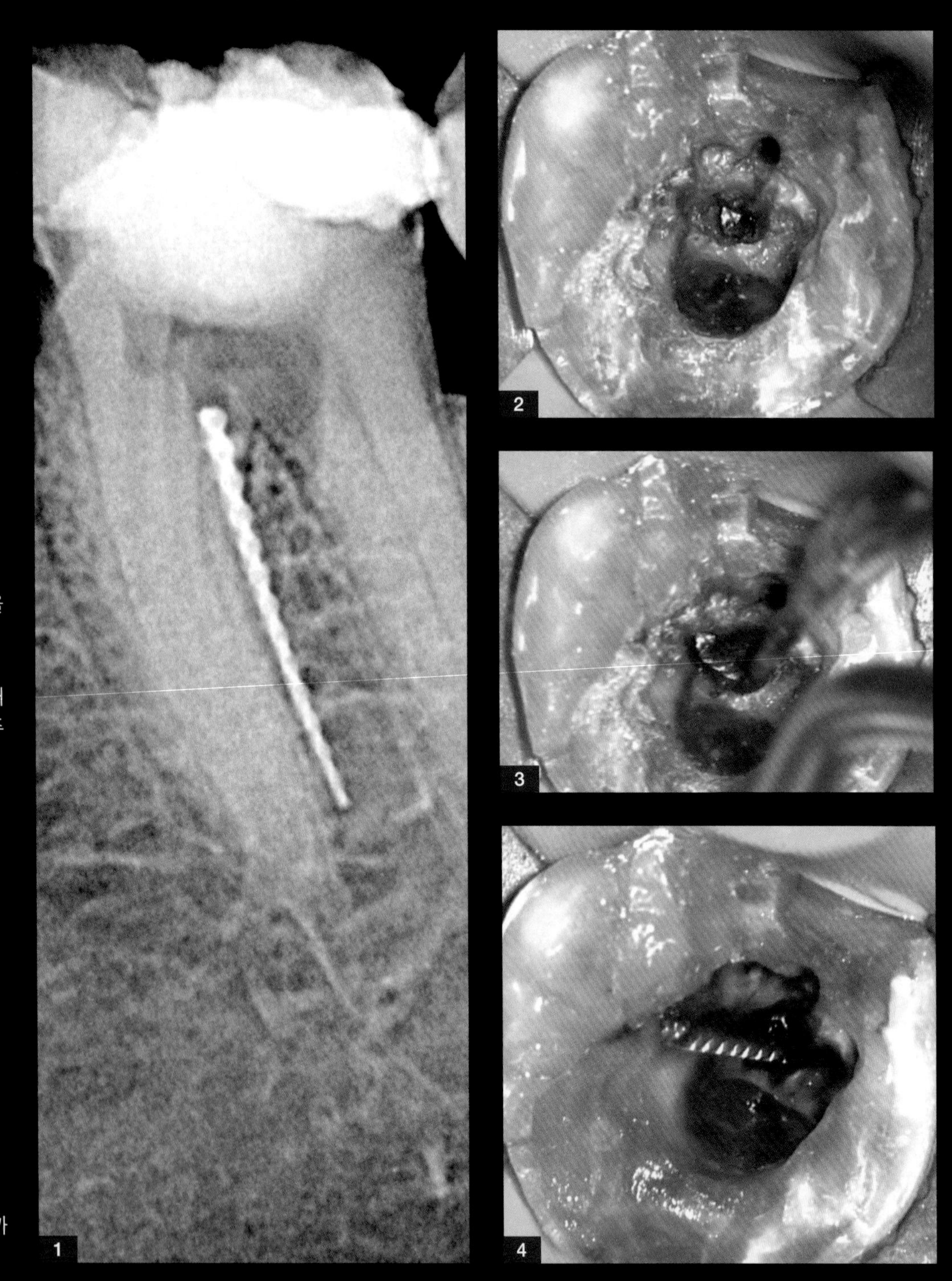

Figure 1: 치료 전 방사선 사진

Figure 2: 파절된 기구를 치수강을 통해 볼 수 있다.

Figure 3: 파절편을 제거하기 위해 초음파 기구를 이용하여 진동을 주었다.

Figure 4: 파절편이 거의 치수강까지 나왔다.

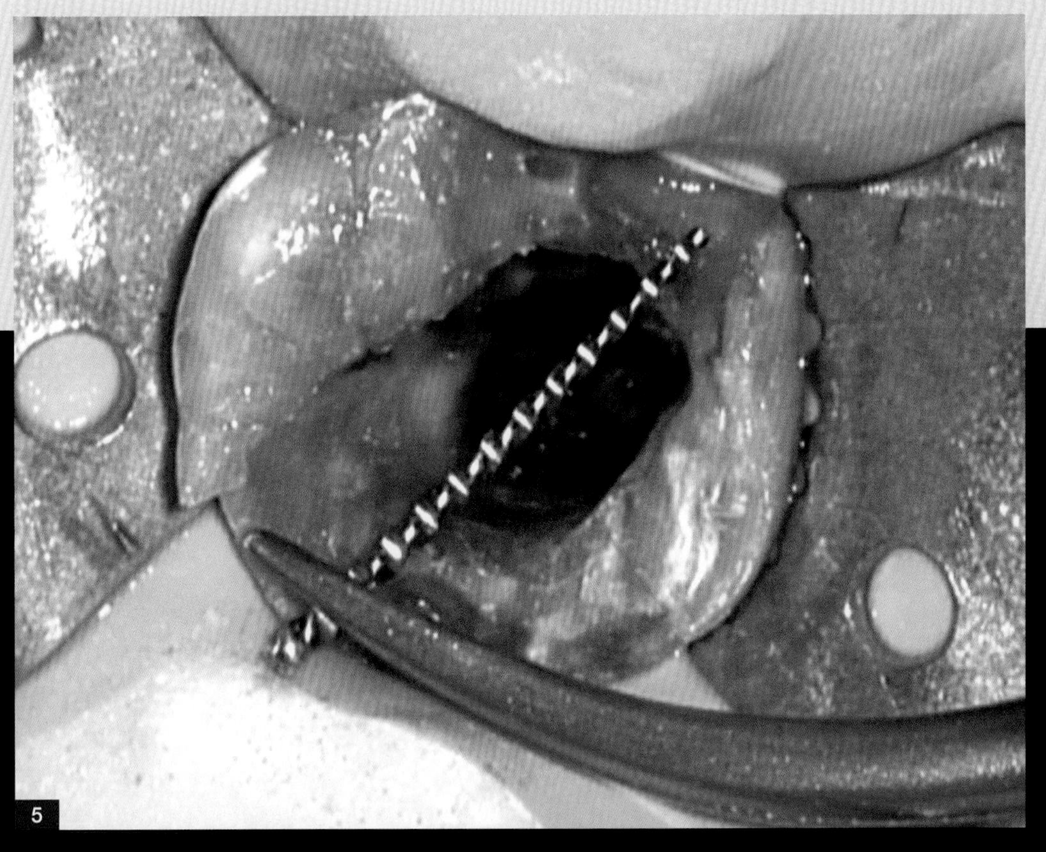

Fig. 5: 제거된 파절 기구

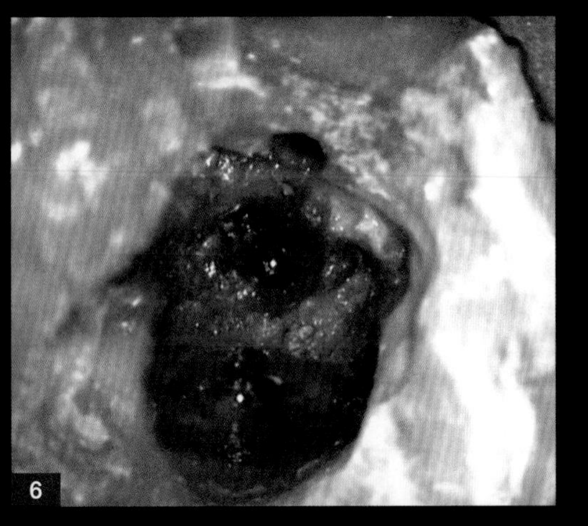

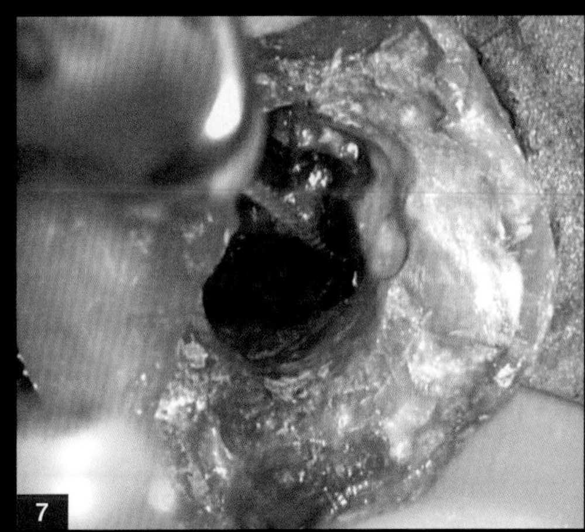

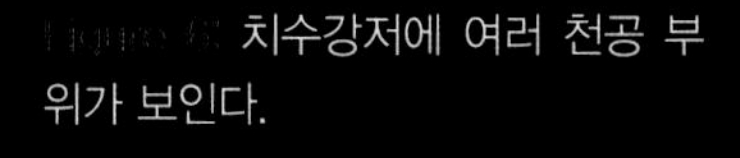

Figure 6: 치수강저에 여러 천공 부위가 보인다.

Figure 7: hand file로 MB 근관을 찾았다.

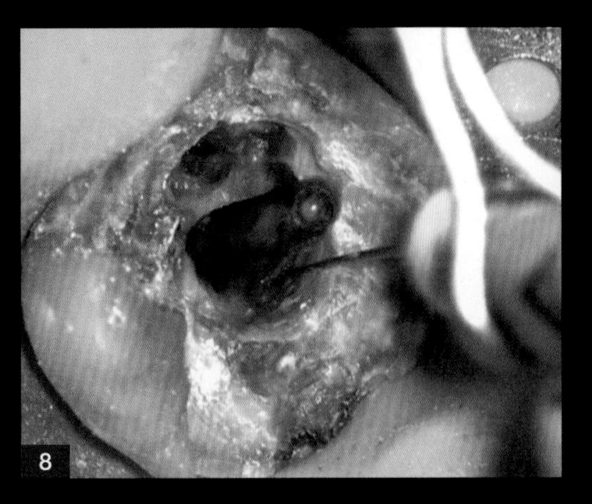

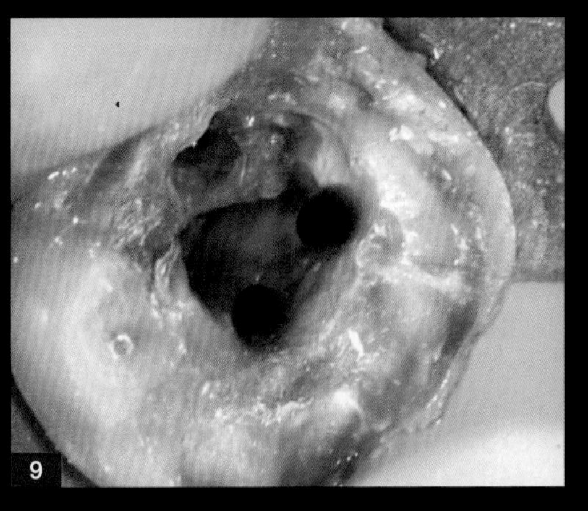

Figure 8: Hand file로 찾은 ML 근관

Figure 9: 근관 세척 및 성형을 마친 근심 근관들

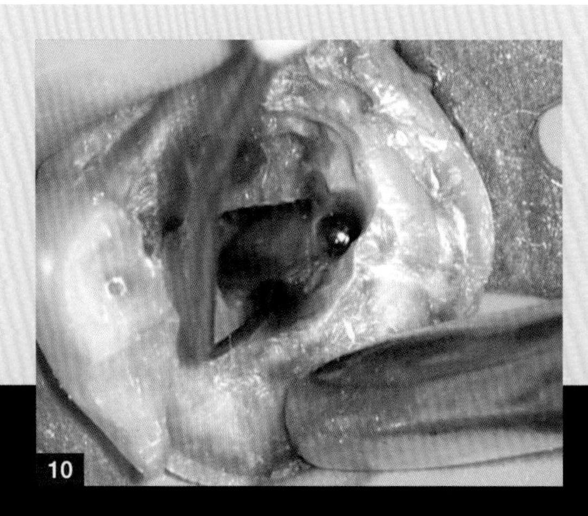

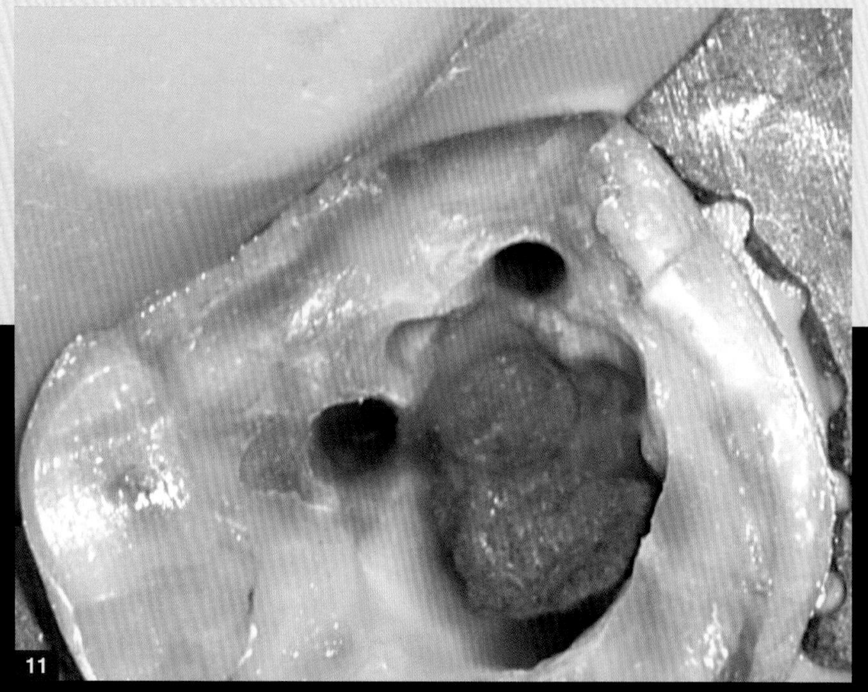

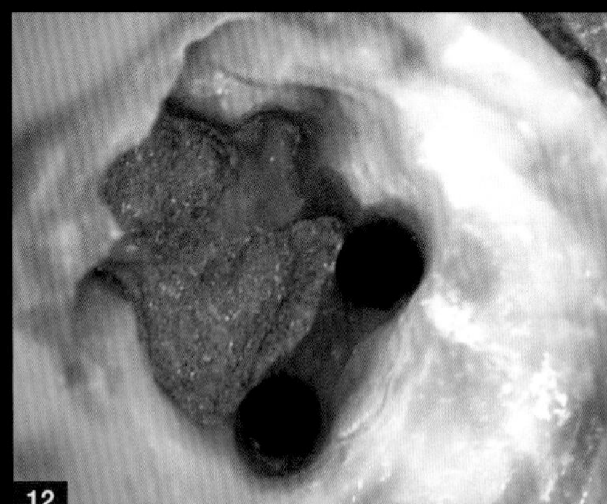

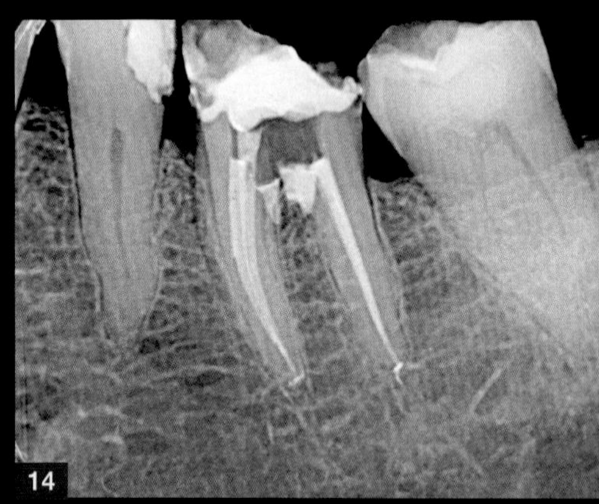

Figure 10: 세척을 통해 근심 근관들이 합쳐짐을 확인했다.

Figure 11: 두 개의 원심 근관들을 성형 및 세척하고 원심의 천공 부위는 gMTA로 밀폐했다.

Figure 12: 두 개의 근심 근관 또한 성형 및 세척을 마치고 근심의 천공 부위를 gMTA로 밀폐했다.

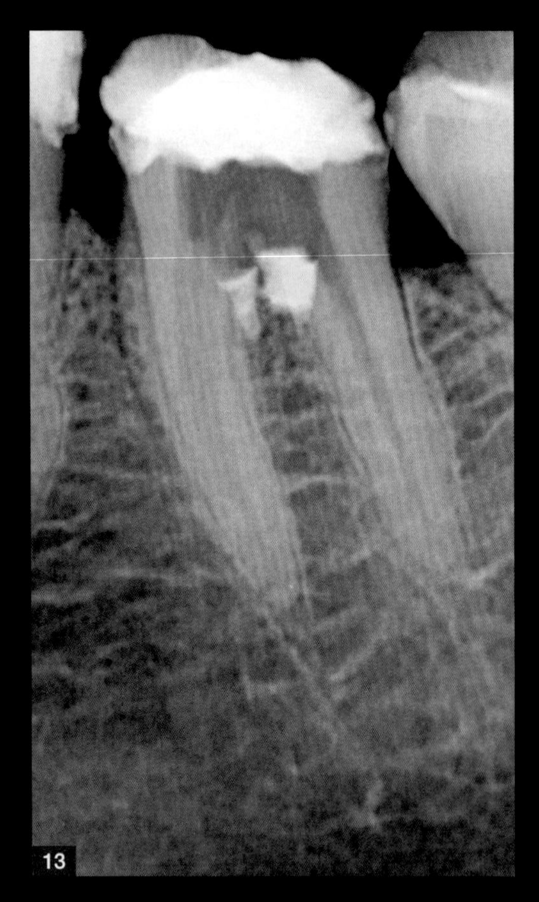

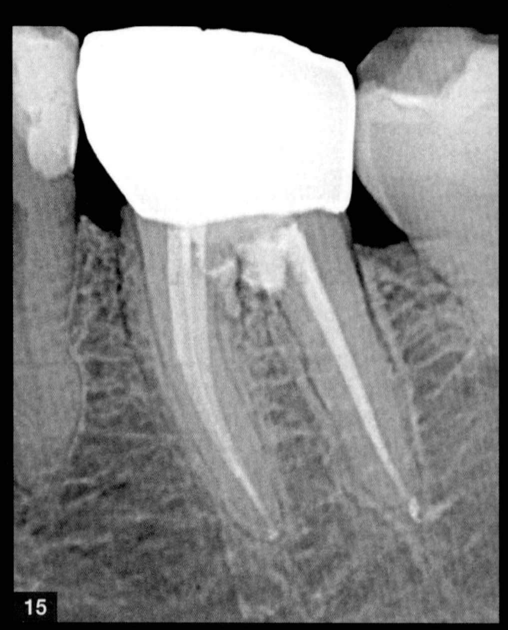

Figure 13: MTA에 위치 확인을 위한 방사선 사진

Figure 14: 치료 후 방사선 사진

Figure 15: 12개월 후 방사선 사진

여러 사례 연구와 후향적 임상 연구에서 MTA를 사용한 경우 80% 이상의 성공률을 보고했다.[41, 42]
Pontius[40] 등은 6명의 근관치료 전문의가 치료한 70개의 천공 케이스를 조사한 후향적 연구에서 90%의 성공률을 보였다. 이는 전에 다른 연구에서 보고된 성공률보다 높다.[41, 42]
현재 MTA는 천공의 repair에 가장 많이 사용되는 재료이다.

천공 repair 술식

Orthograde 접근을 이용한 천공 repair 술식의 단계들을 설명하기 전, 천공이 치아의 임상적 치관에 가깝게 위치할 경우 다른 치료적 접근 방법들도 있음을 잊어서는 안 된다.
그러한 치료 방법에는

- 치주 수술에 의한 의원성 손상 부위(또는 치근 결손 부위)의 노출
- 치아의 교정적 맹출
- 치아의 교정적 정출

치관 확장술에 비해 후자의 두 가지 방법은 치아의 심미적인 변화를 방지하고 인접 치아의 골지지도 감소를 최소화한다.
이러한 치료 방법은 천공 부위를 crest bone 상방에 위치하게 하여 천공 부위의 수복을 쉽게하는 것을 목표로 한다.

Orthograde 접근에 의한 천공수복의 경우, 몇 가지 고려 사항을 미리 생각해보는 것이 좋다.
천공은 치아의 지지 조직이 치유될 수 있도록 적절한 밀폐가 필요하다. 시기는 빠르면 빠를수록 좋고, 보통은 근관치료 이전에 수복하나 필요한 경우 근관치료 이후에도 가능하다.
가장 중요한 것은 치료를 결정하기 전 천공이 의심되거나 관찰될 때 고려해야 하는 아래와 같은 요인들을 기반으로 한 알고리즘을 따르는 것이다.

- 병리적 치주낭의 존재(예: 천공 혹은 천공이 의심되는 부위의 5 mm 이상의 치주낭)
- 천공의 위치: Apical 또는 middle 1/3의 천공은 치료가 더 복잡하기 때문에 다근치의 치수강저에 위치한 천공보다 예후가 더 나쁘다. 치수강저의 천공 시 깊은 치주낭이 함께 있으면 예후가 더 나쁘다.
- 크기 및 모양: 효과적인 밀폐를 위해 천공 부위는 둥글고 유지력이 있어야 한다. 따라서 재료의 안정을 위한 최소 상아질 두께를 가져야 한다.
- 시간: 최대한 신속한 조치가 권장된다. 천공을 수복하지 않으면 시간이 지남에 따라 치주조직의 손상이 발생할 수 있으므로 천공은 즉시 밀폐해야 한다.

연구들에서 볼 수 있듯이 이러한 예비 분석에서 얻은 정보들은 치아의 예후를 판단할 수 있고, 치주낭 검사의 경우 치료의 성공을 위한 가장 중요한 요소이다. 천공을 효과적으로 수복하려면 특정 조건들이 필요한데, 이는 다음과 같다.

- 적절한 배율(수술 현미경) 및 조명
- 안정적이고 생체 친화적이며 방사선 불투과성(방사선 사진을 통한 확인을 위해)을 갖는 재료의 사용

국제 문헌에 따르면 천공 수복을 위한 재료에는 에톡시벤산으로 강화된 유제놀 산화 아연 시멘트(SuperEBA, Bosworth Co, Skokie, Illinois), MTA(Dentsply Tulsa Dental, Tulsa, Oklahoma) 및 모든 칼슘 규산염(calcium silicate) 기반 시멘트가 있다. 특정 상황에서는 복합레진과 접착 시스템 또한 사용될 수 있다.[44–47] 가장 적합한 재료의 선택은 다음 임상 요소에 의해 결정된다.

- 천공의 위치
- 천공의 크기
- 수분 조절
- 출혈 조절[47]

천공 repair의 단계

위에서 볼 수 있듯이 천공의 위치, 모양 및 크기에 따라 각각 다른 임상 접근 방식을 필요로 한다. 다양한 유형의 천공과 관련된 일부 임상 술식들을 소개하겠다.

치은구내 치근외측 병소의 repair

천공이 골과 치조정 상방의 치주조직을 포함하지 않을 경우(결합조직 부착 및 상피 부착), 일반적인 복합레진으로 repair될 수 있다. 천공을 repair하고 나면 재근관치료를 시작하게 된다(**Fig. 7.12**).

치조정 상방 조직에 형성된 치근 천공의 repair

천공이 골을 포함하지 않고 치조정 상방의 치주조직 영역에서 발견되는 경우(결합조직 부착 및 상피 부착), 천공 부위를 피판형성을 통해 노출시키고 러버댐을 이용해 격리가 가능하다.

또한 이러한 경우 일반적인 복합레진 repair을 통해 천공을 밀폐할 수 있다. 일단 천공이 repair되면 재근관치료를 시작할 수 있다. 근관치료 및 repair가 완료되면 러버댐을 제거하고 피판을 재위치시킨 뒤 봉합한다.[49]

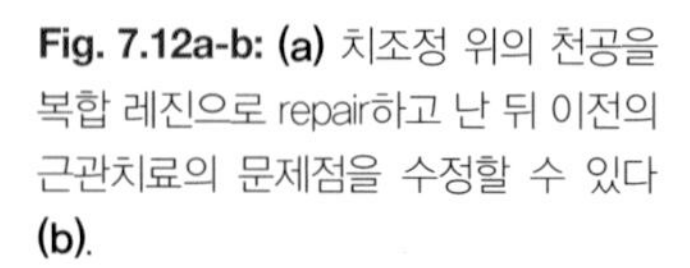

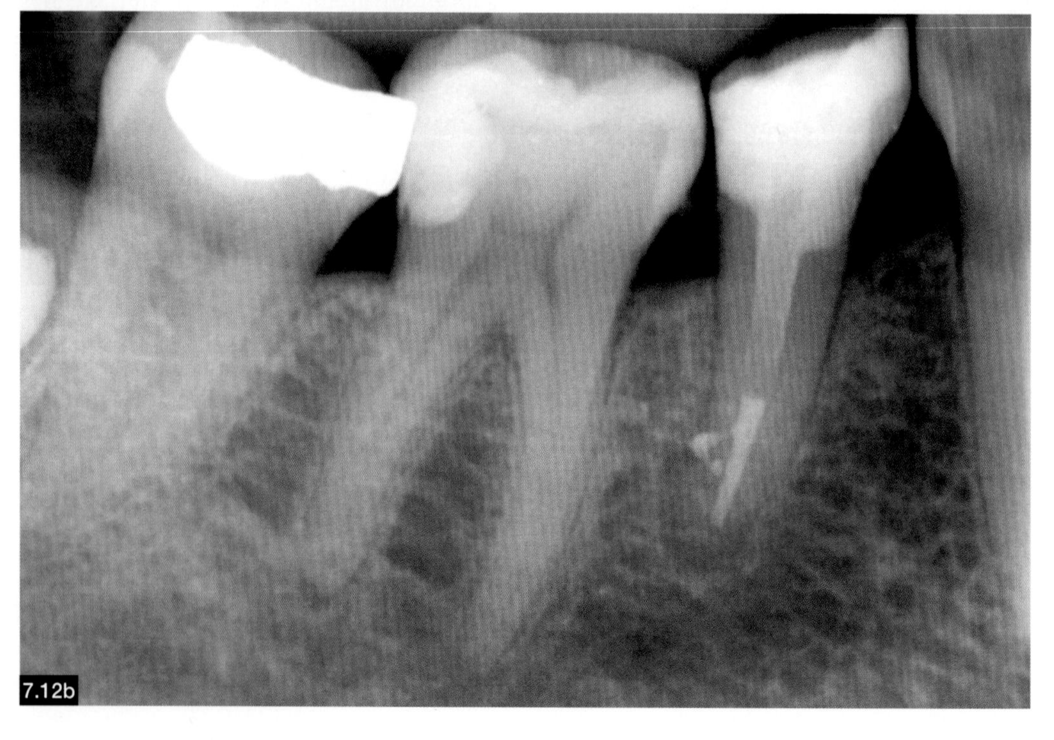

Fig. 7.12a-b: (a) 치조정 위의 천공을 복합 레진으로 repair하고 난 뒤 이전의 근관치료의 문제점을 수정할 수 있다 **(b)**.

골 조직에 형성된 치근 천공의 repair

치근 천공은 대부분 비스듬한 경로를 갖는데, 근관 내부가 아닌 골조직에 형성된 천공의 위치에 따라 coronal, middle, apical 1/3로 구분할 수 있다.

1. **치근의 Coronal 1/3:** 이 부위의 천공은 단근치의 경우 골삭제 및 치관확장술을 동반 혹은 동반하지 않은 교정적 맹출을 고려해볼 수 있으나 본서에서는 다루지 않겠다. 만약 치수강저에서

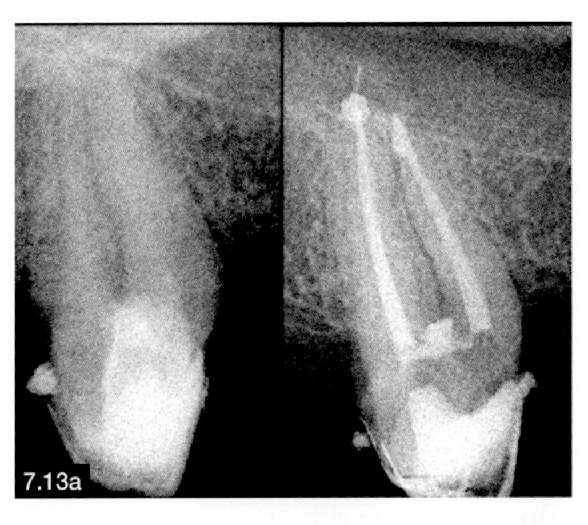

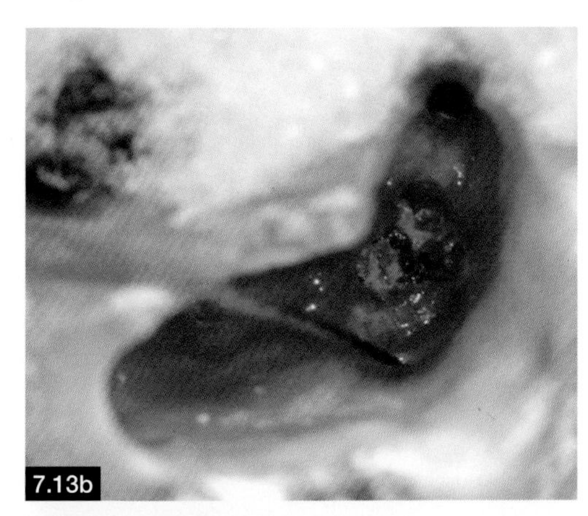

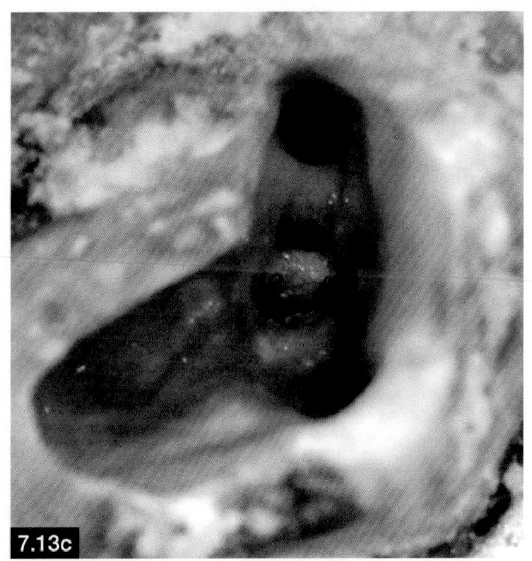

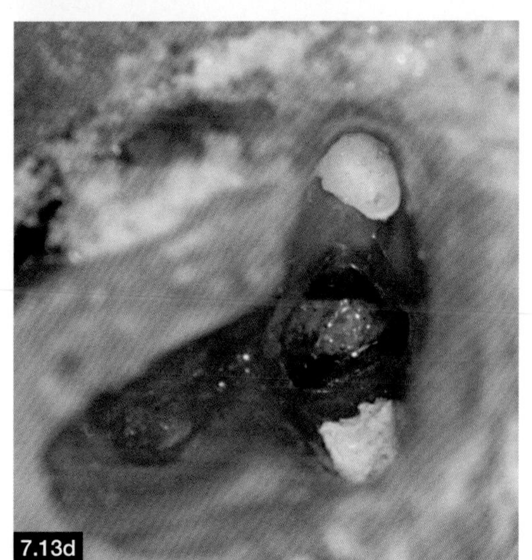

7.13e

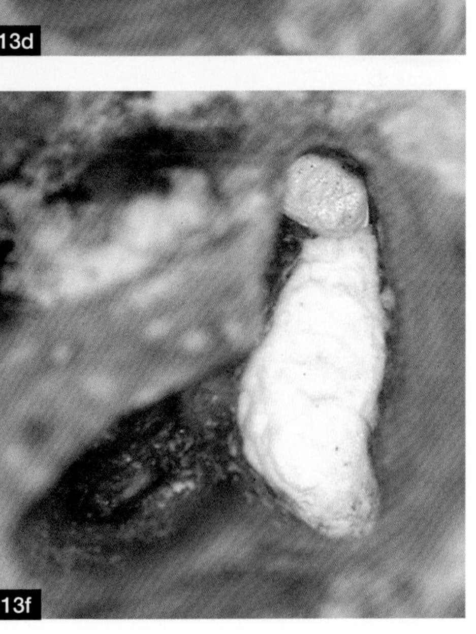

Fig. 7.13a-f: (a) 천공 수복 전후의 방사선 사진. 이러한 경우 보통 찾기 힘든 근관 입구에 의해 천공**(b)**이 발생된다. 방법은 동일하다**(c, d)**. 근관을 찾고 성형, 충전한 뒤 먼저 재흡수성 barrier를 천공 부위에 위치시키고 repair 재료로 천공을 repair할 수 있다.

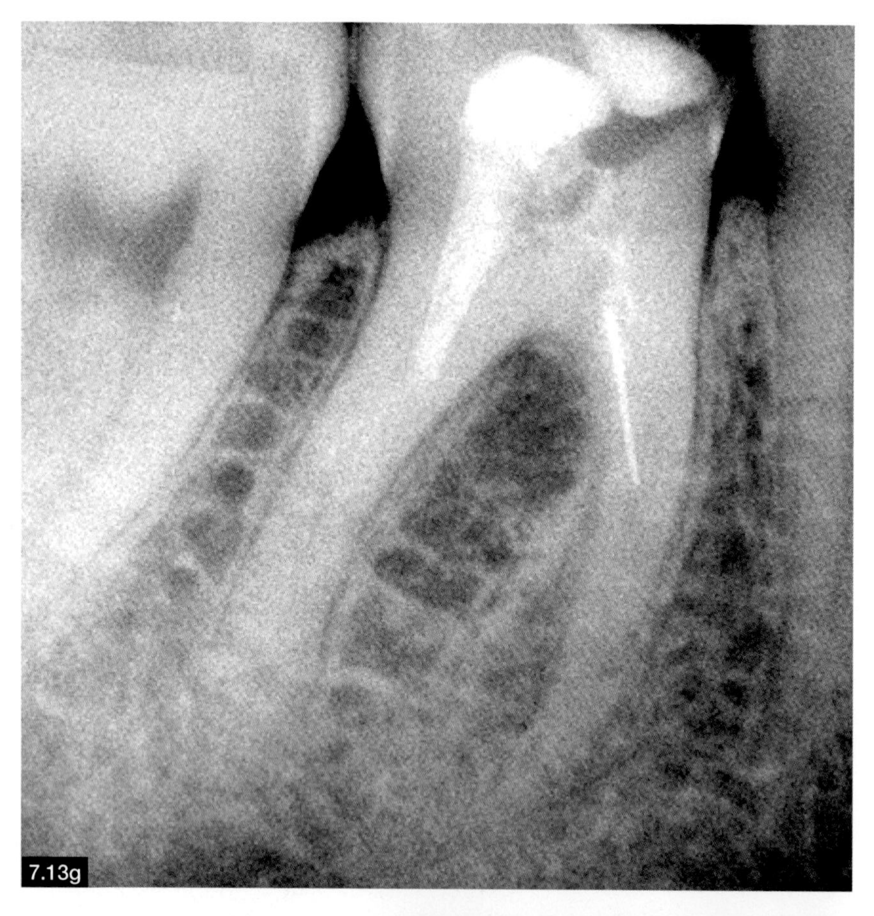

Fig 7.13g–i: 기구가 파절된 비슷한 증례(g). 하악 대구치의 특이한 해부학적 구조를 보인다(h). 5년 추적관찰 사진(i).

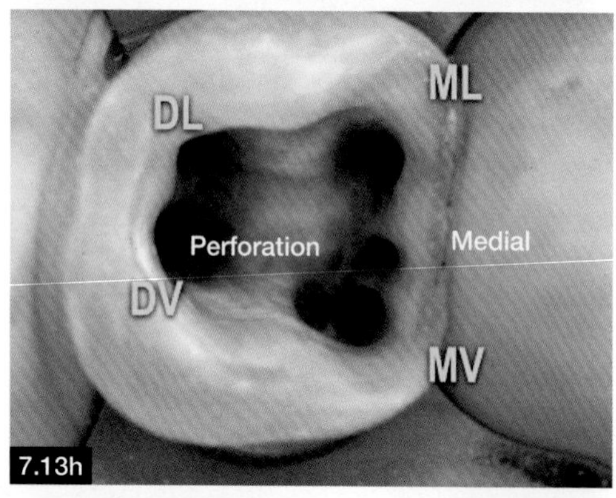

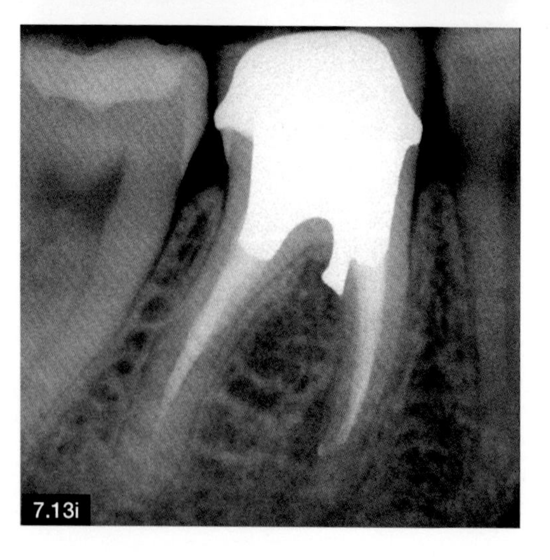

시작된 천공의 경우 일반적인 orthograde 접근이 추천된다.

이러한 치료는 **Fig. 7.13a-f**의 소위 벽 병소(wall lesion) repair의 전형적인 예이다.

2. **치근의 middle 1/3:** 천공이 치근의 중간에 있는 경우 일반적인 orthograde 접근이 추천되고, 1벽성 천공에 대한 repair 방법을 사용해야 한다.
3. **치근의 apical 1/3:** 근관충전을 먼저 마친 뒤 천공 repair을 위해 retrograde 접근이 추천된다.

천공의 특징이나 형태에 따라 다음과 같이 두 가지 유형으로 구분될 수 있다.

1. 4벽성 천공
2. 1벽성 천공

4벽성 천공의 수복

만약 천공이 다근치의 치수강저 혹은 근관 입구에 위치하면, 이러한 치수와 치주조직 간의 교통로는 보통 윤곽이 분명하고 잘 경계 지어져 있다. 따라서 이러한 경우 4벽성 천공이라 이름한다.

4벽성 천공의 경우, 재근관치료 후 천공 repair 혹은 천공 repair 후 재근관치료를 고려할 수 있다.

치료 순서를 결정하는 데는 수분의 존재 여부가 중요하다.

천공 부위로 침범했을 수 있는 육아조직을 완전히 제거한 뒤, 오염된 천공 부위를 세척 및 소독하고 건조한다. 만약 천공의 형태상 유지력이 약한 경우, 초음파 기구나 작은 다중날 버로 조정이 가능하다.

▶ *continue* to page *398*

2개의 천공이 있는 상악 대구치의 재근관치료

CASE
REPORT 2

치료를 시작하기 전 가능한 경우 방사선 사진의 자세한 판독으로 천공을 진단해야 한다. 아래에 소개된 증례는 치수강의 석회화로 근관 입구를 찾기 어려웠고, 이로 인해 2개의 천공을 만든 후 근관으로 오인하고 거타퍼챠로 충전한 경우이다.

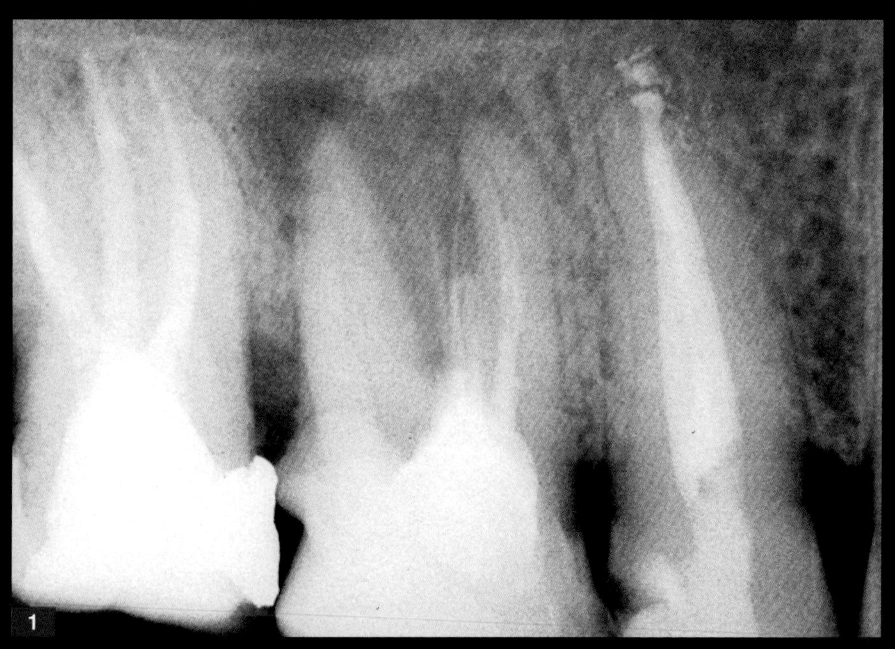

Figure 1: 방사선 사진은 오염된 치근 분지부의 비정상적인 치료를 보여준다. 천공이 의심된다.

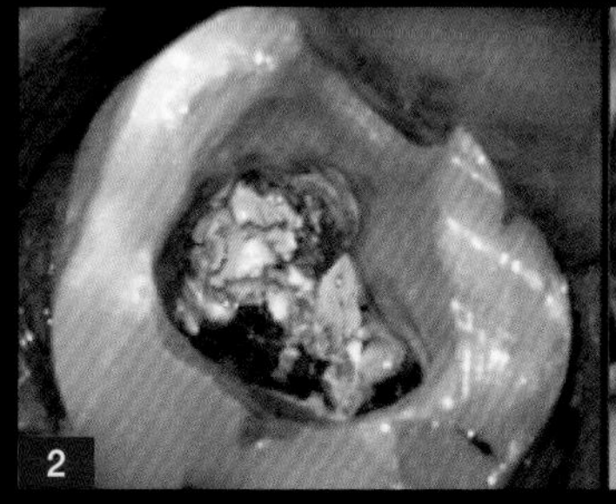

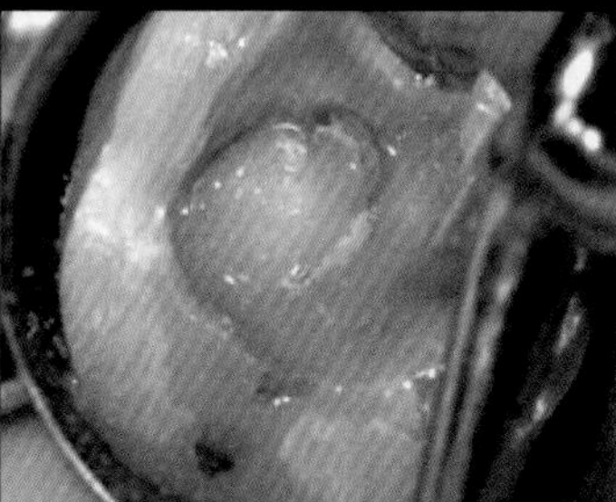

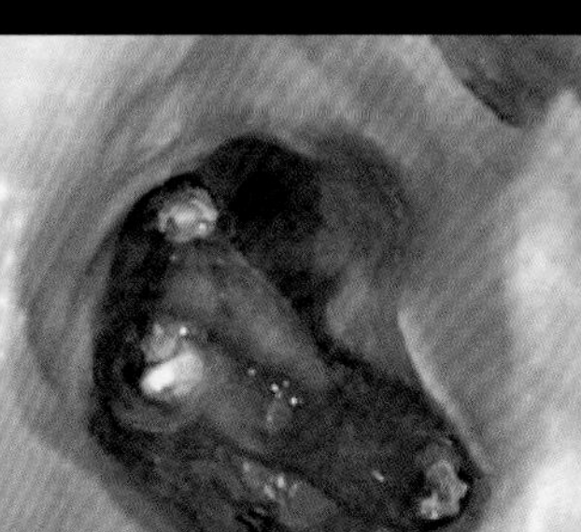

Figure 2: 치수강의 모습. 이러한 경우 종종 치수강의 모습만으로도 천공을 의심하게 된다.

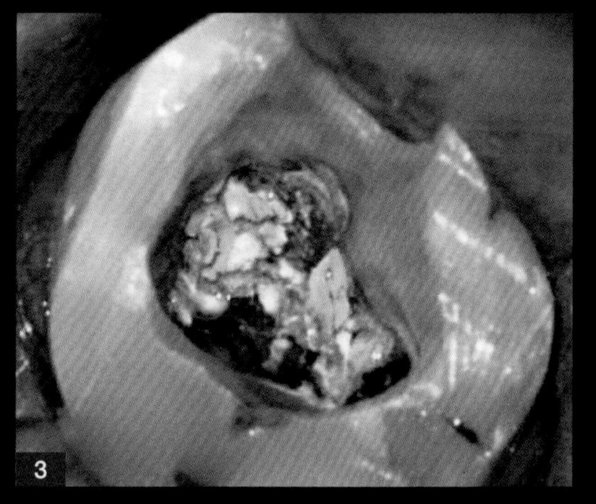

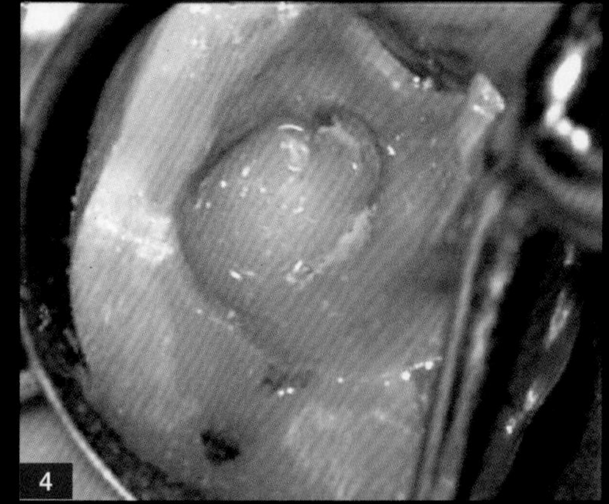

Figure 3: 고배율에서의 치수강 모습

Figure 4: 세척 및 소독액의 사용으로 충전재를 쉽게 제거할 수 있다.

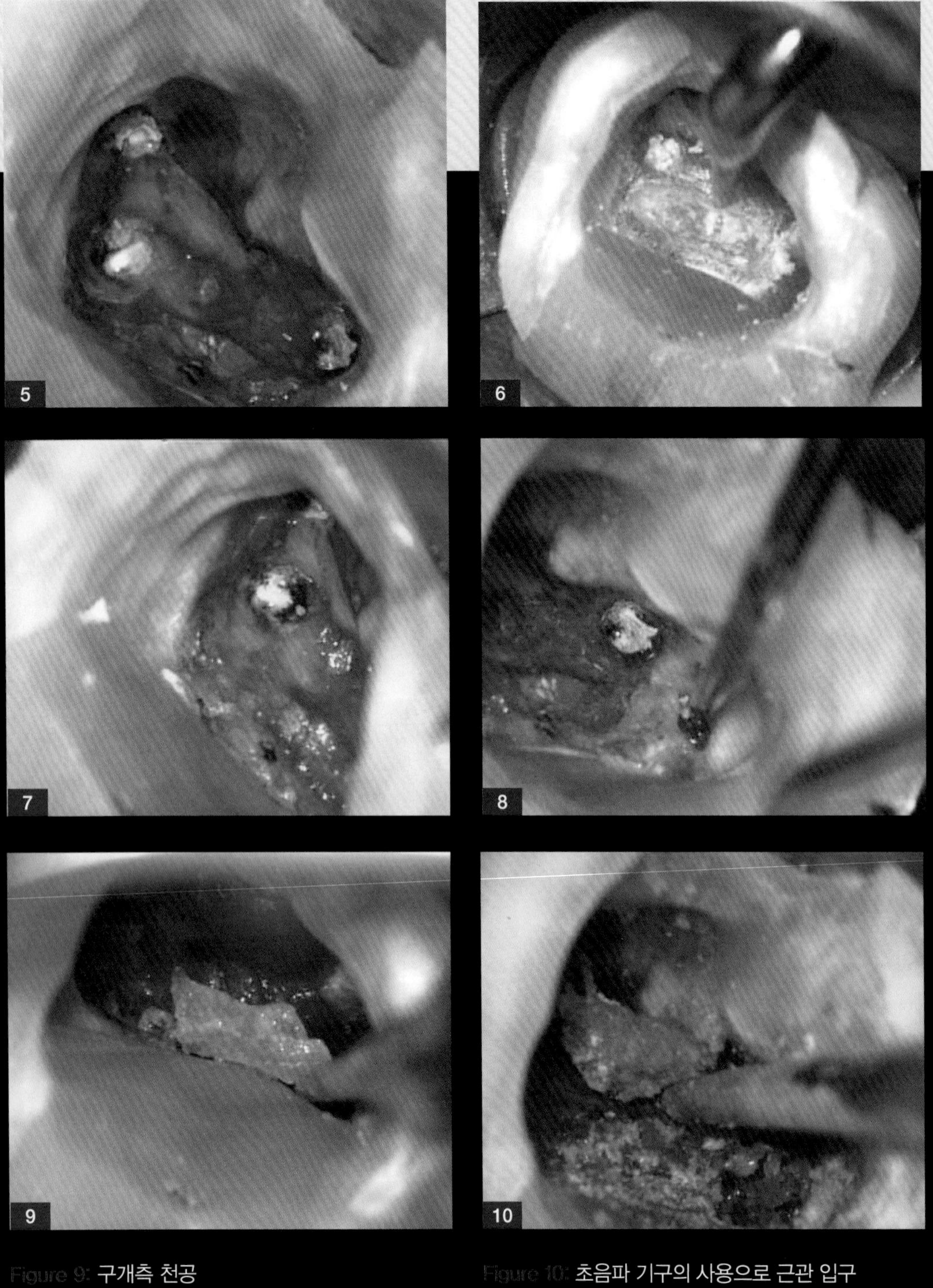

Figure 5: 여분의 충전재들을 제거하니 근관 입구로 예상되는 충전된 거타퍼챠 콘이 보인다.

Figure 6: 자세히 살펴보면 상아질이 실제 근관계의 구조를 숨기고 있음을 알 수 있다.

Figure 7: 실제 근관계의 구조가 상당히 다르고 추정된 근관 입구가 치수강저의 천공임이 분명해졌다.

Figure 8: 고배율에서의 협측 천공

Figure 9: 구개측 천공

Figure 10: 초음파 기구의 사용으로 근관 입구를 막고 있는 치수석의 제거가 가능하다.

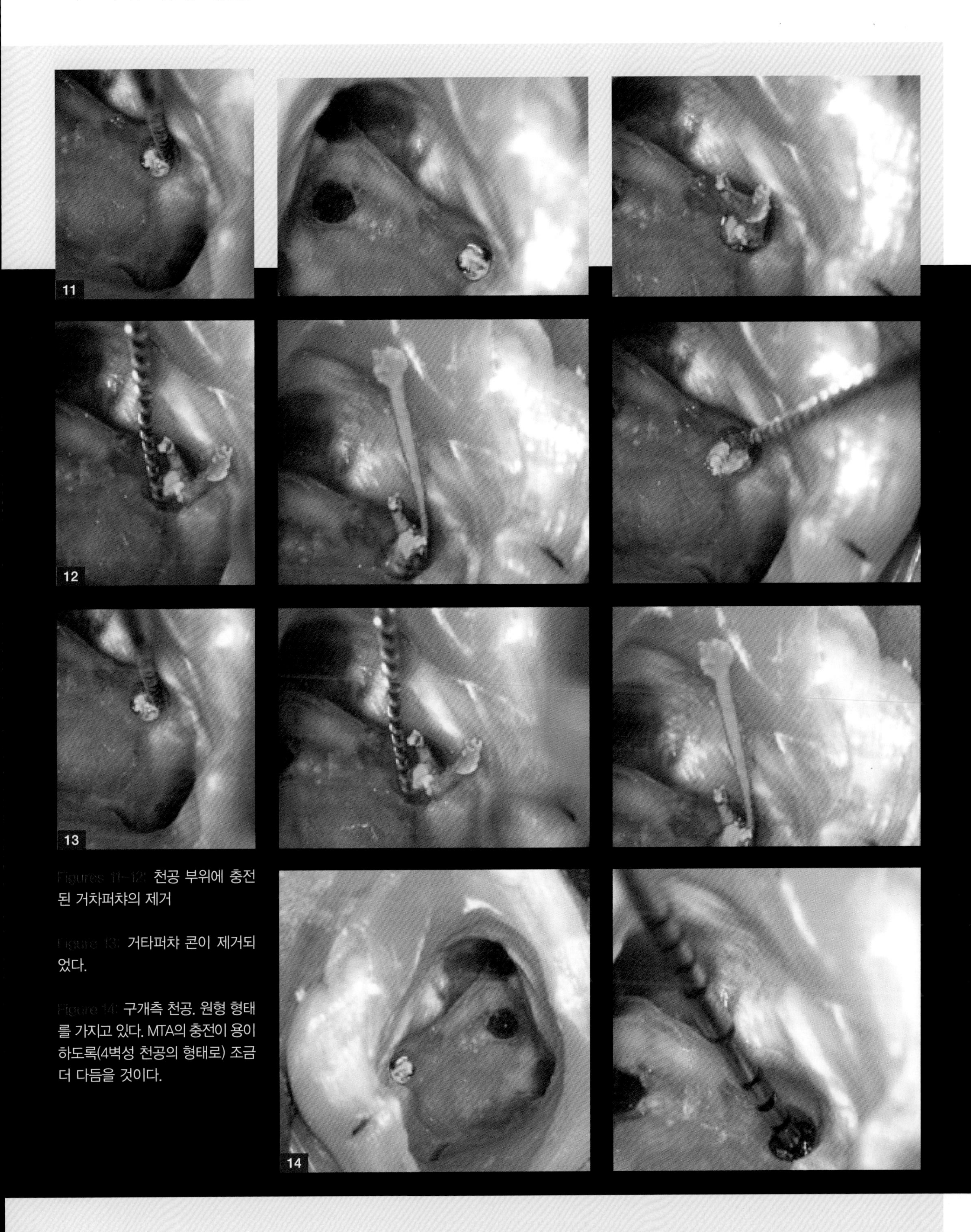

Figures 11–12: 천공 부위에 충전된 거차퍼챠의 제거

Figure 13: 거타퍼챠 콘이 제거되었다.

Figure 14: 구개측 천공. 원형 형태를 가지고 있다. MTA의 충전이 용이하도록(4벽성 천공의 형태로) 조금 더 다듬을 것이다.

Figure 15: 초음파 기구를 이용해 조정했다.

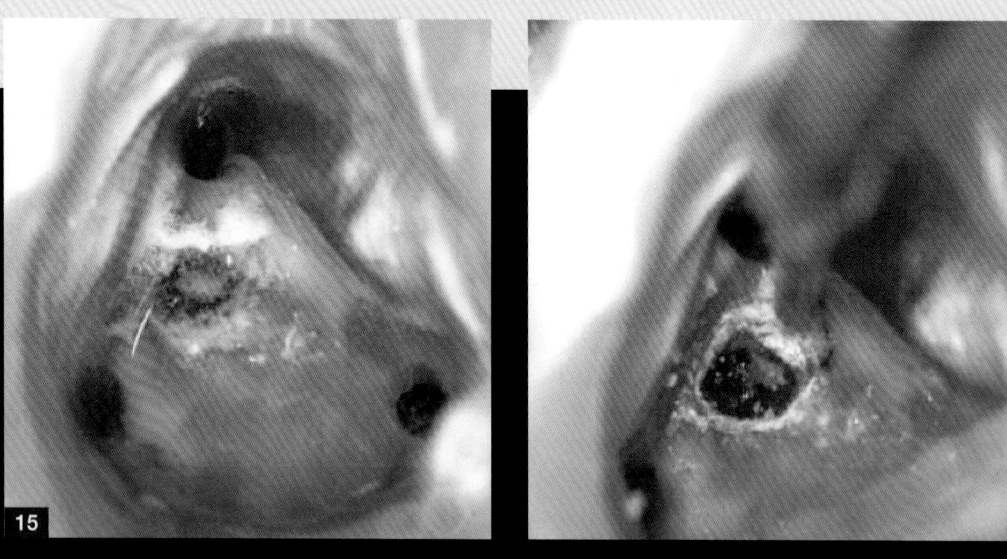

Figure 16: 이제 두 개의 천공이 모두 명확하게 보이고 수복이 가능하다.

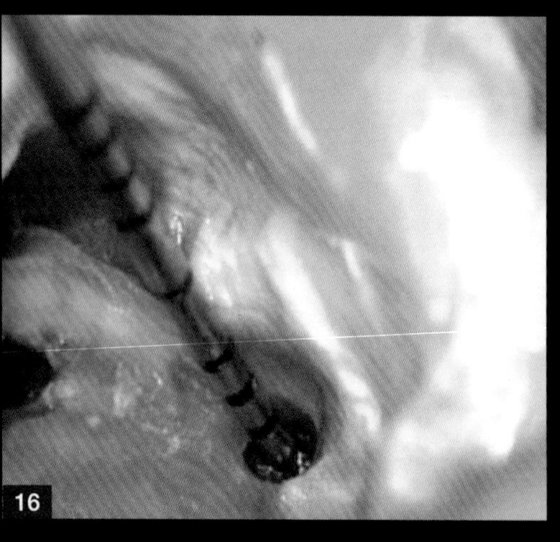

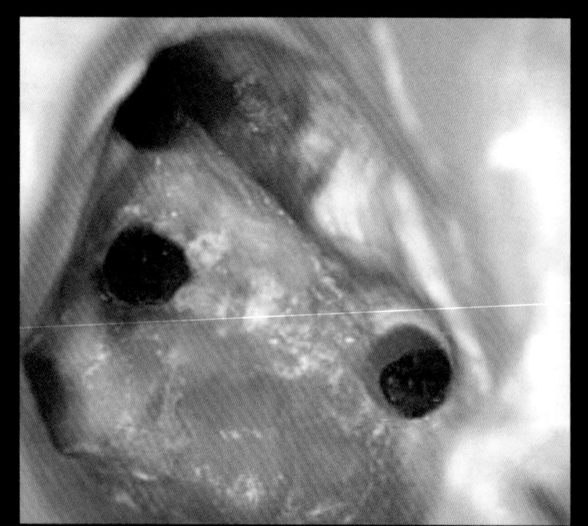

Figure 17: 천공 부위의 건조는 MTA가 씻겨내려가는 것을 방지하는 데 매우 중요하다.

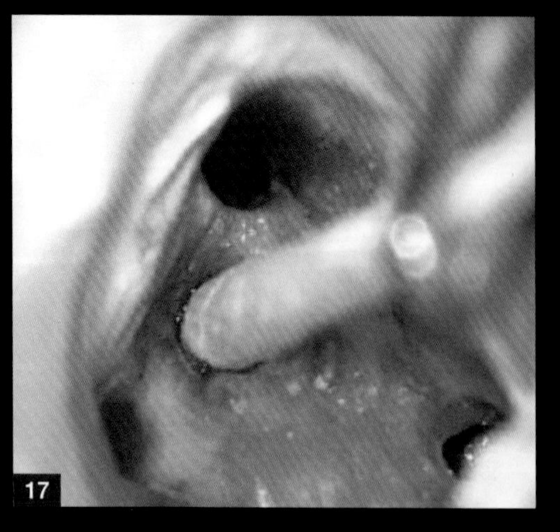

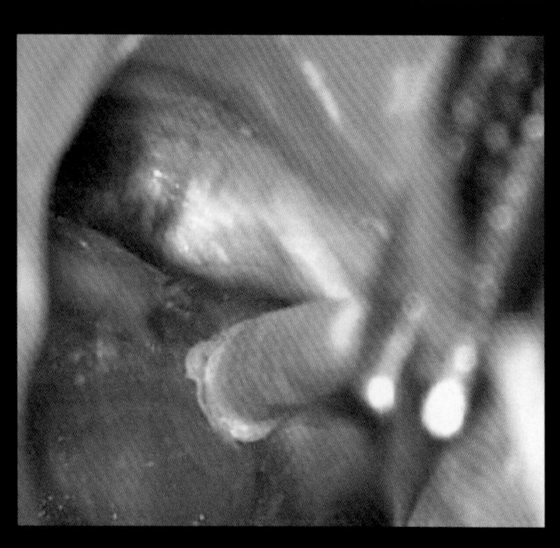

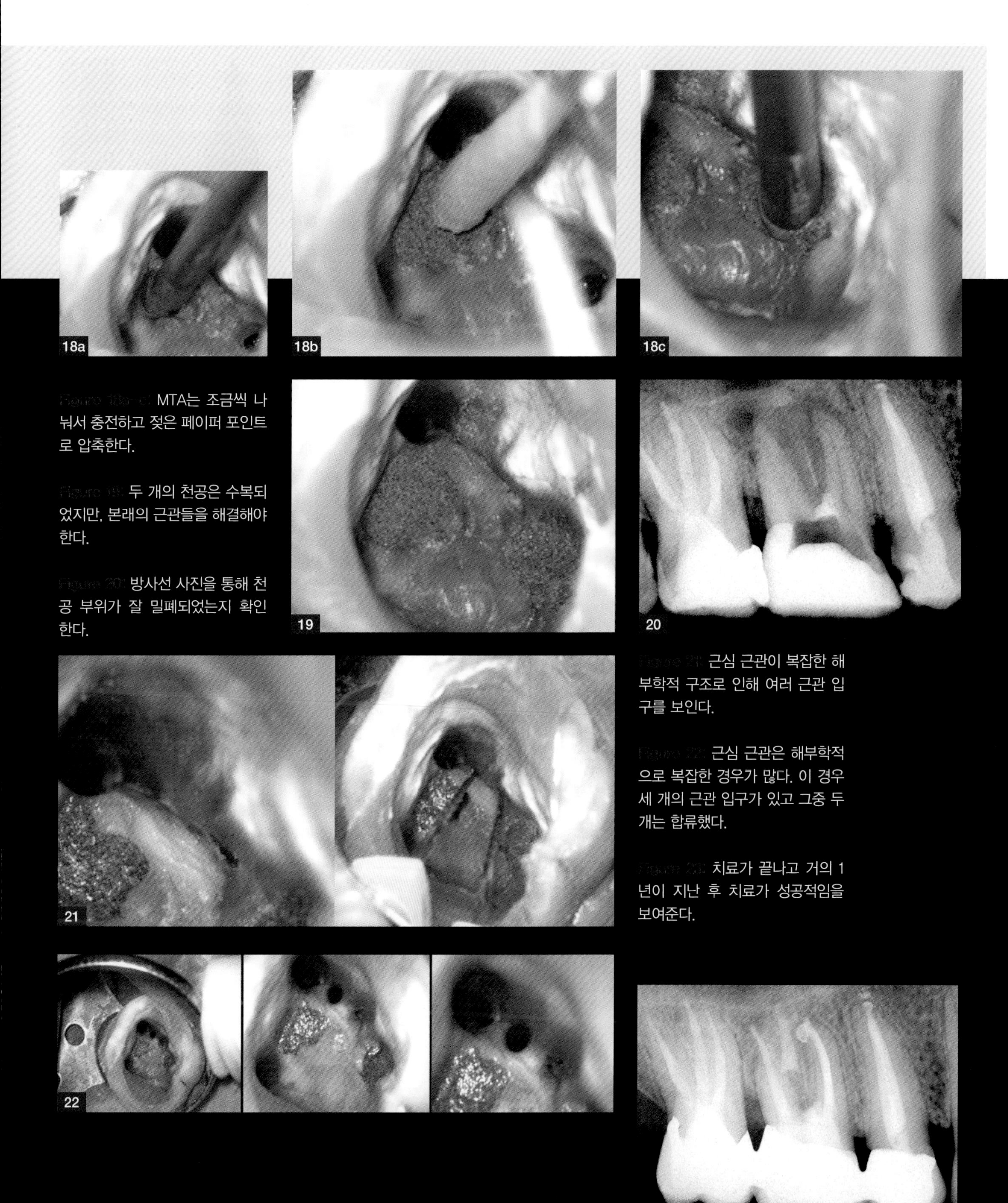

Figure 18a–c: MTA는 조금씩 나눠서 충전하고 젖은 페이퍼 포인트로 압축한다.

Figure 19: 두 개의 천공은 수복되었지만, 본래의 근관들을 해결해야 한다.

Figure 20: 방사선 사진을 통해 천공 부위가 잘 밀폐되었는지 확인한다.

Figure 21: 근심 근관이 복잡한 해부학적 구조로 인해 여러 근관 입구를 보인다.

Figure 22: 근심 근관은 해부학적으로 복잡한 경우가 많다. 이 경우 세 개의 근관 입구가 있고 그중 두 개는 합류했다.

Figure 23: 치료가 끝나고 거의 1년이 지난 후 치료가 성공적임을 보여준다.

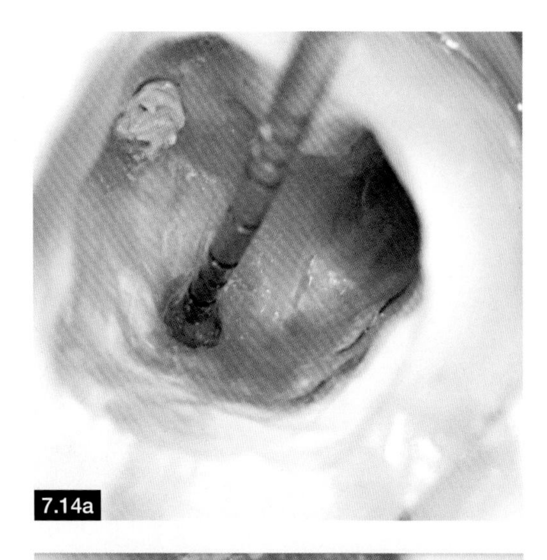

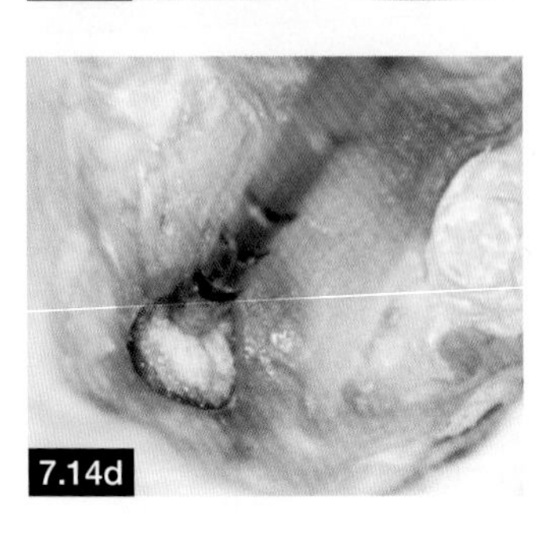

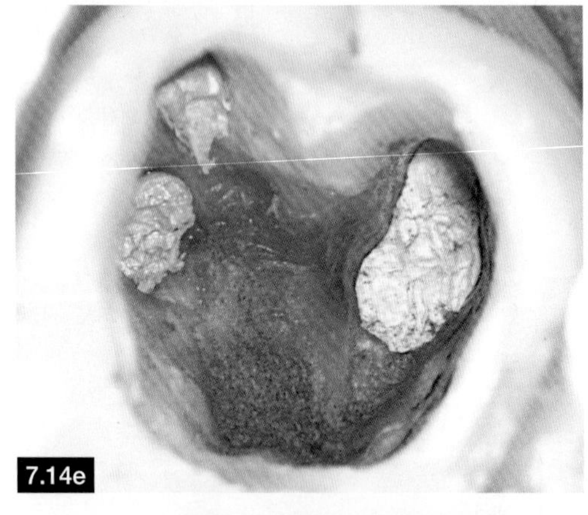

천공을 수복하기 전 충분한 지혈은 필수적이다.

천공수복재가 치주 조직으로 밀려들어가는 것을 방지하기 위해 생체친화적인 재흡수성 물질을(예: 콜라젠 스펀지) 먼저 삽입한 뒤(단, 천공된 내부의 공간을 채우지 않도록) 천공 수복재로 충전할 수 있다. 천공을 밀폐하기 위해 MTA 분말(ProRoot MTA, Dentsply Maillefer, Baillagues, Switzerland, gray and white)을 증류수와 3:1 비율로 혼합하여 사용한다.[50, 51]

MTA로 천공 부위를 수복할 때 특정한 도구를 사용하는데, 식염수에 살짝 적신 멸균된 페이퍼포인트 또는 면구를 사용하면 효과적으로 채워 넣을 수 있다.

천공 수복재의 경화를 위해 젖은 면구를 치수강내에 넣고 임시 충전으로 마무리한다.

48시간 후, 천공 수복재의 경화와 천공 부위의 밀폐가 확인한 뒤 근관치료를 이어서 진행한다.

근래에는 약 20분 정도면 경화되는 MTA와 유사한 재료도 천공 repair에 사용할 수 있다.

만약 천공 부위가 심각하게 오염된 상태라면 MTA[29]를 적용하기 전에 삼출물이 없도록 해당 부위에 수산화칼슘을 1주일 동안 첩약할 수 있다**(Fig. 7.15a–c)**.

치수강저가 아닌 근관 내부에 MTA를 적용하는 것 또한 "tunnel" 테크닉이라 정의된다**(Fig. 7.16a-c)**.

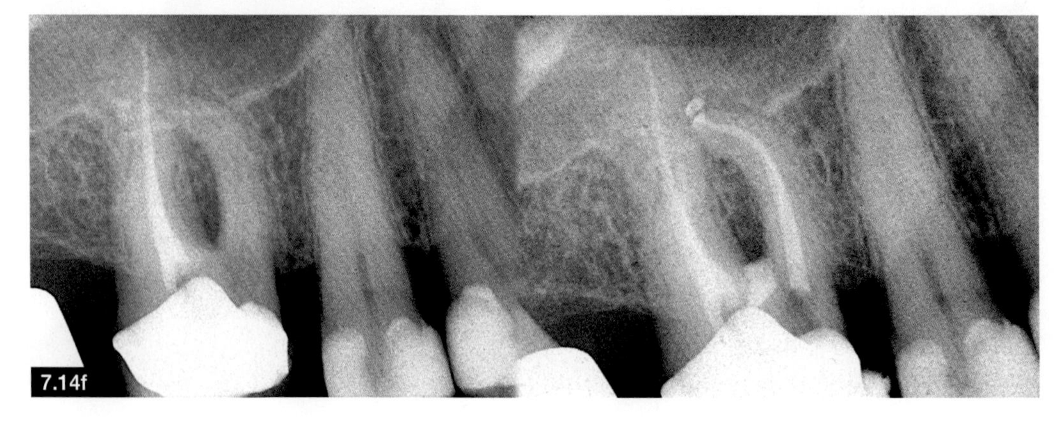

Fig. 7.14a-f: 치수강저의 천공**(a)**이 깊지 않아보인다**(b)**. 하지만 그만큼 천공 충전물의 유지력이 떨어진다. 재흡수성 재료로 barrie를 만든 뒤 거타퍼챠로 repair했다**(c–e)**. 추적관찰 방사선 사진**(f)**은 성공적인 치료를 보여준다.

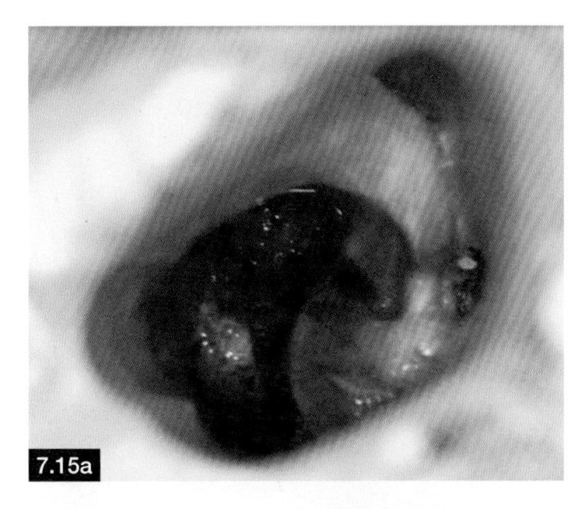

7.15a

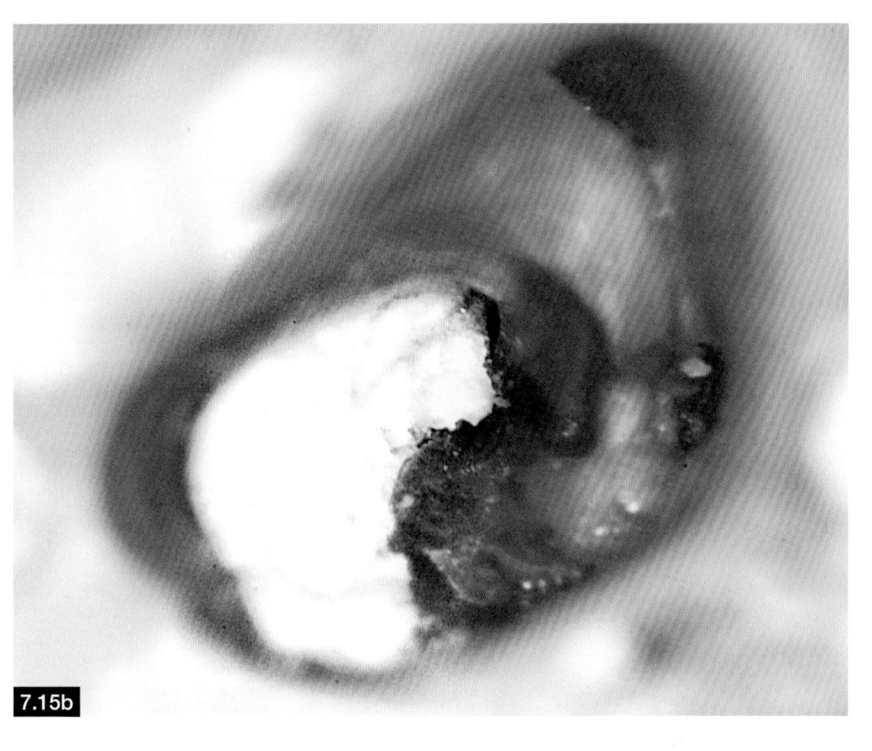

7.15b

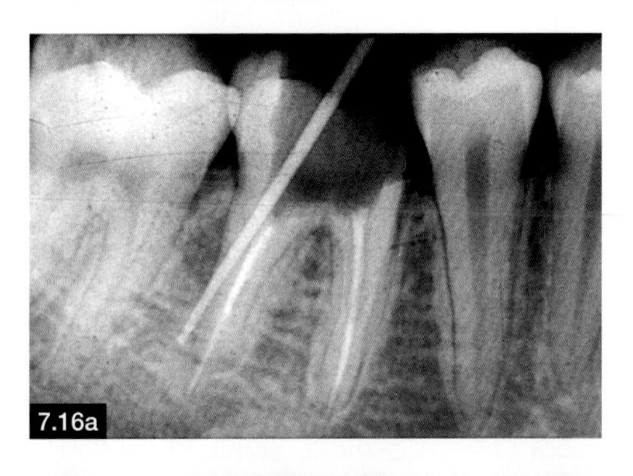

7.15c

Fig. 7.15a-c: 커다란 천공의 경우 첫 내원에 지혈 및 건조는 어렵다. 이러한 경우 수산화칼슘(a)을 첩약해서 다음 내원 시 수복 가능한 상태(c)로 만들어 주는 것이 중요하다.

1벽성 천공의 repair

1벽성 천공은 "stripping"이라고도 한다. Stripping은 치근의 어느 부위에서도 발생할 수 있으며 대부분의 경우 근관성형이나 포스트 식립을 위한 공간을 마련하는 도중 실수로 생긴다. 이는 잘못된 해부학적 지식 및 특정 영역의 상아질 두께를 잘못 계산한 결과이다. 상악, 하악 대구치 근심 치근의 원심 부위 그리고 상악 소구치의 근심 부위가 이에 해당한다. 천공이 middle 1/3 또는 coronal 1/3에 존재할 경우, 임상의는 천공의 범위 및 경계를 평가해야 한다. 경계의 경우 예후에 영향을 주는 요소이다. 경계의 윤곽이 잘 잡혀있다면 전통적인 방법인 "tunnel" 테크닉을 이용하는 것이 추천된다(Fig. 7.17a-d).
윤곽이 들쭉날쭉하거나 크기 자체가 충전재의 안정적인 충전이 불가능한 경우 "sandwich" 테크닉 방법을 이용하는 것이 추천된다(Fig. 7.18a–b).
"sandwich" 테크닉은 천공의 방향이 어느 쪽이든 길이가 2 mm 미만인 천공을 위한 이상적인 repair 방법이다. 길이가 2 mm 미만인 경우 보통 충전재의 안정성이 충분하지 않아 정확한 위치에서 유지되기 힘들다.

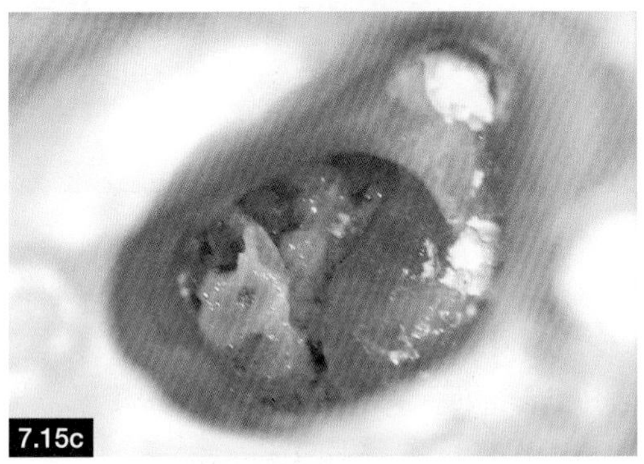

7.16a

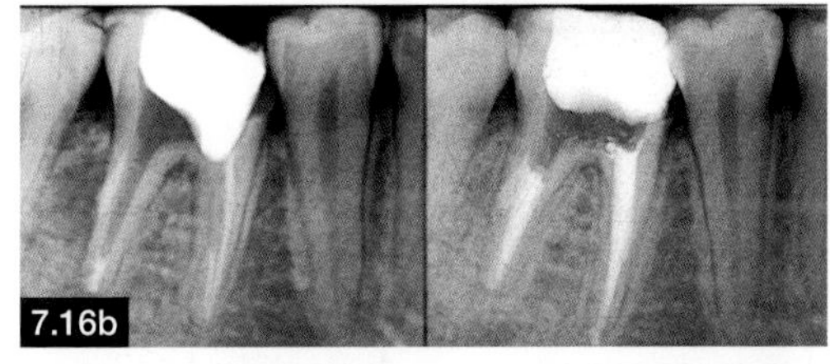

7.16b

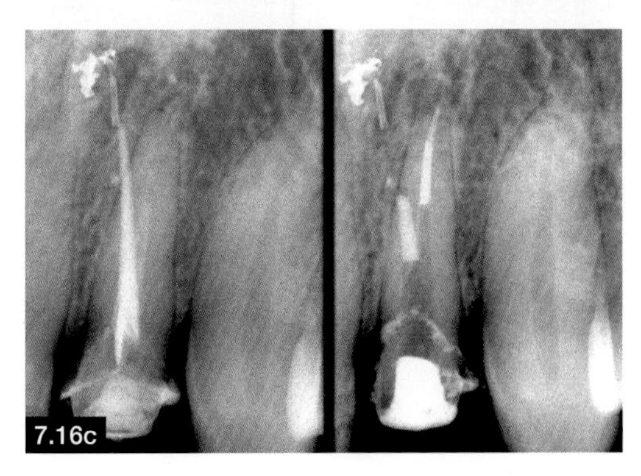

7.16c

Fig. 7.16a-c: (a) "tunnel" 테크닉으로 수복 가능한 두 가지 천공 증례. 하악 대구치의 원심 치근 middle 1/3에서 천공이 관찰된다. (b) 적어도 근관의 apical 1/3이 충전될 때까지 천공 부위의 repair은 연기되어야 하는데(c), 이는 천공 충전재의 오염을 방지하기 위해서이다.

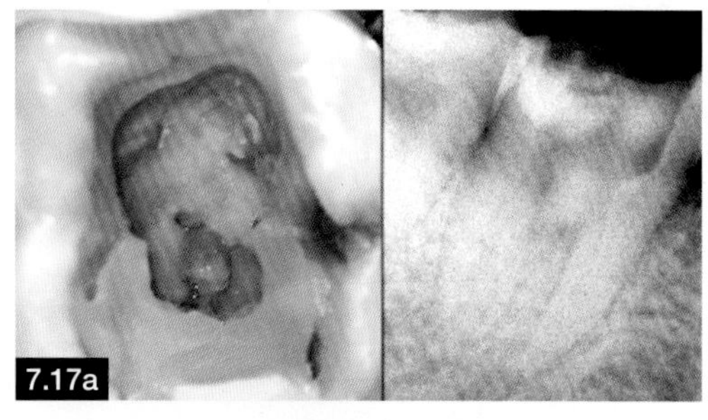

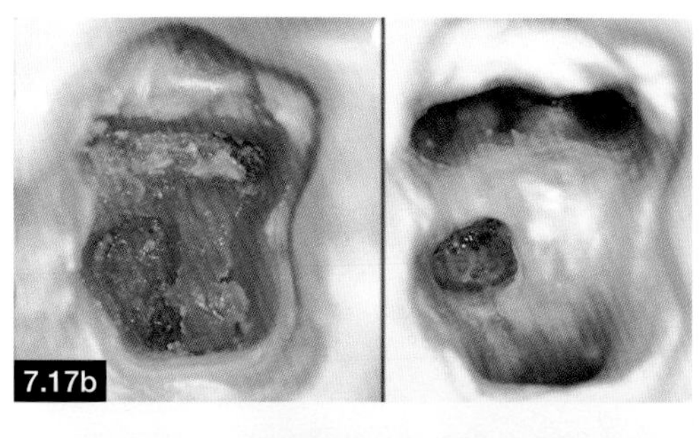

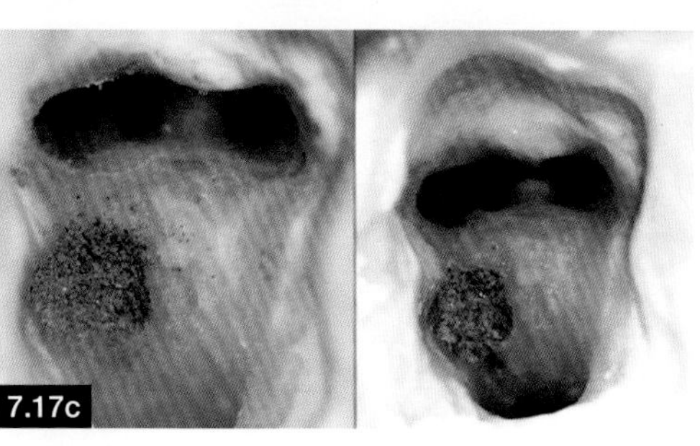

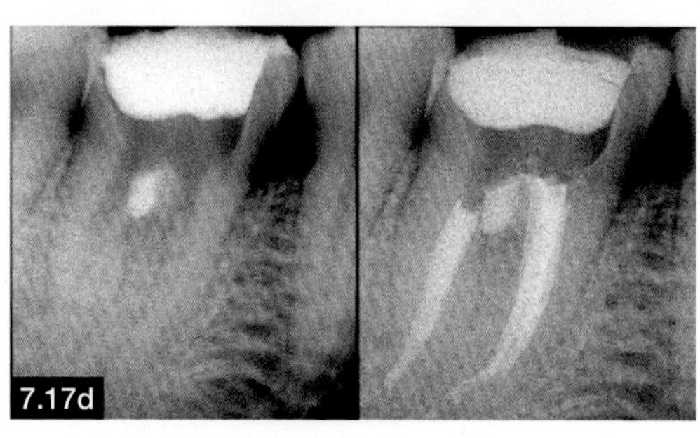

Fig. 7.17a-d: **(a)** 치수강저에 상당한 천공이 보인다. **(b)** 치수석의 제거. **(c)** 근관을 충전하기 전 먼저 천공을 repair했다. **(d)** 천공 repair의 확인 후 근관 충전을 완료했다.

따라서 수복 시 다른 충전재와 함께 사용되므로 “sandwich”라고 명명되었다. 이 술식은 근관의 치근단부를 성형 및 충전하고 남음 근관을 MTA로 충전하는 방법인데, 치근단부의 충전부는 MTA가 적절한 위치에서 유지되도록 한다.

천공 또는 stripping이 생길 경우 근관벽에서 불규칙한 모양을 가지게 된다. 때문에 MTA 충전 시 어느 정도 과잉의 MTA가 근관 내부를 부분적으로 막게 된다.

“Sandwich” 테크닉을 사용할 경우 임상의는 치근단부의 충전 시 천공 부위가 오염되지 않도록 매우 주의해야 한다.[30]

천공이 apical 1/3에서 생겼을 경우, 임상의는 천공 부위를 orthograde 방식으로 치료할 것인지 retrograde 방식으로 수복할 것인지 결정해야 한다. 정해진 규칙은 없지만 선택에 있어 사용하는 기구나 기계(예: 수술용 현미경)에 대한 충분한 경험이 필요하다.

또한, 근관과 치주조직의 교통로에 의한 것이든 병리적 또는 의원성 병소에 의한 것이든 치수-치주 병소를 다루는 것은 어려운 일이다. 왜냐하면 사실상 해결책이 모호하고 오늘날까지도 그 방법이 광범위하게 논의되고 있기 때문이다.

그러나 이번 장에서 강조된 진단-예후 평가의 요소와 이를 치료하는 데 적합한 수단 및 재료에 대한 지식은 상실될 수 있는 치아의 장기적이고 확실한 보존을 가능케한다.

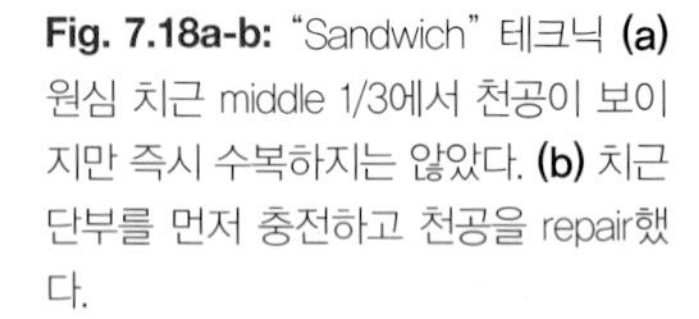

Fig. 7.18a-b: “Sandwich” 테크닉 **(a)** 원심 치근 middle 1/3에서 천공이 보이지만 즉시 수복하지는 않았다. **(b)** 치근단부를 먼저 충전하고 천공을 repair했다.

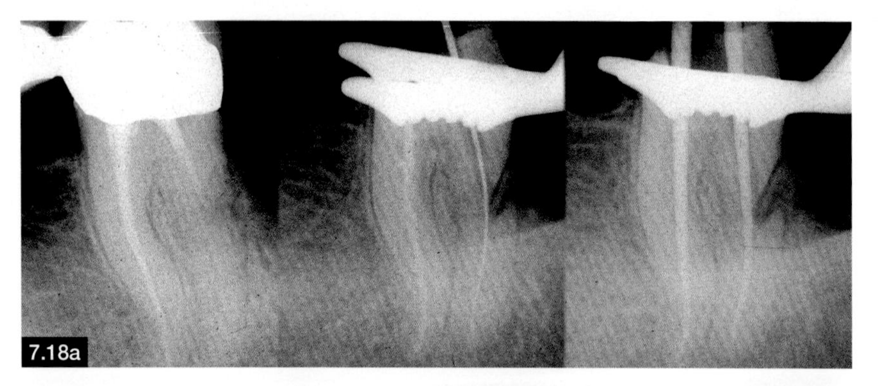

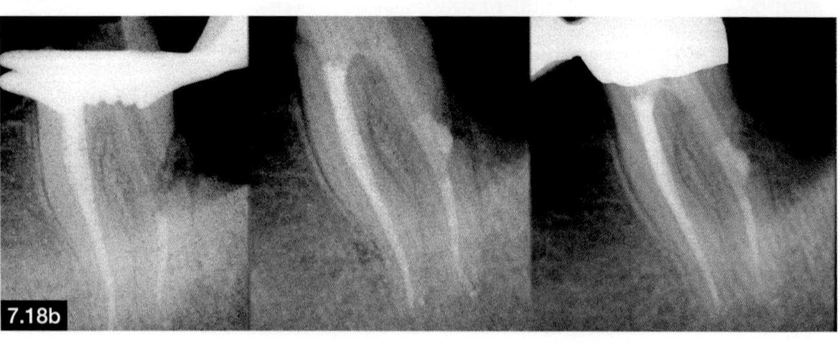

근단부 천공에 대한 orthograde 접근과 retrograde 접근

CASE REPORT 3

일반적으로 근단부 천공은 retrograde 접근으로 해결되어야 한다. 아래의 증례는 근단부에 파절된 기구로 인해 다른 방식으로 접근한 경우이다. Orthograde 접근으로 천공 부위를 수복한 후, 치근단 수술을 통한 retrograde 접근으로 천공의 밀폐를 다시 한번 확인해보기로 했다. 파절된 기구는 치근단 수술로 제거했다. 본 증례는 치료 후 17년 동안 추적관찰되었다.

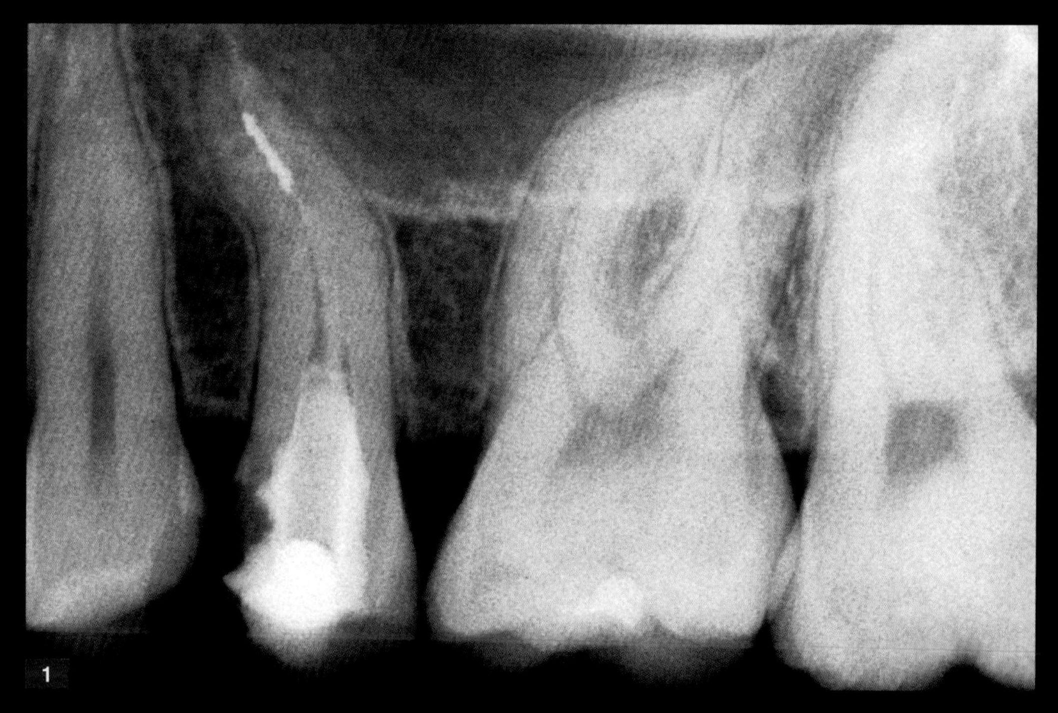

Figure 1: 근단부에 기구가 파절된 소구치가 의뢰되었다. 파절된 기구는 수술적 치료로 제거되어야겠지만 근관의 충전 또한 필요하다.

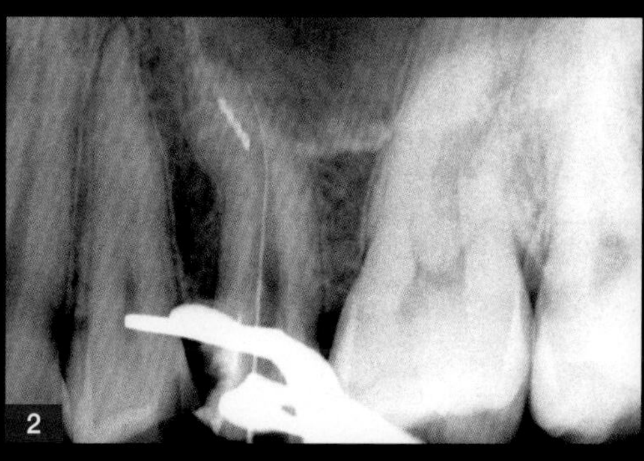

Figure 2: 근관에서 치근단공이 아닌 새로운 출구가 보인다. 파절된 기구를 제거하려 시도하다 생성된 천공으로 추측된다.

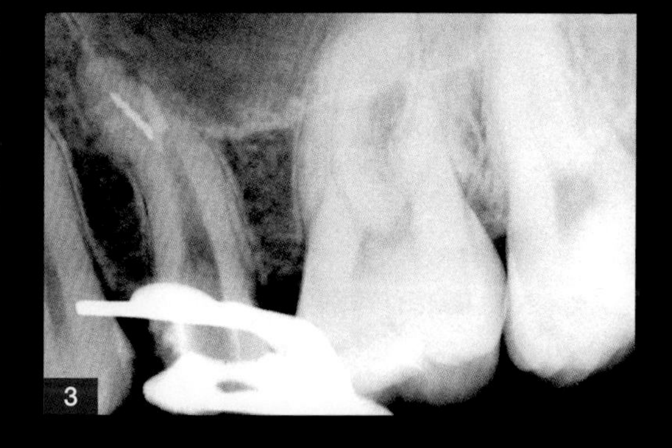

Figure 3: 천공은 근관 모양을 가지고 있었으며 MTA로 'apical plug'를 만들어 밀폐했다.

Figure 4: 파절된 기구를 제거하고 MTA로 충전된 천공부를 확인하려면 외과적 접근이 필요하다.

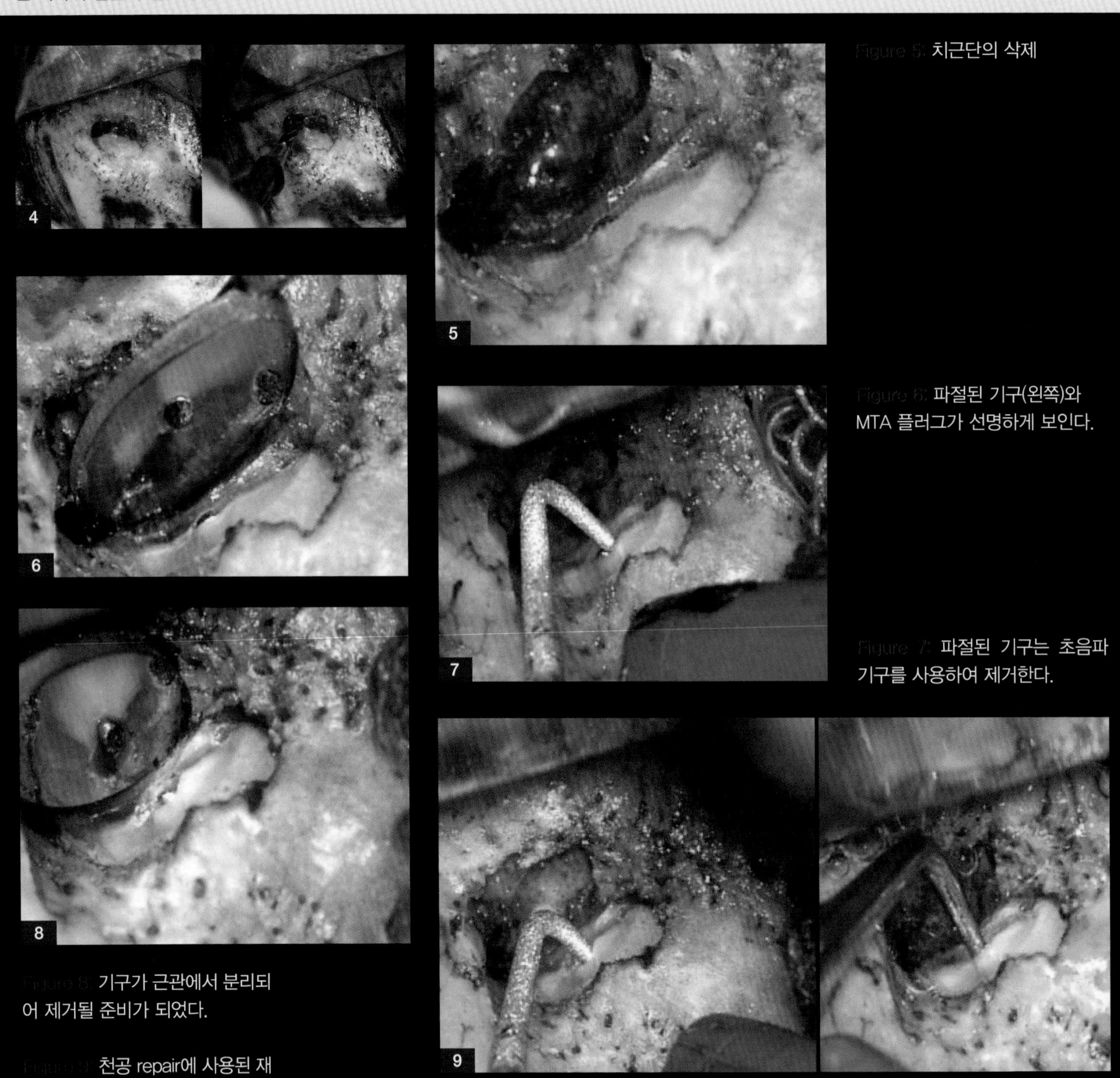

Figure 5: 치근단의 삭제

Figure 6: 파절된 기구(왼쪽)와 MTA 플러그가 선명하게 보인다.

Figure 7: 파절된 기구는 초음파 기구를 사용하여 제거한다.

Figure 8: 기구가 근관에서 분리되어 제거될 준비가 되었다.

Figure 9: 천공 repair에 사용된 재료인 MTA를 이용해 역충전했다.

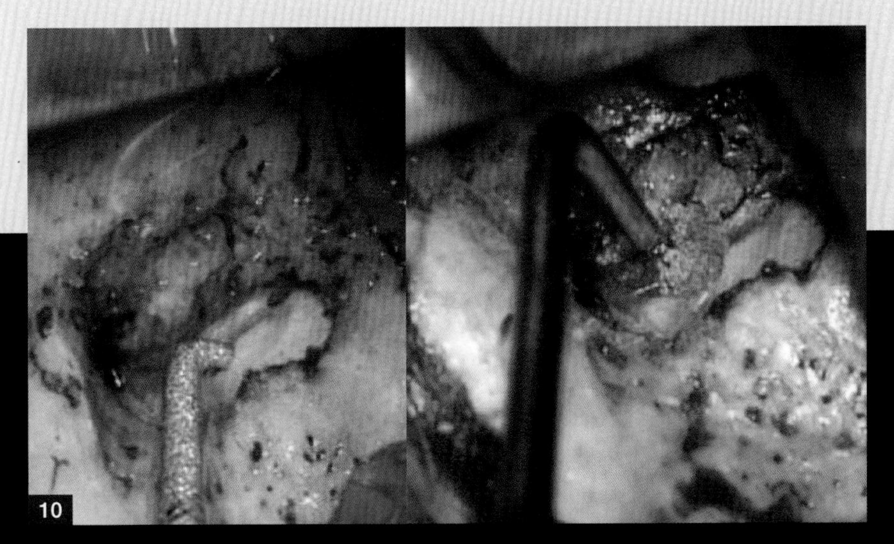

Figure 10: MTA를 역충전하는 모습

Figure 11: 두 개의 충전 부위가 보인다.

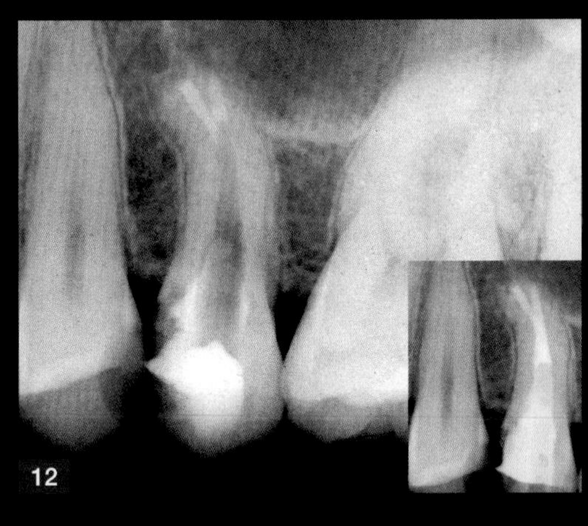

Figure 12: 두 개의 근단부 충전이 보인다. 남은 근관의 성형 및 충전이 필요하다.

Figure 13: 치료가 마무리되었다.

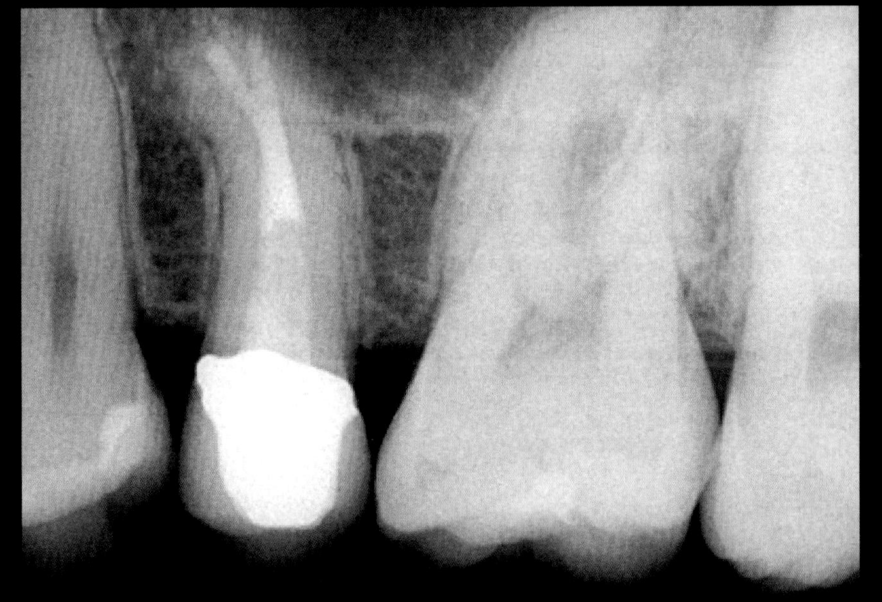

Figure 14: 17년 추적관찰 사진

참고문헌

1. Mjor IA, Nordahl I. *The density and branching of dentinal tubules in human teeth*. Arch Oral Biol. 1996;41:401–12.
2. Kobayashi T, Hayashi A, Yoshikawa R, Okuda K, Hara K. *The microbial flora from root canals and periodontal pockets of non-vital teeth associated with advanced periodontitis*. Int Endod J. 1990;23:100–6.
3. Kobayashi T, Nonomura G, Watanabe LG, Marshall GWJ, Marshall SJ. *Dentin tubule numerical density variations below the CEJ*. J Dent. 2008;36:953–8.
4. De Deus QD. *Frequency, location, and direction of the lateral, secondary, and accessory canals*. J Endod. 1975;1:361–6.
5. Burch JG, Hulen S. *A study of the presence of accessory foramina and the topography of molar furcations*. Oral Surg Oral Med Oral Pathol. 1974;38:451–5.
6. Gutmann JL. *Prevalence, location, and patency of accessory canals in the furcation region of permanent molars*. . J Periodontol. 1978;49:21–6.
7. Goldberg F, Massone EJ, Soares I, Bittencourt AZ. *Accessory orifices: anatomical relationship between the pulp chamber floor and the furcation*. J Endod. 1987;13:176–81.
8. Vertucci FJ. *Root canal morphology and its relationship to endodontic procedures*. Endo Topics. 2005;10:3–29.
9. Lindhe J, Nyman S, Lang NP. T*reatment Planning. Clinical Periodontology and Implant Dentistry*. 4th Edition. Oxford: Blackwell Publishing Company; 2003. p. 414–31.
10. Ricucci D, Siqueira JF, Jr. *Fate of the tissue in lateral canals and apical ramifications in response to pathologic conditions and treatment procedures*. J Endod. 2010;36(1):1–15.
11. Seltzer S, Bender IB, Ziontz M. *The interrelationship of pulp and periodontal disease*. Oral Surg Oral Med Oral Pathol. 1963;16:1474–90.
12. Seltzer S, Bender IB, Nazimov H, Sinai I. *Pulpitisinduced interradicular periodontal changes in experimental animals. J Periodontol*. 1967;38:124–9.
13. American AAOE. *Glossary of endodontic terms*. 8th ed. Chicago: Association of Endodontists; 2012.
14. Rotstein I. *Interaction between endodontics and periodontics*. Periodontol 2000. 2017;74(1):11–39.
15. de Sanctis M, Goracci C, Zucchelli G. *Long-term Effect on Tooth Vitality of Regenerative Therapy in Deep Periodontal Bony Defects: A Retrospective Study.* Int J Periodontics Restorative Dent. 2013;33(2):151–7.
16. Mandi FA. *Histological study of the pulp changes caused by periodontal disease.* J Br Endod Soc. 1972;6:80–2.
17. Adriaens PA, Edwards CA, De Boever JA, Loesche WJ. *Ultrastructural observations on bacterial invasion in cementum and radicular dentin of periodontally diseased human teeth.* J Periodontol. 1988;59:493–503.
18. Simon JH, Glick DH, Frank AL. *The relationship of endodontic-periodontic lesions*. J Periodontol. 1972;43:202-208.
19. Herrera D, Retamal-Valdes B, Alonso B, & Feres M. *Acute periodontal lesions (periodontal abscesses and necrotizing periodontal diseases) and endo-periodontal lesions.* Journal of Clinical Periodontology. 2018;45(Suppl 1):S78-S94.
20. Al–Fouzan KS. *A new classification of endodontic-periodontal lesions.* Int J Dent. 2014;2014:919173.
21. Papapanou PN, Sanz M, Buduneli N, Dietrich T, Feres M, Fine DH, et al. *Periodontitis: Consensus report of workgroup 2 of the 2017 World Workshop on the Classification of Periodontal and Peri-Implant Diseases and Conditions.* Journal of Clinical Periodontology. 2018;45(Suppl 20):S162-S170.
22. Rotstein I, Simon JHS. T*he endo-perio lesion: a critical appraisal of the disease condition.* Endo Topics. 2006;13:34–56.
23. Chapple I, Lumley PJ. *The periodontal-endodontic interface.* Dental update. 1999;26:331–4.
24. Tawil PZ, Duggan DJ, Galicia JC. *Mineral Trioxide Aggregate (MTA): its history, composition and clinical application.* Compend Contin Educ Dent. 2015;36(4):247–52.
25. Kang JS, Rhim EM, Huh SY, Ahn SJ, Kim DS, Kim SY, et al. *The effects of humidity and serum on the surface microhardness and morphology of five retrograde filling materials.* Scanning. 2012;34(4):207–14.
26. Balachandran J, Gurucharan. *Comparison of sealing ability of bioactive bone cement, mineral trioxide aggregate and super EBA as furcation repair materials: a dye extraction study.* J Conserv Dent JCD. 2013;16(3):247–51.
27. Castellucci A. *The use of mineral trioxide aggregate to repair iatrogenic perforations.* Dentistry today. 2008;27(9):74–80.
28. Tsesis I, Rosenberg E, Faivishevsky V, Kfir A, Katz M, Rosen E. *Prevalence and associated periodontal status of teeth with root perforation: a retrospective study of 2,002 patients' medical records.* J Endod. 2010;36(5):797–800.
29. Gorni FG, Gagliani MM. *The outcome of endodontic retreatment: a 2-yr follow-up.* J Endod. 2004;30(1):1–4.
30. Clauder T, Shin S-J. *Repair of perforations with MTA: clinical applications and mechanisms of action.* Endo Topics. 2006;15:32–55.
31. Kvinnsland I, Oswald RJ, Halse A, Gronningsaeter AG. *A clinical and roentgenological study of 55 cases*

of root perforation. Int Endod J. 1989;22:75–84.
32. Fuss Z, Trope M. *Root perforations: classification and treatment choices based on prognostic factors.* Endod Dent Traumatol. 1996;12:255–64.
33. Main C, Mirzayan N, Shabahang S, Torabinejad M. *Repair of root perforations using mineral trioxide aggregate: a long-term study*. J Endod. 2004;30:80–3.
34. Pace R, Giuliani V, Pagavino G. *Mineral trioxide aggregate as repair material for furcal perforation: case series*. J Endod. 2008;34:1130–3.
35. Parirokh M, Torabinejad M. *Mineral trioxide aggregate: a comprehensive literature review - Part I: chemical, physical, and antibacterial properties.* J Endod. 2010;36(1):16–27.
36. Parirokh M, Torabinejad M. *Mineral trioxide aggregate: a comprehensive literature review - Part III: clinical applications, drawbacks, and mechanism of action.* J Endod. 2010;36:400–3.
37. Torabinejad M, Parirokh M. *Mineral trioxide aggregate: a comprehensive literature review - Part II: leakage and biocompatibility investigations.* J Endod. 2010;36(2):190–202.
38. Asgary S, Motazedian HR, Parirokh M, Eghbal MJ, Kheirieh S. *Twenty years of research on mineral trioxide aggregate: a scientometric report*. Iran Endod J 2013;8:1–5.
39. Krupp C, Bargholz C, Brusehaber M, Hulsmann M. *Treatment outcome after repair of root perforations with mineral trioxide aggregate: a retrospective evaluation of 90 teeth*. J Endod. 2013;39(11):1364–8.
40. Pontius V, Pontius O, Braun A, Frankenberger R, Roggendorf MJ. *Retrospective evaluation of perforation repairs in 6 private practices*. J Endod. 2013;39(11):1346–58.
41. Mente J, Hage N, Pfefferle T, Koch MJ, Geletneky B, Dreyhaupt J, et al. *Treatment outcome of mineral trioxide aggregate: repair of root perforations*. J Endod. 2010;36(2):208–13.
42. Mente J, Leo M, Panagidis D, Saure D, Pfefferle T. *Treatment outcome of mineral trioxide aggregate: repair of root perforations-long-term results*. J Endod. 2014;40(6):790–6.
43. Gorni FG, Andreano A, Ambrogi F, Brambilla E, Gagliani M. *Patient and Clinical Characteristics Associated with Primary Healing of Iatrogenic Perforations after Root Canal Treatment: Results of a Long-term Italian Study*. J Endod. 2016;42(2):211–5.
44. Gandolfi MG, Taddei P, Tinti A, Prati C. *Apatite-forming ability (bioactivity) of ProRoot MTA*. Int Endod J. 2010;43(10):917–29.
45. Hashem AA, Wanees Amin SA. *The effect of acidity on dislodgment resistance of mineral trioxide aggregate and bioaggregate in furcation perforations: an in vitro comparative study*. J Endod. 2012;38(2):245–9.
46. Mori GG, Teixeira LM, de Oliveira DL, Jacomini LM, da Silva SR. *Biocompatibility evaluation of biodentine in subcutaneous tissue of rats*. J Endod. 2014;40(9):1485–8.
47. Silva LAB, Pieroni K, Nelson-Filho P, Silva RAB, Hernandez-Gaton P, Lucisano MP, et al. *Furcation Perforation: Periradicular Tissue Response to Biodentine as a Repair Material by Histopathologic and Indirect Immunofluorescence Analyses.* J Endod. 2017;43(7):1137–42.
48. Gorni FGM. "Endodonzia Chirurgica". In: Berutti E, Gagliani M, (editors). *Manuale di Endodonzia*. Milano: Edra. 2013. p. 2–27.
49. Gorni FGM, Cerutti F. *Il ruolo degli ultrasuoni nel ritrattamento ortogrado*. Il Dentista Moderno. 2012;1:86–93.
50. Roberts HW, Toth JM, Berzins DW, Charlton DG. *Mineral trioxide aggregate material use in endodontic treatment: a review of the literature*. Dent Mater. 2008;24:149–64.
51. Basturk FB, Nekoofar MH, Gunday M, Dummer PM. *The effect of various mixing and placement techniques on the compressive strength of mineral trioxide aggregate*. J Endod. 2013;39(1):111–4.

치근단 병소의 치료를 위한 치근단 수술의
주요 **적응증**을 알아본다.

치근단 수술을 필요로 하는 복잡한 케이스를 위한
최적의 접근 방법과 **기술**을 알아본다.

수술 후 장단기적으로 보여질 수 있는 결과와
수술 술식에 대한 많은 임상 사진을 살펴본다.

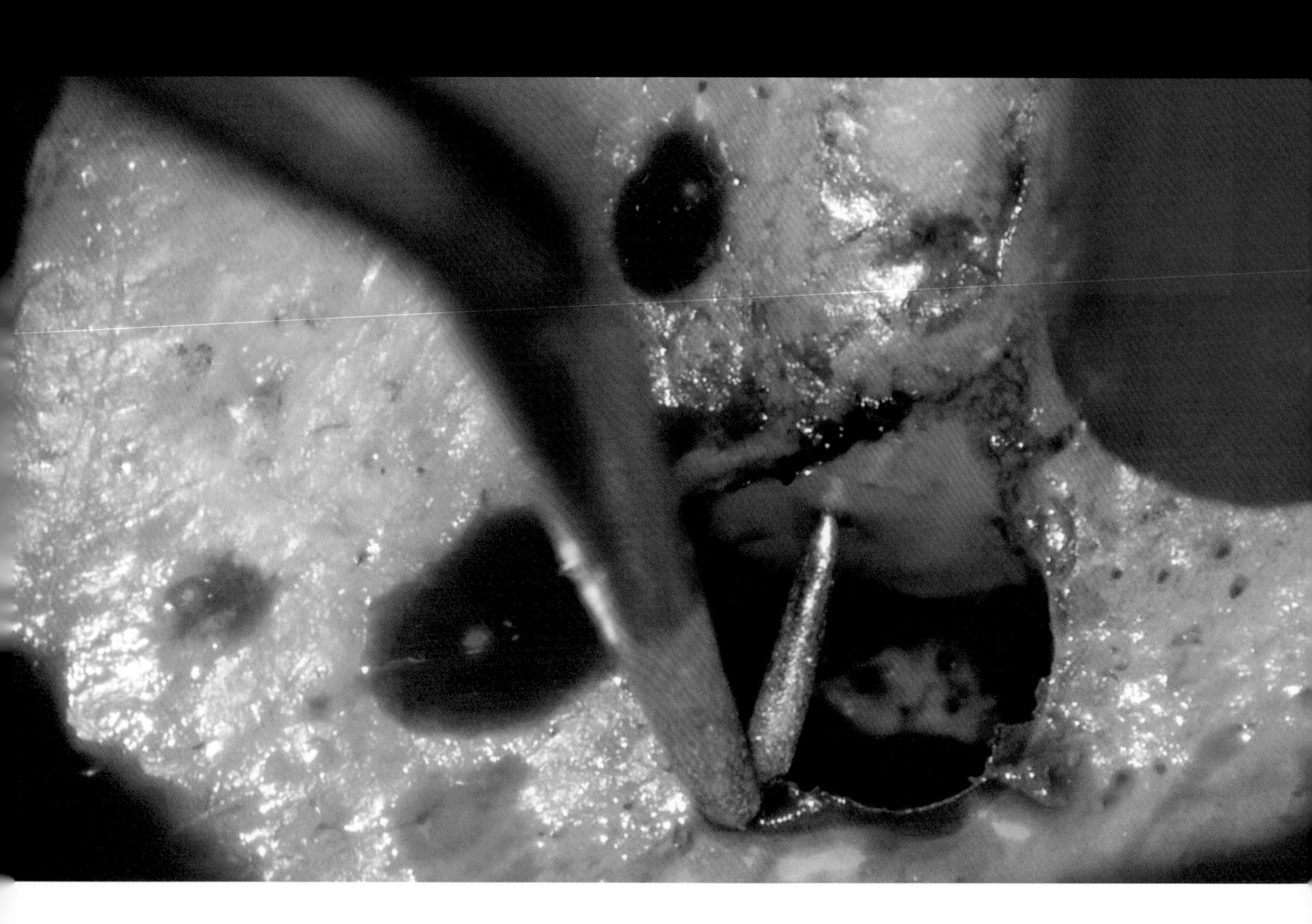

Francesca Cerutti, Fabio Gorni

08

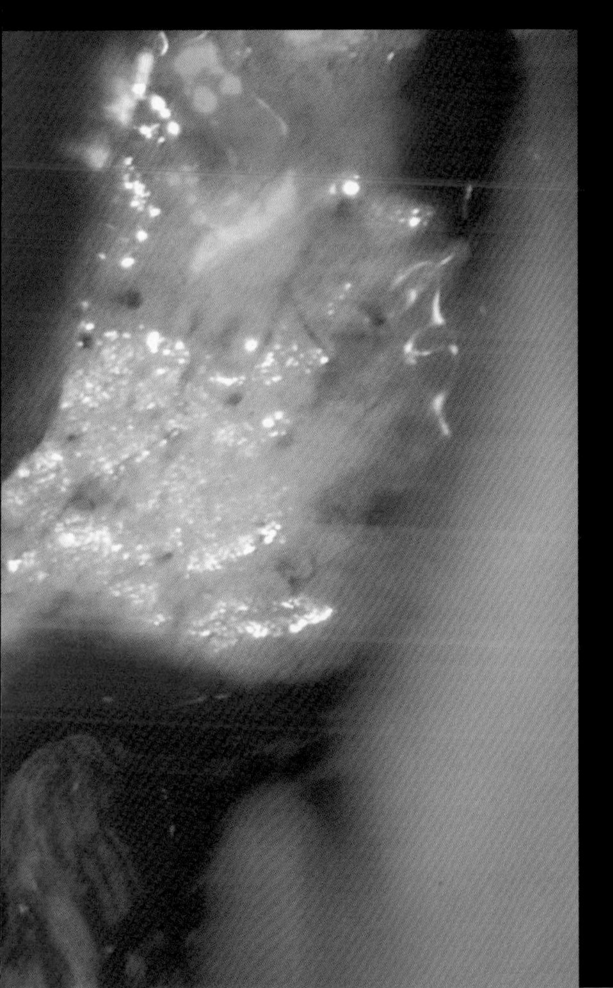

외과적 근관치료

치근단 병소의 치료를 위한 대체 접근법

머리말

외과적 근관치료는 재근관치료로 치유되지 않는 감염부터 근관외 감염에 이르기까지 다양한 요인으로 인해 orthograde 접근으로 해결할 수 없는 치아 병소의 주요한 치료 방법이다. 다른 원인 중에는 콜레스테롤 결정으로 가득 찬 낭성 병소를 만드는 이물 반응이 가장 일반적이다.

제거 불가능한 보철물이나 근관내 포스트, 근관의 의원성 변이 또는 석회화, apical 1/3의 천공과 같은 일부 경우에는 일반적인 근관치료가 불가능하다.[1, 2]

이러한 경우는 **Table 8.1**에 요약되어 있다.

Table 8.1 **CASES THAT CAN BE RESOLVED BY SURGICAL ENDODONTICS**

Infections/Injury	Factors related to the morphology or content of the endodontium	Factors related to the reconstruction of the tooth
Persistent or refractory endodontic lesions	Perforations of the apical third	Crowns or bridges recently executed
Intraradicular infections that cannot be treated with an orthograde approach	Blocks or obliterations of the canal light	Intracanal posts
Extraradicular infections (the cement of the root surface is colonized by bacteria)	Well-executed canal treatments in which the orthograde approach cannot easily achieve positive results	
Reactions caused by foreign bodies/ periradicular cysts		

적응증

앞서 언급한 바와 같이 1차 근관치료는 생활력이 있는 치아의 경우 2.7%에서 17.2%, 치근단 병소가 있는 치아의 경우 14%에서 24.4% 정도의 실패율을 갖는다.[3, 4] 1차 근관치료의 실패는 때때로 짧은 시간 내에 분명하게 나타나며 많은 경우 재근관치료를 통해 해결될 수 있다.[1, 5]

근관치료의 성공을 평가하는 데 사용되는 기준이 표준화되어 있진 않지만,[6] 크기가 5 mm를 초과하는 방사선학적으로 명백한 병소, 누공, 근관의 의원성 손상(middle 또는 apical 1/3)이 근관치료의 성공에 부정적인 영향을 미칠 수 있다는 것이 공통적인 의견이다.[3]

또한, 치아가 orthograde 접근이 불가능하거나 재근관치료가 성공하지 못할 수 있는데, 이러한 경우 외과적 근관치료가 고려되어야 한다.[1]

모든 치아가 일반적인 근관치료로 회복되지 않는 이유는 근관의 복잡한 해부학적 구조로 인해 근관의 일부가 성형, 세척 및 충전되지 않기 때문이다. 따라서 그러한 공간에 세균이 증식하고 감염 및 염증을 일으킨다.

외과적 근관치료는 주로 기존 방식의 근관치료보다 더 나은 대안으로서 선택된다. 치근단 수술은 성공률을 고려한 비용–편익 분석에 있어 재근관치료보다 더 나은 선택으로 보여진다.[7, 8]

외과적 근관치료가 일반적인 근관치료보다 선호되는 다른 상황으로는 치아에 제거할 수 없는(또는 의도하지 않은) 수복물이 있거나, 수복물이 제거될 경우 치아의 생존이 매우 위험한 경우이다(**Fig. 8.1a-c**).[7]

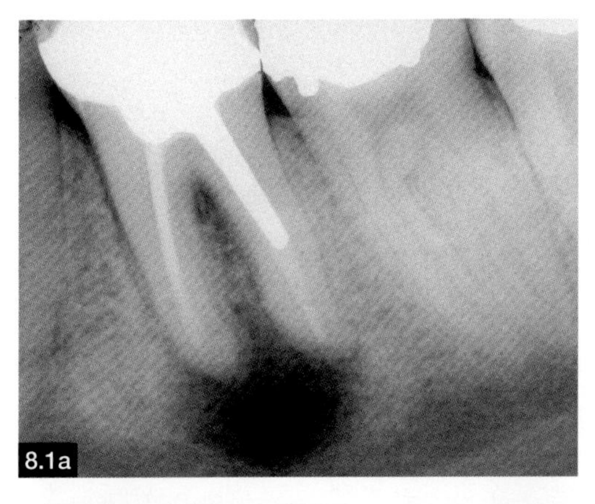

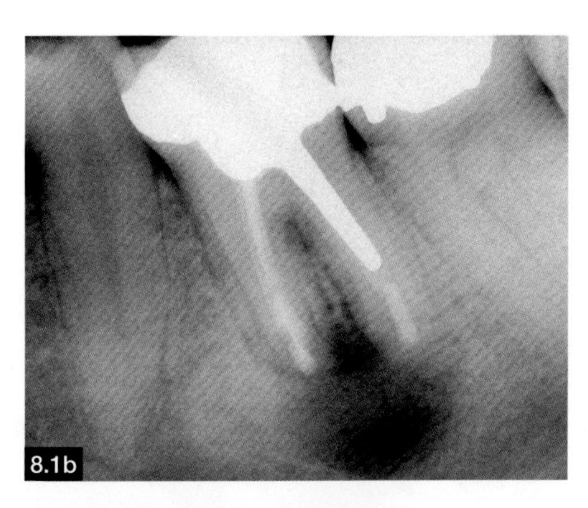

Fig. 8.1a: 근단 병소를 보이는 하악 좌측의 제1대구치. 잘 마무리되지 않은 근관치료와 원심 치근의 큰 주조 포스트가 보인다.

Fig. 8.1b: 포스트의 제거가 쉽지 않고 제거 시 치근 파절의 위험성이 있으므로 양측 치근 모두 외과적 근관치료를 시행했다. 방사선 사진은 수술 직후의 모습을 보여준다.

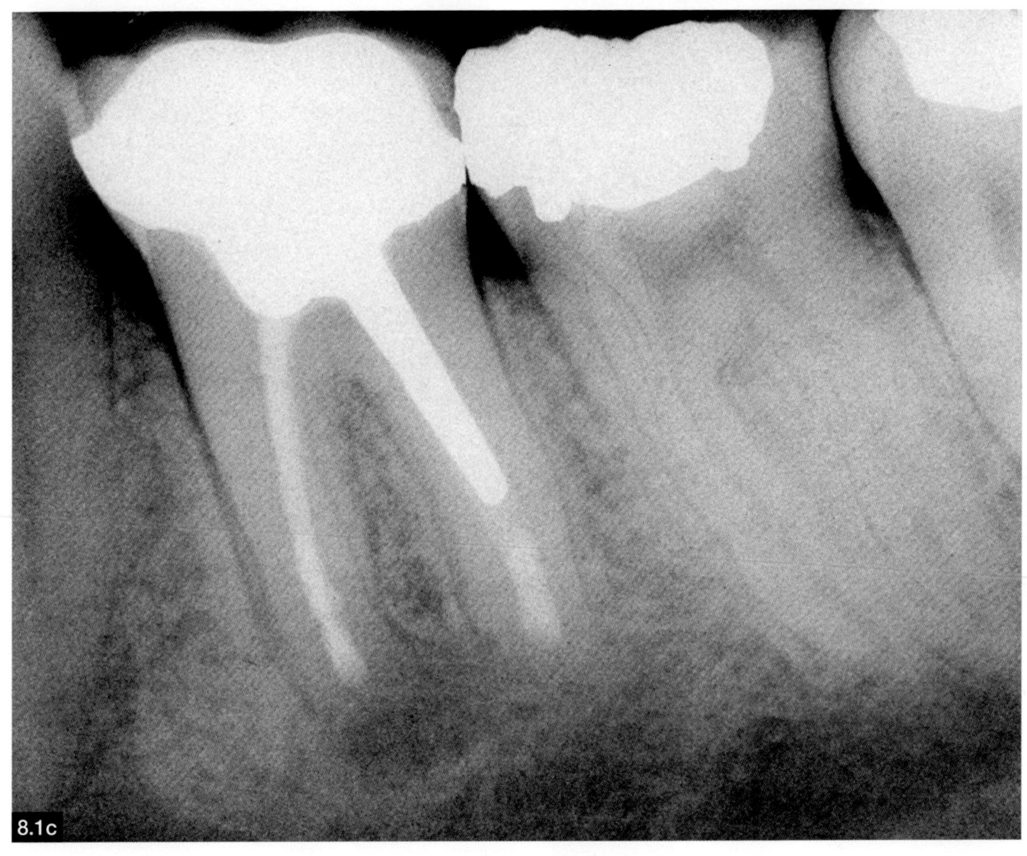

Fig. 8.1c: 1년 추적관찰에서 근난 병소는 거의 치유되었다. 원심 치근의 병소는 사라졌고 근심 치근 병소의 크기가 현저히 감소했다. 병소가 완전히 사라질 때까지 6개월마다 치유 양상을 확인할 예정이다.

예후

국제적으로 많은 논문에서 여러 가지 다른 방법으로 외과적 근관치료를 주제로 다루었으며 각각의 데이터는 일치하지 않을 수 있다.

1990년대에 시행된 외과적 치료의 성공률은 약 59%이며, 가장 최근의 분석은 수술 후 1–10년 후 93%[6, 9]의 성공률을 보여주며 평가 기준은 방사선 및 임상 데이터이다.

수술용 현미경[9]과 초음파 기구[11]의 이용, 생체친화적인 친수성 충전 재료[12, 13]의 도입으로 외과적 근관치료는 엄청나게 발전했고 이는 높은 성공률[9, 14]로 이어졌다.

2000년 정도까지는 수술 시 45도의 각도로 근단을 절제하고 드릴을 이용해 근관와동을 형성했다. 또한 근관의 해부학적인 병인을 고려하지 않았고 와동을 역충전하기 어려웠다.

마지막으로, 아말감을 이용한 역충전은 치근단부가 효과적으로 밀폐되지 않아 치유가 좋지 않았다(**Fig. 8.2a-e**).[11, 15]

생체 적합성 물질

치근단의 밀폐를 개선하고 치유를 촉진하여 성공적인 치근단 수술을 돕는다.

▶ *continue* to page *412*

외과적 근관치료에서 수술 현미경의 중요성

적절한 배율과 조명이 없는 경우 외과적 수술은 권장되지 않는다.

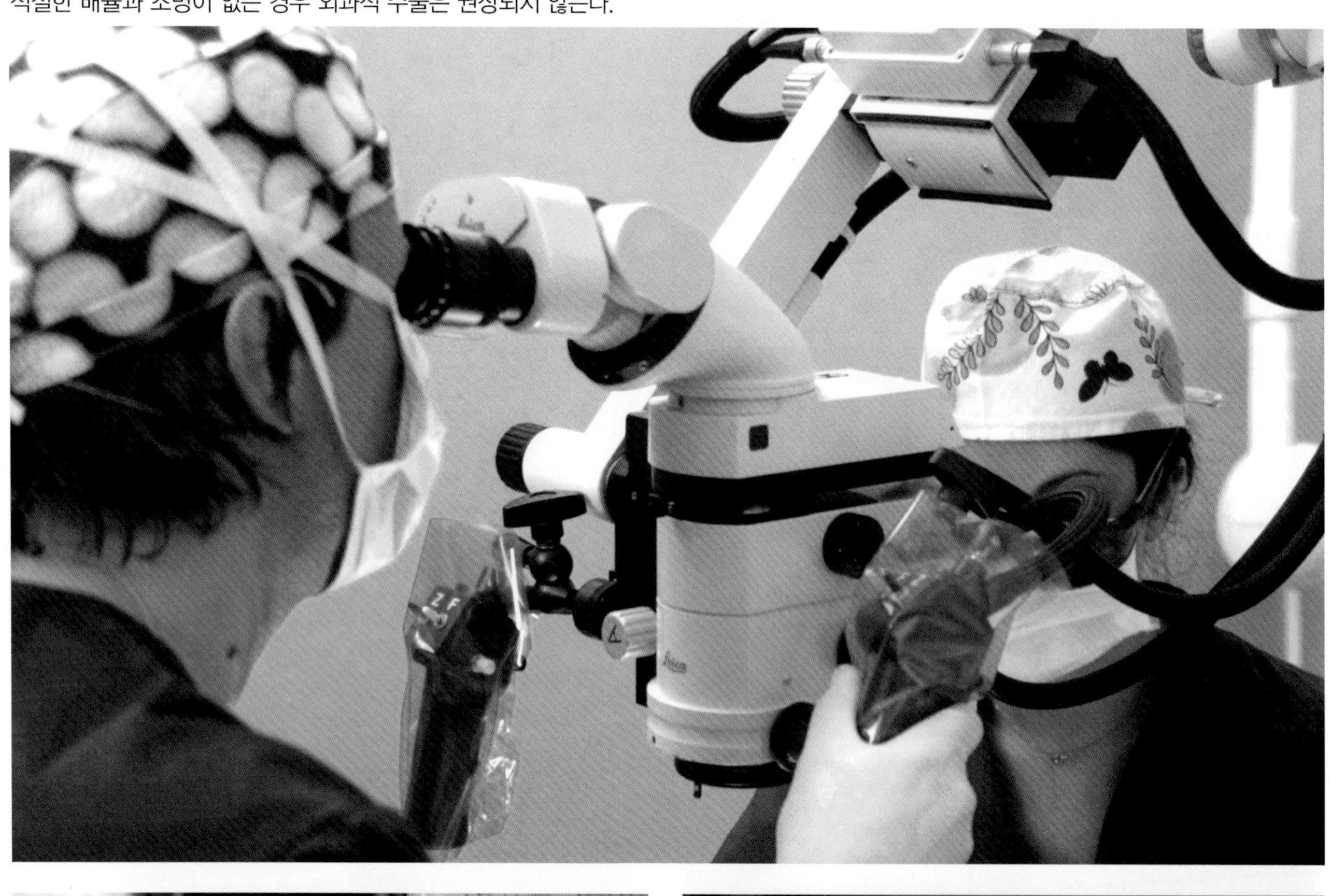

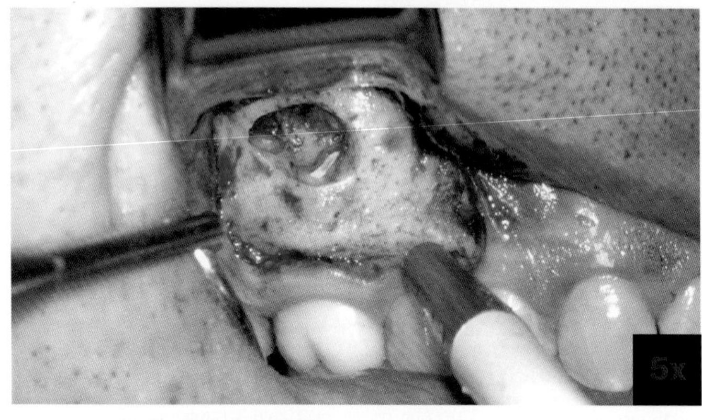
5x

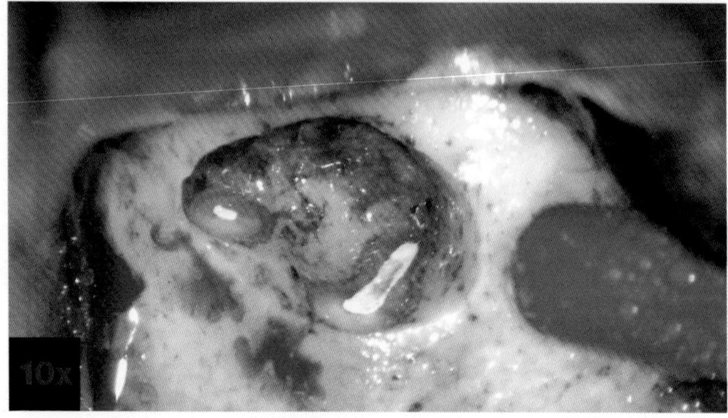
10x

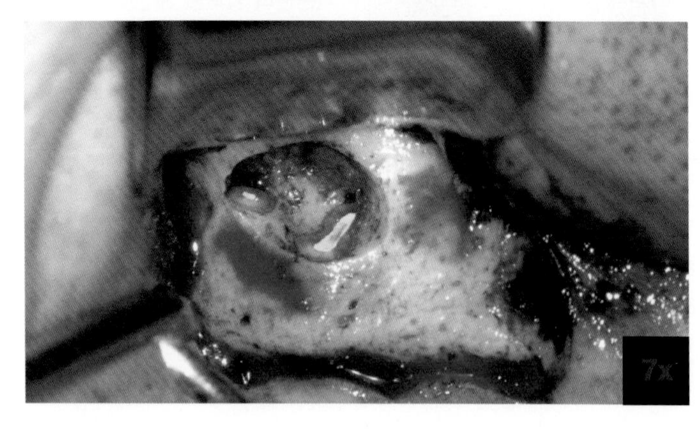
7x

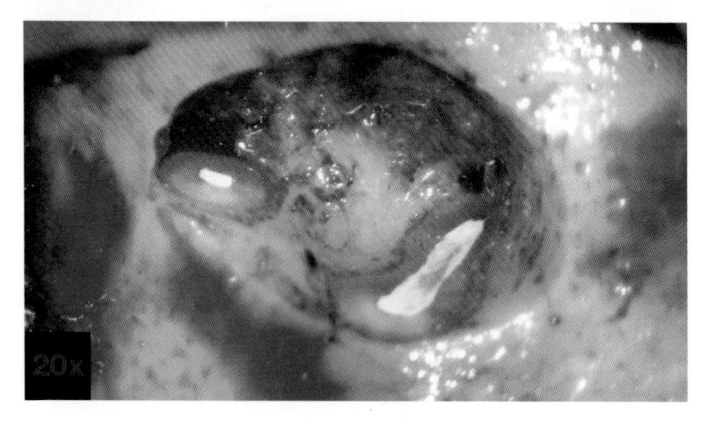
20x

Table 8.2 **SUCCESS RATES**

Study	Follow up (years)	Cases observed	Recalls (%)	Outcome (%)		
				Healed	Healing	Functional
Zuolo et al. (2000)	1-4	102	96	91		92
Rahbaran et al. (2001)	> 4	129	61	37	33	80
Rud et al. (2001)	0.5-12.5	834	84	92	1	93
Pecora et al. (2001)		10	100	30	50	20
von Arx et al. (2001)	1	25	96	88	8	96
Rubinstein et al. (2002)	5-7	59	86	92		92
Jensen et al. (2002)	1	134	91	73	17	90
Chong et al. (2003)	2	108	59	90	6	96
Maddalone and Gagliani (2003)	0.3-3	120	82	93	3	96
Schwartz-Arad et al. (2003)	0.5-0.9	262	47	44	21	65
Wang et al. (2004)	4-8	94	85	74		91
Gagliani et al. (2005)	5	231	89	78	10	89
Lindeboom et al. (2005)		100	100	56	43	1
Taschieri et al. (2005)	1	50	46	91.3	2.2	6.5
Taschieri et al. (2006)	1	71	71	93	4.2	2.8
von Arx et al. (2007)	1	183	98,5	83	10	7
Taschieri et al. (2007)		28	100	92	4	4
Penarrocha et al. (2007)	1-10	333	100	71.7	13.9	14.4
Kim et al. (2008)	1-5	148	100	85	10	5
Taschieri et al. (2008)	2	63	100	92	3	5
		50	100	90.3	2.4	7.3
Saunders et al. (2008)	0.3-6	276	100	59.1	29.7	11.2
Taschieri and Del Fabbro (2009)	2	43	100	90.7		9.3
von Arx et al. (2010)	1	353	100	85.5		14.5
Barone et al. (2010)	4-10	106	100		72	28
Song et al. (2011)	1	42	100	78.6	16.7	4.8
Walivaara et al. (2011)	0.5-1.8	96	100	90.6		9.4
		98	100	81.6		18.4
Song et al. (2011)	1	441	100	84.8		15.2
von Arx et al. (2012)	5	170	100	70.6	16.5	12.9
Kreisler et al. (2013)	0.5-1	281	100	88		12
Song et al. (2014)	> 4	115	100	75.7	13.1	11.3
Tortorici et al. (2014)	5	206	100	71	26	3
Lui et al. (2014)	1-2	93	100	71	7.5	21.5
Çaliskan et al. (2016)	2-6	90	100		74.4	14.4

Table 8.3 **CLINICAL CIRCUMSTANCES IN SURGICAL ENDODONTICS**

Indications	Contraindications
Persistent or emerging disease following canal therapy, where orthograde retreatment is not indicated	Presence of inappropriate endodontic treatment in which the uninstrumented canal anatomy is evident
Radiological signs of apical periodontitis and/or symptoms associated with the presence of an obstructed canal (where the obstruction is not removable or its removal would entail an excessively high risk)	Radiological finding of an independent lateral lesion, indicating an untreated accessory system
Clinical or radiological signs of apical periodontitis and/or persistent symptoms in the presence of endodontic material overfill. In the case of overflow, the presence of symptoms is an indication for surgery even in the absence of radiologically visible lesions	Presence of very long root canal posts. To obtain a suitable seal, at least 2 mm of dental tissue must remain after apical resection. In these cases, once the apical part of the root has been resected, there is a risk of there not being sufficient space for an adequate retrograde filling
Perforation of the apical third of the root	Inadequacy of the clinical crown-root relationship: resecting the apex would aggravate the situation, worsening the prognosis of the tooth
Presence of unresolved injuries with orthograde retreatment, sustained by bacteria nested within the root canal system or in extraradicular sites	Inability to gain suitable surgical access
Cystic lesions – true cyst (the cyst must be surgically enucleated)	Presence of a vertical root fracture
Presence of a very extensive or recently cemented restoration	
Choice of the clinician, who considers it most likely to achieve success by intervening surgically instead of through orthograde retreatment	
Severely compromised tooth and teeth with objectively good endodontic therapies	

현재의 수술은 “retro–tip”을 이용하여 피질골의 손상 없이 보존적인 골절술이 가능하고 치근단 절제 시 각도는 거의 90도에 가깝다. 따라서 절제 후에도 치근의 길이가 지나치게 짧아지지 않는다.[16]
또한 동축 조명과 고배율 현미경의 이용으로 치료가 매우 정확하다. 이는 근관의 해부학적 식별을 용이하게 하고 인체공학적인 수술부의 관리를 가능하게 한다.[17–19]

치근단 수술의 성공률이 연구에 따라 다른 이유는 조사한 치아의 종류와 관련있다. 많은 연구가 주로 단근치의 치근단 수술을 조사했다.[50]
하지만 다근치의 경우 해부학적 복잡성과 위치로 인해 단근치보다 치료가 더욱 어렵기 때문에 성공률이 크게 달라질 수 있다.[51]

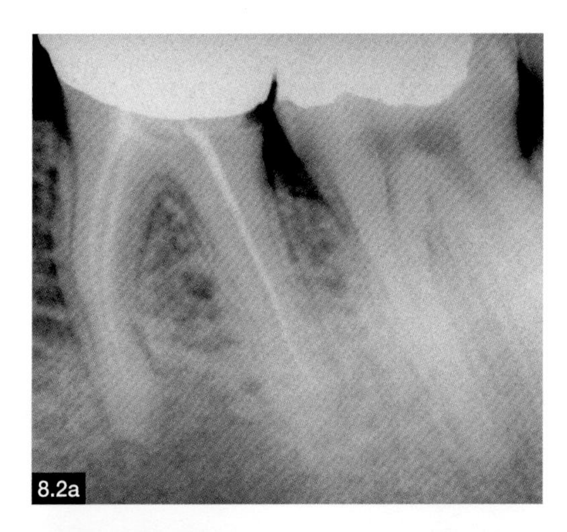

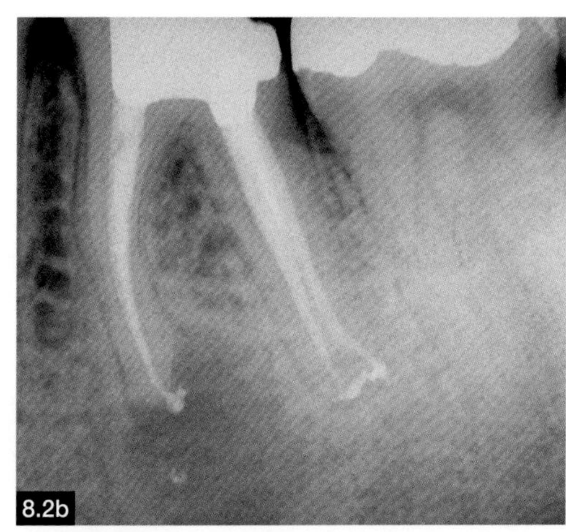

Fig. 8.2a: 타진에 통증을 호소하는 하악 좌측 제1대구치. 근관치료가 부족해 보이고, 치관 또한 효과적으로 수복되지 않아 노출된 마진이 보인다.

Fig. 8.2b: 재근관치료 후의 방사선 사진. 진단 시의 임상 상황을 고려하여 재근관치료를 시행했다.

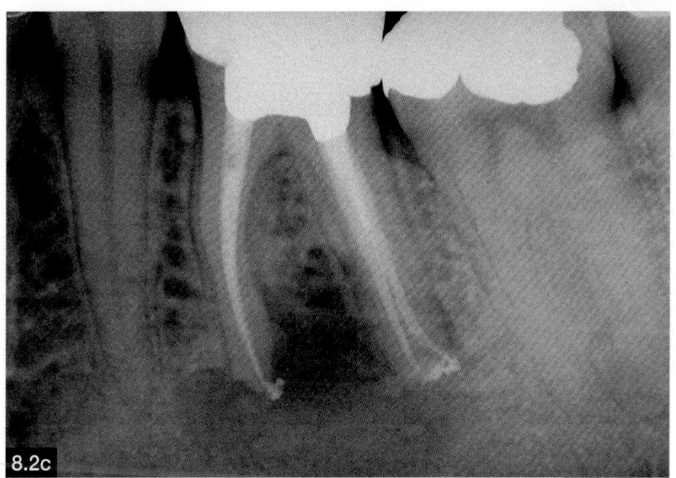

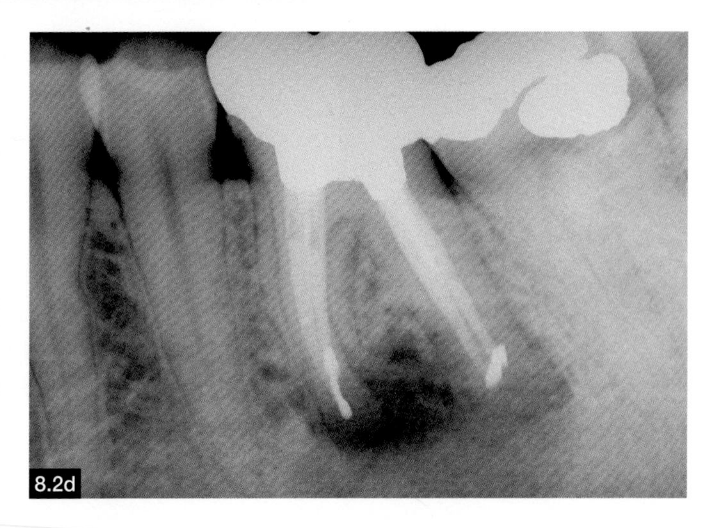

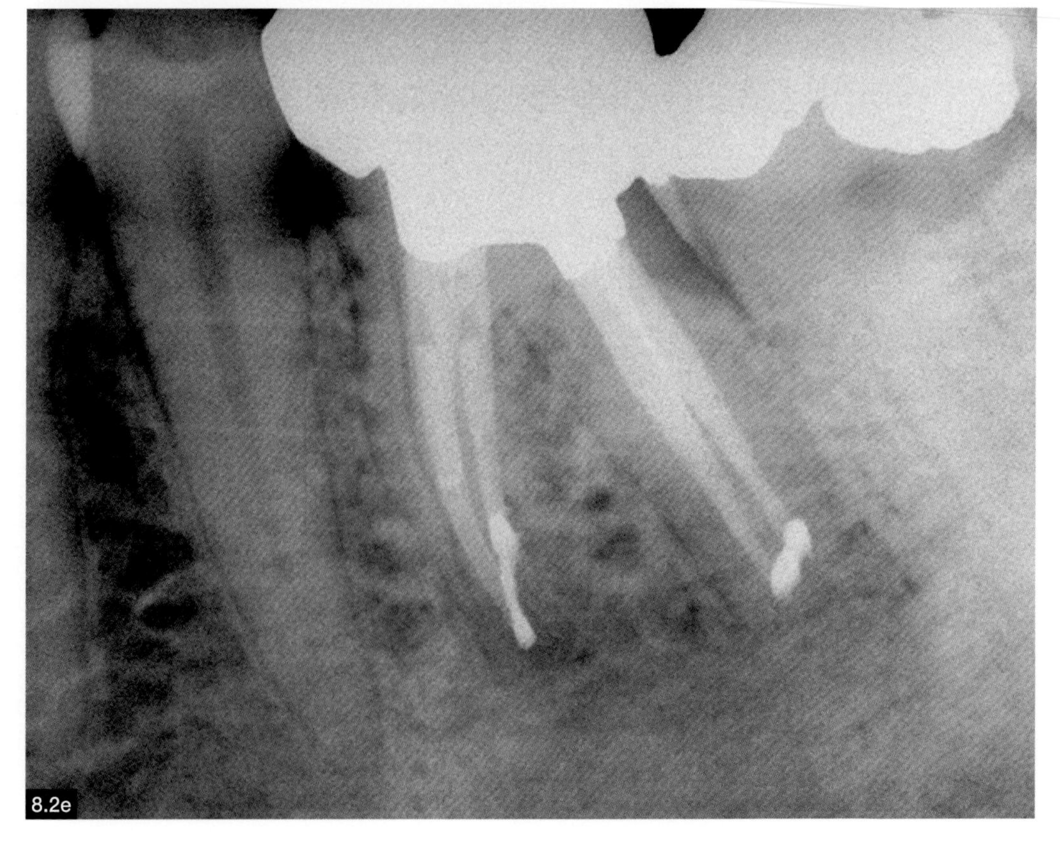

Fig. 8.2c: 2년 후 동일한 통증을 호소하며 환자가 다시 내원했다. 방사선 사진에서 병소의 크기와 방사선 투과도가 증가했다.

Fig. 8.2d: 통상적인 근관치료는 이미 시도해보았기 때문에 권장되지 않는다. 치근단 수술을 시행했다. 본 수술의 경우 MTA 재료가 없던 때의 증례이다. 2개의 근심 근관과 2개의 원심 근관을 세척 및 성형한 뒤 충전할 수 있었다.

Fig. 8.2e: 25년 후의 방사선 사진. 병소가 완전히 치유되었고 치근단 충전재와 보철물 모두 안정적이다.

▶ *continue to page 418*

CASE
REPORT 1

치근 주위의 과충전과 천공

이번 증례는 매우 흥미로운데 치근단 수술을 필요로 하는 모든 임상 증상들을 보여주고 있기 때문이다. 전반적으로 양호한 구강상태를 가진 47세 환자가 #46 치아 부분에 심한 자발통을 보였다. 파노라마 방사선 사진의 촬영 후, 병소와 주위 연조직들을 좀 더 자세히 분석하기 위해 CBCT를 촬영했다(예: 하치조신경).

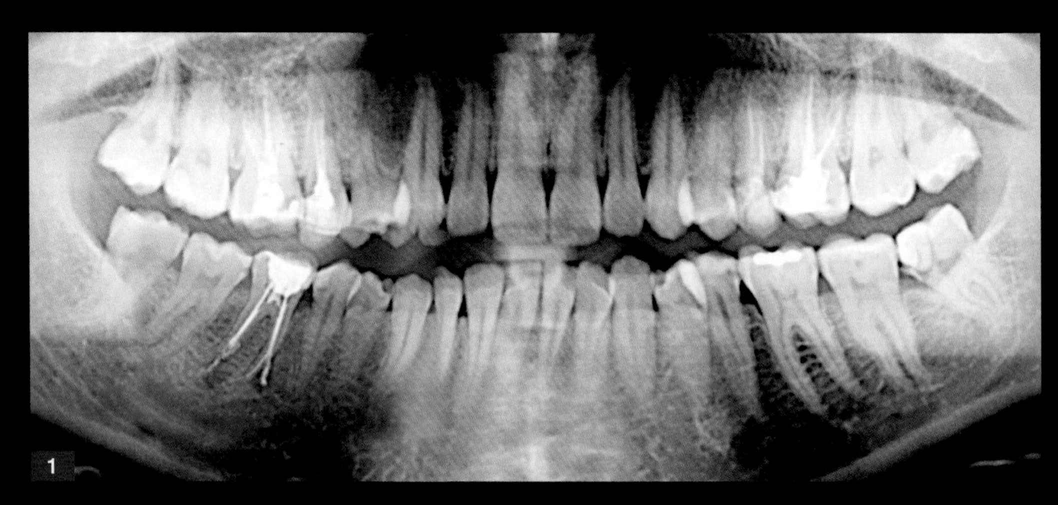

Figure 1: 파노라마 사진에서 잘못된 치료로 인한 #46 치아의 치근단 병소가 보인다. 천공 부위의 충전 치주공간까지 나가있다.

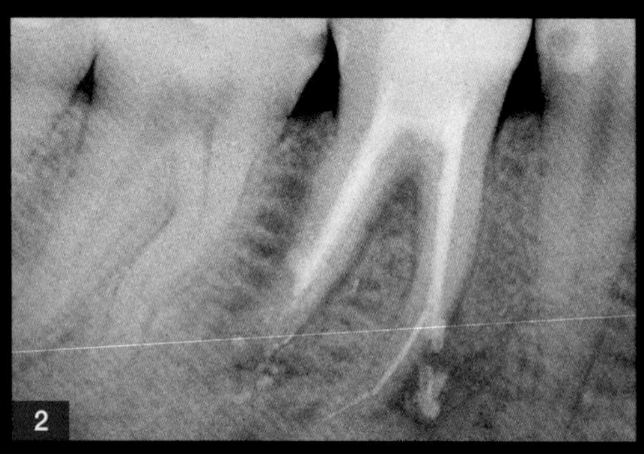

Figure 2: 방사선 사진에서 근심 치근내의 파절된 기구가 관찰된다.

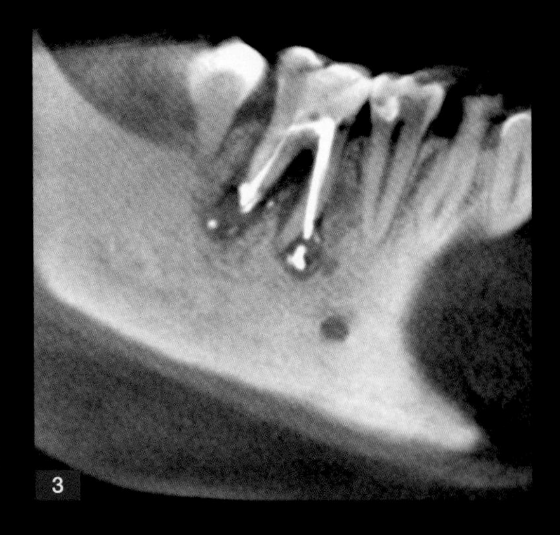

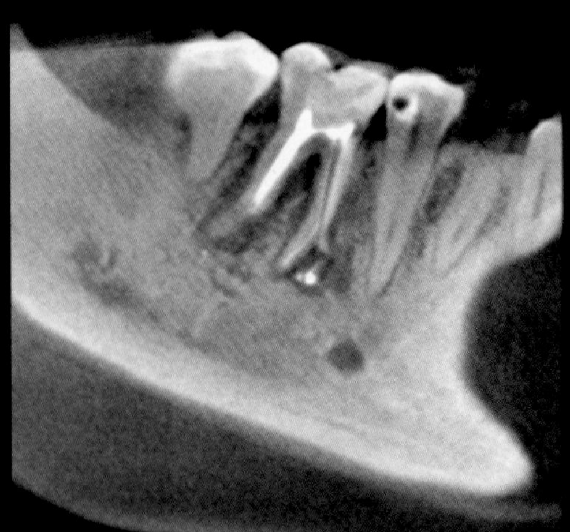

Figure 3: 방사선 사진에서 근심 치근내의 파절된 기구가 관찰된다.

병소의 위치와 크기를 분석 후, 강화 산화 아연 유지놀 시멘트(Super EBA, Bosworth, USA)의 역충전을 이용한 치근단 수술을 계획했다.

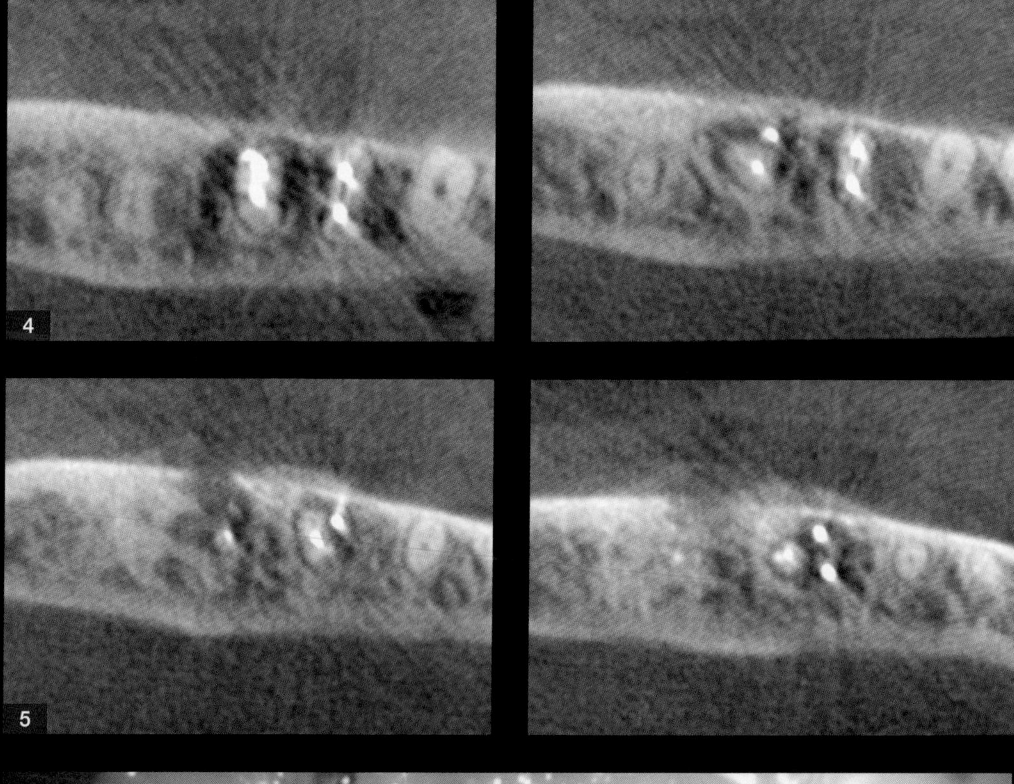

Figures 4, 5: CBCT를 통해 하치조신경 및 협측 피질골과의 관계를 분석하여 병소에 대한 정확한 접근이 가능하다.

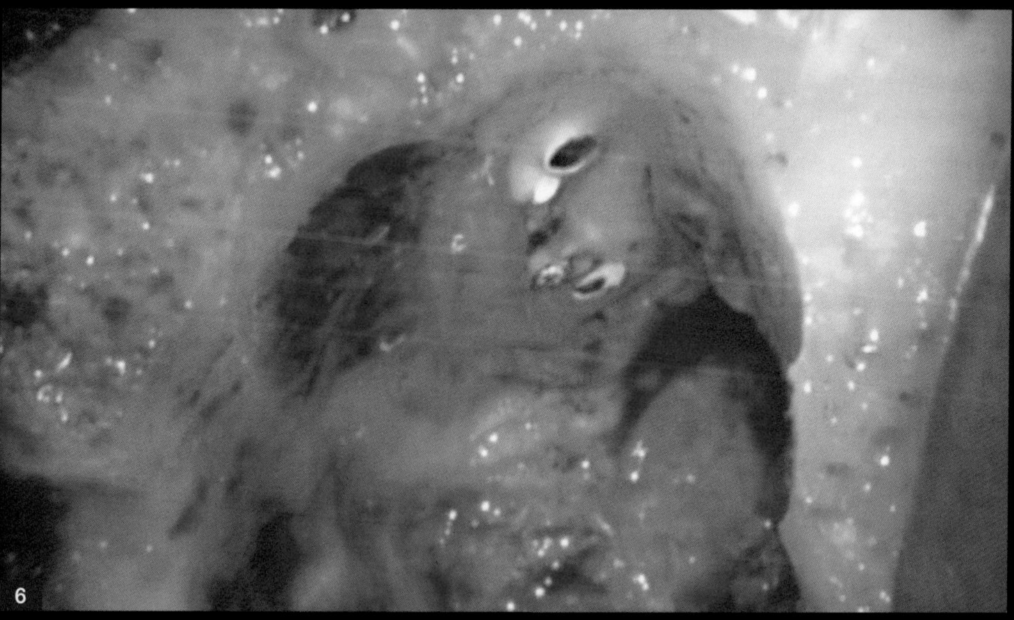

Figure 6: 치근단이 절제된 근심치근의 수술 중 사진(14배 확대)

Figure 7: 역충전 와동을 형성하기 위한 초음파 기구의 사용

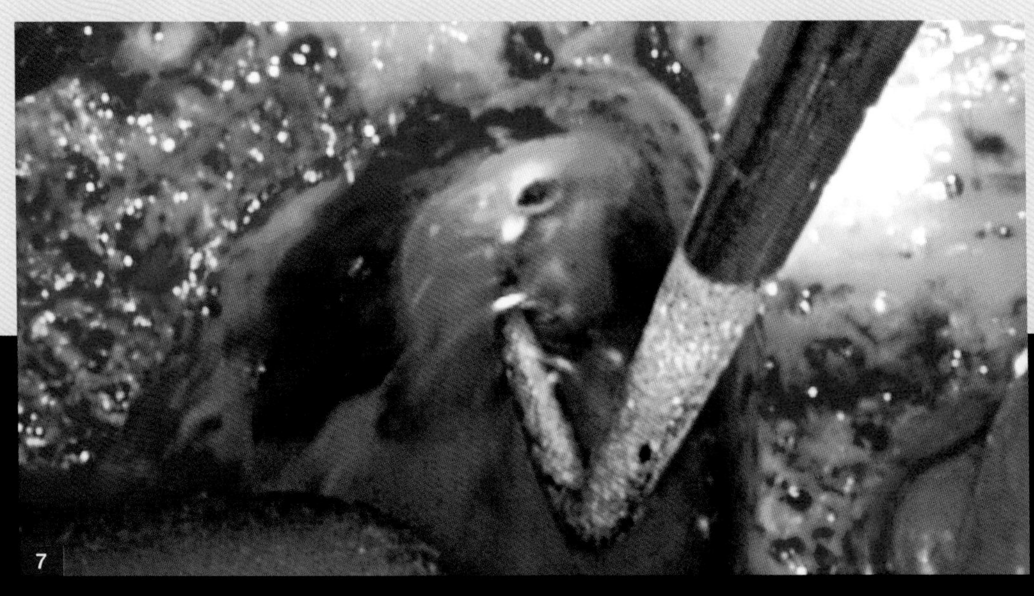

Figure 8: 역충전 와동이 형성되었다.

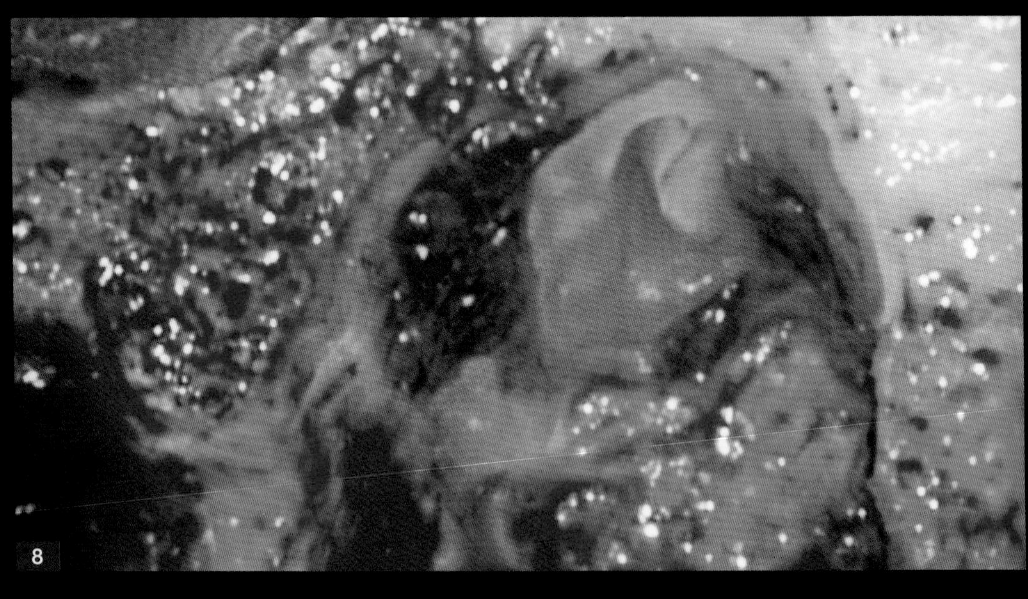

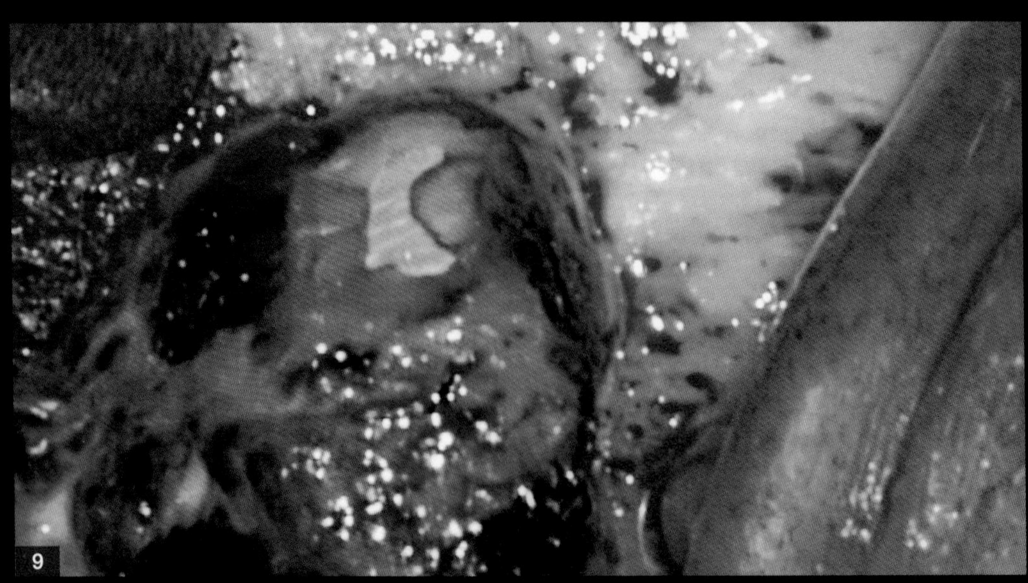

Figure 9: 강화 산화 아연 유지놀 시멘트로 충전되었다.

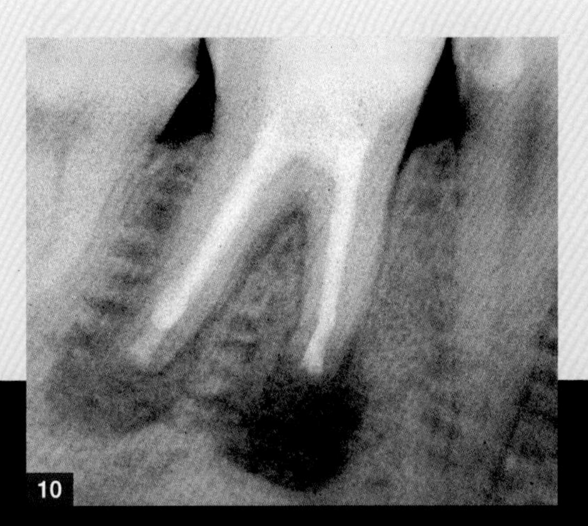

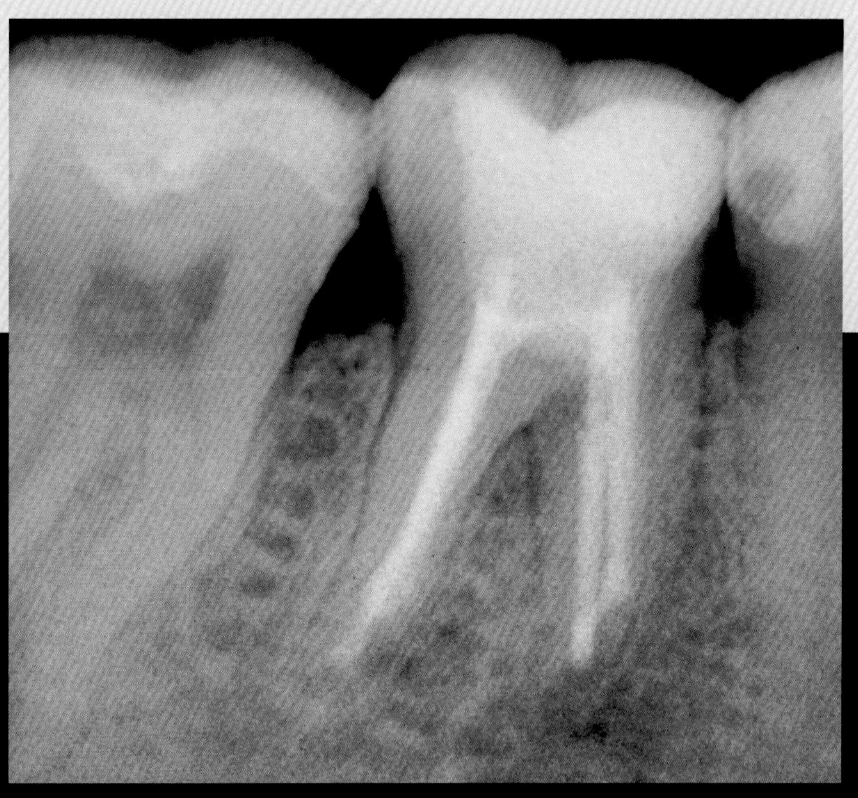

Figure 10 수술 직후와 2년 후 방사선 사진. 치근 주위골이 치유되어 근심 및 원심 치근 주변에 정상적인 치주인대들이 보인다.

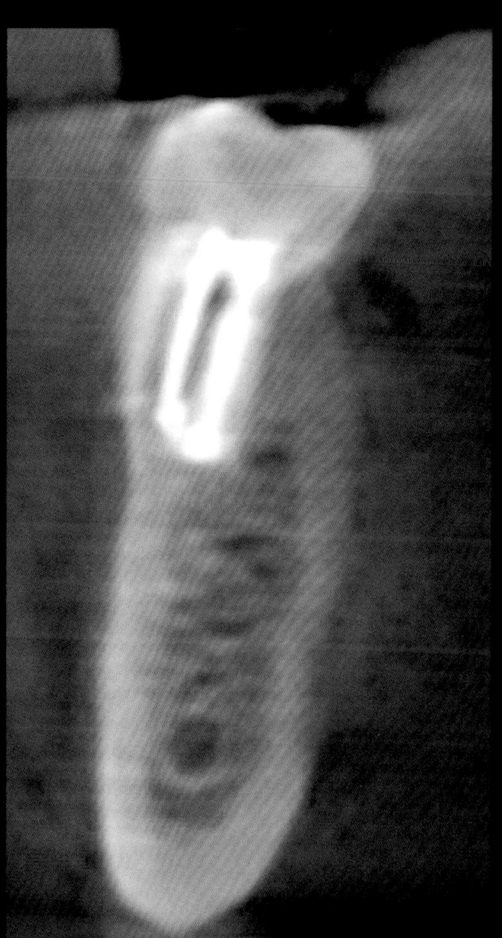

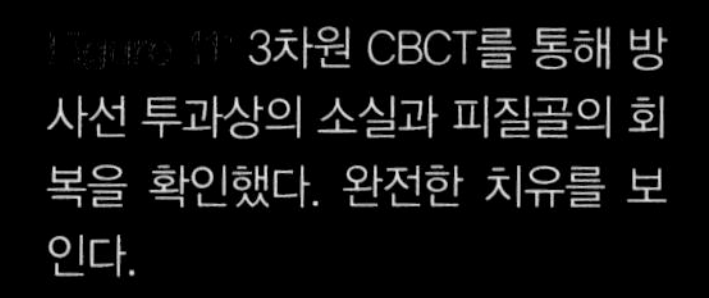

Figure 11 3차원 CBCT를 통해 방사선 투과상의 소실과 피질골의 회복을 확인했다. 완전한 치유를 보인다.

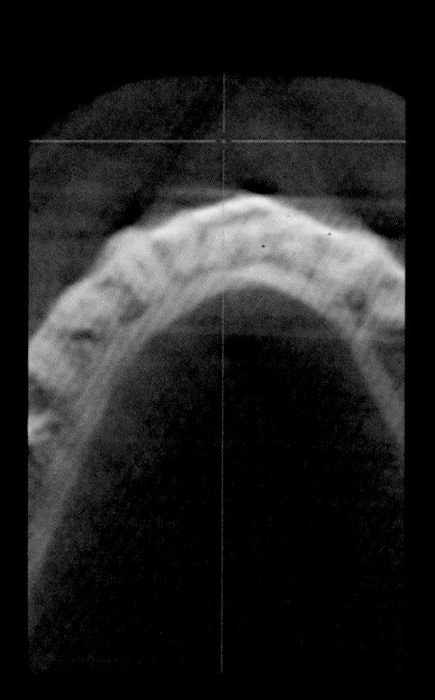

11

치근단 수술의 단계

외과적 근관치료의 단계는 다음과 같이 요약될 수 있다.

1. 수술 전 계획 및 평가
2. 수술 전 투약 및 마취
3. 수술 부위 점막 및 골로의 접근
4. 치근단 절제 그리고 염증 및 또는 감염된 치근단 조직의 적출
5. 근관의 식별 및 와동 형성
6. 근관 와동 세척
7. 역충전
8. 봉합

❶ 치료 계획

진단 단계에서 단순한 검사를 넘어 염증성 병소의 위치와 크기, 그리고 삭제할 골의 위치를 이해하는 것이 치근단 수술 계획의 핵심이다.

전통적으로 다른 각도에서 하나 이상의 치근단 사진은 수술에 대한 추가적인 정보를 제공할 수 있다. 그러나 3차원 구조를 2차원적으로 표현하는 치근단 사진은 다음과 같은 세 가지 문제를 갖는다.

1. 병소의 협설 방향 크기에 대한 인식이 불가능하다. 근원심 크기에 대한 정보만이 가능하다.
2. 몇몇의 경우, 특히 다근치의 경우 병소의 정확한 위치를 판단할 수 없다.
3. 방사선 투과상이 주변 해부학적 구조와 항상 유의미하게 구별되지 않는다.

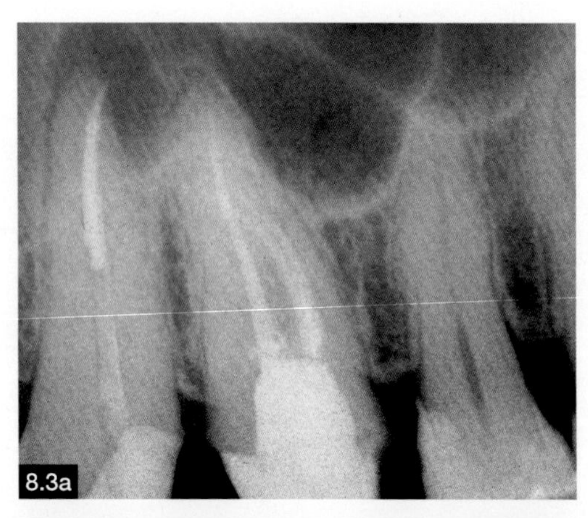

8.3a

Fig. 8.3a: 방사선 사진에서 #17 치아의 근단 병소가 확인된다.

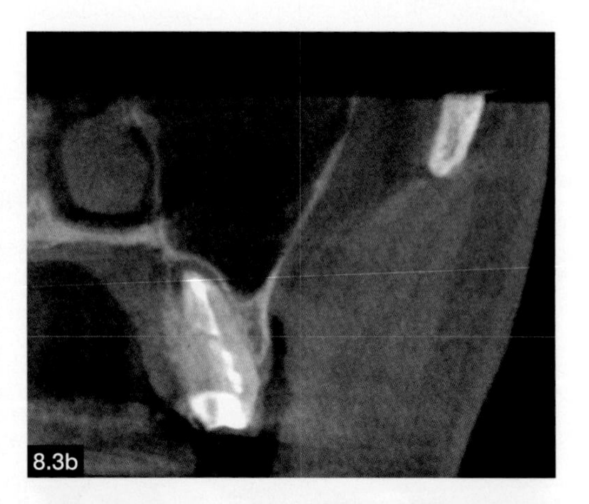

8.3b

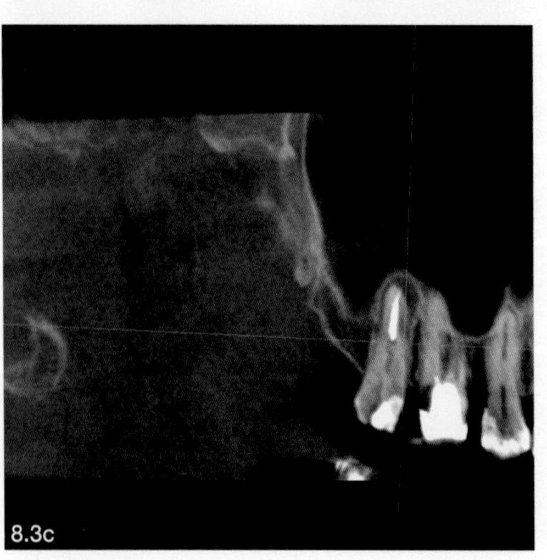

8.3c

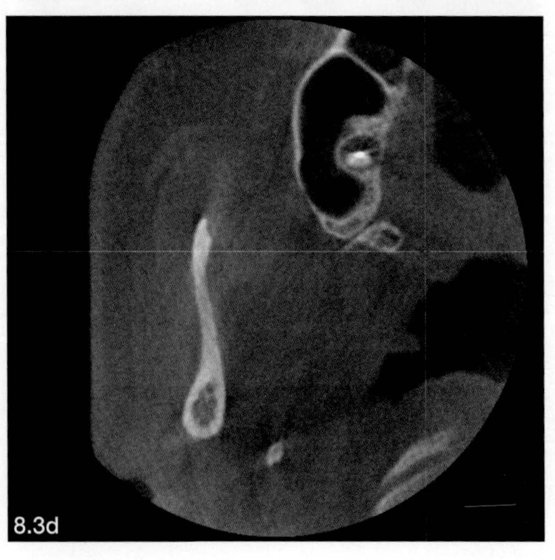

8.3d

Fig. 8.3b-e: CBCT를 통해 술자는 병소를 3차원적 이해하고 정확한 수술적 접근을 계획할 수 있다.

Cone beam computed tomography (CBCT)의 3차원적 이미지를 통해 증상이 없는 치아의 진단이나 병소의 위치 및 크기를 정확하게 알 수 있게 되었다.[52]

치근단 수술에서 CBCT는 일반적인 CT에 비해 속도가 빠르고 노출되는 방사선량 또한 제한적이므로 치근단 수술 계획 시 널리 사용된다**(Fig. 8.3a-i)**.[53–55]

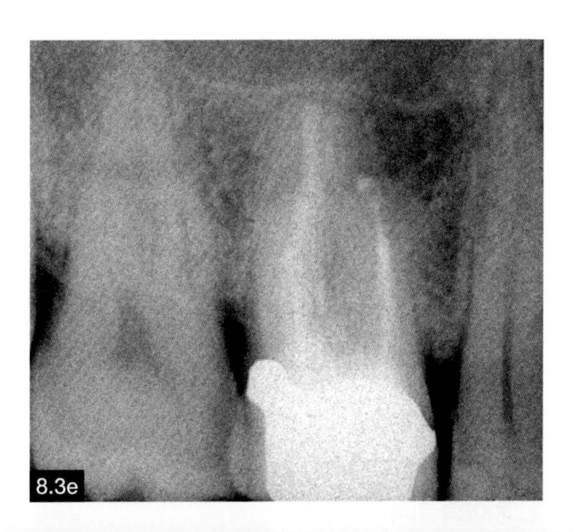

Fig. 8.3e: 환자가 #16 치아에서 타진에 통증을 호소한다. 치근단 사진만으로는 임상의가 문제를 정확하게 판단하기 어렵다.

Fig. 8.3f-i: CBCT 이미지는 근심 치근 주위의 병소를 명확하게 보여준다. 이는 진단과 치료 계획의 수립에 있어 매우 중요하다.

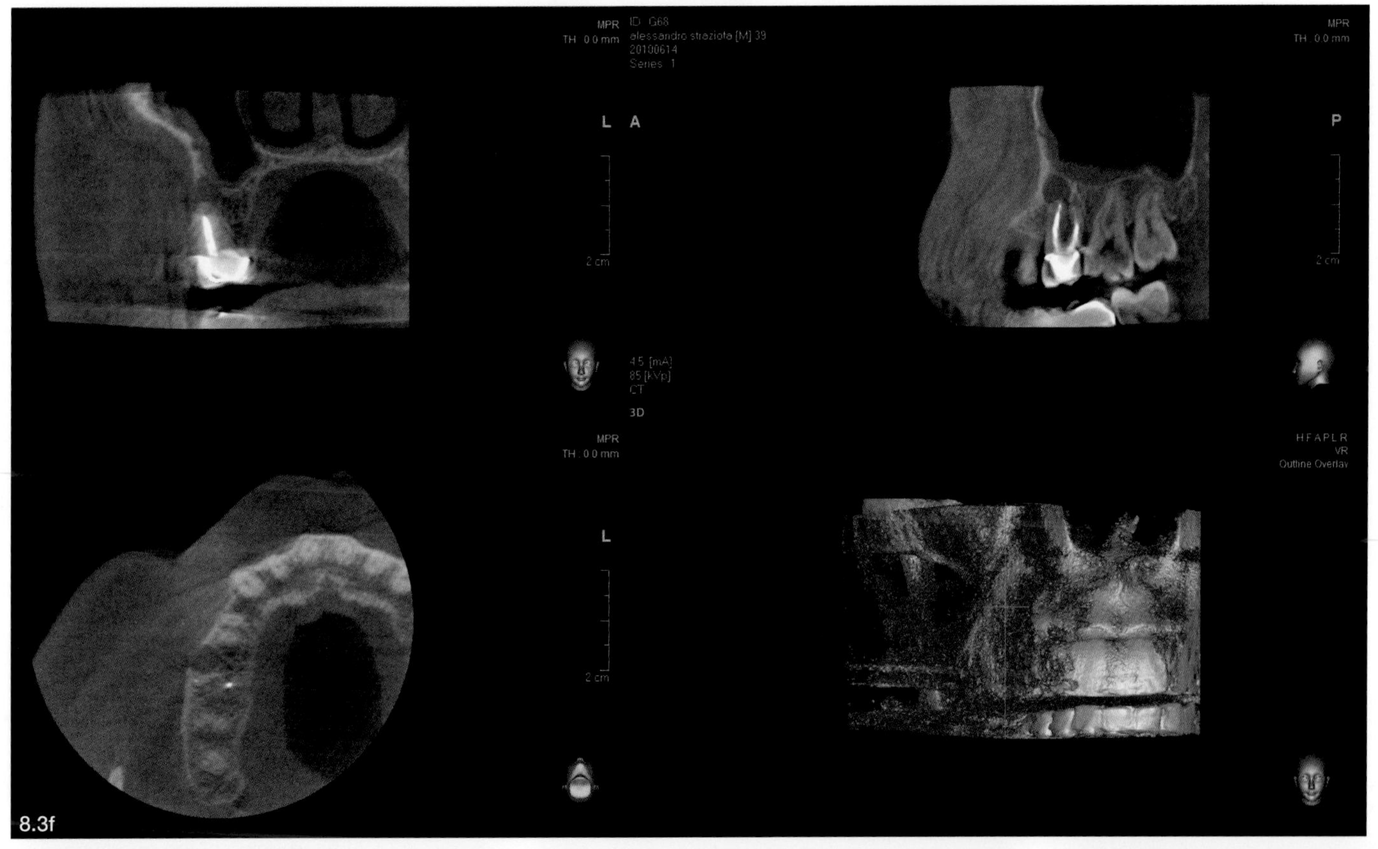

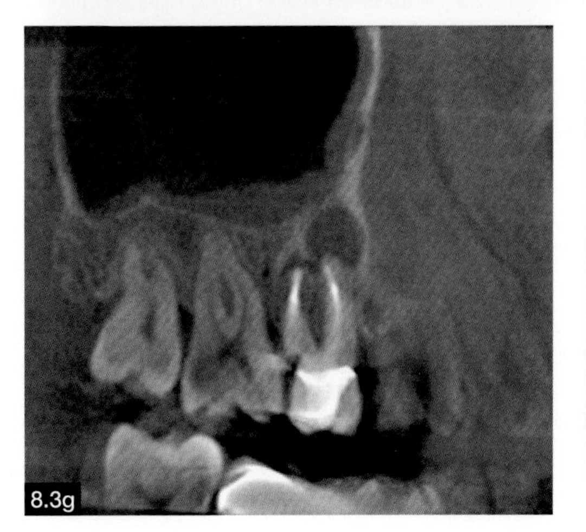

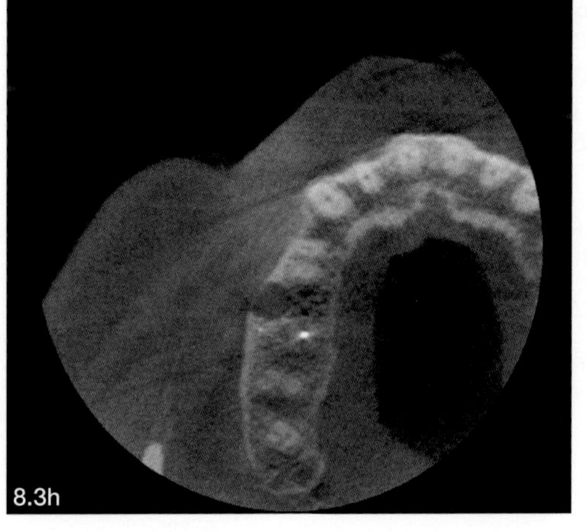

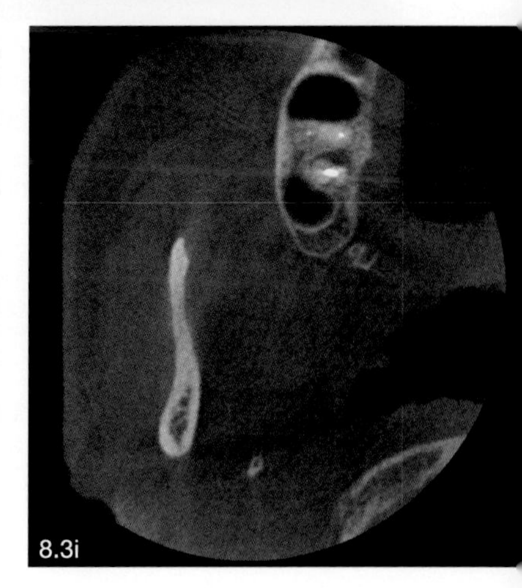

수술을 진행하기 전 수술영역에 대한 적절한 접근성을 평가해야 한다. 환자가 입을 다물고 뺨을 넓게 벌린 상태에서 관찰하며, 수술 부위는 눈에 잘 보이고 접근 가능해야 한다.

살펴보아야 할 치아의 기타 사항들은 다음과 같다.

1. **전정의 깊이와 골의 두께**
   외과적 접근의 어려움은 치조골의 기울기에 달려 있다. 전정의 깊이가 얕고 피질골과 치근의 각도가 평행하지 않을수록 수술의 난이도가 높다.
2. **치아의 위치와 회전도**
   항상 수술과 관련된 치아 외에도 인접한 치아 또한 고려해야 한다. 과도한 외과적 접근은 수술 중 인접치에 손상을 줄 수 있다. 수술 부위의 위치가 원심에 위치할수록 수술의 난이도가 높다.
3. **치근단과 신경 써야 할 주변 구조물과의 위치 관계(예: 상악동 및 하치조신경)**
   정확한 진단 단계를 통해 임상의는 해당 영역의 해부학적 구조 및 특징을 파악하고 가능한 합병증을 예측 및 예방하여 의원성 손상을 방지할 수 있다.
4. **치근의 길이**
5. **병소의 위치와 범위**

❷ 수술 전 투약 및 마취

일반적으로 혈관 수축제[에피네프린이 1:100,000 – 1:50,000인 아티카인(articaine) 또는 메피바카인(mepivacaine)]를 포함한 상온의 마취제로 협측 전정 부위에 침윤마취를 한다.
주사는 환자의 불편함을 줄이고 수술 부위의 발진을 방지하며 마취제가 깊은 조직까지 확산되도록 천천히(액체 1 ml당 1분) 주사해야 한다.
그래야 혈관 수축이 되어 출혈이 줄고, 수술 시간 동안 충분한 마취가 이루어진다.[7]

❸ 점막 접근

피판 유형의 선택

치근단 수술의 피판은 바닥변이 치근단 쪽에 위치한 사다리꼴 모양이다.
범위는 일반적으로 치료할 치아의 앞, 뒤 치아도 포함한다. 해부학적 구조로 인한 일부 영역의 경우 예외가 있다.

1. 상하악 전치의 경우 소대가 위치하므로 더 많은 수의 치아를 포함시켜 피판을 설계한다. 보통 이 완절개는 측절치와 견치 사이에 한다.

Table 8.4 **FLAPS FOR SURGICAL ACCESS**

Flap type	Features	Advantages	Disadvantages
Paramarginal flap	• Good periodontal management of tissues • Allows you not to expose the margins of any prosthetic restorations • Can **only** be performed in the presence of at least 2-3 mm of adherent gingiva • Must not involve periodontal pockets and fistulous routes	Cosmetic result	Limited vision of the operating area with consequent increase in the difficulty of the operation
Intrasulcular flap	Can be performed under all anatomical conditions	Improves the view of the operating area	• Complex periodontal tissue management • Less predictable healing in the presence of prosthetic margins
Combined flap	Combines an intrasulcular incision with another paramarginal incision	• Allows the periodontium to be kept partially intact • Excellent tissue stabilization	

2. 하악 소구치의 경우 피판 설계 시 이공의 근심 혹은 원심부에 이완 절개를 위치시켜 하치조신경의 손상을 방지해야 한다.

피판의 선택은 치주 및 임상 요인의 영향을 받는다. 치근단 수술에서 가장 일반적으로 사용되는 피판의 종류는 **Table 8.4**에 정리되어 있다.

절개 및 박리

피판은 절개 부위를 파악하고 치주낭 깊이와 부착 치은의 두께를 확인하며 설계한다.

피판은 매우 작고 날카로운 칼날을 사용하여 정밀하게 형성해야 수술 후 1차 유합이 이루어진다.[57, 58]

일반적으로 피판 형성 시 메스의 날은 뼈 평면에 닿지 않게 한다. 이것은 절개가 완료될 때까지 칼날이 무뎌지지 않고 유지될 수 있게 한다.

그런 다음 날카로운 변연(Ruddle 또는 Pritchard 큐렛)[7](**Fig. 8.4a-h**)을 이용하여 전층 피판을 박리할 수 있다.

피판은 피판을 위치시키기 가장 적합한 기구(예: Columbia, Seldin, Pritchard, Henan, Carr, and Minnesota type retractors)를 사용하여 당길 수 있다.

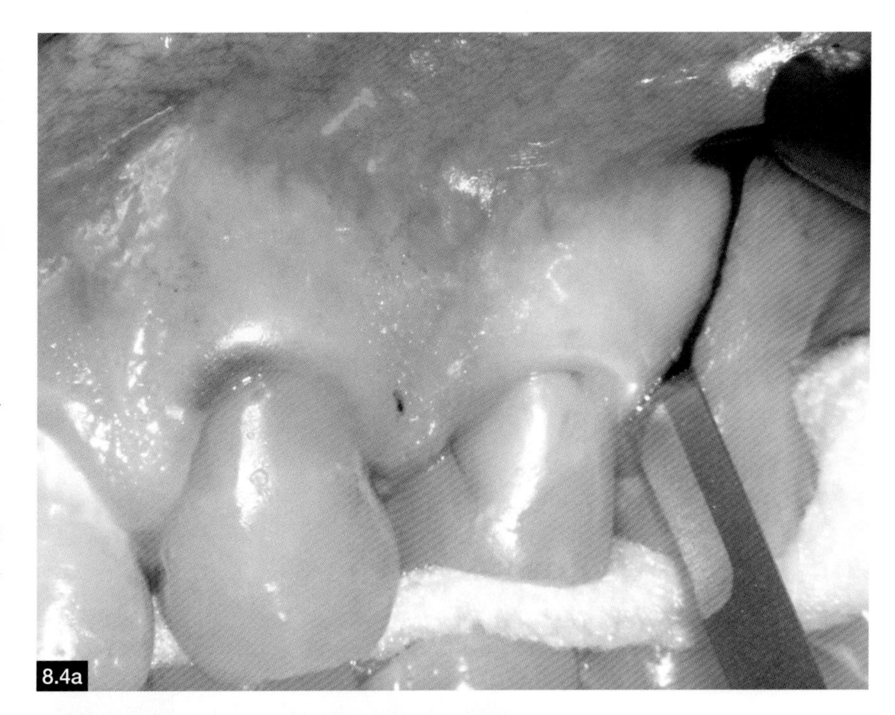

Fig. 8.4a: 피판은 원심 부위부터 시작하여 날카로운 비버 메스로 절개된다.

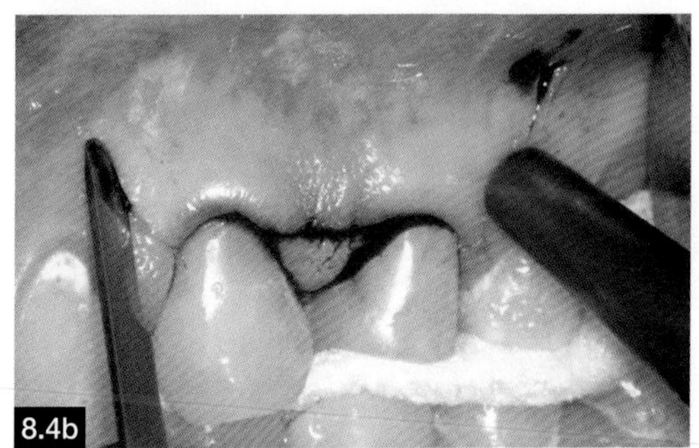

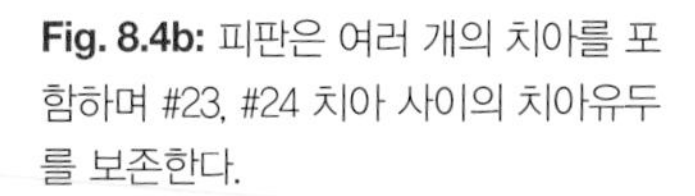

Fig. 8.4b: 피판은 여러 개의 치아를 포함하며 #23, #24 치아 사이의 치아유두를 보존한다.

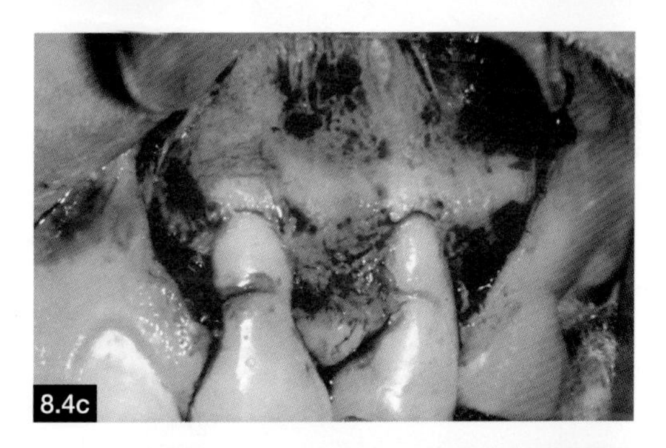

Fig. 8.4c: 골막 엘리베이터를 사용하어 전층 피판을 분리하고 치근 표면을 노출시킨다.

Fig. 8.4d: 칼날이 무뎌지는 것을 방지하기 위해 메스는 골 표면에 닿지 않게 한다.

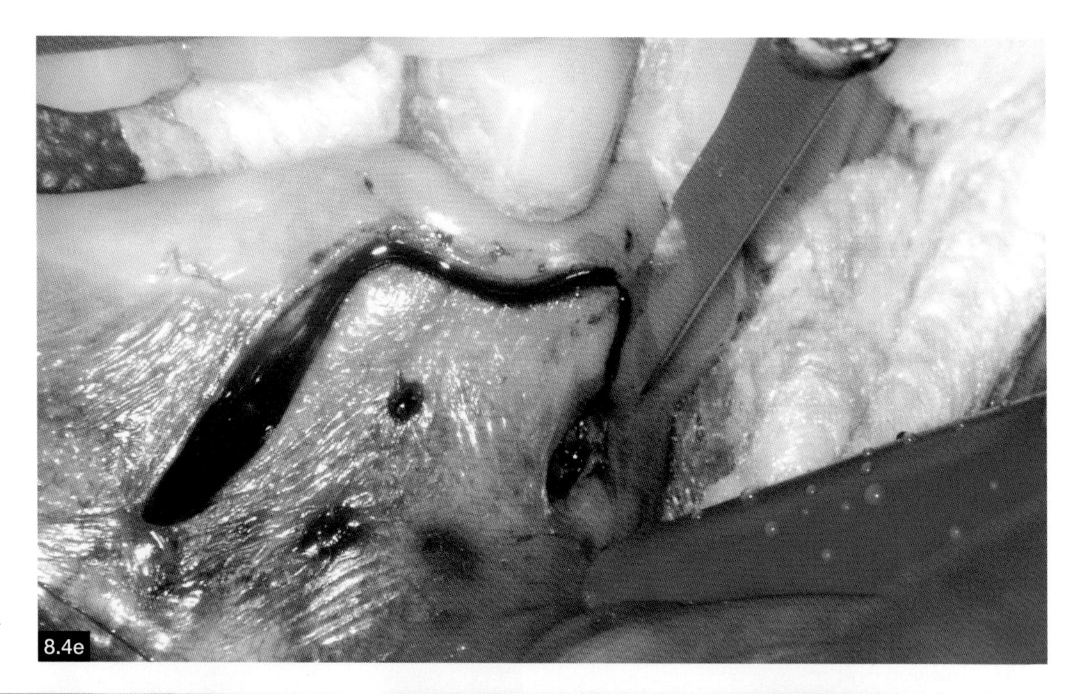

Fig. 8.4e-h: 러들 큐렛으로 박리하는 작은 피판 또한 동일하다.

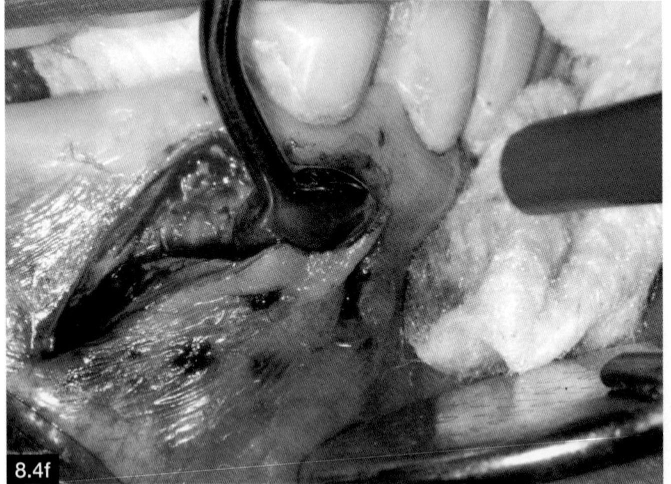

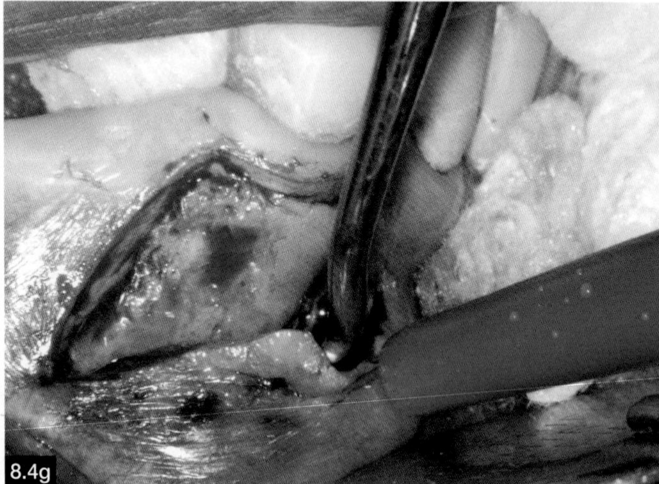

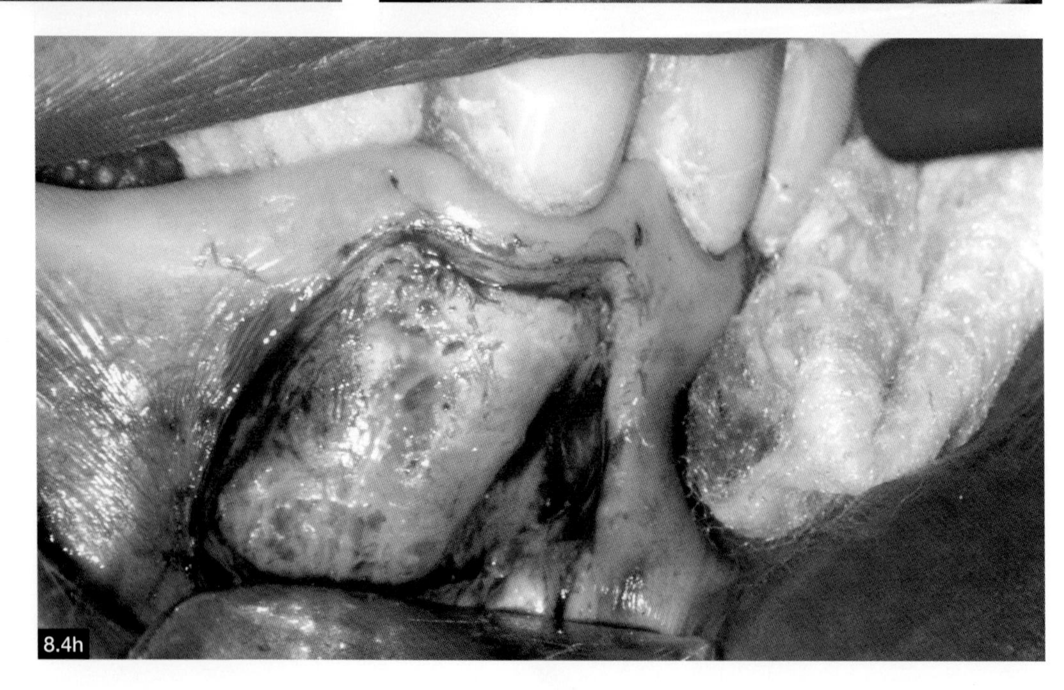

골 삭제

골의 삭제는 치료할 치근첨의 예상되는 위치보다 치관 쪽으로 몇 mm 정도 조금 더 높은 곳에서 시작해야 한다. 이때 스트레이트 핸드피스와 날카로운 날이 있는 긴 텅스텐 카바이드 버를 사용한다(근관 내부의 거타퍼챠를 건드리지 않고 매끄러운 표면을 얻기 위해).

골을 삭제할 부분이 민감한 구조물 근처에 있을 때는 스트레이트 핸드피스 대신 piezo 초음파 기구를 대신 사용할 수 있다(**Fig. 8.5a-m**).

스트레이트 핸드피스를 사용할 경우 골 삭제와 치근단 삭제가 동시에 이루어진다.

Piezo 초음파 기구를 사용하는 경우(와동이 매우 큰 경우), 치근단 삭제는 나중에 이루어진다.

모든 낭성 병변 또는 육아조직은 외과용 스푼을 사용하여 제거한다(**Fig. 8.5n-o**).

골을 삭제할 때 피판을 적절히 위치시키고 뺨을 당겨 보호해야 하므로 적어도 한 명의 보조자가 필요하다.[59]

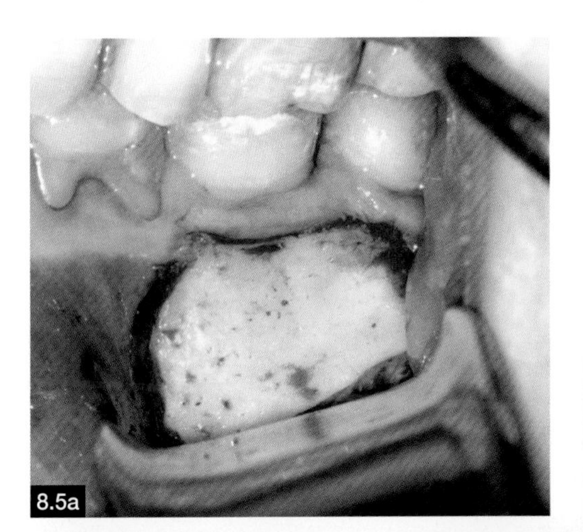

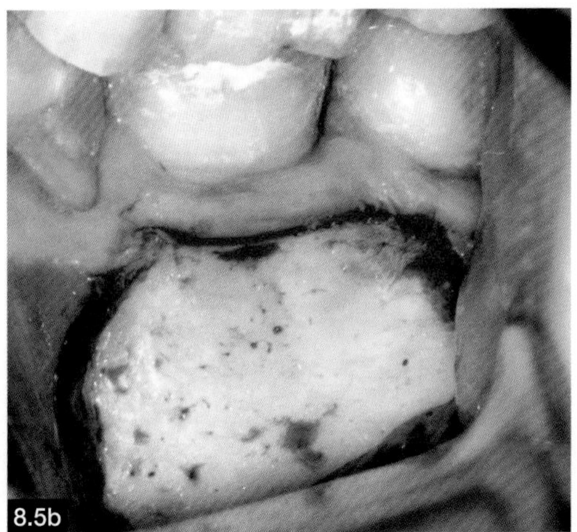

Fig. 8.5a-b: 치근단 수술의 계획. 피판을 절개하고 박리한다. 수술 전 평가를 토대로 골을 삭제할 위치를 설정한다.

Fig. 8.5c: 충분한 주수와 함께 스트레이트 핸드피스로 골을 삭제한다.

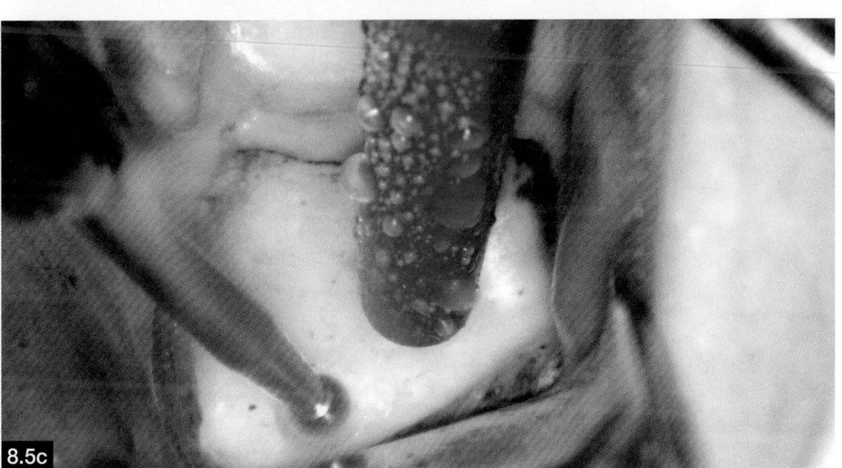

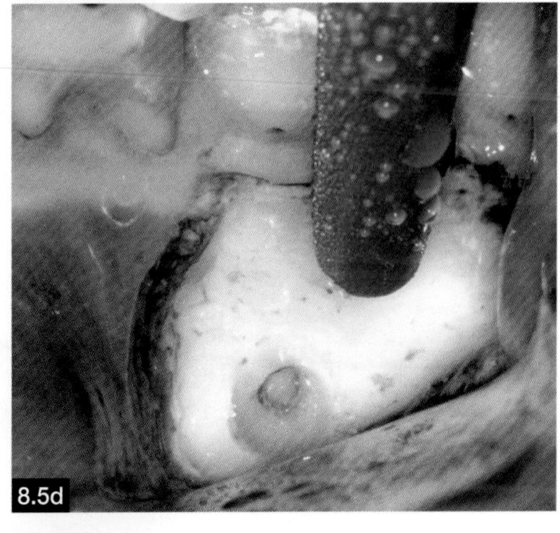

Fig. 8.5d: 골 삭제 후 근심 치근첨이 노출됐다.

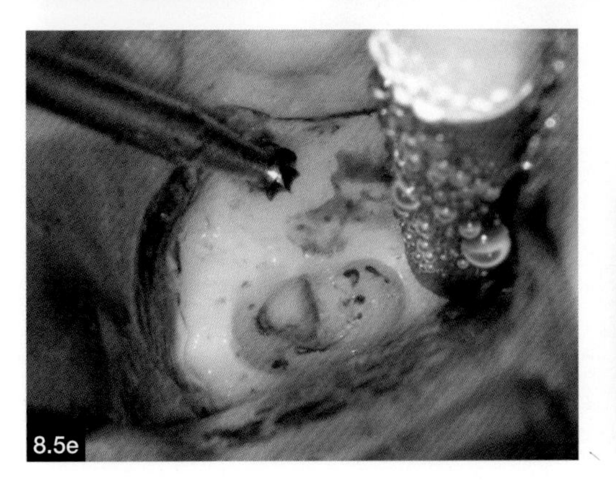

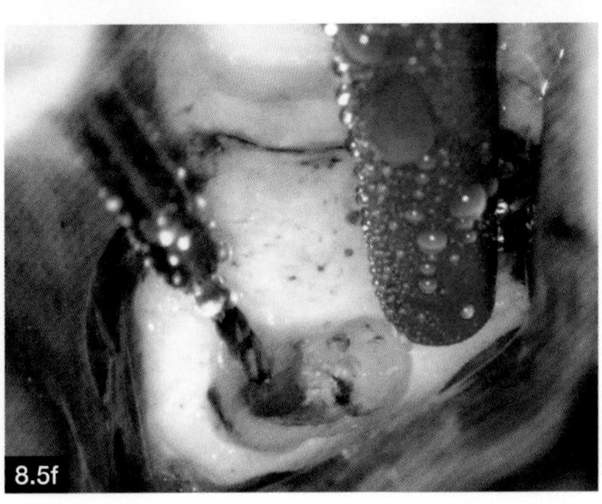

Fig. 8.5e: 기구를 삽입하고 작업할 수 있는 충분한 공간을 확보하기 위해 골을 조금 더 삭제했다.

Fig. 8.5f: 다중날 버로 치근단을 절제한다.

Fig. 8.5g: 근심 치근과 원심 치근 모두 치근단을 절제술을 시행했다.

Fig. 8.5h: Methylene blue 염료는 근관의 해부학적 구조를 구분하는 데 도움이 된다.

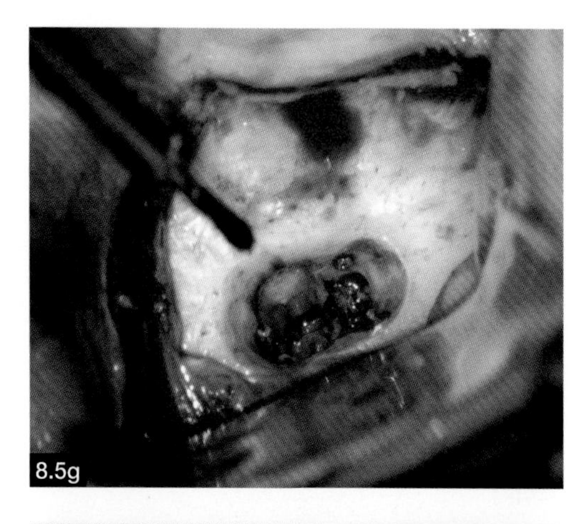

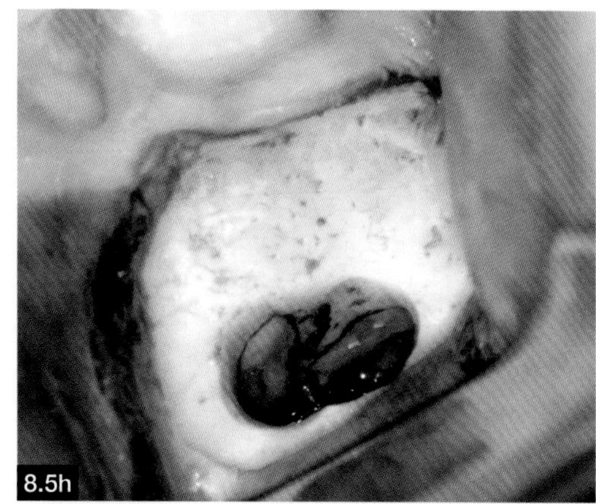

Fig. 8.5i: 초음파 기구를 이용하여 치근첨에 와동을 형성한 뒤 super EBA로 충전했다.

Fig. 8.5l: 작업의 효율성을 위해 지혈이 필수적이다.

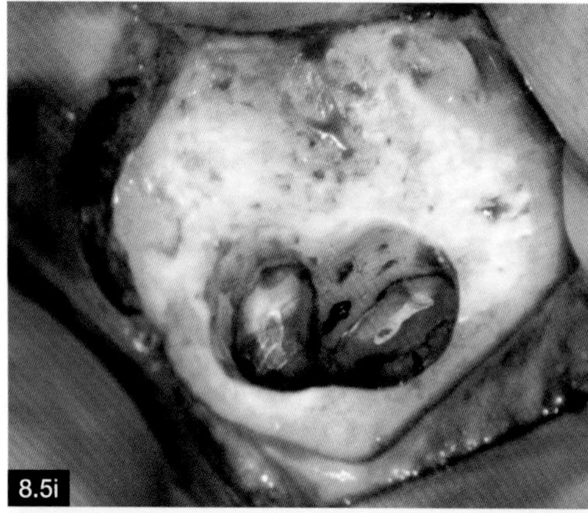

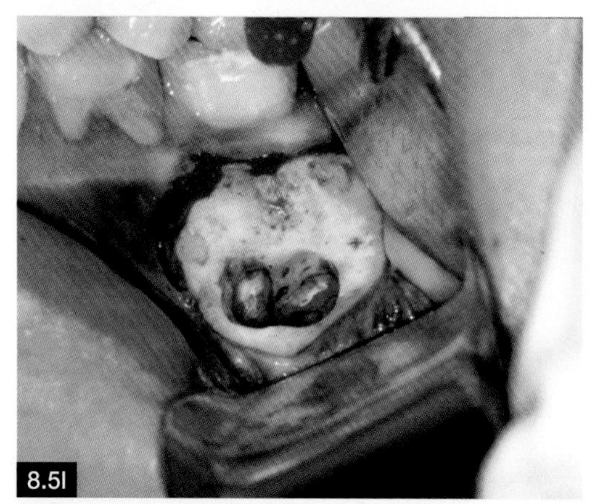

Fig. 8.5m: 진정낭종이 있는 경우 외과적 수술이 반드시 필요하다.

Fig. 8.5n: 골을 삭제한 뒤 낭종을 적출한다.

Fig. 8.5o: 병변의 모든 육아 조직을 제거하도록 유의한다.

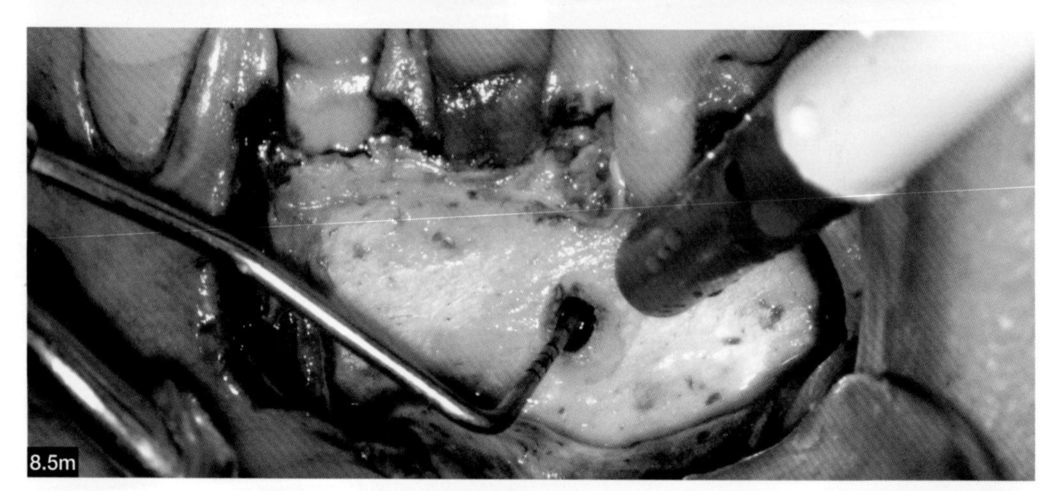

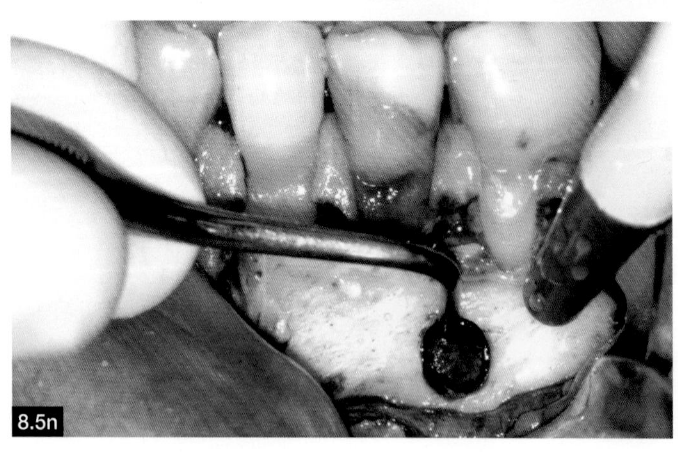

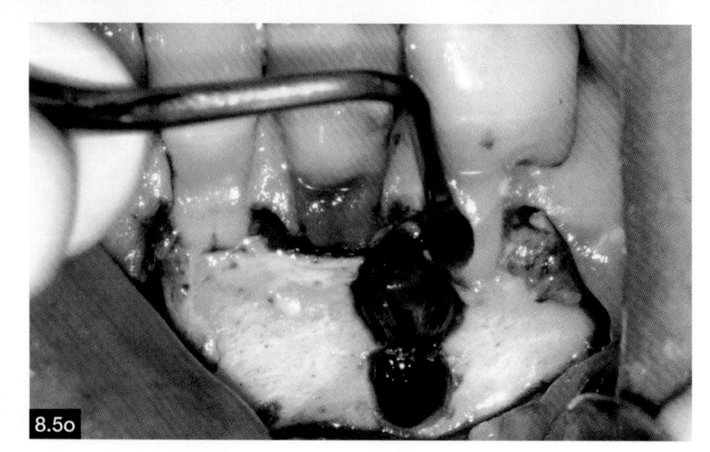

❹ 치근단 절제

일반적으로 치근단 절제술은 2–3 mm의 치과 조직을 포함한다. 양호한 예후를 위해서는 이상적으로는 건강한 골이 치근을 둘러싸고 있는 부분까지 치근을 절제해야 한다.

하지만 매우 큰 병변이나 치관/치근의 비율이 좋지 않은 경우와 같이 위와 같은 절제가 불가능한 상황들이 있다. 골의 삭제와 치근단 절제를 동시에 하면 병소가 치근첨에 붙어있는 상태로 전체적으로 깨끗이 제거되기 때문에 이후의 단계들이 좀 더 효율적으로 진행될 수 있다.

육아조직을 완전히 제거하여 수술 공간을 좀 더 깨끗하게 확보할 수 있다.[7]

❺ 치근단 와동 형성하기

치근단 와동의 설계

Methylene blue는 근관과 치주 인대를 선택적으로 염색하므로 치근단의 구조를 판단하는 데 있어 임상의에게 많은 도움을 준다(Fig. 8.6a-d).

근관의 위치를 확인하면 치근단 와동을 형성하기 위한 알맞은 초음파 팁을 선택해야 한다. 팁의 선택은 치아의 위치, 길이, 그리고 치근의 각도에 따라 달라진다.

골을 삭제한 곳에서 초음파 팁이 최적으로 작동할 수 있도록 어느 정도 공간이 있어야 한다.[7] 올바른 치근단 와동은 치근축과 평행하고(근원심 및 협설측 모두), 치근단의 크기에 기반하여 가능한 한 작은 크기를 갖는다(Fig. 8.7a, b).

Fig. 8.6a: 골을 삭제하고 치근단이 절제되면 근관의 해부학적 구조를 확인해야 한다.

Fig. 8.6b: 유기물을 드러내기 위해 마이크로 브러쉬를 사용하여 메틸렌 블루 염료로 와동을 염색한다.

Fig. 8.6c-d: 와동을 세척하고 건조시킨 후, 근관이 치근 중앙에서 명확하게 보인다.

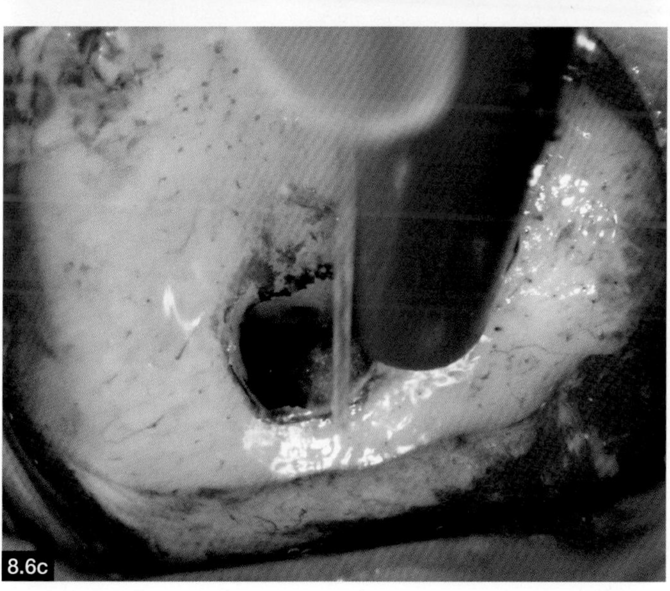

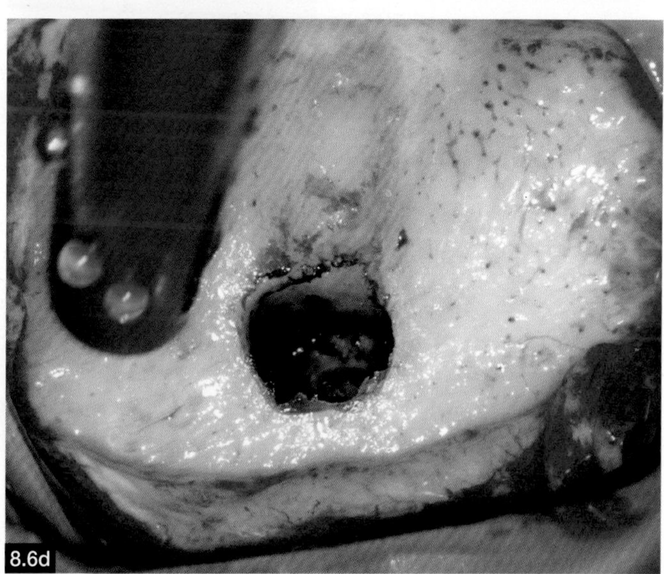

이 단계에서 일반적으로 초음파 다이아몬드 팁을 사용하여 0도에서 10도 사이의 절단 경사로 3-4 mm 정도 깊이의 치근단 와동을 형성한다.
충전하기 쉬운 노출된 상아세관을 포함한 깨끗하고 잘 경계 지어진 치근단 와동을 형성해야 한다. 이는 치료의 예후를 좋게하고 충전재의 변연 침윤 위험을 줄인다.[33] 치근단부의 최적의 시야를 확보하기 위해 인체 공학적이고 공간을 절약할 수 있는 사파이어 유리 또른 광택 처리된 강철 소재의 마이크로 미러를 사용한다.

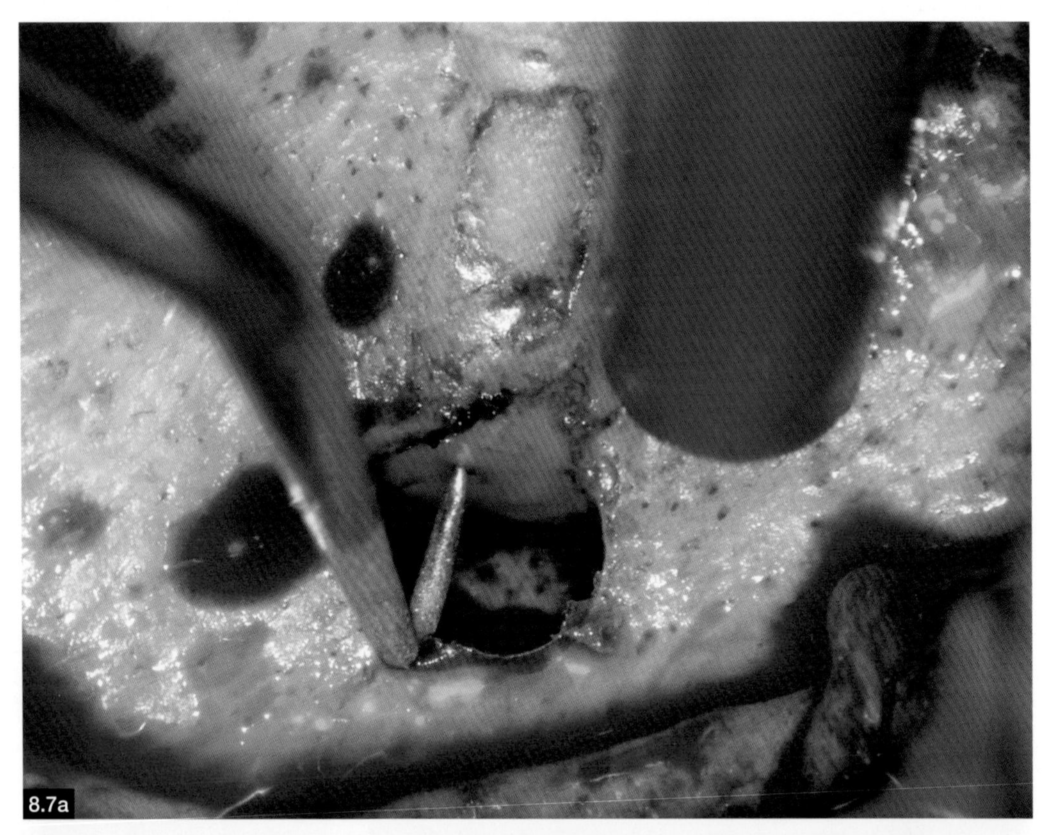

Fig. 8.7a: 치근단 와동은 초음파 팁이 쉽게 삽입되고 골 변연을 건드리지 않도록 충분히 커야 한다.

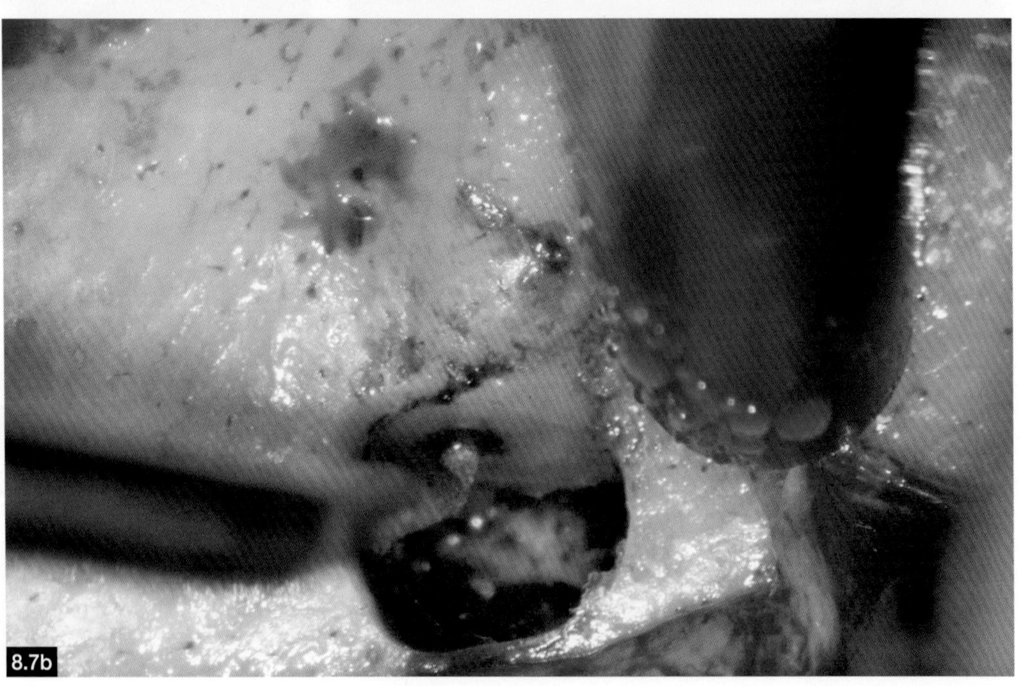

Fig. 8.7b: 초음파 팁을 근관에 넣어 세척하고 성형한다.

❻ 형성된 와동의 청소

와동의 건조 및 지혈

출혈을 조절하는 것은 치근단 와동 형성과 충전 시의 시야 확보에 필수적이다. 출혈을 조절하는 방법은 다음과 같다.

1. 효과적인 마취
2. 육아 조직의 철저한 제거
3. 마이크로 석션의 사용
4. Ferric sulfate나 aluminum chloride를 적신 마이크로 브러쉬 또는 작은 멸균 거즈의 사용

치근단 와동을 충전하기 전, 술자는 와동이 적절하게 형성되고 건조되었는지 확인해야 한다.
치근단 와동을 건조하는 가장 효과적인 시스템은 Stropko irrigator로 3-way syringe에 고정되어 와동내에 정확하게 공기를 분사하여 몇 초 안에 건조시킬 수 있다**(Fig. 8.8a-b)**.

Fig. 8.8a: 완벽한 밀폐를 위해 치근단 와동을 건조시켜야 한다. 이를 위해서는 Stropko irrigator의 사용이 필수적이다.

Fig. 8.8b: 세척 및 건조 완료 후, 근관 와동내에 충전을 할 준비가 되었다.

❼ 역충전

치근단 와동의 밀폐

역충전 재료

치근단 와동 밀폐의 질과 깊이, 그리고 특히 역충전 재료의 종류가 치료 성공률에 큰 영향을 미친다 현재 Super RBA (알루미나로 강화되고 ortho-ethoxybenzoic acid가 많은 ZOE 시멘트)와 mineral trioxide aggregate (MTA)가 치근단 와동의 충전에 사용된다. 각 특성에 대한 자세한 설명은 5장을 참조하기 바란다. 두 재료의 다른 특성에 따라 사용하기 좀 더 적합한 임상적 상황이 다르다. 매우 큰 와동과 지혈이 어려운 곳에서는 Super EBA가 좀 더 적합하다. 마이크로 스파츌라로 위치시킨 뒤 완전히 굳을 때까지(4–5분 소요) 플러거를 이용하여 응축 및 연마한다.

그런 다음 잉여분을 제거하고 치근단 와동의 표면을 다중날버로 마무리한다(Fig. 8.9a-i).

반대로 지혈이 잘 될 경우 MTA의 사용이 가능한데 이는 MTA가 출혈이 있는 부위에서는 압축할 수 없

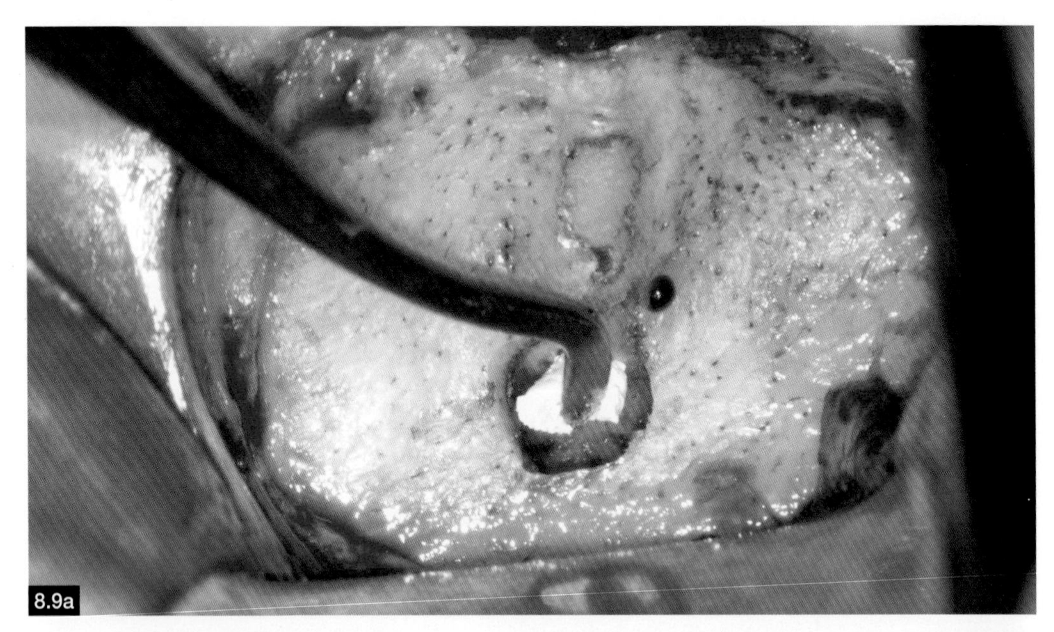

Fig. 8.9a: 작은 스파츌라로 Super EBA를 치근단 와동 내부에 충전한다.

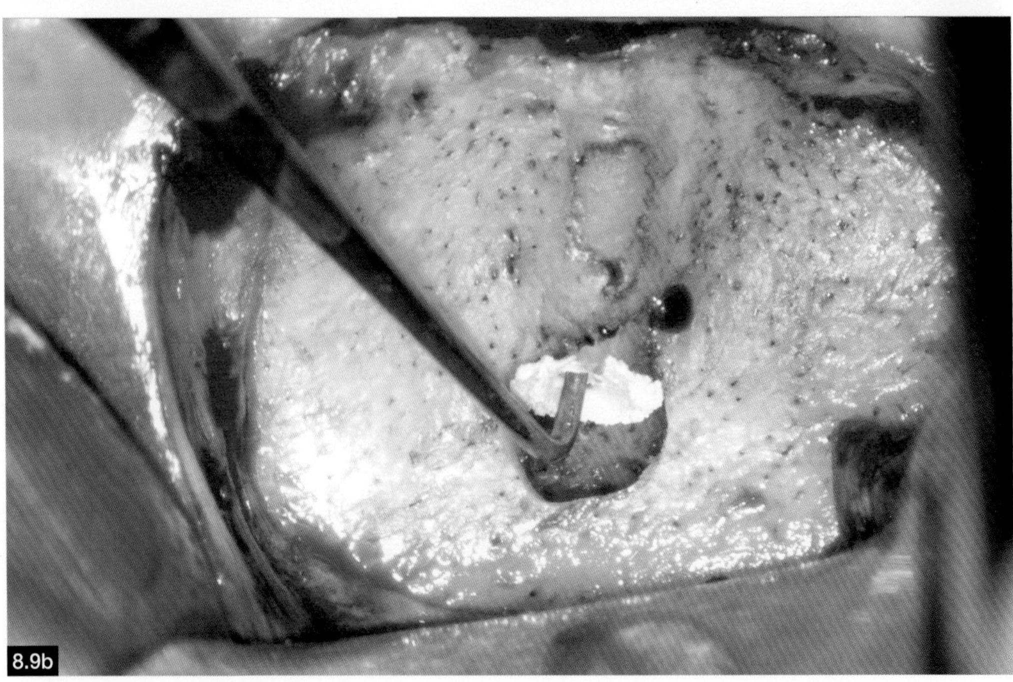

Fig. 8.9b: 이 단계에서 역충전의 충분한 두께를 위해 재료를 잘 압축해 넣도록 주의해야 한다.

Fig. 8.9c: 치근단 와동의 바깥에 가득 찰 때까지 재료를 계속 압축해야 한다.

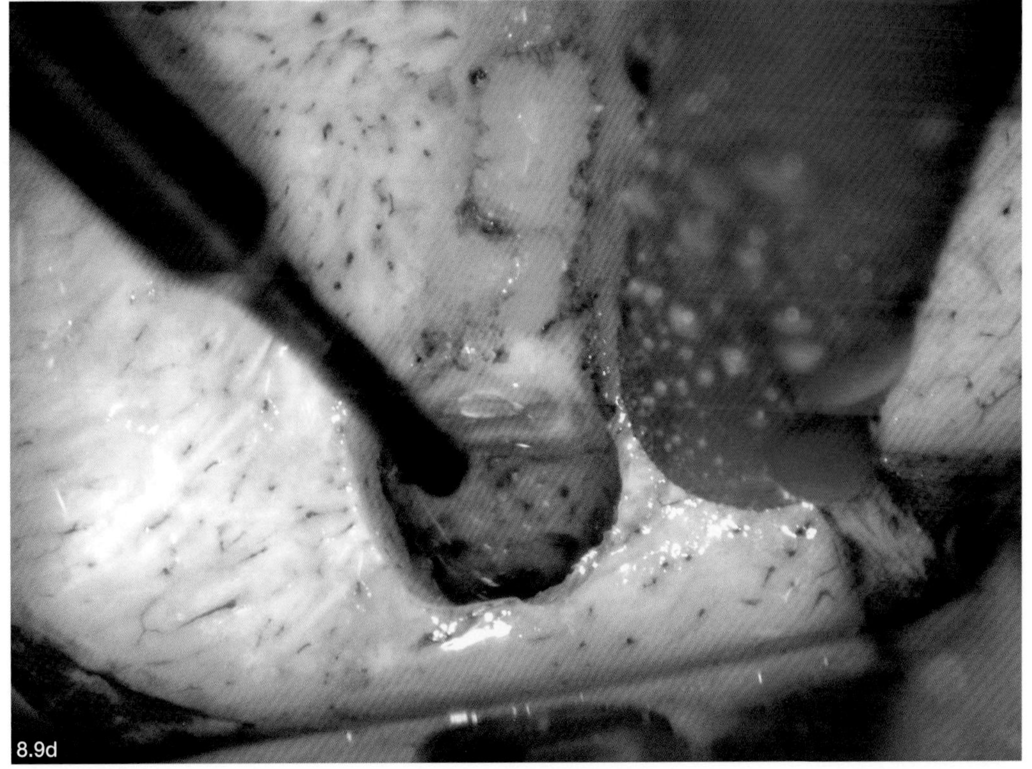

Fig. 8.9d: 충전재는 다중날 버로 연마된다.

Fig. 8.9e-h: 여러 다른 배율에서의 골와동. 밀폐된 치근단 와동과 골와동의 모습을 볼 수 있다. 올바른 역충전 후 봉합을 진행할 수 있다.

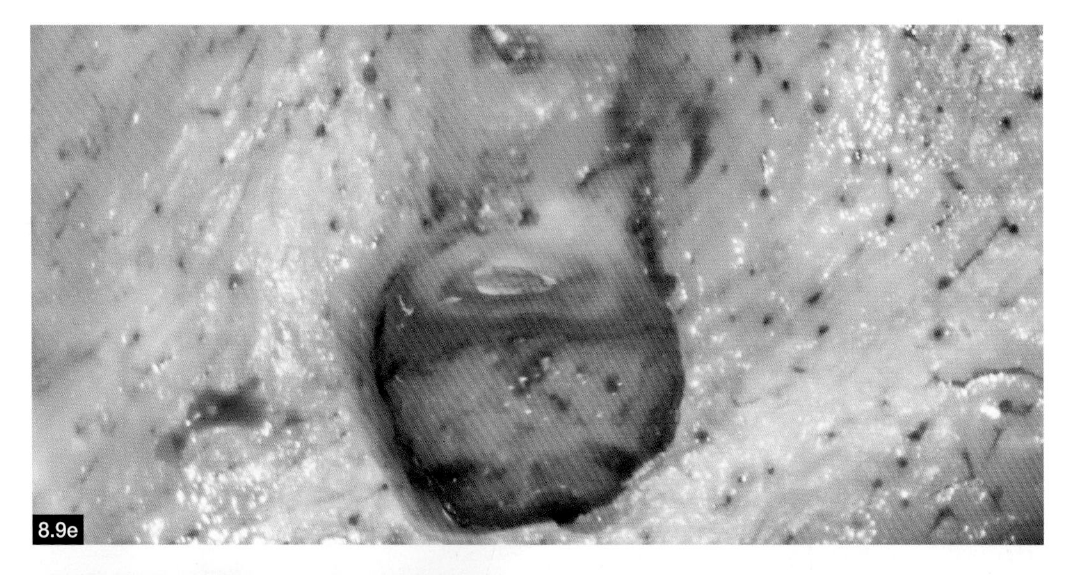

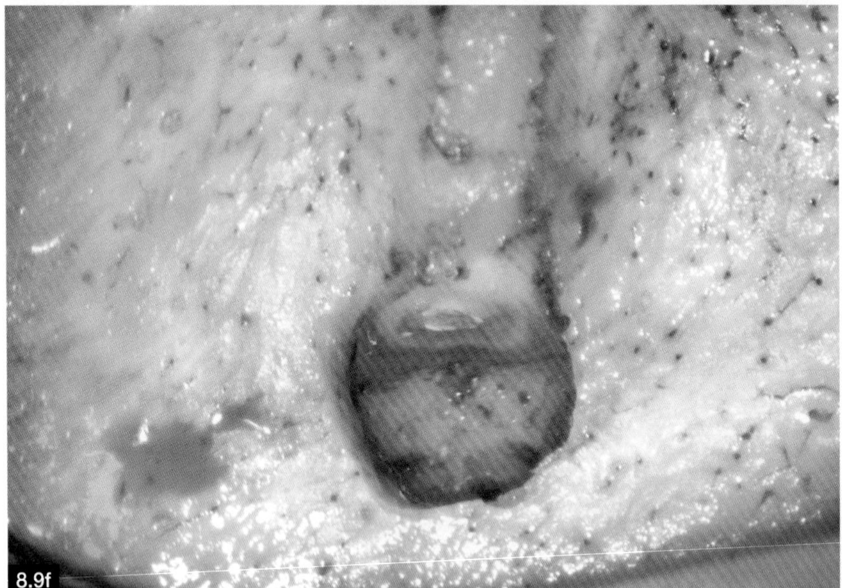

기 때문이다.

MTA 또한 전용 기구를 사용하여 치근단 와동에 소량씩 넣고 작은 플러거로 압축하여 충전한다.

충전이 완료되면 멸균 식염수에 적신 면구를 사용하여 충전된 MTA를 살짝 적셔준다. 선택된 재료에 따가 경화되는데 3–48시간이 필요하다**(Fig. 8.9l, m).**[27, 49]

봉합하기 전 치근주위의 공간은 가능하면 출혈시켜 충전 잔류물들을 제거하고 치유과정을 촉진시킨다.

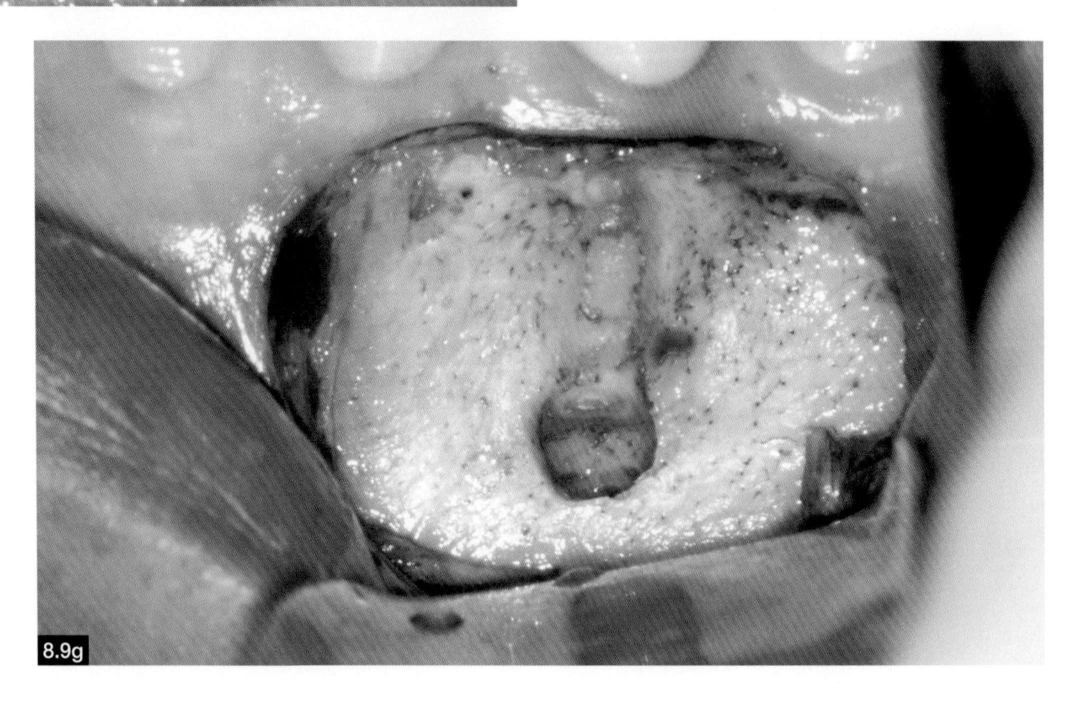

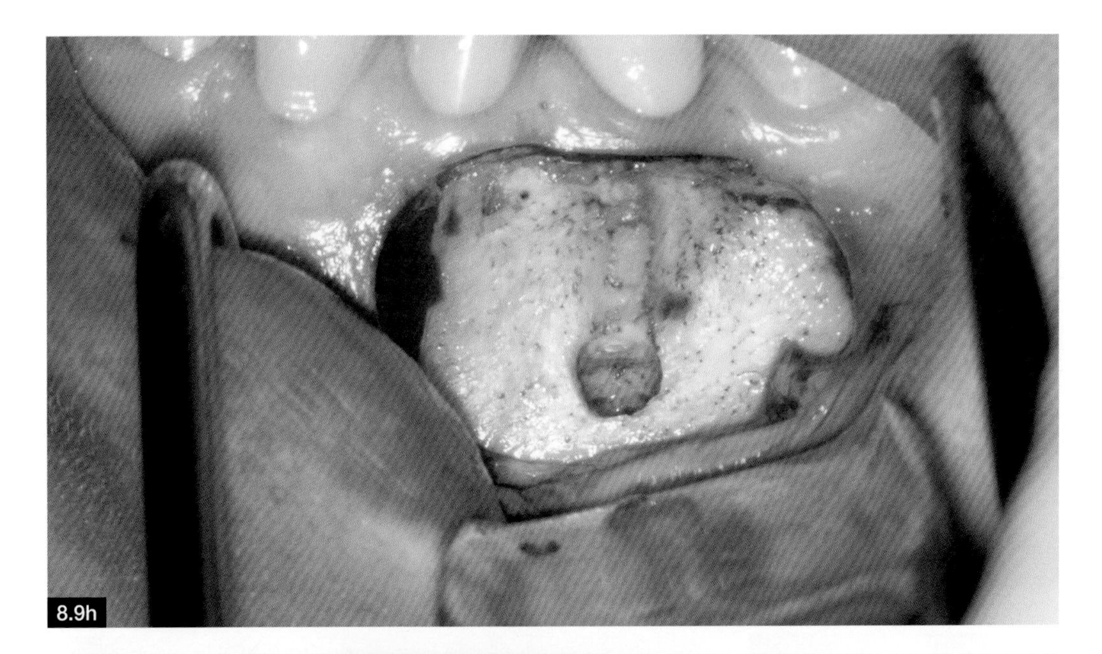

8.9h

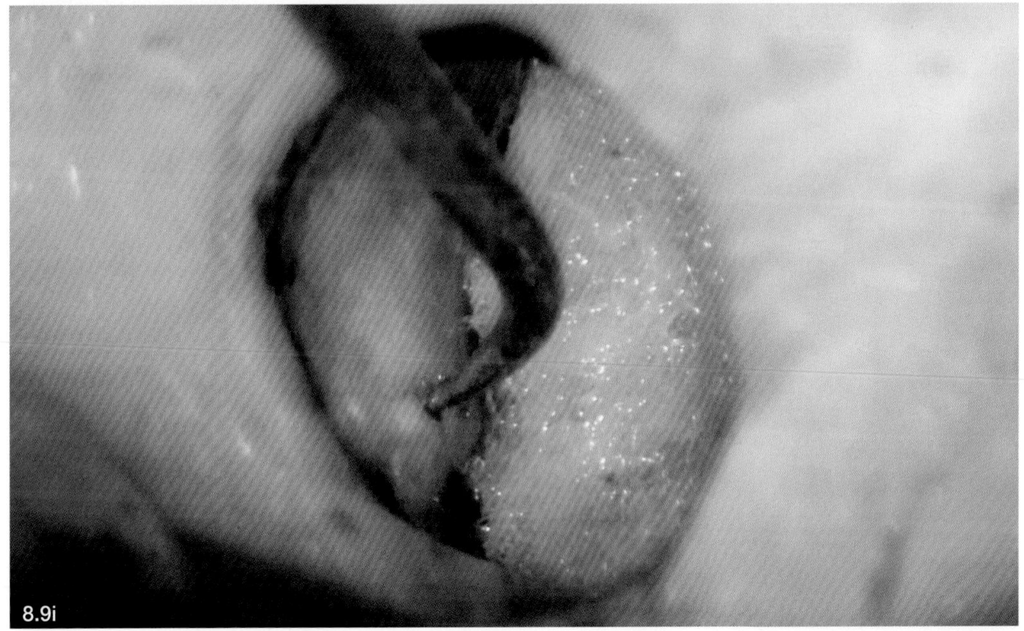

8.9i

Fig. 8.9i: 골와동 형성 후 근관 병소의 원인이 될 수 있는 두 개의 측방관이 관찰된다.

Fig. 8.9l: 다이아몬드 초음파 팁을 사용하여 치근단 와동을 형성하고 세척한다.

Fig. 8.9m: 두 개의 측방관을 Super EBA로 충전했다.

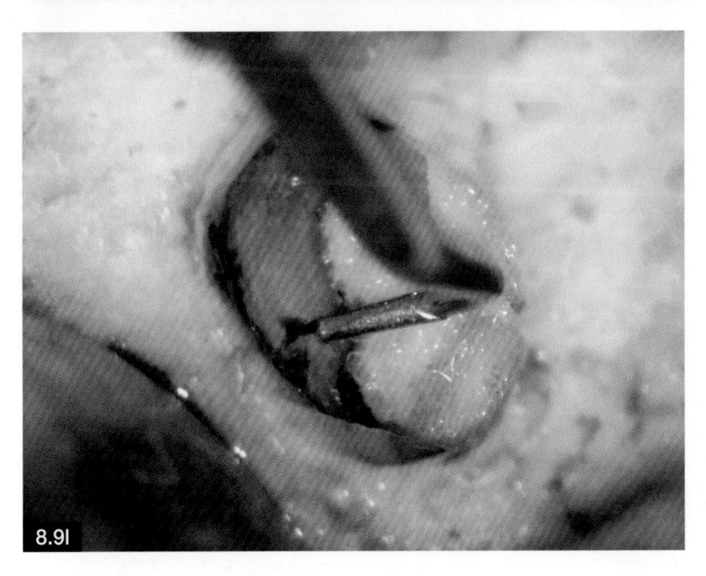

8.9l

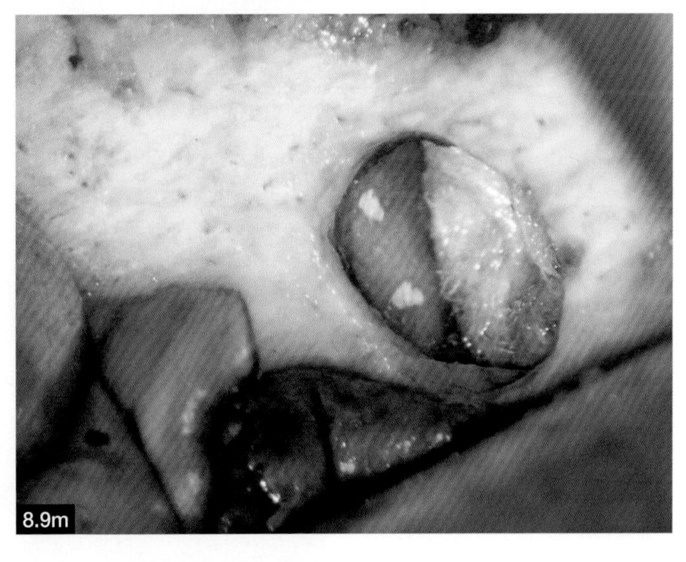

8.9m

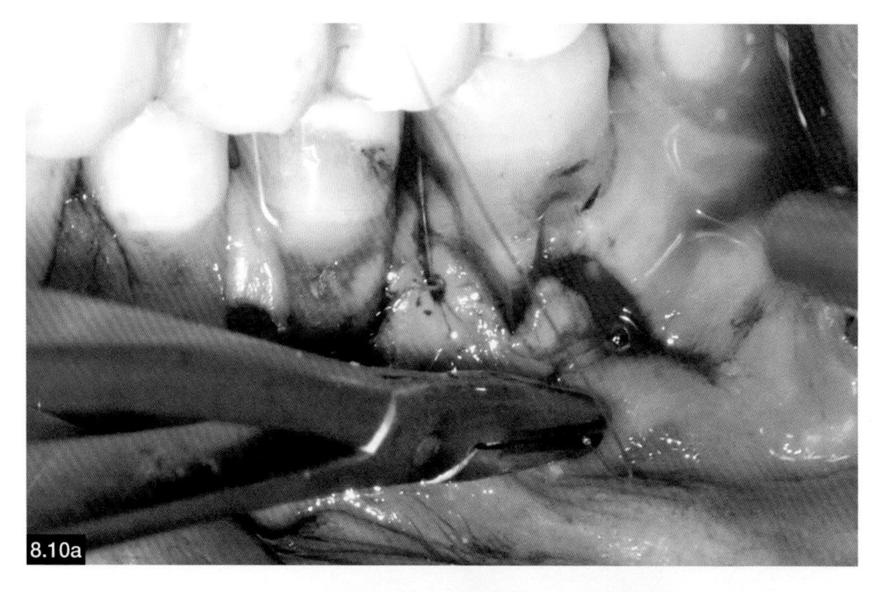

❽ 봉합

수술의 성공을 위해서는 올바른 봉합이 중요하다. 피판에 알맞은 매우 얇은 모노 필라멘트의 5–0 혹은 6–0의 사용을 권장한다.

1차 유합을 위해 수직 절개부 상단에서부터 봉합을 시작하여 치관부 쪽으로 이어간다(Fig. 8.10a-d). 얇고 매우 단단한 합성 봉합사를 사용하는 경우 열을 가해 봉합사의 변연을 무디게 하여 조직의 외상을 줄일 수 있다. 일반적으로 봉합사는 7–10일 후에 제거되지만 심미적으로 중요한 부위에서는 조금 더 빨리 제거하도록 권장된다.[7]

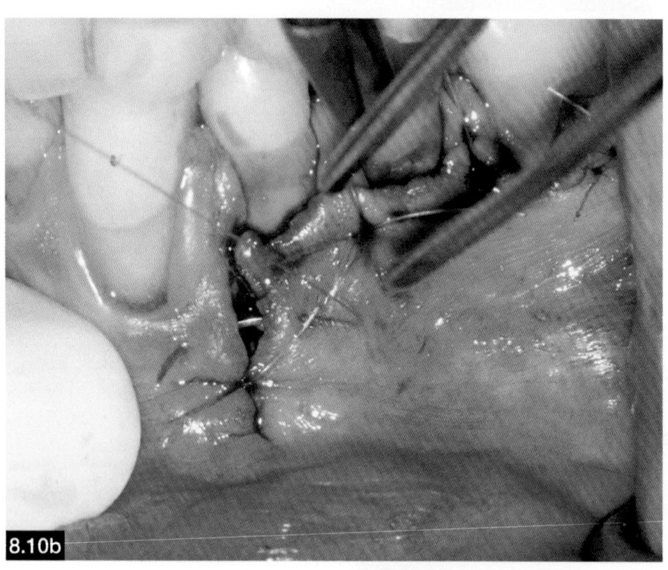

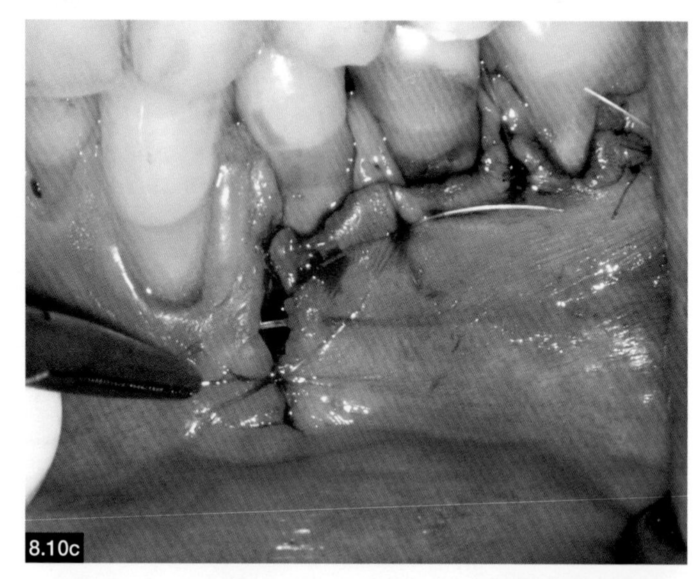

Fig. 8.10a: 봉합은 섬세함을 필요로 한다. 흉터 없는 1차 유합을 유도해야 하기 때문이다. 얇은 모노 필라멘트인 5–0 혹은 6–0가 단속 봉합으로 사용된다. 첫 번째 봉합은 일반적으로 절개 부위의 가장 원심 부분부터 시작한다.

Fig. 8.10b: 피판의 가장자리를 재배치한 후 단속 봉합으로 봉합한다.

Fig. 8.10c: 그런 다음 이완절개 부분을 봉합한다.

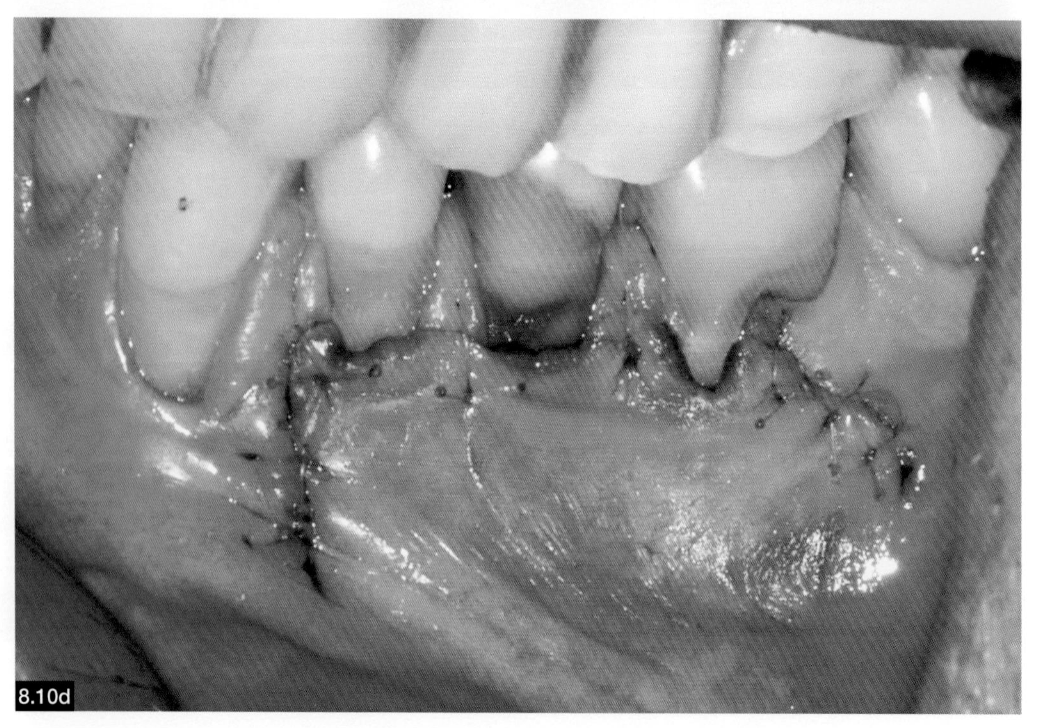

Fig. 8.10d: 봉합이 끝나면 봉합사의 끝을 열을 이용하여 둥글게 만들어주면 환자의 수술 후 편안함을 높일 수 있다.

치료의 성공평가 및 추적관찰

성공적인 치료의 첫 번째 조건은 증상이나 누공이 없는 것이다. 후속 평가는 일반적으로 수술 후 4, 8, 12개월에 치근단 방사선 사진으로 평가한다.

외과적 근관치료는 치근단 병소의 유무에 관계없이 높은 성공률이 입증된 치료이며, 특히 케이스가 복잡하거나 일반적인 근관치료를 할 수 없는 경우에 그러하다.[23, 24, 26, 31] 초음파 팁에 의한 보존적 와동 형성, 습한 환경에서도 우수한 밀폐가 가능한 생체친화적인 친수성 충전재와 같은 새로운 기술에 의한 수술법의 개선은 치근단 수술을 좀 더 보존적이고 예측 가능하며 신속하게[7, 16, 20] 만들어 주었다.

한 연구는 충전재, 치료 치아의 유형, 환자의 성별을 포함하여 치근단 수술의 성공에 긍정적인 영향을 미치는 요인을 분석했다. Table 8.5에 치근단 수술의 성공에 영향을 주는 가장 중요한 요소들이 요약되어 있다.[60]

술자의 기술, 수술용 현미경의 사용, 치근단 수술의 적응증들을 간과해서는 안 된다.

Table 8.5 **FACTORS ASSOCIATED WITH A SIGNIFICANT INCREASE IN THE HEALING RATE[56]**

Absence of preoperative pain	
Good material density in the canal filling	
No periapical lesions or lesion size less than or equal to 5 mm	
Use of magnifying devices	These improve the vision of the operating field and facilitate the recognition of the canal system, accessory systems, and any fracture paths. There is no article in the literature that indicates a statistically significant difference between the outcome of a therapy performed with or without magnifying devices, but the healing rates using the surgical microscope are higher than those of treatments performed without the aid of this instrument.
Use of ultrasound inserts	These allow precise preparations to be made that respect the endodontic anatomy, making it easier for the clinician to carry out the treatment.
Filling materials	Super EBA and MTA, when used according to the indications, have similar reported results but they are far better than those obtained with other filling materials (e.g., silver amalgam and glass ionomer) due to their biocompatibility and the peculiarity of hardening even in the presence of moisture.

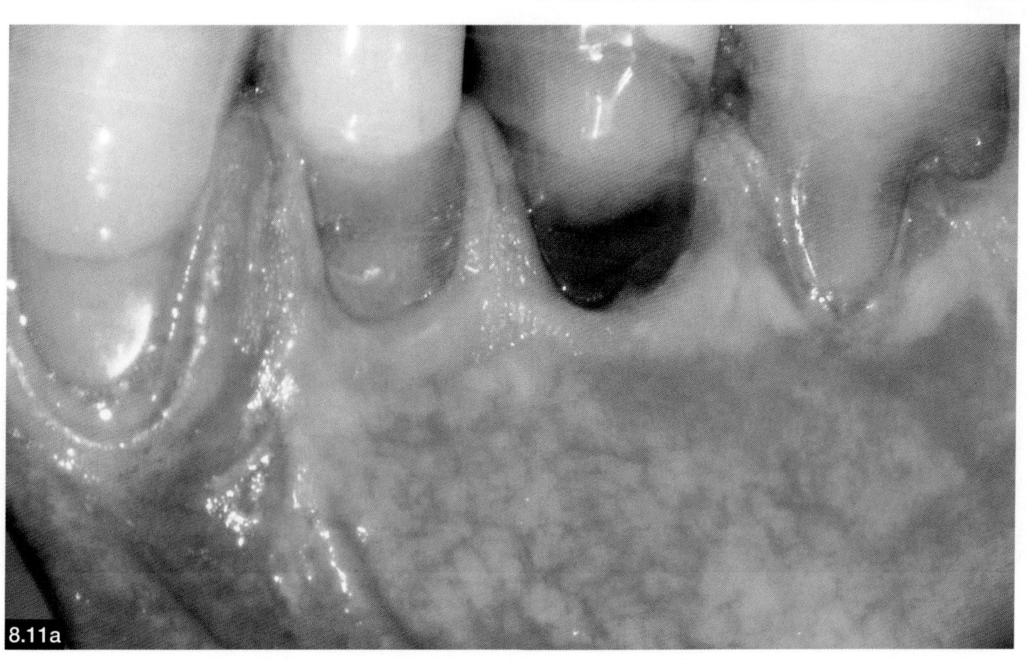

Fig. 8.11a: 수술 1년 후의 사진. 조직과 치아 모두 안정적이다.

Fig. 8.11b: 1차 유합에 의한 연조직의 치유

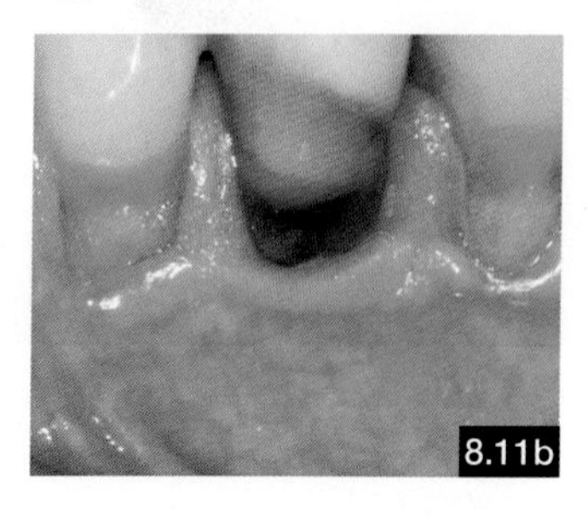

CASE
REPORT 2

외과적 재근관치료

앞서 이미 언급했듯이, 여러 연구에서 1차 치근단 수술의 높은 성공률이 보고되었다. 하지만 수술이 실패한 치아 또한 같은 외과적 접근으로 재수술이 가능한 경우가 있다. 즉, 1차 치근단 수술이 성공하지 못한 치아는 다른 외과적 술식으로 다시 치료받을 수 있다.

재수술 시 또한 적절한 기술과 재료를 사용시 1차 치근단 수술과 거의 동일한 성공률을 보인다고 보고되었다.

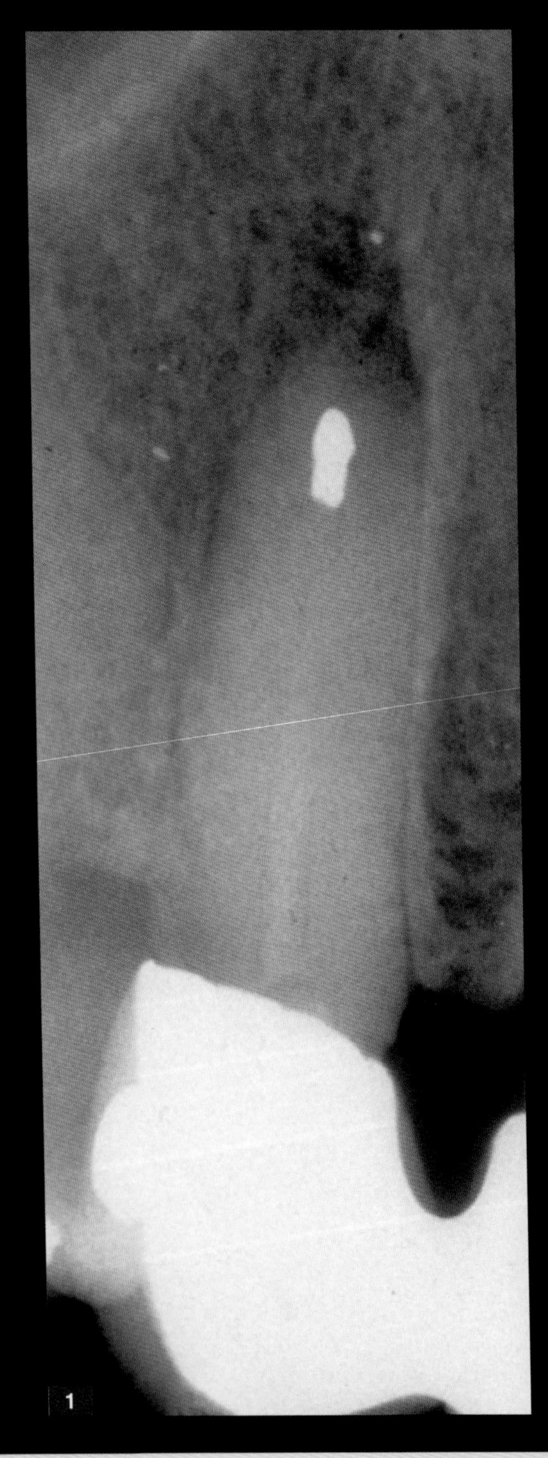

Figure 1: 아말감을 사용한 오래 전의 치근단 수술. 치근단 주위 병소가 관찰된다.

Figure 2: 골 삭제 및 치근단 절제 후 충전된 아말감을 빈 근관이 보일 때까지 점차 제거했다.

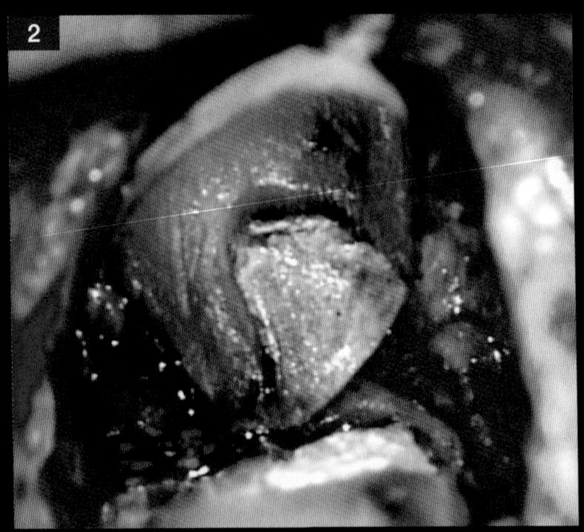

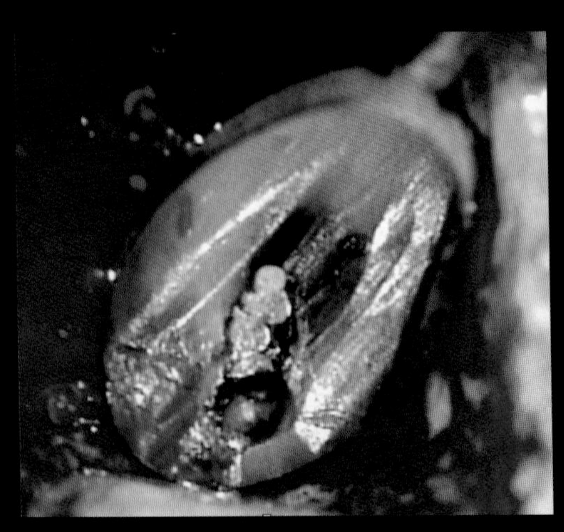

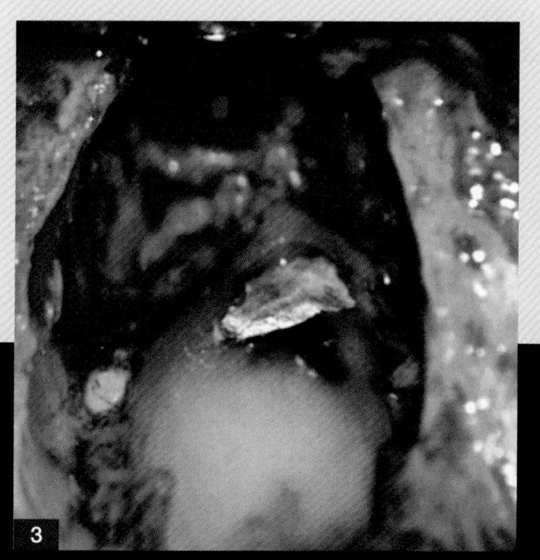

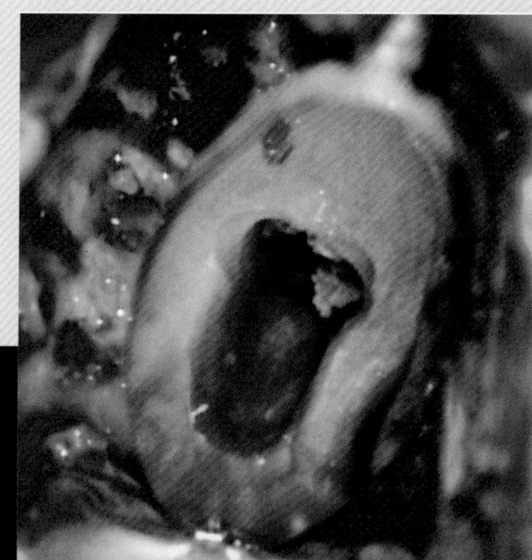

Figure 3: 과거의 역충전을 모두 제거하자 매우 큰 치근단 와동이 관찰된다. 역충전을 하기 전 치근단 와동을 완벽히 세척했다.

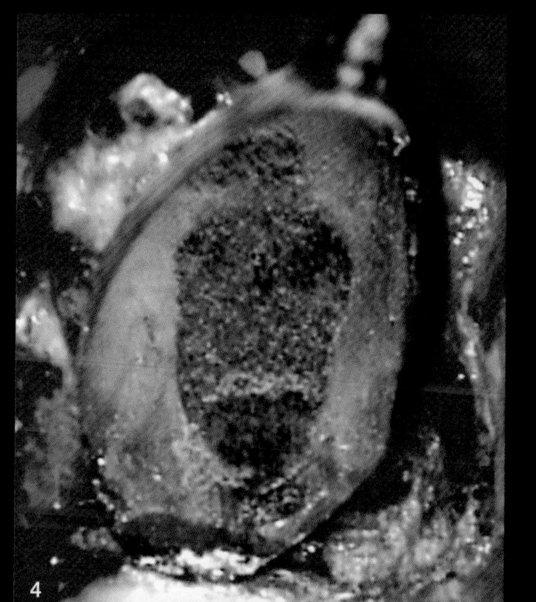

Figure 4: 생체적합성이 높고 이러한 치료에 이상적인 밀폐를 보이는 MTA로 역충전을 마무리했다.

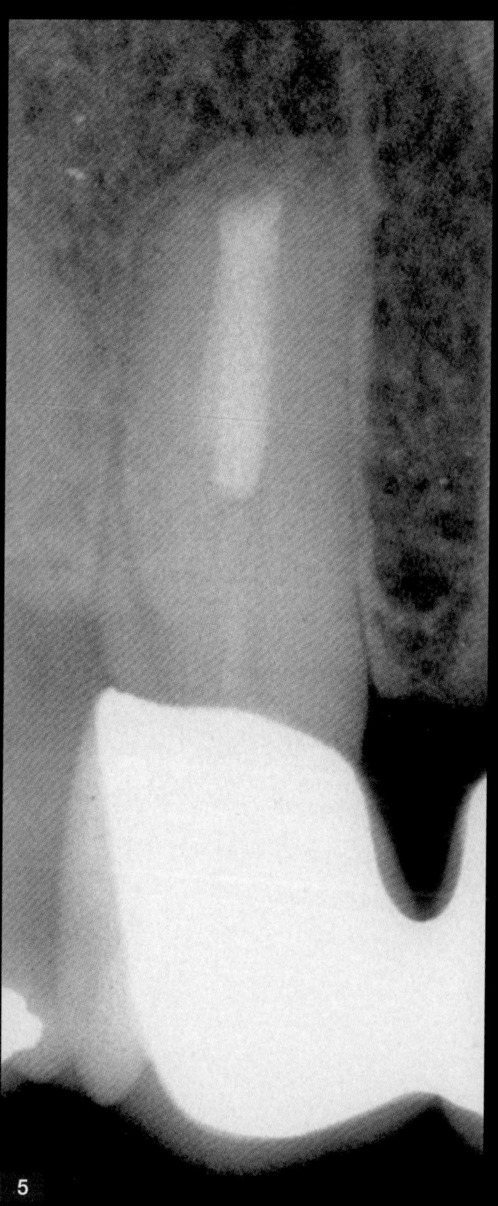

Figure 5: 추적관찰에서 치근단 조직의 완전한 치유가 관찰된다.

CASE REPORT 3

측방관에 의한 병소의 외과적 근관치료

측면 병소의 존재는 종종 커다란 측방관의 존재와 관련이 있지만, 주근관의 불완전한 세척, 성형 및 충전에 의해서도 종종 생긴다.
크기가 큰 측방관이 존재할 경우 세균의 생존과 증식을 허용하여 치근단부 병소를 일으킬 수 있다.

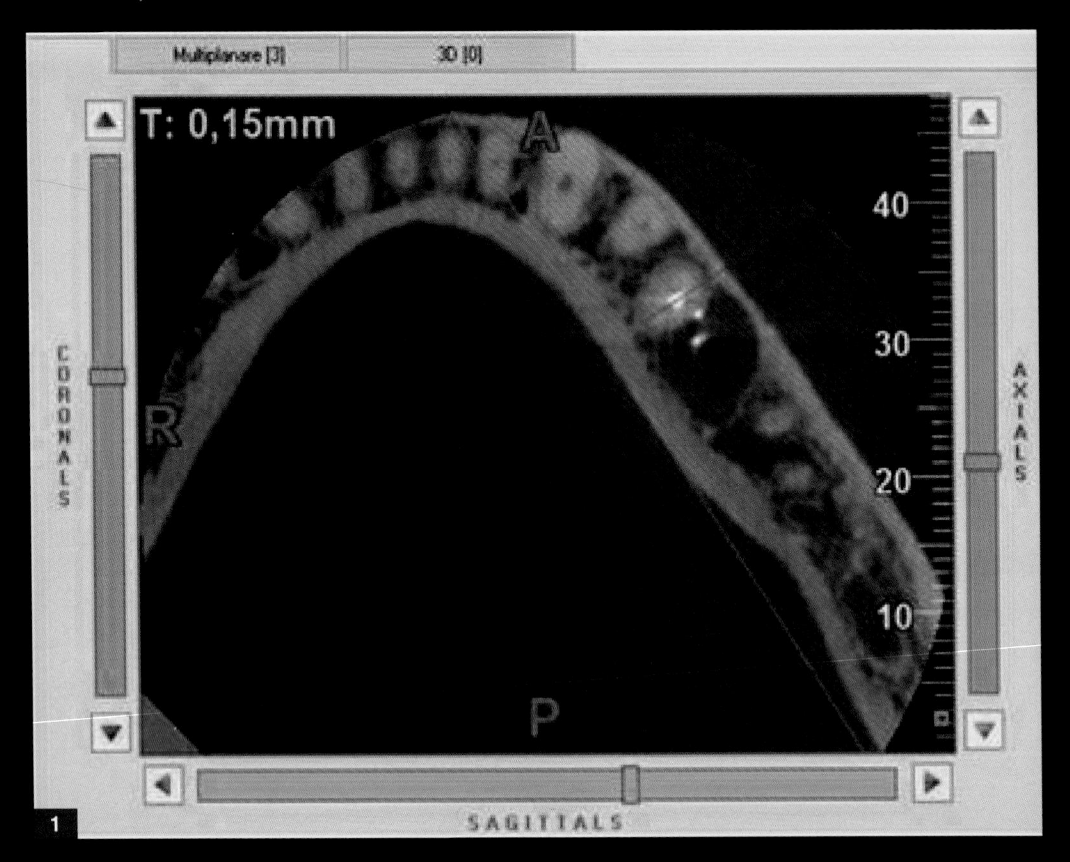

Figure 1 수술 전 CBCT에서 병소가 치근의 원심 부분에만 존재하고 기존 근관치료의 완성도가 객관적으로 높은 것으로 보인다. 병소의 특징적인 위치로 판단컨대 내부 이물질의 존재 혹은 치료되지 않은 측방관 존재의 가능성이 있다. 치근단 절제는 하지 않고, 병소가 위치한 원심 부분에만 외과적 접근을 결정했다.

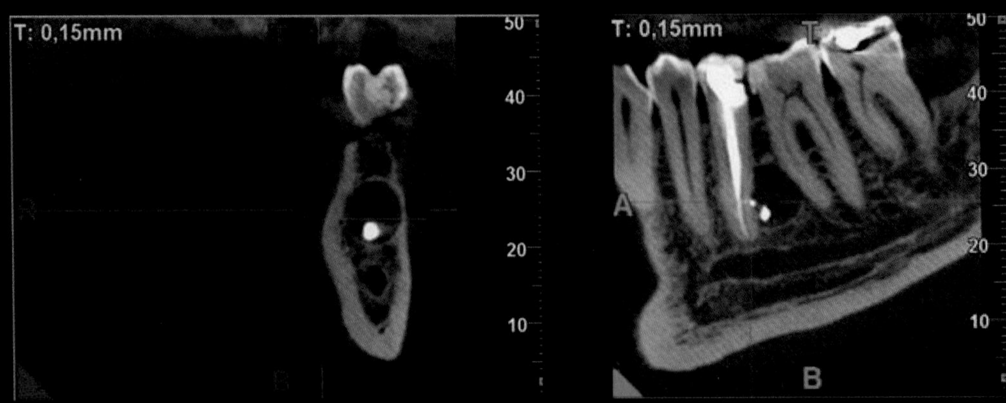

본 증례의 경우 소구치의 측면에서 명확한 방사선 투과상이 관찰된다. 근관치료는 잘 되어있어, 일반적인 재근관치료 또는 치근단 절제술은 적합하지 않은 것으로 생각된다. 이러한 이유로 병소의 영향을 받는 원심 부위만 치근 표면과 주변의 골을 활택하는 외과적 접근 방법이 채택되었다.

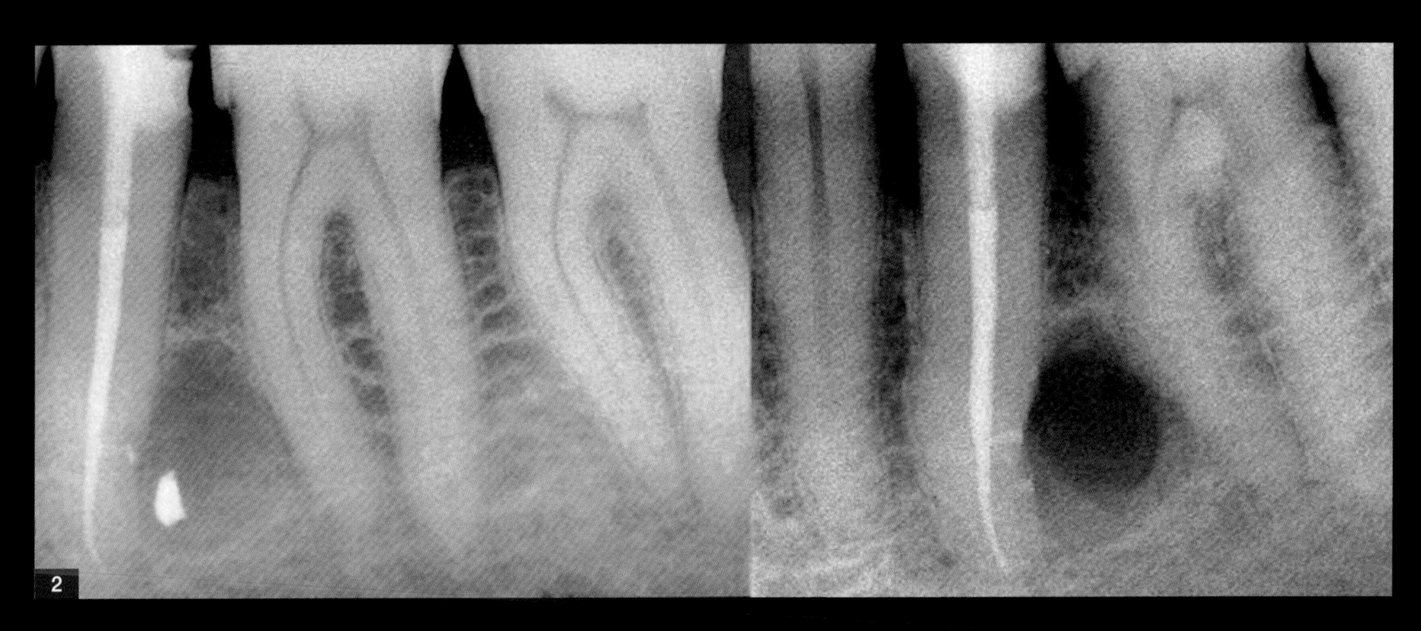

Figure 2 술전 및 술후 방사선 사진은 이물질이 제거되었고 두 개의 측방관이 세척, 성형 및 충전되었음을 보여준다.

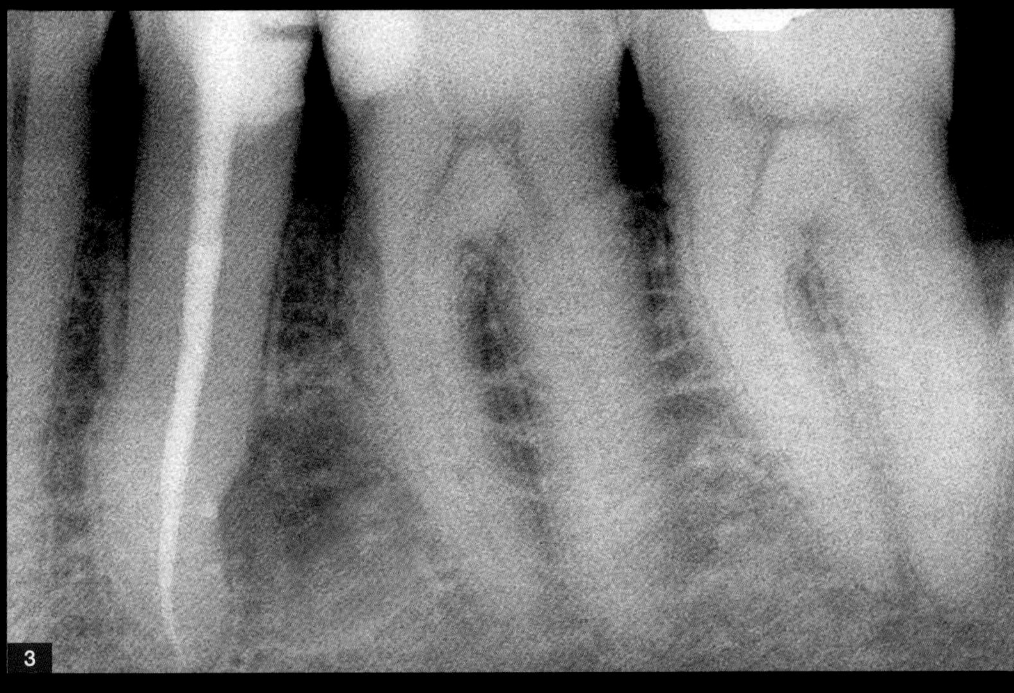

Figure 3 6개월 후 방사선 사진은 거의 사라진 병소를 보여준다.

참고문헌

1. Gutmann J, Harrison J. *Surgical endodontics. Boston: Blackwell Scientific Publications;* 1991.
2. Kim S, Pecora G, Rubinstein R. *Microsurgery in endodontics. Philadelphia: WB Saunders Company*; 2001.
3. Ng Y, Mann V, Rahbaran S, et al. *Outcome of primary root canal treatment: systematic review of the literature - part 1. Effects of study characteristics on probability of success.* Int Endod J. 2007;40(12):921-339.
4. Fleming C, Litaker M, Alley et al. *Comparison of classic endodontic techniques versus contemporary techniques on endodontic treatment success*. J Endod. 2010;36:414-418.
5. Peterson J, Gutmann J. *The outcome of endodontic surgery: a systematic review*. Int Endod J. 2001;34(3):169-175.
6. Chércoles-Ruiz A, Sánchez-Torres A, Gay-Escoda C. *Endodontics, Endodontic Retreatment, and Apical Surgery Versus Tooth Extraction and Implant Placement: A Systematic Review*. J Endod. 2017;43(5):679-686.
7. Gorni FGM. *Manuale di Endodonzia.* In: Berutti E, Gagliani M, editors.: Edra; 2013. pp 2-27.
8 Ogutlu F, Karaca I. Clinical and Radiographic Outcomes of Apical Surgery: A Clinical Study. J Maxillofac Oral Surg. 2018;17(1):75-83.
8. Tsesis I, Rosen E, Schwartz-Arad D et al. *Retrospective evaluation of surgical endodontic treatment: traditional versus modern technique*. J Endod. 2006;32(5):412-416.
9. Rubinstein R. *Endodontic microsurgery and the surgical operating microscope: Compendium*; 1997.
10. Setzer F, Shah S, Kohli M et al. *Outcome of endodontic surgery: a meta-analysis of the literature--part 1: Comparison of traditional root-end surgery and endodontic microsurgery*. J Endod. 2010;36(11):1757-1765.
11. Wang Z, Zhang M, Wang J et al. *Outcomes of Endodontic Microsurgery Using a Microscope and Mineral Trioxide Aggregate: A Prospective Cohort Study*. J Endod. 2017;43(5):694-698.
12. Zhou W, Zheng Q, Tan X et al. *Comparison of Mineral Trioxide Aggregate and iRoot BP Plus Root Repair Material as Root-end Filling Materials in Endodontic Microsurgery: A Prospective Randomized Controlled Study*. J Endod. 2017;43(1):1-6.
13. Riis, A., S. Taschieri, M. Del Fabbro and T. Kvist (2018). "Tooth Survival after Surgical or Nonsurgical Endodontic Retreatment: Long-term Follow-up of a Randomized Clinical Trial." J Endod 44(10): 1480-1486.
14. Yoon J, Cho BH, Bae J, Choi Y. Anatomical analysis of the resected roots of mandibular first molars after failed non-surgical retreatment. Restor Dent Endod. 2018;43(2):e16.
13. von Arx T, Janner S, Jensen S et al. *The resection angle in apical surgery: a CBCT assessment*. Clin Oral Investig. 2016;20(8):2075-2082.
14. Taschieri S, Del Fabbro M, Testori T et al. *Endoscopic periradicular surgery: a prospective clinical study*. Br J Oral Maxillofac Surg. 2007;45:242-424.
15. Taschieri S, Del Fabbro M. *Endoscopic endodontic microsurgery: 2-year evaluation of healing and functionality*. Braz Oral Res. 2009;23:23-30.
16. von Arx T, Jensen S, Hänni S et al. *Five-year longitudinal assessment of the prognosis of apical microsurgery*. J Endod. 2012;38:570-579.
17. Zuolo M, Ferreira M, Gutmann J. *Prognosis in periradicular surgery: a clinical prospective study*. Int Endod J. 2000;33(2):91-98.
18. Pecora G, De Leonardis D, Ibrahim N et al. *The use of calcium sulphate in the surgical treatment of a 'through and through' periradicular lesion*. Int Endod J. 2001;34(3):189-197.
19. Rahbaran S, Gilthorpe M, Harrison S et al. *Comparison of clinical outcome of periapical surgery in endodontic and oral surgery units of a teaching dental hospital: a retrospective study*. Oral Surg Oral Med Oral Pathol Oral Radiol Endod. 2001;91(6):700-709.
20. Rud J, Rud V, Munksgaard E. *Periapical healing of mandibular molars after root-end sealing with dentine-bonded composite*. Int Endod J. 2001;34(4):285-292.
21. von Arx T, Gerber C, Hardt N. *Periradicular surgery of molars: a prospective clinical study with a one-year follow-up*. Int Endod J. 2001;34(7):520-525.
22. Jensen S, Nattestad A, Egdø P et al. *A prospective, randomized, comparative clinical study of resin composite and glass ionomer cement for retrograde root filling*. Clin Oral Investig. 2002;6(4):236-243.
23. Rubinstein R, Kim S. *Long-term follow-up of cases considered healed one year after apical microsurgery*. J Endod. 2002;28(5):378-383.
24. Chong B, Pitt Ford T, Hudson M. *Prospective clinical study of Mineral Trioxide Aggregate and IRM when used as root-end filling materials in endodontic surgery*. Int Endod J. 2003;36(8):520-526.
25. Maddalone M, Gagliani M. *Periapical endodontic surgery: a 3-year follow-up study*. Int Endod J. 2003 Mar;36(3):193-198.
26. Schwartz-Arad D, Yarom N, Lustig J et al. *A retrospective radiographic study of root-end surgery with amalgam and intermediate restorative material.* Oral Surg Oral Med Oral Pathol Oral Radiol Endod. 2003;96(4):472-477.
27. Wang N, Knight K, Dao T et al. *Treatment outcome in endodontics-The Toronto Study. Phases I and II: apical surgery*. J Endod. 2004;30(11):751-761.
28. Gagliani M, Gorni F, Strohmenger L. *Periapical resurgery versus periapical surgery: a 5-year longitudinal comparison*. Int Endod J. 2005;38(5):320-327.

29. Lindeboom J, Frenken J, Valkenburg P et al. *The role of preoperative prophylactic antibiotic administration in periapical endodontic surgery: a randomized, prospective double-blind placebo-controlled study*. Int Endod J. 2005;38(12):877-881.
30. Taschieri S, Del Fabbro M, Testori T et al. *Endodontic surgery with ultrasonic retrotips: one-year follow-up*. Oral Surg Oral Med Oral Pathol Oral Radiol Endod. 2005;100(3):380-387.
31. Taschieri S, Del Fabbro M, Testori T et al. *Endodontic surgery using 2 different magnification devices: preliminary results of a randomized controlled study*. J Oral Maxillofac Surg. 2006;64(2):235-242.
32. Peñarrocha M, Martí E, García B et al. *Relationship of periapical lesion radiologic size, apical resection, and retrograde filling with the prognosis of periapical surgery*. J Oral Maxillofac Surg. 2007;65(8):1526-1529.
33. von Arx T, Hänni S, Jensen S. *Correlation of bone defect dimensions with healing outcome one year after apical surgery*. J Endod. 2007;33(9):1044-1048.
34. Kim E, Song J, Jung I et al. *Prospective clinical study evaluating endodontic microsurgery outcomes for cases with lesions of endodontic origin compared with cases with lesions of combined periodontal-endodontic origin*. J Endod. 2008;34(5):546-551.
35. Saunders W. *A prospective clinical study of periradicular surgery using mineral trioxide aggregate as a root-end filling*. J Endod. 2008;34:660-665.
36. Taschieri S, Del Fabbro M, Testori T et al. *Microscope versus endoscope in root-end management: a randomized controlled study*. Int J Oral Maxillofac Surg. 2008;37:1022-1026.
37. Barone C, Dao T, Basrani B et al. *Treatment outcome in endodontics: the Toronto study*. Phases 3, 4, and 5: apical surgery. J Endod. 2010;36(1):28-35.
38. von Arx T, Hänni S, Jensen S. *Clinical results with two different methods of root-end preparation and filling in apical surgery: mineral trioxide aggregate and adhesive resin composite*. J Endod. 2010;36(7):1122-1129.
39. Song M, Jung I, Lee S et al. *Prognostic factors for clinical outcomes in endodontic microsurgery: a retrospective study*. J Endod. 2011;7(37):927-933.
40. Song M, Shin S, Kim E. *Outcomes of endodontic micro-resurgery: a prospective clinical study*. J Endod. 2011;37:316-320.
41. Wálivaara DA, Abrahamsson P, Fogelin M et al. *Super-EBA and IRM as rootend fillings in periapical surgery with ultrasonic preparation: A prospective randomized clinical study of 206 consecutive teeth*. Oral Surg Oral Med Oral Pathol Oral Radiol Endod. 2011;112:258-263.
42. Kreisler M, Gockel R, Aubell-Falkenberg S et al. *Clinical outcome in periradicular surgery: effect of patient- and tooth-related factors-a multicenter study*. Quintessence Int. 2013;44:53-60.
43. Lui J, Khin M, Krishnaswamy G et al. *Prognostic factors relating to the outcome of endodontic microsurgery*. J Endod. 2014;40:1071-1076.
44. Song M, Nam T, Shin S et al. *Comparison of clinical outcomes of endodontic microsurgery: 1 year versus long-term follow-up*. J Endod. 2014;40:490-494.
45. Tortorici S, Difalco P, Caradonna L et al. *Traditional endodontic surgery versus modern technique: a 5-year controlled clinical trial*. J Craniofac Surg. 2014;25:804-807.
46. Çalışkan M, Tekin U, Kaval M et al. *The outcome of apical microsurgery using MTA as the root-end filling material: 2- to 6-year follow-up study*. Int Endod J. 2016;49(3):245-254.
47. Serrano-Giménez M, Sánchez-Torres A, Gay-Escoda C. *Prognostic factors on periapical surgery: A systematic review*. Med Oral Patol Oral Cir Bucal. 2015;20(6):e715-722.
48. European Society of E. *Quality guidelines for endodontic treatment: consensus report of the European Society of Endodontology*. Int Endod J. 2006;39(12):921-930.
49. Kruse C, Spin-Neto R, Wenzel A, Vaeth M, Kirkevang LL. *Impact of cone beam computed tomography on periapical assessment and treatment planning five to eleven years after surgical endodontic retreatment*. Int Endod J. 2018;51(7):729-37.
49. Ahlowalia MS, Patel S, Anwar HM, Cama G, Austin RS, Wilson R, et al. *Accuracy of CBCT for volumetric measurement of simulated periapical lesions*. Int Endod J. 2013;46(6):538-546.
50. D'Addazio PS, Carvalho AC, Campos CN et al. *Cone beam computed tomography in Endodontics*. Int Endod J. 2016;49(3):311-312.
51. Davies A, Patel S, Foschi F et al. *The detection of periapical pathoses using digital periapical radiography and cone beam computed tomography in endodontically retreated teeth - part 2: a 1 year post-treatment follow-up*. Int Endod J. 2016;49(7):623-635.
52. Kramper B, Kaminski E, Osetek E et al. *A comparative study of the wound healing of three types of flap design used in periapical surgery*. J Endod. 1984;10:17-25.
53. Velvart P, Peters C, Peters O. *Soft tissue management: flap design, incision, tissue elevation, and tissue retraction*. Endo Topics. 2005;11:78-97.
54. Lubow R, Wayman B, Cooley R. *Endodontic flap design: analysis and recommendations for current usage*. Oral Surg Oral Med Oral Pathol. 1984;58:207-212.
55. Craig K, Harrison J. *Wound healing following demineralization of resected root ends in periradicular surgery*. J Endod. 1993;19:339-347.
56. von Arx T, Jensen S, Hänni S. *Clinical and radiographic assessment of various predictors for healing outcome 1 year after periapical surgery*. J Endod. 2007;33:123-128.

- 재근관치료된 치아의 수복과 **관련된 특징**을 알아본다.
- 치아 재건의 최적 **시기**를 알아본다.
- 치아 재건에 유용한 **테크닉**을 알아본다.

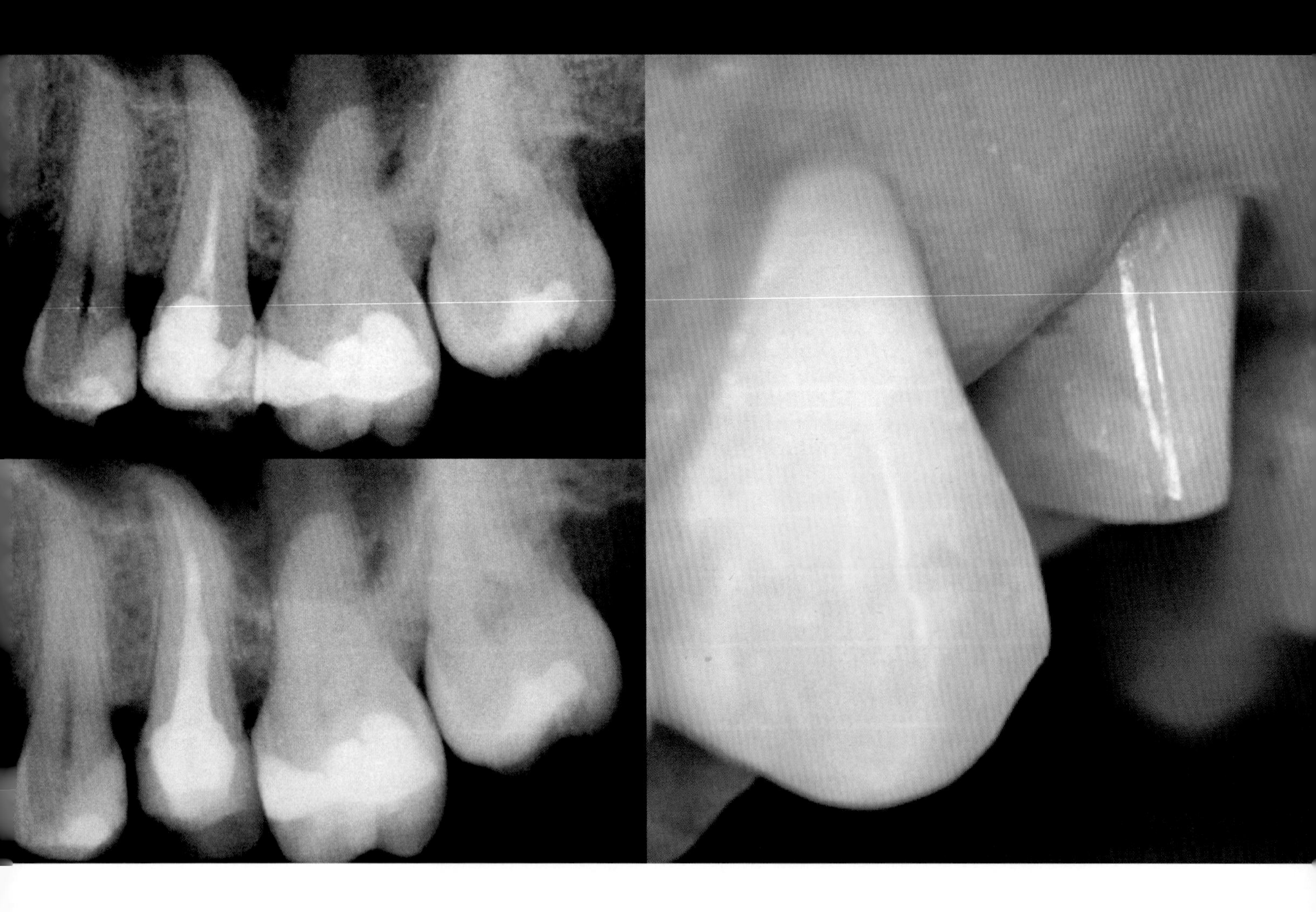

Pio Bertani, Paolo Generali

09

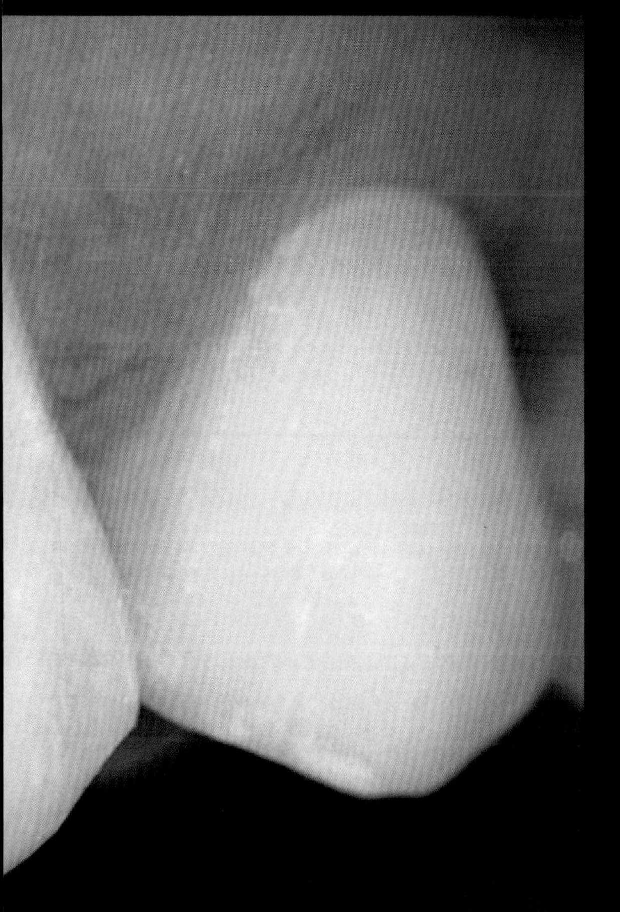

근관치료된 치아의 수복

특성 및 수복 테크닉

머리말

재근관치료된 치아의 수복은 많은 관심의 대상이 아니었다. 그 이유는 아마도 근관치료 치아의 수복을 위한 기술과 방법들이 재근관치료된 치아에 똑같이 적용된다는 생각 때문일 것이다.

재근관치료 치아는 치아 재건 시 주의를 기울여야 하는 특성들이 있다.

재근관치료 치아에서는 기존 수복물의 제거 필요성, 우식 또는 파절로 인한 치질의 손실, 그리고 치수강 개방의 준비 정도가 치료 후 남아있게 되는 상아질의 양을 결정한다.[1] In vivo 연구에 따르면 남아있는 상아질의 양이 30%보다 적은 치아의 경우 그렇지 않은 치아보다 재근관치료의 성공률이 현저히 낮다.[2]

일반적인 근관치료 후 병소가 치유되지 않거나 새로 병변이 나타나는 경우 재근관치료가 필요하다. 이는 부족한 근관치료 시 근관내 지속되는 감염[3]과 감염의 통제 및 예방을 막는 테크닉적 실수 때문이다.

그러나 때로는 최신 기술의 근관치료 또한 실패할 수 있고, 이로 인해 재감염이 발생할 수 있다.

세균은 근관치료 후 수복의 실패로 밀폐가 부족한 치관부의 틈을 통해 근관을 다시 오염시킨다.

따라서 치료 후 수복의 실패로 인해 재근관치료가 필요할 수 있으며, 그 후에도 적절한 수복이 필수적이다. 또 다른 측면은 기존 보철물을 와동만을 수복하여 계속 사용하게 될 경우와 관련이 있다. 환자가 새로운 보철치료를 원하지 않을 경우, 재근관치료된 치아는 기존의 보철물을 유지할 수 밖에 없다. 기존의 빌드업 재료와 근관 충전재 제거 시의 기구 조작은 남아있는 상아질의 양적 및 질적 특성에 영향을 미친다.

따라서 재근관치료를 시작하기 전 남아있는 건강한 상아질이 양을 주의 깊게 평가하는 것이 중요하다.

근관치료된 치아를 발치하는 가장 흔한 이유는 건강한 치아 조직의 심각한 상실이다.[5] 또한 근관치료 및 수복의 절차는 실패의 원인이 될 수 있는 추가적인 스트레스를 가한다.[6]

이번 챕터에서는 치아의 재수복에 관련된 유용한 정보를 제공하기 위해 먼저 재근관치료가 치아 구조에 미치는 영향을 살펴보겠다.

그 다음 기존의 보철물을 수리 또는 복원할 수 있는 방법들을 살펴보겠다.

Fig. 9.1a-d: 치아의 재수복은 재근관치료된 치아의 모양과 기능을 복원하는데 필수적이다.

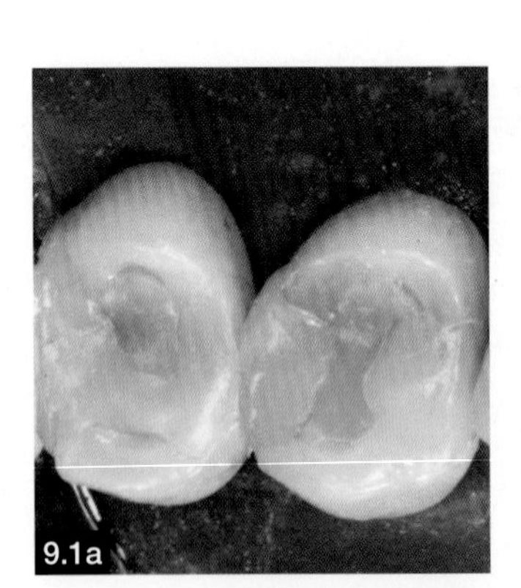

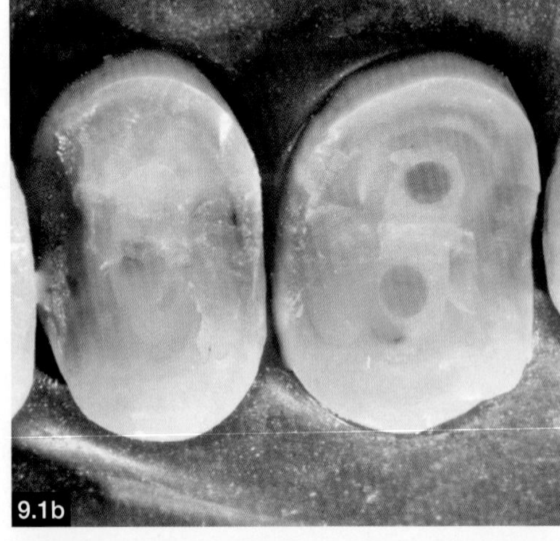

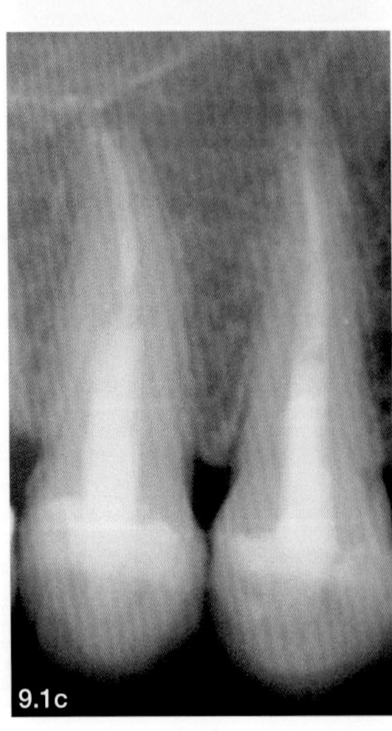

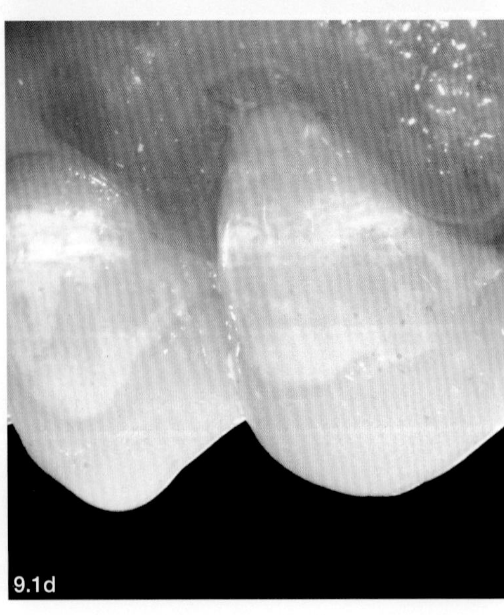

재근관치료의 영향

재근관치료의 목적은 근관내 기존 충전재를 제거하고 존재하는 모든 병리학적 또는 의원성 문제를 수정하는 것이다.[7]
또한 재근관치료를 통해 기계적인 실패, 찾지 못한 근관 및 치조정 하부의 치근 파절을 감지하며, 근관을 성형 및 세척, 그리고 3차원적인 충전을 하게 된다.
이러한 절차는 최대한 무균 상태에서 진행되어야 하며, 최종 수복은 가능한 한 빨리, 이상적으로는 치료 후 첫 주 이내에 이루어져야 한다.[10] 재근관치료의 성공률은 일반적으로 높지만 1차 근관치료보다는 낮다.[11] 그러나, 재근관치료의 과정들은 치아 조직에 부가적인 스트레스를 주게 되는데, 이는 아래에서 분석될 것이다.

재근관치료된 치아의 파절저항성

Marianna De Carlo Bello[12] 등은 재근관치료된 치아의 파절 저항성을 측정한 in vitro 실험에서 재근관치료는 치아의 강도를 감소시키지 않는다고 보고했다. 이러한 결과는 Missau 등(앞서 언급한 De Carlo Bello 포함)의 연구 결과와 일치한다.[13]
곧은 치근을 가진 건강한 치아에서 수행된 이 연구는 근관치료가 치아의 파절저항성을 감소시키지 않는다고 보고했다.

거타퍼챠의 제거

NiTi 기구를 사용한 근관 성형과 근관 충전은 상아질의 손상을 유발하고 근관 벽에 결함을 일으킬 수 있다.[14, 15] 따라서 이러한 과정을 반복할 경우 더 많은 결함을 유발할 수 있다. 거타퍼챠의 제거는 클로로폼을 이용하여 용해시키면 더욱 빠르다. 하지만 클로로폼을 5분 이상 사용할 경우 상아질이 과도하게 연화되고 상아질의 무기질 성분들을 감소시킨다.
거타퍼챠의 제거를 위해 클로로폼과 함께 회전식 또는 수동식 파일을 함께 사용할 경우, 1차 근관치료된 치아에 비해 재근관치료된 치아에서 훨씬 더 많은 수의 상아질 결함이 형성된다. Shemesh 등의 2011년 연구에 따르면 Hedstroem 파일과 같은 수동파일로 치료한 치아에서 회전 파일(예: ProTaper Retreatment Files)로 치료한 치아보다 결함과 파절이 더 빈번하게 발견되었다.[18] 하지만 2014년 Topcuo.lu[19, 20] 등은 다양한 회전식 파일 사용이 치근첨의 균열을 유발할 가능성을 보여주었다. 이 연구에서는 수동기구를 사용하는 것이 회전기구를 사용하는 것보다 더 안전하다고 보고했다.
이러한 결과는 최신의 회전 파일을 포함하는 2015년 Capar[21, 22] 등 및 2017년 Ozyurek[23] 등의 유사한 연구에서 확인되었다. 거타퍼챠 외에도 근관 충전을 위해 다른 다양한 재료들이 사용되어왔다.
이러한 재료 중 하나인 레조르시놀과 포름 알데히드를 함유한 레진의 기계적 제거는 남아있는 상아질에 균열을 야기하는 것으로 드러났다.[24]

상아질의 온전한 정도
반복되는 근관치료의 기계적 및 화학적 영향은 온전한 상아질을 손상시킬 수 있다.

용매의 효과

거타퍼챠의 용매로서 클로로폼의 사용은 이미 기술되었다. 다른 용매들이 레진 기반 시멘트를 제거하는데 사용된다.
이러한 용매의 사용은 기존의 근관 충전물을 완전히 제거하기 위해 종종 필요하다. 그러나 근관벽에 잔해층을 형성하거나[25] 상아질에 다른 변화를 일으켜 접착력을[26] 떨어뜨릴 수 있다.
대부분의 in vitro 연구는 Topcuo.lu[29] 등의 한 연구를 제외하고는 용매가 접착에 부정적인 영향을 미친다고 보고하고 있다.[27, 28]

포스트 제거와 초음파의 사용

근관 내의 포스트 제거 시 남아있는 상아질이 손상될 수 있다.
In vitro 연구에 따르면 초음파 진동 시 Gonon 유형의 포스트 추출기를 사용하는 것보다 상아질 균열[30]이 더 자주 발생할 수 있다.[31] 충분한 주수 없이 장시간 동안 근관에서 초음파 기기를 사용하면 상아질의 온도가 치주 조직에 손상을 야기할 정도로 상승될 수 있다.[32]

요약

결론적으로, 관련 문헌의 검토 시 대부분의 in vitro 연구는 재근관치료가 상아질에 손상을 유발할 수 있다는 점을 강조한다. 재근관치료를 받은 치아들의 파절 저항에 관련한 연구들에 의하면 근관치료가 구조적으로 손상되지 않은 치아의 강도를 감소시키지 않는다.[33]
과학적 근거가 부족한 상황이지만, Esposito 등[34]의 무작위 및 통제된 임상 연구에서는 근단부 병소 및/또는 증상으로 근관치료된 치아의 경우 예후가 불확실한 경우에도 재근관치료가 가장 덜 침습적이고 제일 먼저 고려해야 할 첫 번째 치료 방법이라고 말했다.

재근관치료된 치아의 수복 방법

근관치료된 치아의 재건

재근관치료를 필요로 하는 치아는 종종 파괴적이거나 재발한 우식, 파절, 또는 이전 수복물에 의해 심하게 손상된다.

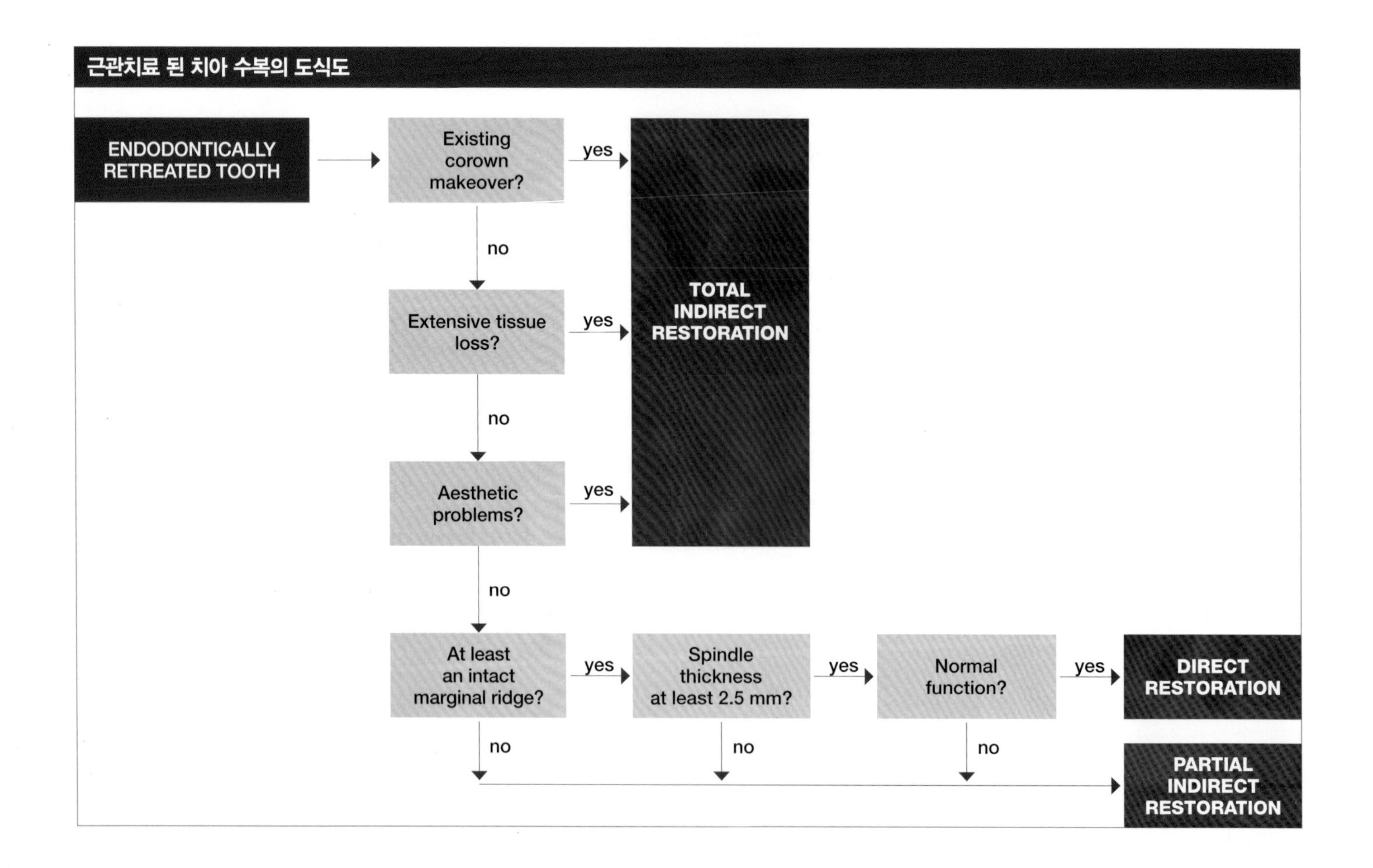

재근관치료는 격리가 어렵거나 천공 또는 근관의 형태 변화로 인해 치료가 어려운 경우가 많다. 이러한 모든 요인들이 치아의 예후에 영향을 미친다.[35]

최종 수복은 일반적인 문헌에 보고된 바와 같이 예후에 영향을 미칠 수 있는 또 다른 요소다. 수복물의 질과 근관치료의 질은 치료 결과에 동일하게 영향을 미친다.[36]

근관치료된 치아 수복에 대한 최근의 일반적인 의견에 따라, 상아질을 최대한 보존하기 위해 접착 기술, 복합 레진, 비금속 포스트 및 부분 세라믹 수복물 사용을 고려할 수 있다. 이를 통해 치아의 유지를 위해 정상적인 치아조직을 추가로 제거할 필요성을 줄이게 된다.

건강한 상아질의 보존과 접착 기술 및 치아 조직과 유사한 특성을 가진 재료의 사용은 근관치료를 받은 치아의 성공적인 수복을 위한 가장 중요한 요인이다.[37, 38]

하지만 이러한 기술의 생체 역학적, 구조적, 심미적 이점에도 보통 임상에서는 크라운 치료에 집중하기 때문에 잘 고려되지 않는다.[39]

아직 접착 치의학의 임상적 절차에 충분히 익숙하지 않은 임상의들이 있고, 크라운 치료는 과학적 문헌에서 여전히 주목받고 있는 입증된 수복 방법이다.

재근관치료된 치아의 특징

재근관치료된 치아의 경우 수복하는 도중 다양한 상황에 직면할 수 있다.

치아의 보철물을 검사할 때, 임상의는 기존 보철물을 보존해야 하는지, 보철물에 와동을 만들어야 하는지, 보철물을 교체해야 하는지 여부를 확인해야 한다.

수복물의 변연 적합성 평가는 방사선 사진과 기구를 통한 변연 검사만으로는 쉽지 않다.

임상적으로 정상적인 크라운의 와동을 형성한 후, 미세 파절, 우식, 중합되지 않은 재료, 방사선 검사상의 포스트, 빈 공간, 면구 등이 관찰될 수 있다.

또한 드문 경우에 와동 형성 자체가 크라운에 균열을 생성해서 수명에 영향을 줄 수 있다. 동일한 재료의 경우, 와동 형성 시 die-cast disilicate의 경우 저항이 감소하지만 밀링으로 얻은 저항은 감소하지 않기 때문에 제조 방법도 영향을 미칠 수 있다.[41]

그러나 Abbot[42]의 2004년 연구에서 크라운 제거 후 지대치의 56%는 크라운이 있을 때의 임상검사로는 발견되지 않은 우식, 파절 또는 기타 결함이 있었다.

그러므로 와동 형성 후에 분명히 양호한 상태일지라도 크라운을 쉽게 수리 가능하다고 당연시해서는 안된다.

또한 치료 후 크라운을 제거해야 할 수 있음을 명시하는 서면 동의를 받아야 한다.

보존된 크라운
재근관치료는 기존 수복물에 영구적인 손상을 줄 수 있다.

보존할 가치가 있는 양호한 수복물의 경우 외과적 근관치료의 가능성을 검사하고 환자와 논의해야 한다.

기존 수복물의 보존 가능성

이러한 고려사항에도 불구하고 수복물을 보존할 경우 치관에 형성된 와동을 다시 수복하여 밀폐해야 한다.

올세라믹 크라운의 사용이 증가함에 따라 여러 연구에서 지르코니아, 층상 지르코니아, 리튬 디실리케이트 및 기타 재료로 만든 monolithic 크라운에 와동 형성 시의 영향을 실험했다.[43-45]

고려해야 할 요소는 재료의 특성, 접착 가능성, 접착 기술(접착성 여부), 와동 형성에 사용된 다이아몬드 버의 입자 크기, 크라운 크기와 와동 크기 간의 관계, 침투나 미세 파절의 식별을 위한 와동 내부의 철저한 검사이다.

사용 가능한 논문 데이터가 부족하여 특정 효과를 보이는 임상 프로토콜을 만드는 것은 불가능했다. 아래에서 다양한 재료의 수리(repair) 가능성을 분석해보겠다.

수복물의 수리

와동이 형성된 보철물을 수리하는 것은 종종 가능하다.
시간이 지나도 변함없는 안정적인 밀폐를 얻으려면 각 재료에 적절한 기술을 사용하는 것이 필수적이다.

금속 치관

금속 치관의 와동은 기계적 유지력를 통해 복합 레진으로 밀폐할 수 있다.
미세 기계적 유지력을 제공할 수 있는 거친 표면은 거친 입자의 버나 공기 마모[46]로 얻을 수 있지만 silane은 금속 접착에 영향을 미치지 않는다.[47] 주석도금은 기계적 유지력을 높이는 효과적인 방법이다.[48] 구강 내 장치를 이용할 수 있음에도 불구하고 주석도금은 임상적으로 광범위하게 사용되지 않았다. 금속과 복합레진 사이의 결합을 향상시키기 위해 프라이머를 사용할 수 있다.[49–51]
유리 섬유 강화 복합재를 사용하면 수리된 금속–세라믹 크라운[52]의 강도를 높일 수 있다.

산부식 가능한 세라믹: 금속–세라믹 또는 올–세라믹

산부식 가능한 금속–세라믹 또는 올–세라믹 크라운에 형성된 와동은 세라믹 산부식[53] 및 실란화 기술[54]을 이용하여 수리할 수 있다.[54]
산부식된 세라믹은 13 MPa 이상의 결합 강도로 복합레진[55]과 견고하고 지속적인 결합을 형성한다. 결합이 실패해도 일반적으로 세라믹[56]과 결합 가능하다.[56]
실란은 표면 장력을 감소시키는 계면 활성제 역할을 하며 세라믹의 수산기와 이중 결합을 형성한다. 리튬 디실리케이트 크라운에 와동 형성 시 방사형 균열 및 표면의 깨짐뿐만 아니라 표면에 대한 다른 형태의 손상을 초래할 수 있다.[57] 특히 전치부에서 와동의 크기와 치관의 크기 사이의 비율이 좋지않은 경우 이러한 결함이 발생할 수 있으며 치명적인 실패를 초래할 수 있다.[58]
하악 전치의 경우 최대 50%까지 실패가 보고된다. 일체형 장석 또는 백류석으로 강화된 세라믹 내에 와동 형성 시 강도를 크게 감소시킨다.[59]
이러한 재료는 불산 부식, 실란화 및 접착제 도포에 취약하여 침투를 방지할 수 있는 효과적인 접착력을 제공한다.
거친 입자의 다이아몬드 버(150.180 μm)를 사용하여 와동 형성 시 세라믹 크라운의 강도에 부정적인 영향을 미치는 반면 리튬 디실리케이트 크라운에 중간 입자의 버를 사용하여 와동을 형성하면 강도가 감소하지 않는다.[60]
불산은 세라믹의 유리 성분을 용해시킨다. 일반적으로 5%에서 10% 사이의 다양한 농도로 공급되며 세라믹의 유형에 따라 필요한 적용 시간과 농도가 다르기 때문에 제조업체의 지침을 정확하게 따라야한다.
짧은 시간은 효과적이지 않아 적절한 결합이 이루어지지 않는 반면 지나치게 긴 시간은 세라믹을 약화시킨다.[61]
접착 처리 후 복합레진으로 와동을 밀폐한다. 대부분의 복합레진은 주변 세라믹에 비해 명도가 너무 낮기 때문에 심미적인 결과를 얻는 것은 쉽지 않다. 따라서 투명한 복합레진과 불투명 복합레진을 표면에 같이 쌓아야 하고 구에 염료를 도포해야 한다.[62]
금속–세라믹 크라운의 금속 요소는 일반적으로 와동의 밀폐에 중요하지 않다**(Fig. 9.2-9.16)**.

Box 9.1 세라믹 크라운에 와동형성하기

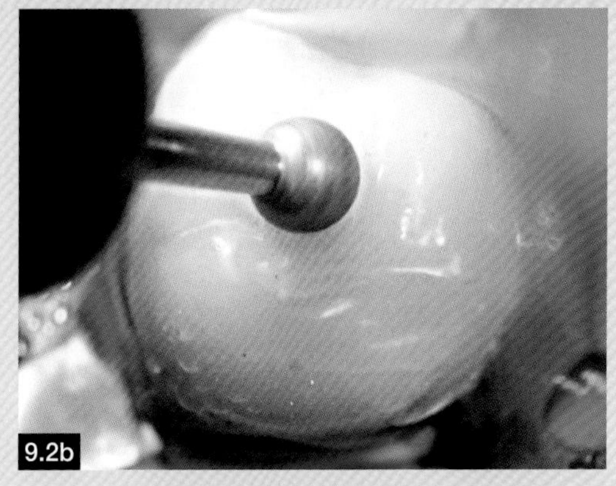

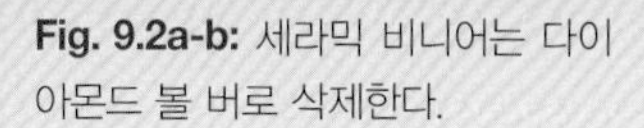

Fig. 9.2a-b: 세라믹 비니어는 다이아몬드 볼 버로 삭제한다.

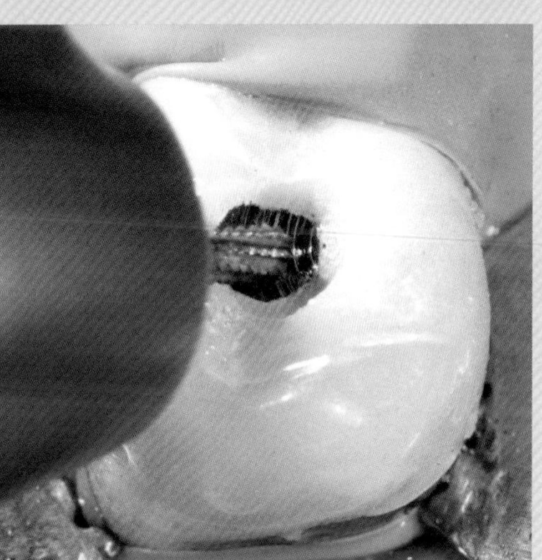
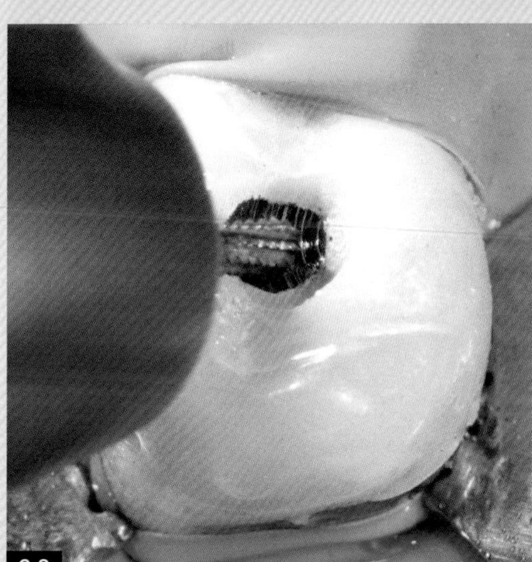

Fig. 9.3: 내부의 금속은 텅스텐 카바이드 밀링 버로 삭제한다.

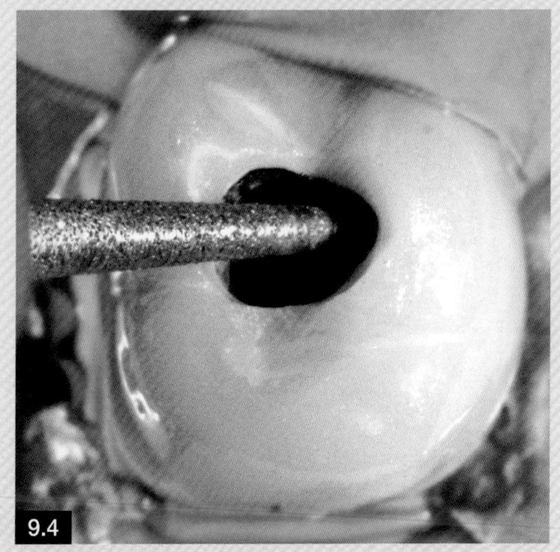

Fig. 9.4: 상아질에 도달하면 끝이 뭉특한 원뿔형 다이아몬드 버를 사용할 수 있다.

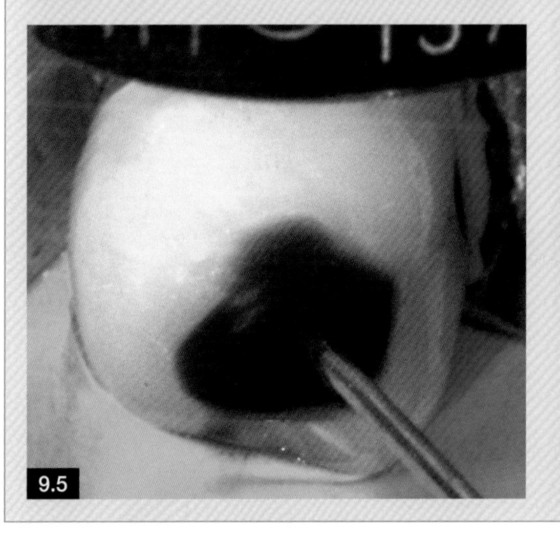

Fig. 9.5: 재근관치료 후 정상적인 근관치료 후의 수복물처럼 상아질을 먼저 산부식한다.

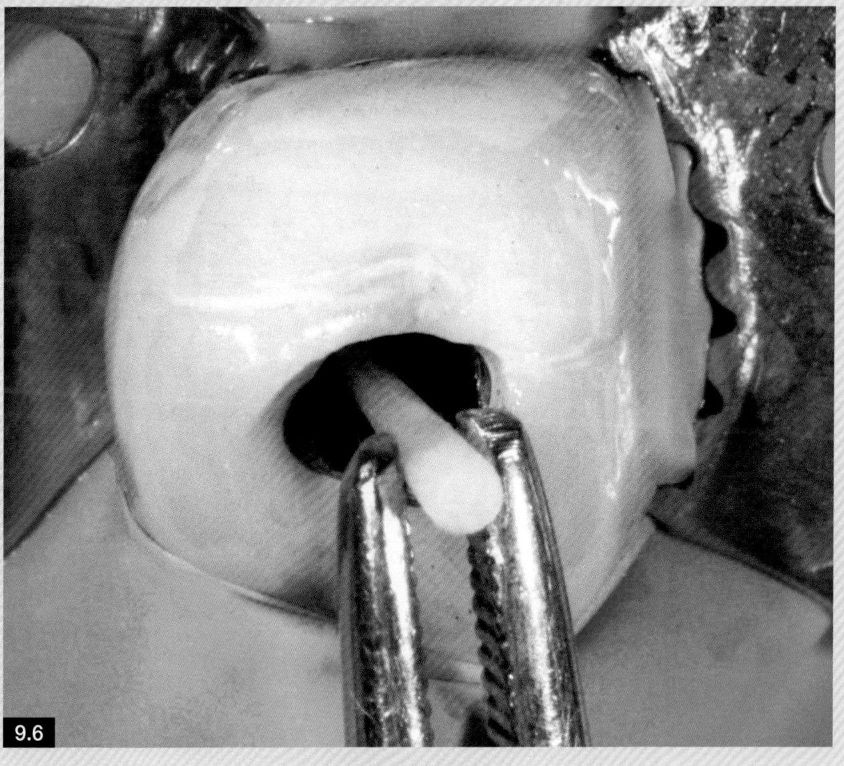

Fig. 9.6: 재근관치료된 치아의 수복물에 포스트를 삽입해야 한다.

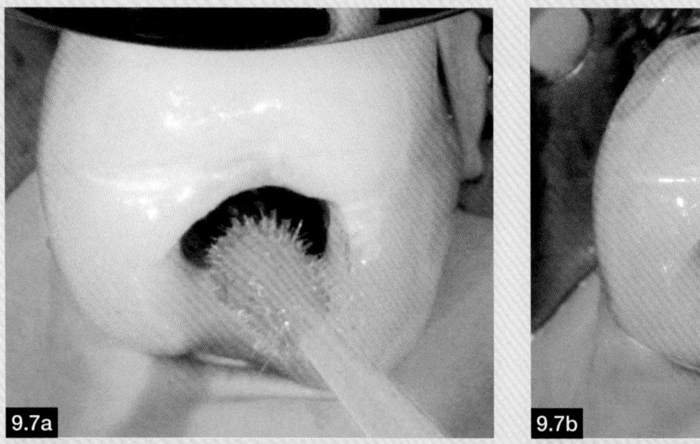

Fig. 9.7a-b: 접착 시 시멘트가 가장 깊은 부분에서 압출된다.

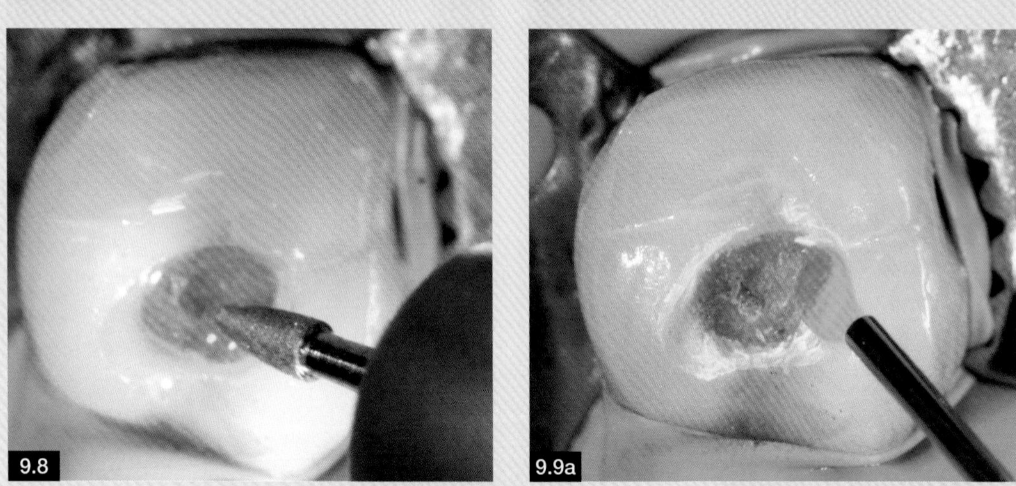

Fig. 9.8: 효과적인 접착을 위해 와동의 세라믹 부분은 경사져있다.

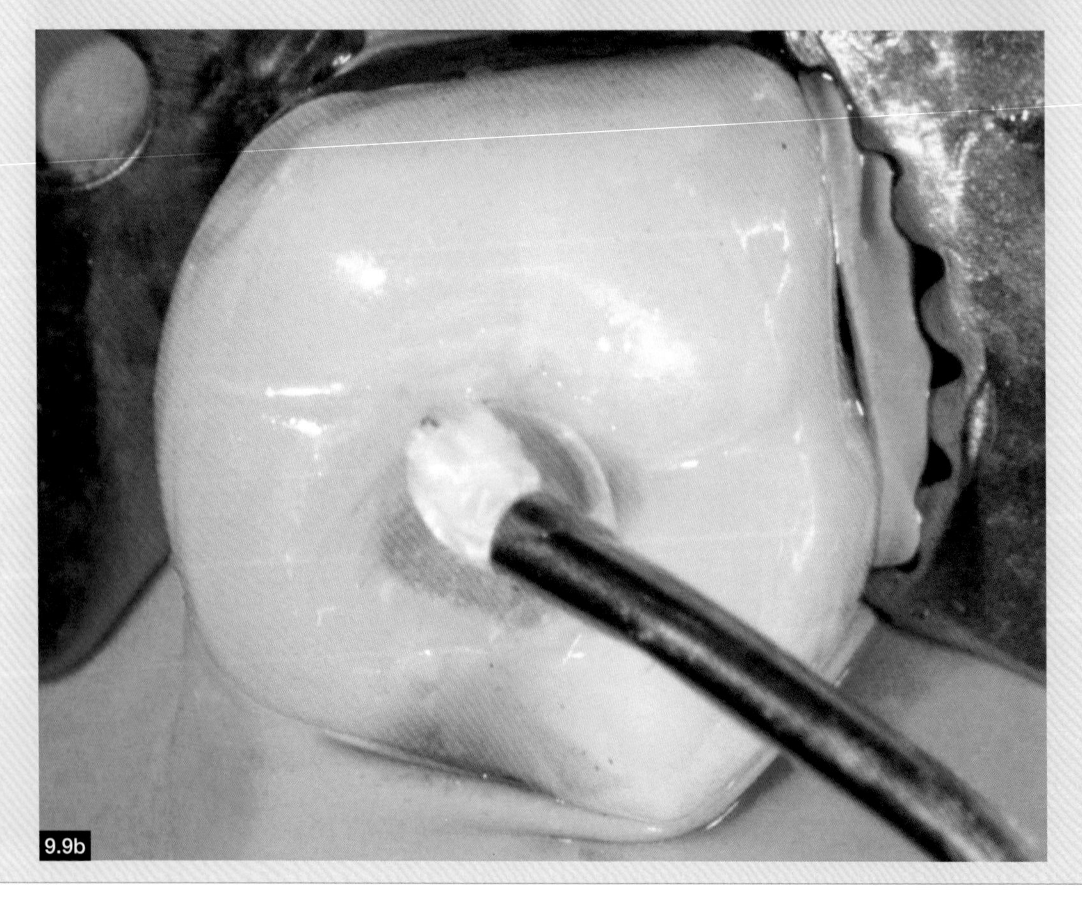

Fig. 9.9a-b: 장석 세라믹은 9.6% 불산으로 3분 동안 산부식한다.

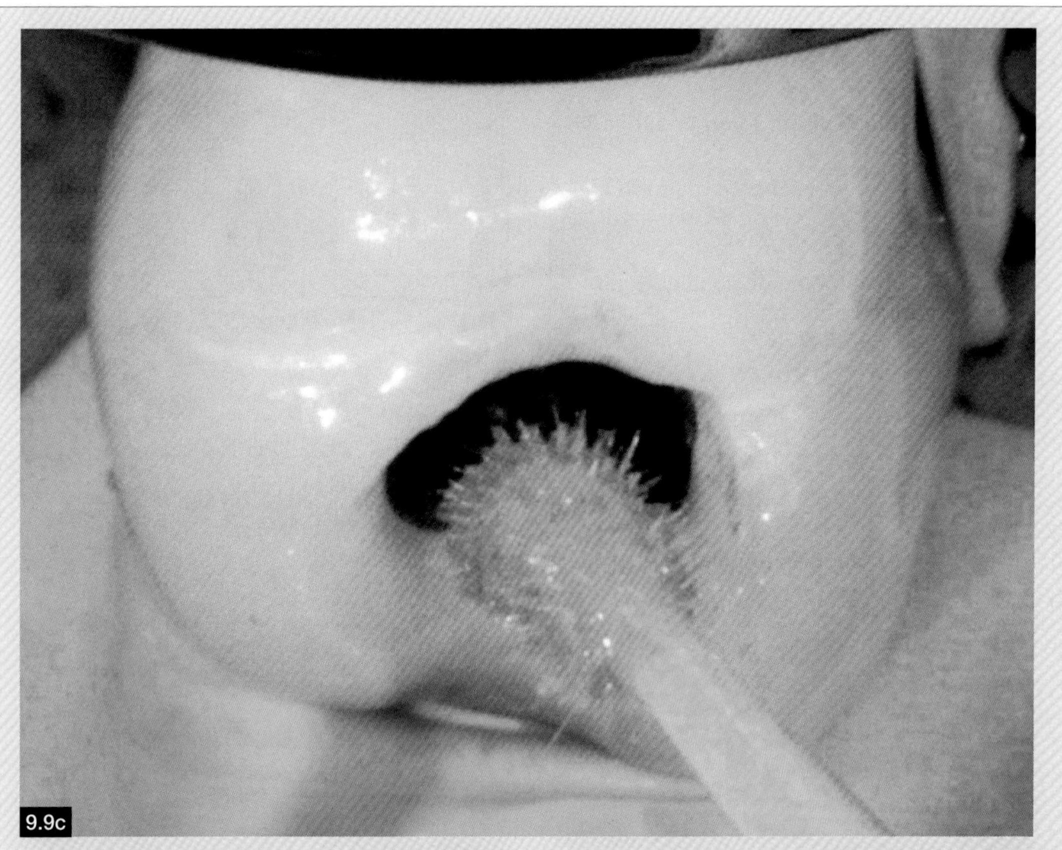

Fig. 9.9c: 세라믹을 실란처리 후 접착한다.

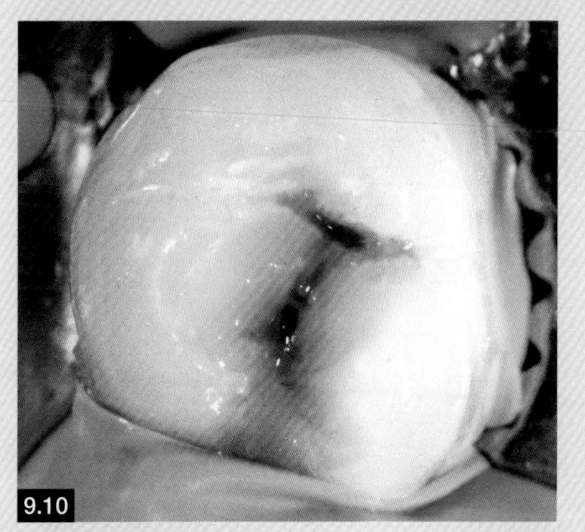

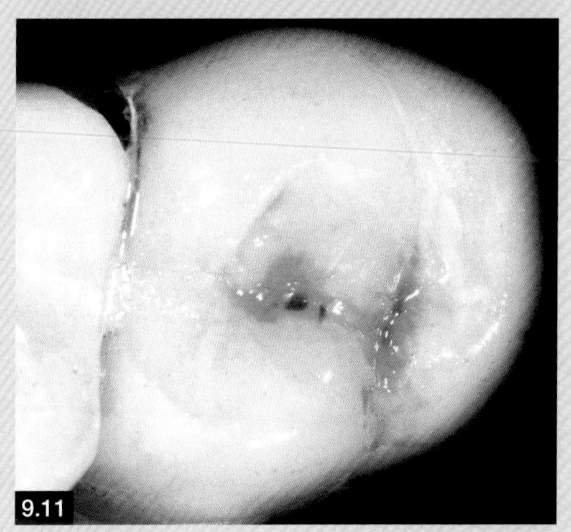

Fig. 9.10: 수복 후 염료의 사용은 수복물을 더욱 자연스럽게 만드는 데 도움이 된다.

Fig. 9.11: 기존 크라운의 기능 회복 및 심미적 복원

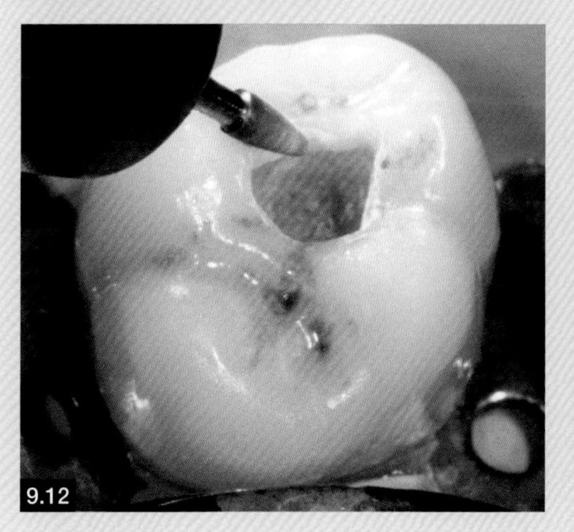

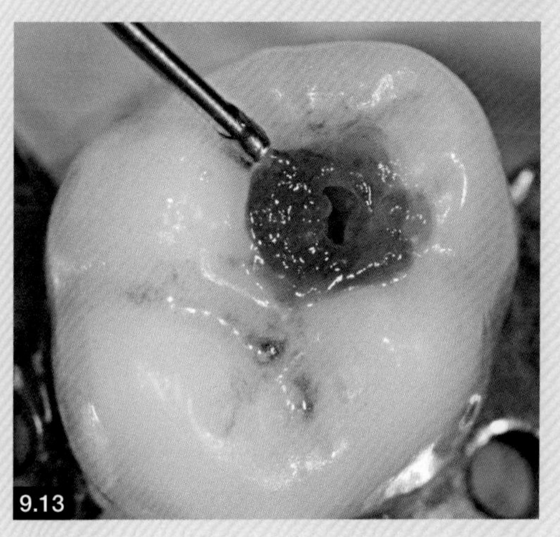

Fig. 9.12: 산부식이 가능한 올세라믹 크라운에서의 수복 절차는 베벨링까지 금속–세라믹 크라운의 수복 절차와 동일하다.

Fig. 9.13: 올세라믹의 산부식은 제조사의 지시에 따라 5% 불산으로 단시간 동안만 한다.

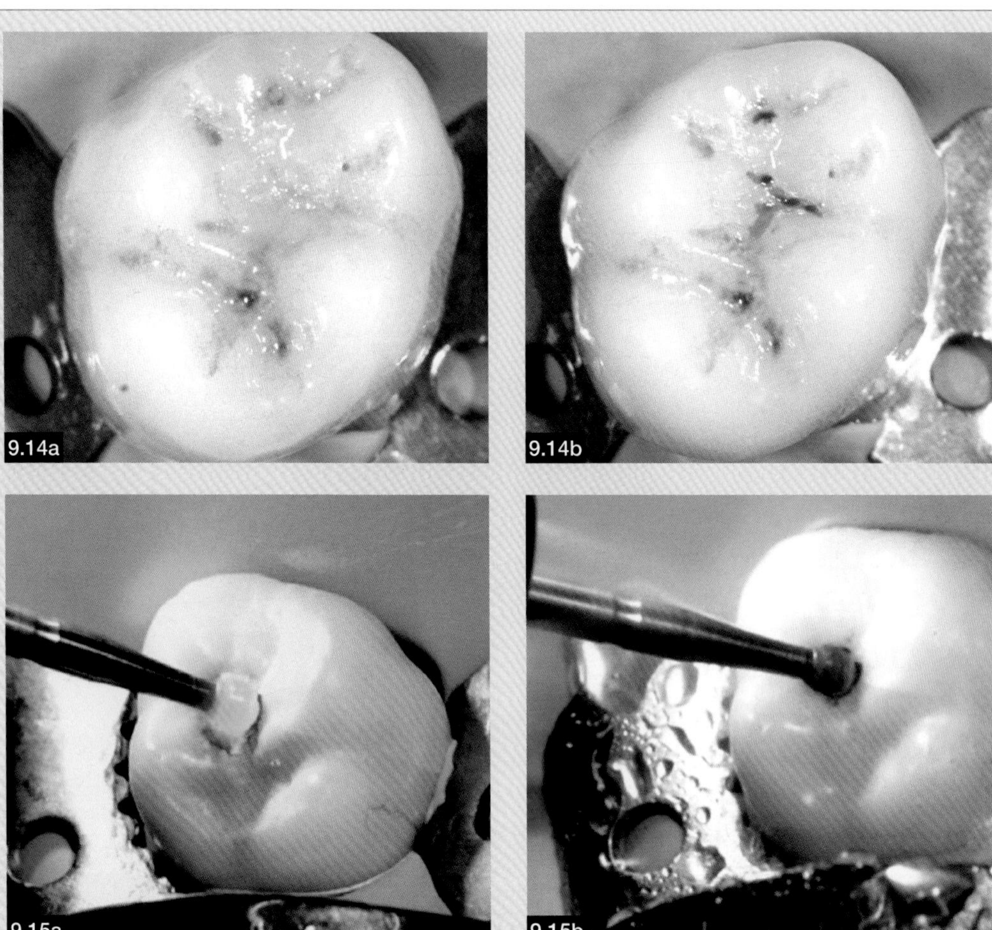

Fig. 9.14a-b: 수복이 완료되면 수복물이 잘 드러나지 않게 염료를 사용한다.

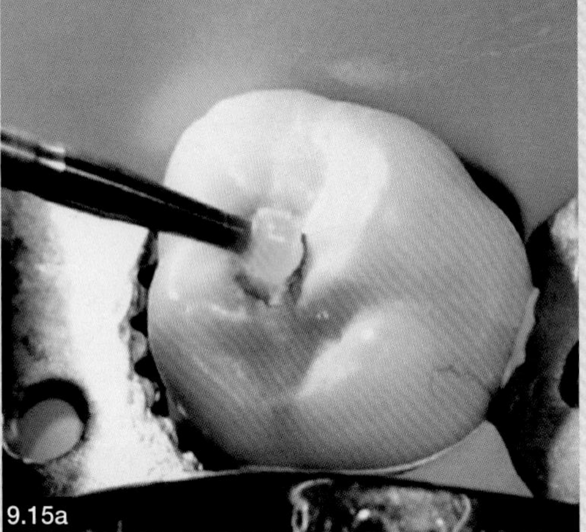

Fig. 9.15a-b: 지르코니아 크라운은 밀링 버의 마찰 시 온도가 위험한 정도까지 상승하며 이는 많은 양의 주수에도 상쇄되지 않는다.

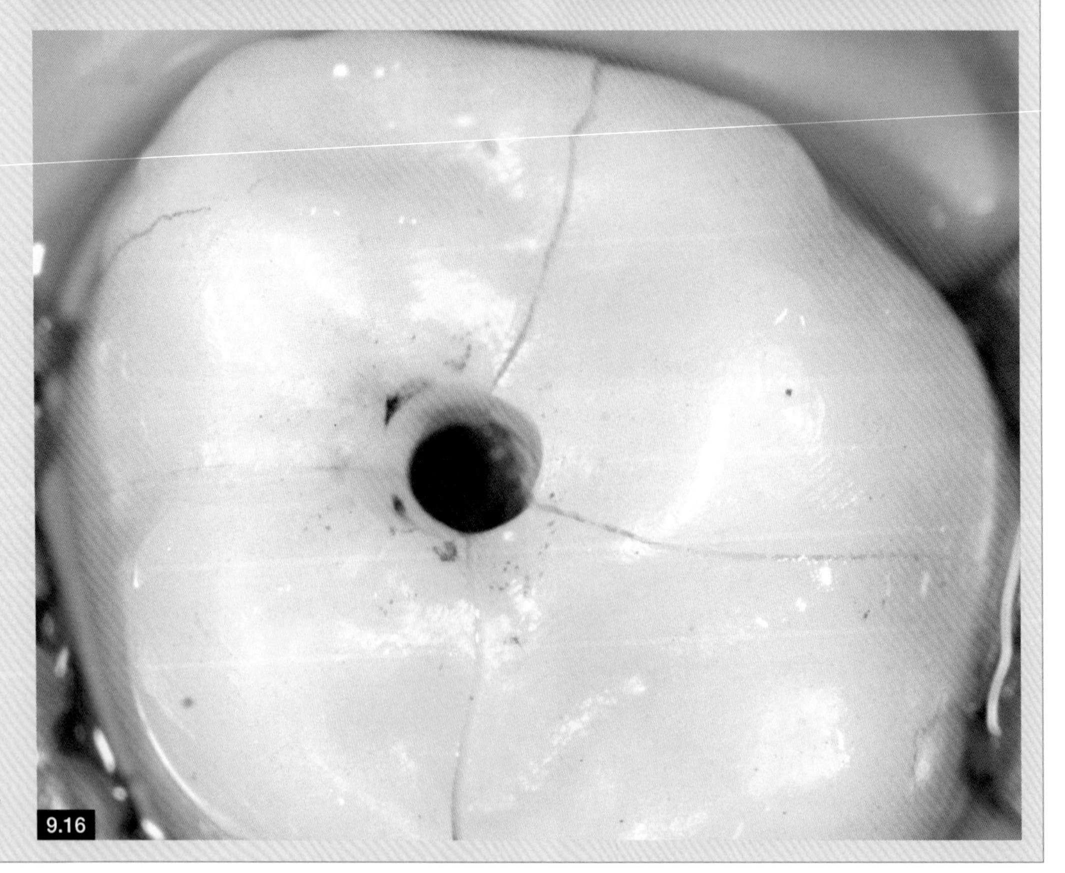

Fig. 9.16: 기계적 및 열적 충격은 부정적 결과를 초래한다.

지르코니아 크라운

지르코니아 크라운에서의 와동 형성은 루사이트 크라운에서의 와동 형성보다 7배 더 오래 걸린다.[63] 단일체 수복물은 적층된 지르코니아보다 손상에 덜 민감하다.[44]

지르코니아 크라운에 와동을 형성하면 강도[64]가 감소하고 금속 크라운 위 세라믹[66]의 경우처럼 유지력[65]에 악영향을 미칠 수 있다. 지르코니아는 산부식에 강하기에 접착력을 위한 다른 표면 처리들을 시험해보았다. 인산염 단량체(MDP)의 사용은 접착력을 향상시킬 수 있지만, in vitro 모형에서 결합은 시간이 지남에 따라 분해되었다.[67] 따라서 지르코니아 크라운은 우수한 기계적 밀폐와 함께 수복이 가능하지만 미세 누출에 대한 우려가 있다.

산부식이 가능한 세라믹의 경우와 달리 지르코니아의 와동변연을 베벨링하는 것은 권장되지 않는다.[68]

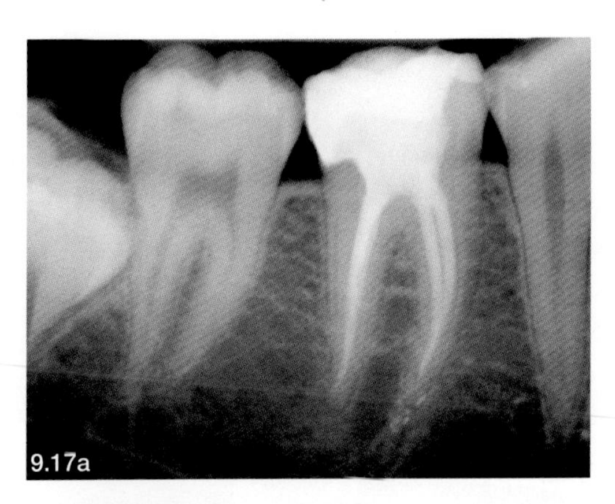
9.17a

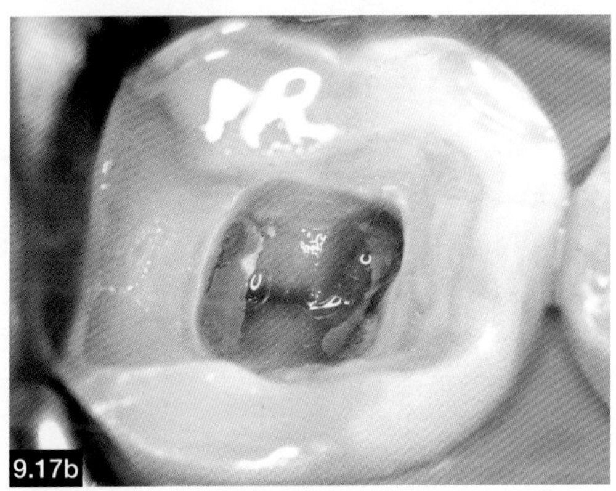
9.17b

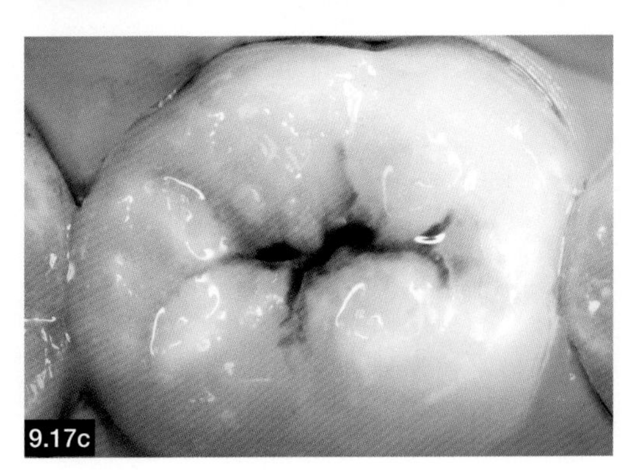
9.17c

Fig. 9.17a-c: 직접 수복

포스트 식립

기존 크라운을 통해 근관치료된 치아의 포스트 식립에 대한 대안이 논의되어 왔다. 이것은 기존 보철물을 보존해야 하는 재근관치료된 치아와 관련있다. 2011년 American Association of Endodontics [69]의 연례 회의에서 Marga Ree는 논문들을 기반으로 브릿지의 지대치 혹은 치아의 크기가 작은 경우, 크라운을 통한 섬유 포스트 식립이 적절하다 보고했다.

수복물의 교체: 기존 방법 또는 접착 기법

만약 재근관치료 후 수복물의 교체가 필요하다면 근관치료된 치아에 대한 일반적인 방법을 사용한다. 재근관치료된 치아의 경우 치질이 많이 상실되므로 간접 수복물을 선택해야 한다.

구치의 경우 재근관치료로 인한 치질의 상실로 모든 교두를 수복해야 한다.

주조 포스트(또는 기성 포스트)와 전체 크라운(**Fig. 9.17 a-c**)을 기반으로 하는 기존의 접근 방식은 여전히 많이 사용되지만 점점 접착을 이용한 수복물이 널리 사용되고 있다(**Fig. 9.18a-d**).

재료적 관점에서, 연구들은 상아질과 기계적으로 유사한 재료, 즉 섬유 포스트 및 복합 레진을 사용하고 딱딱한(예: 금속) 재료의 사용을 권장하지 않는다. 근관 포스트의 접착, 지대치의 재건, 그리고 간접 복합재 또는 세라믹 수복물의 접착에는 접착 기술이 사용된다.

CASE REPORT 1

상악 측절치의 미백

근관치료된 치아의 변색은 매우 흔하다. 그러나 이는 근관치료 시 치수강내 치수의 잔재를 철저히 제거하고 시멘트 및 거타퍼챠로 근관을 밀폐하여 방지할 수 있다.
아래 증례의 경우 CEJ 하방의 충전재와 감염된 상아질을 제거하고 와동을 주의 깊게 세척한 후 즉시 미백을 시행했다.

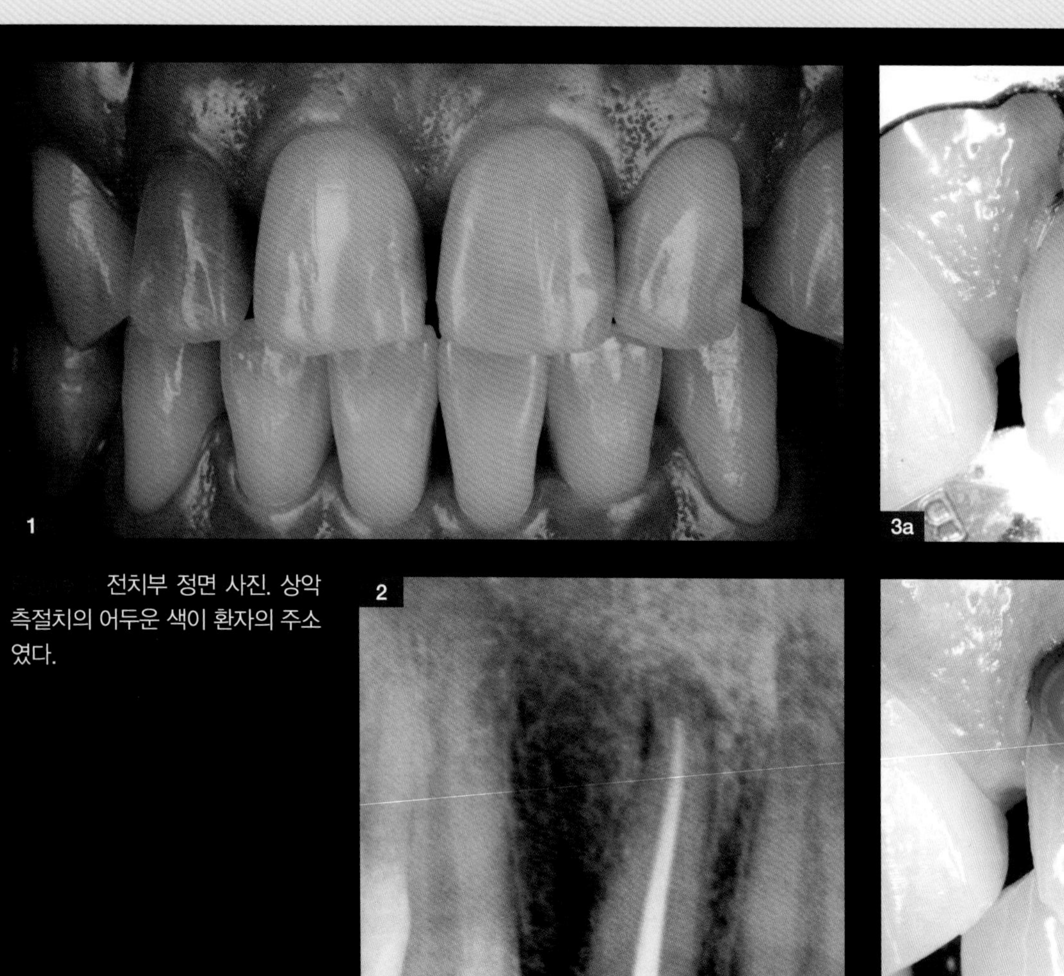

1 전치부 정면 사진. 상악 측절치의 어두운 색이 환자의 주소였다.

2 치근단 병소와 함께 불완전한 근관치료를 보여주는 방사선 사진

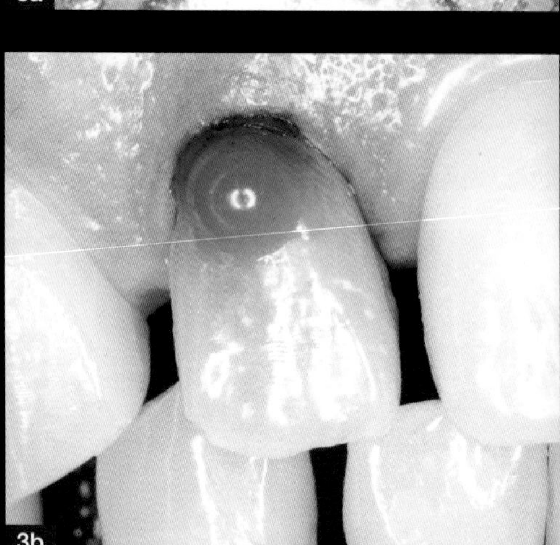

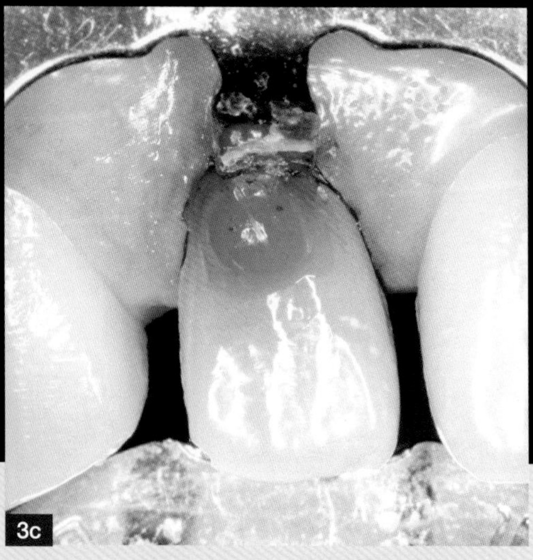

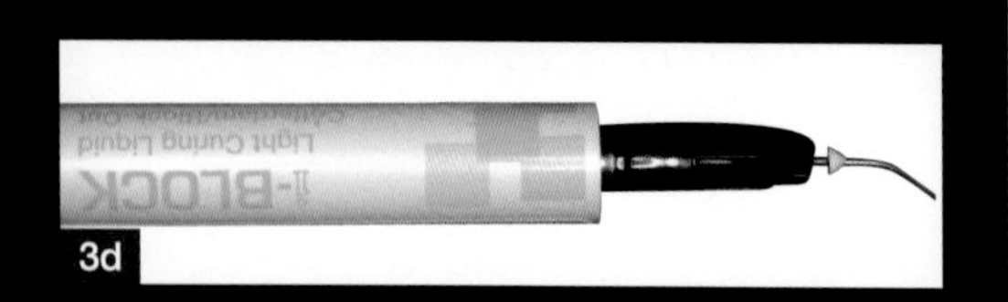

3a-3d 안정적인 클램프 장착을 위해 액체 댐을 측절치의 협측 부분에 사용했다.

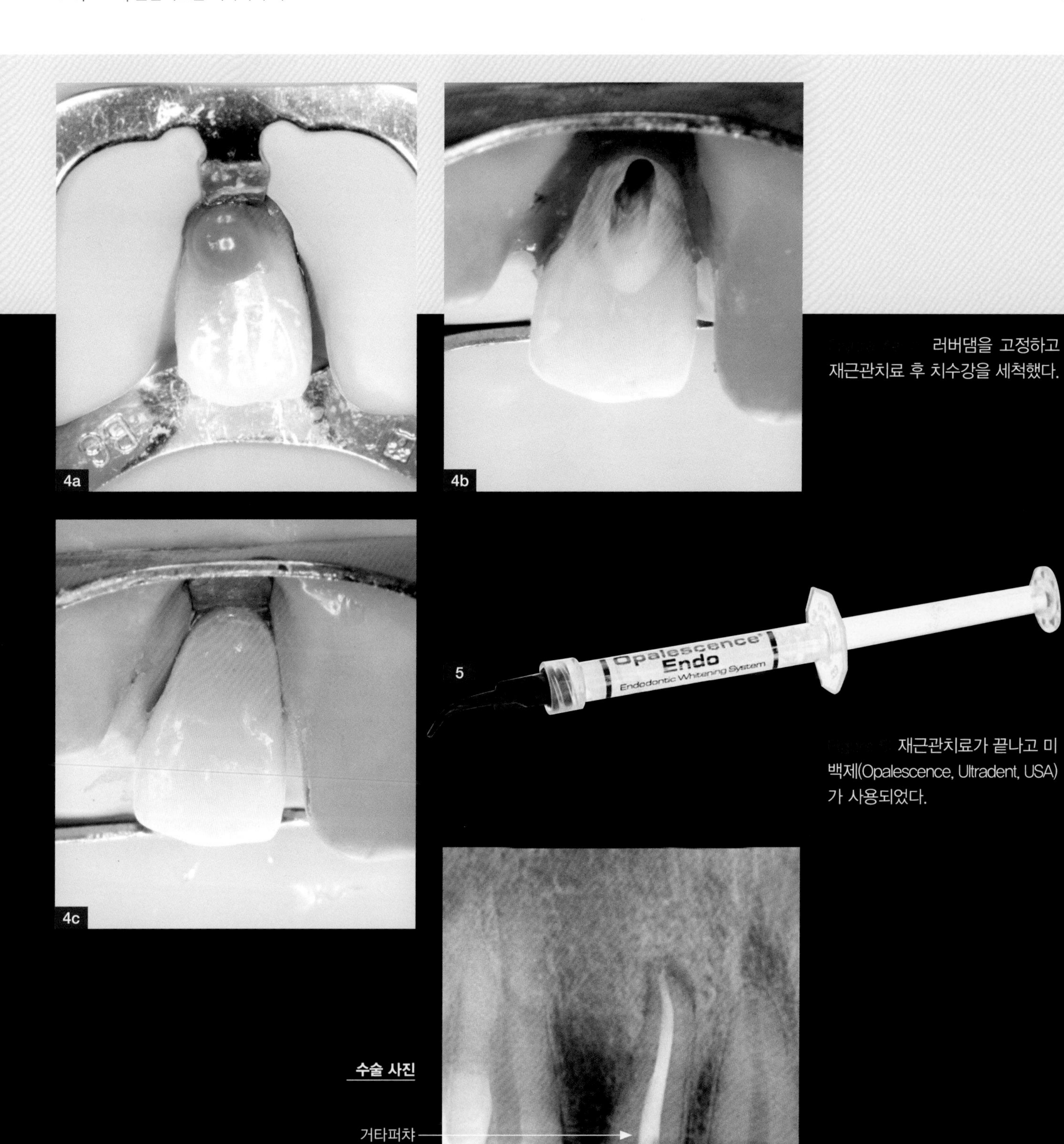

러버댐을 고정하고 재근관치료 후 치수강을 세척했다.

재근관치료가 끝나고 미백제(Opalescence, Ultradent, USA)가 사용되었다.

치수강 및 미백제의 오염을 방지하기 위한 층과 방사선 사진

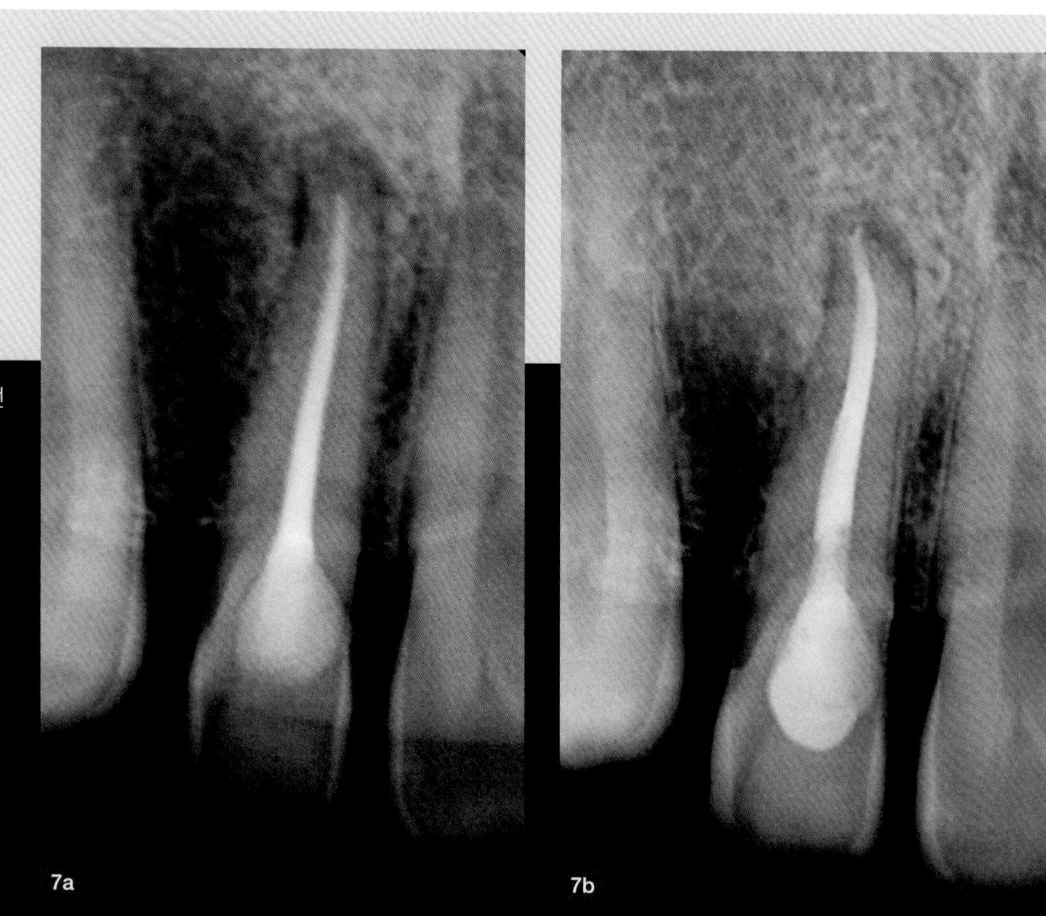

치근단부 근관 충전의 변화가 눈에 띈다.

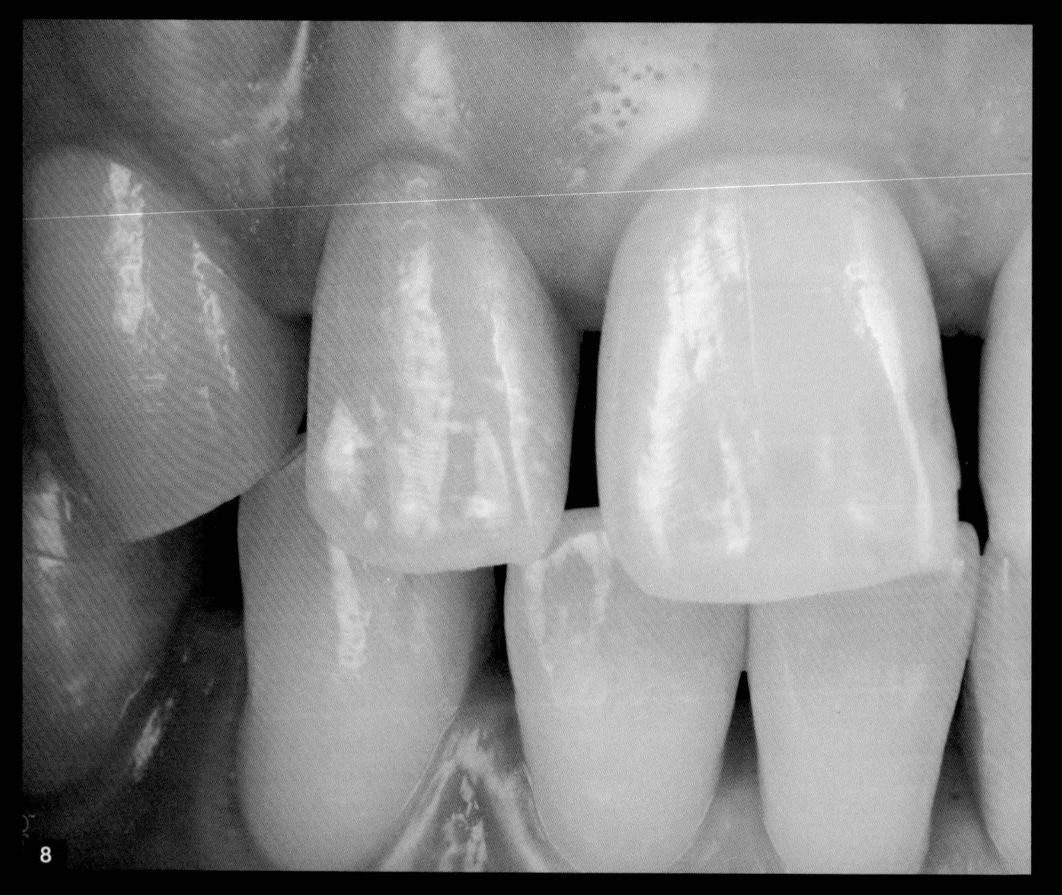

측절치의 정면이 정상으로 돌아오고 있다. 외관이 약간 회색인 것은 외부 미백으로 개선될 수 있다.

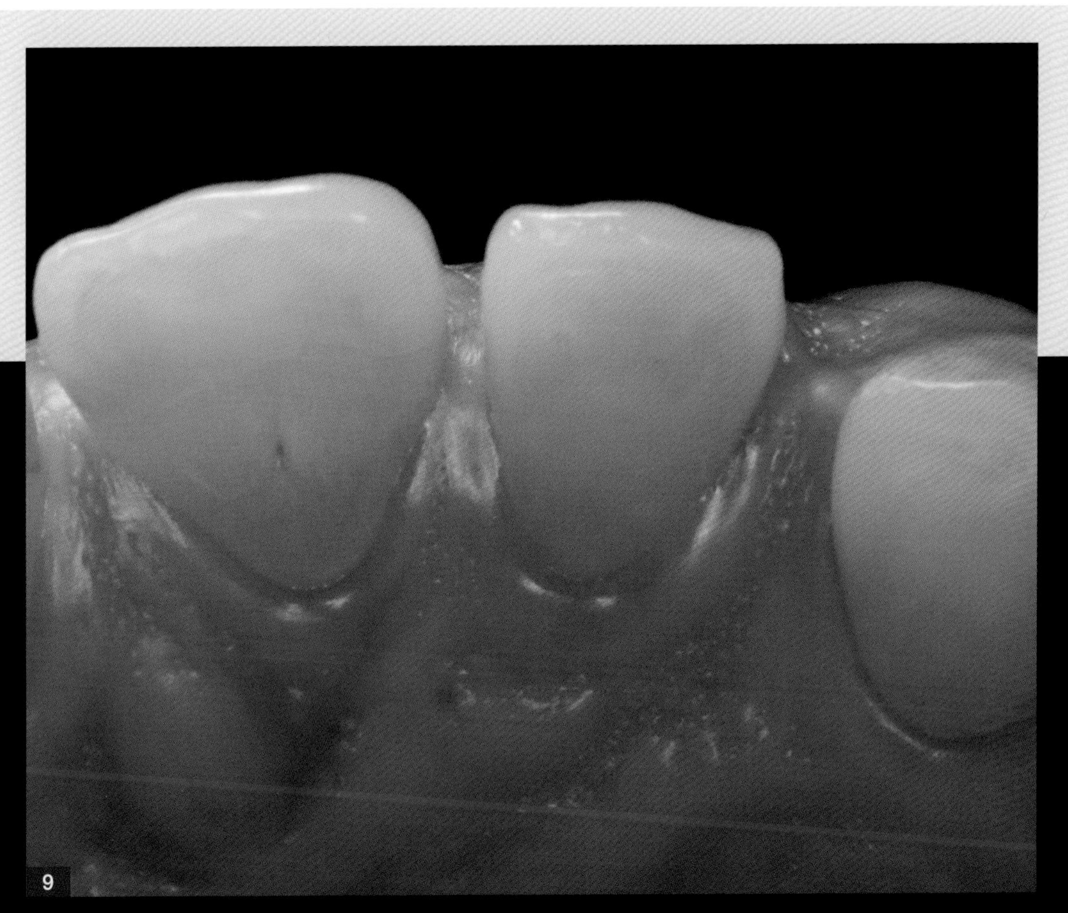

Figure 9: 충전재가 법랑질과 완벽히 통합되어 있다.

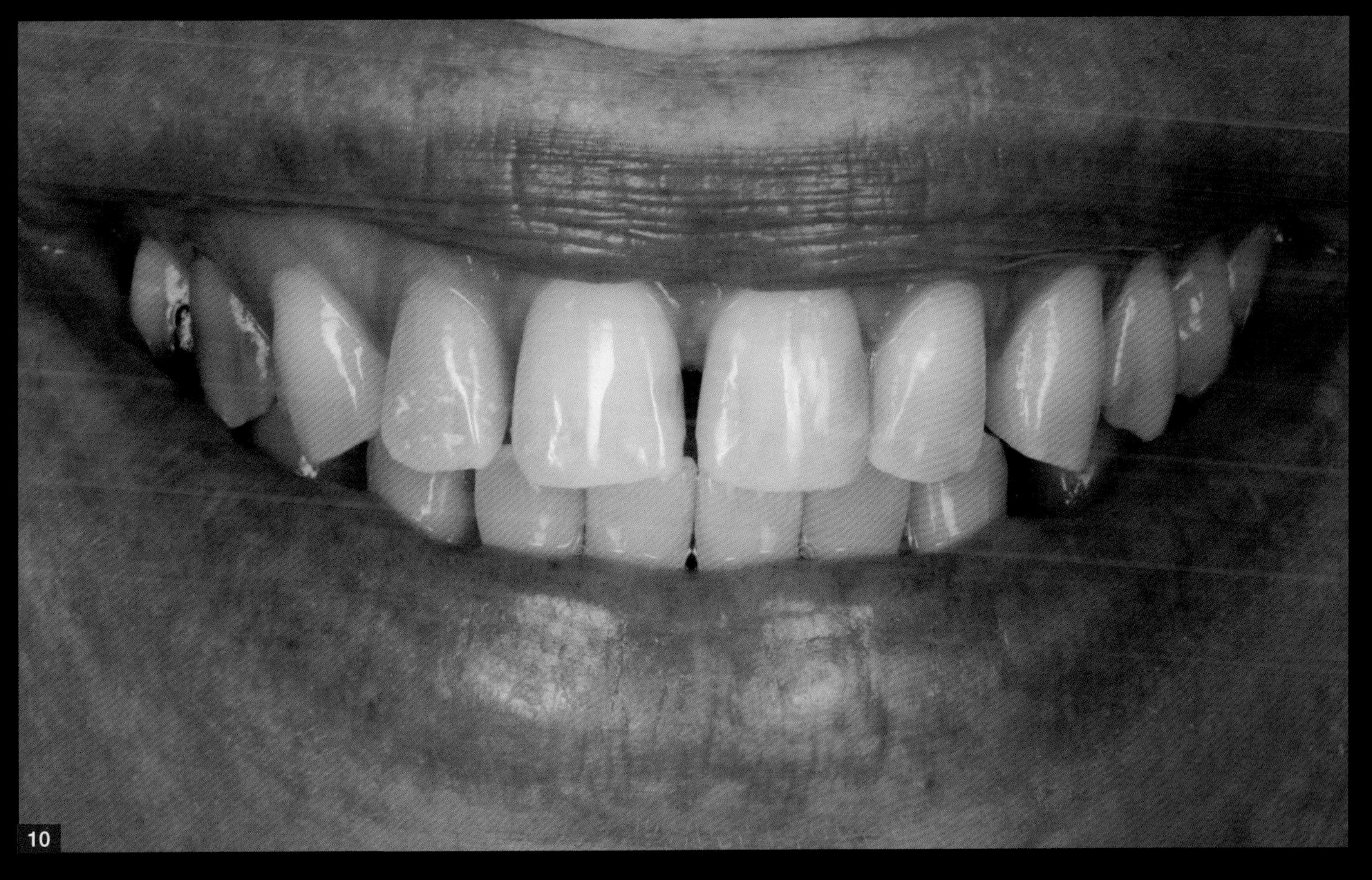

Figure 10: 환자의 미소에서 만족스러운 결과를 보인다.

CASE
REPORT 2

근관치료 후 CAD/CAM 오버레이 수복

아래 증례의 치아는 약 2년 전 근관치료를 받은 상태였다. 환자의 주소는 오래된 수복물의 작은 파절이었다. 초기 방사선 사진에서 근원심 치근에서 불완전한 근관 충전이 관찰됐다**(Fig. 1)**.
치근단 부위에 병소는 없었고 치아의 증상 또한 없었다.

초기 X-ray

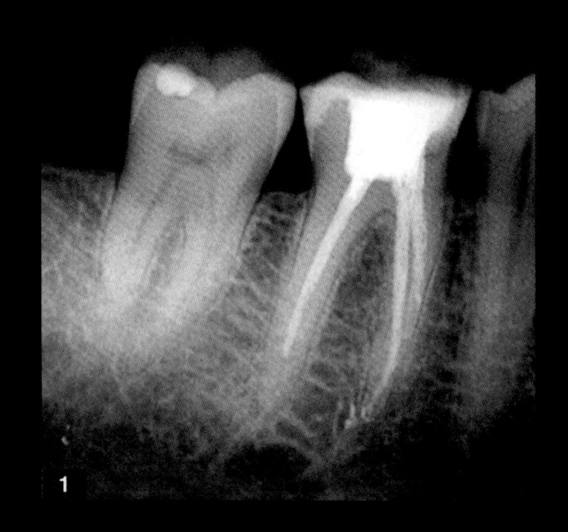

MTWO 재근관치료 파일(VDW)과 거타퍼챠를 부드럽게하고 쉽게 제거할 수 있는 제품인 Gutasolv (Septodont)를 사용하여 오래된 근관 충전물을 분리하고 제거하는 것으로 치료를 시작했다. 거타퍼챠를 제거한 후 두 번째 원심 근관을 찾았고 모든 근관의 기계적 성형은 Reciproc blue 파일을 사용했다.
화학적 세척을 위해 5.25% NaOCl, EDTA, 구연산을 사용했고 Eddy (VDW)를 이용해 세척했다.
Guttafusion과 Ah+로 근관을 충전했다.

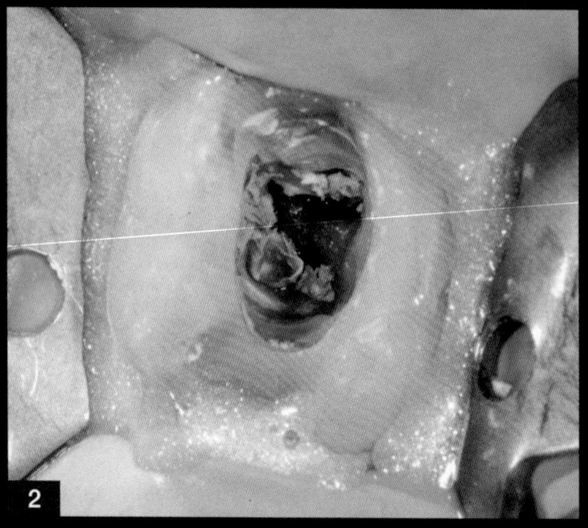

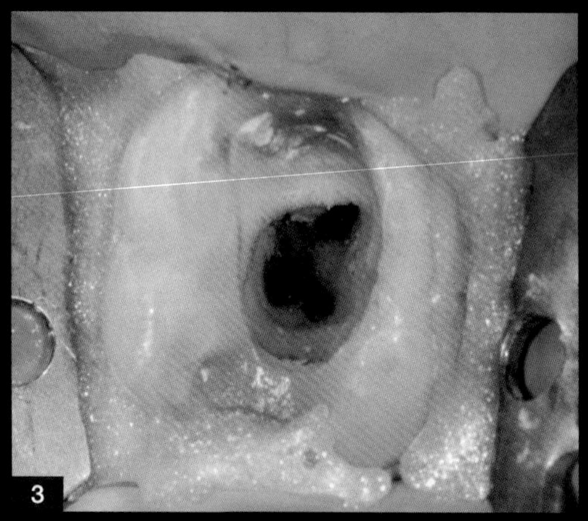

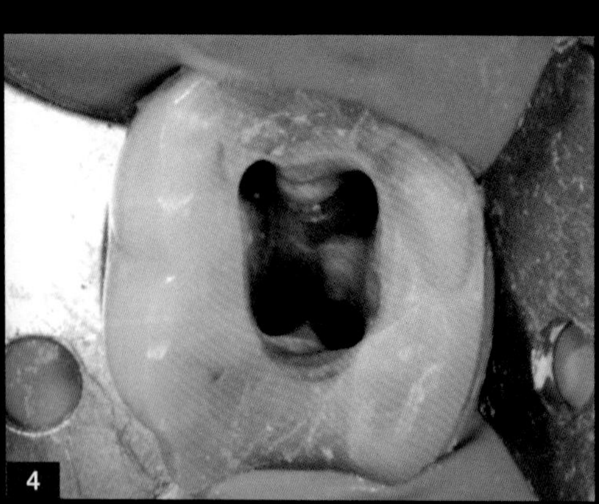

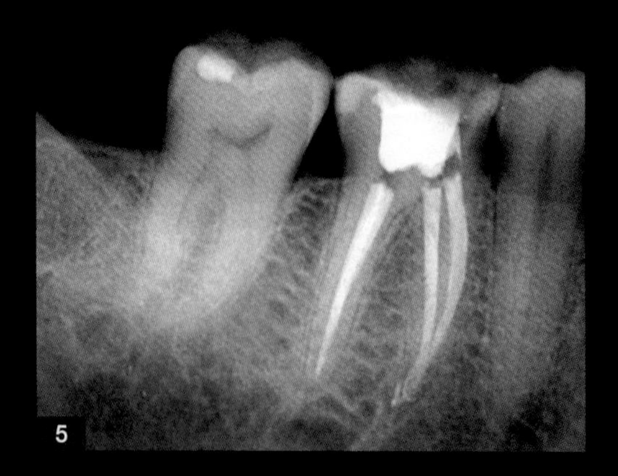

이전 수복물이 좋지 않아 간접 수복이 계획되었다. 치아가 근관치료를 받았고 특히 교두나 치관의 파절을 예방하기 위해 크라운보다 오버레이가 선택되었다. 이는 직접 복합 레진 충전 시에 자주 사용된다.

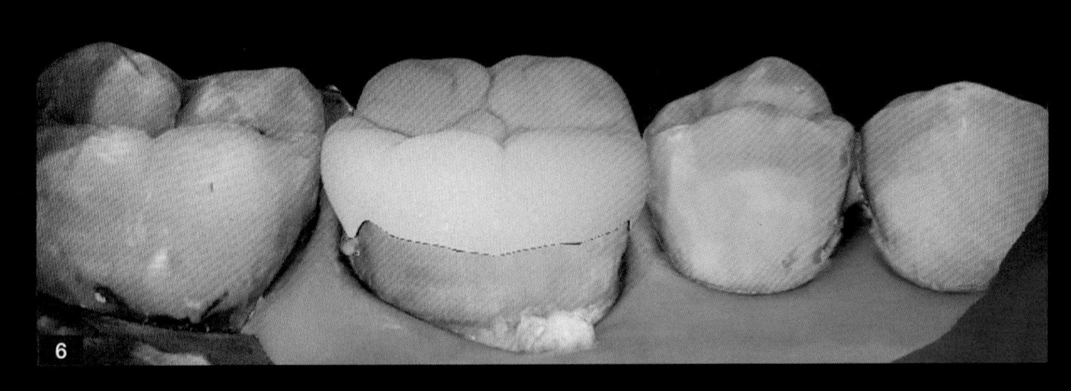

Figures 6–8: 최종 수복물을 위해 섬유(fiber) 포스트와 부분 간접 수복물이 선택되었다. 와동은 복합 레진으로 채워진 다음 오버레이를 위해 준비되었다.

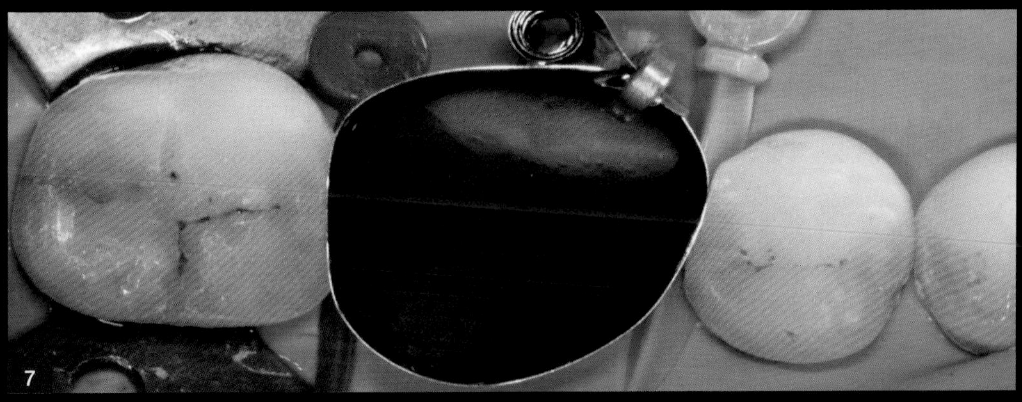

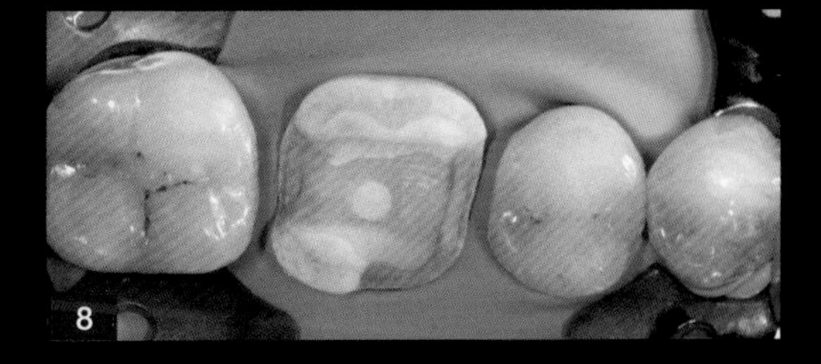

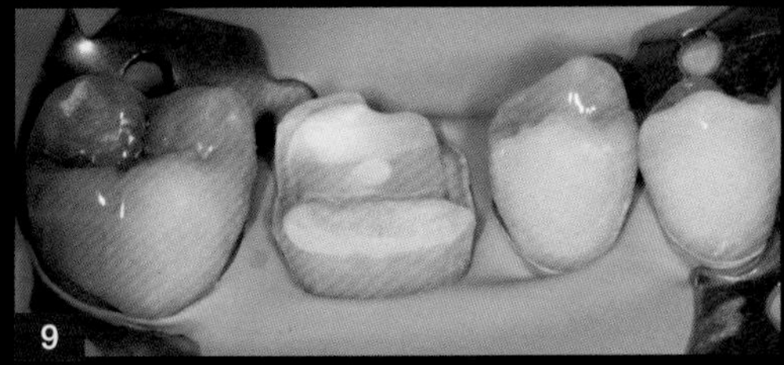

Figures 9–10: 치아가 러버댐으로 격리된 상태에서 구강 스캐너(Cerec, Dentsplay Sirona)를 통해 오버레이 인상을 채득했다.
광학적 인상은 오버레이 설계 단계에서 프렙 라인의 식별을 용이하게 한다.

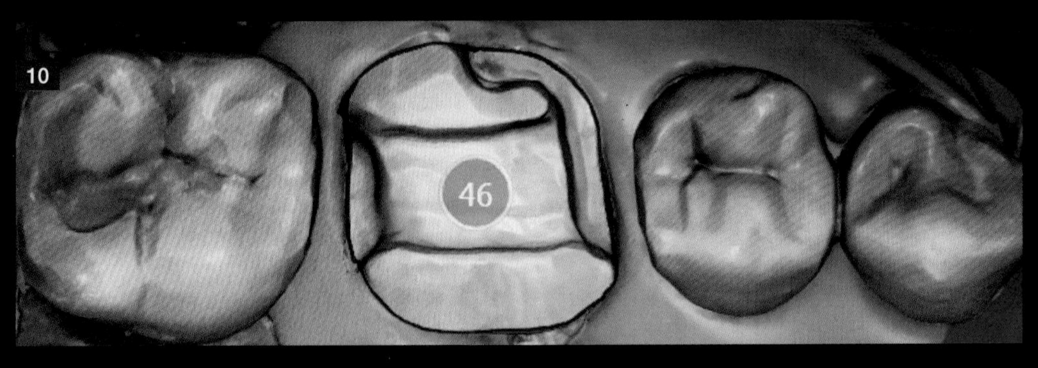

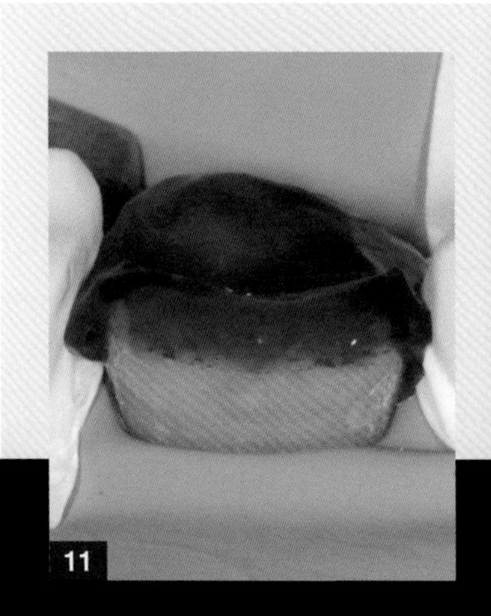
11

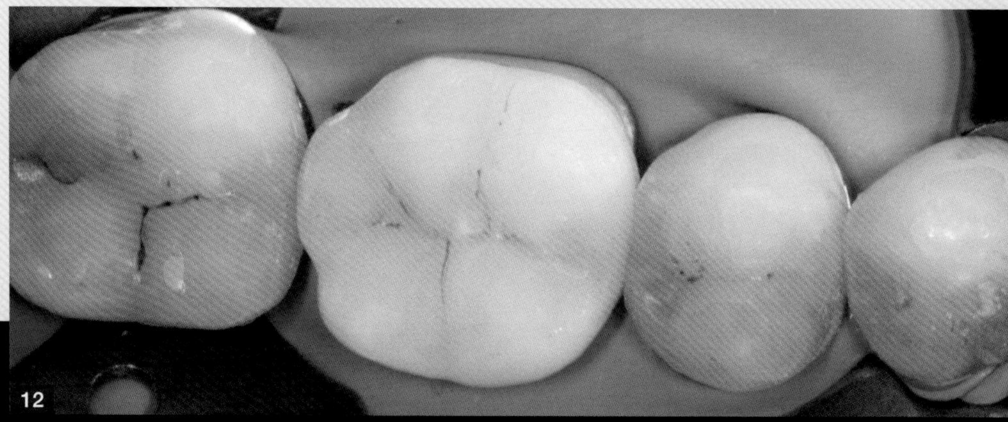
12

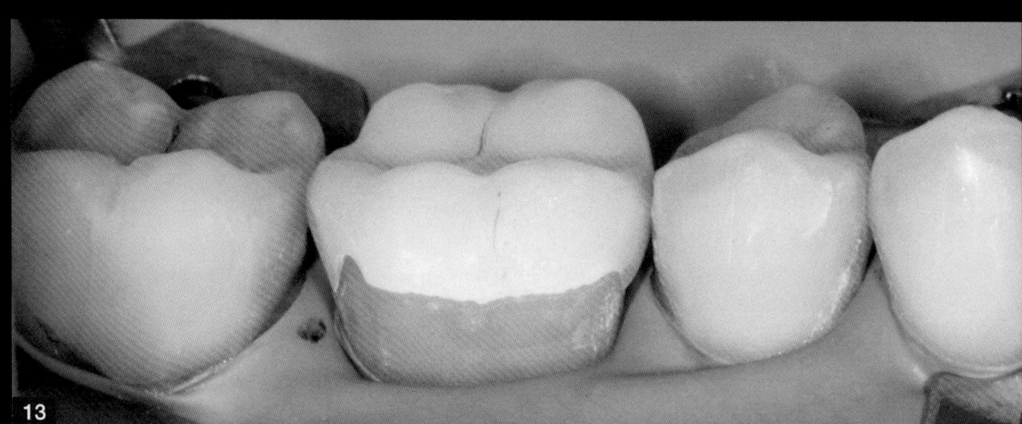
13

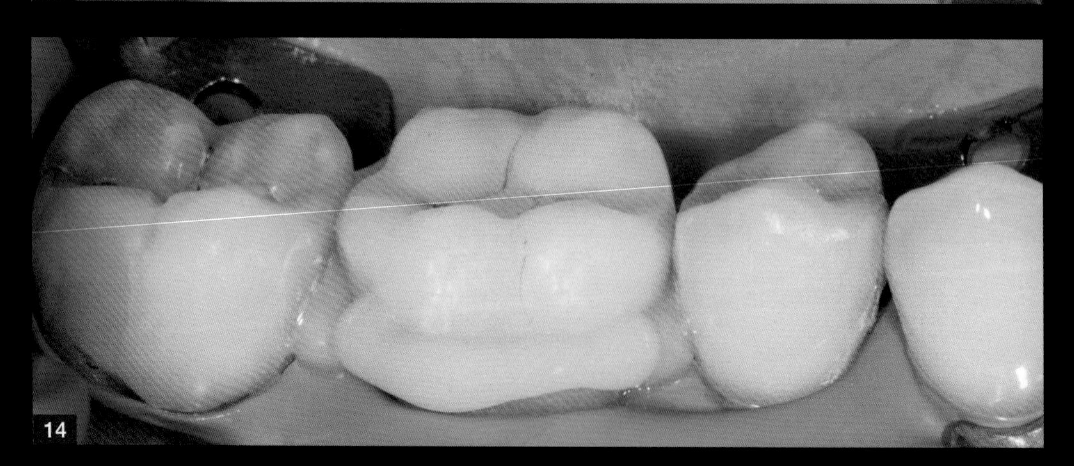
14

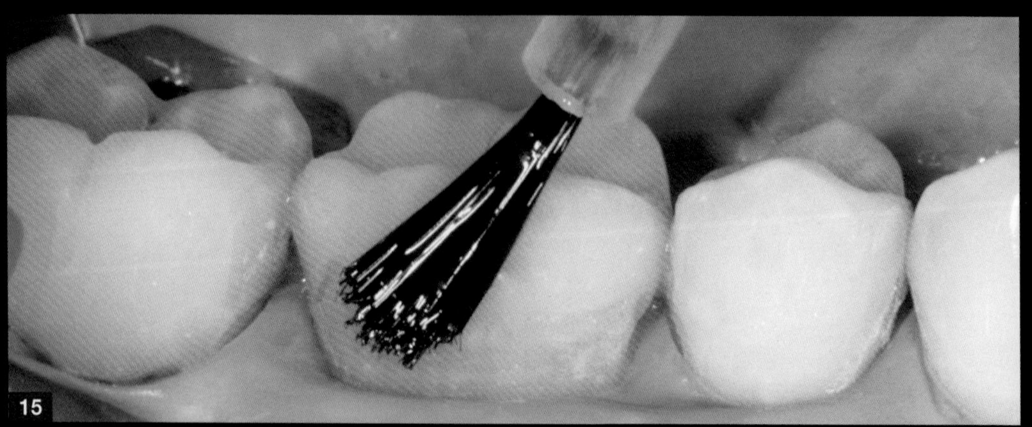
15

Figures 11-15 더 나은 접착을 위해 리튬 디실리케이트 크라운(ips e.max)을 선택했다. 여러 치아를 격리하는 경우 접착 후 치간을 깨끗이 하는 것이 매우 중요하다. 크라운의 접착은 Multilink로 했다. 과잉의 시멘트를 제거하기 위해 브러쉬를 사용하면 치아와 크라운의 마진 사이 미세 공간을 피할 수 있어 실용적이다.

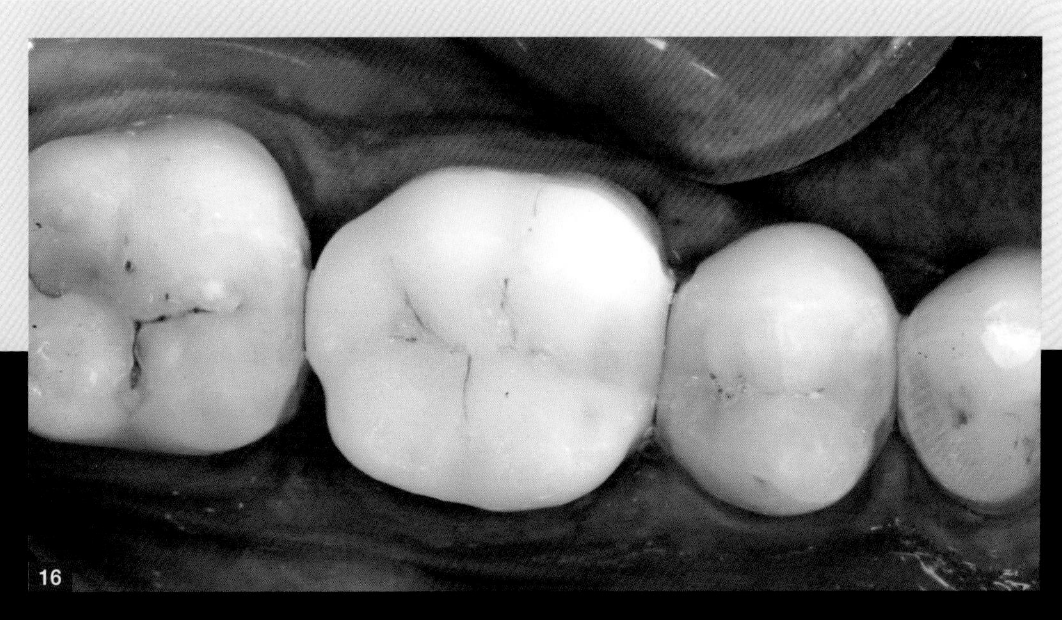

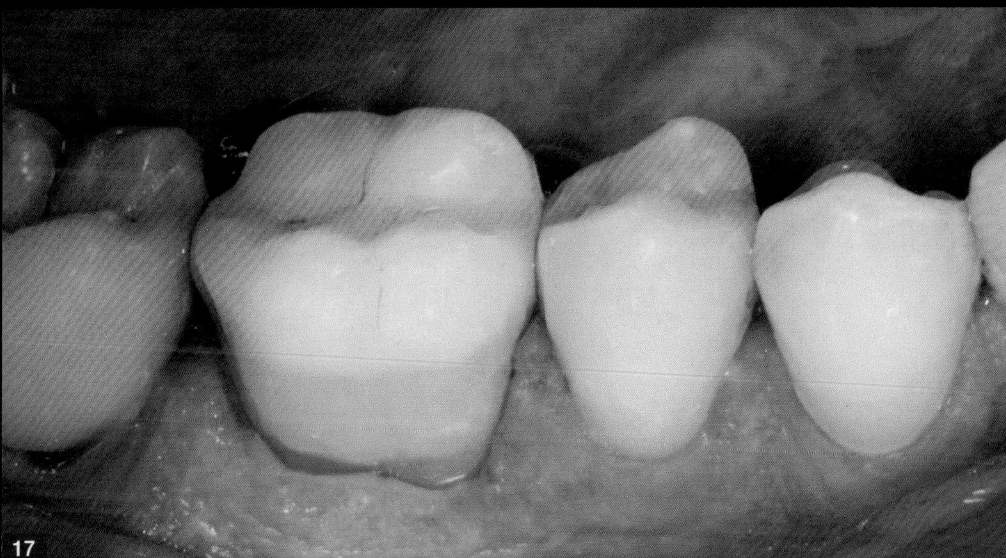

Figures 16-17: 최종 리튬 디실리케이트 수복물의 교합면 모습과 측면 모습. 이러한 유형의 수복물은 치아 구조의 대부분을 보존할 수 있는 이점이 있다.

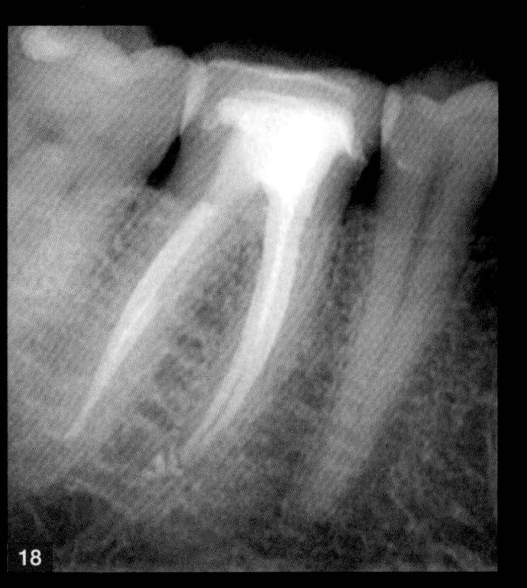

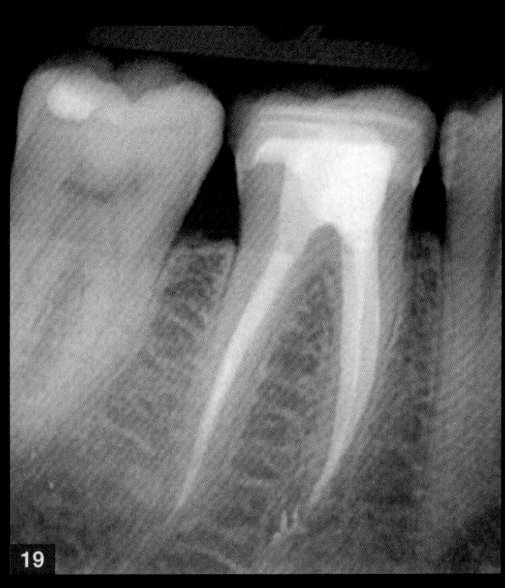

Figures 18-19: 18개월 후 방사선 사진은 치근단 조직의 완전한 치유를 보여준다.

CASE REPORT 3

인접 병소 및 재근관치료: 수복적 접근

치아 #15, #16 사이의 치간유두에 국한된 통증을 가지고 있던 22세 환자의 임상 및 방사선 사진 검사(Fig. 1-2)에서 치아 #14, #15, #16, #17 사이의 우식 병소를 발견했다. 상악 제2소구치는 재근관치료가 필요했다. 치료는 세 번으로 나누어 계획했다.

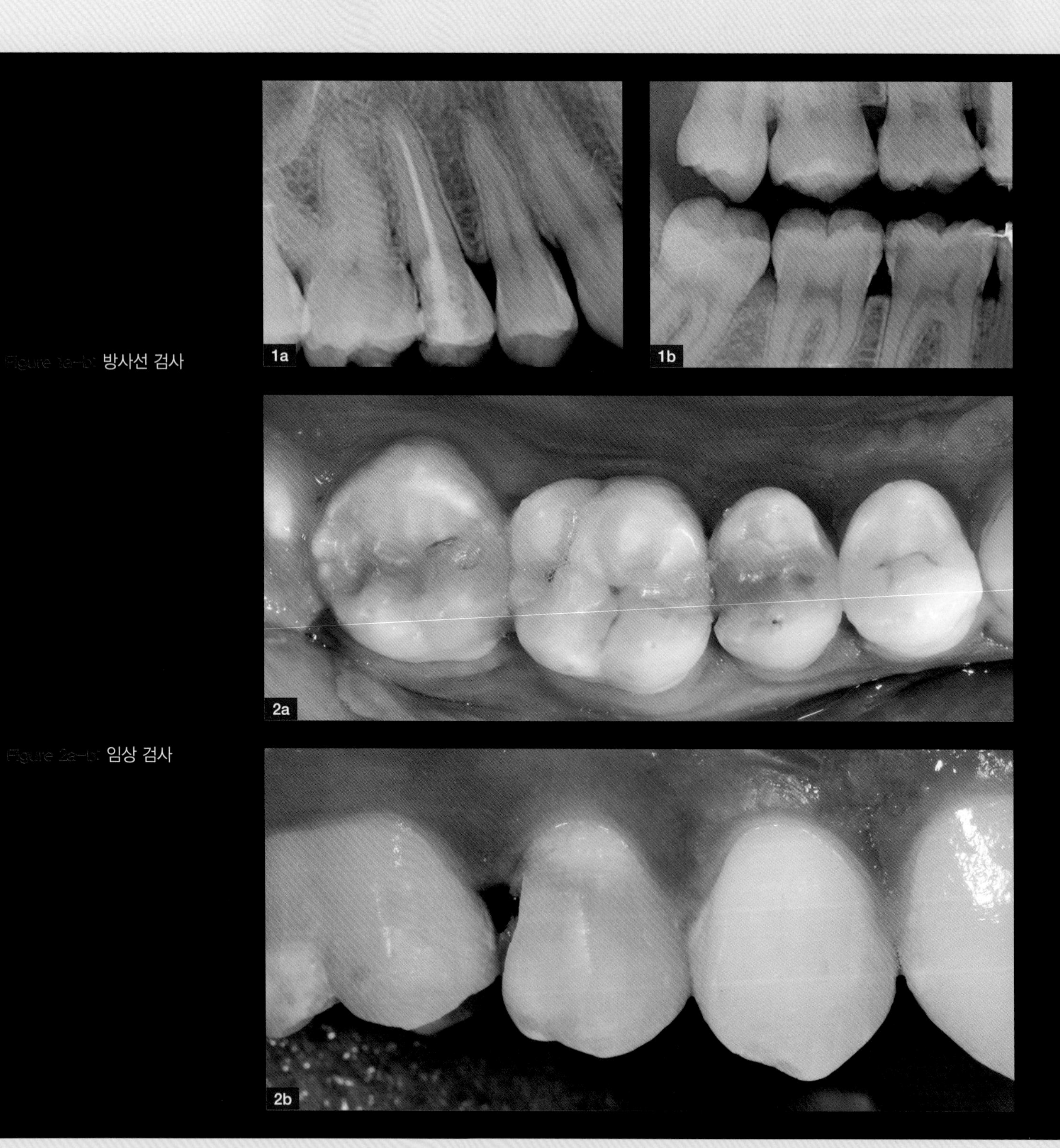

Figure 1a–b: 방사선 검사

Figure 2a–b: 임상 검사

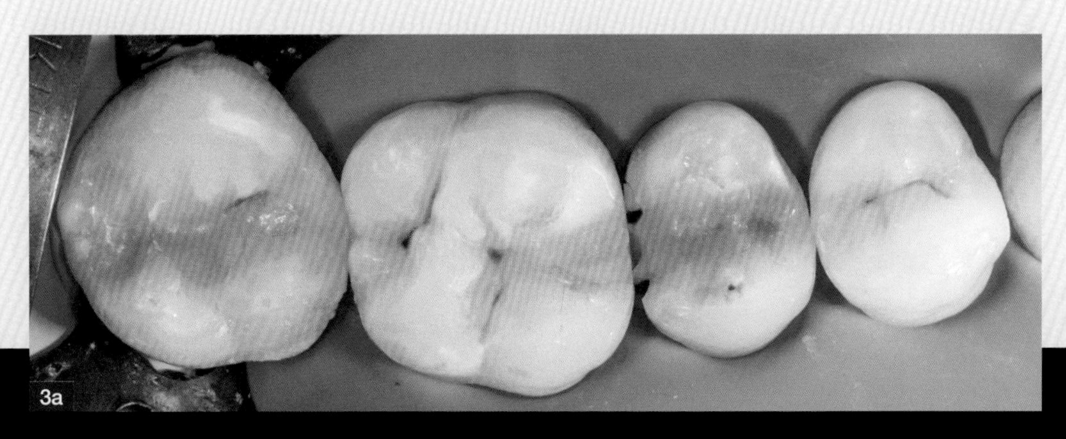
3a

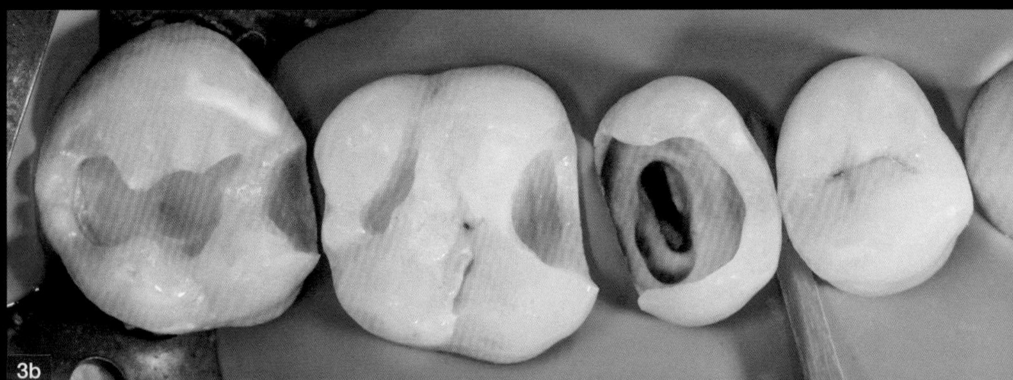
3b

Figure 3a–b: 첫 번째 내원에서 치아 #14, #16, #17 직접 수복하고 #15 치아의 인접면 벽을 만들어주었다.
러버댐으로 격리한 뒤**(Fig. 3a)**, 와동을 다이아몬드 및 텅스텐 카바이드 버로 깨끗이 하고 마진은 초음파 팁으로 마무리했다**(Fig. 3b)**.

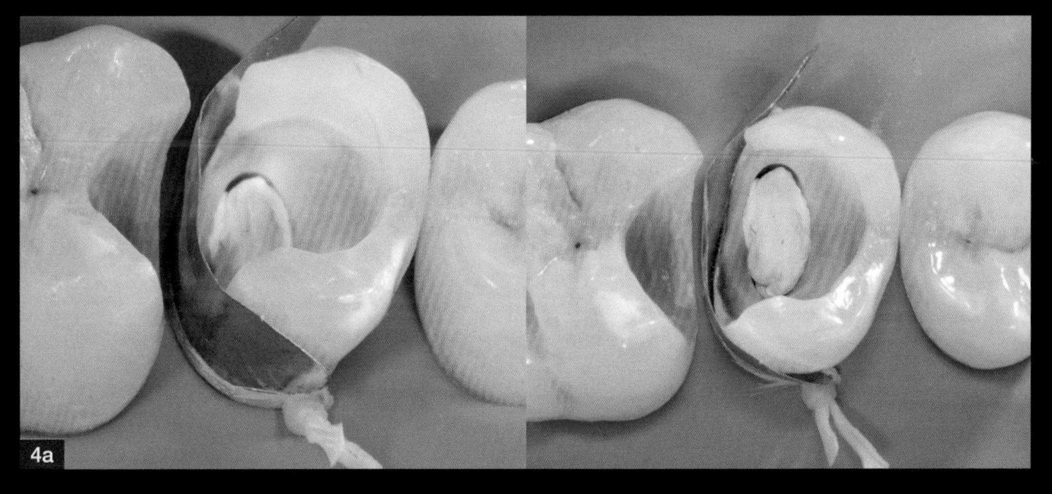
4a

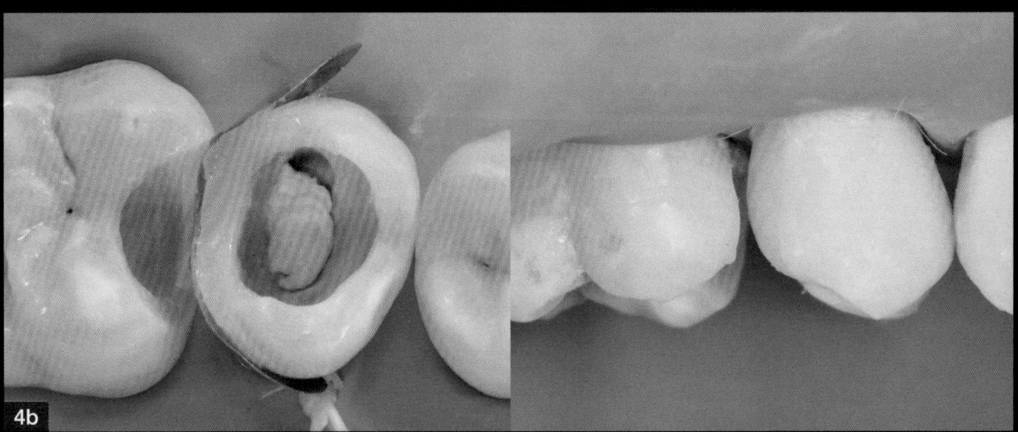
4b

Figure 4a–b: 직접 수복 및 인접면 벽은 3단계 산부식수세 접착제와 나노 복합레진을 사용했다.

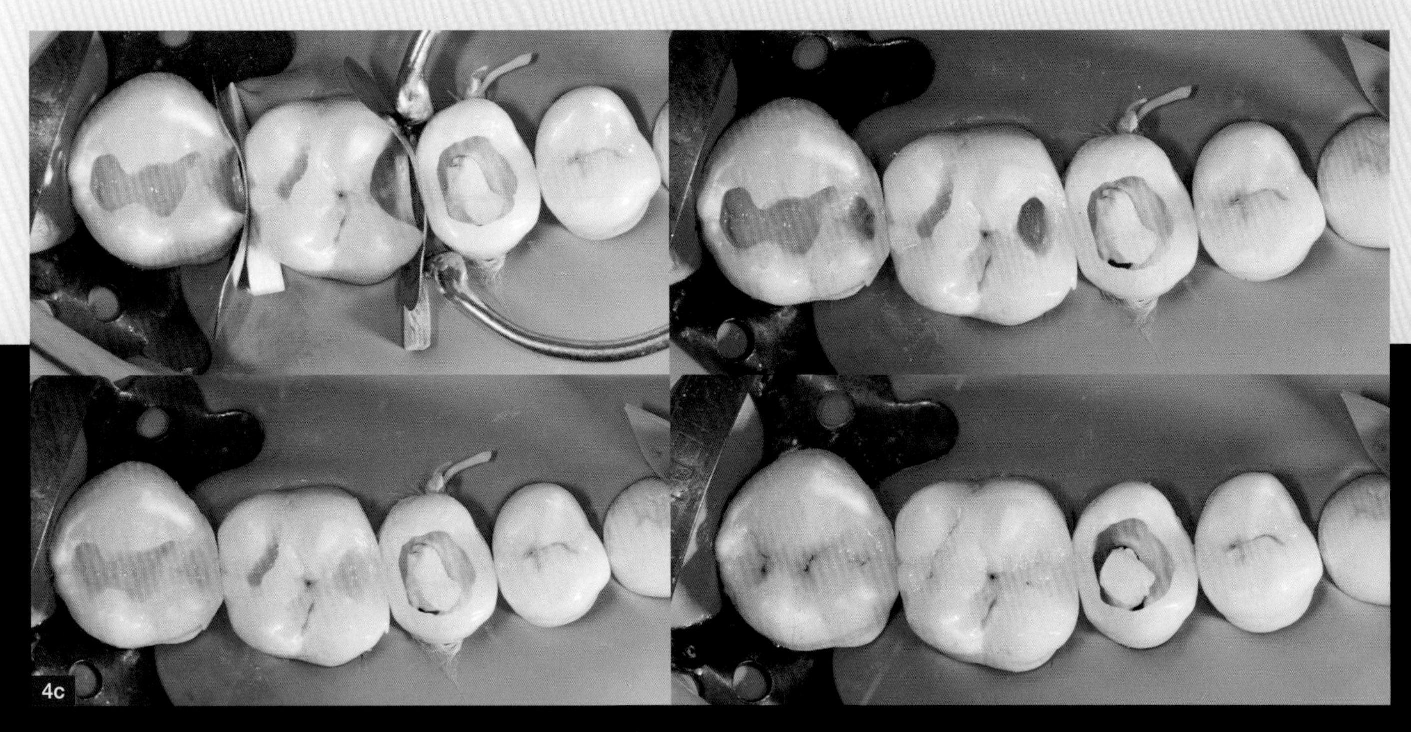

Figure 4c–d: 대구치의 교합면 및 근심 우식의 수복과 재근관치료된 소구치의 빌드업 과정

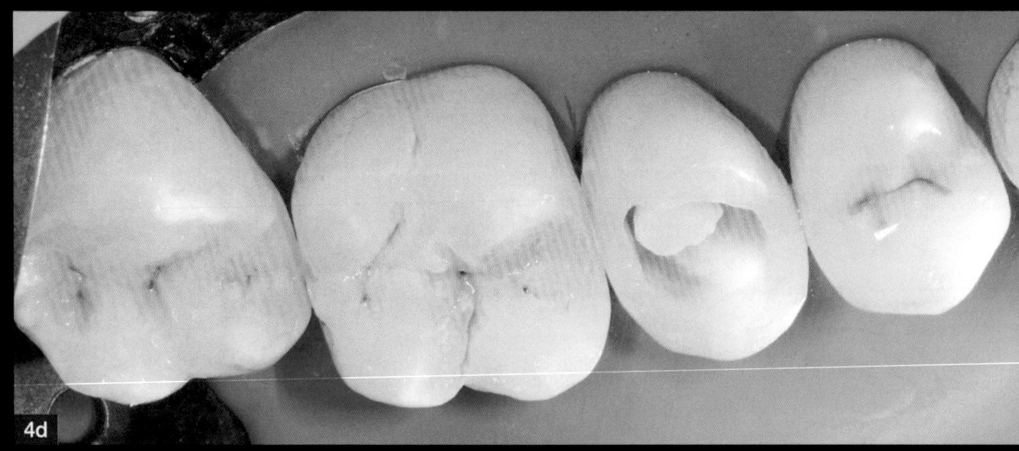

Figure 5: #15 치아의 와동을 임시 충전했다.

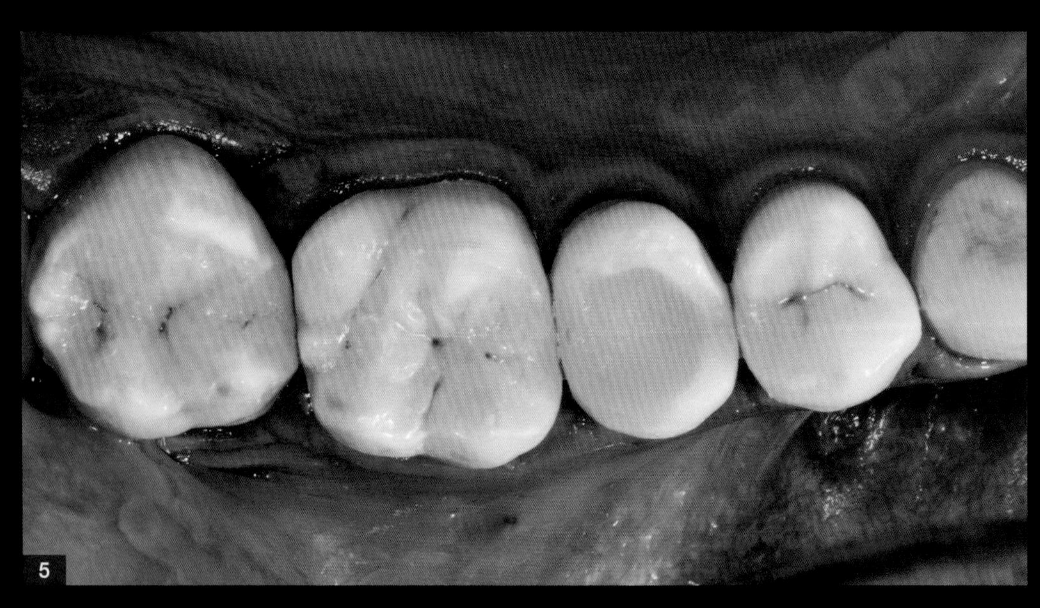

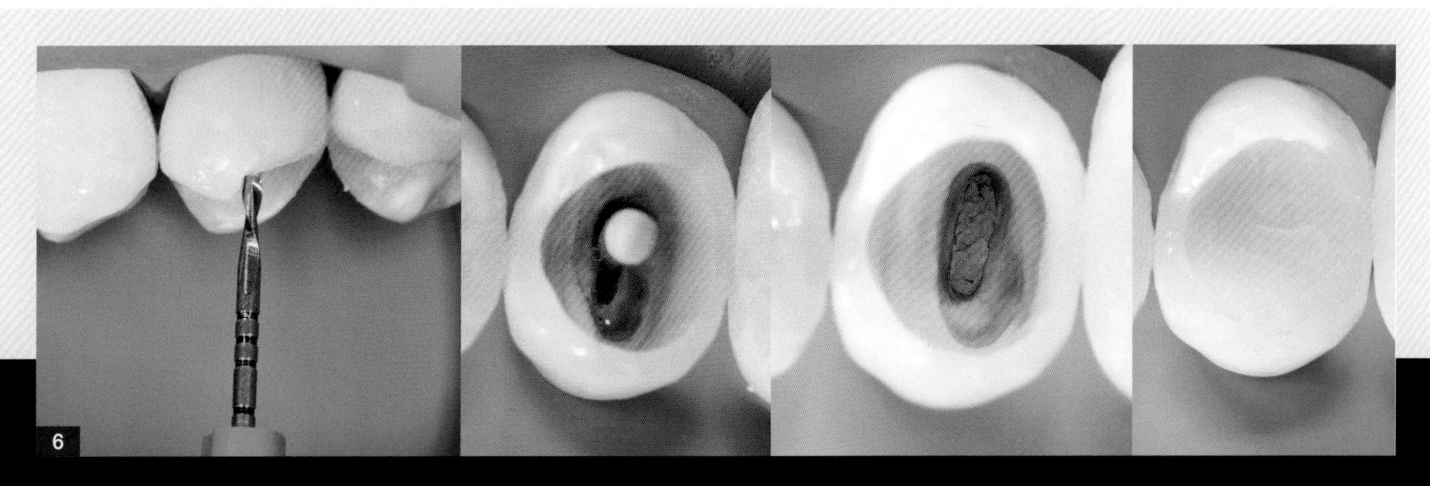

Figure 6: 두 번째 내원에서 #15 치아의 재근관치료를 마치고 리튬 디실리케이트 비니어를 위해 치아를 준비했다.
심미적 이유로 비니어가 필요했다. 단근관이었고 M2로 #25 크기 및 0.06 테이퍼의 크기로 근관을 성형한 뒤, 치근단부는 protaper gold F3까지 성형했다.

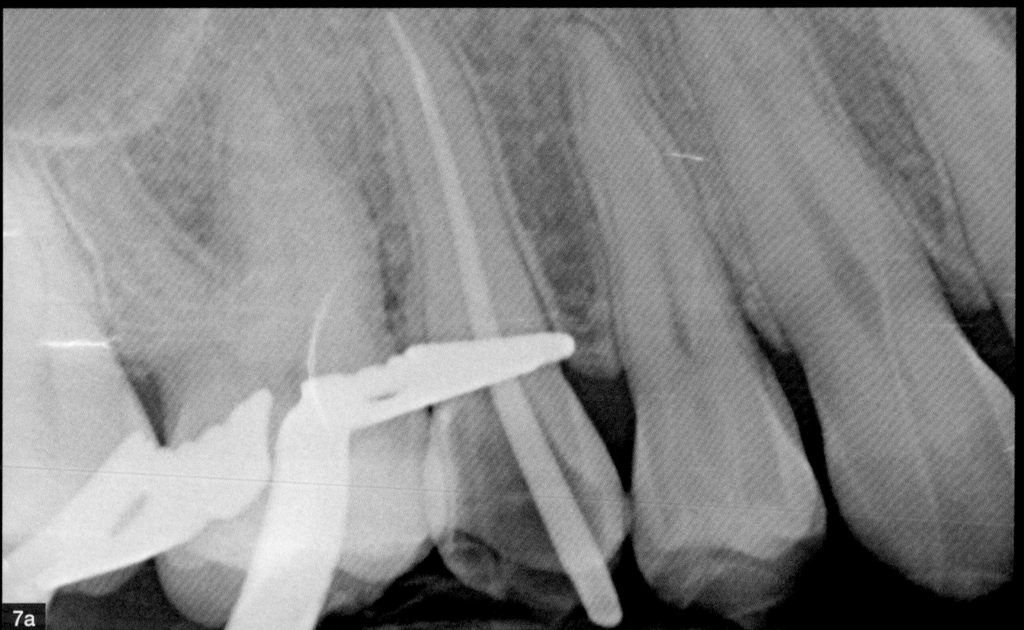

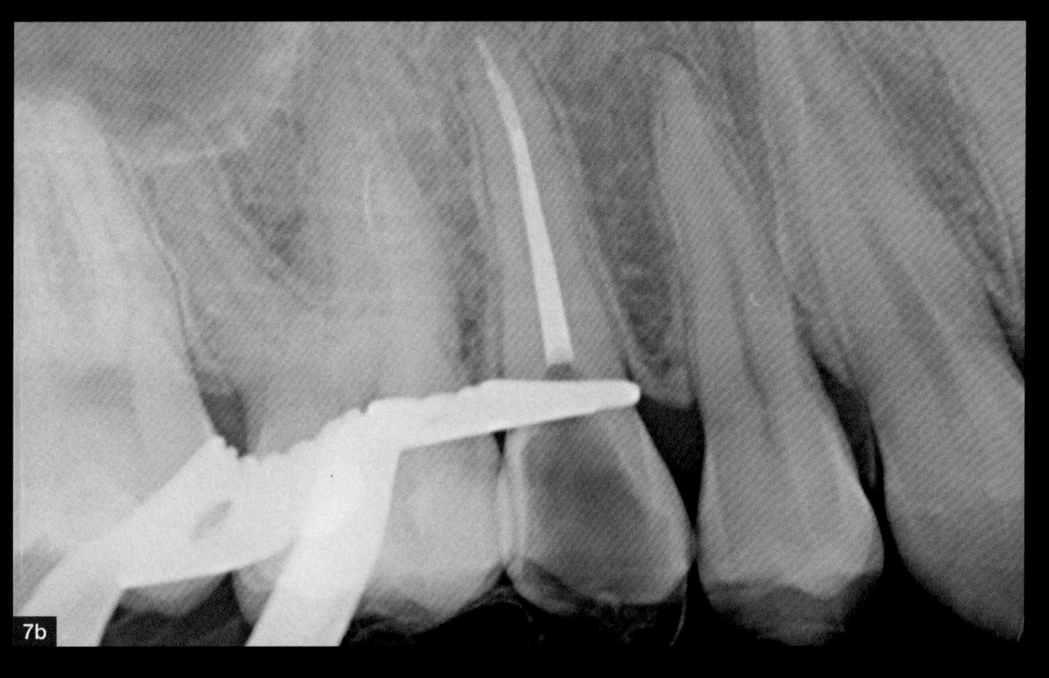

Figure 7a–b: 근관장 길이는 방사선 사진으로 확인되었으며 5.25% NaOCl 및 17% EDTA로 근관을 세척했다. 근관을 건조시키고 열수직 가압법으로 근관을 충전했다.
그런 다음 3단계 산부식수세 접착제를 이용한 나노 복합레진으로 수복했다(Fig. 6).

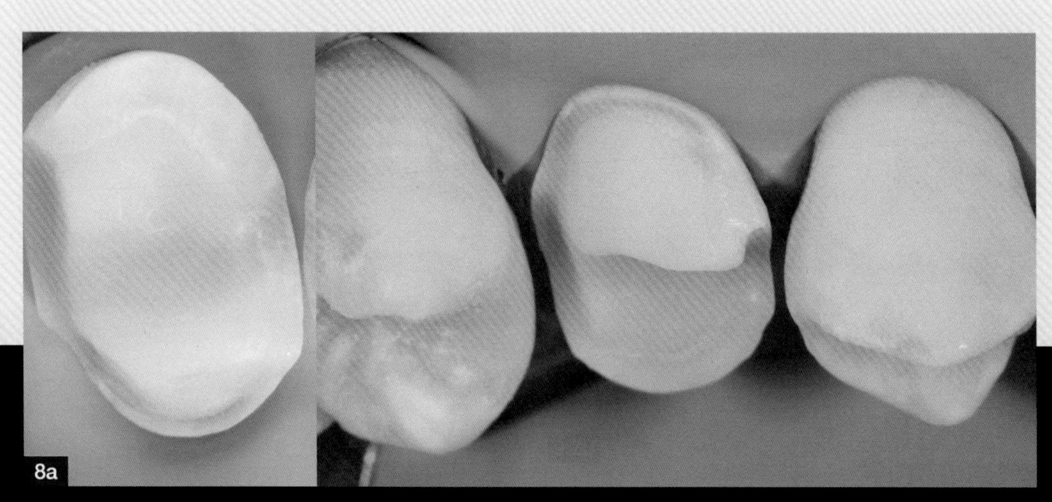

Figure 8a–b: 프렙은 다이아몬드 버 (a)를 이용했고 인상은 폴리에테르(b)로 채득했다.

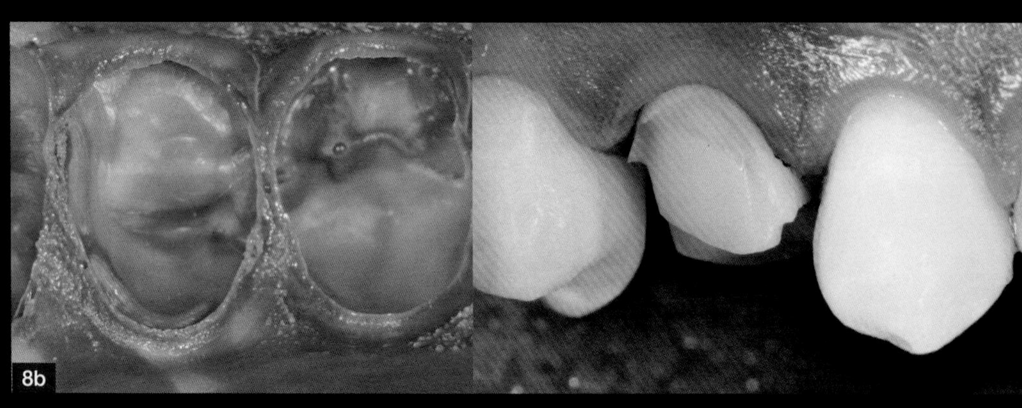

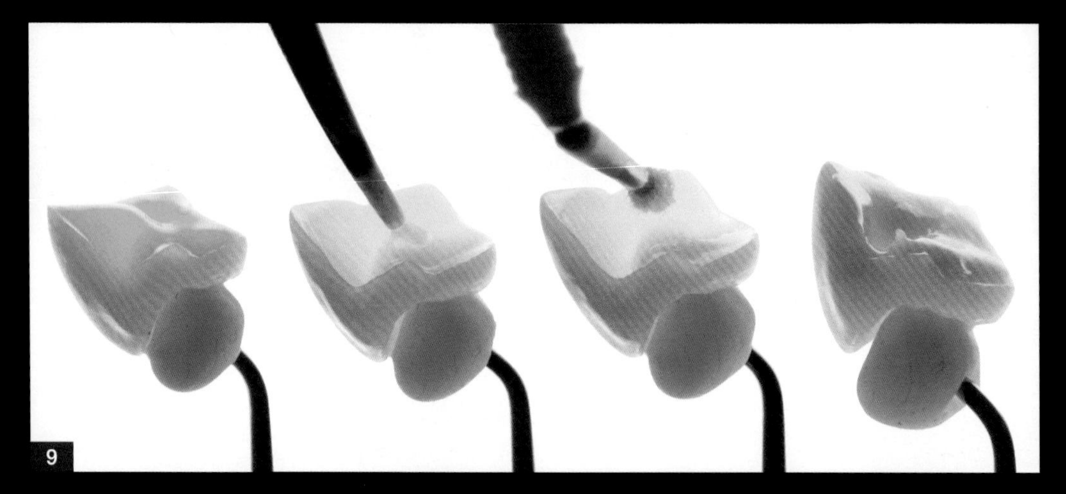

Figure 9: 세 번째 내원 때 비니어를 접착했다.
치아 표면은 공기 마모와 3단계 산 부식수세 접착제로 처리되었으며 리튬 디실리케이트 표면은 불화수소산, 오르토인산, 실란 및 본딩으로 처리되었다.

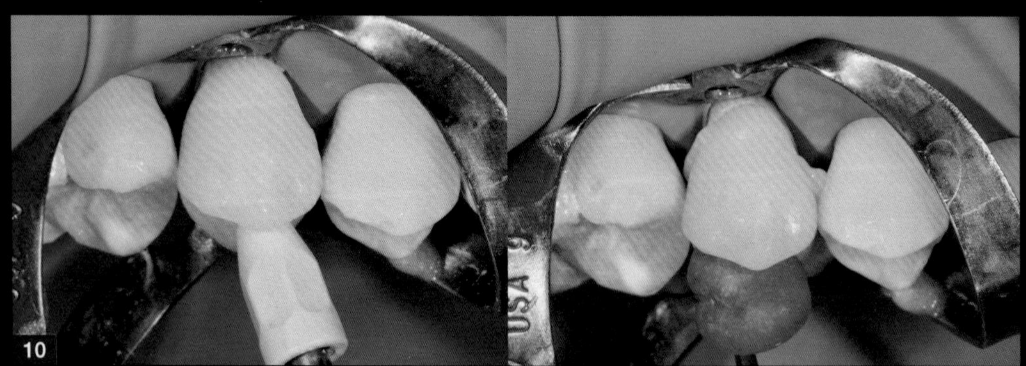

Figure 10: 비니어는 나노 복합레진으로 접착되었다.

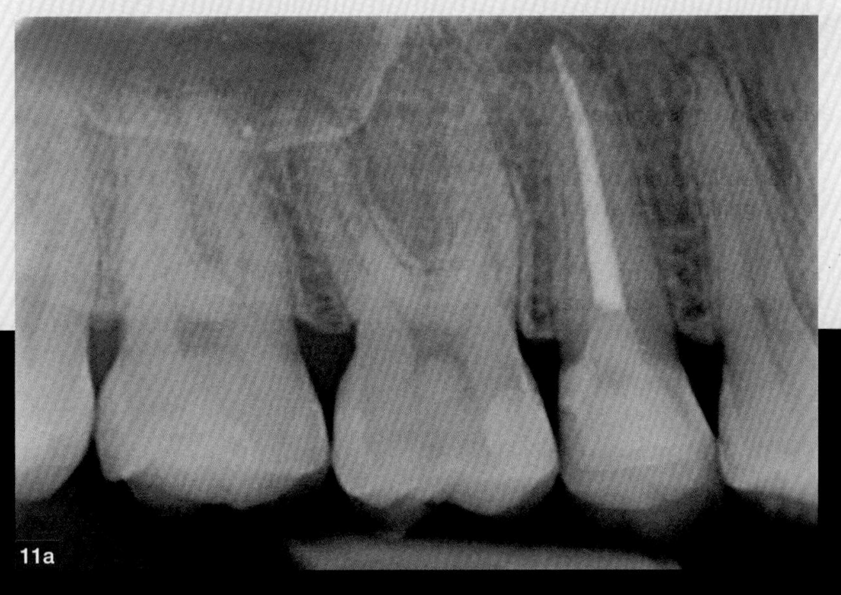

1년 후 방사선 사진. 치료 후 별다른 징후없이 수복물과 근관 충전물이 완벽하게 밀폐되었음을 보여준다.

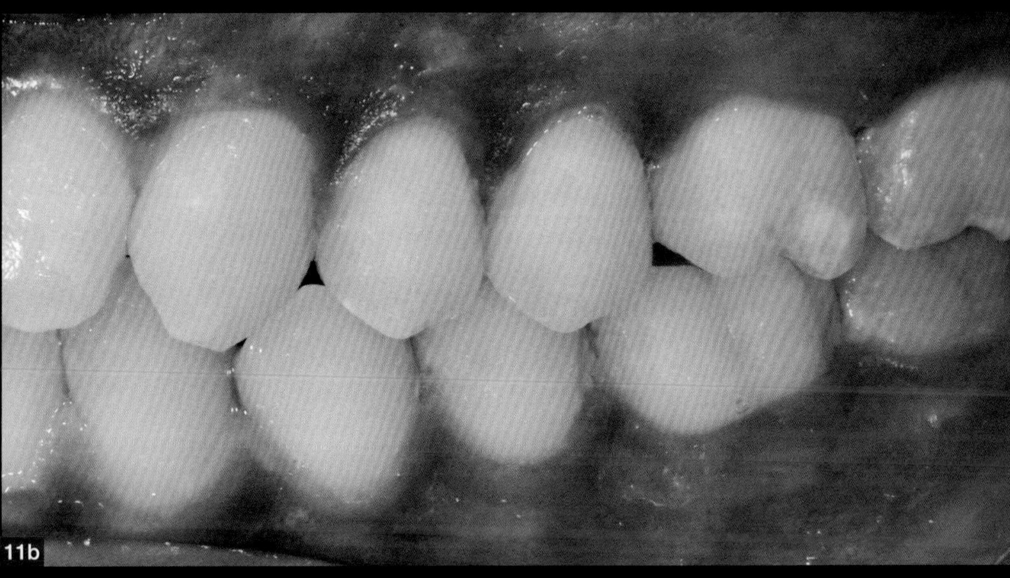

수복된 치아의 협측면 사진

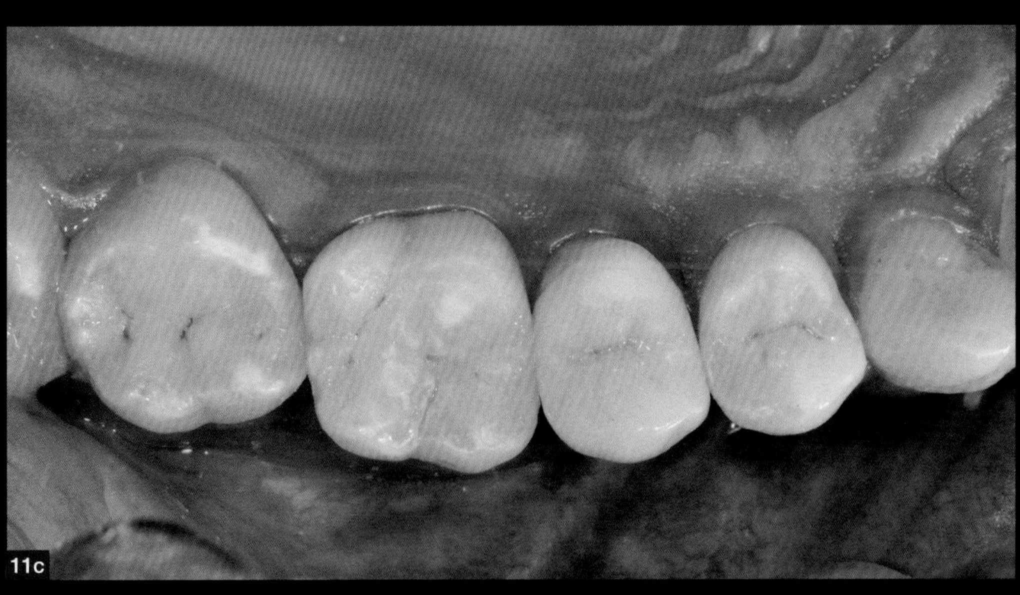

직접 및 간접 수복물로 수복된 치아의 교합면

재근관치료된 치아 재건에 유용한 기술

금속이 없는 세라믹 수복물의 최적의 기능을 위해 비접착성 치의학 시대부터 이용되던 방법들은 최근 몇 년동안 향상되었다. 이러한 선택안들은 수복 재료의 생체역학적 특성과 마모가 치아와 유사하다는 장점을 갖는다.

엔도 크라운, 마진의 재위치, "형태에 기반한 프렙 기법"과 "결과에 기반한 프렙 설계"는 재근관치료된 치아에서 좋은 결과를 보인다.

엔도 크라운(endocrown)

1999년 Bindl과 Mormann[70]에 의해 제안된 endocrown **(Fig. 9.19-9.21)**은 고전적 지대치 포스트와 크라운의 대안으로 1995년 Pissis[71]에 의해 표현된 개념을 기반으로 한 일체식 세라믹 접착 수복물이다. 엔도 크라운은 치은 상부의 편평한 shoulder 마진을 특징으로 한다. 이를 통해 근관을 침범하지 않고 치수강에서 유지력을 얻을 수 있다 CAD/CAM 밀링 또는 die-casting으로 제조할 수 있다.

엔도 크라운의 치아 프렙 및 접착은 생체역학적 관점에서 매우 유리하다.

따라서 엔도 크라운은 재근관치료된 치아의 재건 시, 선택안으로 고려되어야 한다.[74]

Fig. 9.18a-d: 전체 간접 수복 및 상악 제2소구치의 재근관치료. 원하던 결과를 얻었다. 치아의 파괴로 풀 크라운을 접착했다.

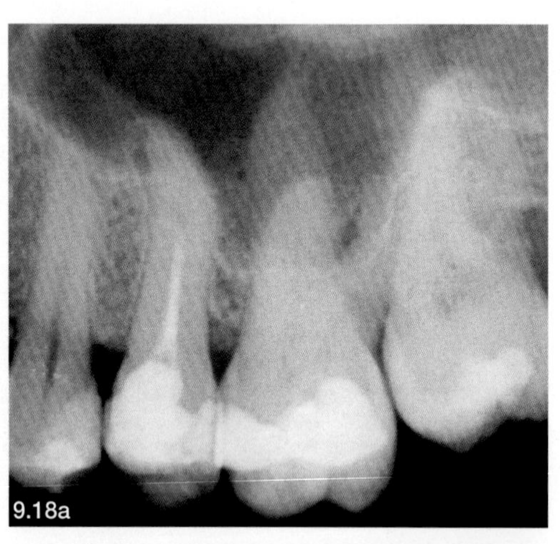
9.18a

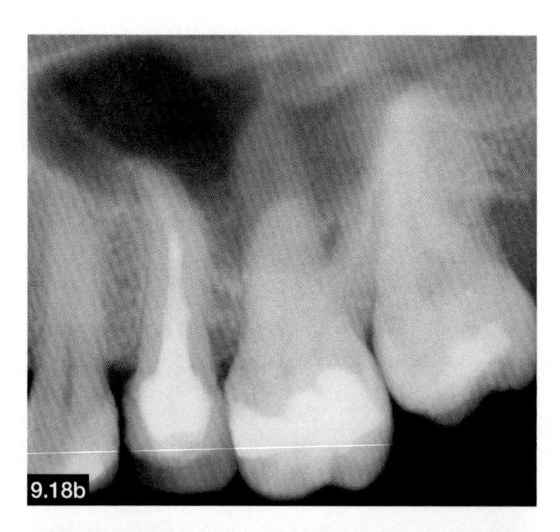
9.18b

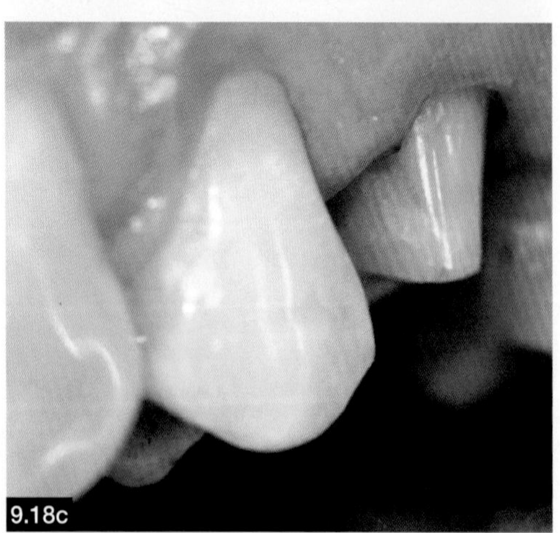
9.18c

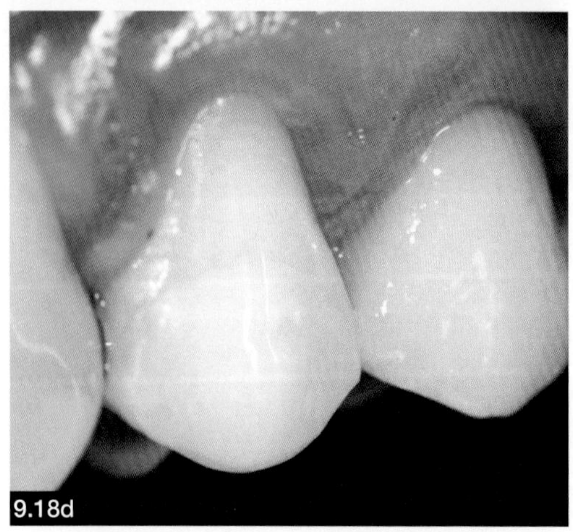
9.18d

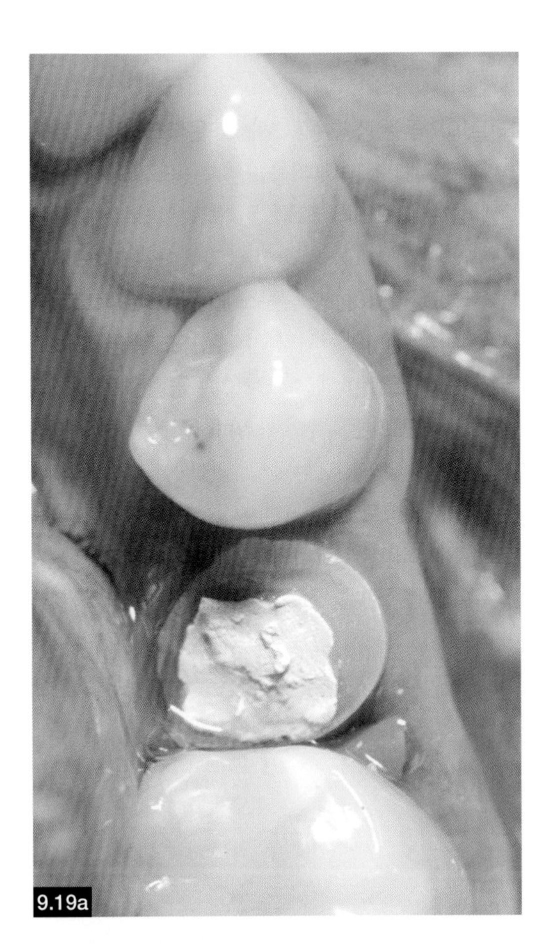

Fig. 9.19a-c: 남아있는 치질이 부족함에도 불구하고 360도 전체 마진에서 법랑질이 존재하는 것을 볼 수 있다. 엔도 크라운은 우리가 다른 기술을 사용할 시 희생될 수 있는 치질을 보존할 수 있게 한다.

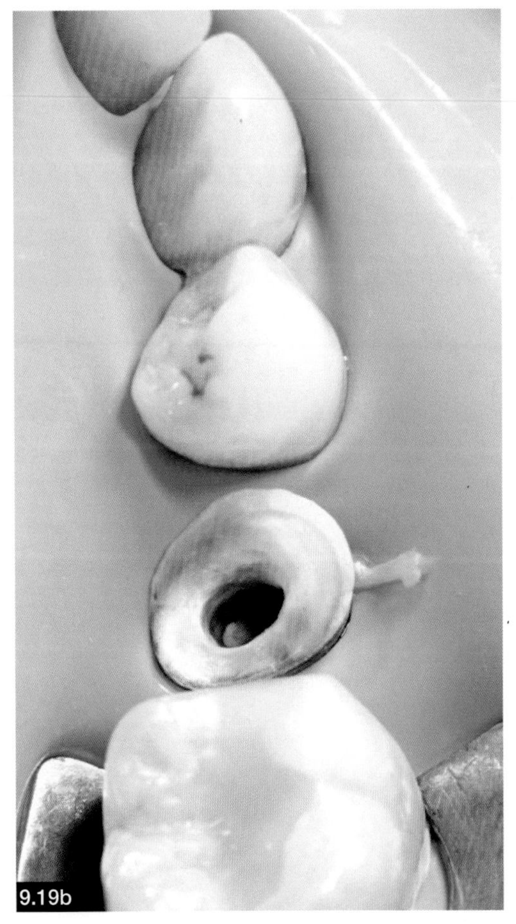

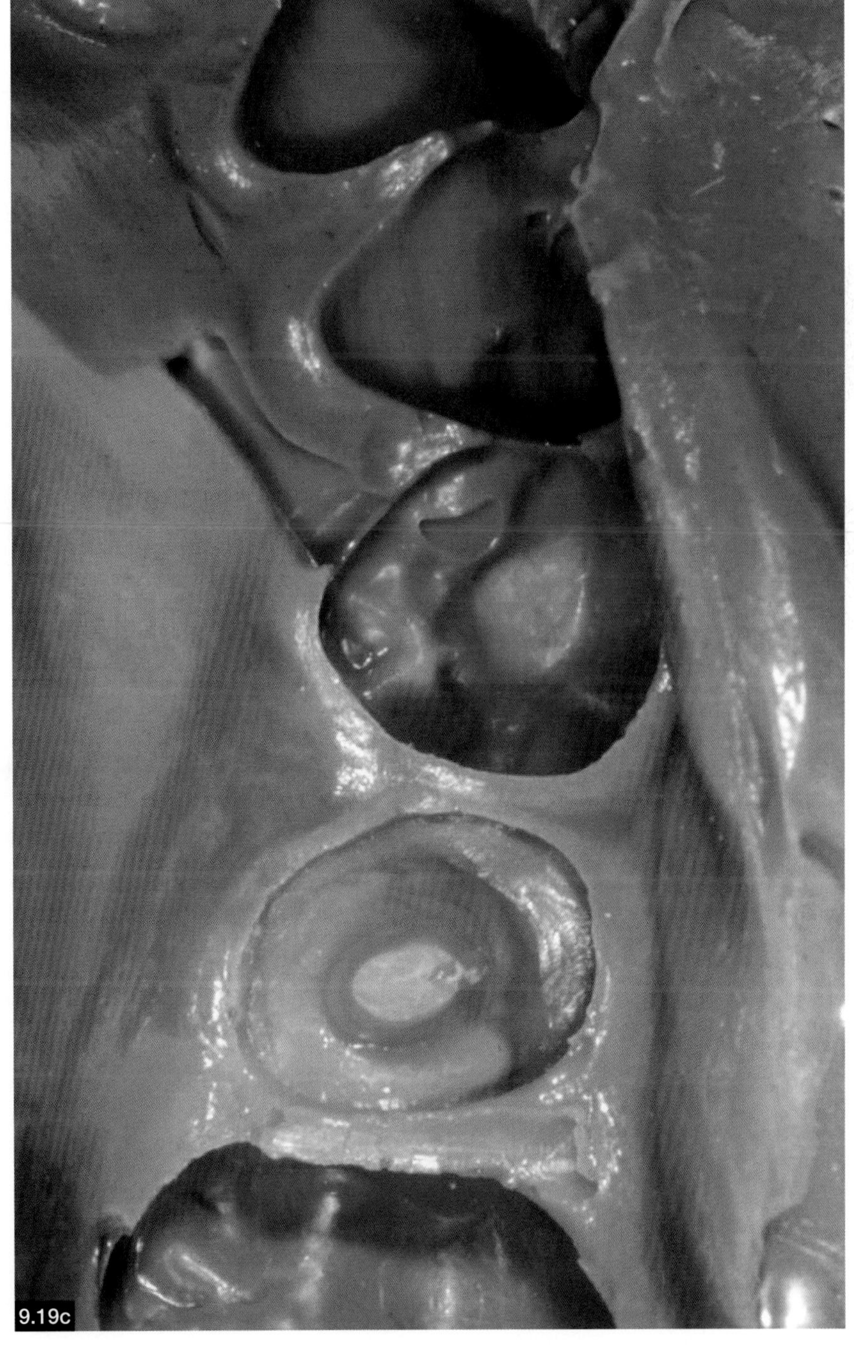

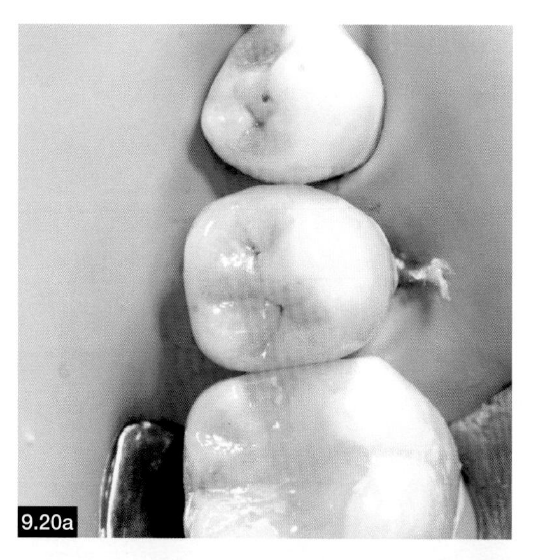

마진의 재위치

치아의 마진을 재위치시키는 것은 재근관치료된 치아의 수복에서 자주 이용될 수 있다. 러버댐을 위치시킬 수 있고 생물학적 폭경에 침범이 없는 깊은 우식의 경우 보철물의 마진을 더 치관부 쪽으로 위치시켜 이후의 과정을 단순화할 수 있다.[75] 이 과정은 또한 근관치료를 시작하기 전에도 가능하다.[76] 그럴 경우 복잡한 케이스의 모든 근관치료의 과정을 매우 쉽게 만든다(Fig. 9.20a).

Fig. 9.20a-c: 엔도크라운을 시적해보고 접착 기술로 접착한다.

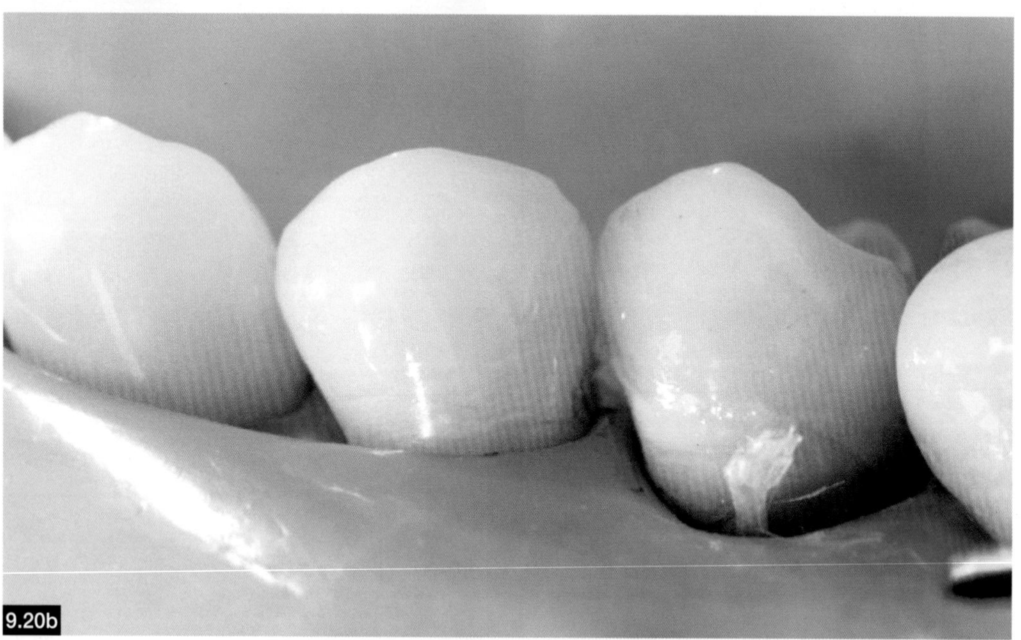

형태에 기반한 프렙 기법

"형태 기반의 프렙 기법"[77]은 구치부 세라믹 수복물을 접착하기 위한 프렙 유형으로서 치질을 최대한 보존하고 남아있는 치질의 접착 가능성을 높인다. 이 기법은 재근관처리된 치아에 사용되는 간접 부분접착 수복물인 오버레이 비니어, 롱랩 오버레이 및 접착 크라운의 대안이다(**Fig. 9.22–9.28**).

결과에 기반한 프렙 설계

비슷한 목적으로 "결과 기반의 프렙 설계"[78]는 구조적으로 손상된 치아를 복원하는 것을 목표로 하는 차별화된 전치부 프렙 방법이다. 재근관치료된 치아가 자주 해당되는데, 우수한 심미적, 기능적 결과를 위해 필요한 두께와 다양한 재료를 구별하여 사용해야 한다. 이 방법에서는 "minimal", "conventional", 그리고 "extended" 이렇게 세 가지 유형의 프렙이 사용된다.

기존 크라운의 재적합(개조)

크라운을 가진 근관치료된 치아의 재근관치료가 필요한 경우, 크라운과 코어를 제거한 뒤 근관치료를 하고 기존 크라운을 다시 접착할 수 있다.

이를 위해선 이상적으로 완벽한 마진 적합성과 최소 2 mm 두께의 상아질이 필요하다.

그동안 수많은 기법이 제안되었다. 1970년 Goldrich는 기존 크라운을 제거하지 않고 포스트를 만드는 두 가지 기술을 설명했으며 클립의 일부를 사용하기도 했다.[79]

1982년 Brady[80]는 copper ring, parapulpal 포스트, 열가소성 페이스트의 사용을 기반으로 치료과정을 설명했다.

Fig. 9.21a-c: 러버댐을 제거한 후 교합 접촉을 확인한다. 자연치와 기능적, 심미적으로 잘 어울린다.

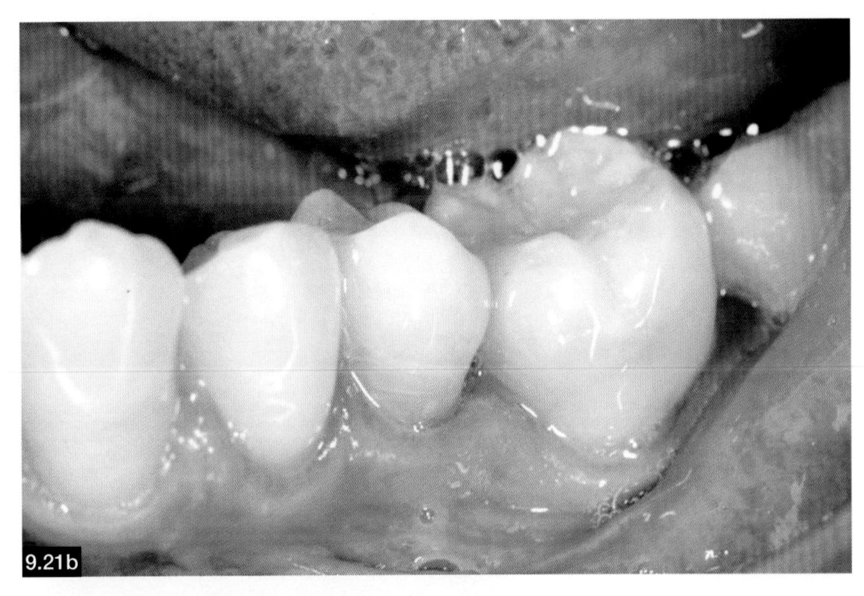
9.21b

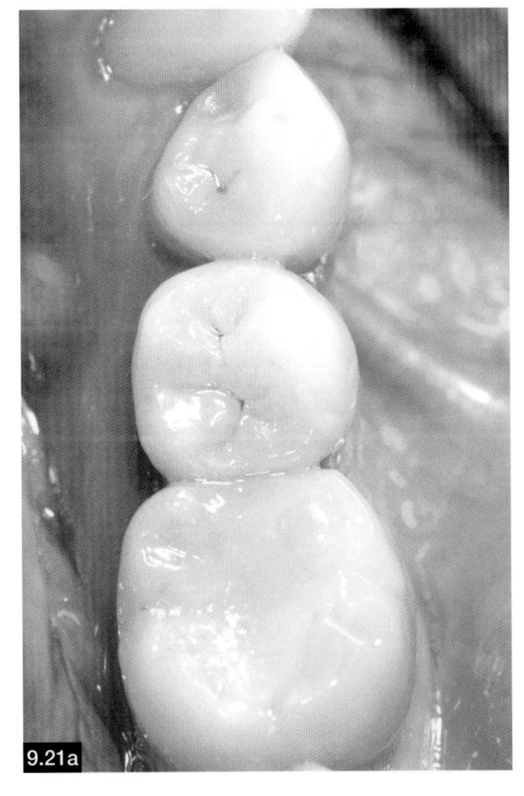
9.21a

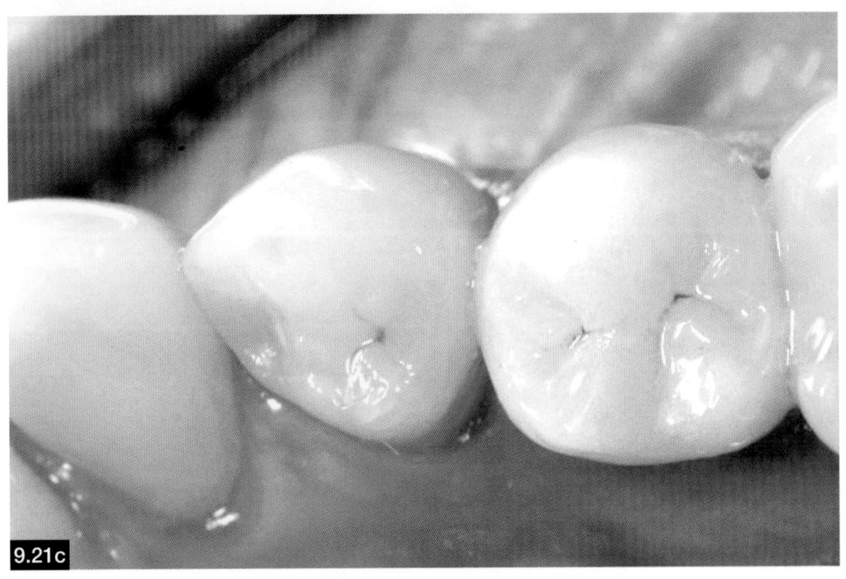
9.21c

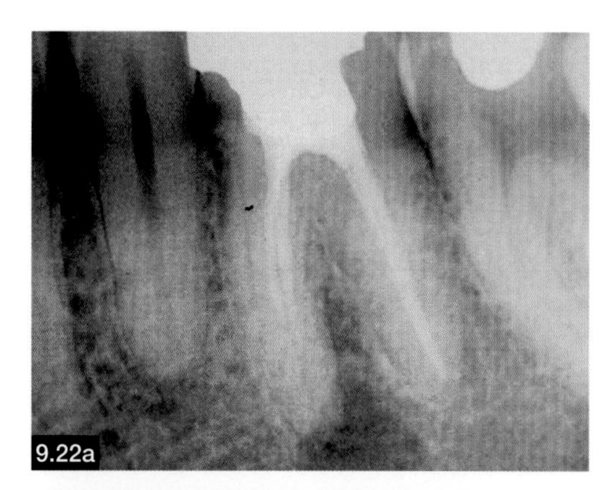
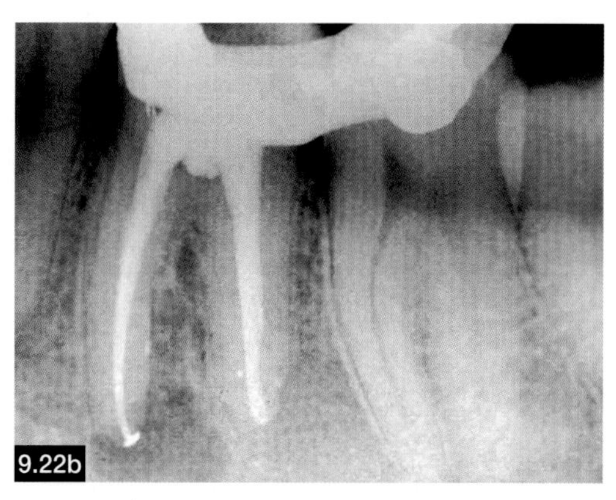

Fig. 9.22a-b: 재근관치료 후 치근단 병소가 치유되었다.

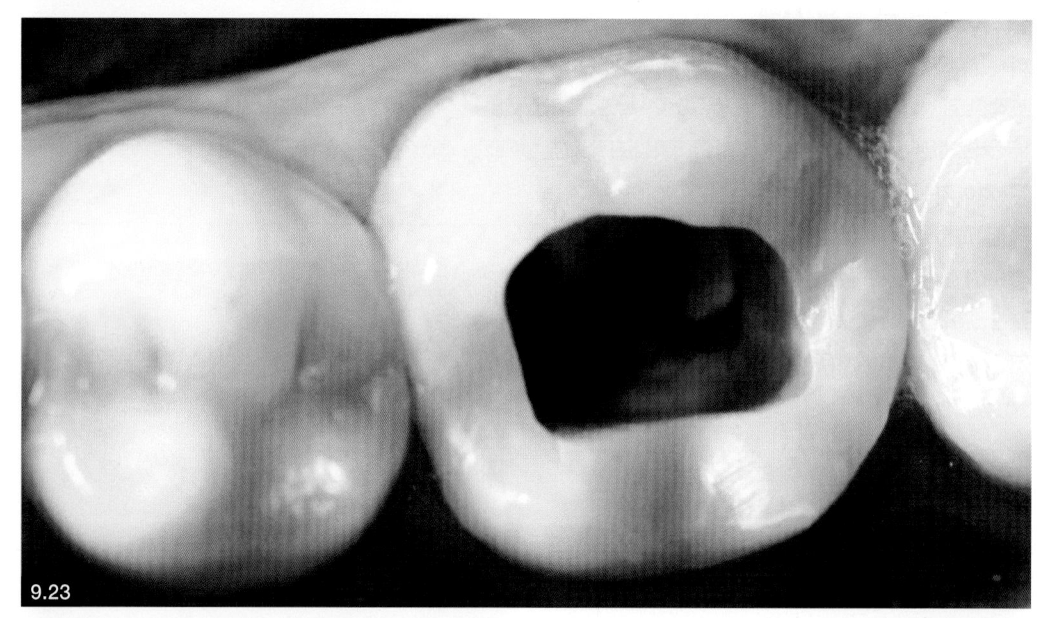

Fig. 9.23: 남아있는 상아질이 부족하다. 간접수복이 필요하다.

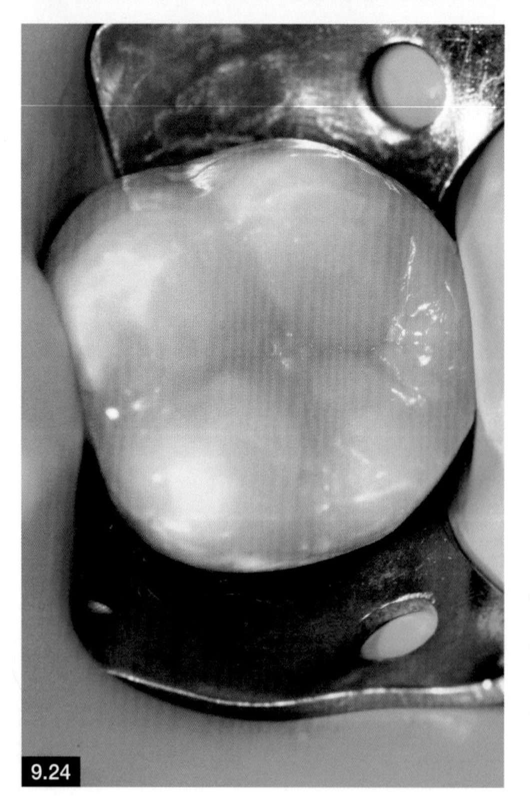

Fig. 9.24: 와동을 접착 술식을 이용해 복합레진으로 수복했다.

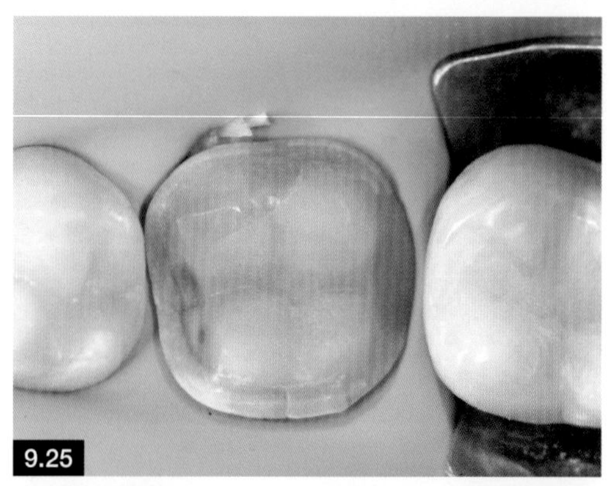

Fig. 9.25: 최소한의 프렙으로 최대한 치아 조직을 보존한다.

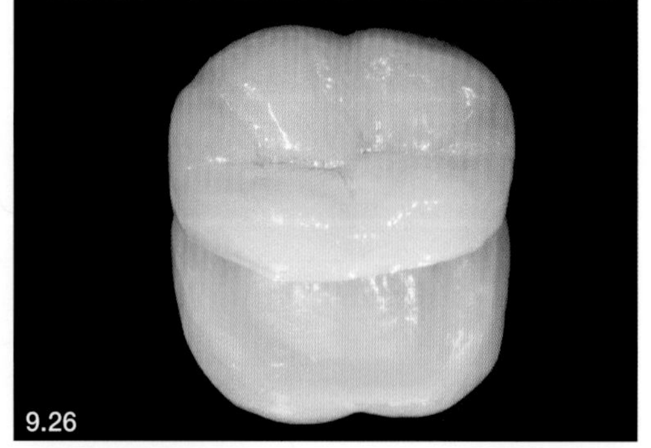

Fig. 9.26: 리튬 디실리케이트 세라믹을 사용했다.

2017년 Lee[81]는 디지털 CAD/CAM 기술로 기성 크라운을 이용한 지대치의 축조를 보여주었다. 직간접 수복에 있어 지대치 축조를 위한 틀로 기존 크라운을 사용하는 것이 자주 제안된다. 그러나 왜곡과 공극이 생길 가능성, 시멘트 공간의 부족, 광중합 재료의 사용 불가능으로 결과를 예측하기 어렵다. 이후 얇은 테플론 테이프[82, 83] 또는 알루미늄 호일[84]의 삽입, 기존 모델에서 얻은 탄성 매트릭스 사용(사용 가능한 경우)[85] 또는 투명한 열가소성의 재료로 크라운 내부의 템플릿 만들기와 같은 일부 방법이 소개되었다.[86]

이러한 각 방법은 기성 및 복합레진 포스트와 직접 사용되거나, 개별 금 합금 포스트로 주조할 burn-out 레진 포스트와 간접적으로 사용될 수 있다.

기존 주조 포스트의 개조

심하게 손상된 치아에 코어를 유지하는 과거의 유일한 방법은 캐스트 포스트의 식립이나 기성 포스트 또는 나사를 사용하는 것이었다. 기성 포스트는 사용하기 쉬우나 포스트를 식립할 공간을 근관 내에 만들어야 한다는 큰 문제가 있다. 이는 건강한 상아질의 제거로 치근을 불필요하게 약화시킨다. 반면 주조 포스트는 오랜 시간 동안 임상에서 성공적으로 사용되어 왔다. 전통적인 맞춤형 주조 포스트 및 코어는 나팔 혹은 타원형의 근관 모양에도 최소한의 상아질 삭제로 식립될 수 있다. 금속 포스트(맞춤형 또는 기성)의 일반적인 단점은 탄성 계수로 상아질보다 10배 이상 높을 수 있다. In vitro 연구들에 따르면 이러한 높은 탄성 계수는 스트레스 집중을 유발하여 치명적인 실패를 초래할 수 있다 맞춤형 주조 포스트는 탄성 계수가 낮은 포스트보다 더 높은 부하에서 실패한다고 알려져 있지만 실패 시 복구가 불가능한 경우가 많다. 탄성 계수가 낮은 포스트에서는 다소 양호한 상태로 실패가 발생한다.[87] 포스트에 대한 임상 연구는 다른 상황들을 보여준다.

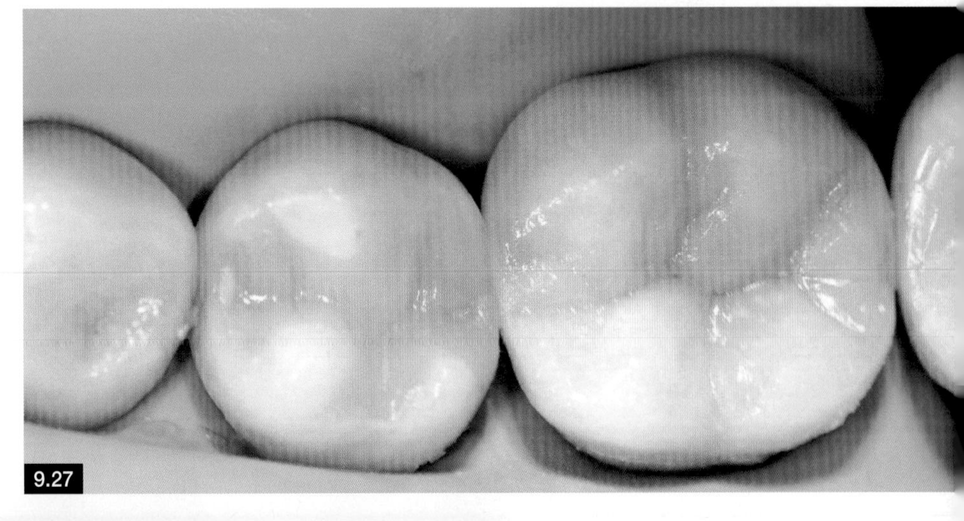

Fig. 9.27: 내부 및 마진의 적합성을 평가한 후 수복물은 접착제와 복합레진을 사용하여 접착하였다.

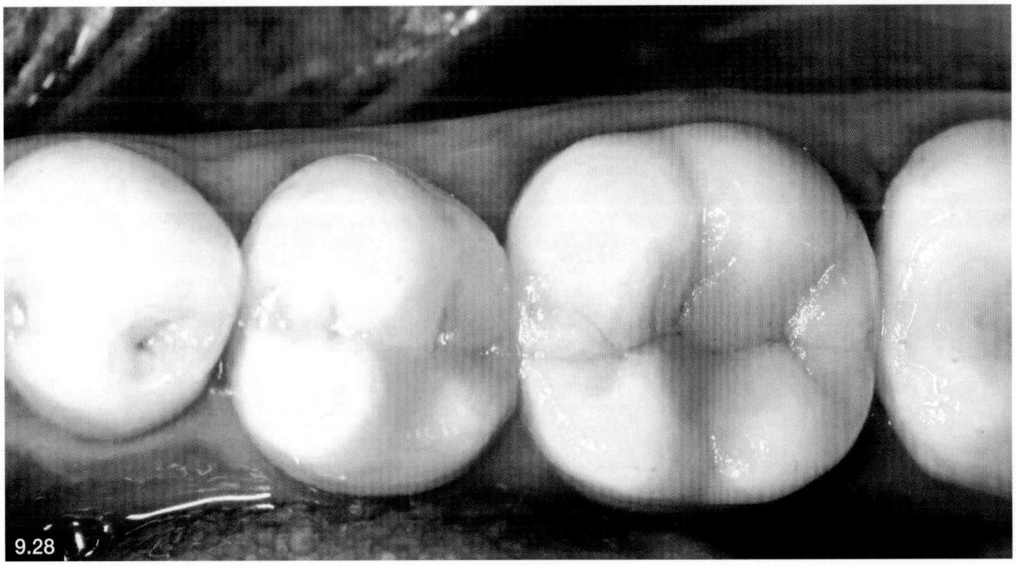

9.28

Fig. 9.28: 잉여분의 시멘트 제거 및 교합 검사 후의 최종 모습

CASE
REPORT 4

상악 중절치에 있는 기존 주조 포스트의 개조

본 증례에서 환자는 20년 이상 된 근관치료 후 주조 포스트 및 코어와 PFM으로 수복됐던 상악 중절치에 대한 불만을 가지고 있었다. 치아에 결국 누공이 생겼고 비심미적인 모습이었다. 환자와의 대화 후 재근관치료와 포스트-코어 및 올세라믹 크라운으로 치료 계획을 세웠다. 기존 포스트는 쉽게 제거됐다.

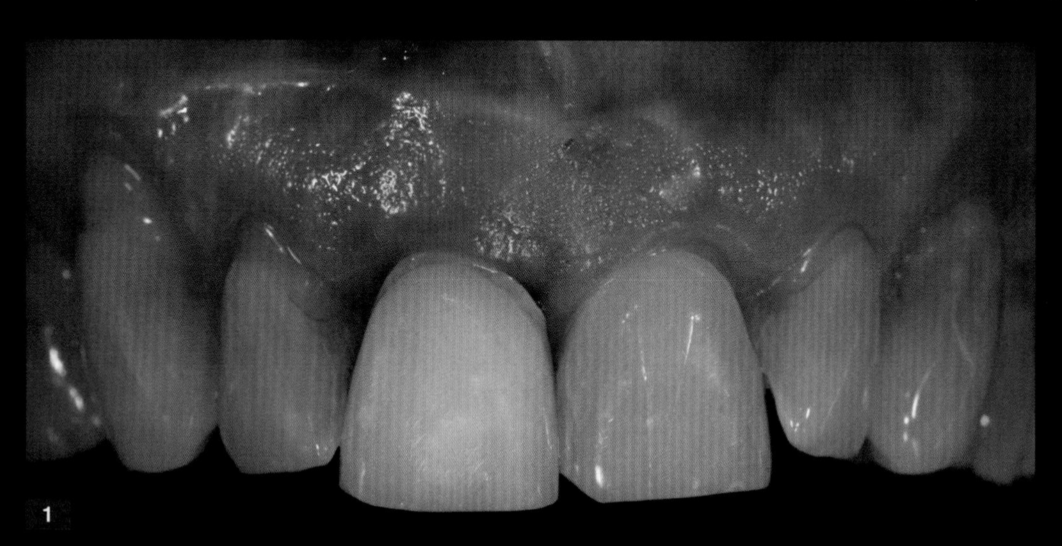

Figure 1 초기 임상 사진. 오른쪽 상악 중절치의 부자연스러운 색이 눈에 띈다.

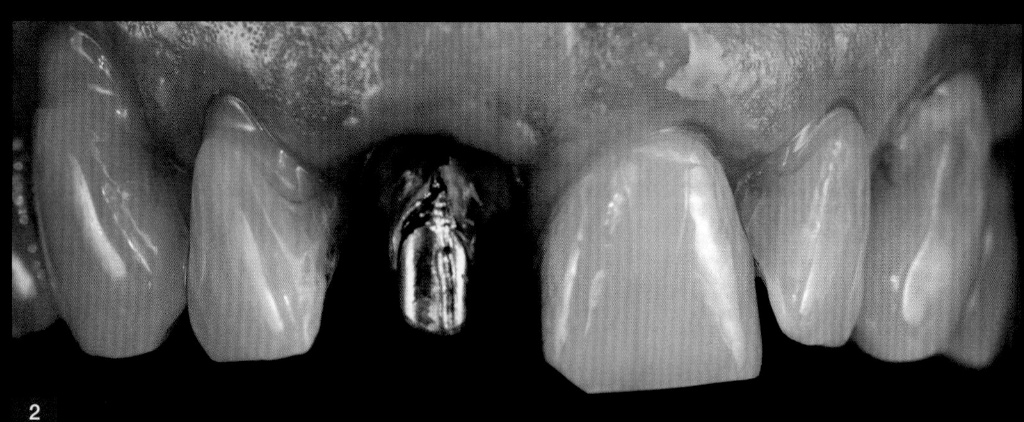

Figure 2 크라운 제거 후 금속 포스트와 치아 경부에 갈색의 상아질이 관찰된다.

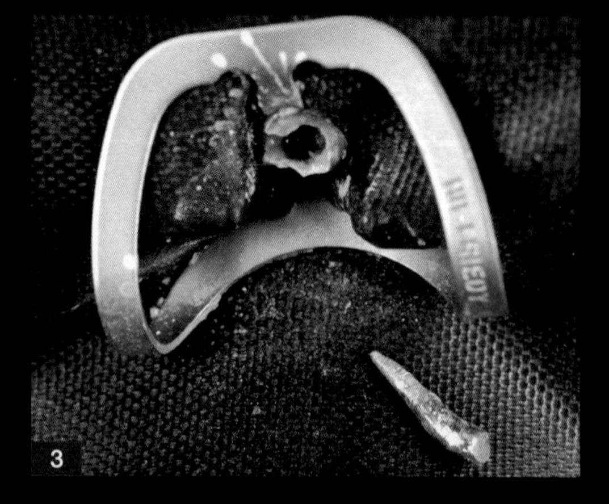

Figure 3 주조 포스트는 초음파 기구 및 포스트 추출 기구로 쉽게 제거되었다.

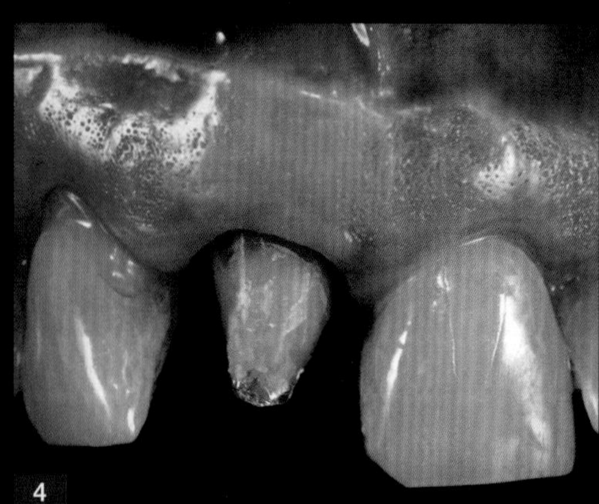

Figure 4 재근관치료 후 섬유 포스트를 레진 코어와 함께 근관 내부에 고정했다.

재근관치료 후 기존 포스트를 다시 접착했다. 치아의 프렙 후 광학적 인상을 채득했고 새로운 올세라믹 크라운을 접착하였다.

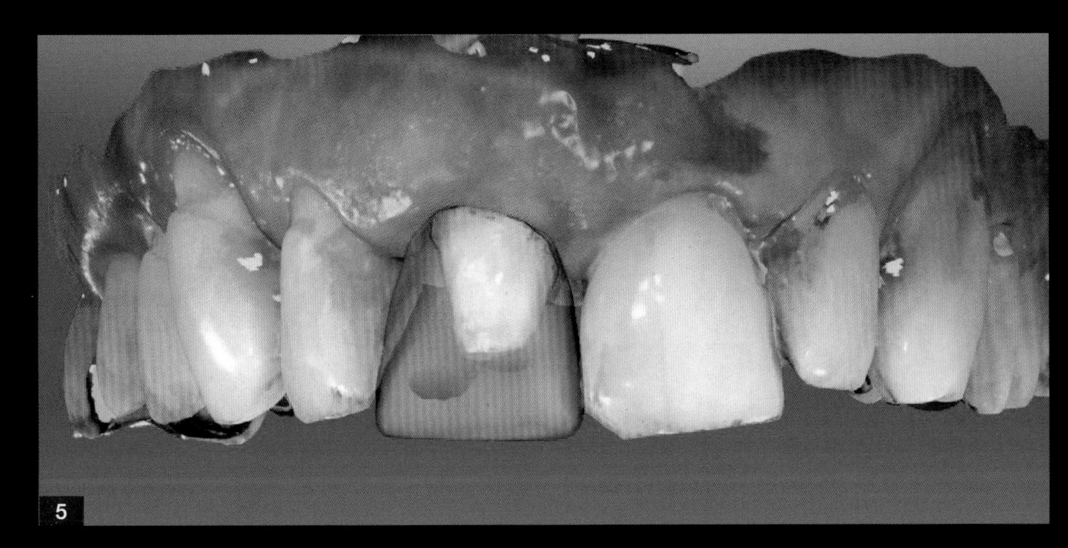

Figure 5: 구강 스캐너로 얻은 디지털 인상으로 올세라믹 크라운을 제작했다.

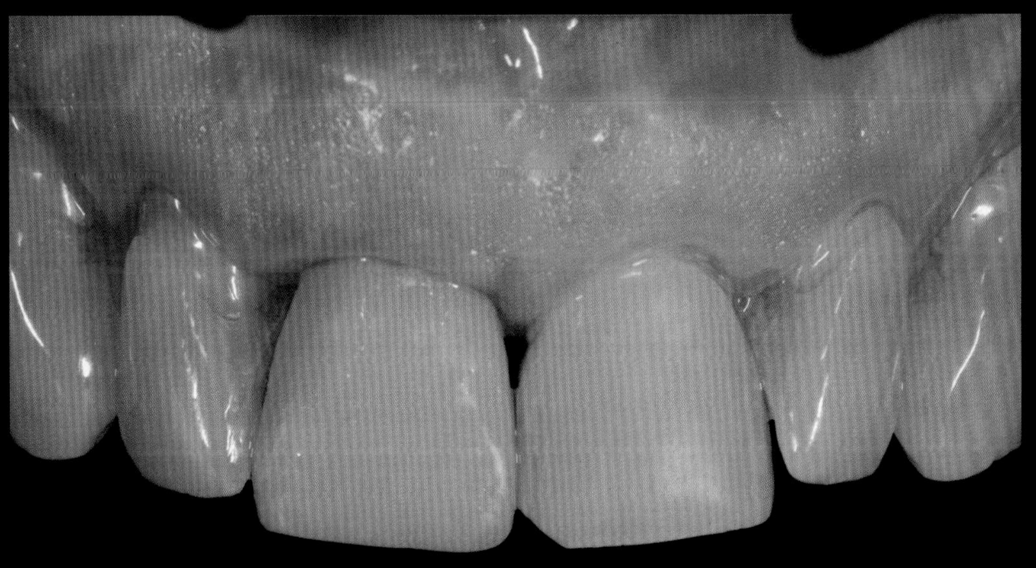

Figure 6: 접착된 올세라믹 크라운

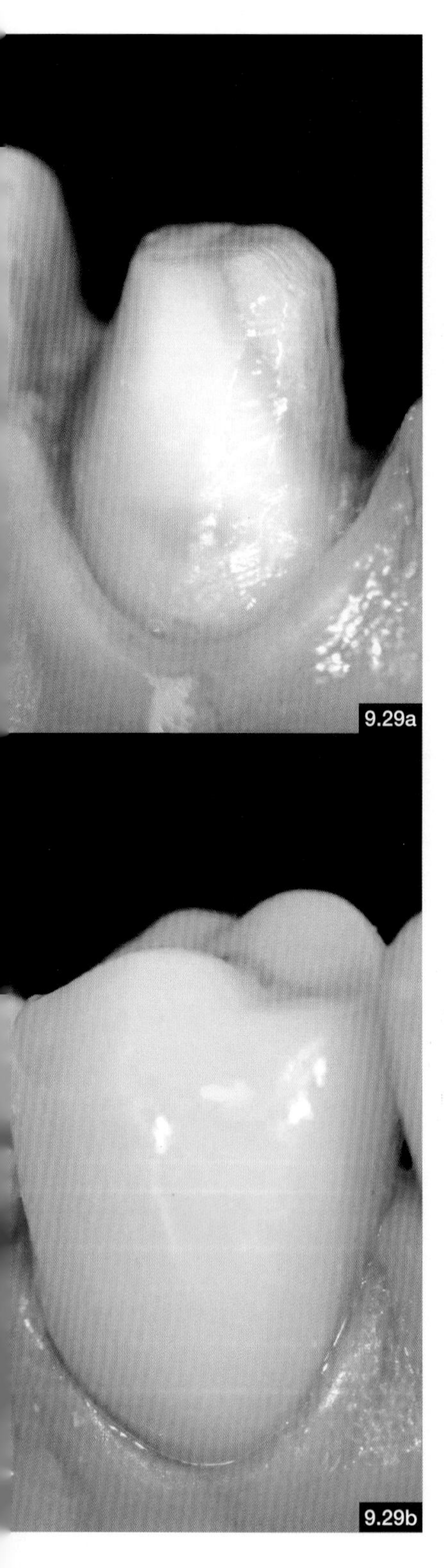

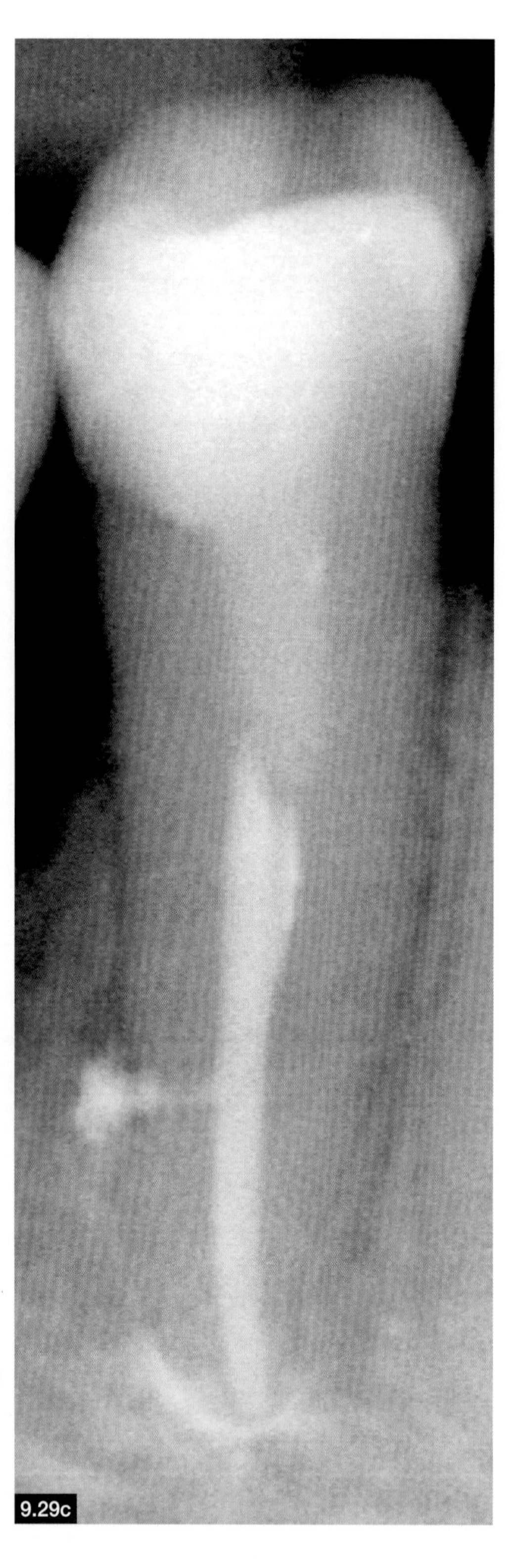

Fig. 9.29a-c: 재근관치료를 통해 추가적인 근관을 찾고 근관의 성형, 세척 및 충전을 한다. 수복으로 와동을 밀폐하고 치아의 기능을 복원한다.

긴 추적 조사(10년에서 17년 사이)[88, 89]와 연구는 높은 탄성 계수 값을 가진 포스트의 훌륭한 기능을 보고했다. 반면, 탄성 계수가 낮은 포스트의 경우 최대 6년 정도의 추적 연구만이 보고되었다.[90] 최근의 체계적 문헌 고찰을 통해 적절한 ferrule이 없을 경우 높은 탄성 계수를 지닌 포스트가 추천되었다. 탄성 계수가 낮은 포스트의 기능에 대한 긴 추적 연구가 아직 없기 때문이다.
금속 포스트로 수복된 근관치료된 치아는 종종 재근관치료가 필요하며, 이때 포스트는 대부분 쉽게 제거된다. 금속 포스트는 수십 년 동안 임상적으로 성공적으로 기능하며 접착 기술의 도움으로 새로운 수복물에도 잘 접착될 수 있다.

결론

재근관치료된 치아의 수복에 대한 주제는 치아의 예후를 고려하면서 비롯되었다. 이는 다양한 치료 과정 중에 사용될 수 있는 술식의 개발로 이어졌다. 임상적, 경제적, 적절성에 대한 고려 후 기존 수복물을 보존하고 교체하는 것 사이에서 선택을 하게 된다. 건강한 법랑질과 상아질의 보존에 대한 일반적인 기준(치료된 치아의 재건에서 가져옴)과 접착 기술의 사용은 반드시 기존 수복물 내 와동에 사용되는 재료의 특성에 대한 지식과 함께여야 한다. 비파괴적인 방법으로 제거된 수복물의 재사용은 접착제 또는 전통적인 방법으로 종종 가능하다. 시간, 술식의 침습성, 위험성, 예후 및 경제적 노력 측면에서 재건에 대한 각각의 평가는 재근관치료를 시작하기 전 환자와 함께 충분히 평가되어야 한다. 또한 환자에게 가능한 대안에 대해서도 알려야 한다. 그래야 환자가 본인의 상황에 가장 적합하다고 생각하는 방법을 선택할 수 있다.

참고문헌

1. Mannocci F, Bhuva B, Stern S. *Restoring teeth following root canal re-treatment*. Endod Topics. 2008;19(1):125–152.
2. Al-Nuaimi N, Patel S, Austin RS et al. *A prospective study assessing the effect of coronal tooth structure loss on the outcome of root canal retreatment*. Int Endod J. 2017;50(12):1143–1157.
3. Nair PNR, Sjögren U, Krey G et al. *Intraradicular bacteria and fungi in root-filled, asymptomatic human teeth with therapy-resistant periapical lesions: a long-term light and electron microscopic follow-up study*. J Endod. 1990;16(12):580–588.
4. Sundqvist G, Figdor D. *Endodontic treatment of apical periodontitis*. In: Orstavik D, Pitt Ford T. Essential Endodontology, pp. 242–77, Blackwell Science Ltd, Oxford, UK, 1998.
5. Tzimpoulas NE, Alisafis MG, Tzanetakis GN et al. *A prospective study of the extraction and retention incidence of endodontically treated teeth with uncertain prognosis after endodontic referral*. J Endod. 2012;38(10):1326–1329.
6. Tang W, Wu Y, Smales RJ. *Identifying and reducing risks for potential fractures in endodontically treated teeth*. J Endod. 2010;36(4):609–617.
7. Ruddle CJ: Ch. 25, *Nonsurgical endodontic retreatment*. In Cohen S, Burns RC: Pathways of the Pulp, pp. 875–929, 8th ed., Mosby, St. Louis, 2002.
8. Ruddle CJ: Ch. 8, *Cleaning and shaping root canal systems*. In Cohen S, Burns RC: Pathways of the Pulp, pp. 231–291, 8th ed., Mosby, St. Louis, 2002.
9. Ruddle CJ: Ch. 9, *Three-dimensional obturation: the rationale and application of warm gutta percha with vertical condensation*, In Cohen S, Burns RC: Pathways of the Pulp, pp. 243–247, 6th ed., Mosby Co., St. Louis, 1994.
10. Siqueira Jr JF. *Aetiology of root canal treatment failure: Why well-treated teeth can fail*. Int Endod J. 2001;34(1):1–10.
11. De Chevigny C, Dao TT, Basrani BR et al. *Treatment outcome in endodontics: the Toronto study-phases 3 and 4:orthograde retreatment*. J Endod. 2008;34(2):131–137.
12. De Carlo Bello M, Pillar R, Mastella Lang P et al. *Incidence of Dentinal Defects and Vertical Root Fractures after Endodontic Retreatment and Mechanical Cycling*. Iran Endod J. 2017;12(4):502–507.
13. Missau T, De Carlo Bello M, Michelon C et al. *Influence of Endodontic Treatment and Retreatment on the Fatigue Failure Load, Numbers of Cycles for Failure, and Survival Rates of Human Canine Teeth*. J Endod. 2017;43(12):2081–2087.
14. Bier CA, Shemesh H, Tanomaru-Filho M et al. *The ability of different nickel-titanium rotary instruments to induce dentinal damage during canal preparation*. J Endod. 2009;35(2):236–238.
15. Shemesh H, Bier CA, Wu MK et al. *The effects of canal preparation and filling on the incidence of dentinal defects*. Int Endod J. 2009;42(3):208–213.
16. Rotstein I, Cohenca N, Teperovich E et al. *Effect of chloroform, xylene, and halothane on enamel and dentin microhardness of human teeth*. Oral Surg Oral Med Oral Pathol Oral Radiol Endod. 1999;87(3):366–368.
17. Erdemir A, Eldeniz AU, Belli S. *Effect of gutta-percha solvents on mineral contents of human root dentin using ICP-AES technique*. J Endod. 2004;30(1):54–56.
18. Shemesh H, Roeleveld AC, Wesselink PR et al. *Damage to root dentin during retreatment procedures*. J Endod. 2011;37(1):63–66.
19. Topcuoglu HS, Demirbuga S, Tuncay O et al. *The effects of Mtwo, R-Endo, and DRaCe retreatment instruments on the incidence of dentinal defects during the removal of root canal filling material*. J Endod. 2014;40(2):266–270.
20. Topçuoğlu HS, Düzgün S, Kesim B et al. *Incidence of apical crack initiation and propagation during the removal of root canal filling material with ProTaper and Mtwo rotary nickel-titanium retreatment instruments and hand files*. J Endod. 2014;40(7):1009–1012.
21. Çapar İD, Uysal B, Ok E et al. *Effect of the size of the apical enlargement with rotary instruments, single-cone filling, post space preparation with drills, fiber post removal, and root canal filling removal on apical crack initiation and propagation*. J Endod. 2015;41(2):253–256.
22. Capar ID, Saygili G, Ergun H et al. *Effects of root canal preparation, various filling techniques and retreatment after filling on vertical root fracture and crack formation*. Dent Traumatol. 2015;31(4):302–307.
23. Özyürek T, Tek V, Yılmaz K et al. *Incidence of apical crack formation and propagation during removal of root canal filling materials with different engine driven nickel-titanium instruments*. Restor Dent Endod. 2017;42(4):332–341.
24. Nedzinskienė E, Pečiulienė V, Aleksejūnienė J et al. *Potential to induce dentinal cracks during retreatment procedures of teeth treated with "Russian red": An ex vivo study*. Medicina. 2017;53(3):166–172.
25. Gu LS, Ling JQ, Wei X Huang XY. *Efficacy of ProTaper Universal rotary retreatment system for gutta-percha removal from root canals*. Int Endod J. 2008;41(4):288–295.
26. Shokouhinejad N, Sabeti MA, Hasheminasab M et al. *Push-out bond strength of Resilon/Epiphany self-etch to intraradicular dentin after retreatment: a preliminary study*. J Endod. 2010;36(3):493–496.
27. Erdemir A, Adanir N, Belli S. *In vitro evaluation of the dissolving effect of solvents on root canal sealers*. J Oral Sci. 2003;45(3):123–126.
28. Palhais M, Sousa-Neto MD, Rached-Junior FJA et al. *Influence of solvents on the bond strength of resin sealer to intraradicular dentin after retreatment*. Braz Oral Res. 2017;31,e11.
29. Topçuoğlu HS, Demirbuga S, Tuncay Ö et al. *The bond strength of endodontic sealers to root dentine exposed*

to different gutta-percha solvents. Int Endod J. 2014;47(12):1100–1106.
30. Satterthwaite JD, Stokes AN. *Dentinal crack incidence following ultrasonic vibration to intra-radicular posts*. N Z Dent J. 2004;100(4):105–109.
31. Altshul JH, Marshall G, Morgan LA et al. *Comparison of dentinal crack incidence and of post removal time resulting from post removal by ultrasonic or mechanical force*. J Endod. 1997;23(11):683–686.
32. Huttula AS, Tordik PA, Imamura G et al. *The effect of ultrasonic post instrumentation on root surface temperature*. J Endod. 2006;32(11):1085–1087.
33. Reeh ES, Messer HH, Douglas WH. *Reduction in tooth stiffness as a result of endodontic and restorative procedures*. J Endod. 1989;15(11):512–516.
34. Esposito M, Tallarico M, Trullenque-Eriksson A et al. *Endodontic retreatment vs dental implants of teeth with an uncertain endodontic prognosis: 1-year results from a randomised controlled trial*. Eur J Oral Implantol. 2017;10(3):293–308.
35. Gorni FGM, Gagliani MM. *The outcome of endodontic retreatment: a 2-yr follow-up*. J Endod. 2004;30(1):1–4.
36. Gillen BM, Looney SW, Gu LS et al. *Impact of the quality of coronal restoration versus the quality of root canal fillings on success of root canal treatment: a systematic review and meta-analysis*. J Endod. 2011;37(7):895–902.
37. Dietschi D, Duc O, Krejci I et al. *Biomechanical considerations for the restoration of endodontically treated teeth: a systematic review of the literature - Part 1. Composition and micro- and macrostructure alterations*. Quintessence Int. 2007;38(9):733–743.
38. Dietschi D, Duc O, Krejci I et al. *Biomechanical considerations for the restoration of endodontically treated teeth: a systematic review of the literature - Part II (Evaluation of fatigue behavior, interfaces, and in vivo studies)*. Quintessence Int. 2008;39(2):117–129.
39. Jackson RD. *The role of modern composites and ceramics in clinical practice*. Dent Today. 2011;30(6):58–62.
40. Peroz I, Blankenstein F, Lange KP et al. *Restoring endodontically treated teeth with posts and cores-a review*. Quintessence Int. 2005;36(9):737–746.
41. Bompolaki D, Kontogiorgos E, Wilson JB et al. *Fracture resistance of lithium disilicate restorations after endodontic access preparation: An in vitro study*. J Prosthet Dent. 2015;114(4):580–586.
42. Abbott PV. *Assessing restored teeth with pulp and periapical diseases for the presence of cracks, caries and marginal breakdown*. Aust Dent J. 2004 Mar;49(1):33–39.
43. Wood K.C., Berzins D.W., Luo Q. et al. *Resistance to fracture of two all-ceramic crown materials following endodontic access*. J Prosthet Dent. 2006;95:33–41.
44. Grobecker-Karl T, Christian M, Karl M. *Effect of endodontic access cavity preparation on monolithic and ceramic veneered zirconia restorations*. Quintessence Int. 2016;47(9):725–729.
45. Gorman CM, Ray NJ, Burke FM. *The effect of endodontic access on all-ceramic crowns: A systematic review of in vitro studies*. J Dent. 2016;53:22–29.
46. Verzijden CW, Feilzer AJ, and Watanabe LG. *The influence of polymerization shrinkage of resin cements on bonding to metal*. J Dent Res. 1992;71:410–413.
47. Umemoto K and Kurata S. *Effects of mixed silane coupling agent on porcelain tooth material and various dental alloys*. Dent Mater J. 1995;14:135–142.
48. Imbery TA and Davis RD. *Evaluation of tin plating systems for a high-noble alloy*. Int J Prosthodont. 1993;6:55–60.
49. Antoniadou M, Kern M, and Strub JR. *Effect of a new metal primer on the bond strength between a resin cement and two high-noble alloys*. J Prosthet Dent. 2000;84:554–560.
50. Matsumura H, Shimoe S, Nagano K et al. *Effect of noble metal conditioners on bonding between prosthetic composite material and silver-palladium-copper-gold alloy*. J Prosthet Dent. 1999;81:710–714.
51. Watanabe I, Hotta M, Watanabe E et al. *Shear bond strengths of laboratory-cured prosthetic composite to primed metal surfaces*. Am J Dent. 2003;16:401–403.
52. Ozcan M, van der Sleen JM, Kurunmäki H et al. *Comparison of repair methods for ceramic-fused-to-metal crowns*. J Prosthodont. 2006;15(5):283–288.
53. Calamia JR. *Etched porcelain facial veneers: a new treatment modality based on scientific and clinical evidence*. NY J Dent. 1983;53:255–259.
54. Rochette AL. *A ceramic restoration bonded by etched enamel and resin for fractured incisors*. J Prosthet Dent. 1973;33:287–293.
55. Kato H, Matsumura H, Tanaka T et al. *Bond strength and durability of porcelain bonding systems*. J Prosthet Dent. 1996;75:163–168.
56. Thurmond JW, Barkmeier WW, and Wilwerding TM. *Effect of porcelain surface treatments on bond strengths of composite resin bonded to porcelain*. J Prosthet Dent. 1994;72:355–359.
57. Song XF, Yin L. *Subsurface damage induced in dental resurfacing of a feldspar porcelain with coarse diamond burs* J. Biomech. 2009 Feb; 42(3):355–360.
58. Sutherland JK, Teplitsky PE, Moulding MB. *Endodontic access of all-ceramic crowns* J Prosthet Dent. 1989;61(2):146–149.
59. Kelly RD, Palin WM, Tomson PL et al. *The impact of endodontic access on the biaxial flexure strength of dentine-bonded crown substrates – an in vitro study*.Int Endod J. 2017;50(2):184–193.

60. Qeblawi D, Hill T, Chlosta K. *The effect of endodontic access preparation on the failiure load of lithium disilicate glass-ceramic restorations* J Prosthet Dent. 2011 Nov;106(5):329–335.
61. Barghi N. *To silanate or not to silanate: making a clinical decision. Compend Contin Educ Dent*. 2000;21:659–662.
62. Schwartz RS, Fransman R. *Adhesive Dentistry and Endodontics: Materials, Clinical Strategies and Procedures for Restoration of Access Cavities: A Review. J Endod*. 2005;31(3):151–165.
63. Nakamura K, Katsuda Y, Ankyu S et al. *Cutting Efficiency of Diamond Burs Operated with Electric High-Speed Dental Handpiece on Zirconia*. European Journal of Oral Sciences. 2015;123:375–380.
64. Wood KC, Berzins DW, Luo Q et al. *Resistance to fracture of two all-ceramic crown materials following endodontic access*. J Prosthet Dent. 2006;95(1):33–41.
65. Cohen BD, Wallace JA. *Castable glass ceramic crowns and their reaction to endodontic therapy Oral Surg Oral Med Oral Pathol Oral Radiol Endod. 1991*;72(1):108–110.
66. McMullen AF 3rd, Himel VT, Sarkar NK. *An in vitro study of the effect endodontic access preparation has upon the retention of porcelain fused to metal crowns of maxillary central incisors*. J Endod. 1989;15(4):154–156.
67. De Souza G, Hennig D, Aggarwal A et al. *The use of MDP-based materials for bonding to zirconia*. J. Prosthet. Dent. 2014;112(4):895–902.
68. Salcetti MA, *Closing Endo Access Openings*, Spear Digest 2016, http://www.speareducation.com/spear-review/2014/11/closing-endo-access-openings accessed 14/01/2018.
69. Ree MH. *The Endo-Restorative Interface: Current Concepts. Educational Session. Presented at the Meeting of American Association of Endodontics*, San Antonio, TX, 2011.
70. Bindl A, Mörmann WH. *Clinical evaluation of adhesively placed Cerec endo-crowns after 2 years – preliminary results*. J Adhes Dent. 1999;1(3):255–265.
71. Pissis P. *Fabrication of a metal-free ceramic restoration utilizing the monobloc technique*. Pract Periodontics Aesthet Dent. 1995;7(5):83–94.
72. Slangen P, Corn S, Fages M et al. *Prosthodontic crown mechanical integrity study using Speckle Interferometrie In: Osten W, Kujawinska M, editors. Fringe 2009: 6th International Workshop on Advanced Optical Metrology*. Berlin Heidelberg: 2009: 734–738.
73. Zaslansky P, Friesem AA, Weiner S. *Structure and mechanical properties of the soft zone separating bulk dentin and enamel in crowns of human teeth: insight into tooth function*. J Struct Biol. 2006;153(2):188–199.
74. Sedrez-Porto JA, Rosa WL, da Silva AF et al. *Endocrown restorations: A systematic review and meta-analysis*. J Dent. 2016;52:8–14.
75. Magne P, Spreafico R. *Deep Margin Elevation: A Paradigm Shift*. Am J Esthet Dent. 2012;2(2):86–96.
76. Nicheva S, Lyubomir St. Vangelov, DMD and Ivan Filipov, DMD, PhD. *Endodontic retreatment and adhesive restoration of structurally compromised second premolar*. Roots C.E. Magazine. 2013;9(3):6–10.
77. Veneziani M. *Posterior indirect adhesive restorations: updated indications and the Morphology Driven Preparation Technique*. Int J Esthet Dent. 2017;12(2):204–230.
78. Winter R. Outcome-Based Preparation Design: Part IV. Da: http://www.speareducation.com/spear-review/2016/03/outcome-based-preparation-design-part-iv. Consultato il 10/01/2018.
79. Goldrich N. *Construction of posts for teeth with existing restorations*. J Prosthet Dent 1970;23(2):173–176.
80. Brady WF. *Restoration of a tooth to accommodate a preexisting cast crown*. J Prosthet Dent. 1982;48(3):268–270.
81. Lee JH. *A Digital Approach to Retrofitting a Post and Core Restoration to an Existing Crown*. J Prosthodont. 2017 Nov 30. [Epub ahead of print.]
82. Arabolu M, Nair KC, Raheel SA et al. *Using an existing crown to repair a damaged cast post and core restoration*. J Int Oral Health. 2014;6(5):111–113.
83. Chan DNC. *Technique for repair of multiple abutment teeth under preexisting crowns*. J Prosthet Dent. 2003;89(1):91–92.
84. Abubakkar P, Katheesa P, Shamshad M. *Simplified technique for rebuilding a fractured abutment tooth with post and core with a pre-existing crown*. Guident. 2014;7(9)24–26.
85. Jahangiri L, Feng J. *A simple technique for retrofitting a post and core to a crown*. J Prosthet Dent. 2002;88(2):234–235.
86. Patil PG, Tay K. *Modified technique to retrofit the crown on fractured core*. J Interdiscip Dentistry. 2016;6(1):50–53.
87. Fokkinga WA, Kreulen CM, Vallittu PK, Creugers NH. *A structured analysis of in vitro failure loads and failure modes of fiber, metal, and ceramic post-and-core systems.* Int J Prosthodont. 2004;Jul-Aug;17(4):476–82.
88. Fokkinga WA, Kreulen CM, Bronkhorst EM, Creugers NH. *Up to 17-year controlled clinical study on post-and-cores and covering crowns.* J Dent. 2007 Oct;35(10):778–86.
89. Ellner S, Bergendal T, Bergman B. *Four post-and-core combinations as abutments for fixed single crowns: a prospective up to 10-year study.* Int J Prosthodont. 2003;16:249–254.
90. Ferrari M, et al. *A Randomized Controlled Trial of Endodontically Treated and Restored Premolars.* J Dent Res. 2012;91:72S–78S.
91. Sarkis-Onofre R, Fergusson D, Cenci MS, Moher D, Pereira-Cenci T. *Performance of Post-retained Single Crowns: A Systematic Review of Related Risk Factors.* J Endod. 2017 Feb;43(2):175–183.

- 발치 후 임플란트의 가장 예측 가능한 **적응증과 비적응증**을 알아본다.
- 심미적인 부위에서 **임플란트 식립**의 적절한 시기를 알아본다.
- 최적의 임상적, 심미적 결과를 위한 올바른 **수술 방법**을 알아본다.
- 전치부와 구치부의 **임플란트 즉시 식립**을 위한 치료 절차를 살펴본다.

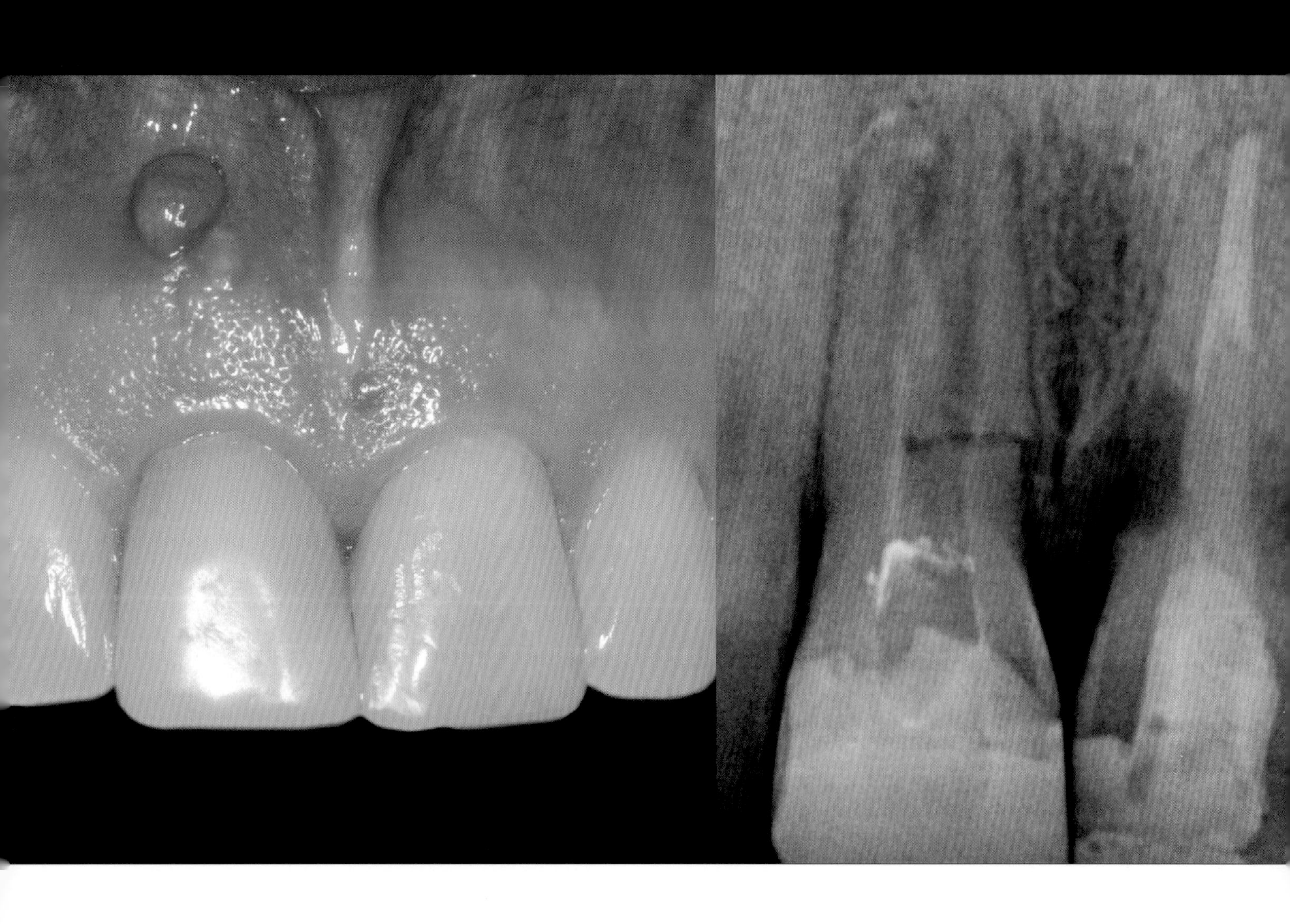

Tiziano Testori, Matteo Deflorian, Riccardo Scaini,
Silvio Taschieri, Massimo Del Fabbro

10

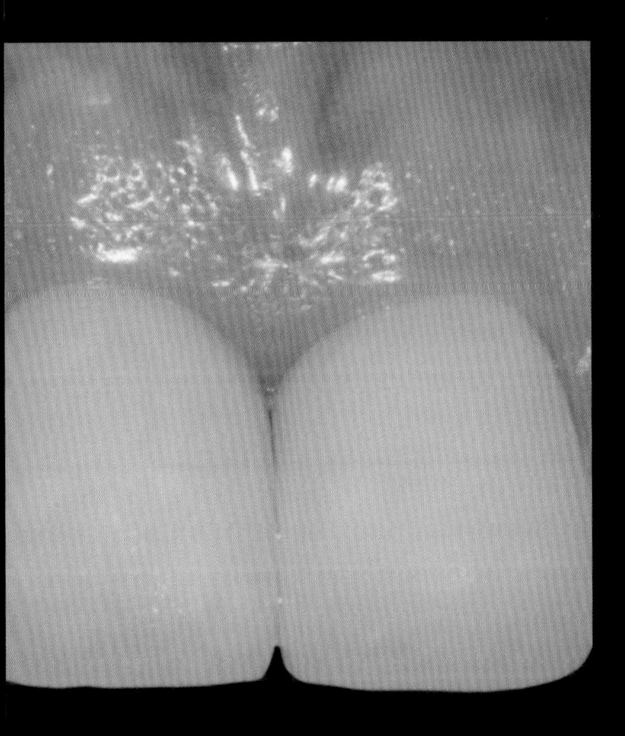

치아 또는 임플란트 : 딜레마의 해결 기준

발치 후 임플란트 식립의 적응증 및 치료 절차

서론

발치 후 임플란트 즉시 식립은 수술 횟수와 치료 시간을 줄이고 더 넓은 치조정에서 식립할 수 있기 때문에 임상의들이 매우 선호한다.[1]

대부분의 문헌에서 이러한 방법을 임플란트의 생존 측면에서 매우 신뢰하고 있지만, 만족스러운 심미적 결과와 발치와의 골벽과 식립된 임플란트 사이의 공간을 관리하는 방법에 대한 공통된 견해는 없다.[2–6]

발치 후 골의 치유 과정을 분석한 첫 번째 연구는 1952년의 동물연구로[7] 인간의 조직 연구는 1969년에 이루어졌다.[8] 치아 발치로 인한 골의 형태적 변화는 연구 모델과 임플란트 식립 동안의 수치 측정에 의해 최근에야 분석되었다.[9] 발치 후 임플란트 즉시 식립 시 발치 후 발치와가 겪는 생리적 흡수 과정이 나타나지 않는다.

치아 상실 후, 치조골은 설측과 구개측보다 협측에서 더 많이 흡수되고 수평적으로도 흡수가 진행된다.[10, 11] 요약하면, 첫 해 동안 치조정 골 두께의 약 50%가 흡수되고, 이러한 골흡수의 2/3는 처음 3개월 동안 이루어진다. 이러한 이유로, 발치 후 즉시 임플란트를 식립하려면 예측 가능하고 오래 지속되는 결과를 얻기 위해 신중한 진단과 정확한 수술적 관리가 필요하다.[12–14]

해부학적으로 치주 인대의 섬유는 섬유골이라고 하는 치조골 내의 부분에서 삽입되어 있다. Araujo 등[15]은 동물 모델에서 발치 후 골의 형태학적 변화에 섬유골의 구조가 결정적인 역할을 한다는 것을 보고했다.

섬유골은 치주 인대와 골막으로부터 혈관화되고, 발치 후 coronal 부위에선 치조골의 얇은 두께 때문에 내골이 존재하지 않는다. 발치 시 치주 인대가 제공하던 혈류가 끊기고 섬유골 흡수가 시작된다. 골막에 의해 제공되는 혈류는 섬유골을 보존, 유지하기에 충분하지 않다. 얇은 치주 생체형을 가진 환자의 경우, 섬유골이 유일하게 무기질화된 협측 구조일 수 있으며 이는 발치 후 상당한 수평적 골흡수를 유발한다.

따라서, 수술 전 진단은 임상가가 발치 후 즉시 임플

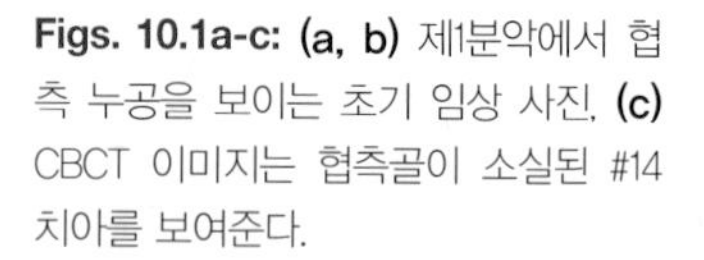

Figs. 10.1a-c: **(a, b)** 제1분악에서 협측 누공을 보이는 초기 임상 사진. **(c)** CBCT 이미지는 협측골이 소실된 #14 치아를 보여준다.

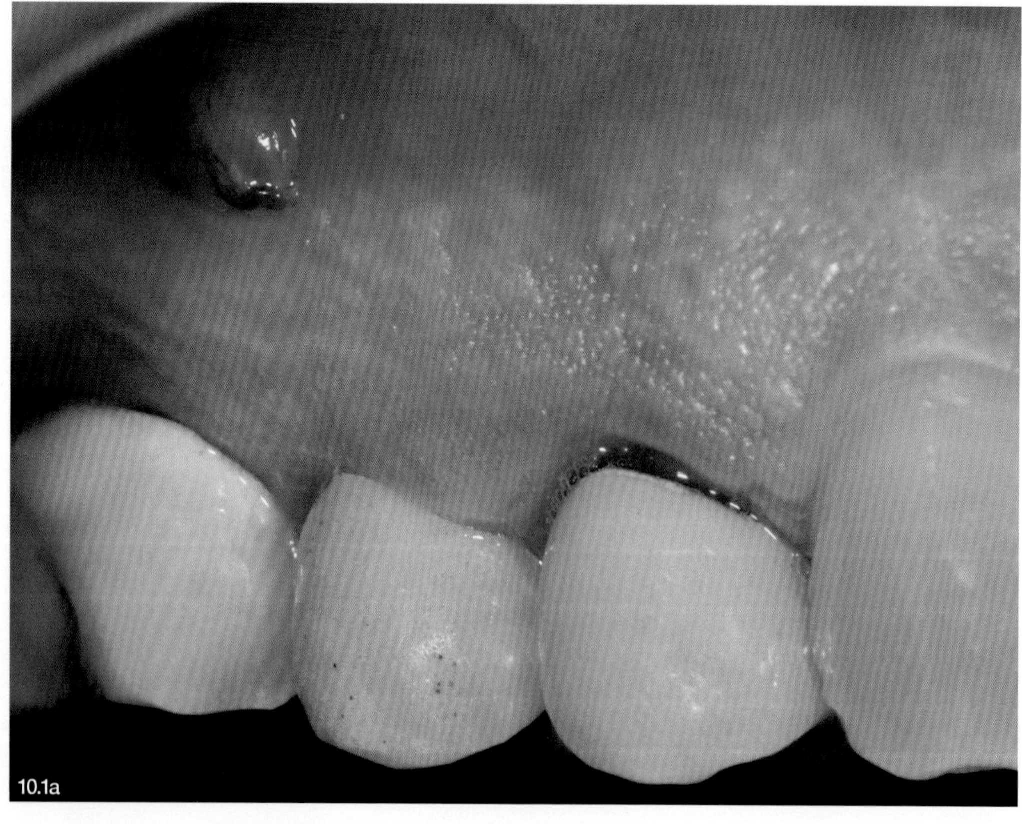

란트 식립이 가능한 케이스와 재생 기술을 결합하여 지연된 부하가 권장되는 케이스를 구분하는 데 있어 필수적이다.

발치 후 임플란트의 일반적 원리

해당 치아의 진단 및 예후

치료 영역에 관계없이 발치의 결정은 모든 보존적인 대안을 먼저 고려하고 각 옵션의 비용과 생물학적 이점을 평가한 뒤 진단 과정의 마지막에 이루어져야 한다.

보존 및 보철적 관점에서 치아의 유지가 불가능한 것으로 생각될 경우, 발치 후 해당 영역의 재건 치료 계획을 수립해야 한다.

아급성, 아만성 및 만성 치근단 또는 치주 병소의 존재는 임상적으로 잘 관리된다면, 임플란트 즉시 식립의 절대적인 금기증으로 간주되지 않는다(**Fig. 10.1–10.8**).[16]

환자 369명과 감염 부위 및 비감염 부위에 식립된 527개의 임플란트에 대한 최근의 후향적 연구에서 평균 54개월의 추적 관찰 후 두 가지 접근법에서 임플란트 생존율에 있어 통계적으로 유의한 차이를 발견하지 못했다.

그러나 저자들은 철저한 치조골 검사를 강조했다.[17]

이를 위해 다양한 크기의 molt 큐렛과 전용 조명 및 치조골 스푼과 같은 도구를 이용하여 수술용 현미경으로 치조골 내부를 확대하여 관찰해야 한다.

비급성 치주 및 치근단 병변

비급성 치주 및 치근단 병변은 골에서 세균이 검출되지 않기 때문에 임플란트 식립의 금기 사항이 아니다.

▶ to be continued on page 486

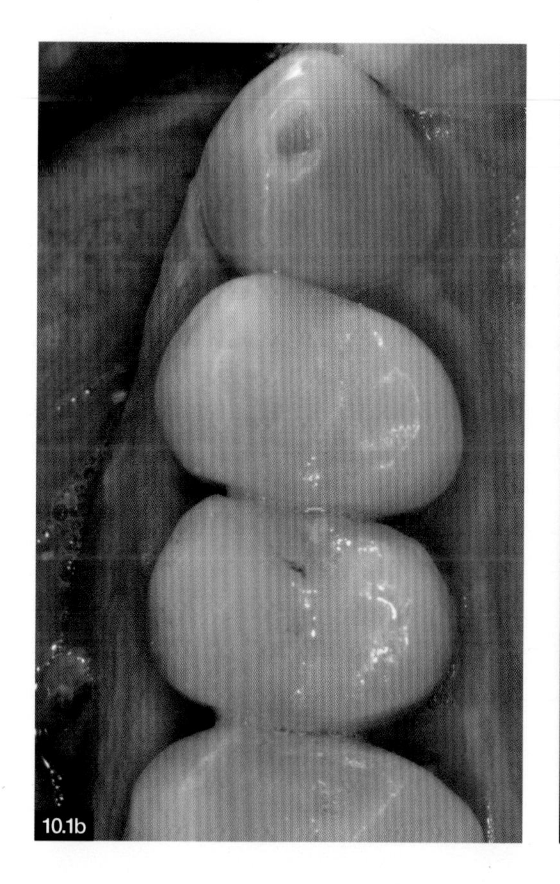

10.1b

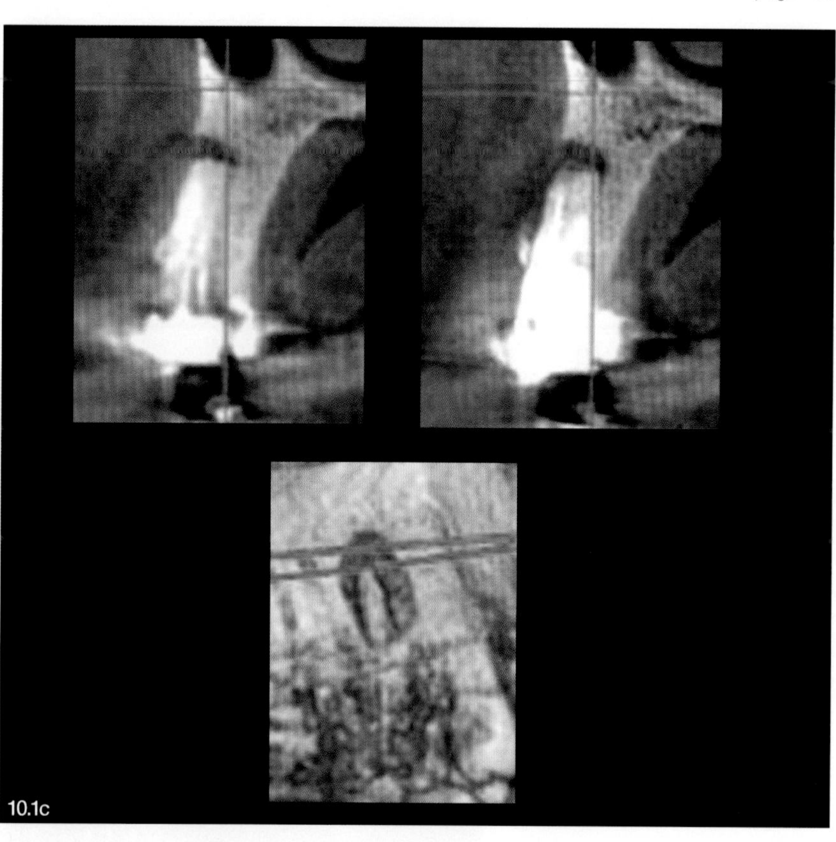

10.1c

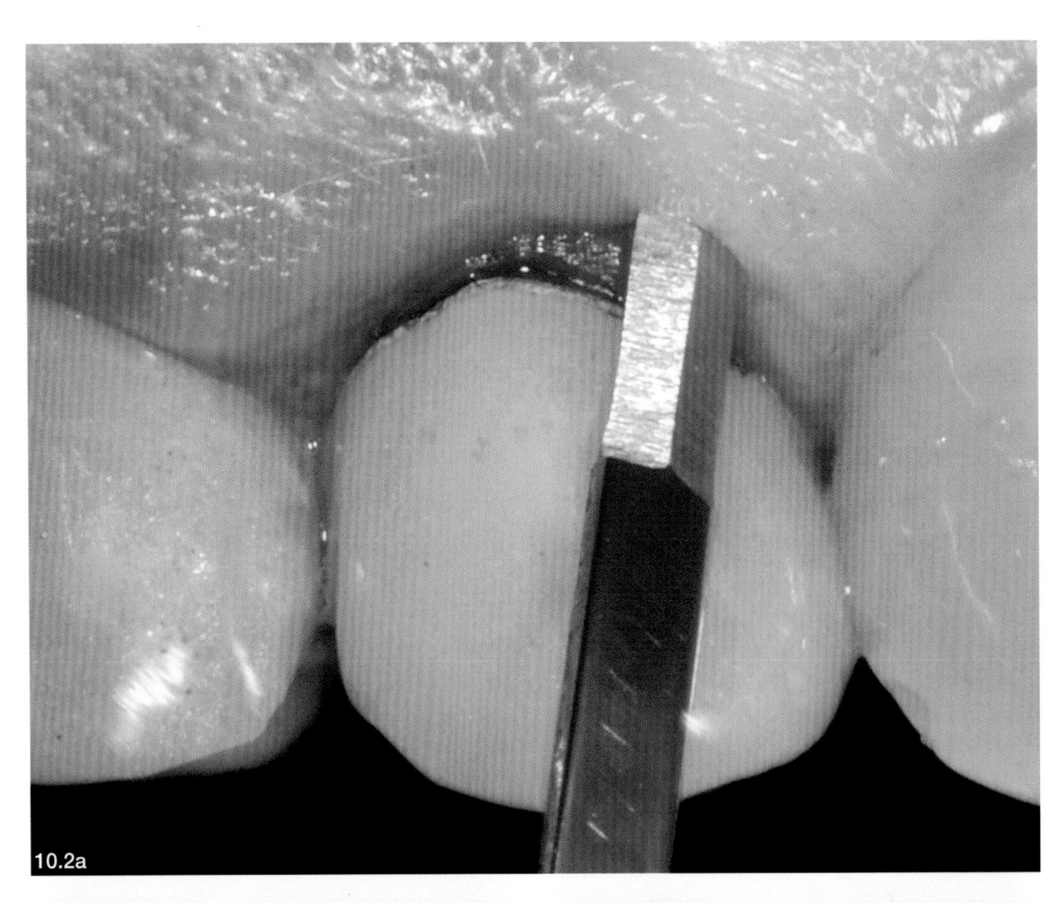

Figs. 10.2a-c: 마이크로 블레이드를 이용한 주위 절개술 후 #14 치아를 발치했다.

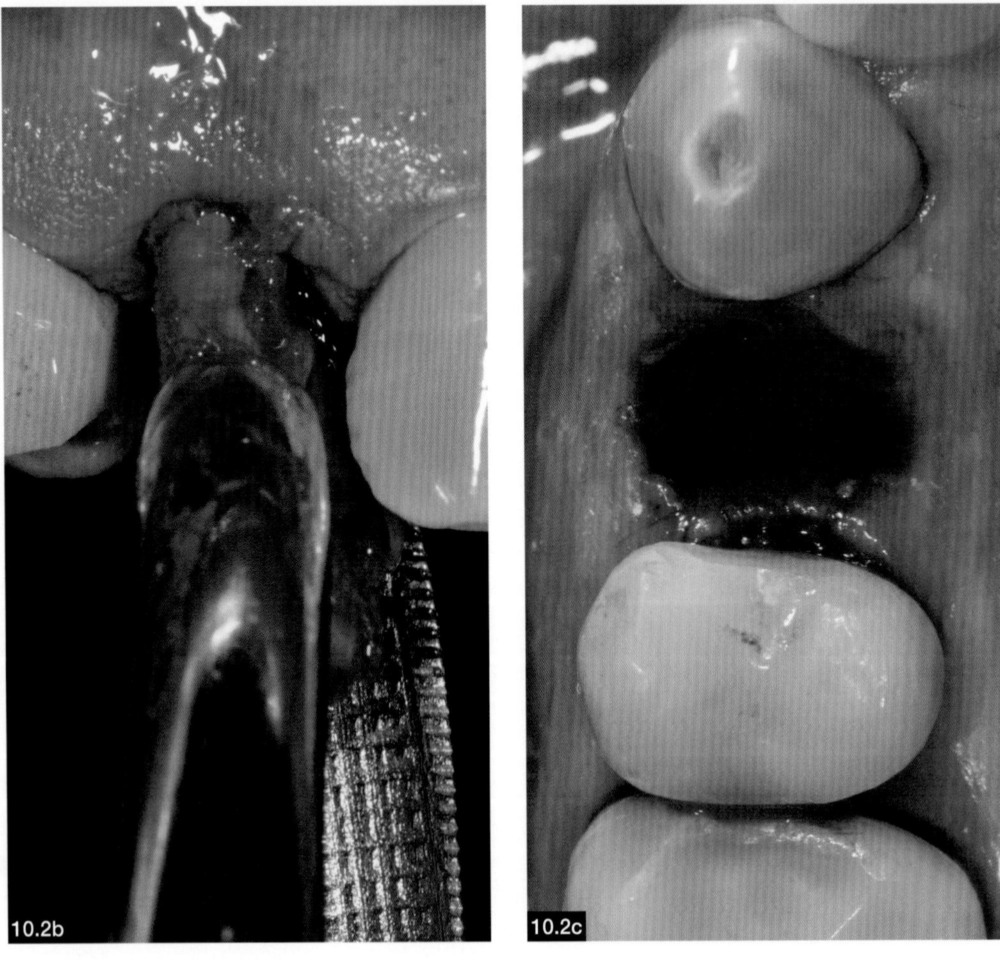

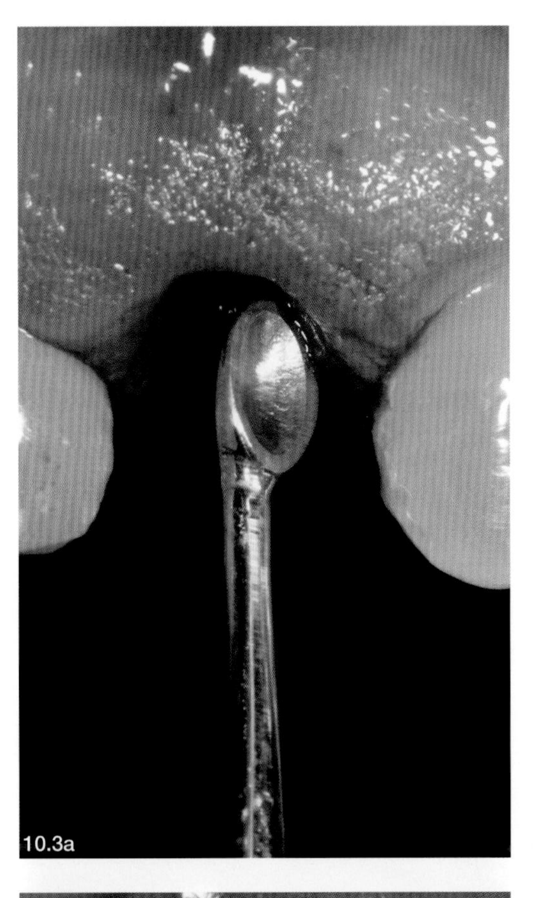

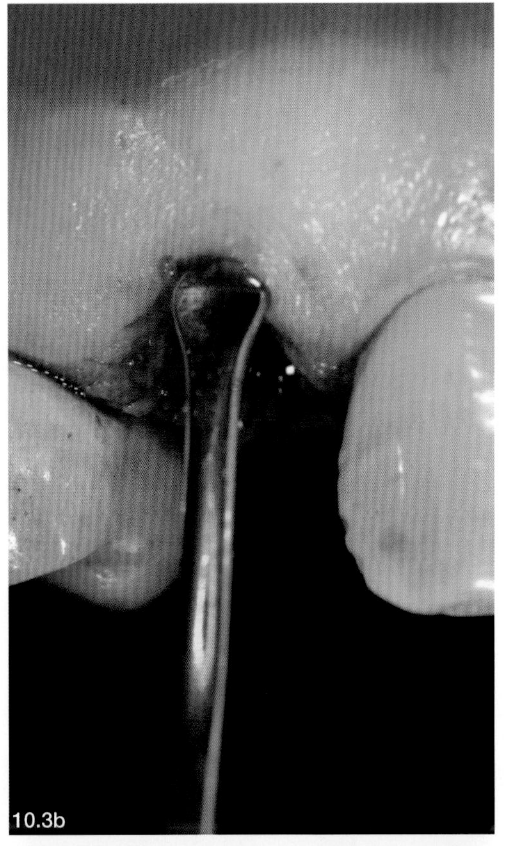

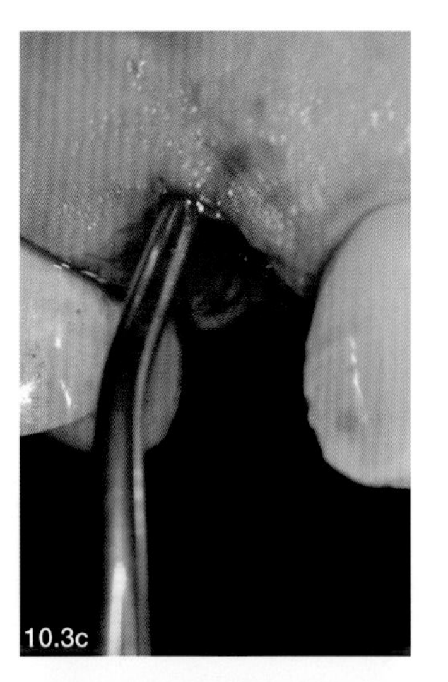

Figs. 10.3a-c: 발치 후 수술용 스푼을 이용하여 치조골을 살피고 마이크로 커터를 이용하여 연조직을 절제한다. 미세한 작업으로 치간 유두를 건드리지 않고 골의 평면만 다듬는다. 그래야만 연조직의 변연부가 손상되지 않는다.

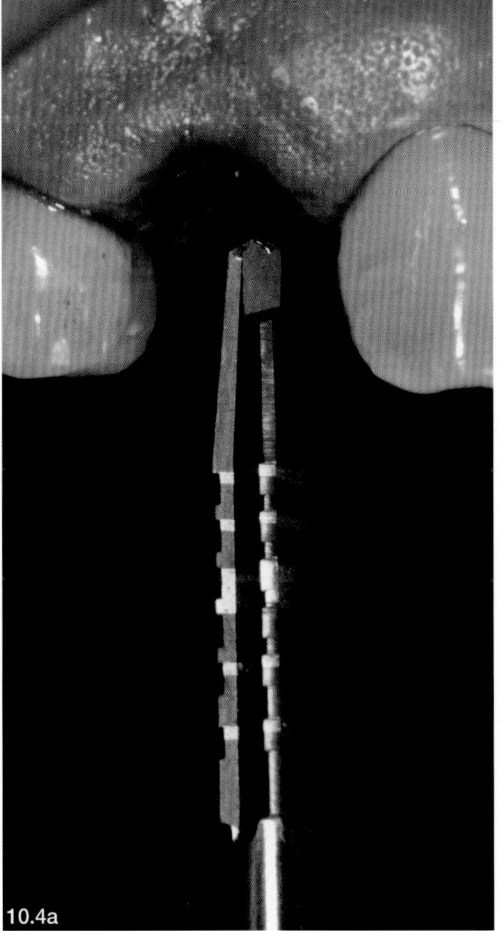

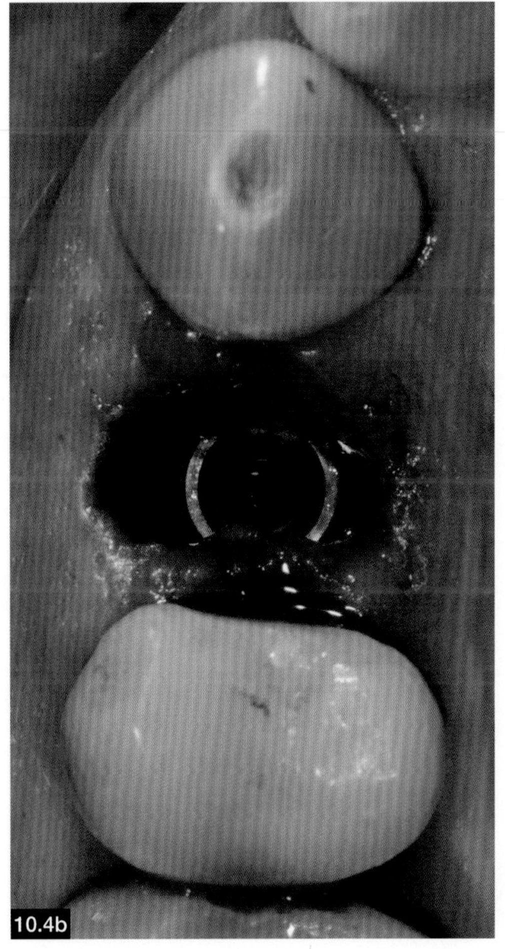

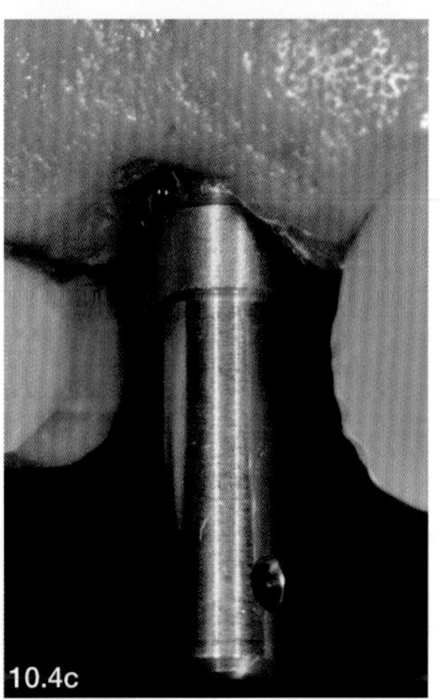

Figs. 10.4a-c: 무피판 임플란트 식립 부위의 준비 및 임플란트 식립. 1차 안정성이 높기 때문에 조직의 치유 전 인상을 채득하여 immediate loading screw에 유지되는 임시 치아를 만들었다.

Figs. 10.5a-c: 절개 없이 조직의 재생을 유도한다. 따라서 수술부의 협측 모양에 맞는 재흡수성 막과 느리게 흡수되는 골이식재를 삽입했다. 마지막으로 이식재의 보호를 위해 1형 콜라겐 스펀지를 넣었다.

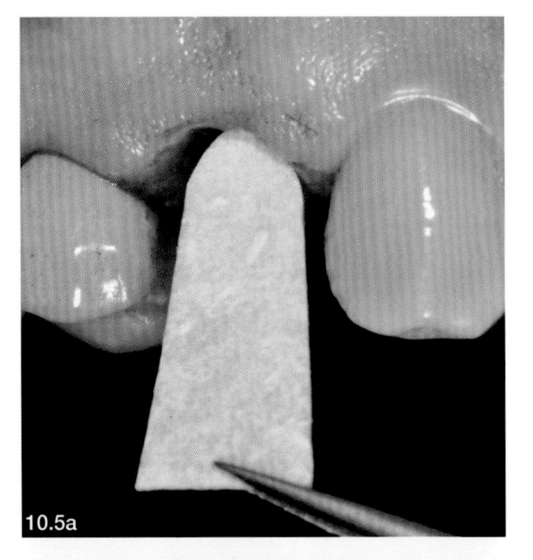

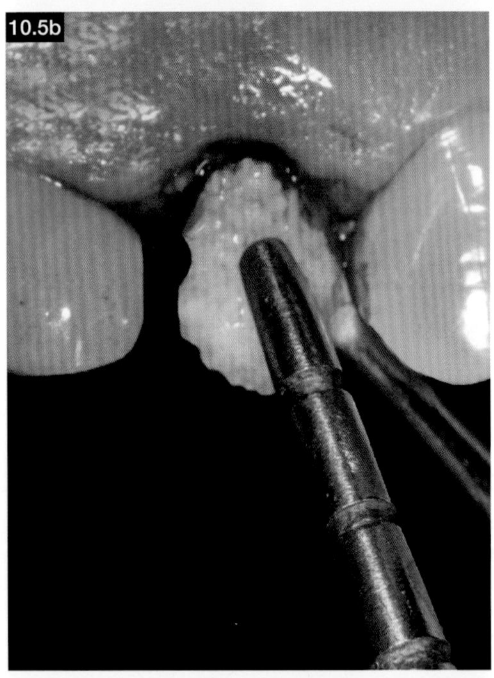

Figs. 10.6a-b: 수술 후 4시간 뒤 임시 치관을 임플란트에 장착하고 나사로 고정한 뒤 방사선 사진을 촬영했다.

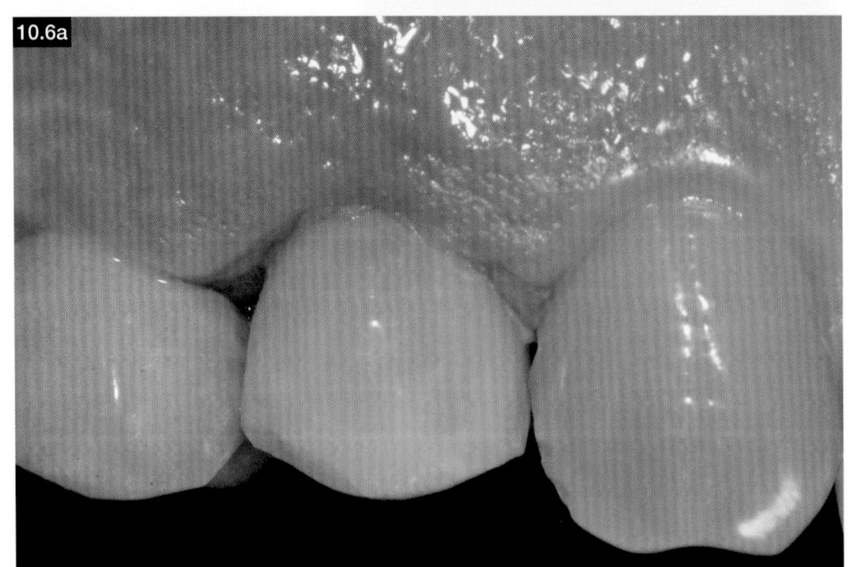

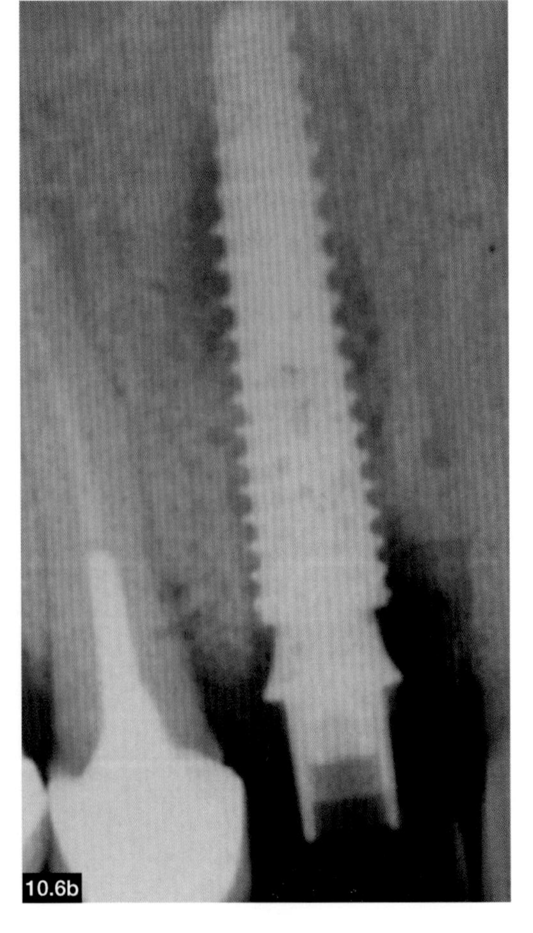

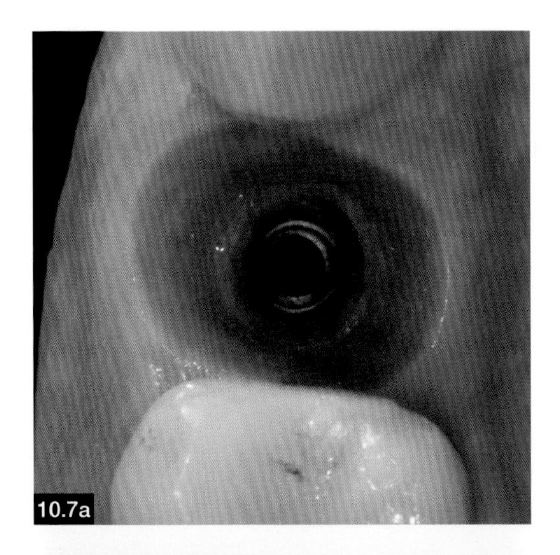

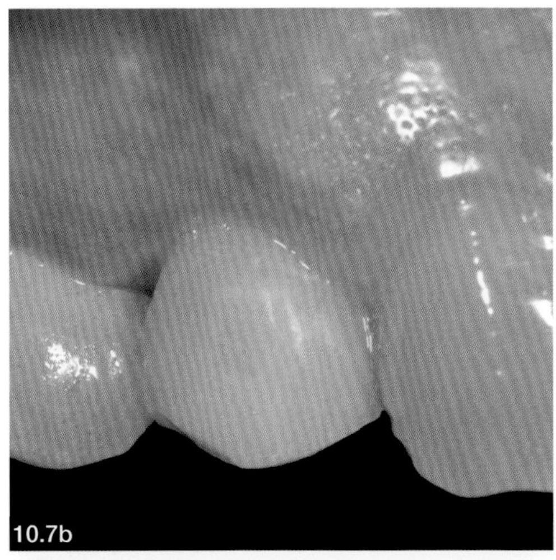

Figs. 10.7a-b: 임프란트 식립 12개월 후 임플란트의 유합과 양호한 주변 조직 및 임시 치관과 자연스러운 조직 변연부가 관찰된다. 이제 최종 보철 단계를 진행할 수 있다.

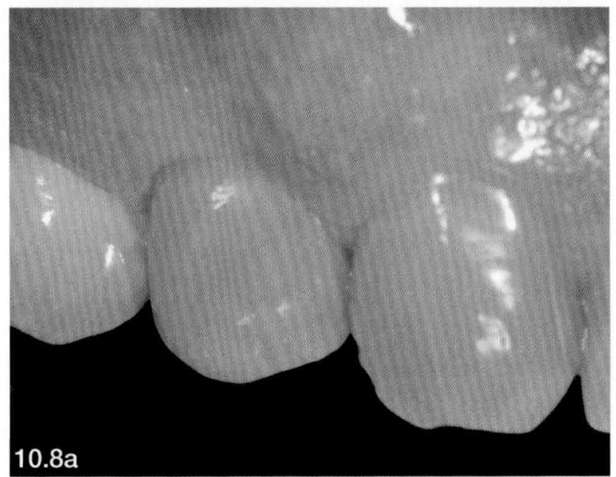

Figs. 10.8a-b: 나사로 고정된 지르코늄-세라믹 최종 크라운 및 추적 관찰 치근단 사진. 임플란트와 보철물의 최적의 심미적 유합을 보이는 조직의 체적 안정성이 관찰된다.

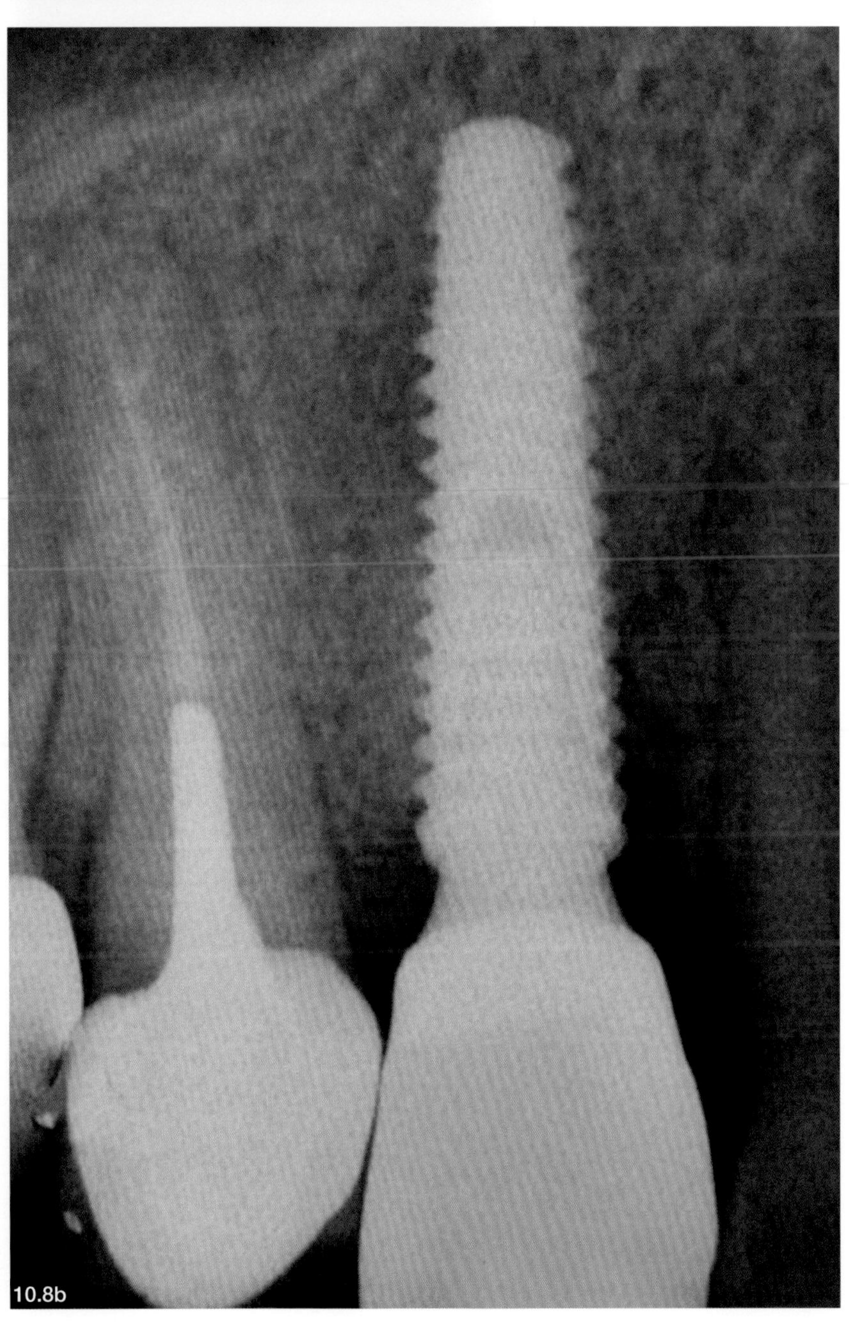

항생제 용액으로 골와를 세척하는 것은 과학적으로 입증되진 않았다.[16] 모든 위험 요소를 분석한 뒤[18] 임플란트가 선택되었다면, 임상의는 임플란트의 식립 시기, 임플란트 주변의 경조직 및 연조직 관리를 위한 모든 수술, 그리고 임시 수복 방법을 평가해야 한다.
보철물의 위치를 고려한 임플란트 식립의 기본 원칙에 관하여 몇몇 텍스트를 참조했다.[19]

식립 시기

발치 후 즉시 식립은 모든 임상 상황에서 가능하진 않다.
우리가 참조한 임플란트 식립 시기에 관련된 기술의 분류는 Hämmerle 등이 말한 네 가지 유형이다.

- **유형 1:** 발치 후 즉시 임플란트 식립(발치와 동시에 식립)

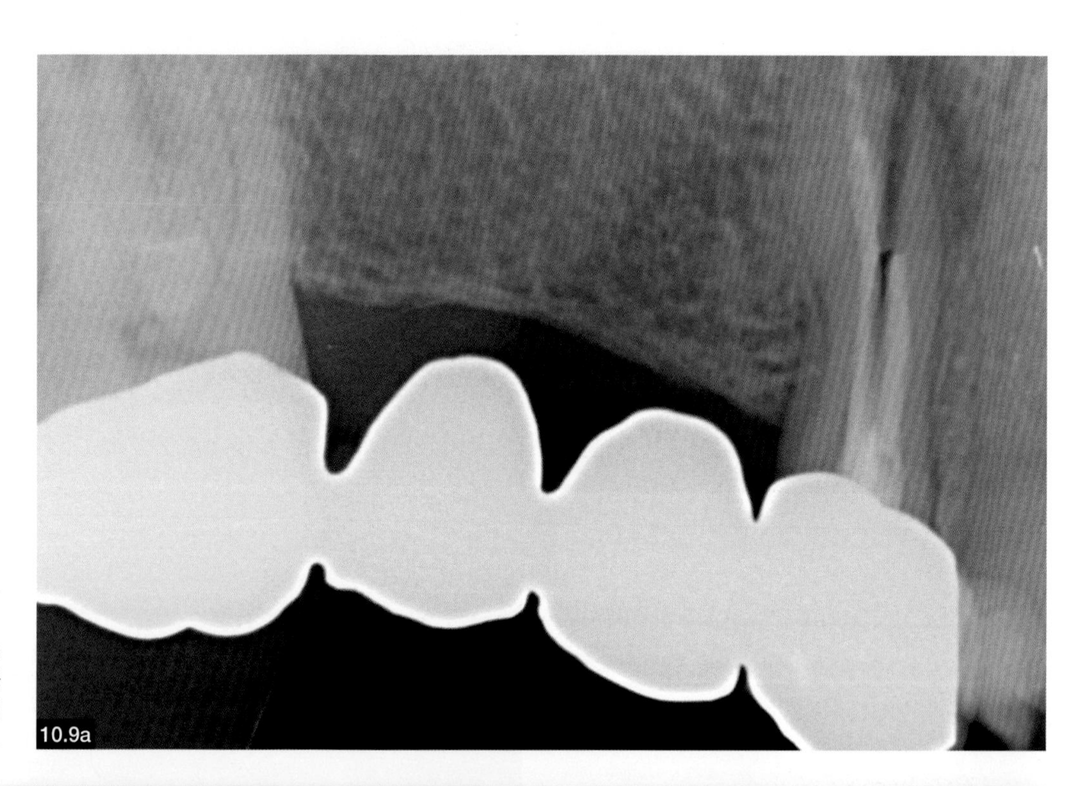

Figs. 10.9a-b: 치근단 방사선 검사. #14 치아가 파절되었다. CBCT 검사를 통해 임플란트 즉시 식립 가능성을 평가했다.

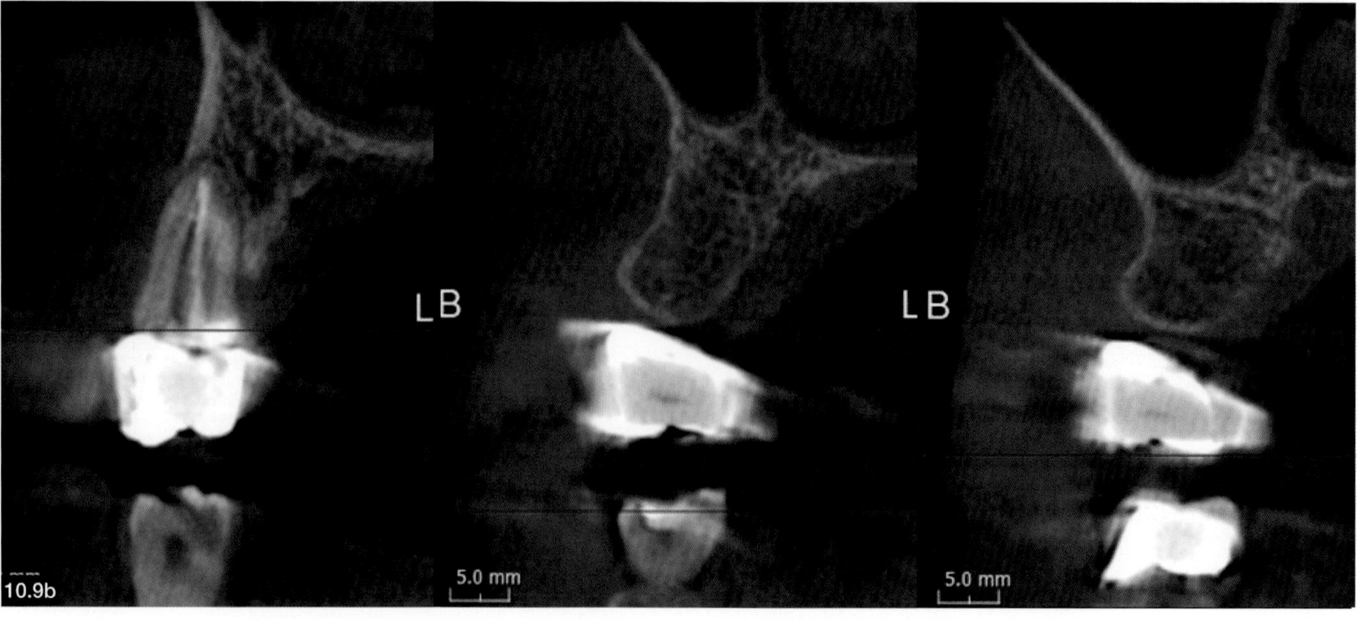

발치 후 임플란트/보철물 식립의 위험 요인 분석

Score	0 pt.	1 pt.	2 pt.
Aesthetic expectations of the patient	Low	Medium	High
Dental exposure	Low	Medium	High
Gingival phenotype	Often flat	Medium, with medium festooning	Thin festooned
Shape of dental crowns	Rectangular	Triangular	
Bone level at the adjacent tooth	≤ 5 mm at the point of contact	5.5 to 6.5 mm at point of contact	≥ 7 mm at the point of contact
Edentulous saddle size	1 tooth (≥ 7 mm)	1 tooth (≤ 7 mm)	2 teeth or more
Soft tissue anatomy	Preserved		Altered
Gingival parables of adjacent elements	Harmonious		Non-harmonious
Anatomy of the alveolar crest	Intact alveolar crest	Horizontal defect	Vertical defect
Thickness of the vestibular cortical bone	Sufficient ≥ 1 mm		Insufficient ≤ 1 mm
Number of surgical procedures (simultaneous or in stages)	Implant placement without additional surgical procedures	Additional surgical procedures at the time of implant placement	Need for multiple surgical interventions to perform implant-prosthetic rehabilitation
Parafunctions	Absent		Present
Implant site	Posterior		Antorior (11-21)
Passive eruption impaired (adjacent teeth)	Absent		Present
Vestibular bone probing (mm)	< 3		> 3
Possibility of obtaining primary stability	Apical		Mesio-distal
Position of the root in the socket*	Types 1 and 2		Types 3 and 4

Type 1 Type 2 Type 3 Type 4

* Kan JYK, Rungcharassaeng K, Deflorian M, Weinstein T, Wang HL, Testori T. *Immediate implant placement and provisionalization of maxillary anterior single implants*. Periodontology 2000. 2018;77(1):197-212.

UNCOMPLICATED **ADVANCED** **COMPLICATED**

0 **7** **16** **34**

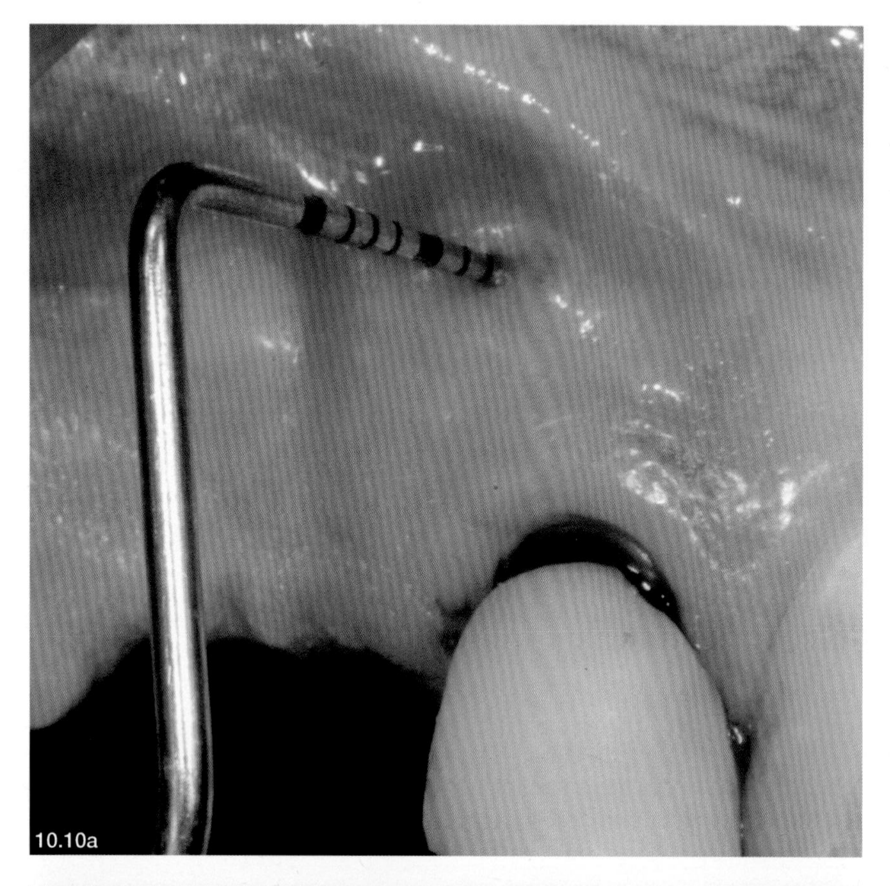

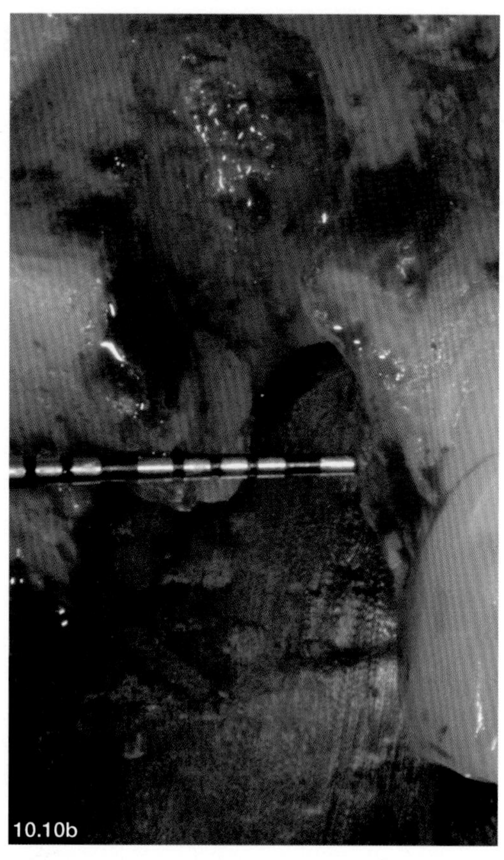

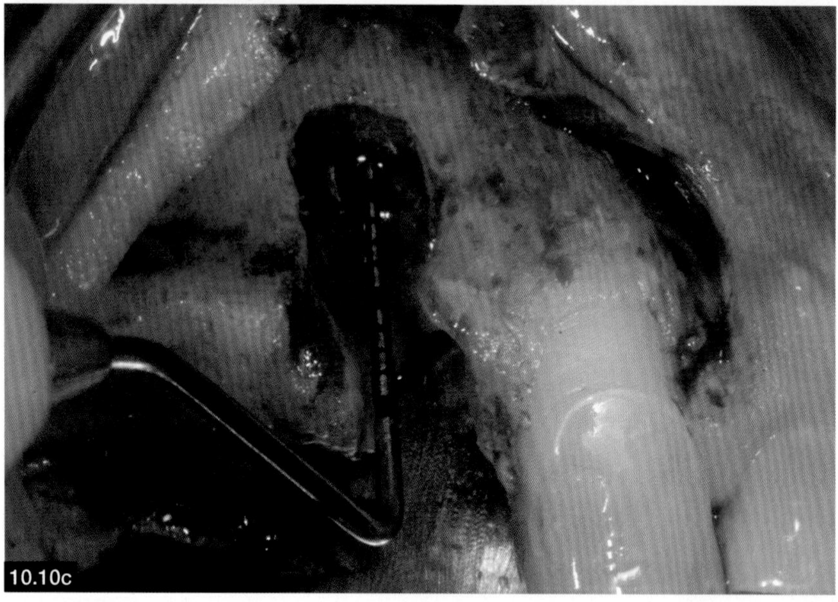

Figs. 10.10a-c: 구강 내 사진. #14 치아의 누공, 점막골막피판의 상승, #14 치아의 발치 후 골결손부

- **유형 2:** 조기 발치 후 식립(발치 후 4–8주 이내에 식립)
- **유형 3:** 지연 식립(발치 후 12–16주 사이에 치유된 골에 식립)
- **유형 4:** 지연 식립(발치 후 16주 후 치유된 골에 식립)

임플란트 주위 경조직, 연조직의 관리

과거의 생각과는 달리,[2] 발치 후 임플란트 즉시 식립은 발치 후의 골흡수 과정을 중단시킬 수 없다. 따라서 골의 재형성은 발치 후 생물학적 요인과 임플란트 식립 위치와 관련된 요인에 의해 결정되며[20] 심미적 결과에 부정적인 영향을 미칠 수 있다.

환자 치주조직의 생체형과 관계없이 발치 부위의 체적 수축을 줄이기 위해 발치와 내에 이식재를 삽입하는 것이 제안되었다.[6, 12]

Artzi 등[21]은 발치 후 15명의 발치와에 탈단백화된 bovine 골을 이식하고 9개월 후 생체조직을 검사했다.

이 연구는 이러한 골이식이 치조정의 부피를 어느 정도 보존할 수 있다고 보고했다.

탈단백화 된 bovine 골이식은 수술 전 컴퓨터 단층촬영(CT) 분석과 수술 후 30일과 90일에 협측 부위의 골흡수 정도를 평가하여 분석되었다.[5]

분석 후 골을 이식하지 않은 부위(79%)에 비해 골을 이식한 부위에서 낮은 골 감소(20%)를 발견했다. 피할 수 없는 체적 수축을 감안하여 골이식을 통해 가능한 한 최적의 심미적 결과를 얻을 수 있다. 또한 연조직의 두께가 두꺼울수록 치은은 장기적인 안정성을 보인다.

두꺼운 치주 생체형을 가진 환자의 경우 치은 퇴축이 덜 발생하기 때문에 연조직의 문제가 적다.[22, 23] 이러한 이유로 두꺼운 치주 생체형을 가진 환자의 경우 연조직 두께를 증가시킬 이유는 없다. 반면 얇은 치주 생체형을 가진 환자의 경우, 일반적으로 얇은 협측골이 발치 후[25] 흡수되고 임상적으로 연조직의 수축이 일어날 가능성이 매우 높다.[1]

최근의 문헌 고찰에 따르면 결합 조직의 이식과 함께 즉시 부하 임플란트 식립 시 치은 변연의 안정성과 임플란트 주변 연조직의 증가를 기대할 수 있다. 그러나 연구의 대부분은 결합 조직 이식과 함께 임플란트 식립시의 장점을 직접적으로 보여주는 대조군을 포함하지 않았다.[26]

연조직의 치유 및 임시 치관의 조정

심미적 영역에서의 임시 보철물은 환자에게도 중요하지만 임상의에게도 중요하다. 환자는 석설한 서작이 가능해야 하며 일반적인 사회 생활이 가능해야 하고, 임상의에게는 최종 수복물의 심미적, 기능적 성공을 위한 주변 경조직, 연조직의 치유에 있어 매우 중요하다. 이 경우 즉시 부하는 기본적인 선택 사항이지만 유일한 방법은 아니다.

외과적, 기계적 또는 심미적 이유로 임플란트 지대주를 이용한 임시 수복물이 불가능한 경우[27]에는 고정 접착제 또는 제거 가능한 용액이 사용 가능하다.

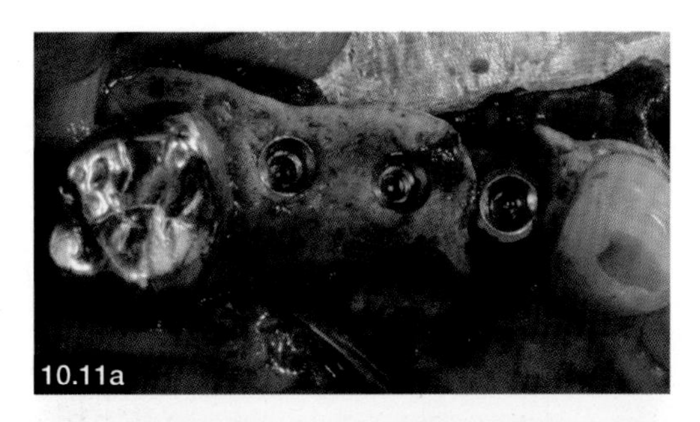
10.11a

10.11b

Figs. 10.11a-d: 임플란트 식립. #14 치아의 협설측 골결손부에는 골유도재생술을 시행한다.

10.11c

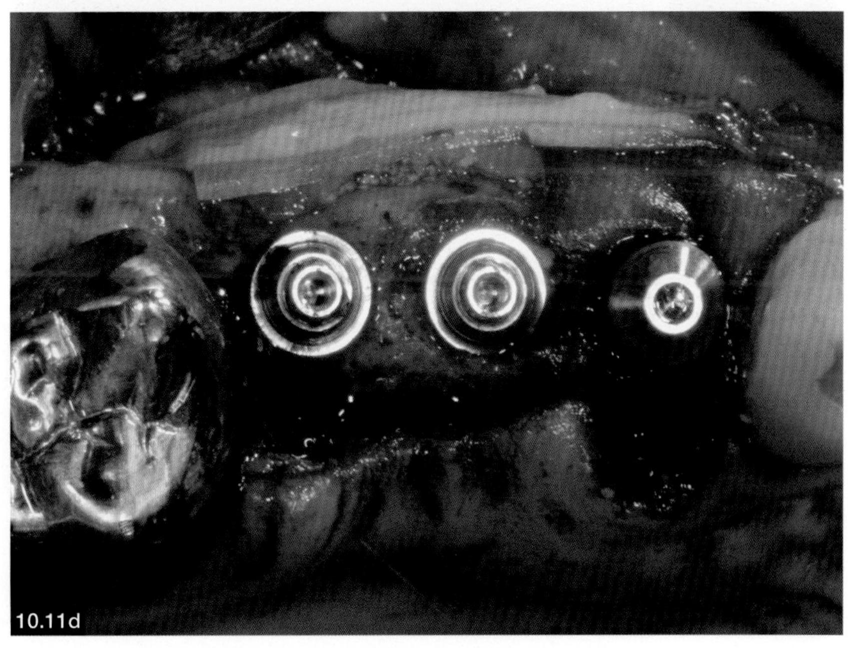
10.11d

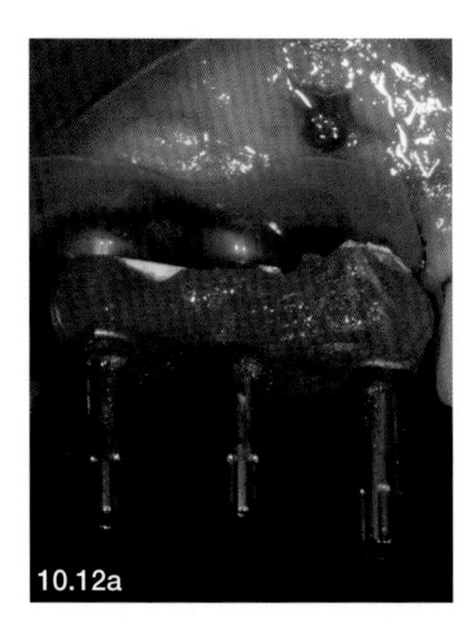
10.12a

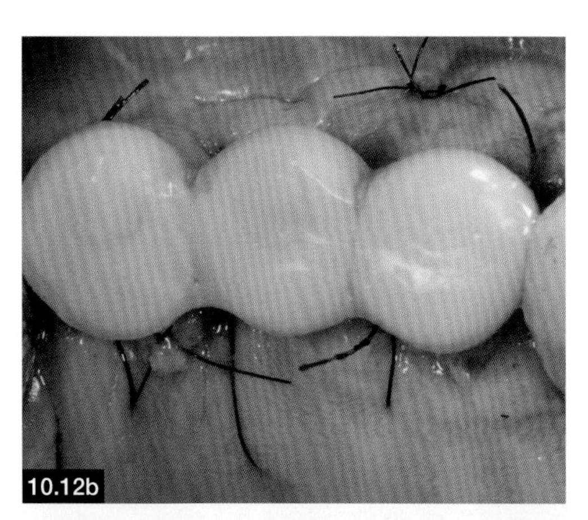
10.12b

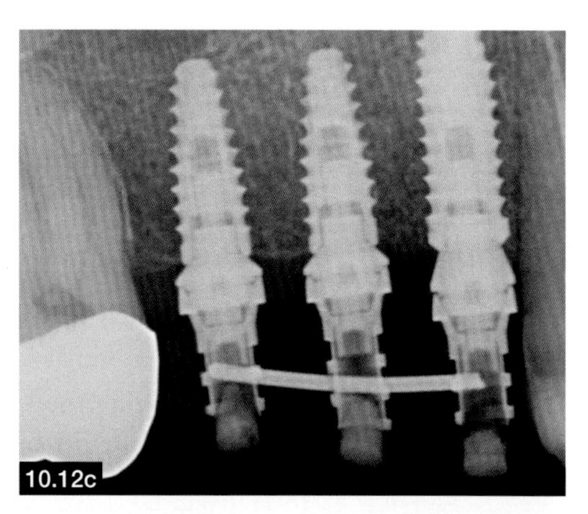
10.12c

Figs. 10.12a-c: 임플란트 식립 위치를 고려하여 즉시 부하 임시 치관을 부착했다.

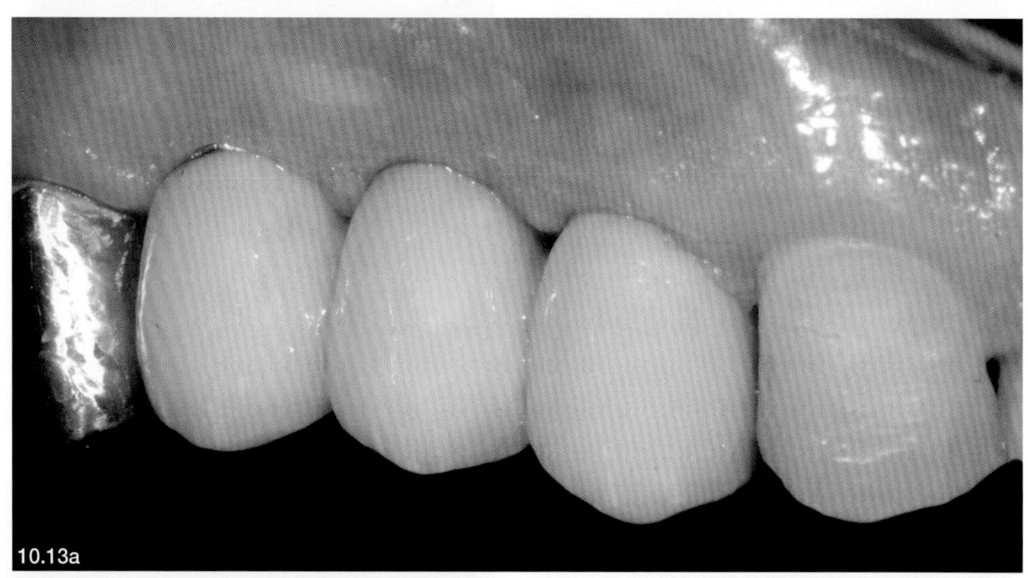
10.13a

Figs. 10.13a-c: 최종 보철 수복물 접착 및 치근단 방사선 검사

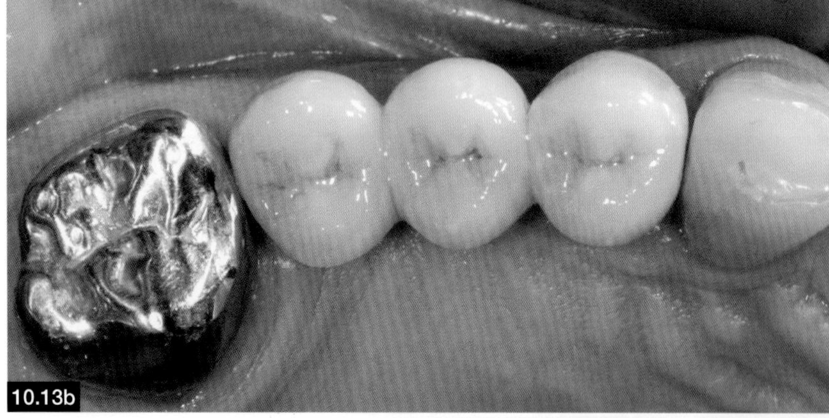
10.13b

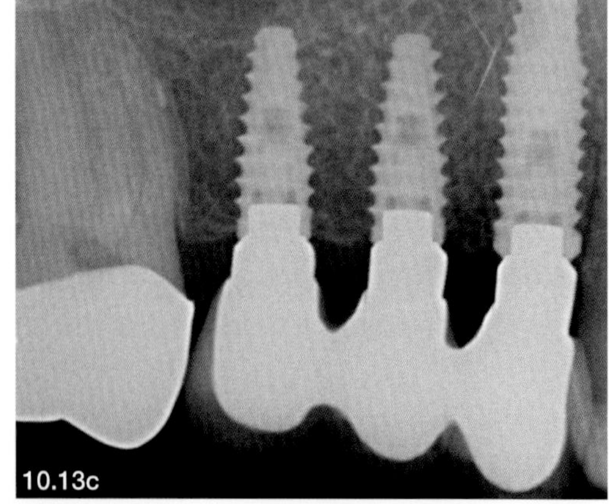
10.13c

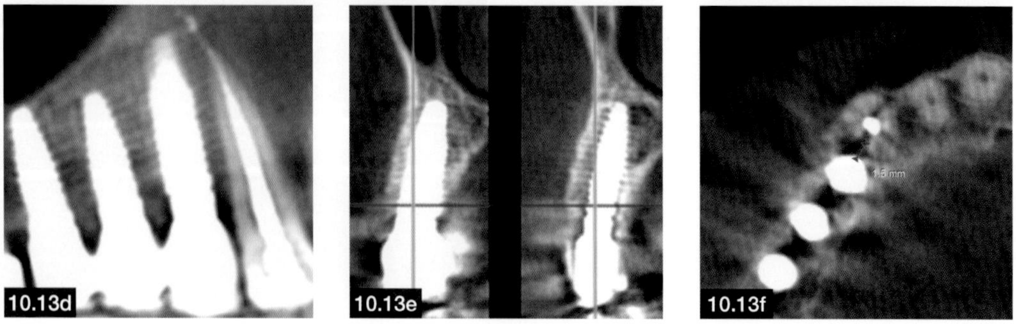

Figs. 10.13d-f: CBCT의 axial 이미지에서 자연치와 임플란트 사이의 1.5 mm의 거리가 확인된다. 임플란트 사이의 방사선 투과상은 선속경화현상 때문이다. Paraxial 이미지는 협측 피질골의 회복을 보여준다.

10.13d

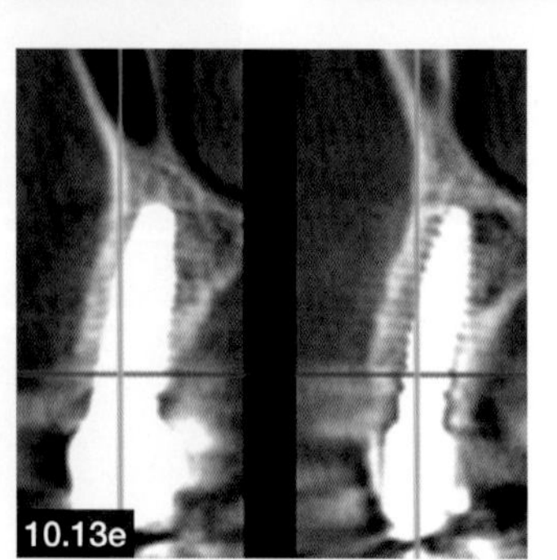
10.13e

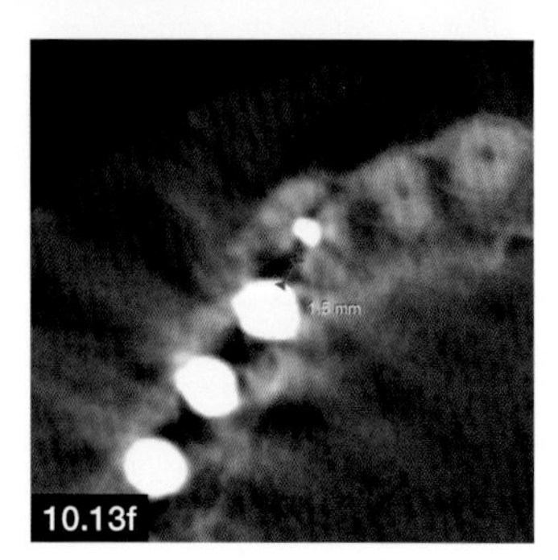
10.13f

진단 및 치료 절차 알고리즘

발치 후 즉시 임플란트 시 진단 단계에서 치료에 의해 영향을 받는 부위(구치부 또는 심미적 부위)를 평가해야 하며 이는 여러 단계로 계층화되어야 한다.

- 관련 치아의 진단 및 예후
- 경질 및 연질 지지 조직의 상태에 대한 객관적인 평가
- 경조직의 2차원 및/또는 3차원 방사선 평가

심미적 영역(#14–#24)

진단 매개 변수 분석

우리의 분석에 따르면 심미적 영역의 합리적인 치료 계획을 세우기 위해 진단 단계에서 고려해야 할 요소는 다음과 같다.

- 적절한 1차 안정성 확보의 가능성
- 협측골의 유무
- 치주 생체형
- 치은 퇴축의 유무

적절한 1차 안정성 확보의 가능성

전치부의 발치와에서 1차 안정성을 얻으려면 치료할 부위의 해부학적 특성을 관찰하고 이와 관련하여 보철물의 위치를 고려한 임플란트의 식립이 필수적이다.

고려해야 할 해부학적 특성은 다음과 같다.

1. 치아 장축과 치조돌기의 장축간의 평행도, 또는 차이의 정도
2. 발치할 치아의 치근첨에서 최소 4mm 이상 골의 유무
3. 발치 후 구개골의 양
4. 방사선학적 및 임상적(촉진을 통해)으로 두 견치 사이 협측골의 오목한 정도

다음과 같은 때에 1차 안정성을 기대할 수 있다.

1. 임플란트의 apical/palatal 부분이 발치와에 적어도 4 mm 이상 고정될 가능성이 있는 경우
2. 발치와의 모양이 이상적이지 않을 때 수술적으로 조정한 경우
3. 원통형 형태보다 원추형 형태의 임플란트를 날카로운 회전으로 식립한 경우
4. 적절한 apical/palatal 골 부피가 부족할 때 큰 직경의 임플란트를 사용하여 치조골 근원심에서 안정성을 기대할 수 있는 경우 이 경우 임플란트 shoulder와 협측골막 사이, 그리고 임플란트 shoulder와 인접 치아의 뿌리 사이에 적절한 거리를 유지해야 한다(**Fig. 10.9-10.13**).[29]

해부학적 특성

치조돌기의 형태, 발치할 치아의 근단부(3–4 mm)와 구개측 골의 양, 골질은 임플란트의 적절한 1차 안정성을 위해 고려해야 할 중요한 요소다.

협측골막의 유무

온전한 협측골막의 존재는 협측 연조직의 안정성을 위한 기본적인 요건이라는 것이 논문에서 입증되었다. 발치할 치아의 협측 골손실이 있는 경우 결함의 형태를 주의 깊게 분석하여 올바른 치료 방법을 확립해야 한다. 한 연구에 따르면 발치 후 즉시 식립 임플란트의 경우, 협측골막의 결함이 있는 경우 8.3%에서 1.5 mm가 넘는 치은 퇴축을 보였다.

협측골막

협측골막이 없는 발치 후 즉시 임플란트는 비용–편익의 평가에 있어 매우 주의를 기울여야 한다. 심미적 부위의 경우 지연 식립의 접근이 더욱 예측 가능한 예후를 갖는다.

발치할 부위의 근원심 결함 또는 인접치 부위의 근원심 결함까지 있는 경우 치료 후 각각 42.8%와 100%에서 1.5 mm 이상의 치은퇴축을 보였다. 이러한 이유로, 치주 생체형이 두꺼운 경우에도 협측 골막이 없는 경우 발치 후 즉시 임플란트는 신중하게 고려해야 한다.

최근 발치 도중 파절될 수 있는 얇은 협측 치조정을 보존하기 위한 혁신적인 기술이 보고되었다.

Hürzeler 등은 개를 대상으로 한 실험에서 "socket-shield technique"이라고 하는 기술을 처음으로 설명했다. 소구치의 편측 절제후 남은 부분(쉴드)을 협측 부분에 치조정에서 1 mm 높게 보존하는 것이다.

구개/설측 보호막을 만든 직후에 삽입된 임플란트는 남은 치아와 접촉하지 않되 가까이 위치시켜야 한다. 합병증은 발견되지 않았으며 이후 조직학적으로 임플란트 표면과 보존한 치아 사이의 영역에서 백악질이 형성되는 것으로 나타났다.[32] 추가적인 조직학적 확인은 Schwimer에 의해 이루어졌다.[33]

다른 저자들에 의해 방법이 일부 변경되었으나 생물학적 원리에 대한 차이는 없었다.[34–36]

이러한 긍정적 결과를 바탕으로 현재 이 기술을 더욱 개선하고 예측 가능한 예후를 갖도록 연구 중이다.[37]

그렇게 침착된 백악질 속에서 세균이 서식할 가능성이 있으나 이는 본질적으로 EDTA와 0.2% 클로르헥시딘으로 쉽게 깨끗이 세척할 수 있다.[38, 39]

설명된 기법은 술자가 익숙해지기까지 어느 정도의 경험이 필요하다**(Fig. 10.14–10.17)**.

치주 생체형(Biotype)

수 년에 걸쳐 개인마다 치은 조직을 일련의 형태학적 특성에 따라 분류하려는 시도가 있었다. 이러한 형태학적 특성은 유전적 특성과 치아의 모양, 크기 및 위치와 같은 국소적 요인 모두와 관련이 있다.

문헌에 의하면 여러 요인들 중에서 연조직의 두께에 의한 치은의 표현형이 관련이 있다.[22, 40] CBCT와 임상 검사의 분석 결과, 치은의 생체형과 치조돌기의 협측골 두께 사이에는 상관관계가 있는 것으로 나타났다. 또한 다양한 치주 생체형이 임상적으로 어떤 중요한 의미를 갖는지도 설명되었다.[41]

특히, 협측 피질골의 두께가 감소된 (<1 mm) 부위에 발치 후 즉시 임플란트를 식립한 경우 장기적으로 협측 치은 퇴축의 정도가 더 크다는 것이 보고됐다.[42, 43]

따라서 피판의 유무[44]와 관계없이 발치 후 즉시 임플란트를 식립한 경우 치주 생체형과 협측 치은 퇴

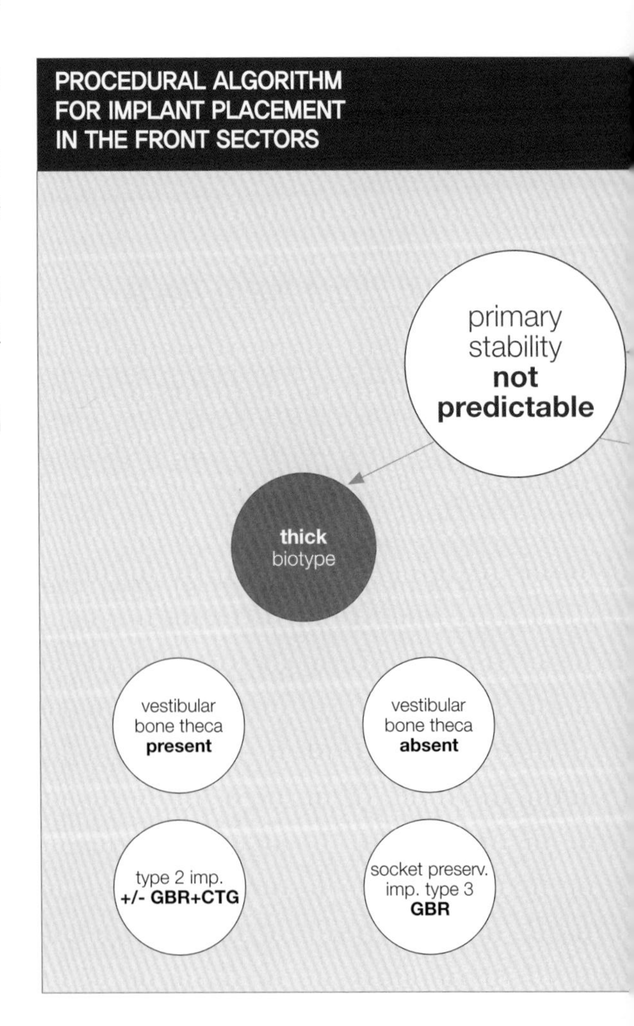

축 사이에는 연관성이 있다.[45]
얇은 치주 생체형의 경우 발치 후 즉시 임플란트 식립시 임상적으로 불리하긴 하지만, 치료 부위의 협측에 결합 조직을 이식하여 연조직 자체의 두께를 수정할 수 있다. 이는 협측 치은 퇴축의 발생을 줄일 수 있다.[46]

치은 퇴축의 유무

치은 퇴축은 치근 표면이 노출된 상태에서 치은 조직이 근단 방향으로 병리적인 이동하는 것으로 정의된다.[47] 치료 계획 시 치은 퇴축의 진단학적 중요성은 퇴축 자체로 인한 해부학적 변화와 관련이 있다.
첫 번째로 퇴축은 임상적 부착소실(clinical attachment loss)을 특징으로 하며, 그 결과 협측골막의 다소 큰 부분이 소실된다.
또한 치은 퇴축은 각화조직의 소실로 정의될 수도 있다.
결과적으로, 치은 퇴축을 가진 치아의 발치 후 즉시 임플란트를 식립할 경우 심미적으로 불리한 몇 가지 예후 요인이 있다.[30] 이러한 경우 지연 식립 방식이 발치 후 즉시 식립보다 더 효과적 일 수 있다.[48]

치은 퇴축
적절한 각화조직이 없는 치은 퇴축의 경우 발치 후 임플란트 즉시 식립은 금기 사항이 될 수 있다.

치료 절차 알고리즘

다음의 치료 절차 알고리즘은 임상의의 외과적 치료 선택을 용이하게 하기 위해 일어날 수 있는 다양한 시나리오를 개략적으로 설명한다.

▶ continue to page 496

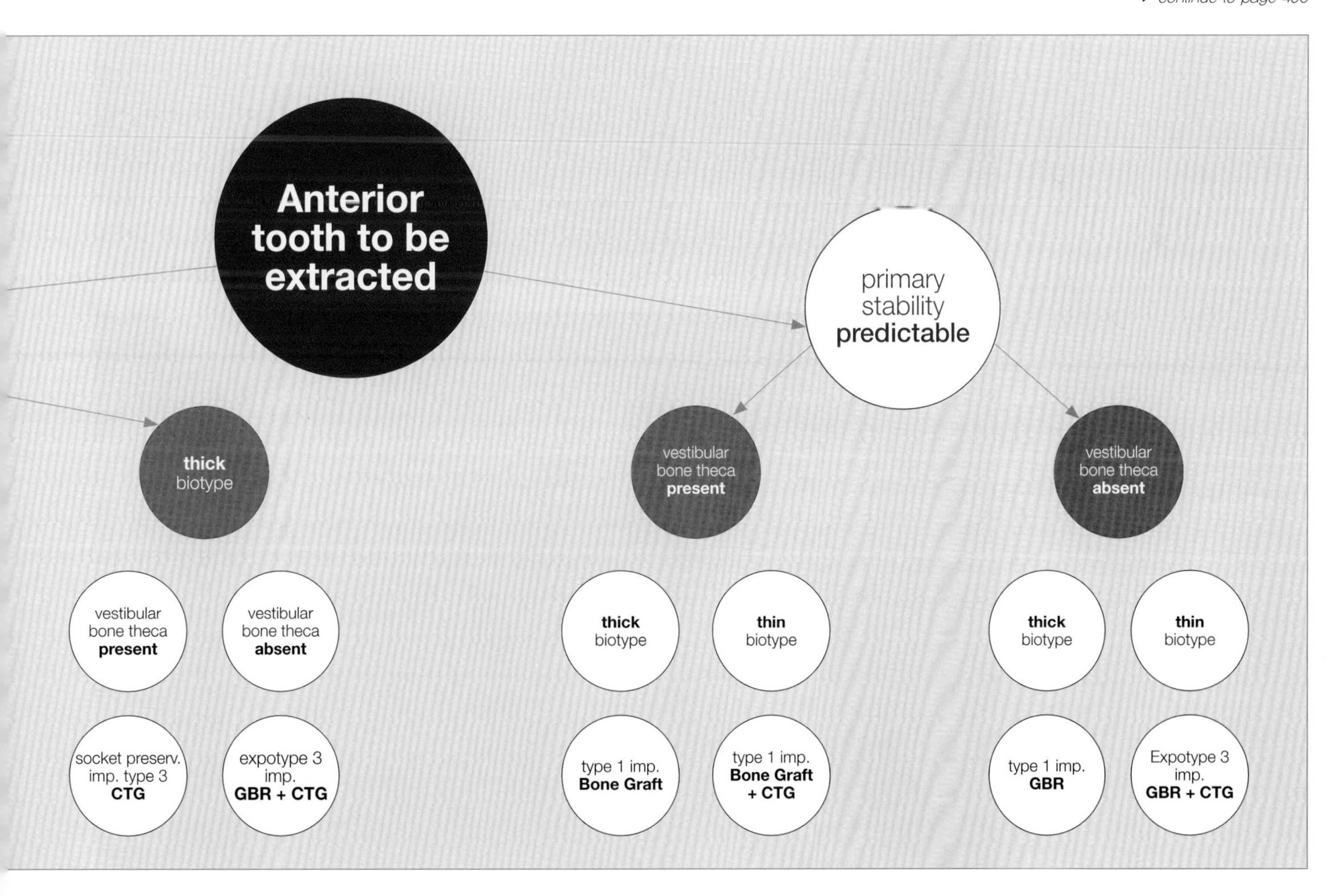

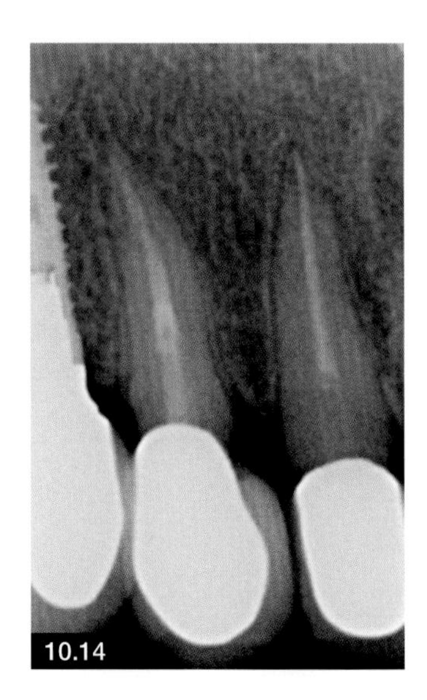

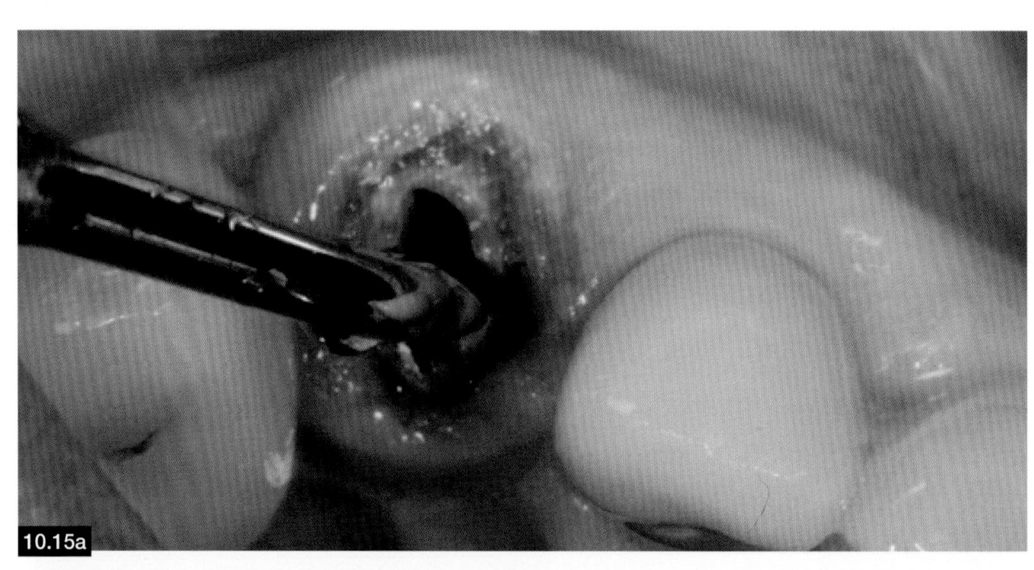

Figs. 10.14: #13 치아의 치근 파절 후 수술 전 치근단 방사선 사진

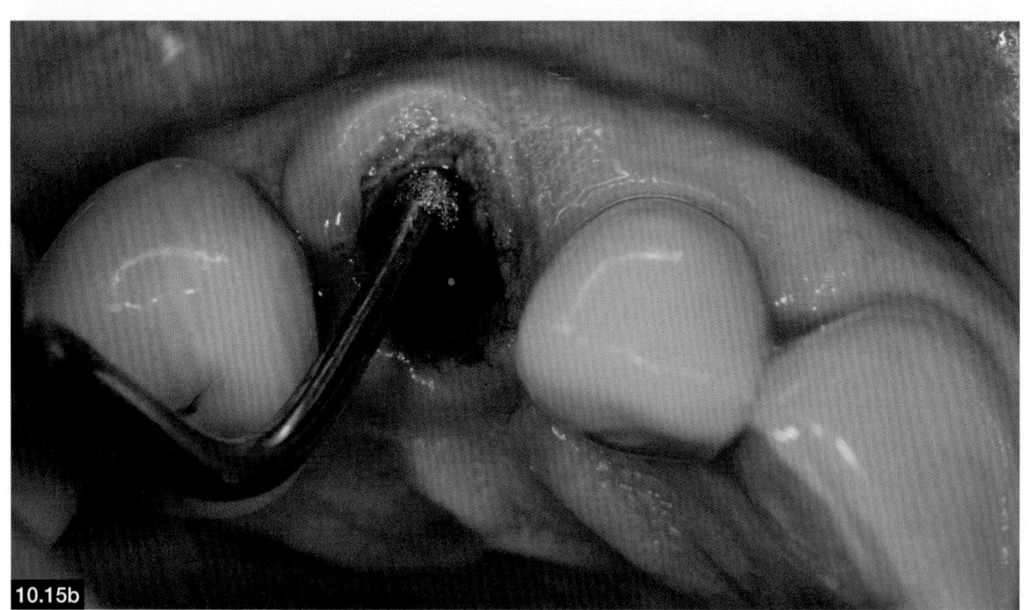

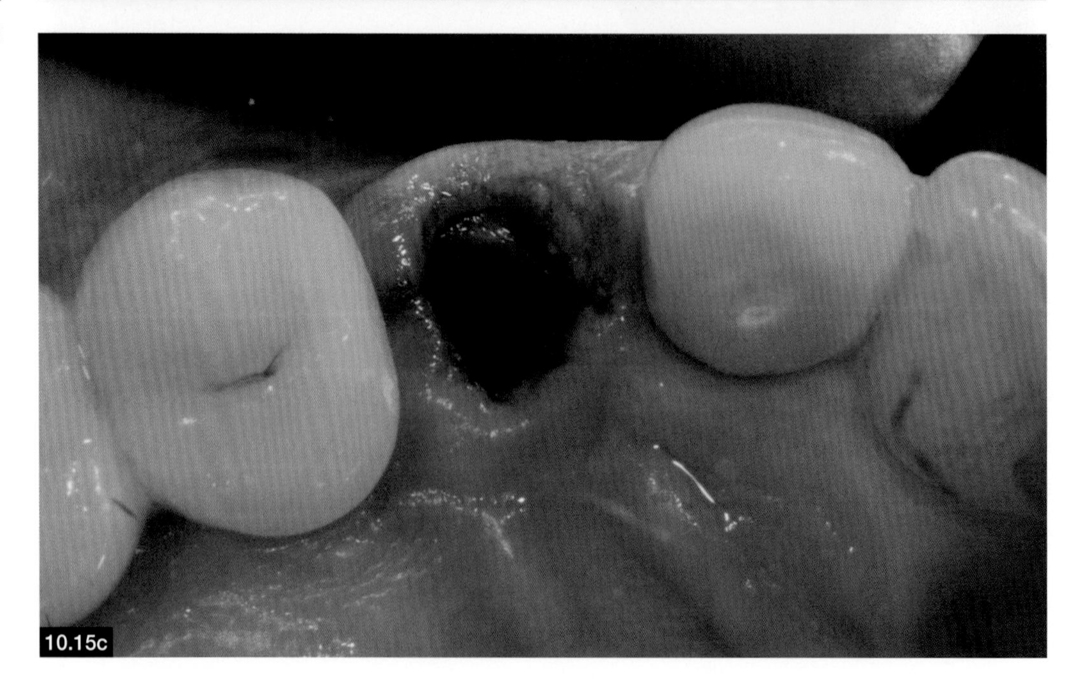

Figs. 10.15a-c: #13 치아의 부분 발치. 치아를 근원심으로 분할하고 구개측 치근을 제거했다. 이 단계에서 협측 파편은 남겨두고 치아의 치근첨까지 제거하는 것이 필수적이다. 협측 치조정에서 1 mm 상방으로 위치해야하는 협측 파편(쉴드)는 초음파 기구를 사용하여 형성한다.

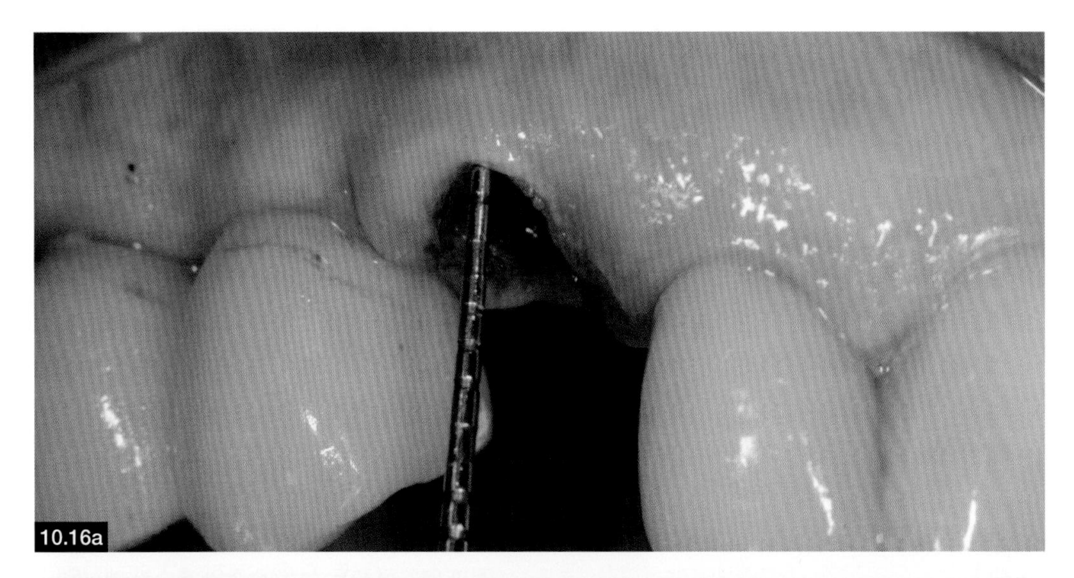

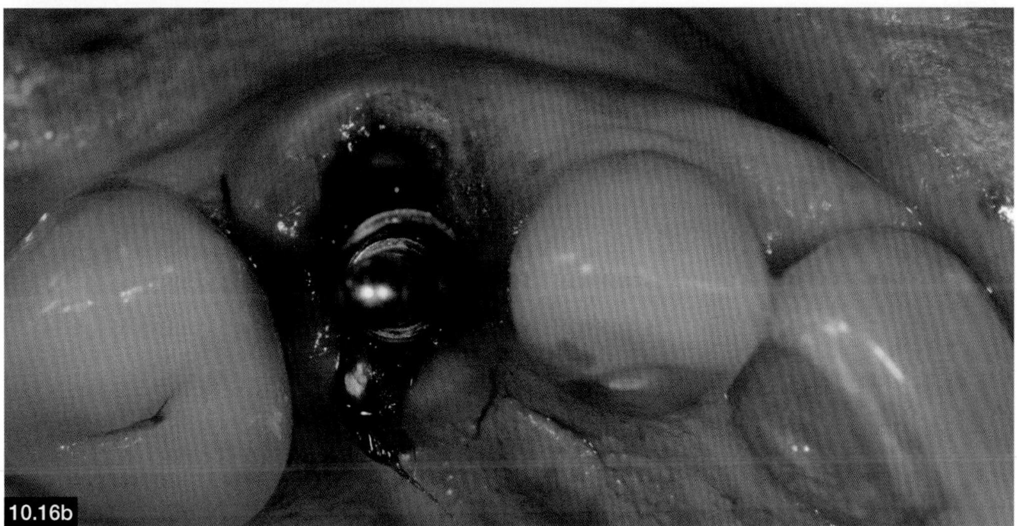

Figs. 10.16a-b: 실드의 교합면 측 사진과 임플란트 식립

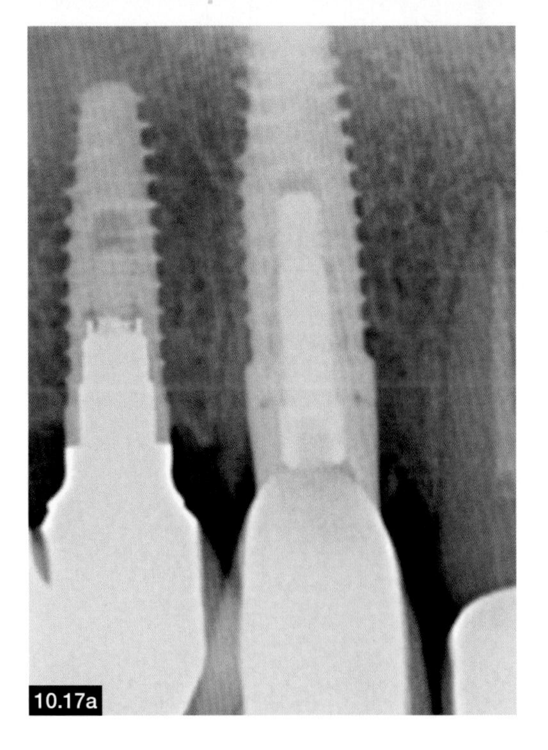

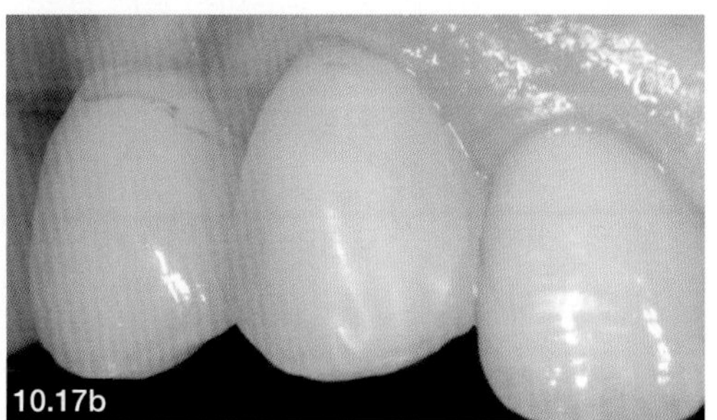

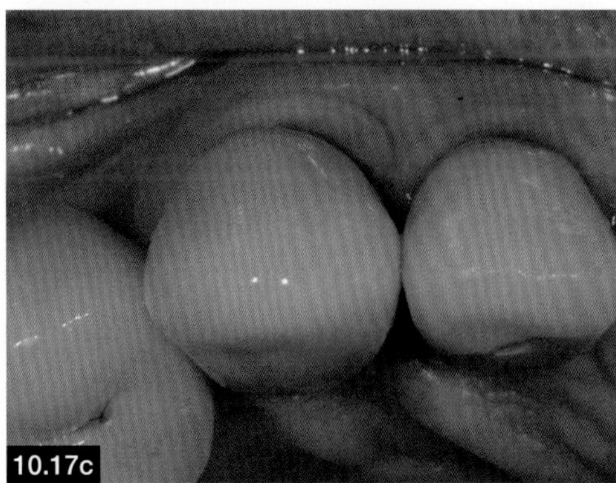

Figs. 10.17a-c: 최종 수복. 임플란트 식립 5년 후 임상 및 방사선 검사

치아의 협측 파편이 유지 불가능한 것으로 평가되면 임상의가 자문해야 할 근본적인 질문은 "치아를 발치한 후 임플란트 식립 시 안정화될 수 있는가?"이다.

만약 그렇지 않다면 임플란트 식립은 반드시 연기해야 한다.

결과적으로 첫 번째 치료는 가능한 한 보수적인 방식으로 외상이 없도록 주의하여 발치하는 것만이 되겠다.

그 후, 치조골의 상태를 평가하여 치유 초기 단계에서 겪게 될 형태학적 변화를 예측해야 한다.

동시에 분석해야 할 기본적인 임상적 측면은 다음과 같다.

- 경조직과 연조직의 두께
- 협측 피질골의 유무

보다 구체적으로 여러 임상 상황이 관찰될 수 있다.

1. 만약 두꺼운 치주 생체형과 정상적인 협측 피질골을 모두 가지고 있다면, 생리학적 골흡수가 제한적일 것이고 결과적으로 협측 조직의 유지를 예측할 수 있다. 이 경우 임상의는 임플란트 생존에 필요한 1차 안정성을 얻기 위해 충분한 양의 골(미성숙골 포함)이 형성될 때까지 기다려야 한다. 이러한 이유로, 발치 부위에 적용되는 실제의 골흡수 정도와 관련하여 경조직 및/또는 연조직의 증가를 위한 술식을 포함하지 않는 임플란트 식립 유형(유형 2, 4–8주)이 있다.
2. 두 번째로 두꺼운 치주 생체형을 갖지만 피질골이 부분 혹은 전체적으로 없을 수 있다(예: 수직 파절). 자연적인 골 재생의 가능성은 제한적이고 협측 지지골의 일부가 소실되어 있다. 따라서 연조직의 초기 두께에 가려지긴 하겠지만 현저한 골흡수가 불가피하다. 이러한 상황을 피하려면 발치와 동시에 골이식과 흡수성 막(발치와 보존술)을 사용하여 치조골 재생을 유도하고, 골의 위축을 제한해야 한다. 이는 임플란트 식립을 용이하게 한다.[49, 50] 일반적인 치유 기간(12주 이상) 후, 임플란트 식립(유형 3, 4)이 가능하며 장기적인 성공에 필요한 협측골 두께를 얻기 위해 필연적으로 추가적인 수평골 재생 술식이 필요하다.
3. 환자의 치주 생체형이 얇을 경우 상황은 훨씬 더 복잡해진다. 실제로 연조직과 경조직으로의 혈액 공급이 적기 때문에 결과적으로 비외상성 발치에서도 침습적이게 된다. 이러한 이유로 경조직과 연조직 모두 높은 수준의 흡수가 예상된다. 만약 발치 후 관리가 제대로 되지 않으면 이러한 흡수는 수직적인 양상으로 일어날 수 있다. 따라서 필자의 학교에서는 발치(발치와 보존술) 및 골재생을 위한 술식 후 항상 약 12주의 치유기간을 두고 임플란트 식립(골유도 재생술, GBR)을 제안한다. 또한 임플란트 식립 중, 연조직의 두께를 늘리기 위해 결합 조직을 이식한다.
4. 협측 피질골이 부분적으로 흡수된 얇은 치주 생체형의 경우에서도 마찬가지로 발치 후 수직적 흡수를 초래할 치은 퇴축이 발견될 것이다. 이러한 경우, 발치를 진행하고 연조직이 치유되도록 한 다음 경조직과 연조직의 재생을 유도하며 임플란트를 식립하는 것이 좋다.

이러한 모든 경우에 접착 기술 및/또는 인접 치아를 이용한 전통적인 보철 프로토콜을 사용해야 한다.

반면에 발치 후 존재하는 잔여골의 양이 임플란트를 올바른 위치에 안정화시킬 가능성을 가지고 있다면, 임상의는 발치와 동시에 임플란트 식립 또는 발치 부위의 관리 후 임플란트 식립을 고려해야 한다.

다시 한번 강조하지만, 이러한 경우 협측골의 존재와 치주 생체형을 평가해야 한다.

보다 구체적으로 다음과 같은 임상 상황이 관찰될 수 있다.

1. 두꺼운 치주 생체형의 경우 즉시 임플란트 식립(유형 1)이 자주 사용된다. 두꺼운 치주 생체형과 완전한 피질골을 갖는 경우, 피판은 만들지 않으며, 추가적인 술식은 발치 후 임플란트와 치조골의 간격만 생체 재료로 채우고 외과적 침습을 제한하는 것을 목표로 한다(임상 사례 1).
2. 반대로 피질골이 부족하면, 피판의 유무와 상관없이 GBR을 하기 위해 흡수성 막과 골이식재를 삽입해야 한다(임상 사례 2).
3. 퇴축이 없는(협측 피질골의 온전하다는 임상적 신호) 얇은 치주 생체형에서도 임플란트 즉시 식립이 가능하다. 이러한 경우 발치 외상을 최소로 해야하며, 마이크로 블레이드, 페리오톰을 사용한 뒤 발치 겸자로 최대한 수직력만을 가해 발치한다. 그 다음 임플란트를 식립하고 골이식재로 간격을 채운 뒤 터널링 혹은 피판 형성으로 결합조직을 이식한다.
4. 마지막으로 얇은 치주 생체형과 퇴축(협측 피질골이 없다는 임상적 신호)이 있는 경우 임플란트의 즉시 식립이 가능은 하지만 필자는 신중한 접근을 선호한다. 임상 프로토콜은 경조직(골재생유도술, GBR)과 연조직(결합조직이식, CTG)을 동시에 해서 교정한 뒤 임플란트 식립은 후에 하는 것을 선호한다.

이러한 경우 보철물 수복 방법이 다를 수 있다.

가장 유리한 경우, 즉 두꺼운 치주 생체형을 가지고 치은 퇴축이 없는 상황에서만 즉시 임시 수복을 하는 것이 좋다.

구치부

진단 매개 변수 분석

구치부의 발치 후 임플란트 식립 시 치주조직의 평가 기준은 전치부와 동일하다. 진단 단계에서 골의 형태에 따라 적절한 1차 안정성을 얻을 수 있는지 가능성을 고려해야 한다.

치료 절차의 알고리즘

구치부에서 발치 후 임플란트 식립이 필요한 경우, 치근의 형태를 주의 깊게 평가해야 한다(498페이지 참조). 뿌리의 수, 모양 및 길이 외에도 3차원 방사선 검사를 통해 치근 사이 중격골이 적절한 부피를 갖고 있는지 조사하여 우수한 1차 안정성을 확보해야 한다.

또한 발치할 치아와 인접 치아의 치근단 병변의 존재나 그 정도를 평가할 필요가 있다. 하악 대구치의 경우 설측 언더컷의 존재와 하치조 신경혈관다발의 위치를 평가하여 의원성 신경 병변 또는 출혈성 합병증을 방지해야 한다.

하악 소구치 부위의 경우 이공과 치근첨의 위치관계를 미리 조사하는 것이 필수적이다.

상악 구치부에서는 치근의 수와 모양, 넓은 치간 격막의 존재, 치근첨과 그에 인접한 해부학적 구조(상악동의 위치와 해부학적 형태) 사이의 관계를 평가해야 한다.

이 평가를 통해 임상의는 여러 치료 계획 중에서 알맞은 치료방법은 선택할 수 있다. 발치와의 근단부에 충분한 골이 있을 경우 치조골 보존술과 관계없이 두 단계의 치료적 접근을 따를 수 있다. 적절한 골의 양이 없는 경우 지연 식립이 권장된다. 진단 알고리즘의 도입은 임상의가 검사를 통해 수집된 객관적인 데이터를 기반으로 환자에 대한 적절한 치료 계획을 세우는 데 도움이 될 수 있다.

결론

유지 불가능한 치아영역의 임플란트/보철을 통한 수복은 임상의의 수술 및 보철적 역량을 필요로 하지만 임상 상황에 대한 진단 또한 매우 중요하다. 정확한 진단으로 상황에 맞는 올바른 치료 프로토콜을 아는 것은 성공적인 치료와 합병증과 실패로 이어질 치료를 구분하는 중요한 차이이다.[52, 53] 임상의는 치료시기를 결정하기 전에 다음을 평가해야 한다.

- 적절한 1차 안정성의 가능성
- 협측 골막의 존재 여부
- 치주 생체형(biotype)
- 치은 퇴축의 존재 여부

이러한 평가 후에만 임상의는 가장 합리적이고 예측 가능한 치료 계획을 선택할 수 있다.

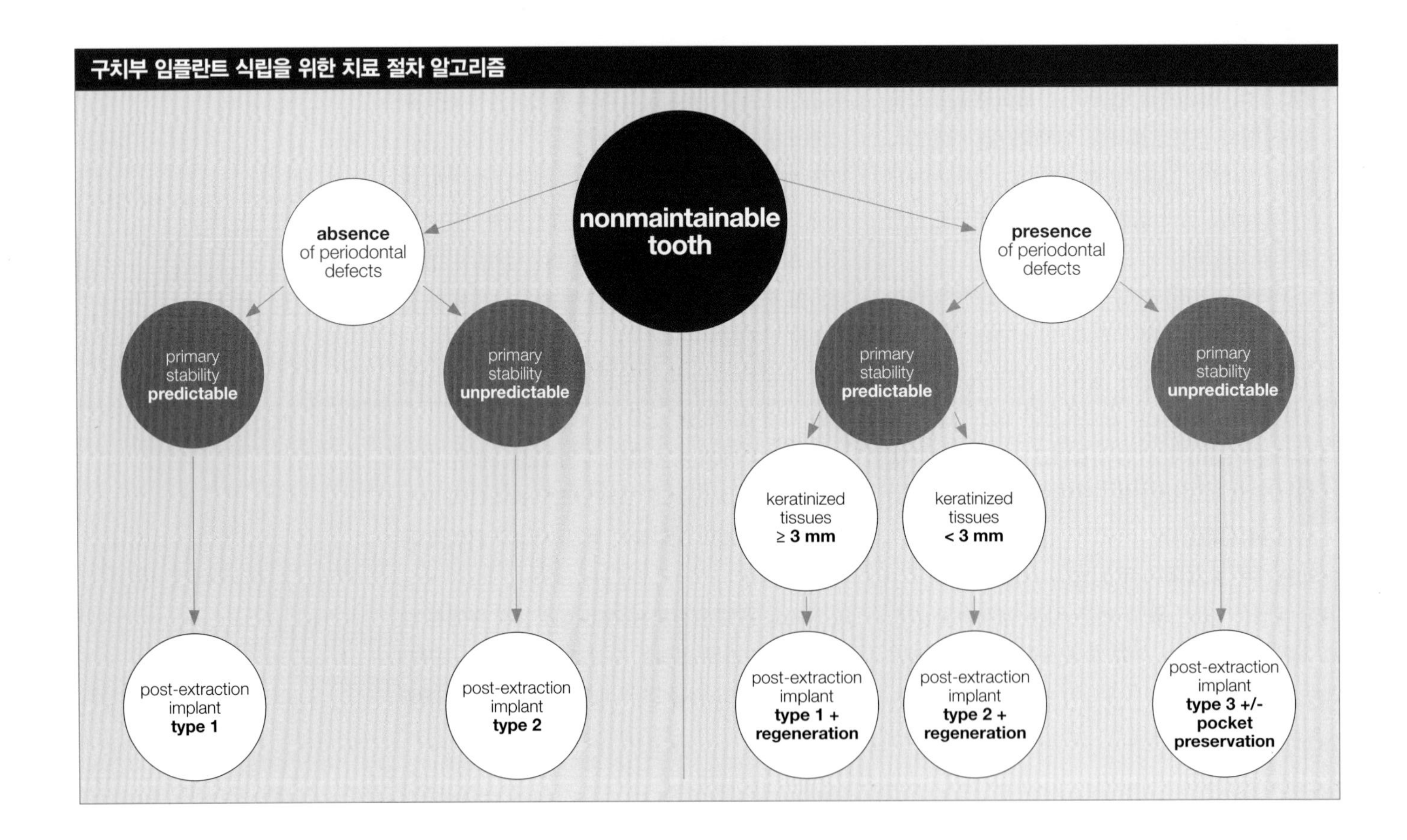

오른쪽 상악 측절치의 발치 후 즉시 임플란트 식립

환자는 #11 치아의 자발통으로 의뢰되었으며 외상력을 가지고 있었다. 임상적으로 #11, #12 치아 경사도의 미세한 차이가 관찰되었다. 또한 #11, #12 치아에 일반적인 치주 치료로 해결되지 않는 잘못된 보철물로 인한 변연치은의 염증이 관찰되었다**(Fig. 1a-c)**.

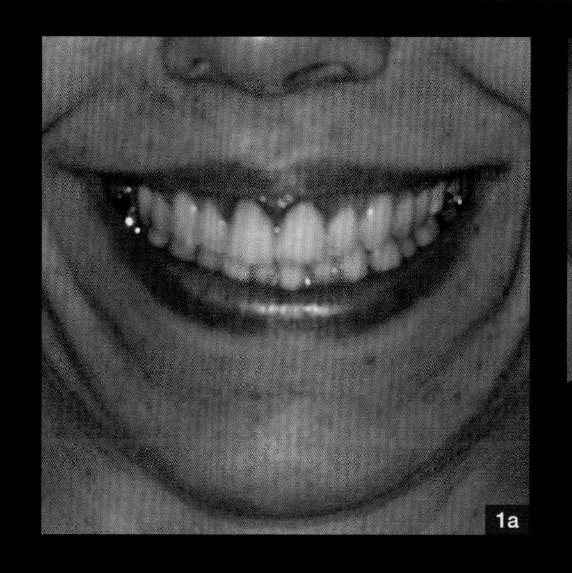
1a

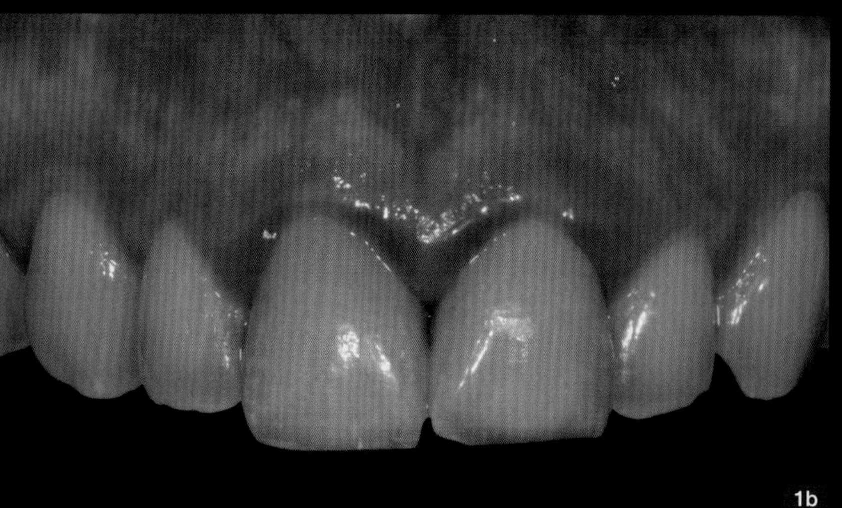
1b

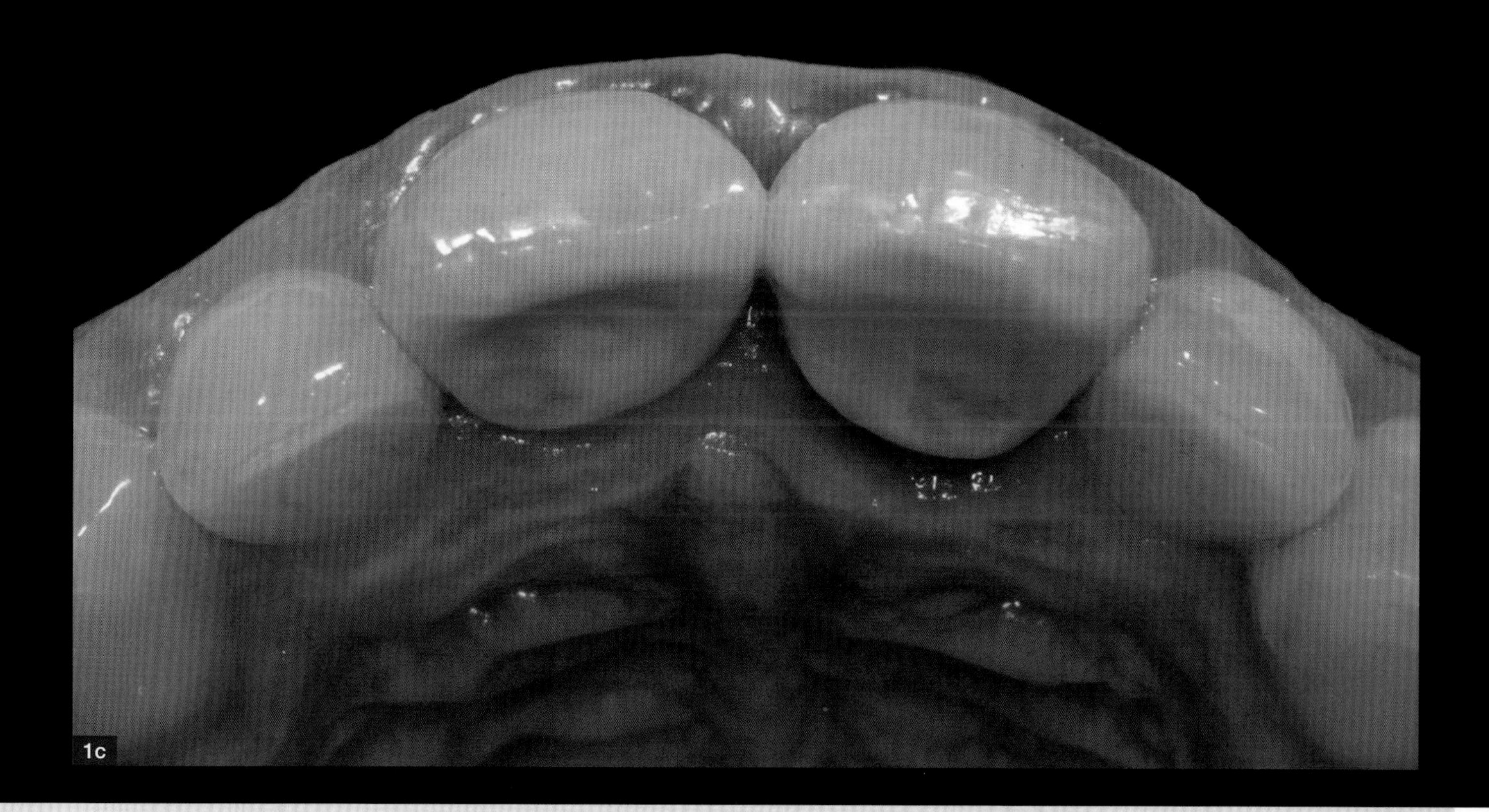
1c

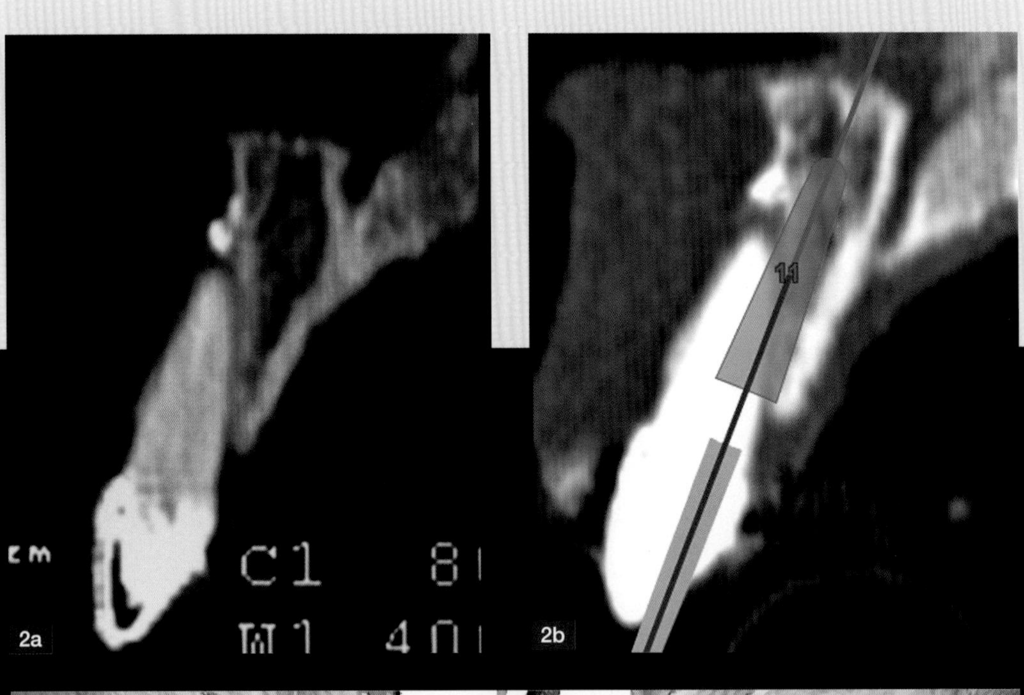

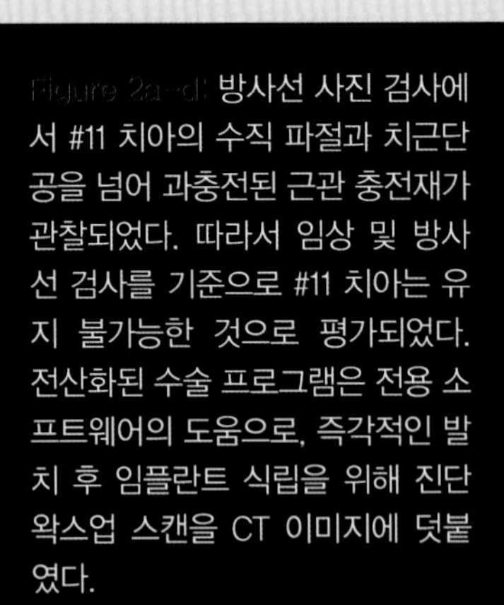

Figure 2a–d: 방사선 사진 검사에서 #11 치아의 수직 파절과 치근단공을 넘어 과충전된 근관 충전재가 관찰되었다. 따라서 임상 및 방사선 검사를 기준으로 #11 치아는 유지 불가능한 것으로 평가되었다. 전산화된 수술 프로그램은 전용 소프트웨어의 도움으로, 즉각적인 발치 후 임플란트 식립을 위해 진단 왁스업 스캔을 CT 이미지에 덧붙였다.

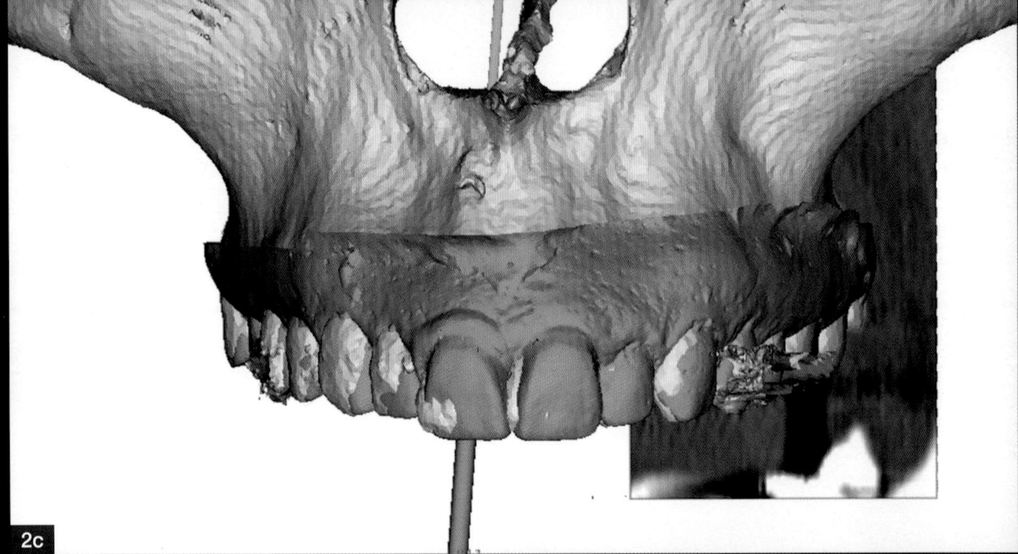

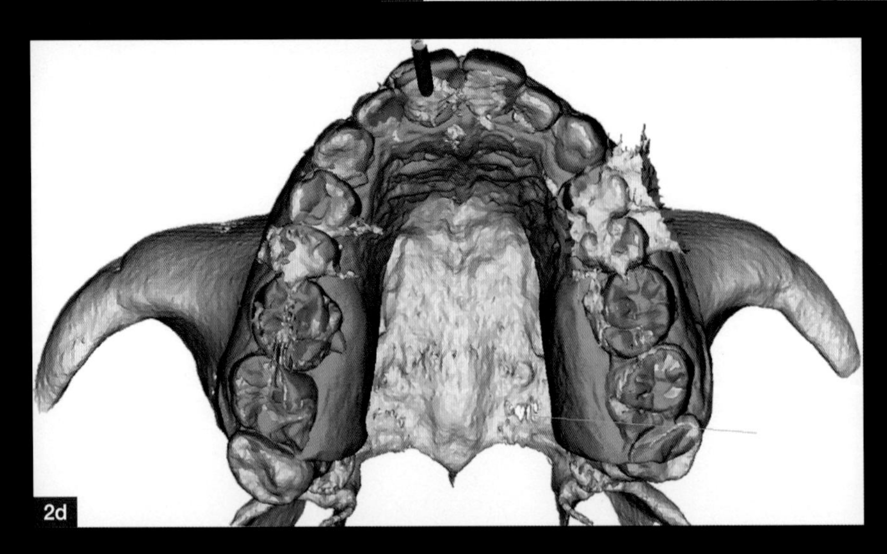

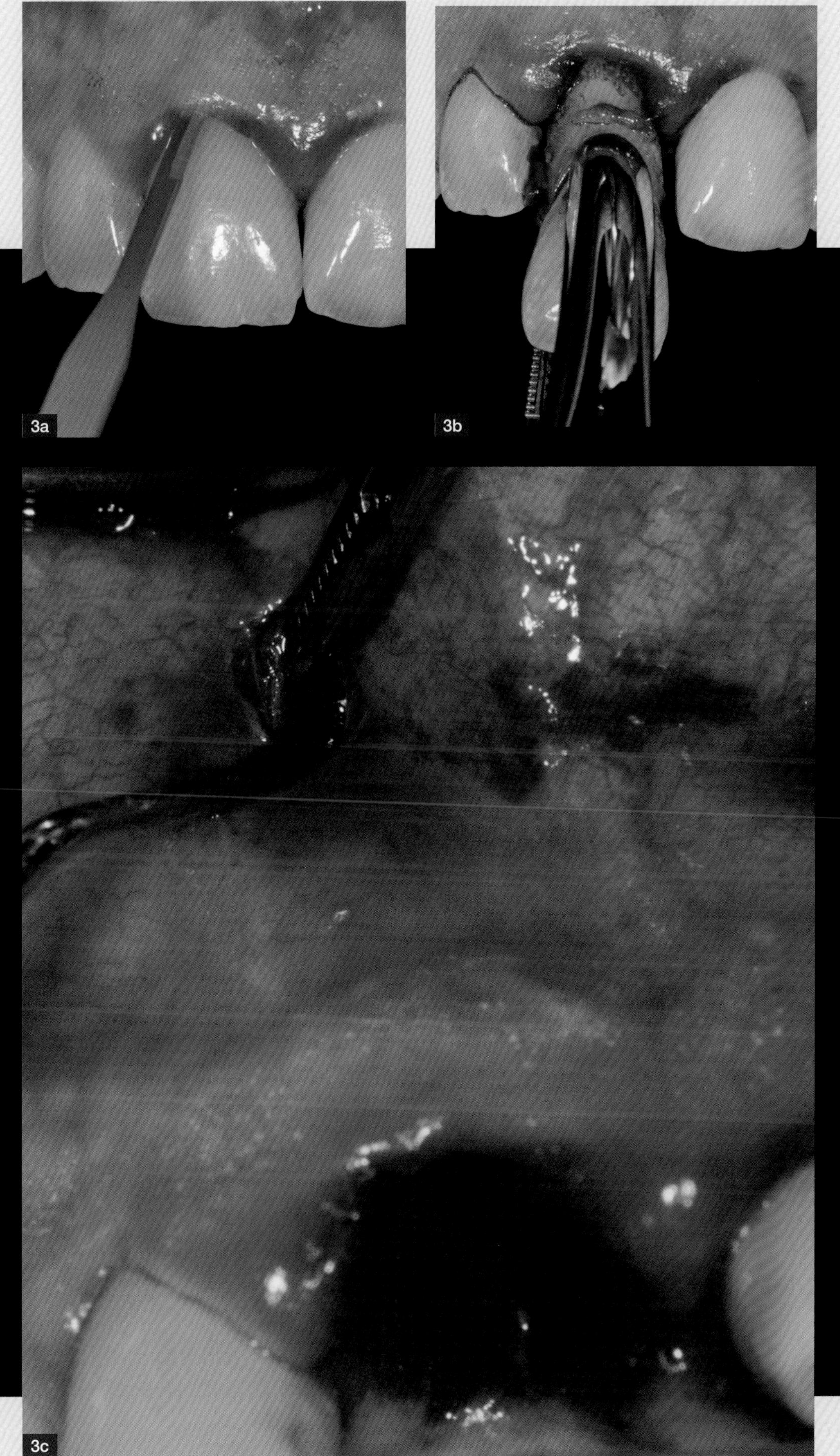

Figure 3a-c: 미세 수술 블레이드를 사용한 치은 열구내 절개. 치근 장축 방향으로의 힘을 이용한 비외상성 발치. 치근단공을 넘어 돌출된 재료는 변연 연조직에 영향을 주지 않도록 치조 점막에서 약 4 mm의 절개를 통해 제거된다.

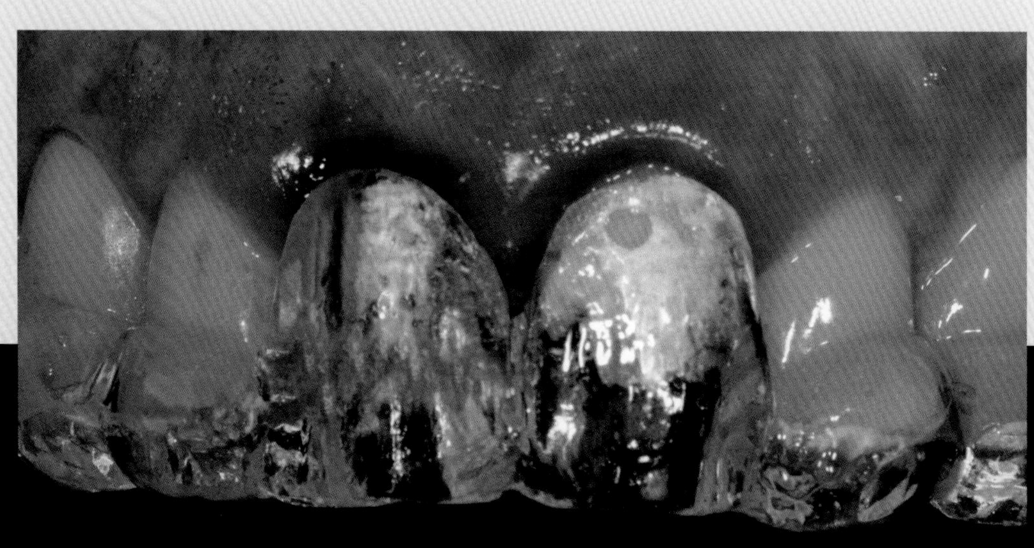

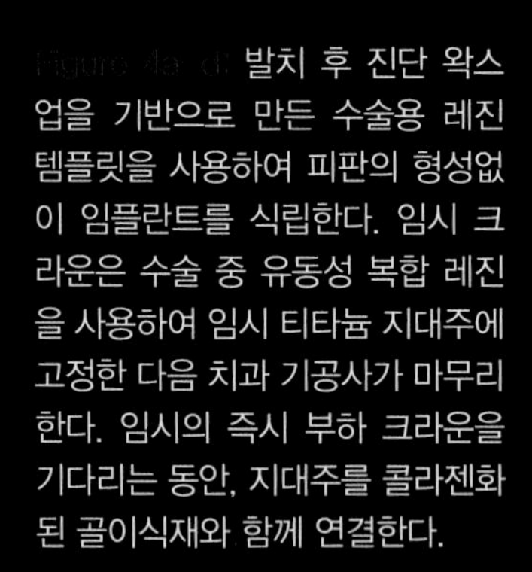

Figure 4a-d: 발치 후 진단 왁스업을 기반으로 만든 수술용 레진 템플릿을 사용하여 피판의 형성없이 임플란트를 식립한다. 임시 크라운은 수술 중 유동성 복합 레진을 사용하여 임시 티타늄 지대주에 고정한 다음 치과 기공사가 마무리한다. 임시의 즉시 부하 크라운을 기다리는 동안, 지대주를 콜라젠화된 골이식재와 함께 연결한다.

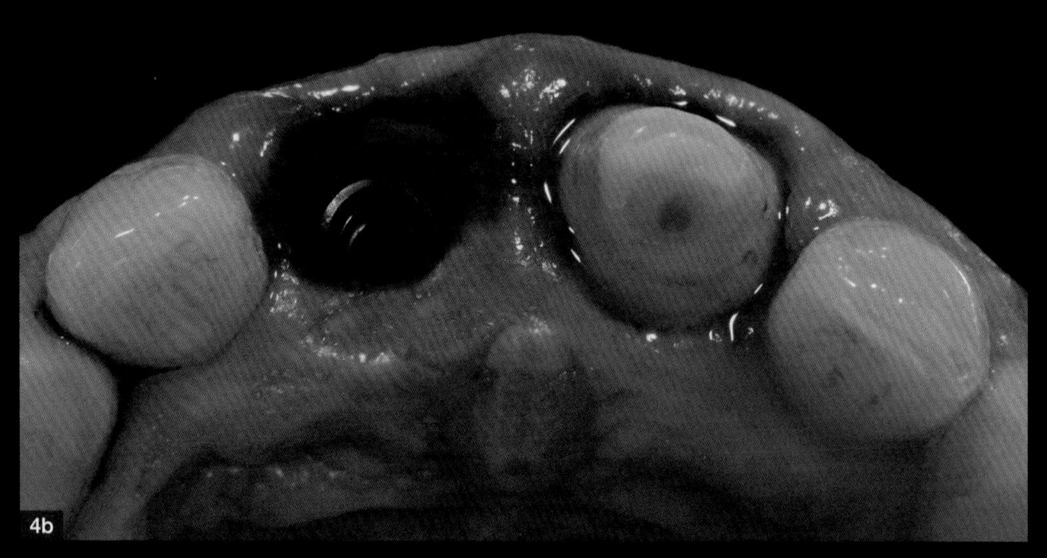

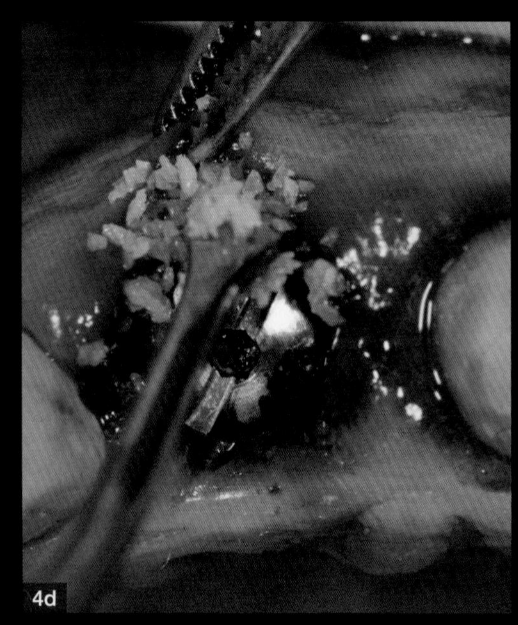

Figure 5a–b: 교합 접촉이 없는 임시의 나사 고정형 즉시 부하 크라운과 치근단 방사선 사진

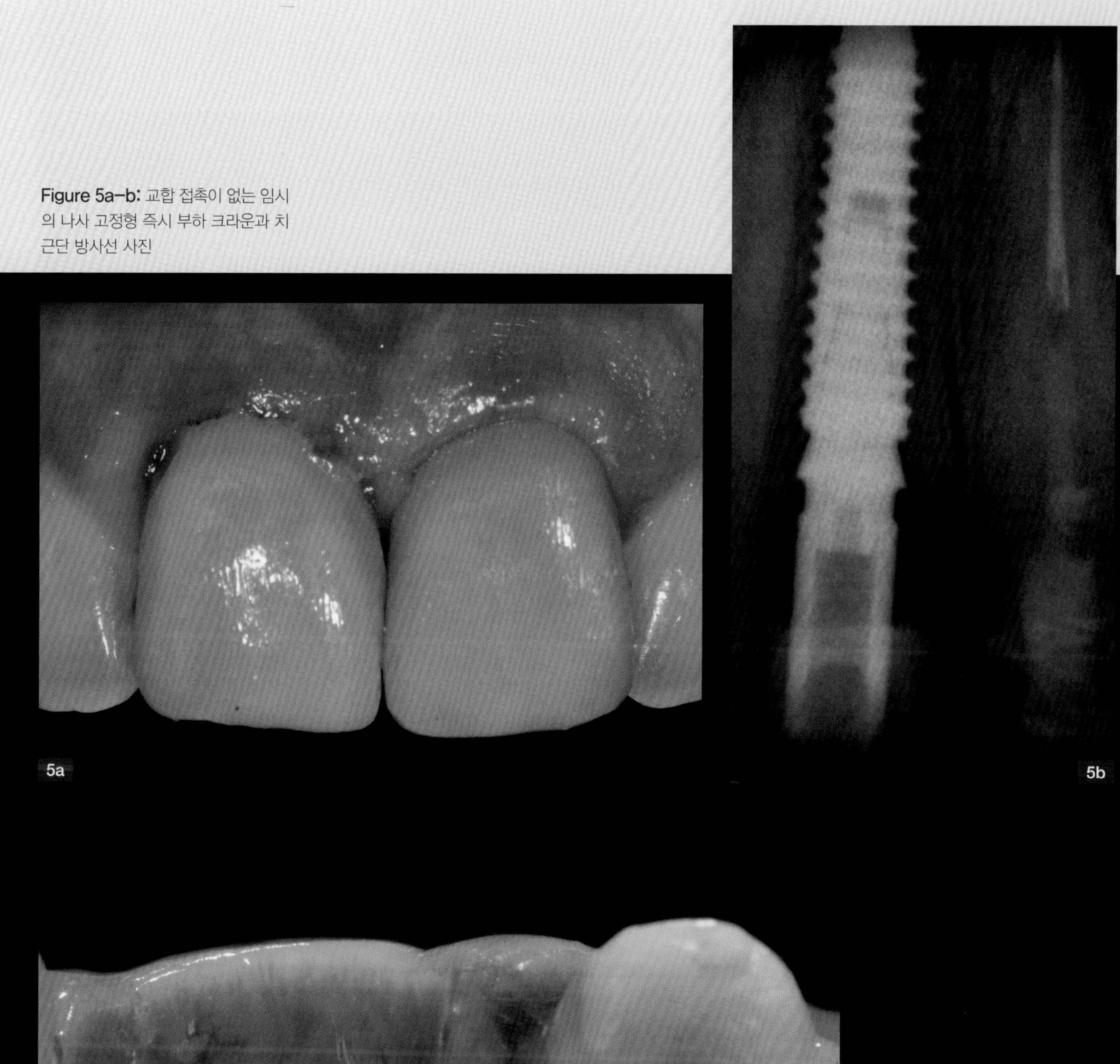

5a

5b

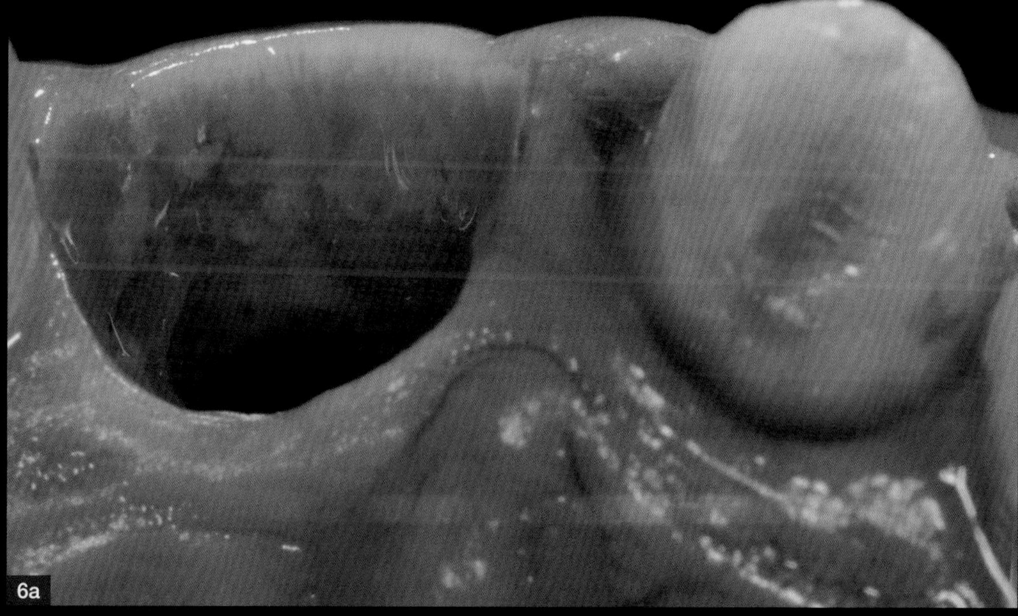

6a

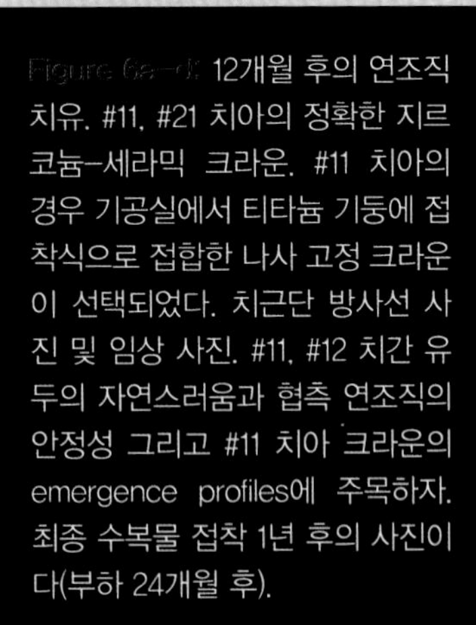

Figure 6a–d 12개월 후의 연조직 치유. #11, #21 치아의 정확한 지르코늄-세라믹 크라운. #11 치아의 경우 기공실에서 티타늄 기둥에 접착식으로 접합한 나사 고정 크라운이 선택되었다. 치근단 방사선 사진 및 임상 사진. #11, #12 치간 유두의 자연스러움과 협측 연조직의 안정성 그리고 #11 치아 크라운의 emergence profiles에 주목하자. 최종 수복물 접착 1년 후의 사진이다(부하 24개월 후).

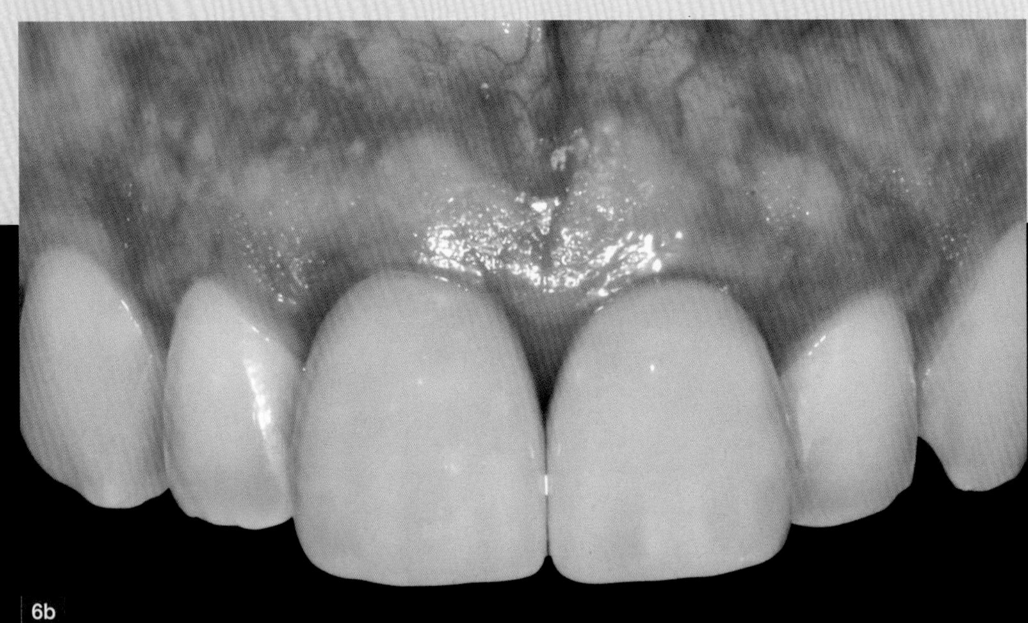

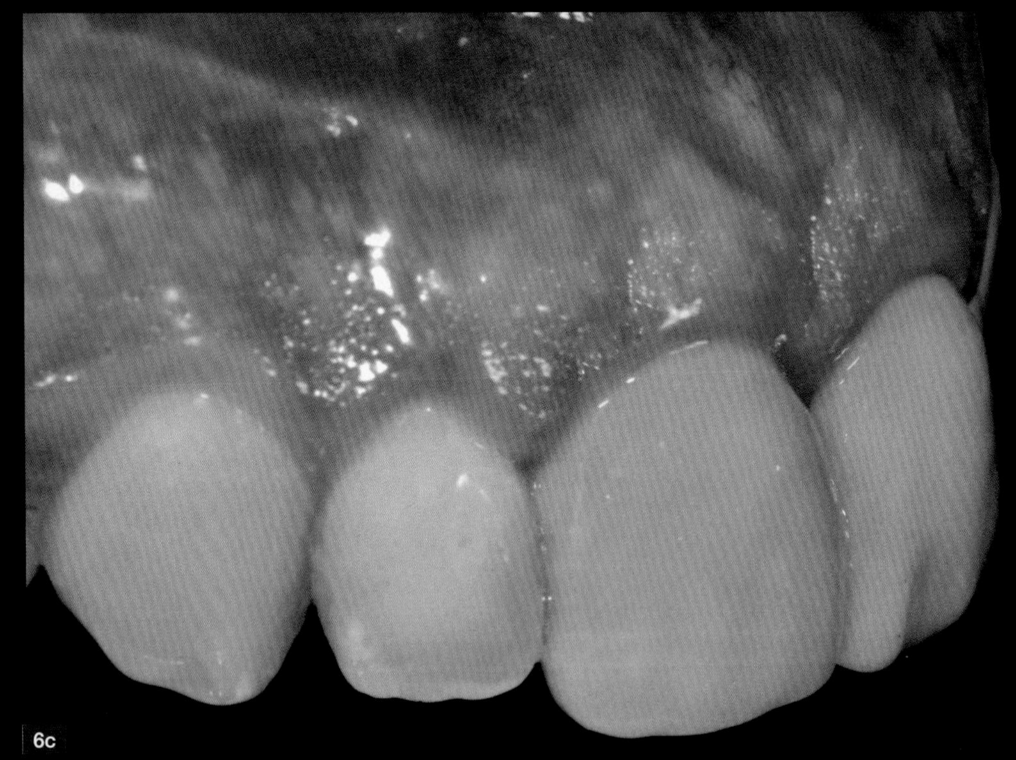

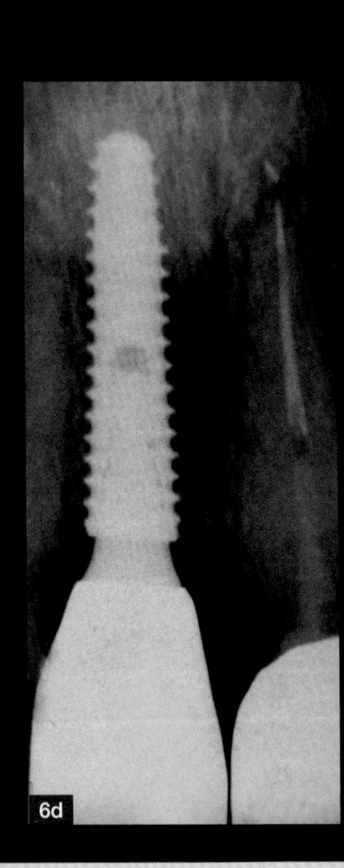

CASE REPORT 2

상악 좌측 절치의 발치 후 즉시 식립

환자는 자발통과 누공, 그리고 #21 치아 연조직의 부자연스러운 색으로 의뢰되었다. 치근단 방사선 검사에서 실패한 금속 포스트와 PFM 크라운이 관찰되었다. 치근 파절이 추정된다(Fig. 1a-c).

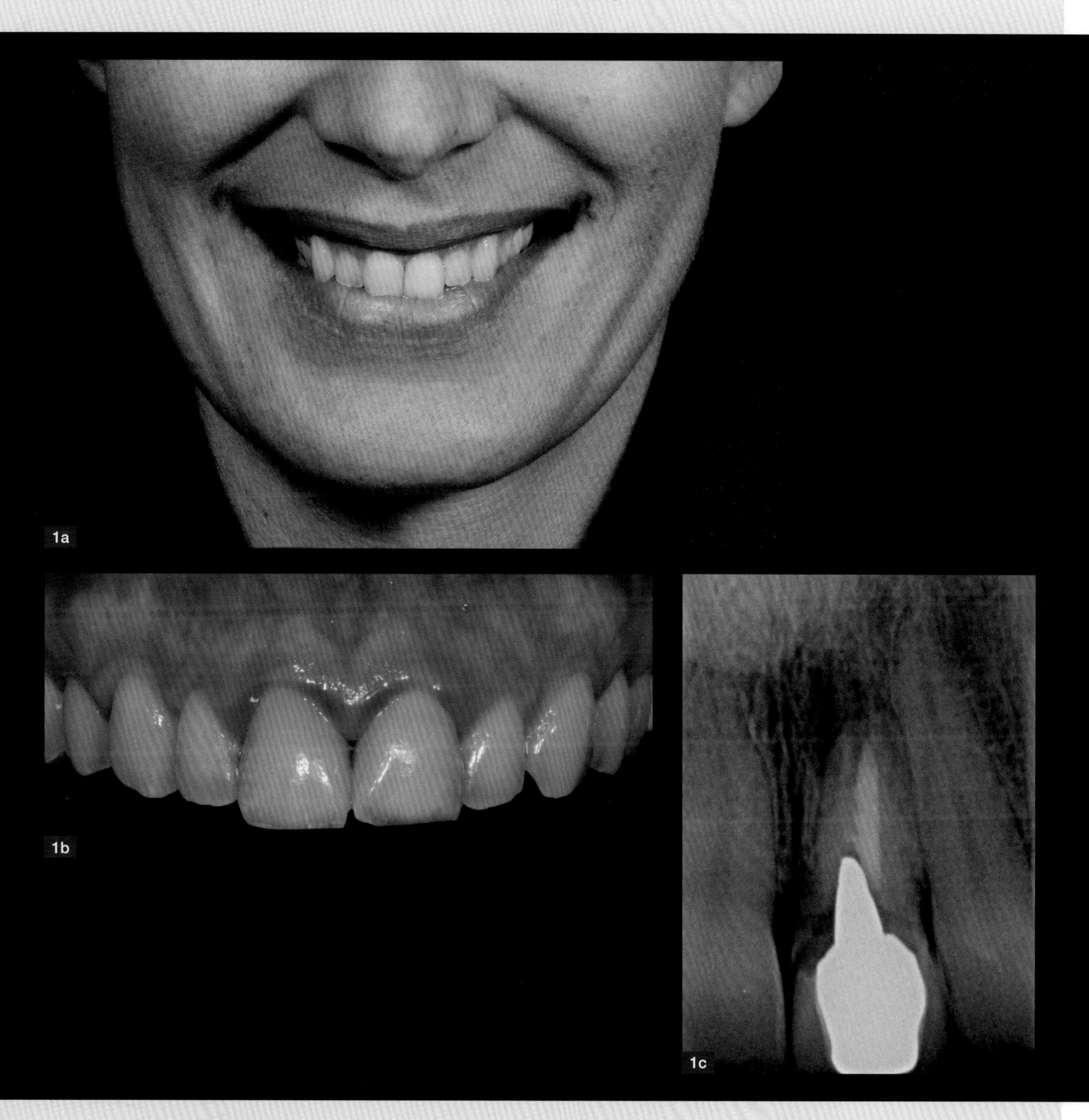

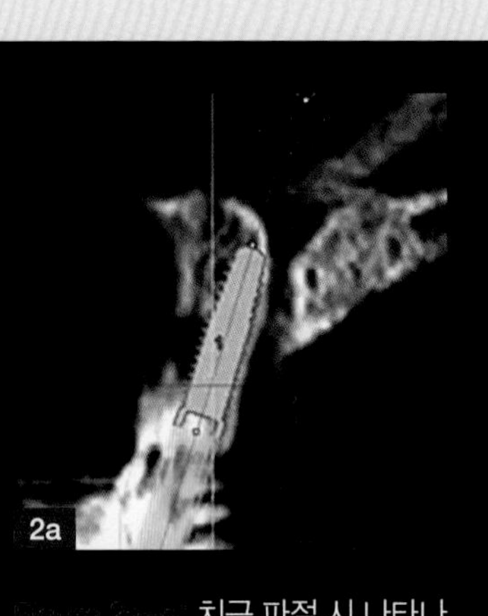

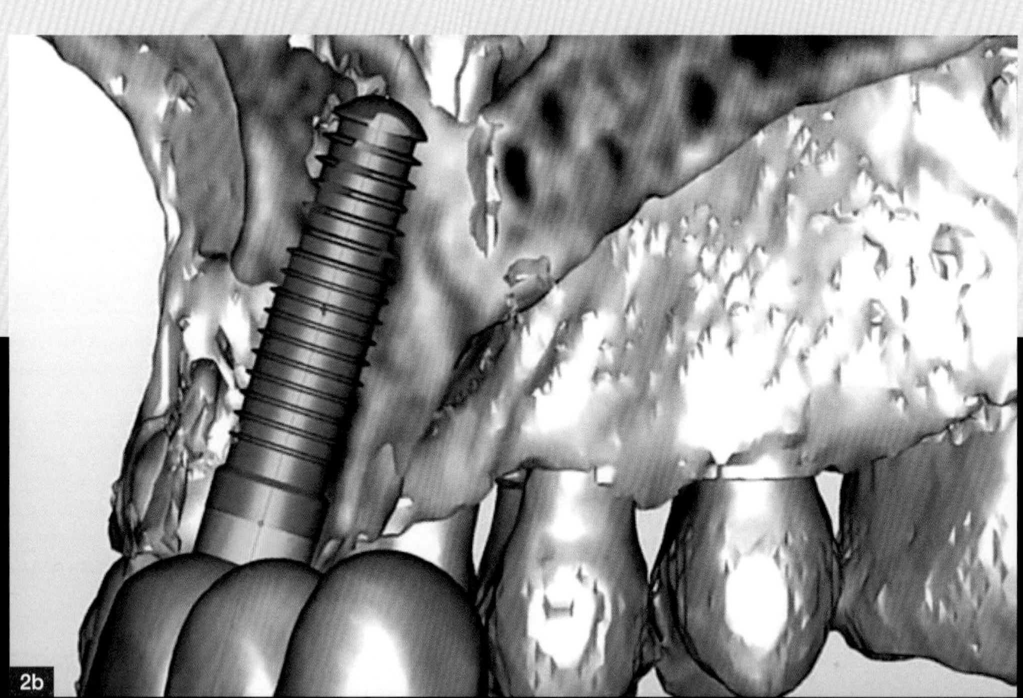

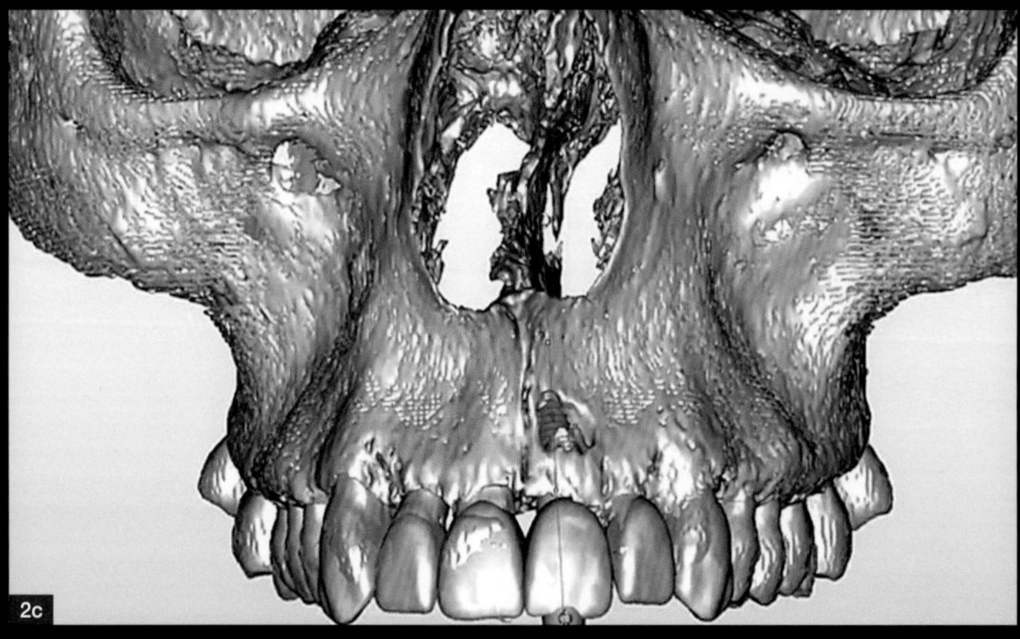

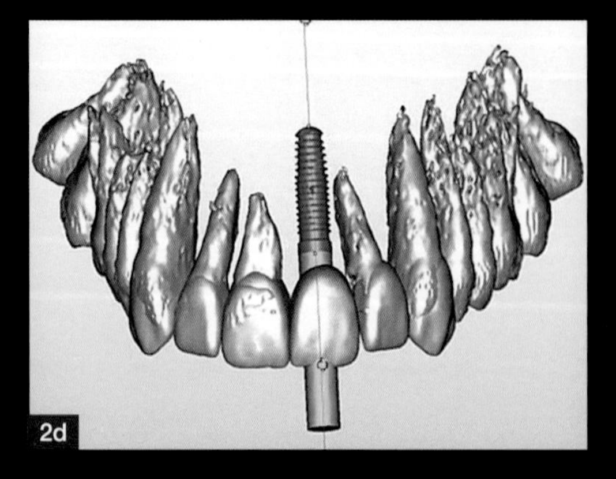

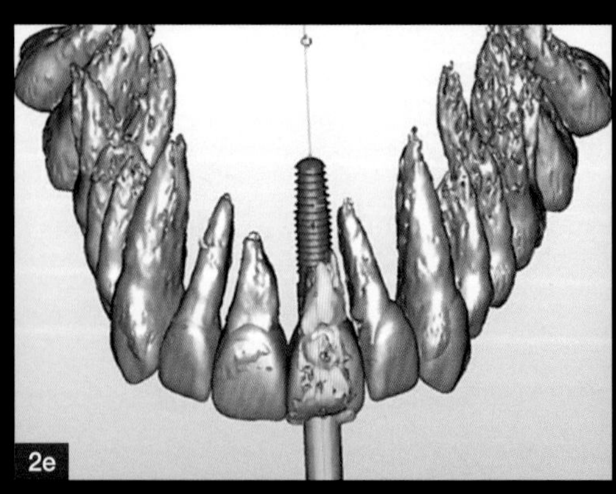

Figure 2a–e 치근 파절 시 나타나는 골병소의 모양을 보여주는 3차원 방사선 검사. 임상적 정보 및 방사선 검사 결과를 바탕으로 #21 치아는 유지가 불가능하다고 판단되었다. 따라서 발치 후 임플란트 즉시 식립이 계획되었다.

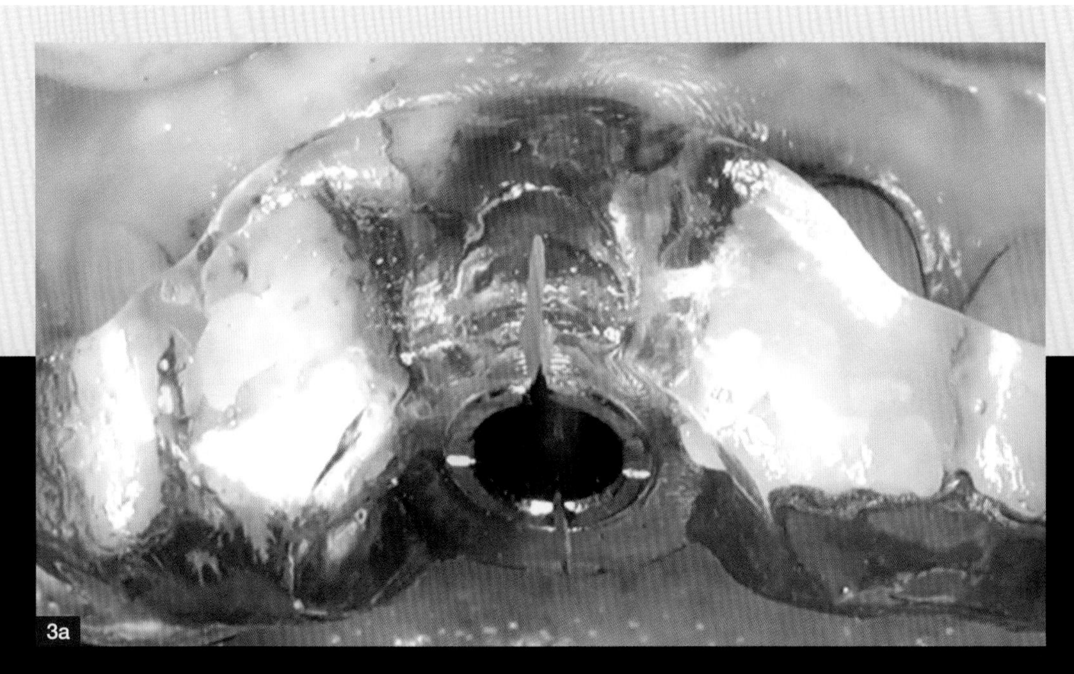

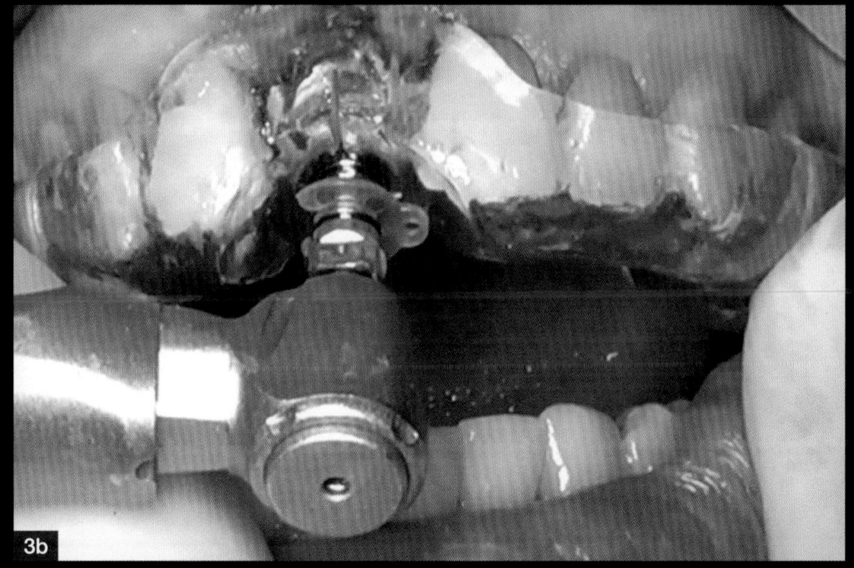

Figure 3a-b. Computer–guided flapless 술식으로 임플란트를 식립했다.

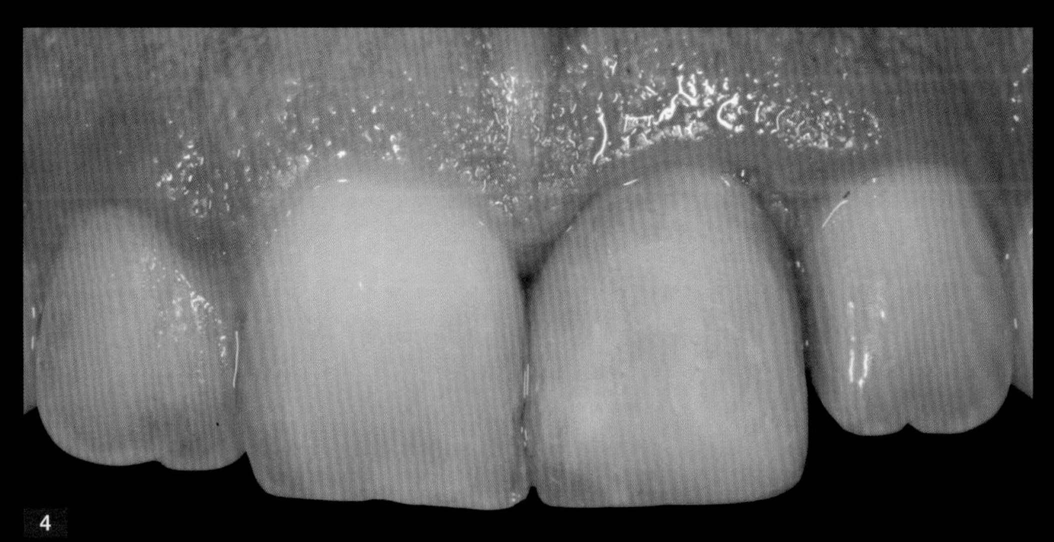

Figure 4. 임시의 즉시 부하 임플란트

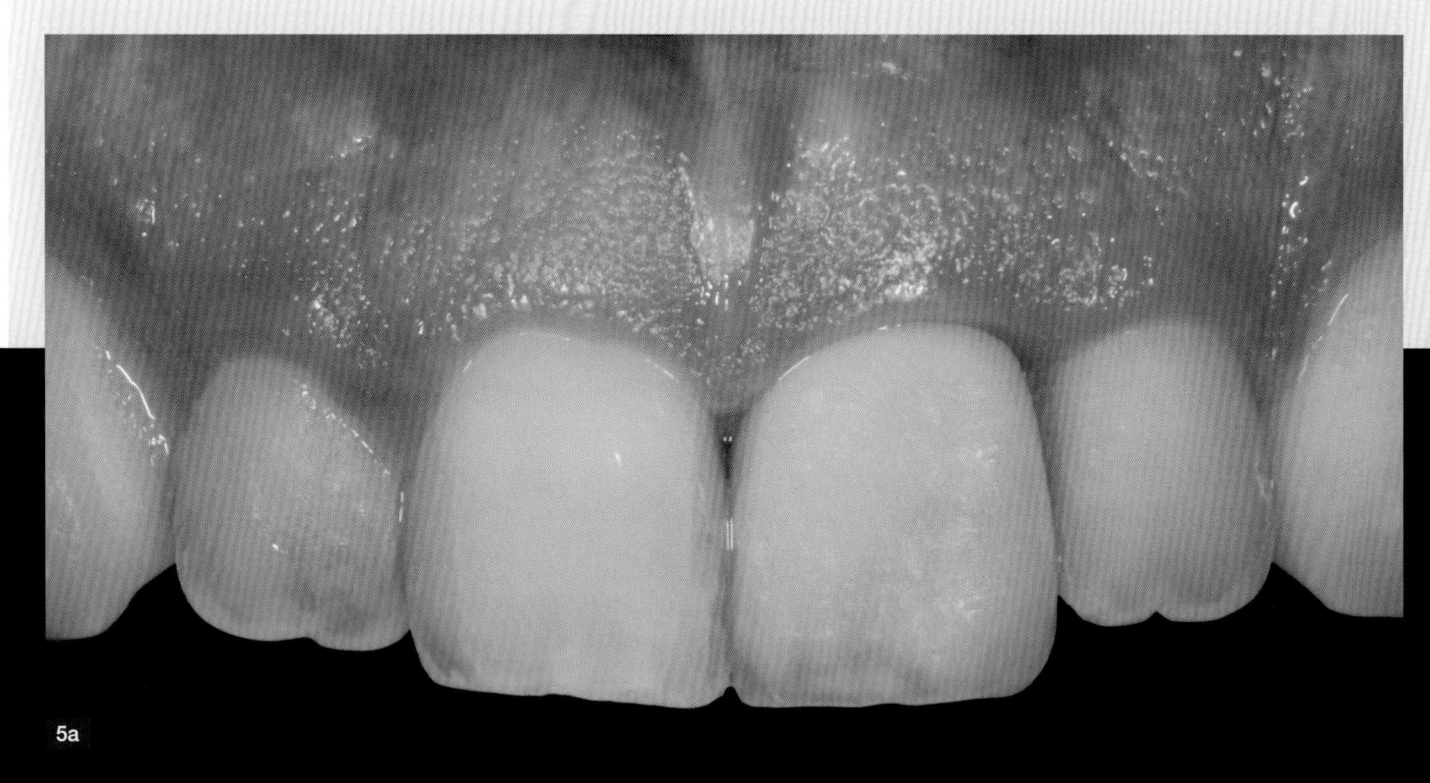
5a

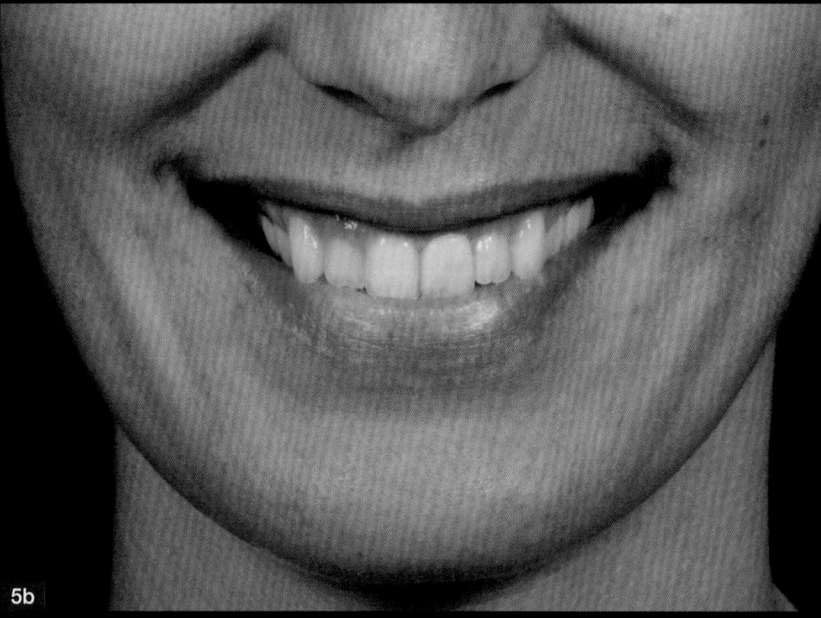
5b

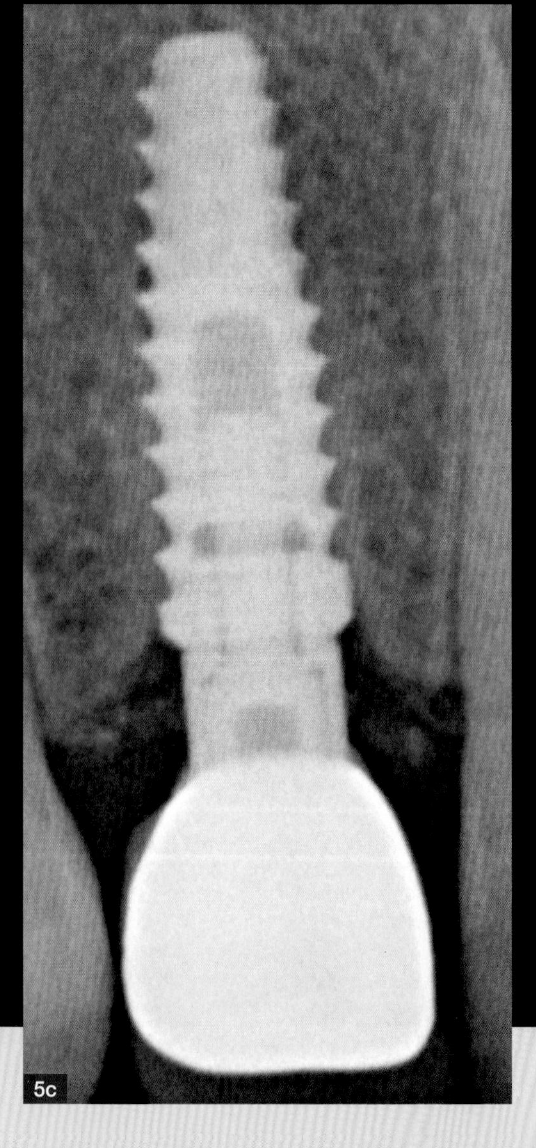
5c

Figure 5a-c: 최종 보철물과 치근단 방사선 사진

참고문헌

1. Hämmerle CH, Chen ST, Wilson TG Jr. *Consensus statements and recommended clinical procedures regarding the placement of implants in extraction sockets*. Int J Oral Maxillofac Implants. 2004; 19 Suppl:26-8.
2. Lazzara R.J. *Immediate implant placement into extraction sites: surgical and restorative advantages*. Int. J. Period. Rest. Dent. 1989; 9:332-343.
3. Lekovic V, Kenney EB, Weinlaeder M et al. *A bone regenerative approach to alveolar ridge maintenance following tooth extraction*. Report of 10 cases. J. Period. 1997; 68:563-570.
4. Lekovic V, Camargo PM, Klokkevold PR et al. *Preservation of alveolar bone in extraction sockets using bioabsorbable membranes*. J. Period. 1998; 69: 1.044-1.049.
5. Nevins M, Camelo M, De Paoli S et al. *A study of the fate of the buccal wall of extraction sockets of teeth with prominent roots*. Int. J. Period. Rest. Dent. 2006; 26:19-29.
6. Zuffetti F, Esposito M, Capelli M et al. *Socket grafting with or without buccal augmentation with anorganic bovine bone at immediate post-extractive implants: 6-month after loading results from a multicenter randomised controlled clinical trial*. Eur J Oral Implantol. 2013; 6(3):239-250.
7. Huebsch R.F., Caleman R.D., Frandsen A.M. *The healing process following molar extraction*. Oral Surg. 1952; 5:864-876.
8. Amler M.H. *The time sequence of tissue regeneration in human extraction wounds*. Oral Surg. Oral Med. Oral Pathol. 1969 Mar; 27(3):309-318.
9. Schropp L., Wenzel A., Kostopolulos L et al. *Bone healing and soft tissue contour changes following single-tooth extraction: a clinical and radiographic 12-month prospective study*. Int. J. Period. Rest. Dent. 2003; 23:313-323.
10. Cardaropoli G., Araujo M., Lindhe J. *Dynamics of bone tissue formation in tooth extraction sites. An experimental study in dogs*. J. Clin. Period. 2003; 30: 809-818.
11. Araujo M., Lindhe J. *Dimensional ridge alterations following tooth extraction. An experimental study in dogs*. J. Clin. Periodontol. 2005; 32:212-218.
12. Capelli M, Testori T, Galli F et al. *Implant-buccal plate distance as diagnostic parameter: a prospective cohort study on implant placement in fresh extraction sockets*. J Periodontol. 2013; 84:1768-1774
13. Deflorian M, Parenti A, Fumagalli L. *Impianti post estrattivi nei settori latero posteriori*. Quintessenza Internazionale & JOMI 2014;30(2):76-81.
14. Parenti A, Fumagalli L, Capuzzo C et al. *Razionale per un corretto posizionamento implantare*. Settori anteriori. Dental Cadmos 2004; 5:57-62.
15. Araujo M., Wennstrom J.L., Lindhe J. *Modeling of the buccal and lingual bone walls of fresh extraction sites following implant installation*. Clin. Oral Impl. Res. 2006; 17:606-614.
16. Chrcanovic BR, Martins MD, Wennerberg A. *Immediate placement of implants into infected sites: a systematic review*. Clin Implant Dent Relat Res. 2015 Jan;17 Suppl 1:e1-e16.
17. Zuffetti F, Capelli M, Galli F et al. *Post-extraction implant placement into infected versus non-infected sites: A multicenter retrospective clinical study.Clin Implant Dent Relat Res*. 2017;19:833-840.
18. Testori T, Clauser C, Deflorian M et al. A *Retrospective Analysis of the Effectiveness of the Longevity Protocol for Assessing the Risk of Implant Failure*. Clin Implant Dent Relat Res. 2016;18:1113-1118.
19. Testori T, Weinstein T, Scutellà F et al. *Implant placement in the esthetic area: criteria for positioning single and multiple implants*. Periodontology 2000.2018;77:176-196.
20. Siegenthaler D.W., Jung R.E., Holderegger C et al. *Replacement of teeth exhibiting periapical pathology by immediate implants. A prospective, controlled clinical trial*. Clin. Oral Impl. Res. 2007; 18:727-737.
21. Artzi Z., Tal H., Davan D. *Porous bovine bone mineral in healing of human extraction sockets. Part 1: histomorphometric evaluations at 9 months*. J. Periodontol. 2000; 21:1015-1023.
22. Müller HP, Eger T. *Gingival phenotypes in young male adults*. J Clin Periodontol. 1997; 24:65-71.
23. Müller HP, Eger T, Schorb A. *Gingival dimensions after root coverage with free connective tissue grafts*. J Clin Periodontol. 1998;25:424-430.
24. Kan JYK, Rungcharassaeng K, Deflorian M et al. *Immediate implant placement and provisionalization of maxillary anterior single implants. Periodontology 2000*. 2018; 77:197-212.
25. Jia-Hui Fu, Chu-Yuan Yeh, Hsun-Liang Chan et al. *Tissue Biotype and Its Relation to the Underlying Bone Morphology*. J. Periodontol. 2010; 81:569-574.
26. Chun-Teh Lee, Chih-Yun Tao, Stoupel J. *The Effect of Subepithelial Connective Tissue Graft Placement on Esthetic Outcomes After Immediate Implant Placement: Systematic Review*. J Periodontol 2015; 87:156-167.
27. Saito H, Chu SJ, Reynolds MA et al. *Provisional Restorations Used in Immediate Implant Placement Provide a Platform to Promote Peri-implant Soft Tissue Healing: A Pilot Study*. Int J Periodontics Restorative Dent. 2016;36:47-52.
28. Kan JYK, Roe P, Rungcharassaeng K, Patel R et al. *Classification of Sagittal Root Position in Relation to the Anterior Maxillary Osseous Housing for Immediate Implant Placement: A Cone Beam Computed Tomography Study*. Int J Oral Maxillofac Implants 2011; 26:873-876.
29. Tarnow DP, Magner AW, Fletcher P. *The effect of the distance from the contact point to the crest of bone*

on the presence or absence of the interproximal dental papilla. J Periodontol. 1992; 63(12):995-996.

30. Kois JC, Kan JYK. *Predictable peri-implant gingival esthetics: surgical and prosthodontic rationales*. Pract Proced Aesthet Dent 2001; 13:711-715.
31. Kan JYK, Rungcharassaeng K, Sclar A et al. *Effects of the facial osseous defect morphology on gingival dynamics after immediate tooth replacement and guided bone regeneration: 1-year results*. J Oral Maxillofac Surg 2007; 65:13-19 Suppl 1.
32. Hürzeler MB, Zuhr O, Schupbach P et al. *The socket-shield technique: A proof-of-principle report*. J Clin Periodontol. 2010; 37:855-862.
33. Schwimer C, Pette GA, Gluckman H et al. *Human Histologic Evidence of New Bone Formation and Osseointegration Between Root Dentin (Unplanned Socket-Shield) and Dental Implant: Case Report*. Int J Oral Maxillofac Implants. 2018 Jan/Feb;33(1):e19-e23.
34. Kan JY, Rungcharassaeng K. *Proximal socket shield for interimplant papilla preservation in the esthetic zone*. Int J Periodontics Restorative Dent. 2013; 33:24-31.
35. Gluckman H, Salama M, Du Toit J. Partial Extraction Therapies (PET) *Part 1: Maintaining Alveolar Ridge Contour at Pontic and Immediate Implant Sites. Int J Periodontics Restorative Dent. 2016*; 36(5):681-687.
36. Gluckman H, Salama M, Du Toit J.Partial Extraction Therapies (PET) *Part 2: Procedures and Technical Aspects*. Int J Periodontics Restorative Dent. 2017; 37:377-385.
37. Gharpure AS, Bhatavadekar NB. *Current evidence on the socket shield technique: a systematic review*. J Oral Implantol. 2017; 43:395-403.
38. Eswar K, Venkateshbabu N, Rajeswari K et al. *Dentinal tubule disinfection with 2% chlorhexidine, garlic extract, and calcium hydroxide against Enterococcus faecalis by using real-time polymerase chain reaction: In vitro study*. J Conserv Dent, 2013 May. 16(3):194-198.
39. Kandaswamy D, Venkateshbabu N, Gogulnath D et al. *Dentinal tubule disinfection with 2% chlorhexidine gel, propolis, morinda citrifolia juice, 2% povidone iodine, and calcium hydroxide*. Int Endod J, 2010 May. 43(5):419-423.
40. Müller HP, Heinecke A, Schaller N et al. *Masticatory mucosa in subjects with different periodontal phenotypes*. J Clin Periodontol. 2000; 27:621-626.
41. Rasperini G, Acunzo R, Cannalire P et al. *Influence of Periodontal Biotype on Root Surface Exposure During Orthodontic Treatment: A Preliminary Study*. Int J Periodontics Restorative Dent. 2015; 35:665-675.
42. Chen ST, Darby IB, Reynolds EC. *A prospective clinical study of non-submerged immediate implants: clinical outcomes and esthetic results*. Clin Oral Implants Res. 2007; 18:552-562.
43. Ferrus J, Cecchinato D, Pjetursson EB et al. *Factors influencing ridge alterations following immediate implant placement into extraction sockets*. Clin Oral Implants Res. 2010; 21:22-29
44. Chen ST. *Immediate implant placement postextraction without flap elevation*. J Periodontol 2009;80:163-172.
45. Evans CD, Chen ST. *Esthetic outcomes of immediate implant placements*. Clin Oral Implants Res. 2008; 19:73-80.
46. Kan JY, Rungcharassaeng K, Morimoto T et al. *Facial gingival tissue stability after connective tissue graft with single immediate tooth replacement in the esthetic zone: consecutive case report*. J Oral Maxillofac Surg. 2009; 67 Suppl:40-8.
47. Zucchelli G, *Eziologia delle recessioni gengivali*. In: Zucchelli G. (ed.) Chirurgia estetica mucogengivale. Milano: Quintessenzaedizioni, 2012: 13-60.
48. Buser D, Chen ST, Weber HP et al. *Early implant placement following single-tooth extraction in the esthetic zone: biologic rationale and surgical procedures*. Int J Periodontics Restorative Dent. 2008; 28:441-451.
49. Rasperini G, Canullo L, Dellavia C et al. *Socket grafting in the posterior maxilla reduces the need for sinus augmentation*. Int J Periodontics Restorative Dent. 2010; 30:265-273.
50. Pagni G, Pellegrini G, Giannobile WV, Rasperini G. *Postextraction alveolar ridge preservation: biological basis and treatments*. Int J Dent. 2012; 151030.
51. Lin MH, Mau LP, Cochran DL et al. *Risk assessment of inferior alveolar nerve injury for immediate implant placement in the posterior mandible: a virtual implant placement study*. J Dent. 2014; 42(3):263-270.
52. Deflorian M, Galli F, Parenti A et al. *La tempistica di inserimento implantare nei settori anteriori: algoritmo diagnostico*. I&J. 2017; 33:12-23.
53. Galli F, Deflorian M, Parenti A. *La tempistica dell'inserimento implantare nei settori latero-posteriori: algoritmo decisionale*. I&J. 2015; 31:11-18.